France
Frankrijk
Francia
Frankreich
Frankrike
Francja

Bristol
London
UNITED KINGDOM
Barnstaple
Taunton
Basingstoke
Guildford
Maidstone
Ramsgate
Canterbury
Dover
Folkestone
Salisbury
Winchester
Yeovil
SOUTHAMPTON
PORTSMOUTH
BRIGHTON
Newhaven
Hastings
Eastbourne
Worthing
Dorchester
POOLE
BOURNEMOUTH
Weymouth
Exeter
TORBAY
Bodmin
PLYMOUTH
Penzance
Falmouth
Dunkerque
Calais
Boulogne-s.-M.
Montreuil
Abbeville
AMIENS
Dieppe
English Channel
la Manche
Cherbourg
St. Peter Port
Guernsey
Jersey
St. Helier
Golfe de St. Malo
LE HAVRE
ROUEN
Beauvais
Neufchâtel-en-Bray
Deauville
Bayeux
CAEN
St.-Lô
Coutances
Granville
Pontoise
Evreux
Versailles
Dreux
Chartres
Etampes
Roscoff
Lannion
Paimpol
Guingamp
Morlaix
BREST
St.-Brieuc
St.-Malo
Avranches
Flers
Argentan
Pontorson
Dinan
Fougères
Alençon
Nogent-le-Rotrou
Douarnenez
Plogoff
Carhaix-Plouguer
Loudéac
Pontivy
RENNES
Quimper
Quimperlé
Laval
LE MANS
Châteaudun
ORLÉANS
Lorient
Vannes
Redon
Châteaubriant
Vendôme
la Flèche
Nozay
ANGERS
TOURS
Blois
la Baule-Esc.
St.-Nazaire
NANTES
Saumur
Bléré
Vierzon
Loire
Noirmoutier
Cholet
FRANCE
Bourges
St.-Jean-d.-M.
Chantonnay
Châtellerault
Châteauroux
St.-Amand-Mont-Rond
la Roche-sur-Yon
Parthenay
Poitiers
les Sables-d'Olonne
Argenton-s.-Cr.
la Châtre
Creuse
Niort
Île de Ré
la Rochelle
la Souterraine
Bellac
Guéret
Rochefort
Île d'Oléron
Confolens
Aubusson
Saintes
Cognac
Angoulême
LIMOGES
Royan
le Verdon-s.-Mer
Ussel
Gironde
Bay of Biscay
Périgueux
Tulle
Blaye
Brive-la-Gaillarde
BORDEAUX
Libourne
Aurillac
Golfe de Gascogne
Arcachon
Bergerac
Dordogne
Langon
Figeac
Marmande
Cahors
Villeneuve-s.-Lot
Villefranche-d.-R.
Labouheyre
Agen
Moissac
Mont-de-Marsan
Montauban
Gaillac
Albi
GIJÓN
OVIEDO
Mieres
A Coruña
Ribadesella
SANTANDER
Unquera
Torrelavega
DONOSTIA-SAN SEBASTIAN
Biarritz
Bayonne
Dax
Aire-s.-l'A.
Orthez
Auch
TOULOUSE
Castres
Canal du Midi
BILBO BILBAO
Balmaseda
Riaño
Reinosa
Tolosa
Pau
Tarbes
Oloron-Ste-Marie
Lourdes
St.-Martory
Garonne
Carcassonne
LEÓN
Alsasua
Irurzun
Pamiers
Foix
Herrera de Pisuerga
Miranda de Ebro
Estella
Somport
Quillan
Ax-les-Thermes
BURGOS
LOGROÑO
Tafalla
Jaca
Pico de Aneto 3404
ANDORRA
Andorra la V.
Puymorens
Mayorga
ESPAÑA
Bourg-Madame
Calahorra
Palencia
Lerma
Salas d.l. Inf.
Ejea d.l. C.
la Seu d'Urgell
Valladolid
Zaragoza

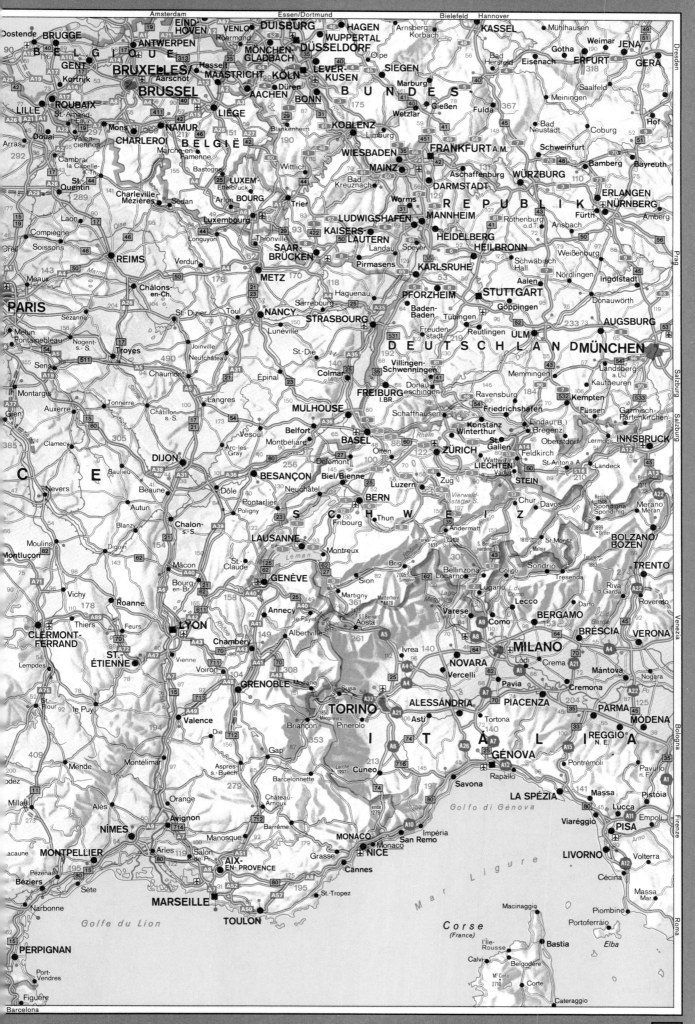

III

A T L A N T I C
O C E A N
N o r t h
S e a
B a l t i
M E D I T E R R A N E
REYKJAVÍK
Akureyri
Höfn
IS
FR
Narvik
Mo i Rana
Trondheim
Sundsva
Bergen
OSLO
Stavanger
STOCKHOLM
Norrköping
Göteborg
Frederikshavn
Esbjerg
KØBENHAVN
Malmö
N
S
DK
Wick
Glasgow
Edinburgh
Londonderry
Belfast
GBM
IRL
Limerick
DUBLIN
Cork
Newcastle
Holyhead
GB
Liverpool
Birmingham
LONDON
Folkestone
Plymouth
SHUTTLE EURO-TUNNEL
Calais
GBA
GBG
GBJ
Le Havre
Brest
PARIS
AMSTERDAM
NL
BRUXELLES
B
Dortmund
Köln
Hannover
Hamburg
Gdańsk
Szczecin
BERLIN
PL
Dresden
Wrocław
LUXEMBOURG
L
Frankfurt
D
PRAHA
CZ
SK
F
Dijon
München
Salzburg
WIEN
BRATISLAVA
Clérmont Ferrand
Lyon
BERN
CH
Genève
Zürich
FL
A
BUDAPEST
H
Bordeaux
A Coruña
Bilbao
Porto
P
LISBOA
MADRID
E
Zaragoza
AND
Barcelona
Narbonne
Avignon
Marseille
Nice
MC
Génova
Milano
Verona
SLO
LJUBLJANA
Trieste
Rijeka
ZAGREB
HR
Bologna
RSM
BIH
Split
SARAJEVO
Dubrovnik
Podgorica
Bastia
Ajaccio
I
Pescara
ROMA
SCV
Ólbia
Cágliari
Nápoli
Bari
TIRANË
AL
Igoumeni
Valencia
Palma
Sevilla
Málaga
Gibraltar
GBZ
Tanger
RABAT
Casablanca
Fès
Oujda
Oran
ALGER
Constantine
TUNIS
MA
DZ
TN
Marrakech
Agadir
Safaqis
Palermo
Messina
Règgio di C.
Siracusa
M

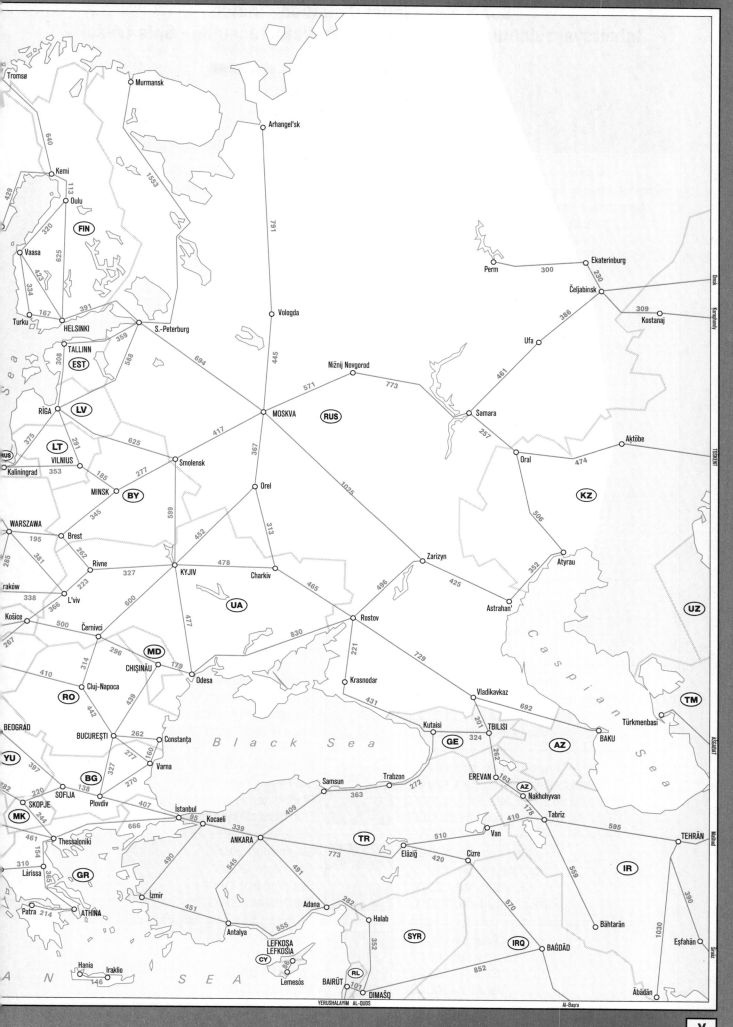
Tromsø
Murmansk
Arhangel'sk
Kemi
Oulu
FIN
Vaasa
Turku
HELSINKI
S.-Peterburg
Vologda
TALLINN
EST
RĪGA
LV
LT
VILNIUS
Kaliningrad
RUS
Smolensk
MINSK
BY
MOSKVA
RUS
Nižnij Novgorod
Perm
Ekaterinburg
Čeljabinsk
Kostanaj
Omsk
Karaghandy
Ufa
Samara
Oral
Aktöbe
TOSKENT
KZ
Orel
WARSZAWA
Brest
Rivne
KYJIV
Charkiv
Zarizyn
Atyrau
Astrahan'
Kraków
L'viv
UA
Košice
Černivci
Rostov
UZ
MD
CHIŞINĂU
Odesa
Krasnodar
Caspian Sea
Vladikavkaz
TM
Türkmenbasi
RO
Cluj-Napoca
BEOGRAD
BUCUREŞTI
Constanţa
Black Sea
Kutaisi
GE
TBILISI
AZ
BAKU
AŞGABAT
YU
Varna
BG
SOFIJA
Plovdiv
EREVAN
AZ
Nakhchyvan
Samsun
Trabzon
SKOPJE
MK
İstanbul
Kocaeli
ANKARA
TR
Tabrīz
TEHRĀN
Mašhad
Van
Thessaloniki
Elâzığ
Cizre
Lárissa
GR
IR
İzmir
Adana
Halab
Bāhtarān
Patra
ATHINA
Antalya
SYR
IRQ
BAĠDĀD
Eşfahān
Širāz
LEFKOSA
LEFKOSIA
CY
Hania
Iraklio
Lemesós
RL
BAIRŪT
DIMAŠQ
Ābādān
YERUSHALAYIM AL-QUDS
Al-Başra
AN SEA

Sommaire · Inhoud · Indice · Índice
Inhaltsverzeichnis · Contents · Innehållsförteckning · Spis treści

Légende · Legenda
Segni convenzionali · Signos convencionales
1:300.000

CIRCULATION - VERKEER

(F)(NL)

Autoroute avec échangeur - Demi-échangeur - Poste d´essence
- Restaurant - avec motel
Autosnelweg met op- en afritten - met of oprit of afrit - Benzinestation
- Restaurant - met motel

Seulement une chaussée - en construction - en projet
Slechts een rijbaan - in aanleg - gepland

Route à quatre ou plusieurs voies, à une ou deux chaussées - en construction
Weg met vier of meer rijstroken, een of twee rijbanen - in aanleg

Route nationale - Route principale importante - en construction
Rijksweg - Belangrijke hoofdweg - in aanleg

Route principale - Route secondaire
Hoofdweg - Overige verharde wegen

Chemin carrossable (pratibilité non assurée) - Sentier
Weg (beperkt berijdbaar) - Voetpad

Etat des routes: route sans revêtement - route en très mauvais état
Toestand van het wegdek: onverhard - zeer slecht

Numération des routes - Numéro des routes européennes
Wegnummering - Europawegnummer

Côte - Col fermé en hiver (de - à)
Helling - Pas 's-winters gesloten (van - tot)

Non recommandé aux caravans - interdit
Voor caravans niet aanbevolen - verboden

Distances sur autoroutes en km
Afstand in km op autosnelwegen

Distances sur autres routes en km
Afstand op overige wegen in km

Chemin de fer principal - Chemin de fer secondaire (avec gare ou haltes)
Belangrijke Spoorweg - Spoorweg (met station)

Chemin de fer (trafic de marchandises) - Chemin de fer à crémaillère ou funiculaire
Spoorweg (alleen goederenverkeer) - Tandradbaan of kabelspoorweg

Téléphérique - Télésiège - Téléski
Kabelbaan - Stoeltjeslift - Skilift

Navette par voie ferrée pour autos - Ligne maritime
Autoverlading - Scheepvaartlijn

Ligne maritime avec transport de voitures - Bac autos (rivière)
Scheepvaartlijn met autovervoer - Autoveer over rivier

Route touristique - Itinéraire pittoresque
Toeristische route - Landschappelijk mooie route

Péage - Route à péage - Route interdite
Tol - Tolweg - Verboden voor auto's

Aéroport - Aérodrome - Terrain pour vol à voile - Héliport
Luchthaven - Vliegveld - Zweefvliegveld - Heliport

COMUNICAZIONI - TRAFICO

(I)(E)

Autostrada con raccordi - Semi-raccordo - Stazione di servizio -
Restaurante - con motel
Autopista con enlace Medio enlace - Estación de servicio -
Ristorante - con motel

Solo una carreggiate - in costruzione - progettata
Solo una calzada - en construcción - en proyecto

Strada a quattro o più corsie, a una o due carreggiate - in costruzione
Carretera de cuatro o más carriles, de una o dos calzadas - en construcción

Strada statale - Strada principale di particolare importanza - in costruzione
Carretera nacional - Carretera principal importante - en construction

Strada principale - Strada secondaria
Carretera principal - Carretera secundaria

Strada carrozzabile (non sempre percorribile) - Sentiero
Camino vecinal (sólo transitable con restricciones) - Sendéro

Stato delle strade: senza rivestimento antipolvere - in cattive condizioni
Estado de las carreteras: polvoriento - muy malo

Numerazione delle strade - Numero di strada europea
Numeración de carreteras - Número de carretera europea

Pendenza - Valico con chiusura invernale (da - a)
Pendiente - Carretera de puerto de montana cerrado en invierno (de - a)

Non raccomandabile alle roulottes - divieto di transito alle roulottes
No aconsejable para caravanas - prohibido

Distanze chilometrica autostradale
Distancias en kilómetros en autopistas

Distanze chilometrica su altre strade
Distancias en kilómetros en las demás carreteras

Ferrovia principale - secondaria (con stazione o fermata)
Ferrocarril principal - secondario (con estación o apeadero)

Ferrovia (solo per trasporto merci) - Funicolare o ferroviaa cremagliera
Ferrocarril (sólo para transporte de mercansías) - Funicular o cremallera

Funivia - Seggiovia - Sciovia
Teleférico - Telesilla - Telesquí

Transporto automobili per ferrovia - Linea di navigazione
Ferrocarril con transporte de automóviles - Línea maritima

Linea di navigazione con trasporto auto - Trasporto auto fluviale
Línea maritima con transporte de automóviles - Transpordador fluvial de automóvios

Strada d´interesse turistico - Percorso panoramico
Carretera turística - Recorrido pintoresco

Stazione a barriera - Strada a pedaggio - Strada chiusa al traffico automobilistico
Peaje - Carretera de peaje - Carretera cerrada al tráfico

Aeroporto - Campo di atterraggio - Campo di atterraggio per alianti - Eliporto
Aeropuerto - Aeródromo - Aeródromo de planeadores - Helipuerto

---

CURIOSITES - BEZIENSWAARDIGHEDEN

Localité pittoresque
Zeer bezienswaardige plaats

Localité remarquable
Bezienswaardige plaats

Bâtiment très intéressant
Zeer bezienswaardig gebouw

Bâtiment remarquable
Bezienswaardig gebouw

Curiosité naturelle intéressant
Zeer bezienswaardig natuurschoon

Autres curiosités
Overige bezienswaardigheden

Jardin botanique - Jardin zoologique - Parc à gibier
Botanische tuin - Dierentuin - Wildpark

Parc national, parc naturel - Point de vue
Nationaal park, natuurpark - Uitzichtpunt

Château- fort, Château - Monastère - Église, chapelle - Ruines
Burcht, slot - Klooster - Kerk, kapel - Ruïnes

Tour - Tour radio ou télévision - Monument - Grotte
Toren - Radio- of televisietoren - Monument - Grot

Phare - Bâteau- phare - Moulin à vent
Vuurtoren - Lichtschip - Windmolen

BORDEAUX

BIARRITZ

Cathédral

Gibeau   *les Maurices*

Grotte de Lascaux

Obélisque

INTERESSE TURISTICO - CURIOSIDADES

Località di grande interesse
Población de especial interés

Località di notevole interesse
Población de interés

Costruzione di grande interesse
Monumento artístico de especial interés

Costruzione di notevole interesse
Monumento artístico de interés

Curiosità naturale particolarmente interessante
Curiosidad natural de notable interés

Curiosità di altro tipo
Otras curiosidades

Giardino botanico - Giardino zoologico - Zona faunistica protetta
Jardín botánico - Jardín zoológico - Reserva de animales

Parco nazionale, parco naturale - Punto panoramico
Parque nacional, parque natural - Vista panorámica

Castello - Monastero - Chiesa, cappella - Rovine
Castillo, palacio - Monasterio - Iglesia, capilla - Ruinas

Torre - Pilone radio o TV - Monumento - Grotta
Torre - Torre de radio o de TV - Monumento - Cueva

Faro - Nave faro - Molino a vento
Faro - Buque faro - Molino de viento

AUTRES INDICATIONS - OVERIGE INFORMATIE

Auberge de jeunesse - Motel - Hôtel ou auberge isolé - Refuge de montagne
Jeugdherberg - Motel - Afgelegen hotel of restaurant - Berghut

Terrain de camping, permanent - saisonnier
Camping, het gehele jaar - 's-zomers - Caravanplaats (niet voor tenten)

Plage recommandée - Baignade - Piscine - Station thermale
Strand met zwemgelegenheid - Strandbad - Openlucht- zwembad - Geneeskrachtige badplaats

Terrain de golf - Port de plaisance - Pêche sous-marine interdite
Golfterrein - Jachthaven - Jagen onder water verboden

Ferme - Village de vacances
Vrijstaande boerderij - Vakantiedorp

Frontière d´Etat - Passage frontalier - Limite des régions
Rijksgrens - Grensovergang - Regionale grens

Mer recouvrant les hauts-fonds - Sable et dunes
Bij eb droogvallende gronden - Zand en duinen

Bois - Lande
Bos - Heide

Glacier - Zone interdite
Gletsjer - Verboden gebied

ALTRI SEGNI - OTROS DATOS

Ostella della gioventù - Motel - Albergo o locanda isolati - Rifugio montagna
Albergue de juventud - Motel - Hotel o fonda aislados - Refugio de montana

Campeggio aperto tutto l´anno - stagionale
Camping todo el año - sólo en verano

Spiaggia - Balneare - Piscina (all´aperto) - Terme
Playa - Banos (playa) - Piscina descubierta - Balneario medicinal

Campo da golf - Attraco natanti - Caccia subacquea divieto
Campo de golf - Puerto deportivo - Pesca submarina prohibida

Fattoria isolata - Località di soggiorno
Granja aislada - Centro de vacaciones

Confine di stato - Passaggio di frontiera - Frontera regional
Frontera de estado - Paso fronterizo - Frontera regional

Basso fondale - Sabbia e dune
Costa de aguas bajas - Arena y dunas

Bosco - Brughiera
Bosque - Brezal

Ghiacciaio - Zona vietata
Glaciar - Zona prohibida

Zeichenerklärung · Legend
Teckenförklaring · Objaśnienia znaków
1:300.000

VERKEHR - TRAFFIC

(D) (GB)

TRAFIK - KOMUNIKACJA

(S) (PL)

Autobahn mit Anschlußstelle - Halbanschlußstelle - Tankstelle - Rasthaus - mit Motel
Motorway with junction - Half junction - Filling station - Restaurant - with motel

Motorväg med trafikplats - Endast av- eller påfart - Bensinstation - Värdshus - med motell
Autostrady z rozjazdami - z częściowymi rozjazdami - Stacje paliw - Restauracje - z motelami

Nur einbahnig - in Bau - geplant
Only single carriageway - under construction - projected

Endast en vägbana - under byggnad - planerad
Autostrady jednojezdniowe - w budowie - projektowane

Vier- oder mehrspurige Autostraße, ein- oder zweibahnig - in Bau
Road with four or more lanes, single or dual carriageway - under construction

Väg med fyra eller flera körfält, en eller två vägbanor - under byggnad
Drogi szybkiego ruchu, cztery pasma i więcej - w budowie

Bundes- bzw. Staats- oder Nationalstraße - Wichtige Hauptstraße - in Bau
National or federal road - Major main road - under construction

Genomfartsled - Viktig huvudled - under byggnad
Przelotowe drogi główne, drogi krajowe - Ważniejsze drogi główne - w budowie

Hauptstraße - Nebenstraße
Main road - Secondary road

Huvudled - Sidogata
Drogi główne - Drogi drugorzędne

Fahrweg (nur bedingt befahrbar) - Fußweg
Practicable road (restricted passage) - Footpath

Väg (delvis användbar för biltrafik) - Vandringsled
Drogi inne (o ograniczonej przejezdności) - Ścieżki

Straßenzustand: nicht staubfrei - sehr schlecht
Road condition: unsealed - very bad

Vägbeskaffenhet: ej dammfritt - mycket daligt
Stan dróg: drogi pylące - drogi w bardzo złym stanie

Straßennummerierung - Europastraßennummer
Road numbering - European route number

A 5   4   127   E 80

Vägnumrering - Europavägnummer
Numeracja dróg - Europejska numeracja dróg

Steigung - Paßstraße mit Wintersperre (von - bis)
Gradient - Mountain pass closed in winter (from - to)

10%   X - IV

Stigning - Väg över pass med vinterspärrtid (fran - till)
Strome podjazdy - Przełęcze nieprzejezdne zimą (od - do)

Für Caravans nicht empfehlenswert - verboten
Not suitable - closed for caravans

Väg ej lämplig för husvagn - spärrad för husvagn
Drogi nie zalecane dla przyczep - zamknięte

Kilometrierung an Autobahnen
Distances on motorways in km

75   30   45

Afstånd i km vid motorvägar
Odległości w kilometrach na autostradach

Kilometrierung an übrigen Straßen
Distances on other roads in km

35   25   10

Afstånd i km vid övriga vägar
Odległości w kilometrach na innych drogach

Hauptbahn - Nebenbahn (mit Bahnhof bzw Haltepunkt)
Main railway - Other railway (with station or stop)

Huvudjärnväg - Mindre viktig järnväg (med station resp. hållplats)
Koleje główne - Koleje drugorzędne (z dworcami lub przystankami)

Eisenbahn (nur Güterverkehr) - Zahnrad- oder Standseilbahn
Railway (freight haulage only) - Rackrailway or cabin lift

Järnväg (endast godstransport) - Linbana eller bergbana
Koleje towarowe - Koleje zębate lub Koleje linowo-terenowe

Seilschwebebahn - Sessellift - Skilift
Cable lift - Chair lift - T-bar

Kabinbana - Stollift - Släplift
Koleje linowe (kabinowe) - Wyciągi krzesełkowe - Wyciągi narciarskie

Autoverladung - Schiffahrtslinie
Railway ferry for cars - Shipping route

Järnväg med biltransport - Batförbindelse
Przeładunek samochodów - Linie żeglugi pasażerskiej

Schiffahrtslinie mit Autotransport - Autofähre an Flüssen
Car ferry route - Car ferry on river

F

Båtförbindelse med biltransport - Flodfärja
Linie żeglugi promowej - Promy rzeczne

Touristenstraße - Landschaftlich schöne Strecke
Tourist road - Scenic road

Turistled - Natursrön vägstrecka
Drogi turystyczne - Drogi krajobrazowe

Mautstelle - Gebührenpflichtige Straße - für Kfz gesperrt
Toll - Toll road - Road closed for motor traffic

Vägavgift - Avgiftsbelagd väg - Väg sperrad för biltrafik
Pobieranie - Drogi płatne - drogi sperrad dla pojazdów silnikowych

Flughafen - Flugplatz - Segelflugplatz - Hubschrauberlandeplatz
Airport - Airfield - Gliding field - Heliport

Större trafikflygplats - Flygplats - Segelflygfält - Landningsplats för helikopter
Lotniska - Lądowiska - Pola szybowcowe - Lądowiska helikopterów

SEHENSWÜRDIGKEITEN - PLACES OF INTEREST

SEVÄRDHETER - INTERESUJĄCE OBIEKTY

Besonders sehenswerter Ort
Place of particular interest

BORDEAUX

Mycket sevärd ort
Miejscowości szczególnie interesujące

Sehenswerter Ort
Place of interest

BIARRITZ

Sevärd ort
Miejscowości interesujące

Besonders sehenswertes Bauwerk
Building of particular interest

Cathédral

Mycket sevärd byggnad
Budowle szczególnie interesujące

Sehenswertes Bauwerk
Interesting building

Gibeau   les Maurices

Sevärd byggnad
Budowle interesujące

Besondere Natursehenswürdigkeit
Natural object of particular interest

Grotte de Lascaux

Särskilt intressant natursevärdhet
Szczególnie interesujące obiekty naturalne

Sonstige Sehenswürdigkeit
Other object of interest

Obélisque

Annan sevärdhet
Inne interesujące obiekty

Botanischer Garten - Zoologischer Garten - Wildgehege
Botanical gardens - Zoological gardens - Game park

Botanisk trädgård - Zoologisk trädgård - Djurpark
Ogrody botaniczne - Ogrody zoologiczne - Zwierzyńce

Nationalpark, Naturpark - Aussichtspunkt
Nature park - Viewpoint

Nationalpark, naturpark - Utsiktsplats
Parki narodowe, parki krajobrazowe - Punkty widokowe

Burg, Schloß - Kloster - Kirche, Kapelle - Ruinen
Castle - Monastery - Church, chapel - Ruins

Borg, slott - Kloster - Kyrka, kapell - Ruiner
Zamki, pałace - Klasztory - Kościoły, Kaplice - Ruiny

Turm - Funk- oder Fernsehturm - Denkmal - Höhle
Tower - Radio- or TV tower - Monument - Cave

Torn - Radio- eller TV- torn - Monument - Grotta
Wieże - Wieże RTV - Pomniki - Jaskinie

Leuchtturm - Feuerschiff - Windmühle
Lighthouse - Lightship - Windmill

Fyr - Fyrskepp - Väderkvarn
Latarnie morskie - Latarniowce - Młyny wietrzne

SONSTIGES - OTHER INFORMATION

ÖVRIGT - INNE INFORMACJE

Jugendherberge - Motel - Alleinstehendes Hotel oder Gasthaus - Berghütte
Youth hostel - Motel - Isolated hotel or inn - Mountain hut

Vandrarhem - Motel - Enslig hotell eller gästgiveri - Raststuga
Schroniska młodzieżowe - Motele - Samotnie stojące hotele lub gościńce - Schroniska górskie

Campingplatz, ganzjährig - nur im Sommer
Camping site, permanent - seasonal

Campingplats hela året - endast under sommaren
Campingi całoroczne - czynne tylko latem

Guter Badestrand - Strandbad - Schwimmbad - Heilbad
Recommended beach - Bathing place - Swimming pool - Spa

Badstrand - Strandbad - Friluftsbad - Badort
Plaże - Kąpieliska - Baseny - Uzdrowiska

Golfplatz - Boots- und Yachthafen - Unterwasserjagd verboten
Golf course - Harbour for boats and yachts - Underwater fishing prohibited

Golfbana - Småbåtshamn - Undervattensjakt förbjuden
Pola golfowe - Porty dla łodzi i żaglówek - Rybołówstwo zabronione

Einzelhof - Feriendorf
Isolated building - Holiday bungalows

Gard - Stugby
Pojedyncze zagrody - Wsie letniskowe

Staatsgrenze - Grenzübergang - Verwaltungsgrenze
International boundary - Border crossing point - Administrative boundary

Statsgräns - Gränsövergång - Regionsgräns
Granice państw - Przejścia graniczne - Granice administracyjne

Wattenmeer - Sand und Dünen
Tidal flat - Sand and dunes

Omrade som torrlägges vid ebb - Sand och dyner
Watty - Piaski i wydmy

Wald - Heide
Forest - Heath

Skog - Hed
Lasy - Wrzosowiska

Gletscher - Sperrgebiet
Glacier - Restricted area

Glaciär - Militärt skyddsomrade
Lodowce - Obszary zamknięte

Carte d'assemblage · Overzichtskaart · Quadro d'unione · Mapa índice
Kartenübersicht · Key map · Kartöversikt · Skorowidz arkuszy mapy
1:300.000

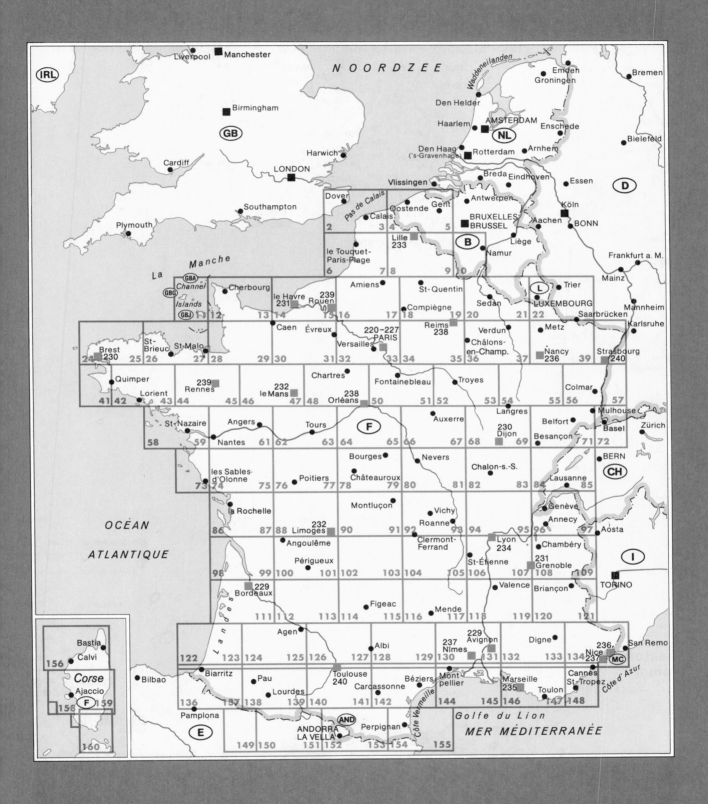

1:300.000

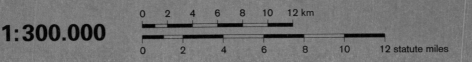

0 2 4 6 8 10 12 km

0 2 4 6 8 10 12 statute miles

GREAT BRITAIN
Ramsgate
Margate
FAVERSHAM
CANTERBURY
Canterbury Cathedral
RAMSGATE
Oostende
Pegwell Bay
River Stour
Sandwich
Sandwich Bay
The Downs
DEAL
Walmer Castle
Kingsdown
St Margaret's at Cliffe
St Margaret's Bay
DOVER
Dover Castle
Chalk Cliffs
ASHFORD
FOLKESTONE
HYTHE
Sandgate
East Wear Bay
Royal Military Canal
Romney Marsh
Dymchurch
St Mary's Bay
NEW ROMNEY
Littlestone-on-Sea
Greatstone-on-Sea
LYDD
Lydd-on-Sea
Dungeness
East Road
STRAIT OF DOVER
PAS DE CALAIS
Eurotunnel
Côte d'Opal
Wissant
Cap Gris Nez
Audresselles
Ambleteuse
Wimereux
MARQUISE
BOULOGNE-sur-Mer
le Portel
OUTREAU
Equihen-Plage
Hardelot-Plage
Neufchâtel-Hardelot
F
Péage
Douane
Départ voyageurs
Départ marchandises
Arrivée voyageurs
Arrivée marchandises
GB
Toll
Customs
Departure passengers
Departure freight
Arrival passengers
Arrival freight
D
Maut
Zollstelle
Abfahrt Passagiere
Abfahrt Fracht
Ankunft Passagiere
Ankunft Fracht
I
Stazione a barriera
Dogana
Partenza passeggeri
Partenza merce
Arrivo passeggeri
Arrivo merce
Folkestone Terminal
Euro-Tunnel Exhibition Centre
Lyminge
Ashford
London
Dover
Hythe
Folkestone
Etaples Abbeville

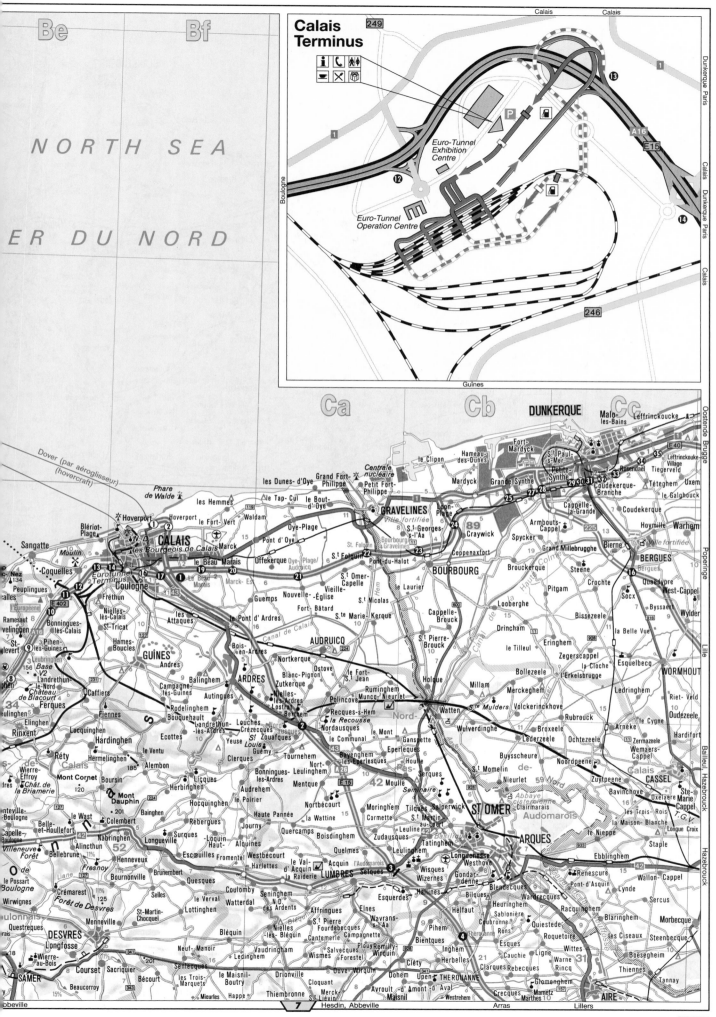

Calais Terminus

249

i ☎ ♿ ☕ ✕ 🎁

Euro-Tunnel Exhibition Centre

P

12

Euro-Tunnel Operation Centre

13

A16 E15

14

246

Calais Calais

Boulogne

Guînes

Dunkerque Paris
Calais
Dunkerque Paris
Calais

Be   Bf

NORTH SEA

MER DU NORD

Ca   Cb   Cc

DUNKERQUE

Oostende Brugge

Malo-les-Bains   Leffrinckoucke

Dover (par aéroglisseur) (hovercraft)

le Clipon   Hameau-des-Dunes   E40

Phare de Walde   les Dunes- d'Oye   Grand Fort-Philippe   Centrale nucléaire   Mardyck   Fort-Mardyck   St-Paul-s-Mer   Petite-Synthe   Rosendael   Leftrinckouke Tiegerveld Uxem

les Hemmes   le Tap- Cul   le Bout- d'Oye   Petit Fort-Philippe   35   le Galghouck

Hoverport   Hoverport   le Fort- Vert   Waldam   119   GRAVELINES   Grande Synthe   Coudekerque-Branche   Téteghem   le Galghouck

Blériot-Plage   Moulin   N.D.   CALAIS   Marck   Oye-Plage   Ville fortifiée   St-Georges-s'-l'Aa   Loon-Plage   29 30 31   32   33   Coudekerque   Hoymille Warhem

Sangatte   les Bourgeois de Calais   Pont d' Oye   St. Folquin   Bourbourg   Craywick   89   Armbouts-Cappel   Cappelle-la-Grande   Popéringe

Coquelles   le Beau Marais   Offekerque   Oye- /Plage/ Audruicq   St. Folquin   Grande Mibrugghe   Spycker   Steene   Crochte   Quaedypre   West-Cappel   Lille

Nez   Eurotunnel   13   Terminus   16   le Beau Marais   St Omer- Capelle   Pont-du-Halot   23   Coppenaxfort   Broeckerque   Pitgam   Bissezeele   Byssaert   Wylder   Bergues

Peuplingues   12   Coulogne   17   1   Marck- Est   Guemps   Vieille- Capelle   le Laurier   Looberghe   Drincham   Zegerscappel   la Cloche   l'Erkelsbrugge   Esquelbecq   916

l'Européenne   E402   Fréthun   19   20   Nouvelle- Église   Ste Marie- Kerque   600   Cappelle- Brouck   Millam   Merckeghem   Bollezeele   Buyscheure   la Belle Vue   WORMHOUT

Ramesault   Nielles- lès-Calais   St-Tricat   les Attaques   Fort- Bâtard   Ste Marie-Kerque   St Nicolas   St Pierre- Brouck   Holque   Merckeghem   Ledringhem   Riet- Veld   le Cygne   Oudezele

St-levert   Bonningues- lès-Calais   Hames- Boucles   le Pont d' Ardres   Canal de Calais   AUDRUICQ   224   Volckerinckhove   Wulverdinghe   Broxeele   Lederzeele   Arnèke   Zermazeele   Wemaers- Cappel   Hardifort

Pihen- lès-Guines   GUÎNES   Andres   Nortkerque   le Fort-   Rumingham   Watten   Ste Mulders   Buysscheure   Noordpeene   Wemaers-Cappel   CASSEL

Base V2   Landrethun- le-Nord   Château de Biacourt   Balinghem   Ostove   Blanc-Pignon   Zutkerque   St- Jean   Munck Nieurlet   le Mont   Gansnette   Ochtezeele   Zuytpeene   Bavinchove

34   Ferques   Campagne- lès-Guines   Autingues   ARDRES   Nielles- les-Ardres   Polincove   Recques-s-Hem   Eperleques   Houle   Broxeele   Oxelaere   Ste- Marie Cappel   T.G.V

Elinghen   Rodelinghem   Bouquehault   Landrethun- les-Ardres   Louches   Crézecques   la Recousse   Nordausques   Serques   Ste Momelin   de- Nieurlet   59   les Trois- Rois   la Maison- Blanche

Rinxent   Fiennes   Ecottes   Yeuse   St Zouafques   2   Nordausques   le Communal   43   Bavenghem- les-Eperlesques   42   Moulle   Seminaire   928   ST OMER   le Nieppe   Longue Croix   Staple

Réty   Hermelinghen   le Ventu   Louis   Guémy   le Mont   Eperleques   Houle   Serques   de-   Audomarois   ARQUES   42

Wierre- Effroy   Chât. de la Briamerie   Alembon   Clerques   Tournehem   Nort- Leulinghem   E 15   Moulle   Longuenesse   Westhove   Ebblinghem   Wallon- Cappel

Mont Cornet   Boursin   Licques   Herbinghen   Audrehem   Mentque   Bonningues- les-Ardres   Buysscheure   Basilique   Tatinghem   Pont- d'Asquin   Lynde   Sercus

Mont Dauphin   Bainghen   Hocquinghen   le Poirier   Nortbécourt   Moringhem   Tilques   Salperwick   933   Renescure   Blaringhem   Morbecque

le Wast   Colembert   Rebergues   Haute Pannée   Cormette   Zudausques   Leulinghem   Longuenesse   Blendecques   Wardrecques   Racquinghem   les Ciseaux   Steenbecque

Belle- et-Houllefort   Nabringhen   Surques   Loquin   Quercamps   Boisdinghem   Quelmes   Leulinghem   Wisques   Gondar- denne   Halines   Heuringhem   Quiestede   Roquetoire

Capelle   42   Alincthun   Longueville   Escœuilles   Fromentel   Harlettes   Boisdinghem   Acquin   l'Audomarois   Wizernes   Bilques   Coubronne   Blaringhem   Boëseghem

Villeneuve Forêt   52   Henneveux   le Val- d' Acquin   la Raiderie   Setques   3   Esquerdes   Elnes   Wavrans- s'-l'Aa   Helfaut   Pihem   Wittes   31   Thiennes   Tannay

le Possart   Bellebrune   Fresnoy   Bournonville   Quesques   Coulomby   Seningham   N.D. des Ardents   Affringues   St Pierre   Campagnette   Bientques   Esques   Warne Rincq   Glomenghem   AIRE

Wirwignes   Crémarest   Selles   le Verval   Watterdal   Lottinghen   St-Martin- Choquel   Fourdebecques   Plouy Remilly- Wirquin   Théorouane   Rons   Clarques Rebecques   Mametz

Boulonnais   DESVRES   Longfosse   Menneville   Bléquin   Neuf- Manoir   Vaudringhem   Ledinghem   Salvecques   Forestel   Merck   d' Amont   d' Aval   Crecques   Marthes   Lillers

SAMER   Wierre- au-Bois   Courset   Sacriquier   Bécourt   Senlecques   les Trois- Marquets   le Maisnil- Boutry   Drionville   Cloquant   Happe   Mieurles   Avroult-   Westrehem   AIRE

Forêt de Desvres   Beaucorroy   341   201   Thiembronne   Merck St-Liévin   Ouve-Wirquin   Dohem   Upen   THÉROUANNE   Mametz

Abbeville   7   Hesdin, Abbeville   Arras   Lillers

F   3

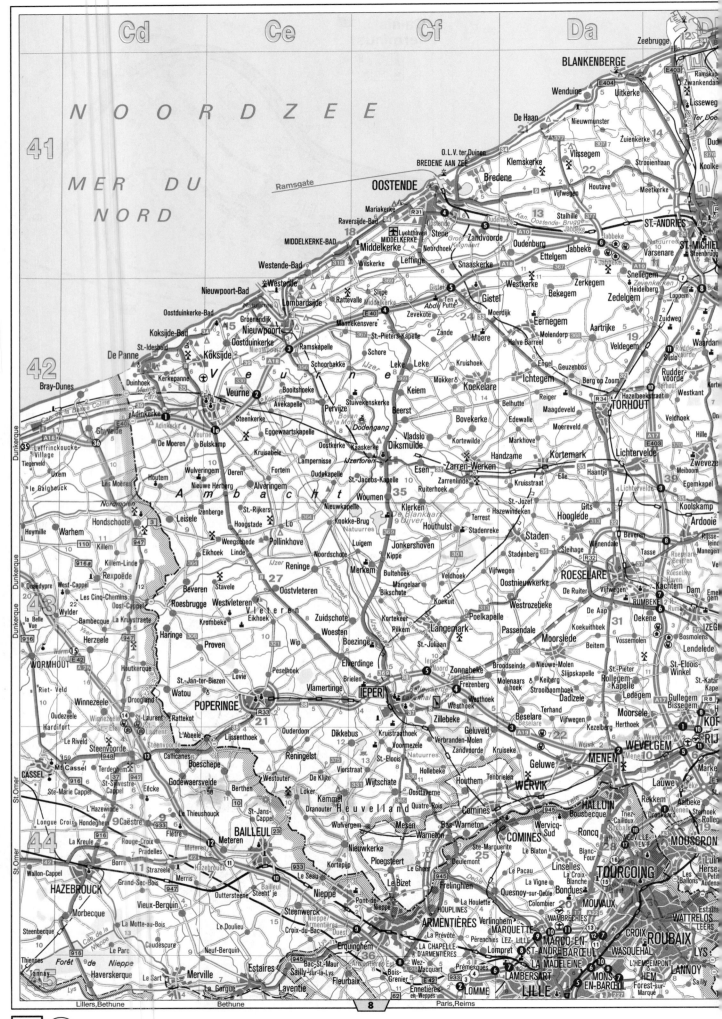

Cd
Ce
Cf
Da
41
42
43
44
45
N O O R D Z E E
MER DU NORD
Ramsgate
Zeebrugge
BLANKENBERGE
Wenduine
Uitkerke
De Haan
Nieuwmunster
Zuienkerke
Vlissegem
Klemskerke
O.L.V. ter Duinen
BREDENE AAN ZEE
Bredene
OOSTENDE
Stroojenhaan
Houtave
Meetkerke
Vijfwegen
Stalhille
Mariakerke
Raversijde-Bad
MIDDELKERKE-BAD
Middelkerke
Luchthaven MIDDELKERKE
Stene
Zandvoorde
Oudenburg
Jabbeke
ST.-ANDRIES
Varsenare
ST.-MICHIELS
Noordhoek
Ettelgem
Snaaskerke
Westende-Bad
Wilskerke
Leffinge
Westende
Nieuwpoort-Bad
Lombardsijde
Rattevalle
Slijpe
Gistel
Westkerke
Bekegem
Zerkegem
Snellegem
Zedelgem
Oostduinkerke-Bad
Groenendijk
Nieuwpoort
Mannekensvere
Zevekote
Moerdijk
Ernegem
Aartrijke
Zuidweg
Koksijde-Bad
St.-Idesbald
De Panne
Oostduinkerke
Koksijde
Ramskapelle
St.-Pieters-Kapelle
Zande
Moere
Halve Barreel
Molendorp
Veldegem
Schore
Schoorbakke
Leke
Kruishoek
Engel
Geuzenbos
Rudder-voorde
Bray-Dunes
Duinhoek
Kerkepanne
Veurne
Booitshoeke
Avekapelle
Mokker
Koekelare
Ichtegem
Berg op Zoom
Torhout
Hazelbeekstraat
Westkant
Keiem
Stuivekenskerke
Pervijze
Beerst
Belhutte
Reiger
Maagdeveld
Adinkerke
Steenkerke
Dodengang
Bovekerke
Edewalle
Veldhoek
Ghyvelde
Eggewaartskapelle
Vladslo
Moereveld
Hille
Leffrinckoucke-Village
Tiegerveld
De Moeren
Bulskamp
Oostkerke
Kaaskerke
Diksmuide
Kortewilde
Markhove
Lichtervelde
Zwevezele
Uxem
Kruisabele
Lampernisse
IJzertoren
Handzame
Kortemark
Meiboom
Houtem
Wulveringem
Oeren
Fortem
Oudekapelle
Esen
Zarren-Werken
Haantje
le Galghouck
Les Moëres
Nieuwe Herberg
Alveringem
St.-Jacobs-Kapelle
Zarrenlinde
Ruiterhoek
Kruisstraat
Elle
Egemkapel
A m b a c h t
Woumen
Klerken
St.-Jozef
Hazewindeken
Koolskamp
Nordmolen
Izenberge
St.-Rijkers
Nieuwkapelle
Terrest
Gits
Hooglede
Ardooie
Hondschoote
Leisele
Hoogstade
Lo
Knokke-Brug
Houthulst
Stadenreke
Hoymille
Warhem
Killem
Weegschede
Pollinkhove
Luigem
Staden
Beveren
Tasse
Eikhoek
Linde
Noordschote
Jonkershoven
Stadenberg
Sleihage
Wijnendale
Killem-Linde
Rexpoëde
Reninge
Kippe
Merkem
Bultehoek
Veldhoek
Vijfwegen
ROESELARE
Kachtem
Dam
Quaëdypre
West-Cappel
Stavele
Oostvleteren
Mangelaar
Bikschote
Oostnieuwkerke
Les Cinq-Chemins
Oost-Cappel
Beveren
Roesbrugge
Westvleteren
Vleteren
Koekuit
Westrozebeke
De Ruiter
Vijfwegen
RUMBEKE
Wylder
Bambecque
La Kruystraete
Krombeke
Eikhoek
Zuidschote
Kortekeer
Pilkem
Poelkapelle
Langemark-
De Aap
Oekene
la Belle Vue
Herzeele
Haringe
Proven
Wip
Woesten
Boezinge
St.-Juliaan
Passendale
Koekuithoek
Moorslede
Beitem
Vossemolen
Bosmolens
Lendelede
WORMHOUT
Houtkerque
Elverdinge
Ieper-Noord
Zonnebeke
Broodseinde
Nieuwe-Molen
Slijpskapelle
St.-Pieter
Rollegem-Kapelle
St.-Eloois-Winkel
Riet-Veld
St.-Jan-ter-Biezen
Lovie
Peselhoek
Brielen
Molenaars hoek
Keiberg
Strooiboomhoek
Dadizele
Ledegem
Gullegem
Bissegem
Winnezeele
Droogland
Watou
POPERINGE
Vlamertinge
IEPER
Westhoek
Frezenberg
Terhand
Moorsele
Herthoek
Oudezeele
Hardifort
St-Laurent
Rattekot
Zillebeke
Beselare
Vijfwegen
Kezelberg
Le Riveld
Steenvoorde
L'Abeele
Lijssenthoek
Ouderdom
Dikkebus
Kruistraathoek
Geluveld
Verbranden-Molen
WEVELGEM
Callicanes
Voormezele
Zandvoorde
Kruiseke
Geluwe
MENEN
CASSEL
Mt Cassel
Terdeghem
Boeschepe
Reningelst
Vierstraat
St.-Eloois
Hollebeke
St-Sylvestre-Cappel
Godewaersvelde
Westouter
De Klijte
Wijtschate
Houthem
Tenbrielen
WERVIK
Lauwe
Ste-Marie Cappel
Eecke
Berthen
Loker
Kemmel
Heuvelland
Oosttaverne
HALLUIN
Rekkem
Aalbeke
L'Hazewinde
Le Thieushouck
Dranouter
Quatre-Rois
Comines
Bousbecque
Dronkaard
Longue Croix
Hondeghem
Caëstre
St-Jans-Cappel
Wulvergem
Mesen
Bas-Warneton
Triez-Cailloux
Wervicq-Sud
Flêtre
BAILLEUL
Warneton
COMINES
Roncq
NEUVILLE-EN-F.
MOUSCRON
La Kreule
Rouge-Croix
Pradelles
Meteren
Nieuwkerke
Ste-Marguerite
Le Blaton
Blanc-Four
Borre
Kortepijp
Ploegsteert
Deulemont
Linselles
TOURCOING
Wallon-Cappel
Strazeele
Merris
Le Seau
Le Gheer
Le Pacau
La Croix-Blanche
HAZEBROUCK
Grand-Sec-Bois
Outtersteene
Steent' je
Nieppe
Le Bizet
Frelinghien
La Vigne
Bondues
Vieux-Berquin
Pont-de-Nieppe
La Houlette
Quesnoy-sur-Deûle
MOUVAUX
Morbecque
Steenwerck
HOUPLINES
Colombier
WAMBRECHIES
La Motte-au-Bois
Le Doulieu
ARMENTIÈRES
Verlinghem
MARQUETTE
WATTRELOS
Steenbecque
Caudescure
Croix-du-Bac
Erquinghem
La Prévôté
Pérenchies
LEZ-LILLE
MARCQ-EN-BARŒUL
CROIX
ROUBAIX
Le Parc
Neuf-Berquin
LA CHAPELLE-D'ARMENTIÈRES
Lompret
ST-ANDRÉ
WASQUEHAL
Thiennes
Forêt de Nieppe
Tannay
Haverskerque
Le Sart
Merville
Estaires
Bac-St.-Maur
Sailly-sur-la-Lys
Fleurbaix
Bois-Grenier
Wez-Macquart
Prémesques
LA MADELEINE
L'HEMPEMPONT
LANNOY
LAMBERSART
MONS-EN-BARŒUL
HEM
Forest-sur-Marque
La Gorgue
Laventie
Ennetières-en-Weppes
LOMME
LILLE
Lys
Lillers,Bethune
Bethune
8
Paris,Reims
Dunkerque
St.Omer

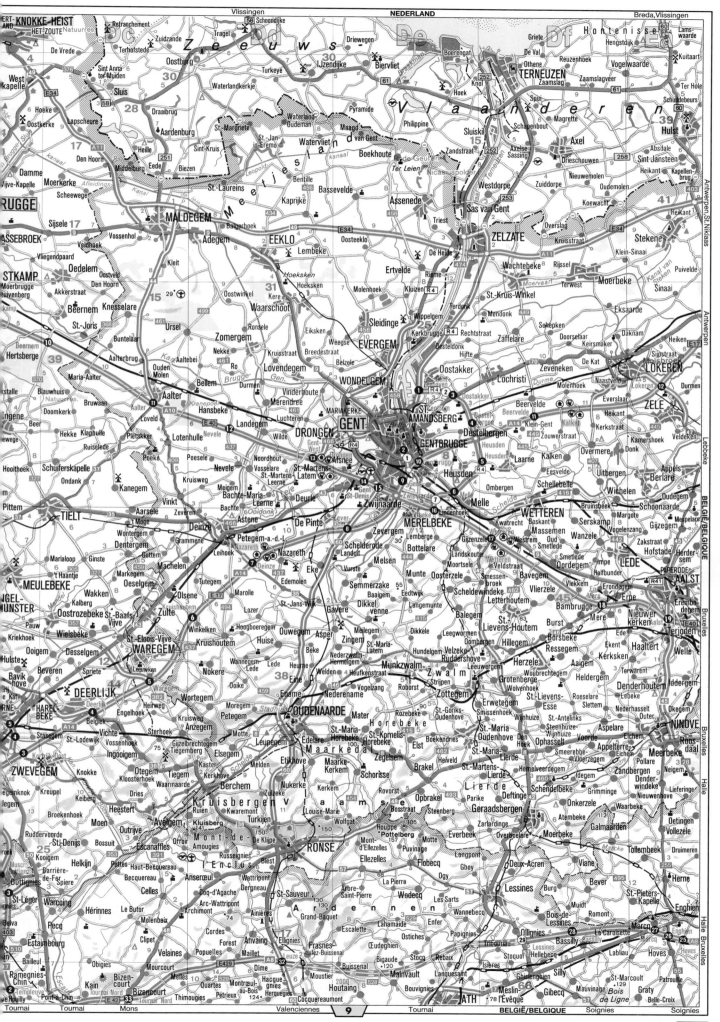

Vlissingen
NEDERLAND
Breda,Vlissingen
Zeeuws-Vlaanderen
Meetjesland
KNOKKE-HEIST
HET-ZOUTE
Oostburg
Sluis
Aardenburg
IJzendijke
Biervliet
TERNEUZEN
Hontenisse
Hulst
Axel
Sas van Gent
ZELZATE
Assenede
Kaprijke
MALDEGEM
EEKLO
Adegem
BRUGGE
Damme
Oedelem
Beernem
Knesselare
Ursel
Zomergem
Waarschoot
Lovendegem
EVERGEM
Sleidinge
Wachtebeke
Moerbeke
Stekene
Sinaai
LOKEREN
Zele
Lochristi
Oostakker
WONDELGEM
GENT
ST.-AMANDSBERG
GENTBRUGGE
Destelbergen
Heusden
Melle
Merelbeke
DRONGEN
Zwijnaarde
Deurle
De Pinte
Nazareth
Deinze
Aalter
Hansbeke
Landegem
Nevele
Lotenhulle
TIELT
Pittem
MEULEBEKE
INGELMUNSTER
Zulte
Olsene
WAREGEM
Kruishoutem
Gavere
Oosterzele
WETTEREN
Laarne
Kalken
Berlare
Wichelen
Schellebelle
LEDE
AALST
Erpe
Nieuwerkerken
Haaltert
Herzele
Zottegem
Zwalm
Munkzwalm
Horebeke
OUDENAARDE
Maarkedal
Brakel
Lierde
Geraardsbergen
Denderhoutem
NINOVE
Meerbeke
Kruisbergen Vlaamse
Avelgem
Mont-de-l'Enclus
RONSE
Ellezelles
Flobecq
Everbeek
Deux-Acren
Lessines
DEERLIJK
HARELBEKE
ZWEVEGEM
Anzegem
Wortegem
Kluisbergen
Celles
Ardennen
Frasnes-lez-Buissenal
Leuze
ATH
Enghien
Tournai
Mons
Valenciennes
BELGIË/BELGIQUE
Soignies
Antwerpen,St.Niklaas
Antwerpen
Lebbeke
Bruxelles
Halle
Halle Bruxelles
Brussels
9

2
Boulogne
Af
Ba
Bb
Bc
Bd
45
46
47
48
49
Hardelot-Plage
Neslés
Neufchâtel-Hardelot
Mont St Frieux
Dunes
Dannes
Widehem
Plage-Ste-Cécile
Camiers
Lefaux
Embouchure de la Canche
le Touquet-Paris-Plage
ETAPLES
Trépied
Canche
Stella-Plage
Villiers
Cucq
Merlimont-Plage
Merlimont
St-Aubin
Parc de Bagatelle
Berck-s. Mer
Rang-du-Fliers
Berck-Plage
Verton
Groffliers
Waben
Baie de l' Authie
Conchil-le-Temple
Fort-Mahon-Plage
le Vieux Fort-Mahon
Colline-Beaumont
Quend-Plage-les-Pins
Parc nautique
Moncheaux
Quend
Dunes
Froise
St-Quentin-en-Tourmont
RUE
Parc Ornithologique du Marquenterre
St-Firmin
Favières
Baie de Somme
Pointe de Hourdel
le Hourdel
le Hamelet
la Molière
le Crotoy
Brighton
ST-VALERY-sur Somme
Cayeux-sur-Mer
Maison de l'Oiseau
Wathiehurt
Chemin de fer touristique
Sallenelle
Lanchères
Pendé
Estréboeuf
Hâble d' Ault
Brutelles
Boismont
Tilloy
Hautebut
Arrest
Vaudricourt
St-Blimont
Boubert
Woignarue
AULT
Ochancourt
Bourseville
le Bois-de-Cise
Allenay
Friville-Escarbotin
Nibas
Franleu
Friaucourt
Tully
Mers-les-Bains
St-Quentin-la-Motte-Croix-au-Bailly
Béthencourt-sur-Mer
Fressenneville
Valines
le Tréport
Ménesliès
Woincourt
Yzengremer
Feuquières-en-Vimeu
Chépy
Mesnil-Val
N.-D.-St-Laurent
Dargnies
Criel Plage
Flocques
EU
Ponts-et-Marais
Oust-Marest
Hocquélus
Etalondes
Bouvaincourt-sur-Bresle
Embreville
Aigneville
Criel-sur-Mer
Mesnil-en-Caux
St-Pierre-en-Val
Buigny-lès-Gamaches
Beauchamps
Tocqueville-sur-Eu
Heudelimont
Boscrocourt
Incheville
Maisnières
Neuvilette
Touffreville-sur-Eu
le Fresne
Monchelet
Frettemeule
Biville-sur-Mer
Litteville
St-Remy-Boscrocourt
GAMACHES
Wiammeville
Tilloy-Floriville
Penly
Assigny
Canehan
Etocquigny
Monchy-sur-Eu
Longroy
la Tuilerie
St-Martin-Plage
Brunville
Baromesnil
Berneval-le-Grand
St-Martin-le-Gaillard
le Mesnil-Réaume
Millebosc
Busménard
Belleville-sur-Mer
St-Martin-en-Campagne
Guimécourt
Cuverville-sur-Yères
Guerville
Bazinval
Bouillancourt-en-Séry
Bracquemont
Tourville-la-Chapelle
Greny
Sept-Meules
Melleville
Grande Vallée
Ansennes
Puys
Auquemesnil
Villy-le-Bas
Monthières
Monchaux-Soreng
DIEPPE
Graincourt
Glicourt
Intraville
St-Quentin-au-Bosc
Fumechon
Haute
Rieux
Phare d'Ailly
Vastérival
Pourville-sur-Mer
Musée
St-Jacques
Derchigny
la Vauvage
St-Aignan
Bouttencourt
St-Marguerite
Parc de Moustiers
Petit-Abbeville
Rouxmesnil-Bouteilles
Neuville-lès-Dieppe
Grèges
Sauchay-le-Haut
Gouchaupré
Forêt
Blangy-sur-Bresle
Manoir d'Ango
Varengeville-sur-Mer
Martin-Eglise
Sauchay-le-Bas
Bailly-en-Rivière
Avesnes-en-Val
Villy-le-Haut
Grancourt
d' Eu
Neslette
Ancourt
Bellengreville
Yères
Newhaven
Le Havre
Rouen
Neufchâtel
16
Neufchâtel

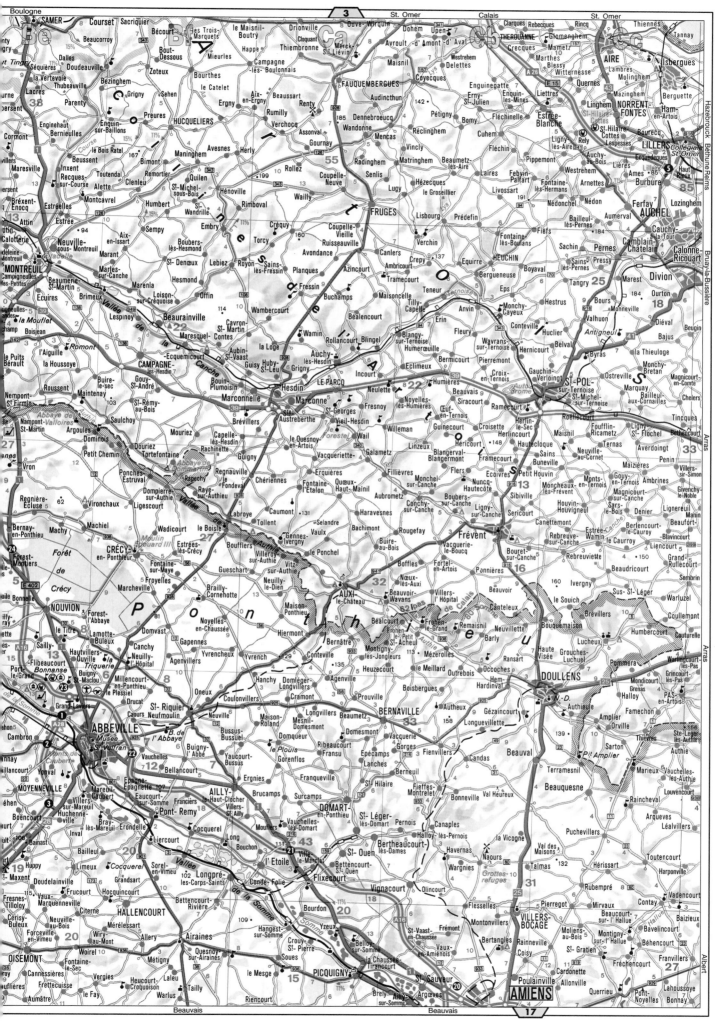

Boulogne
3
St. Omer
Calais
St. Omer
Hazebrouck
Béthune
Reims
Bruay-la-Bussière
Arras
Arras
Arras
Albert
Beauvais
Beauvais
17
SAMER
Courset
Desvres
Thérouanne
Aire
Isbergues
Fauquembergues
Hucqueliers
Norrent-Fontes
Lillers
Montreuil
Fruges
Auchel
Heuchin
Pernes
Camblain-Châtelain
Calonne-Ricouart
Divion
Beaurainville
Campagne-lès-Hesdin
Hesdin
Marconnelle
Marconne
Le Parcq
St-Pol-sur-Ternoise
Crécy-en-Ponthieu
Forêt de Crécy
Frévent
Auxi-le-Château
Nouvion
Abbeville
St-Riquier
Bernaville
Doullens
Moyenneville
Ailly-le-Haut-Clocher
Domart-en-Ponthieu
Beauval
Beauquesne
Pont-Remy
Hallencourt
Longpré-les-Corps-Saints
l'Etoile
Flixecourt
Vignacourt
Villers-Bocage
Oisemont
Airaines
Picquigny
Amiens
Poulainville
Vallée de la Canche
Vallée de l'Authie
Vallée de la Somme
Collines de l'Artois
Ternois
Ponthieu
Doullennais

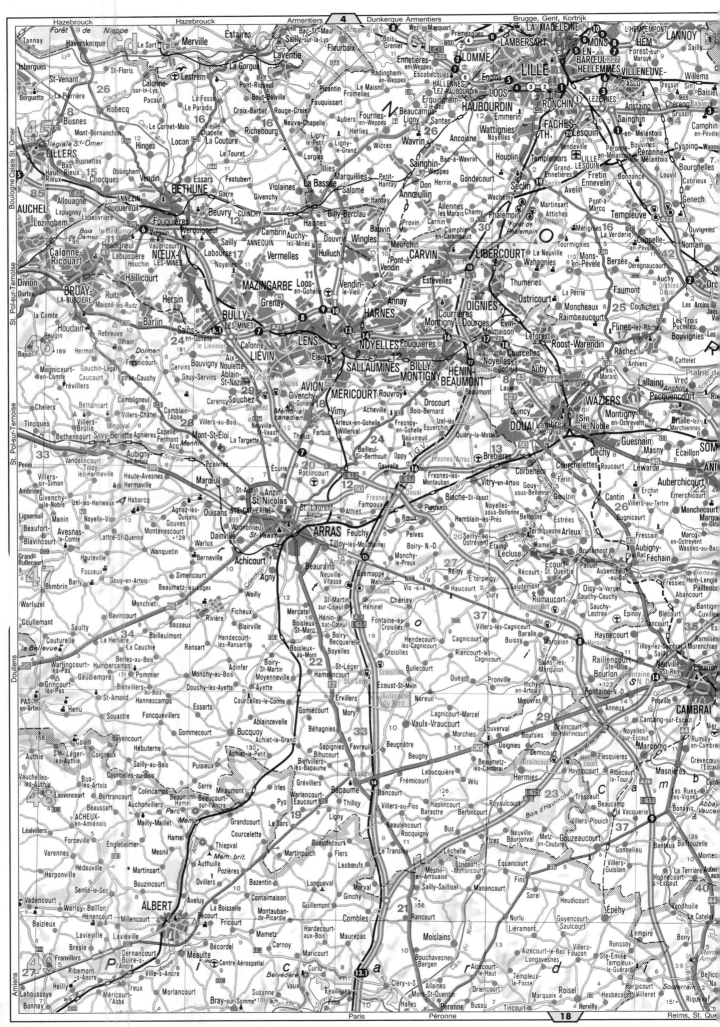

Hazebrouck
Hazebrouck
Armentiers
4
Dunkerque Armentiers
Brugge, Gent, Kortrijk
Boulogne Calais St. Omer
St. Pol-sur-Ternoise
St. Pol-sur-Ternoise
Doullens
Amiens
Paris
Péronne
18
Reims, St. Que
LILLE
LOMME
LAMBERSART
LA MADELEINE
MONS-EN-BARŒUL
HELLEMMES
VILLENEUVE-D'ASCQ
HEM
LANNOY
LOOS
HAUBOURDIN
RONCHIN
FACHES-TH.
Lesquin
Wattignies
Seclin
Templemars
Armentières
Estaires
Merville
La Gorgue
Laventie
Fleurbaix
Lestrem
Hinges
Locon
Richebourg
La Couture
La Bassée
BETHUNE
Beuvry
Fouquières
Annezin
Chocques
LILLERS
AUCHEL
Lozinghem
Calonne-Ricouart
BRUAY-LA-BUISSIÈRE
Divion
Houdain
Barlin
Hersin
Nœux-les-Mines
Labourse
Vermelles
Haisnes
Douvrin
Wingles
MAZINGARBE
Grenay
BULLY-LES-MINES
LIEVIN
LENS
HARNES
CARVIN
LIBERCOURT
OIGNIES
NOYELLES
SALLAUMINES
BILLY-MONTIGNY
HÉNIN-BEAUMONT
Courrières
Avion
MÉRICOURT
Vimy
DOUAI
Sin-le-Noble
WAZIERS
Cuincy
Lambres-lez-Douai
Guesnain
Dechy
Auby
Flines-lez-Râches
Râches
Orchies
Cysoing
Templeuve
Mons-en-Pévèle
Thumeries
Ostricourt
Phalempin
Montigny-en-Ostrevent
Pecquencourt
Lallaing
Auberchicourt
Monchecourt
ARRAS
St.-Nicolas
Ste-Catherine
St.-Laurent-Blangy
Achicourt
Dainville
Beaurains
Agny
Tilloy-lès-Mofflaines
Feuchy
Fampoux
Vitry-en-Artois
Brebières
Corbehem
Arleux
Marquion
Bourlon
Fontaine-N.-D.
CAMBRAI
Escaudœuvres
Masnières
Marcoing
Havrincourt
Hermies
Bapaume
Croisilles
Ervillers
Bucquoy
Albert
Méaulte
Bray-sur-Somme
Péronne
Combles
Ginchy
Longueval
Gouzeaucourt
Épéhy
Roisel
Moislains
Doullens
Pas-en-Artois
Avesnes-le-Comte
Aubigny-en-Artois
Mont-St-Éloi
Souchez
Givenchy-en-Gohelle
Mémorial canadien
Notre-Dame-de-Lorette
Forêt de Phalempin
Forêt de Nieppe
Canal d'Aire
Scarpe
Sensée
Canal du Nord
Somme

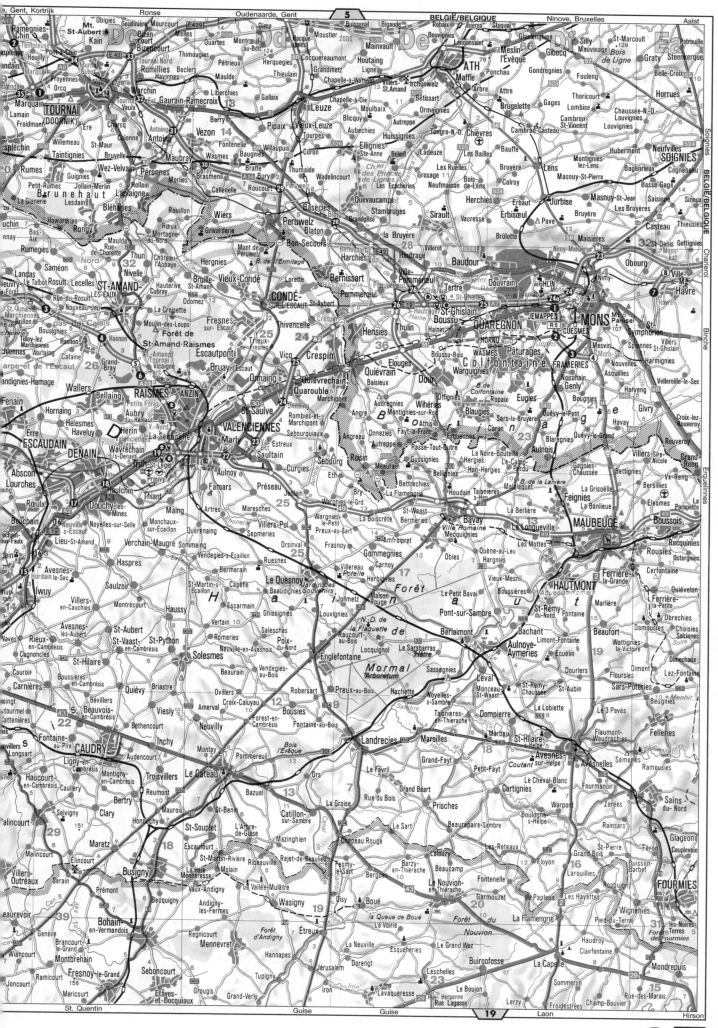
Gent, Kortrijk
Ronse
Oudenaarde, Gent
5
BELGIË/BELGIQUE
Ninove, Bruxelles
Aalst
Soignies
BELGIË/BELGIQUE
Charleroi
Binche
Erquelinnes
St. Quentin
Guise
Guise
19
Laon
Hirson
TOURNAI (DOORNIK)
Kain
Rumillies
Warchin
Gaurain-Ramecroix
Antoing
Vezon
Leuze
Pipaix
Vieux-Leuze
Moustier
Mainvault
Houtaing
ATH
Maffle
Meslin-l'Evêque
Gibecq
Silly
Graty
Steenkerque
Brugelette
Chièvres
Lens
Jurbise
SOIGNIES
Neufvilles
Casteau
Maisières
Obourg
Havré
MONS
Jemappes
Cuesmes
QUAREGNON
Boussu
St-Ghislain
Hensies
Thulin
Hautrage
Baudour
Tertre
Ghlin
Frameries
Pâturages
Wasmes
Dour
Elouges
Quiévrain
Péruwelz
Blaton
Bon-Secours
Bernissart
Harchies
Pommerœul
Wiers
Rongy
Rumes
Brunehaut
Bléharies
Maubray
Péronnes
Hergnies
Vieux-Condé
CONDÉ-SUR-L'ESCAUT
ST-AMAND-LES-EAUX
Forêt de St-Amand-Raismes
Escautpont
Bruay-l'Escaut
Crespin
Vicq
Onnaing
Quiévrechain
Quarouble
St-Saulve
VALENCIENNES
Marly
Saultain
Anzin
RAISMES
Wallers
Hérin
Aubry
La Sentinelle
Trith-St-Léger
DENAIN
ESCAUDAIN
Abscon
Lourches
Haulchin
Thiant
Douchy-les-Mines
Famars
Aulnoy
Préseau
Curgies
Sebourg
Roisin
Bavay
Hon-Hergies
Blaugies
Eugies
Genly
Quévy-le-Petit
Quévy-le-Grand
Givry
Harmignies
Spiennes
Mesvin
Aulnois
Feignies
MAUBEUGE
Boussois
Rousies
Recquignies
Ferrière-la-Grande
HAUTMONT
Louvroil
Elesmes
La Longueville
Obies
Gommegnies
Villers-Pol
Maresches
Artres
Maing
Verchain-Maugré
Haspres
Saulzoir
Avesnes-le-Sec
Iwuy
Lieu-St-Amand
Noyelles-sur-Selle
Neuville-s-Escaut
Bouchain
Le Quesnoy
Jardin des Souvenirs
Beaudignies
Capelle
Villereau
Potelle
Herbignies
Jolimetz
Louvignies
Forêt de Mormal
Arboretum
Englefontaine
Locquignol
Poix-du-Nord
Salesches
Vertain
Romeries
Solesmes
Haussy
St-Python
St-Vaast-en-Cambrésis
St-Aubert
Villers-en-Cauchies
Avesnes-lès-Aubert
Rieux-en-Cambrésis
Cagnoncles
St-Hilaire
Carnières
Boussières-en-Cambrésis
Quiévy
Briastre
Viesly
Beauvois-en-Cambrésis
Béthencourt
Inchy
Neuvilly
Bousies
Forest-en-Cambrésis
Fontaine-au-Bois
Robersart
Preux-au-Bois
Hachette
Landrecies
Maroilles
Bois l'Evêque
Pommereuil
Le Cateau
Montay
CAUDRY
Fontaine-au-Pire
Ligny-en-Cambrésis
Caullery
Troisvillers
Reumont
Bertry
Clary
Maurois
Honnechy
St-Souplet
St-Benin
Bazuel
Catillon-sur-Sambre
L'Arbre-de-Guise
Mazinghien
Busigny
Maretz
Élincourt
Malincourt
Villers-Outréaux
Serain
Prémont
Becquigny
Bohain-en-Vermandois
Brancourt-le-Grand
Montbréhain
Fresnoy-le-Grand
Sebencourt
Étaves-et-Bocquiaux
Grougis
Grand-Verly
Mennevret
Hannapes
Tupigny
Iron
Étreux
Wassigny
Vaux-Andigny
Andigny-les-Fermes
La Vallée-Mulâtre
Ribeauville
Molain
La Haie Menneresse
St-Martin-Rivière
Escaufourt
Rejet-de-Beaulieu
Fesmy-le-Sart
Oisy
Boué
Chapeau Rouge
La Groise
Le Favril
Grand Béart
Prisches
Le Sart
Beaurepaire-Sambre
Barzy-en-Thiérache
Beaucamp
Le Nouvion-en-Thiérache
Forêt du Nouvion
La Queue de Boué
La Neuville
Esquéhéries
Dorengt
Jérusalem
Lavaquerese
Leschelles
Buironfosse
La Capelle
Le Boujon
Lerzy
Rue-Herpenne
Rue Lagasse
Sommeron
Froidestrées
Champ-Bouvier
Rue-des-Marais
Mondrepuis
Clairfontaine
Haudroy
La Flamengrie
Garmouzet
Fontenelle
Papleux
Les Hayettes
Larouillies
Floyon
Wignehies
FOURMIES
Forêt de Fourmies
Les Noires-Terres
Pied-du-Terne
Rocquigny
Buisson-Barbet
St-Pierre
Glageon
Couplevoie
Féron
Rainsars
Sains-du-Nord
Zorées
Boulogne-s-Helpe
Warpont
Cartignies
Fourmanoir
Ramousies
Sémeries
Avesnelles
Avesnes-sur-Helpe
St-Hilaire-s-Helpe
Marbaix
Petit-Fayt
Grand-Fayt
Cheval-Blanc
Felleries
Flaumont-Waudrechies
Le 3 Pavés
Sars-Poteries
Beugnies
Dimechaux
Lez-Fontaine
Dimont
Floursies
St-Aubin
Dourlers
La Lobiette
Dompierre
Taisnières-en-Thiérache
Noyelles-s-Sambre
Monceau-St-Waast
Leval
Sassegnies
Aulnoye-Aymeries
Berlaimont
Bachant
Limont-Fontaine
Écuélin
St-Rémy-Chaussée
Pont-sur-Sambre
St-Rémy-du-Nord
Beaufort
Wattignies-la-Victoire
Obrechies
Choisies
Solrines
Damousies
Ferrière-la-Petite
Quiévelon
Cerfontaine
Marlière

Bruxelles/Brussel
Bruxelles/Brussel
Bruxelles/Brussel
Bruxelles/Brussel, Namur
Bruxelles/Brussel
Tienen
Ea
Eb
Ec
Ed
Ee
Steenkerque
Petit-Rœulx-lez-Braine
Cantines
Flament
Virginal-Samme
Ittre
Haut-Ittre
Bois-Seigneur-Isaac
Lillois-Witterzée
Maison-Plancenoit
Maransart
Céroux-Mousty
Court-St-Étienne
Noirhat
Corbais
Nil-St-Vincent
Tourinnes
Orbais
St-Trond
Perwez
BRAINE-LE-COMTE
Ronquières
Plan incliné
NIVELLES
Nivelles Nord
Autodrome
Baulers
Promelles
Thines
Fonteny
Vieux-Genappe
Genappe
Bousval
Glabais
Sclage
Sauvagemont
Mont-St-Guibert
Beaurieux
Hévillers
Chastre
St-Paul
Walhain
Sart
Baudeset
Aische-en-Refail
Grand-Leez
Barrière-d'Écaussinnes
Henripont
Bornival
Nivelles Sud
Loupoigne
Baisy-Thy
B. d'Hez
Tangissart
Haute-Heuval
Villeroux
Cortil-Noirmont
Ernage
Sauvenière
SOIGNIES
Écaussinnes-Lalaing
Arquennes
Houtain-le-Val
Dernier-Patard
Villers-la-Ville
Abbaye
Mellery
Gentinnes
St-Géry
Mémorial
GEMBLOUX-sur-Orneau
Naast
Écaussinnes-d'Enghien
Marche-lez-Écaussinnes
Feluy
Petit-Rœulx-lez-Nivelles
Bois-de-Nivelles
Les Quatre-Bras
Sart-Dames-Avelines
Tilly
Bertinchamps
Lonzée
Meux
Les Quatre-Sous
Seneffe
Rosseignies
Luxensart
Les Bons Villers
Sart-à-Rêves
Rêves
Marbais
Marbisoux
Vieille-Maison
Corroy-le-Château
Beuzet
Bruyère
St-Denis
Bovesse
Mignault
Familleureux
Belle
Bois-de-Nauwe
Obaix
Buzet
Frasnes-lez-Gosselies
Villers-Perwin
Wagnelée
Brye
Sombreffe
Ferooz
Bothey
Rhisnes
Rœulx
Le Rœulx
Houdeng
Manage
Godène
Les Culots
Pont-à-Celles
Luttre
Liberchies
Mellet
Long-Pré
St-Amand
Ligny
Boignée
Tongrinne
Bossière
Les Marayes
Gognies
Houdeng-Aimeries
LA LOUVIÈRE
Fayt-lez-Manage
Traulée
Godarville
Gouy-lez-Piéton
Pont-à-Migneloux
Thiméon
Viesville
Wayaux
Fleurus
Wangenies
Wanfercée-Baulet
Balâtre
Mazy
Onoz
Spy
Suarlée
Namur-Ouest
ST-SERVAIS
Thieu
Strépy-Bracquegnies
Haine-St-Paul
Haine-St-Pierre
La Hestre
Bellecourt
Chapelle-lez-Herlaimont
Trazegnies
Courcelles
COURCELLES
Gosselies
Heppignies
GOSSELIES
RANSART
Lambusart
Velaine
JEMEPPE-s-Sambre
Moustier
Temploux
BELGRADE
Flawinne
Mornimont
Floriffoux
Boussoit
Maurage
Trivières
St-Vaast
Morlanwelz
Carnières
Piéton
Souvret
Roux
JUMET
LODELINSART
Vieux-Campinaire
Wanfercée
Moignelée
Auvelais
Tamines
Sambreville
Ham-sur-Sambre
Soye
Malonne
Péronnes
Pont St-Vaast
Cronfestu
Mont-Ste-Aldegonde
Forchies-la-Marche
CHARLEROI
GILLY
Farciennes
Pironchamps
Roselies
Franière
Floreffe
Gros-Buisson
Bray
Ressaix
Leval-Trahegnies
Fontaine-l'Évêque
MONCEAU
Pont-de-Loup
Arsimont
Buzet
Estinnes-au-Val
BINCHE
ANDERLUES
Épinois
MARCHIENNE-au-Pont
MARCINELLE
MOTIGNIES-s-Sambre
CHÂTELINEAU
CHÂTELET
Aiseau
Falisolle
Aisemont
Nèvremont
B. de la Haute-Marlagne
Le Pirois
Sart-St-Laurent
Estinnes-au-Mont
Vellereille-les-Brayeux
Abbaye
Ansuelle
Leernes
LANDELIES
COUILLET
Presles
Le Roux
Vitrival
Fosses-la-Ville
Bois-de-Villers
Buvrinnes
Plein-de-Chênes
Bois de Fontaine
MONT-s-Marchienne
Blanche Borne
Bambois
Haulchin
Faurœulx
Les Bonniers
Montigny-le-Tilleul
le-Tilleul
Les Haies
LOVERVAL
Try-d'Haies
Rés. naturelle
Sart-Eustache
Gonoy
Lesve
Arbre
Mont-Ste-Geneviève
Abbaye d'Aulne
Le Charnoy
Acoz
Figotterie
Maison
Besinne
Bienne-lez-Happart
Lobbes
Jamioulx
Joncret
Gougnies
Marlagne
Peissant
Merbes-Ste-Marie
Sars-la-Buissière
Gozée
Beignée
Haies
Le Bultia
Villers-Poterie
Gerpinnes
Noirchamps
Devant-les-Bois
St-Gérard
Merbes-le-Château
Fontaine-Valmont
La Borne
Thuin
Biesme
Marbaix
Petria
Fromiée
Biesme
Pontaury
Cottaprez
Biercée
Ham-sur-Heure
Nalinnes
Tarcienne
Hymiée
Mettet
Biout
Erquelinnes
Labuissière
Ragnies
Les Bruyères
Graux
Denée
Abbaye de Maredsous
Warnant
Solre-sur-Sambre
Hantes-Wihéries
Fontaine-Haute
Leers-et-Fosteau
Thuillies
Cour-sur-Heure
Hanzinne
Circuit Auto
Oret
Furnaux
Maredret
Salet
Sosoye
Marpent
Jeumont
Montignies-St-Christophe
Gourdinne
Thy-le-Bauduin
Hanzinelle
Biesmerée
Ermeton-sur-Biert
B. de Jeumont
Bersillies-l'Abbaye
Donstiennes
Berzée
Somzée
Stave
Falaën
Strée
Thy-le-Château
Pry
Laneffe
Morialmé
Colleret
Bousignies-s-Roc
Marzelle
Thirimont
Mertenne
Clermont
Rognée
Chastrès
Walcourt
Fraire
St-Aubin
Florennes
Flavion
Weillen
Gerin
Les 4 Bras
Cousolre
Reugnies
L'Ermitage
Fontenelle
Yves-Gomezée
Corenne
Serville
Anthée
La Gravelinne
Castillon
Beaumont
Vogenée
Yves
Grottes du Freyr
Aibes
Leval-Chaudeville
Boussu-lez-Walcourt
St-Lambert
Chaumont
Rosée
Morville
Maurenne
Pont d'Arcole
Hastière-Lavaux
Marcignies
Pont du Prince
Silenrieux
Hemptinne
Bérelles
Leugnies
Barbençon
Daussois
Jamagne
Bois du Roi
Solre-St-Géry
Erpion
Lotenne
Grandrieu
Jamiolle
Philippeville
Vodecée
Omezée
Hermeton-sur-Meuse
Eccles
Franchimont
Soulme
Solrinnes
Hestrud
Vergnies
Soumoy
Villers-Deux-Églises
Samart
Villers-le-Gambon
Gochenée
Frasnies
Renlies
Barrage de la Plate Taille
Senzeille
Merlemont
Surice
Solre-le-Château
Cerfontaine
Sautour
Romedenne
Vodelée
Beaurieux
Sivry
Sautin
Neuville
Sart-en-Fagne
Agimont
Heer
Menhir
L'Épine
Louvière
Forêt
Fourbechies
Hermeton
Vallée de la Meuse
Trieu-Bouchaux
Rance
Froid-Chapelle
Bois de Senzeille
Villers-en-Fagne
Bois de Surice
Petit-Doische
Givet
Clairfayts
Crismont
Rieux-de-Fromont
Gratière
Roly
Boucheron
Gimnée
Doische
Romerée
Montbliart
de Rance
Matagne-la-Grande
Matagne-la-Petite
Foisches
Fromelennes
Rancennes
Willies
Eppe-Sauvage
Barrage
Champiau
Lac du Val Joly
Étang du Fraity
Vaucelles
Niverlée
Flohimont
Liessies
Lambercies
Fagnolle
Treignes
Mazée
Ham
Charnois
Forêt de Trélon
Moustier-en-Fagne
Bois de Salles
Bois d'Aublain
Mariembourg
Dourbes
Vierves
Hierges
Aubrives
Chooz
Centrale nucléaire
Landrichamps
Robechies
Étang de Virelles
Frasnes
Camp Romain
Nismes
Fondry des Chiens
Olloy-sur-Viroin
Vireux-Molhain
Vireux-Wallerand
Wallers-Trélon
Baives
Bailièvre
Virelles
Circuit Auto
Lompret
Aublain
Boussu-en-Fagne
Grottes de Nentune
Petigny
Rés. naturelle du Viroin
Trélon
Étang de la Folie
Salles
Vaulx
Dailly
Couvin
Viroinval
St-Joseph
Forêt de Nismes
Montigny-s-Meuse
Bois du Roi
Glageon
Macon
St-Remy
Chimay
Boutonville
Pesche
Pont-du-Ry-de-Rome
Forêt
Ohain
Monceau-Imbrechies
Villers-la-Tour
Menhir
Baileux
Gonrieux
Presgaux
Oignies
Le Mesnil
Momignies
Forges
Bourlers
Barrage du Ry de Rome
Hargnies
Bourseigne
Étg. de la Galoperie
Seloignes
Brûly-de-Pesche
Regniessart
Fépin
Beauwelz
Bois de Couvin
Haybes
Bout-d'En-Haut
Bois de Chimay
Anor
Abbaye N.-D. de Scourmont
Fumay
Willerzie
Macquenoise
Les Riesses
Forêt du Franc Bois
Bois des Manises
Forge-Philippe
Cul-des-Sarts
Brûly
Ardennes
Rièzes
Cendron
Petite-Chapelle
Gué-d'Hossus
Rocher de la Faligeotte
Mont Tranet
Les Hauts d'Hargnies
Rue-d'Ardenne
Forêt d'Hirson
Forêt de St-Michel
Forêt de Signy-le-Petit
La Gruerie
L'Escaillère
Regniowez
La Loge-Rosette
Taillette
Grde Chaudière
REVIN
Mont Malgré Tout
Anchamps
Les Hauts-Buttes
Laon
FRANCE
Laon, Reims
Charleville-Mézières
29
30
Mons
Maubeuge
Avesnes-s-H.
Dinant
Namur
Namur, Liège
Ath, Bruxelles/Brussel
BELGIË/BELGIQUE

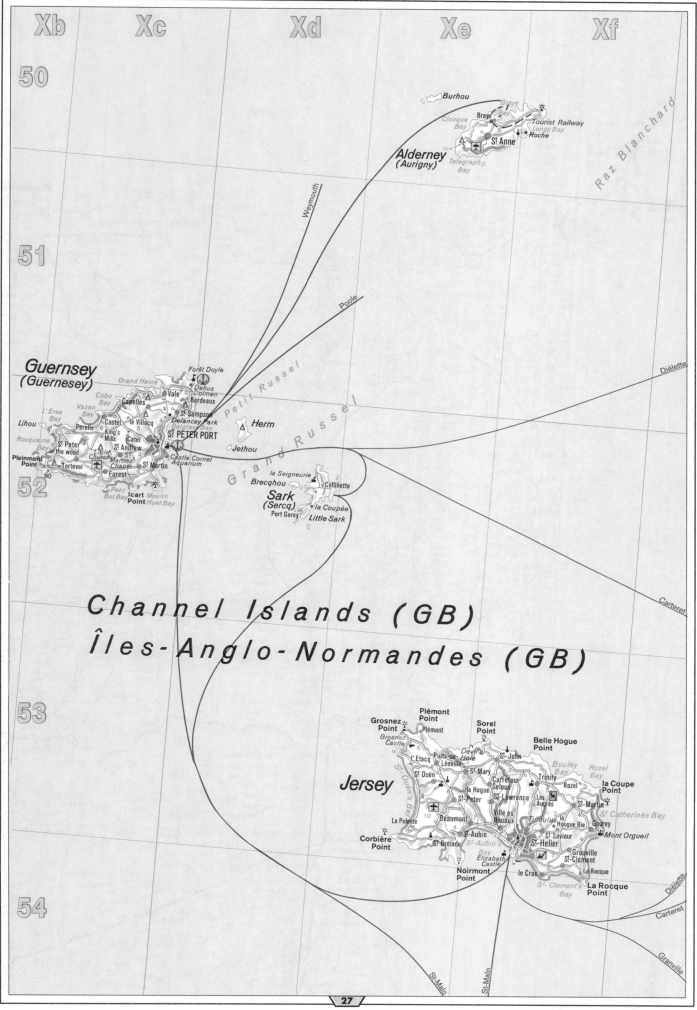

50

Burhou

Braye Bay

Braye
Tourist Railway
Longy Bay
St Anne   Roche

Clonque
Bay

Alderney
(Aurigny)

Telegraph
Bay

Raz Blanchard

Wermouth

51

Poole

Diélette

Guernsey
(Guernesey)

Forêt Doyle
Grand Havre
Dehus
Dolmen
Vale
Bordeaux
St Sampson
Delancey Park
Belgrave Bay
St PETER PORT

Cobo
Bay
Capelles
Vazon
Bay
Castel
le Villocq
L'Erée
Bay
Perelle
King's
Mills
Catel
Lihou
St Andrew
St
Rocquaine
Bay
St Peter
in the wood
Little
Church
Martins
Chapel
Pleinmont
Point
Torteval
St Martin
80
Forest
Petit
Bot Bay
Icart
Point
Moulin
Huet Bay

Petit Russel

Grand Russel

Herm

Jethou

la Seigneurie
Brecqhou
Collinette
52
Sark
(Sercq)
la Coupée
Port Gorey   Little Sark

Carteret

Channel Islands (GB)
Îles - Anglo - Normandes (GB)

53

Plémont
Point
Grosnez
Point
Plémont
Sorel
Point

Grosnez
Castle
Devil's
Hole
Belle Hogue
Point

Bouley
Bay
Rozel
Bay

l'Etacq
Puits-de-
Léoville
St-John

St Ouën
St Mary
Carrefour
Selous
Trinity

Jersey
la Hague
St-Peter
St-Lawrence
Les
Augrès
Rozel
la Coupe
Point

St-Martin
St Catherinés Bay

La Pulente
10
Beaumont
Ville es
Nouaux
Tumulus
la
Hougue Bie
Gorey
Mont Orgueil

Corbière
Point
St-Aubin
St Saviour
La Rocque

St-Brélade
St-Aubin's
Bay
St-Helier
Grouville
St-Clément

Elizabeth
Castle
le Croc
La Rocque
Point

Noirmont
Point
St-Clement's
Bay

Diélette

54
Carteret

St-Malo
St-Malo
Granville

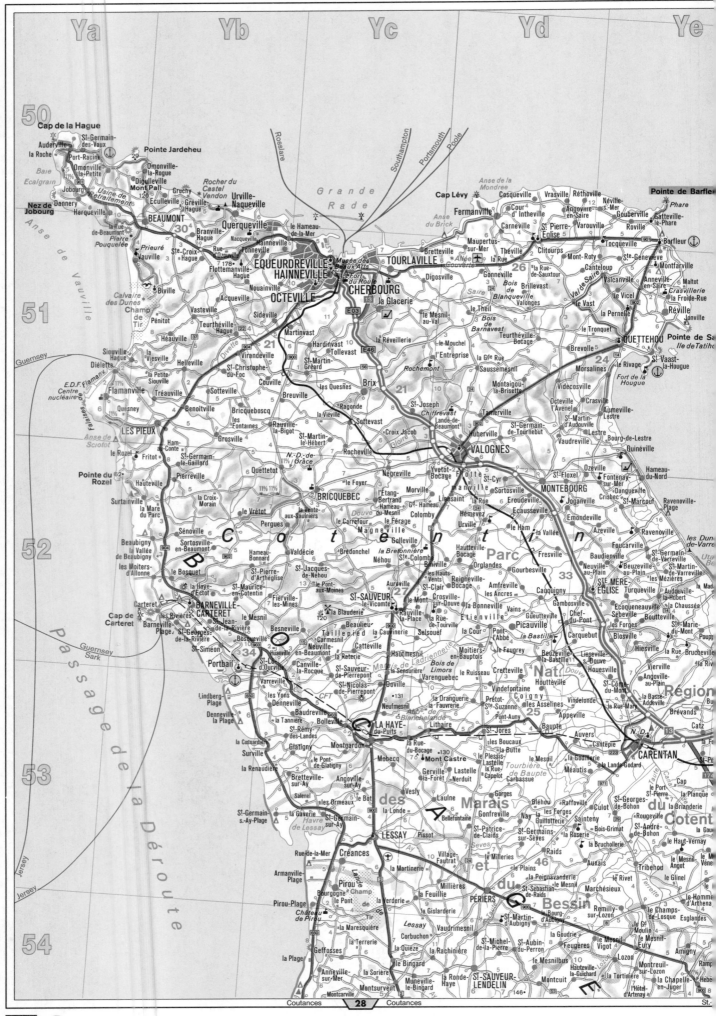

50 Cap de la Hague
Auderville
la Roche
Port-Racine
Omonville-
la-Petite
Jobourg
Pointe Jardeheu
29
Omonville-
la-Rogue
Digulleville
Mont Pail
126
Gruchy
Rocher du
Castel
Vendon
Ecalleville
Gréville-
Hague
Urville-
Naqueville
Nez de
Jobourg
Danneray
Usine de
Retraitement
Herqueville
la Rue-
de-Beaumont
Pierre
Pouquelée
BEAUMONT
Branville-
Hague
30 4
Querqueville
Nacqueville
Hainneville
le Hameau-
de-la-Mer
Grande
Rade
Cap Lévy
Anse de la
Mondrée
Cosqueville
Vrasville
Réthoville
Cour 4
d'Intheville
Angoville-
en-Saire
Néville-
sur-Mer
Gouberville
12
Gatteville-
le-Phare
Phare
Pointe de Barfleur

51
Prieuré
Vauville
Ste-Croix-
Hague
Rue-
d'Ozeville
Flottemanville-
Hague
Nouainville
EQUEURDREVILLE
HAINNEVILLE
Musée des
Beaux-Arts
Fort
du Roule
OCTEVILLE
TOURLAVILLE
CHERBOURG
13
la Glacerie
7
Digosville
Gonneville
26
la Rue-
de-Sauxtour
Canteloup
Ste-Geneviève
Montfarville
Anneville-
en-Saire
Maltot
Crasvillerie
la Froide-Rue
Réville
Jonville
Valcanville
Barfleur
Tocqueville
901
Fermanville
Carneville
Maupertus-
sur-Mer
Théville
la Rue
Allée
Couverte
Bretteville
St-Pierre-
Eglise
5
Clitourps
Mont-Roty
Varouville
Roville

Biville
Calvaire
des Dunes
Champ
de Tir
Pénitot
Acqueville
Nouainville
Vasteville
Sideville
Teurthéville-
Hague
22 4
Héauville
37
21
la Vieville
Virandeville
St-Christophe-
du-Foc
Martinvast
Hardinvast
Tollevast
10
St-Martin-
Gréard
900
E46
E03
56
la Réveillerie
le Mesnil-
au-Val
le Theil
Bois
de
Blanqueville
Valognes
le Mouchel
l'Entreprise
Rochemont
la Gde Rue
Saussemesnil
le Vast
le Vicel
902
la Pernelle
le Tronquet
Montaigou-
la-Brisette
QUETTEHOU
Pointe de Sa
Ile de Tatiho
24
14
le Rivage
St-Vaast-
la-Hougue
Fort de la
Hougue

52
Diélette
la Petite-
Siouville
Siouville-
Hague
E.D.F. Flamanville
Centre
nucléaire de
Flamanville
Quesney
11%
11%
Tréauville
Benoitville
Couville
Breuville
Ragonde
la Vieville
les Quesnés
Brix
21
Sottevast
Tamerville
St-Joseph
Chiffrevast
Lande-
de-Beaumont
Huberville
902
St-Germain-
de-Tournebut
St-Martin-
d'Audouville
Octeville-
l'Avenel
Crasville
Aumeville-
Lestre
Lestre
Bourg-de-Lestre
Quinéville

VALOGNES
Négreville
Yvetôt-
Bocage
Flotte
manville
St-Cyr
St-Floxel
Ozeville
Hameau-
du-Nord
Fontenay-
sur-Mer
MONTEBOURG
Joganville
Crisbec
St-Marcouf
Ravenoville-
Plage
les Dun
de-Varre
St-Germain-
de-Varrev

LES PIEUX
le Rozel
Fritot
Ham-
Conte
St-Germain-
le-Gaillard
Grosville
Rauville-
la-Bigot
St-Martin-
le-Hébert
Rocheville
N.-D.-de-
Grâce
le Foyer
Morville
Sortosville
Eroudeville
Ecausseville
Emondeville
Azeville
Ravenoville
Foucarville
Beuzeville-
au-Plain

Pointe du
Rozel
62 4
Hauteville
Quettetot
Pierreville
11% 11%
BRICQUEBEC
l'Etang-
Bertrand
Hameau-
du-Mesnil
le Férage
Colomby
Urville
le Ham
la Vallée
Hémevez
St-Germain-
de-Varrev
Neuville-
au-Plain
Ste-Mère-
Eglise
33
Turqueville
Audouville-
la-Hubert
la Madd.
les Mézières

Surtainville
la Croix-
Morain
la Mare
du Parc
le Vrétot
Pergues
la Vente-
aux-Sauliers
Magneville
Golleville
Néhou
Ste-Colombe
Biniville
Hautteville-
Bocage
les Hauts-
Vents
Reigneville-
Bocage
St-Clair
Orglandes
Gourbesville
Parc
Fresville
Picauville
Amfreville
les Ancres
Caqqigny
Gambosville
Chef-
du-Pont
Sébeville
les Forges
Bouteville
Ecoqueneauville
Gueutteville
la Chaussée
Ste-Marie-
du-Mont
Poupi

Beaubigny
la Vallée
de Beaubigny
les Moitiers-
d'Allonne
Sortosville-
en-Beaumont
904
Hameau-
Bonnard
Valdécie
Brédonchel
la Bretonnière
902
Aursville
St-Jacques-
de-Néhou
St-Pierre-
d'Artheglise
Sénoville
le Bosquet
la Haye-
d'Ectot
Fierville-
les-Mines
St-Maurice-
en-Cotentin
13
le Pont-
aux-Moines
120
St-SAUVEUR-
le-Vicomte
27
le Mont
Crosville-
sur-Douve
Rauville-
la-Place
la Rue-
de-Tourville
Vains
la Bonneville
Etienville
la Cour
Pont-
l'Abbé
la Bastille
le Feugrey
Beuzeville-
la-Bastille
Carquebut
Liesville-
sur-Douve
Houesville
Blosville
Hiesville
la Rue
Vierville
Angoville-
au-Plain
la Rue Bruchevill
Brucheville

Cap de
Carteret
les Rivières
Barneville-
Plage
BARNEVILLE-
CARTERET
St-Jean-
de-la-Rivière
St-Georges-
de-la-Rivière
Barneville-
Carteret
Bosqueville
St-Siméon
34
903
Portbail
St-Lô-
d'Ourville
Huanville-
en-Beaumont
Carmesnil
la Raterie
Catteville
Beaulieu
Taillepied
la Cauvinerie
Selsouëf
Beauvais
Hautmesnil
la Sensurie
Varenguebec
Moitiers-
en-Bauptois
le Ruisseau
Cretteville
Houtteville
Nat.
Doeuv
St-Côme-
du-Mont
la Basse
Addeville
Région
Brévands
Catz

15
Varreville
les Yvis
Denneville
Lindberg-
Plage
650
CFT
Baudreville
Doville
la Tannerie
Bolleville
10
St-Rémy-
des-Landes
903
Neufmesnil
131
Prétot
Ste-Suzanne
Vindefontaine
Coigny
Vindelonde
la Dranguerie
la Fauvrerie
Pont-Auny
25
les Asselines
Appeville
la Rue-Mar
N.-D.
13
CARENTAN
St-Pe

Denneville-
la-Plage
LA HAYE-
du-Puits
la Cosnardière
Surville
la Renaudière
Montgardon
Mobecq
Glatigny
le Pont-
de-Glatigny
la Rue-
du-Bocage
75
Mont Castre
Gerville-
la-Forêt
Lastelle
Nerduit
la Rue-
Capelot
les Boucaux
la Butte
le Plessis-
Lastelle
le Mesnil
Carbassue
Auvers
Cantepie
223
la Goutherie
la Lande-Godard
Méautis
971
le Port
St-Pierre
la Goudrie
Cap
la Planque
la Briandrie
la F
le M
171

Bretteville-
sur-Ay
Angoville-
sur-Ay
Salenel
les Ormeaux
le Bot
la Gaverie
la Londe
des
A
Vesly
Laulne
Gorges
Gonfreville
Nay
Bléhou
Raffoville
Culot
les Forges
Guillotterie
Sainteny
la Brucholerie
les Milleries
les Plains
Marais
Bois-Grimat
la Roserie
St-Georges-
de-Bohon
Rougeville
St-André-
de-Bohon
du
Cotent
le Haut-Vernay
le Mesnil-
Vén

St-Germain-
s.-Ay-Plage
Havre
de Lessay
St-Germain-
sur-Ay
Pissot
LESSAY
Village-
Fautrat
7
Seves
Millières
Raids
Auxais
46
la Peignavanderie
le Mesnil
et
Périers
G
Marchésieux
le Rivet
Bessin
Tribehou
le Mesnil-
Angot
le Glinel
le Mesnil-
Vén

Rue-de-la-Mer
Créances
la Martinerie
10
Ay
Armanville-
Plage
Pirou
Bourgogne-
le Pont
la Feuillie
la Verderie
Champ
de
Tir
la Gislarderie
St-Sébastien-
de-Raids
PÉRIERS
du
le Homme
d'Artherna
Hébe

Pirou-Plage
Château
de Pirou
la Maresquière
Lande
la Terrerie
Lessay
650
Vaudrimesnil
St-Martin-
d'Aubigny
le Bourg-
d'Aubigny
la Goudrie
Feugères
le Mesnil-
Eury
le Mesnil-
Vigot
Montreuil-
sur-Lozon
Amigny
Ramp

54
la Plage
Geffosses
St-Michel-
de-la-Pierre
le Bingard
la Quièze
la Rachinière
Cochufon
St-Aubin-
du-Perron
le Mesnilbus
10
Hauteville-
la-Guichard
Lozon
Montcuit
Montreuil-
sur-Lozon
la Tortinière
la Chapelle-
en-Juger
l'Hôtel-
d'Artenay
Hébe
St.

Anneville-
sur-Mer
Montsurvent
Montcarville
la Sorière
Muneville-
le-Bingard
la Ronde-
Haye
St-SAUVEUR-
LENDELIN
146

Iles St-Marcouf

*Rade de
la Chapelle*

Carentan

*Banc
du
Gd
Passe*
Veys

Côte

de

Baie de la Seine

Nacre

Grandcamp-
Maisy

Pointe du Hoc

22

St-Pierre-
du-Mont

Omaha Beach

Gold Beach

Juno Beach

Maisy

le Douet

*Chât. de
Beaumont*

Englesqueville-
la-Percée

Vierville-sur-Mer
les Moulins

Cricqueville-
en-Bessin

Asnières-
en-Bessin

Louvières

St-Laurent-
sur-Mer

le Gd Hameau

Ste Honorine-
des-Pertes

Port-en-Bessin-
Huppain

le Chaos

Arromanches-
les-Bains

Berniéres-
sur-Mer

St-Aubin-
sur-Mer

Gefosse-
Fontenay

la Cambe

Deux-Jumeaux

Colleville-
sur-Mer

Commes

Longues-
sur-Mer

Manvieux

Tracy-
sur-Mer

St-Côme-
de-Fresne

Asnelles

Ver-
s.-Mer

le Paisty-Vert

quebourg

St-Clément

St-Germain

Longueville

Formigny

Villiers-
sur-Port
Russy

Escures

Abbaye
Ste-Marie
Fontenailles

Meuvaines

Graye-sur-Mer

Courseulles-
sur-Mer

ISIGNY-
sur-Mer

l'Aure infr

les
Mares

Canchy

Ecramme-
ville

Surrain

l'Aure

Maisons

*Manoir
d'Argouges*

Magny-
en-Bessin

Crépon

Ste-Croix-
s.-Mer

DOUVRES-LA-
DÉLIVRANDE

Osmanville

Cardonville-du-Pert

E 46

43

Aignerville

l'Aure

Vaux-
sur-Aure

RYES

Banville

Reviers

Bény-
sur-Mer

la Madeleine

B   e   s   s   i   n

Trévières

Mosles

Etréham

St-Sulpice

Bazenville

Colombiers-
sur-Seulles

Basly

Hameau-Minet
Colombrières

Tortonne

Dungy

Mandeville-
en-Bessin

13

Tour-
en-Bessin

Vaucelles

BAYEUX

Sommervieu

Villiers-
le-Sec

Amblie

Anguerny

les Oubeaux

Vouilly

Bricqueville

Rubercy

Cussy

Villons-
les-Buissons

Neuilly-
la-Forêt

la Forêt

Castilly

Mestry

Bernesq

Saonnet

la Goherrerie

St-Vigor-
le-Grand

le Manoir

Tierceville

Moulineaux

Fontaine-
Henry

Thaon

le Fresne-
Camilly

Colomby-
sur-Thaon

Mathieu

les Landes-
du-Rosey

Saon

Blay

Barbeville

St-Martin-
des-Entrées

Vienne-
en-Bessin

St-Gabriel-
Brécy

CREULLY

Lantheuil

Anisy

les Clerbocq

la Folie

la Poterie

Cottun

Crouay

St-Loup-
Hors

Vaux-
sur-Seulles

Rucqueville

Cambes-
en-Plaine

Château de
la Rivière

Lison

St-Marcouf

St-Martin-
de-Blagny

le Molay

le Breuil-
en-Bessin

Agy

Ranchy

Guéron

572

Poussiard

Nonant

Martragny

St-Léger

Coulombs

Cully

Cainet

Cairon

Villons-

Lasson

Rosel

Buron

Epron

la Lande

Cartigny-
l'Epinay

Subles

Arganchy

Monceaux-
en-Bessin

Carcagny

Ducy
Ste-Marguerite

Ste-Croix-
Grand' Tonne

Secqueville-
en-Bessin

22

Bray

St-JEAN-
le-Daye

Airel

la Fotelaie

Baynes

Tournières

le Molay-
Littry

Campigny

le Tronquay

Noron-
la-Poterie

la Tuilerie

St-André

la Village
de-Juaye

Mondaye

Loucelles

31

Bretteville-
l'Orgueilleuse

Rots

Authie

Gruchy

Mâlon

St-Contest

St-Fromond
a Perrine
40°

la Forge Fallot

Ste-Marguerite-
d'Elle

Littry

les Petits-
Carreaux

Ellon

Couvert

Chouain

Audrieu

Putot-
en-Bessin

Moon-
sur-Elle

Cerisy-
la-Forêt

Forêt

Vaubadon

Castillon

Trungy

Juaye-
Mondaye

le Pont-Roc
les Hauts-
Vents

Cristot

le Pont-
en-Bessin

Carpiquet

St-Germain-
la-Blanche-Herbe

Cavigny

28

de

Cersy

41

Bernières-
Bocage

St-Paul-
du-Vernay

Norrey-
en-Bessin

*Abbaye d'
Ardenne*

Cussy

la Meauffe

St-CLAIR-
sur-l'Elle

St-Jean-
de-Savigny

13

BALLEROY

St-Pierre

le Mesnil-
Patry

Marcelet

Bretteville-
sur-Odon

Pont-Hébert

les Foulons

Dom.

Montfiquet

11%

Lingèvres

Verrières

St-Manvieu-
Norrey

175

CAEN

Villiers-
Fossard

Couvains

St-Quentin

Litteau

la Bazoque

Cahagnolles

TILLY-
sur-Seulles

Fontenay-
le-Pesnil

le Bosq

Cheux

E 401

Louvigny

le Mesnil-
Rouxelin

St-Georges-
d'Elle

11%

Planquery

Ste-Honorine-
de-Ducy

Longraye

Hattot-
les-Bagues

Juvigny-
sur-Seulles

Tessel

Grainville-
sur-Seulles

10

Moyen

Fontaine-
Etoupefour

Verson

Fleury-
s.-Orne

neaux

11%
St-Georges-
Montcocq

Martinville

Bérigny

572

St-Pierre-
de-Semilly

Torteval-
Quesnay

Foulognes

28

Parfouru-
l'Eclin

Crauville

les Douesnots

St-Vaas-
sur-Seulles

Vendes

50

51

52

FÉCAMP
Musée de
la Bénédictine
St-Léonard
Vattetot-
sur-Mer   Yport   Froberville
Bénouville   Épreville
Falaise d' Amont   le Rambor   24   940
Étretat   CFT 6   13
Falaise d' Aval   la Place   Bordeaux-   les Loges   Gerville   Auberville-
St-Clair   la-Renault
Cap d' Antifer   le Tilleul   Brettevil
du-Gd-Ca
la Poterie-   Beaurepaire   Fonguesemare
Cap- d'Antifer   Sausseuzemare
Port du   Ste-Marie-   Cuverville   en-Caux   GODERVILLE
Havre-   au-Bosc   Villainville   Chât. des   Groseilliers
Antifer   Gonneville-   Écrainville   Bornambusc 3
St-Jouin   la-Mallet   CRIQUETOT-   Bréauté
Bruneval   Anglesqueville-   l' Esneval   Mannevil-
l' Esneval   la-Goupil
Heuqueville   Vergetot   St- Sauveur-   St-
11%   d' Émalleville   Sauveur
Buglise   St-Martin-   Turretot   Houquelo
Cauville   du-Bec   Écuquetot   Hermeville   Virville   Parc
Mannevillette   d' Anx
Ecqueville   Rolleville   Manéglise   St-
Gilles-
20   St- Barthélemy   Fontenay   28   Graimbouville   de-la-Neuvl   Filières
Octeville-   925   Gommery
sur-Mer   Épouville   Sainneville   31   2   Épretol
St-Andrieux   MONTIVILLIERS   Étainhus   Losli
la Remue
Aéroport   Fontaine-   St- Laurent-   St- Aubin-   30
du Havre-   la-Mallet   de-Brévedent   Routot   15   St-ROMAIN-
Octeville   St- Martin-   Gainneville   de-Colbosc
Phare de   du-Manoir-   Oudalle   St- Vincent-   St-Jean
la Hève   Gournay   Cramesnil   d' Abbet
Fort de   Ste Adresse   GONFREVILLE-   Rogerville   Sandouville   St-Vigor-
Ste   Harfleur   l' Orcher   d' Ymonville   A15
Adresse   Chât.   25   Tr po
d' Orcher   Centre routier
Portsmounth   St-Joseph   l' Orcher   le d   Canal   de   Rogerville
St-Vigor   Musée   Gd   Canal   du   1
LE HAVRE   Pont de   Havre
Normandie
Baie de la Seine   HONFLEUR   Berville-
fleurie   Vasouy   sur-Mer
Côte de Grâce   N.-D.-de-Grâce   Conteville
Pennedepie   Ste-   Fatouvil-
Criquebœuf   Manoir du   Catherine   Grestain
Villerville   Breuil   la Rivière-   Foul
les   Sauveur   St- Pierre-
Montessards   Barneville-   Équemau-   du-Val
Hennequeville   la-Bertran   ville   Gonneville   Figuefleur-
sur-Honfleur   St-   Equainville
Deauville   Quetin   Manneville-
la-Raoult   Grasvilia
Aéroport de   TROUVILLE-   St- Gatien-   Fourneville   Boullieville
Deauville-   sur-Mer   des-Bois   A29   22
Beneville-   St-Gatien   St- Philibert   le Theil-   Chemin de   BEUZEVILLE
sur-Mer   Mont   en-Auge   fer touristique   175
Blonville-   Canisy   Touques   Quetteville   28
sur-Mer   112   St- Arnoult   Englesqueville-   Beuzeville
Villers-sur-Mer   514   en-Auge   579   le Torpt-   Mo
Falaise des   Tourgéville   472   Tourville-   St- Benoît-   la Rue de
Vaches Noires   120   Blonville   meux-Chartrains   en-Auge   d' Hébertot   Fort Movil
Houlgate   Auberville   Vauville   Canapville   le Vieux-   les   La Lande-
Château   A132   Bourg   Jonquets   St-Léger
de Villers   15   275   les Moutiers   Honfleur   St-André-   9   Martain
St-Pierre-   d' Hébertot   les Authieux-
Dives-   Gonneville-   Azif   Glanville   St-   s.-Calonne
sur-Mer   sur-Mer   St-Vaast-   Étienne-   PONT-   St- Julien-   le Hopsiex
en-Auge   Branville   la-Thillaye   L'ÉVÊQUE   Pont-s.-Calonne   le Bon
Heuland   Bourgeauville   Reux   Évêque   Lisieux   Hellai
Douville-   Beaumont-   Chât. du   la Chape
en-Auge   en-Auge   8   Perrey   Bonneville-   Bayu
Danestal   Pierre-   la-Louvet   Chât.
Brucourt   130   Cricqueville-   Annebault   175   fitte-   Manneville-   de Maloy
en-Auge   en-Auge   Drubec   13   en-Auge   la-Pipard   CORMEIL
Clarbec   St- Hymer   le Mesnil-
55   Cresseveuille   Blangy   St-Pierre-
BOZULÉ   Moutier   23   Valsemé   Fierville-   le-Château   de-Cormeilles
Putot-   St- Léger-   Beaufour-   les-Parcs   le Brévedent   St-Sylves
en-Auge   Dubosq   Druval   le Torquesne   le Breuil-   de-Corne
St-Jouin   Moutier   en-Auge
Goustran-   St- Eugène   le Faulq
ville   St- Richer   Clermont-   Bonnebosq   21   Coquainvilliers   18   St- Philbert-   le Pin
Brocottes   en-Auge   des-Champs
37   St- Samson   Beuvron-   Auvillars   Manoir   Norolles   Moyaux
en-Auge   Repentigny   de Malou   Faugernon
Troarn   St- Pair   Gerrots   Manoir du   Ouilly-   Asni
Giberville   le Ham   Rumesnil   16   Léaupartie   Pontife   le-Vicomte
Hotot   la Roque-   Rocques   Fumichon
Guillerville   St-Pierre-   Victot-   en-Auge   Bainard   Montreuil-
Janville   du-Jonquet   Pontfol   en-Auge

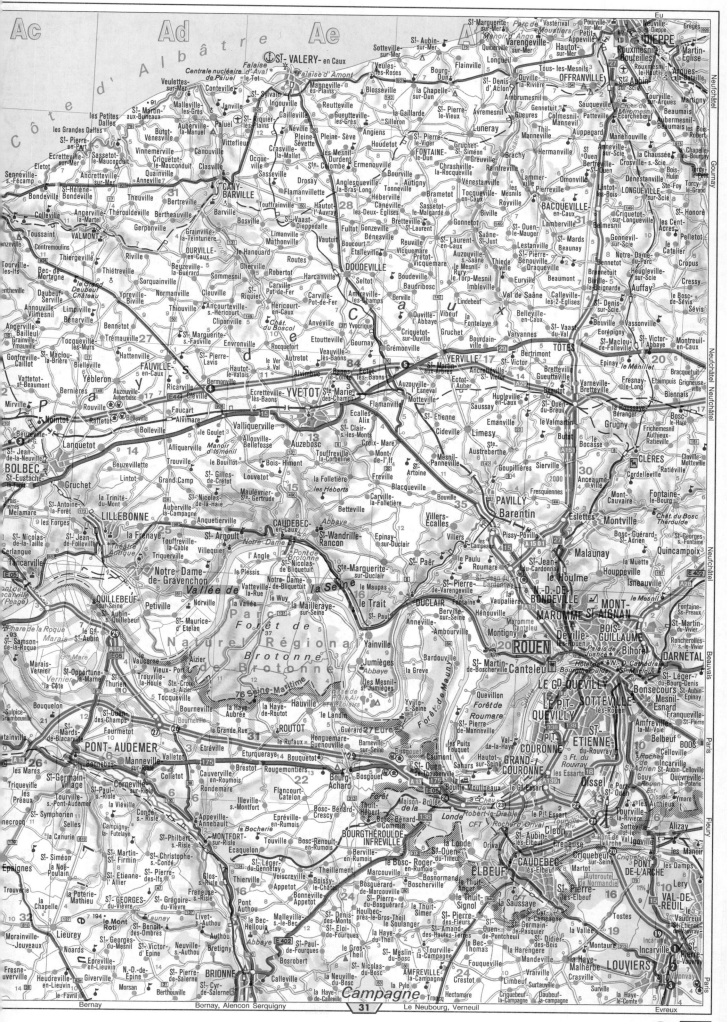

Ac
Ad
Ae
Côte d' Albâtre
St-VALERY-en Caux
Falaise d' Aval
Falaise d' Amont
Centrale nucléaire de Paluel
Veulettes-sur-Mer
Veules-les-Roses
Sotteville-sur-Mer
St-Aubin-sur-Mer
Quiberville
Varengeville-sur-Mer
Vasterival
Parc de Moustiers
Manoir d' Ango
Pourville-sur-Mer
Hautot-sur-Mer
Petit-Appeville
DIEPPE
Neuville-lès-Dieppe
Eu
Grèges
Rouxmesnil-Bouteilles
Martin-Eglise
Arques-la-Bataille
Neufchâtel
Gournay
Beauvais
Paris
Fleury
Evreux
Flainville
Longueil
Bourg-Dun
St-Denis-d' Aclon
Ouville-la-Rivière
Tous-les-Mesnils
OFFRANVILLE
St-Aubin-sur-Scie
Ambrumesnil
Sauqueville
Gueures
Luneray
Blosseville
la Chapelle-sur-Dun
la Gaillarde
Conteville
Malleville-les-Grès
Ingouville
Cailleville
Paluel
Janville
St-Sylvain
Mauneville-ès-Plains
Reutteville
Gueutteville-les-Grès
Silleron
Angiens
Houdetot
St-Pierre-le-Viger
St-Pierre-le-Vieux
Avremesnil
Thil-Manneville
Auppegard
Manéhouville
Beaumais
Martigny
Tourville-sur-Arques
les Petites Dalles
les Grandes Dalles
St-Pierre-en-Port
Sassetot-le-Mauconduit
Butot-Vénesville
Auberville-la-Manuel
Vittefleur
Néville
Pleine-Sève
Pleine-Sévette
Crasville-la-Mallet
Ocqueville
Sasseville
Drosay
les Mesnil-Durdent
Ste-Colombe
Ermenouville
Bourville
Autigny
FONTAINE-le-Dun
Gruchet-St-Siméon
Greuville
Brachy
Rainfreville
Hermanville
Lammerville
Omonville
Pierreville
Ecretteville-sur-Mer
Vinnemerville
Canouville
Criquetot-le-Mauconduit
Clasville
Eletot
Sennevilie-s.-Fécamp
Ancretteville-sur-Mer
Quainville
Anneville
CANY-BARVILLE
Flamanvillette
Anglesqueville-la-Bras-Long
Tonneville
Héberville
Brametot
Chrashville-la-Rocquevilie
Vénestanville
Tocqueville-en-Caux
Bondeville
St-Hélène-Bondeville
Theuville
Bertreville
Bertheauville
Barville
Touffrainville
Hautot-l' Auvray
Canéville-les-Deux-Eglises
Sassetot-le-Malgardé
Biville
Royville
BACQUEVILLE-en-Caux
LONGUEVILLE-sur-Scie
Colleville
Angerville-la-Martel
Thérouldeville
Gerponville
Bosville
St-Vaast-Dieppedalle
Fultot
Gonzeville
Bretteville-St-Laurent
Gonnetot
St-Ouen-le-Mauger
Lamberville
Toussaint
VALMONT
Grainville-la-Teinturière
Limanville
Mathonville
Vautuit
Boucourt
Bénesville
Reuville
St-Laurent-en-Caux
Saâne-St-Just
Lestanville
St-Mards
Gonneville-sur-Scie
Contremoulins
Thiergeville
OURVILLE-en-Caux
le Hanouard
Routes
Etalleville
Vicquemare
Prétot-Vicquemare
Auzouville-s.-Saâne
Thiedeville
St-Pierre-Bénouville
Beaunay
Bennetot
Notre-Dame-du-Parc
Tourville-les-Ifs
Bec-de-Mortagne
Riville
Thiétreville
Beuzeville-la-Guérard
Sommesnil
Ohérville
Robertot
Harcanville
DOUDEVILLE
Seltot
Boudeville
Baudribosc
le Torp-Mesnil
Imbleville
Eurville
Draqueville
Beaumont
Bivilie-la-Baignarde
Heugleville-sur-Scie
Cropus
le Grand Daubeuf Château
Daubeuf-Serville
Sorquainville
Ypreville-Biville
Normanville
Cleuville
St-Riquier
Carville-Pot-de-Fer
Héricourt-en-Caux
Amfreville-les-Champs
Berville
Lindebeuf
Val de Saâne
Calleville-les-2-Eglises
Auffay
Cressy
Annouville-Vilmesnil
Limpiville
Bénarville
Thiouville
Ancourteville-s.-Héricourt
Cliponville
Chât. du Boscol
Anvéville
Yvecrique
Ouville-l' Abbaye
Vibeuf
la Fontelaye
Belleville-en-Caux
St-Vaast-du-Val
Beuville
Vassonville
Sévis
Angerville-Bailleul
Grainville-Ymauville
Bennetot
Trémauville
St-Marguerite-s.-Fauville
Envronville
Rocquefort
Etoutteville
Gournay
Criquetot-sur-Ouville
Gruchet
Bourdainville
Varvannes
TÔTES
Ecrépigny
St-Maclou-de-Folleville
St-Victor-l' Abbaye
Montreuil-en-Caux
Gonfreville-Caillot
Tocqueville-les-Murs
St-Maclou-la-Brière
Hattenville
Bielleville
FAUVILLE-en-Caux
St-Pierre-Lavis
le Ver à Val
Autretot
Veauville-lès-Baons
Grémonville
YERVILLE
Bertrimont
St-Victor
Epinay
le Ménillet
Bracquetuit
Vattetot-sur-Beaumont
Bernières
Yébleron
Ricarville
Hautot-le-Vatois
Alvimbuc
Baons-le-Comte
Ectot-les-Baons
St-Martin-aux-Arbres
Ancretiéville-St-Victor
Ectot-l' Auber
Bretteville
Gueutteville
Fresnay-le-Long
Etaimpuis
Grigneuseville
Biennais
Mirville
Rouville
Auzouville-Auberbosc
Cléville
Ecretteville-lès-Baons
YVETOT
Ste-Marie-des-Champs
Auzouville-l' Esneval
Motteville
Hugleville-en-Caux
Beautot
Varneville-Bretteville
la Houssaye-Béranger
Bosc-le-Hard
Raffetot
Foucart
Alvimare
Bolleville
Valliquerville
Flamanville
Ecalles-Alix
St-Clair-s.-les-Monts
St-Etienne
Saussay
St-Ouen-du-Breuil
Grugny
Frichemesnil
Authieux-Ratiéville
Nointot
Beuzeville-la-G.
Lanquetot
le Goulet
Allouville-Bellefosse
Auzebosc
Cideville
Limesy
Emanville
le Valmartin
Butot
le Bocasse
St-Jean-de-la-Neuville
BOLBEC
St-Eustache-la-Forêt
Alliquerville
Manoir d' Isménil
Touffreville-la-Corbeline
Croix-Mare
Mont-de-l' If
Ste-Austreberthe
CLÈRES
Claville-Motteville
Beuzevillette
Trouville
le Bouillot
Bois-Himont
St-Artoine
Mesnil-Panneville
Goupillières
Sierville
Anceaumeville
Cordelleville
Ratiéville
Gruchet
Lintot
Grand Camp
St-Gilles-de-Crétot
Louvetot
la Folletière
les Héberts
Freville
Blacqueville
PAVILLY
Barentin
Fresquiennes
Mont-Cauvaire
Fontaine-le-Bourg
Trois-Pierres
Melamare
St-Antoine-la-Forêt
la Trinité-du-Mont
St-Nicolas-de-la-Haie
Maulévrier-Ste-Gertrude
Carville-la-Folletière
Bouville
Auberville-la-Campagne
Betteville
Villers-Ecalles
Eslettes
Montville
Chât. du Bosc Théroulde
LILLEBONNE
les Forges
St-Nicolas-de-la-Taille
St-Jean-de-Folleville
Anquetierville
CAUDEBEC-en-Caux
St-Wandrille-Rançon
Abbaye
Epinay-sur-Duclair
Villers
Pissy-Pôville
Malaunay
Bosc-Guérard-St-Adrien
St-Georges-s.-Fontaine
Quincampoix
Cerlangue
la Frenaye
Touffreville-la-Cable
Triquerville
Théâtre Antique
St-Arnoult
Villequier
Notre-Dame
Pont de Brotonne
l' Angle
St-Nicolas-de-Bliquetuit
St-Paër
le Paulu
Roumare
St-Jean-du-Cardonnay
le Houlme
la Muette
Houppeville
Isneauville
Tancarville
Notre-Dame-de-Gravenchon
le Plessis
Ste-Marguerite-sur-Duclair
Vatteville-la-Rue
Notre-Dame-de-Bliquetuit
Vallée de la Seine
le Maupas
St-Pierre-de-Varengeville
la Fontaine
Vaupalière
N.-D.-DE-BONDEVILLE
MONT-ST-AIGNAN
le Mesnil
Fontaine-Ss-Preaux
QUILLEBEUF-sur-Seine
Petiville
Norville
la Vallée
le Wuy
la Mailleraye-sur-Seine
le Trait
St-Paul
DUCLAIR
Berville-sur-Seine
Hénouville
MAROMME
BOIS-GUILLAUME
St-Martin-du-Vivier
St-Aubin-s.-Quillebeuf
St-Maurice-d' Etelan
Parc
Forêt de
Naturel Régional
Brotonne
de Brotonne
Anneville-Ambourville
Montigny
Canteleu
Déville-lès-Rouen
Palais de Justice
Bihorel
Roncherolles-s.-le-Vivier
Phare de la Roque
le Gd-St-Aubin
St-Samson-de-la-Roque
Marais
Yainville
Jumièges
Abbaye
Bardouville
ROUEN
Hôtel de Bourgtheroulde
N. D. Cathédrale
St-Maclou
DARNÉTAL
Marais-Vernier
Vernier
la Côte
St-Opportune-la-Marne
St-Thurien
Aizier
Vaucorne
Vieux-Port
Trouville-la-Houle
Ste-Croix-s.-Aizier
Tocqueville
la Greve
les Mesnil-s.-Jumièges
St-Martin-de-Boscherville
LE GD-QUEVILLY
LE PIT-QUEVILLY
SOTTEVILLE-lès-Rouen
St-Léger-du-Bourg-Denis
Bonsecours
St-Aubin-Epinay
le Mesnil-Esnard
Franqueville-St-Pierre
76 Seine-Maritime
27 Eure
Base de Plein Air et de Loisirs
Bouquelon
Bourneville
la Haye-Aubrée
la Haye-de-Routot
Hauville
le Landin
Yville-s.-Seine
Forêt de Mauny
Quevillon
Forêt de Roumare
St-Pierre-de-Manneville
ST-ETIENNE-du-Rouvray
Amfreville-la-Mi-Voie
Belbeuf
St-Ouen-des-Champs
Fourmetot
St-Mards-de-Blacarville
la Grande Rue
ROUTOT
Guérard
Val-de-la-Haye
PIT-COURONNE
Ft. du Rouvray
Roches de St-Adrien
Celloville
Incarville
St-Aubin-Celloville
Quévreville-la-Poterie
PONT-AUDEMER
Etréville
le Rufaux
Honguemare-Guenouville
Barneville-sur-Seine
Bosgouet
les Puits Fouquet
Caumont
Sahurs
Hautot-sur-Seine
GRAND-COURONNE
les Essarts
Oissel
Gouy
Ymare
les Mares
Toutainville
Bonnebos
Manneville-sur-Risle
Valletot
Eturqueraye
Bouquetot
Brestot
Rougemontiers
Bourg-Achard
St-Ouen-de-Thouberville
la Bouille
Moulineaux
le Gd-Essart
le Port-St-Ouen
St-Germain-Village
Triqueville
les Préaux
Tourville-s.-Pont-Audemer
Corneville-sur-Risle
Colletot
Cauverville-en-Roumois
Rondemare
Flancourt-Catelon
Maison-Brûlée
Château de Robert-le-Diable
les Authieux
St-Symphorien
St-Paul-s.-Risle
la Viéville
Illeville-s.-Montfort
Forêt de la Londe
Londe
Rocher d' Orival
Tourville-la-Rivière
Sotteville-s.-le-Val
Alizay
Selles
Condé-s.-Risle
Appeville-Annebault
Epréville-en-Rumois
Bosc-Bénard-Crescy
Thuit-Hébert
Bosc-Bénard-Commin
le Pit-Essart
Cléon
Freneuse
Pont de l' Arche
Igoville
la Canurie
Campigny-la-Futelaye
St-Philbert-s.-Risle
MONTFORT-sur-Risle
la Bocherie
Touville
Bosc-Renoult-en-Roumois
BOURGTHÉROULDE-INFREVILLE
la Londe
St-Aubin-lès-Elbeuf
Orival
Criquebeuf-sur-Seine
les Manoir
St-Siméon
la Noë-Poulain
St-Martin-St-Firmin
St-Christophe-s.-Condé
Ecaquelon
St-Léger-du-Gennetey
Berville-en-Rumois
St-Ouen-du-Tilleul
CAUDEBEC-lès-Elbeuf
Martot
PONT-DE-L' ARCHE
les Damps
Epaignes
St-Etienne-l' Allier
St-Pierre-des-Ifs
Glos-s.-Risle
Thierville
Theillement
Marcouville
le Bosc-Roger-en-Roumois
Bosnormand
ELBEUF
Autoroute de Normandie
Lery
Trouverie
la Poterie-Mathieu
ST-GEORGES-du-Vièvre
St-Grégoire-du-Vièvre
Freneuse-s.-Risle
Voiscreville
Boissy-le-Châtel
Appetot
Bonneville-Appetot
Bosguérard-de-Marcouville
Boscherville
le Thuit-Anger
le Thuit-Signol
St-Pierre-lès-Elbeuf
VAL-DE-REUIL
la Chapelle
le Mont Roti
Launay
Livet-s.-Authou
Pont Authou
St-Pierre-du-Bosguérard
Houlbec-près-le-Gros-Theil
le Thuit-Simer
la Saussaye
Tostes
le Vaudreuil
Morainville-Jouveaux
Lieurey
St-Benoît-des-Ombres
Authou
le Bec-Hellouin
Abbaye
Malleville-s.-le-Bec
St-Denis-des-Monts
le Soulanger
St-Pierre-des-Fleurs
St-Amand-des-Hautes-Terres
St-Cyr-la-Campagne
St-Germain-de-Pasquier
St-Ouen-de-Pontcheuil
St-Didier-des-Bois
la Vallée
St-Etienne-du-Vauvray
Noards
St-Georges-du-Mesnil
St-Victor-d' Epine
Neuville-s.-Authou
Bretigny
St-Eloi-de-Fourques
la Haye-du-Theil
le Bec-Thomas
la Harengere
Montaure
Incarville
St-Pierre-du-Vauvray
Epreville-en-Lieuvin
N.-D.-de-Epine
St-Paul-de-Fourques
le Gros-Theil
St-Meslin-du-Bosc
Tourville-la-Campagne
Fouqueville
Mandeville
la Haye-Malherbe
LOUVIERS
Fresne-Cauverville
Heudreville-en-Lieuvin
Giverville
St-Pierre-de-Salerne
BRIONNE
Bosrobert
St-Nicolas-du-Bosc
AMFREVILLE-la-Campagne
Crestot
Vraiville
Crasville
Morsan
St-Cyr-de-Salerne
Calleville
la Neuville-du-Bosc
la Pyle
Limbeuf
Surtauville
Surville
Vironvay
le Favril
Berthouville
la Haye-de-Calleville
Campagne
Troncq
Hectomare
Criquebeuf-la-Campagne
Daubeuf-la-campagne
la Haye-le-Comte
Bernay
Bernay, Alencon Serquigny
31
Le Neubourg, Verneuil
Evreux

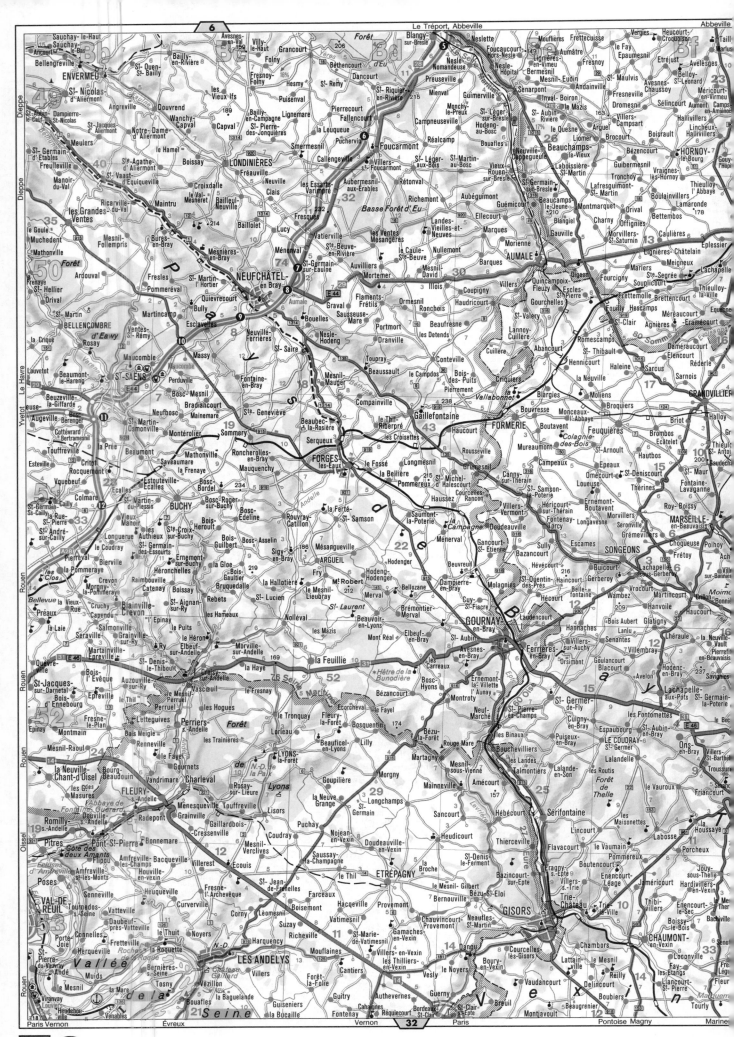
6
Le Tréport, Abbeville
Abbeville
Dieppe
Dieppe
Le Havre
Yvetot
Rouen
Rouen
Rouen
Rouen
Oissel
Rouen
Paris Vernon
Évreux
Vernon
32
Paris
Pontoise Magny
ENVERMEU
St-Nicolas-d'Aliermont
Bellengreville
Blangy-sur-Bresle
Neslette
Aumâtre
Foucarmont
LONDINIÈRES
NEUFCHÂTEL-en-Bray
Basse Forêt d'Eu
AUMALE
HORNOY-le-Bourg
BELLENCOMBRE
St-SAËNS
Forêt d'Eawy
FORGES-les-Eaux
Gaillefontaine
FORMERIE
GRANDVILLIERS
Feuquières
Sommery
BUCHY
Argueil
SONGEONS
MARSEILLE-en-Beauvaisis
GOURNAY-en-Bray
Ferrières-en-Bray
la Feuillie
St-Germer-de-Fly
LE COUDRAY-St-Germer
LYONS-la-Forêt
Forêt de Lyons
FLEURY-s-Andelle
Charleval
Perriers-s-Andelle
Romilly-s-Andelle
Pont-St-Pierre
Ecouis
ETRÉPAGNY
GISORS
Trie-Château
CHAUMONT-en-Vexin
LES ANDELYS
Château Gaillard
VAL-DE-REUIL
Vallée de la Seine
Pays de Bray
Vexin
Serifontaine
Forêt de Thelle
Bazincourt-sur-Epte
Dangu

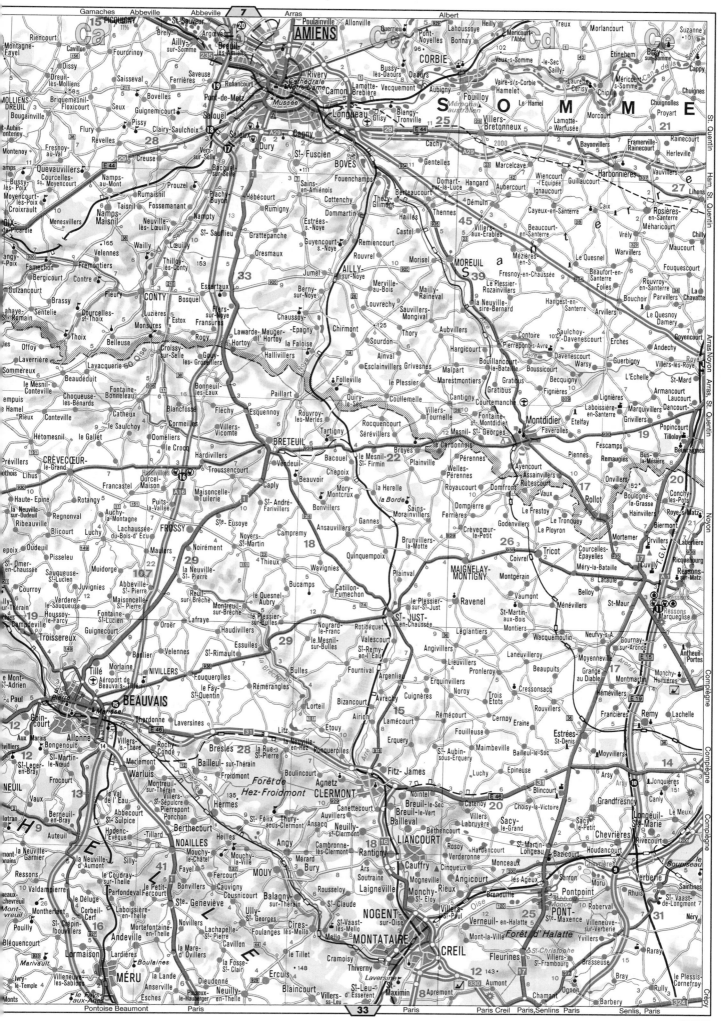

Gamaches
Abbeville
Abbeville
7
Arras
Albert
AMIENS
Poulainville
Allonville
Querrieu
Pont-Noyelles
Lahoussoye
Heilly
Bonnay
Méricourt-l'Abbé
Treux
Morlancourt
Suzanne
Picquigny
St-Sauveur
Argœves
Ailly-sur-Somme
Breuil-lès-Amiens
Riencourt
Cavillon
Fourdrinoy
CORBIE
Vaux-s-Somme
Sailly-le-Sec
Etinehem
Bray-sur-Somme
Cappy
Oissy
Dreuil-lès-Molliens
Saisseval
Ferrières
Saveuse
Renancourt
Rivery
Cathédrale Notre-Dame
Musée
Camon
Lamotte-Brebière
Bussy-lès-Daours
Daours
Vecquemont
Aubigny
Fouilloy
Vaire-s/s-Corbie
Hamelet
Le Hamel
Lamotte-Warfusée
Morcourt
Méricourt-s-Somme
Chipilly
Cerisy
Chuignes
Chuignolles
Proyart
MOLLIENS-DREUIL
Briquemesnil-Floxicourt
Bovelles
Seux
Guignemicourt
Pont-de-Metz
Salouël
Longueau
Glisy
Blangy-Tronville
Mémorial australien
Villers-Bretonneux
S O M M E
Bougainville
Pissy
Clairy-Saulchoix
Saleux
Cagny
Flury
Revelles
Dury
St-Fuscien
BOVES
Cachy
Gentelles
Marcelcave
Bayonvillers
Harbonnières
Framerville-Rainecourt
Rainecourt
Herleville
Vauvillers
Lihons
Fresnoy-au-Val
Creuse
Vers-sur-Selle
Bacouel-sur-Selle
Quevauvillers
Courcelles-sous-Moyencourt
Namps-au-Mont
Prouzel
Rumaisnil
Sains-en-Amiénois
Fouenchamps
Thézy-Glimont
Berteaucourt
Domart-sur-la-Luce
Hangard
Aubercourt
Wiencourt-l'Equipée
Ignaucourt
Guillaucourt
Bussy-lès-Poix
Moyencourt-lès-Poix
Croixrault
Taisnil
Fossemanant
Plachy-Buyon
Hébécourt
Cottenchy
Démuin
Cayeux-en-Santerre
Caix
Rosières-en-Santerre
Méharicourt
Namps-Maisnil
Neuville-lès-Lœuilly
Nampty
Rumigny
Dommartin
Hailles
Thennes
Beaucourt-en-Santerre
Vrély
Chilly
Menesvillers
St-Sauflieu
Grattepanche
Estrées-s.-Noye
Guyencourt-s.-Noye
Remiencourt
Castel
Villers-aux-Erables
Warvillers
Maucourt
Wailly
Lœuilly
Velennes
Thilloy-lès-Conty
Oresmaux
Rouvrel
Morisel
MOREUIL
Mézières-en-S.
Le Quesnel
Fouquescourt
Famechon
Frémontiers
Jumel
AILLY-sur-Noye
Fresnoy-en-Chaussée
Beaufort-en-Santerre
Bergicourt
Contre
Essertaux
Berny-sur-Noye
Merville-au-Bois
Mailly-Raineval
Le Plessier-Rozainvillers
Rouvroy-en-Santerre
Parvillers
Folies
La Chavatte
Guizancourt
Brassy
Fleury
CONTY
Bosquel
Flers-sur-Noye
Louvrechy
La Neuville-sire-Bernard
Hangest-en-Santerre
Bouchoir
Lahaye-St-Romain
Sentelie
Courcelles-s-Thoix
Luzières
Estox
Fransures
Chaussoy-Epagny
Sauvillers-Mongival
Arvillers
Le Quesnoy
Damery
Monsures
Rogy
Lawarde-Mauger-l'Hortoy
Chirmont
Thory
Aubvillers
Contoire
Saulchoy-s.-Davenescourt
Erches
Goyencourt
Thoix
Belleuse
La Faloise
Sourdon
Hargicourt
Pierrepont-s-Avre
Andechy
Offoy
Croissy-sur-Selle
Gouy-les-Groseillers
Hallivillers
Ainval
Bouillancourt-la-Bataille
Davenescourt
Guerbigny
Laverrière
Esclainvillers
Grivesnes
Malpart
Warsy
Villers-lès-Roye
Sommereux
Lavacquerie
Marestmontiers
Boussicourt
L'Echelle
Beaudéduit
Folleville
Le Plessier
Gratibus
Becquigny
St-Mard
Le Mesnil-Conteville
Fontaine-Bonneleau
Bonneuil-les-Eaux
Paillart
Quiry-le-Sec
Coullemelle
Cantigny
Courtemanche
Fignières
Lignières
Armancourt
Laucourt
Choqueuse-les-Bénards
Catheux
Blancfossé
Fléchy
Esquennoy
Rouvroy-les-Merles
Villers-Tournelle
Fontaine-s.-Montdidier
Montdidier
Laboissière-en-Santerre
Marquivillers
Dancourt
Rieux
Conteville
Le Saulchoy
Cormeilles
Villers-Vicomte
Tartigny
Rocquencourt
Sérévillers
Mesnil-St-Georges
Faverolles
Etelfay
Grivillers
Popincourt
Tilloloy
Hétomesnil
Le Gallet
Doméliers
BRETEUIL
Le Cardonnois
Fescamps
Remaugies
Beuvraignes
Le Crocq
Hardivillers
Bacouel
Le Mesnil-St-Firmin
Broyes
Plainville
Pérennes
Piennes
Bus-la-Mésière
Crèvecœur-le-Grand
Vendeuil-Caply
Chepoix
Welles-Pérennes
Ayencourt
Assainvillers
Onvillers
Lihus
Ourcel-Maison
Troussencourt
Beauvoir
Mory-Montcrux
La Herelle
Royaucourt
Domfront
Rubescourt
Vaux
Rollot
Conchy-les-Pots
Francastel
Maisoncelle-Tuilerie
Caply
La Borde
Boulogne-la-Grasse
Haute-Epine
Rotangy
Puits-la-Vallée
St-André-Farivillers
Bonvillers
Sains-Morainvillers
Dompierre
Ferrières
Le Frestoy
Le Tronquoy
Hainvillers
Roye-s-Matz
La Neuville-sur-Oudeuil
Regnonval
Auchy-la-Montagne
Ribeauville
Blicourt
Luchy
Lachaussée-du-Bois-d'Ecu
FROSSY
Ste-Eusoye
Campremy
Ansauvillers
Gannes
Crèvecœur-le-Petit
Godenvillers
Le Ployron
Biermont
Oudeuil
Noirémont
Noyers-St-Martin
Brunvillers-la-Motte
Mortemer
Orvillers
Laberlière
Pisseleu
Maulers
Thieux
Quinquempoix
Tricot
Courcelles-Epayelles
Ricquebourg
St-Omer-en-Chaussée
Muidorge
La Neuville-St-Pierre
Wavignies
Coivrel
Méry-la-Bataille
Cuvilly
Ressons-sur-Matz
Sauqueuse-St-Lucien
Abbeville-St-Pierre
Plainval
MAIGNELAY-MONTIGNY
Montgérain
Lataule
Courroy
Juvignies
Verderel-le-Sauqueuse
Maisoncelle-St-Pierre
Bucamps
Catillon-Fumechon
Belloy
Reuil-sur-Brêche
Le Quesnel-Aubry
Le Plessier-sur-St-Just
Ravenel
Vaumont
Houssoy-le-Farcy
Fontaine-St-Lucien
Montreuil-sur-Brêche
Le Plessier-sur-Bulles
St-Martin-aux-Bois
Ménévillers
St-Maur
Marqueglise
Troissereux
Guignecourt
Oroër
Lafraye
Haudivillers
Nourard-le-Franc
Rotibéquet
ST-JUST-en-Chaussée
Montiers
Leglantiers
Neufvy-s-A.
Gournay-sur-Aronde
Essuiles
Le Mesnil-sur-Bulles
Valescourt
St-Remy-en-l'Eau
Wacquemoulin
Bonlier
Velennes
St-Rimault
Angivillers
Laneuvilleroy
Moyenneville
Antheuil-Portes
Tillé
Morlaine
NIVILLERS
Fouquerolles
Bulles
Fournival
Lieuvillers
Pronleroy
Beaupuits
Grange au Diable
Montmartin
Monchy-Humières
Aéroport de Beauvais-Tillé
Le Fay-St-Quentin
Rémérangles
Argenlieu
Erquinvillers
Noroy
Cressonsacq
BEAUVAIS
Lorteil
Bizancourt
Avrechy
Cuignières
Trois Etots
Hémévillers
Goincourt
Allonne
Thérdonne
Laversines
Etouy
Airion
Lamécourt
Rémécourt
Cernoy
Eraine
Rouvillers
Francières
Remy
Lachelle
Aux Marais
Bongenoult
Villers-s.-Thère
Rochy-Condé
Litz
La Neuville-en-Hez
Erquery
Fouilleuse
Estrées-St-Denis
St-Martin-le-Nœud
St-Leger-en-Bray
Bresles
La Rue-St-Pierre
Ronquerolles
St-Aubin-sous-Erquery
Maimbeville
Bailleul-le-Soc
Moyvillers
Marlemont
Warluis
Bailleul-sur-Thérain
Froidmont
Boulincourt
Agnetz
Fitz-James
Luchy
Epineuse
Arsy
Jonquières
Canly
Frocourt
Montreuil-sur-Thérain
Villers-St-Sépulcre
Pierrepont
Ponchon
Forêt de Hez-Froidmont
CLERMONT
Nointel
Breuil-le-Sec
Catenoy
Blincourt
Grandfresnoy
Le Meux
Vaux
Le Val de l'Eau
Abbecourt
St-Sulpice
Hermes
St-Félix
Thury-sous-Clermont
Ansacq
Canettecourt
Auvillers
Neuilly-s-Clermont
Breuil-le-Vert
Bailleval
Béthencourt
Villers
Labruyère
Choisy-la-Victoire
Sacy-le-Grand
Sacy-le-Petit
Longueil-Ste-Marie
Bergeuil-en-Bray
Auteuil
Hodenc-l'Evêque
Berthecourt
Tillard
NOAILLES
Heilles
Mouchy-la-Ville
Angy
Cambronne-lès-Clermont
Rantigny
LIANCOURT
Rosoy
Verderonne
Hardencourt
St-Martin-Longeau
Bazicourt
Houdancourt
Rivecourt
Chevrières
La Neuville-Garnier
La Neuville-d'Aumont
Silly
Mouchy-le-Châtel
Fayel
Fercourt
MOUY
Mérard
Bury
Ars
Soutraine
Cauffry
Cinqueux
Monceaux
Les Ageux
Sarron
Moru
Verberie
Le Soupiseau
Ressons
Le Coudray-sur-Thelle
Parfondeval
Le Petit-Fercourt
Bonvillers
Cauvigny
Cousnicourt
Balagny-sur-Thérain
Rousseloy
Laigneville
Mogneville
Monchy-St-Eloy
Rieux
Brenouille
Pontpoint
Rhuis
Saintines
St-Vaast-de-Longmont
Valdampierre
Le Déluge
Ste-Geneviève
Ully-St-Georges
St-Claude
Villers-St-Paul
Oise
Abb. du Moncel
PONT-Ste-Maxence
Roberval
Néry
Montherlant
Corbeil-Cerf
Laboissière-en-Thelle
Novillers
Lachapelle-St-Pierre
Cires-lès-Mello
St-Vaast-lès-Mello
NOGENT-sur-Oise
Verneuil-en-Halatte
Villeneuve-sur-Verberie
St-Crépin-Ibouvillers
Mortefontaine-en-Thelle
Foulanges
Mello
MONTATAIRE
Mont-la-Ville
Forêt d'Halatte
Yvillers
Pouilly
Andeville
Cavillon
Bléquencourt
Lardières
La Mare-d'Ovillers
Le Tillet
CREIL
St-Christophe
Raray
Lormaison
Boulaines
La Fosse-St-Clair
Cramoisy
Fleurines
Villers-St-Frambourg
Brasseuse
Marivault
MÉRU
La Lande
Ercuis
Thiverny
Ivry-le-Temple
Villeneuve-les-Sablons
Anserville
Dieudonné
Blaincourt
Laversine
St-Maximin
Aumont
Bray
Le Plessis-Cornefroy
Le Fay-aux-Anes
Eschés
Puiseux-le-Hauberger
Neuilly-en-Thelle
Villers-ss-Leu
St-Leu-d'Esserent
Apremont
Chamant
Ognon
Barbery
Rully
Monts
Pontoise
Beaumont
Paris
33
Paris
Paris Creil
Paris, Senlis
Paris
Senlis, Paris
Crépy
St. Quentin
Ham, St. Quentin
Arras, Noyon
Arras, St. Quentin
Noyon
Compiègne
Compiègne
Compiègne
Compiègne

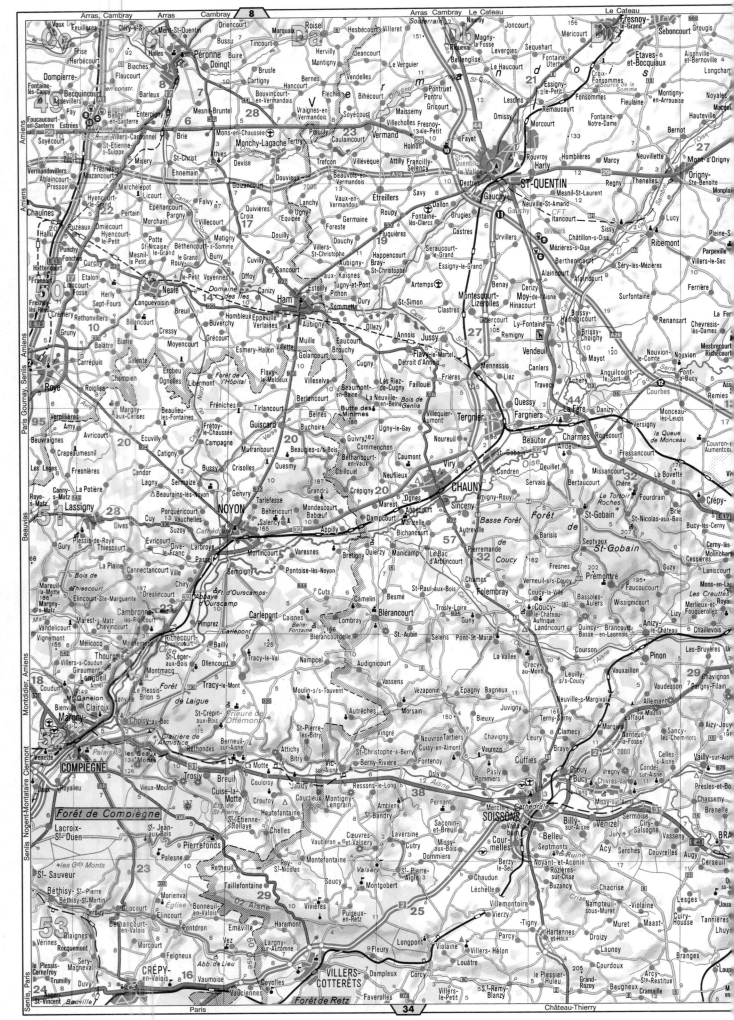
Arras, Cambray
Arras
Cambray
8
Arras Cambray Le Cateau
Le Cateau
Péronne
Doingt
Roisel
Fresnoy-le-Grand
Sebencourt
St-Quentin
Gauchy
Ham
Nesle
Chaulnes
Roye
Lassigny
Noyon
Chauny
Tergnier
La Fère
Guiscard
Ribemont
Crépy
St-Gobain
Forêt de St-Gobain
Coucy-le-Château-Auffrique
Folembray
Blérancourt
Carlepont
Tracy-le-Mont
Attichy
Vic-sur-Aisne
Soissons
Compiègne
Forêt de Compiègne
Pierrefonds
Lacroix-St-Ouen
Villers-Cotterêts
Forêt de Retz
Crépy-en-Valois
Béthisy-St-Pierre
Margny-lès-C.
Clairoix
Choisy-au-Bac
Trosly
Cuffies
Crouy
Bucy
Vailly-sur-Aisne
Belleu
Septmonts
Buzancy
Longpont
Fleury
Vierzy
Hartennes-et-Taux
Oulchy
Château-Thierry
Paris
34
Amiens
Paris Gournay, Senlis, Amiens
Beauvais
Montdidier, Amiens
Senlis Nogent-Montataire Clermont
Senlis, Paris
Vermand
Monchy-Lagache
Caulaincourt
Holnon
Fayet
Harly
Moy-de-l'Aisne
Montescourt-Lizerolles
Jussy
Flavy-le-Martel
Quessy
Fargniers
Beautor
Charmes
Prémontré
Anizy-le-Château
Pinon
Sermaize
Appilly
Salency
Manicamp
Quierzy
Bretigny
Crécy-au-Mont
Vauxaillon
Missy-sur-Aisne
Acy
Billy-sur-Aisne
Venizel
Courmelles
Berzy-le-Sec
Villers-Hélon
Louâtre
Corcy
Dampleux
Faverolles
Vez
Morienval
Orrouy
Gilocourt
Béthancourt-en-Valois
Trumilly
Duvy
Auger-St-Vincent
Baron
Dompierre-Becquincourt
Assevillers
Estrées
Villers-Carbonnel
Misery
St-Christ
Ennemain
Pertain
Curchy
Etalon
Liancourt-Fosse
Rethonvillers
Cressy
Esmery-Hallon
Villeselve
Cugny
Beaumont-en-Beine
Ugny-le-Gay
Viry
Sinceny
Abbécourt
Marizelle
Bichancourt
Autreville
Basse Forêt de Coucy
Thourotte
Longueil-Annel
Ribécourt-Dreslincourt
Cambronne-lès-Ribécourt
Machemont
Montmacq
Ollencourt
Moulin-s/s-Touvent
Autrèches
Nouvron
Fontenoy
Osly
Pasly
Pommiers
Mercin
Vauxbuin
Saconin-et-Breuil
Missy-aux-Bois
Dommiers
Cutry
Laversine
Cœuvres-et-Valsery
Montgobert
Puiseux-en-Retz
Soucy
Taillefontaine
Retheuil
Haramont
Largny-sur-Automne
Vivières
Montefontaine
Chelles
St-Étienne-Roilaye
Hautefontaine
Croutoy
Cuise-la-Motte
Courtieux
Jaulzy
Montigny-Lengrain
Berny-Rivière
Ressons-le-Long
Ambleny
St-Bandry
Pernant
18
F

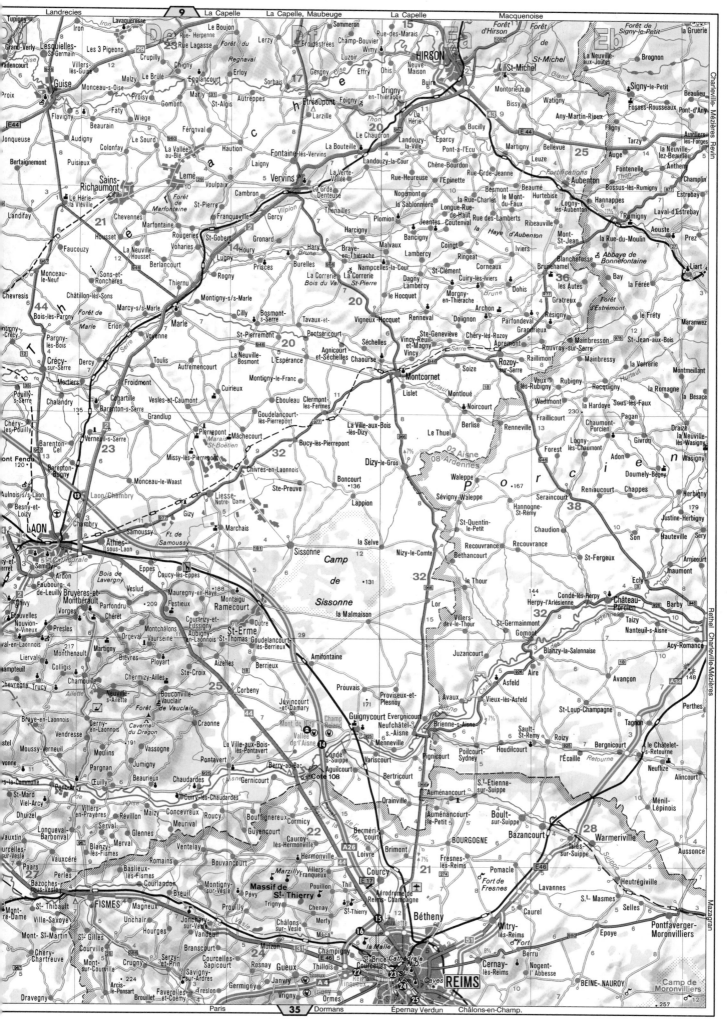
Landrecies
9
La Capelle
La Capelle, Maubeuge
La Capelle
Macquenoise
Paris
35
Dormans
Épernay Verdun
Châlons-en-Champ.
Charleville-Mézières Revin
Rethel Charleville-Mézières
Mazagran
De
Df
Ea
Eb
Tupigny
Iron
Lavaqueresse
Le Boujon
Lerzy
Sommeron
Rue-des-Marais
Forêt d'Hirson
Forêt de St-Michel
Forêt de Signy-le-Petit
La Gruerie
Grand-Verly
Lesquielles-St-Germain
Les 3 Pigeons
Rue-Herpenne
Rue Lagasse
Forêt du Regnaval
Froidestrées
Champ-Bouvier
Wimy
HIRSON
La Neuville-aux-Joûtes
Brognon
Villers-lès-Guise
Crupilly
Chigny
Erloy
Luzoir
Neuve-Maison
St-Michel
Malzy
Le Brûlé
Englancourt
Gergny
Effry
Ohis
Buire
Montorieux
Guise
Monceau-s-Oise
Marly
Sorbais
Origny-en-Thiérache
Bissy
Watigny
Signy-le-Petit
Proisy
St-Algis
Autreppes
Étréaupont
Foigny
Fosses-Rousseaux
Beaulieu
Pont-d'Any
Flavigny
Faty
Gomont
Wiège
Larzille
La Hérie
Any-Martin-Rieux
Beaurain
Fervonal
Bucilly
Fligny
Jonqueuse
Audigny
Le Sourd
Le Chaudron
Landouzy-la-Ville
Eparcy
Martigny
Tarzy
Auvillers-les-Forges
Colonfay
La Vallée-au-Blé
Haution
La Bouteille
Pont-à-l'Ecu
Bellevue
Leuze
Auge
La Neuville-lez-Beaulieu
Bertaignemont
Puisieux
Fontaine-lès-Vervins
Laigny
Landouzy-la-Cour
Chêne-Bourdon
Fontenelle
Anthény
Sains-Richaumont
Lemé
Voulpaix
Vervins
La Verte-Vallée
Rue-Heureuse
l'Épinette
Rue-Grde-Jeanne
Aubenton
Champlin
Bossus-lès-Rumigny
Cambron
La Grde Denteuse
Nogemont
Besmont
Beaumé
Hurtebise
Estrebay
Le Hérie-la-Viéville
Forêt de Marfontaine
St-Pierre
La Sablonnière
La Rue-Charles
Le Mont-du-Faux
Logny-lès-Aubenton
Hannappes
Landifay
Thenailles
Longue-Rue-de-Haut
Rumigny
Laval-d'Estrebay
Chevennes
Franqueville
Gercy
Plomion
Jeantes
Coutenval
Rue des-Lamberts
Ribeauville
Marfontaine
Housset
Rougeries
St-Gobert
Harcigny
La Haye d'Aubenton
Mont-St-Jean
Aouste
Prez
Faucouzy
Voharies
Gronard
Hary
Braye-en-Thiérache
Malvaux
Bancigny
Coingt
Iviers
La Rue-du-Moulin
La Neuville-Housset
Houry
Lugny
Prisces
Burelles
Lambercy
Ringeat
Blanchefosse
Abbaye de Bonnefontaine
Liart
Monceau-le-Neuf
Sons-et-Ronchères
Berlancourt
Rogny
La Correrie Bois du Val
La Correrie St-Pierre
Nampcelles-la-Cour
St-Clément
Corneaux
Brunehamel
Bay
La Férée
Chevresis
Châtillon-lès-Sons
Thiernu
Dagny-Lambercy
Cuiry-lès-Iviers
Dohis
les Autes
Montigny-s/s-Marle
Le Hocquet
Morgny-en-Thiérache
Gratreux
Forêt d'Estrémont
Bois-lès-Pargny
Marcy-s/s-Marle
Forêt de Marle
Cilly
Bosmont-s-Serre
Tavaux-et-Pontséricourt
Vigneux-Hocquet
Renneval
Archon
Résigny
Le Fréty
Marle
Erlon
Dolignon
Parfondeval
Maranwez
Pargny-lès-Bois
Voyenne
St-Pierremont
Séchelles
Ste-Geneviève
Vincy-Reuil-et-Magny
Chéry-lès-Rozoy
Grandrieux
Mainbresson
St-Jean-aux-Bois
Apremont
Rouvroy-sur-Serre
Crécy-sur-Serre
Dercy
Toulis
La Neuville-Bosmont
L'Espérance
Agnicourt-et-Séchelles
Chaourse
Raillimont
Rozoy-sur-Serre
Mainbressy
La Verrerie
Autremencourt
Montcornet
Soize
Montmeillant
Mortiers
Froidmont
Montigny-le-Franc
Lislet
Vaux-lès-Rubigny
Rubigny
Rocquigny
La Romagne
Pouilly-s-Serre
Chalandry
Cohartille
Vesles-et-Caumont
Cuirieux
Ebouleau
Clermont-les-Fermes
Montloué
Wadimont
La Hardoye
Sous-les-Faux
La Besace
Barenton-s-Serre
Grandlup
Goudelancourt-lès-Pierrepont
Noircourt
Fraillicourt
Pagan
Chéry-lès-Pouilly
Pierrepont
Mâchecourt
Marais St-Boëtien
La Ville-aux-Bois-lès-Dizy
Berlise
Renneville
Chaumont-Porcien
Draize
La Neuville-lès-Wasigny
Verneuil-s-Serre
Bucy-lès-Pierrepont
Le Thuel
Logny-lès-Chaumont
Givron
Barenton-Cel
Forest
Mont Fendu
Missy-lès-Pierrepont
Dizy-le-Gros
02 Aisne
08 Ardennes
Adon
Wasigny
Barenton-Bugny
Chivres-en-Laonnois
Boncourt
Waleppe
Doumely-Bégny
Monceau-le-Waast
Ste-Preuve
Porcien
Seraincourt
Remaucourt
Chappes
Aulnois-s/s-Laon
Laon/Chambry
Liesse-Notre-Dame
Lappion
Sévigny-Waleppe
Hannogne-St-Rémy
Herbigny
Besny-et-Loizy
Gizy
St-Quentin-le-Petit
Justine-Herbigny
LAON
Chambry
Samoussy
Ft. de Samoussy
Marchais
Chaudion
Son
Hauteville
Sery
Athies-sous-Laon
Sissonne
La Selve
Recouvrance
Nizy-le-Comte
Bethancourt
St-Fergeux
Arnicourt
Cathédrale
Semilly
Ardon
Eppes
Coucy-lès-Eppes
Camp de Sissonne
Le Thour
Inaumont
Bois de Lavergny
Ecly
Faubourg-de-Leuilly
Bruyères-et-Montbérault
Veslud
Mauregny-en-Haye
Montaigu
Condé-lès-Herpy
Herpy-l'Arlésienne
Château-Porcien
Barby
Chivy
Parfondru
Festieux
Ramecourt
Lor
Taizy
Étouvelles
Vorges
Chéret
Courtrizy-et-Fussigny
Outre
Villers-devant-le-Thour
St-Germainmont
Nanteuil-s-Aisne
Nouvion-le-Vineux
Presles
Montchâlons
Aubigny-en-Laonnois
St-Erme
St-Thomas
Gomont
Orgeval
Vaurseine
Goudelancourt-lès-Berrieux
Juzancourt
Blanzy-la-Salonnaise
Acy-Romance
Monthenault
Martigny
Bièvres
Ployart
Amifontaine
Lierval
Colligis
Aizelles
Berrieux
Aire
Chamouille
Chermizy-Ailles
Ste-Croix
Asfeld
Avançon
Trucy
Neuville-s-Ailette
Bouconville-Vauclair
Corbeny
Prouvais
Proviseux-et-Plesnoy
Avaux
Vieux-lès-Asfeld
Perthes
Forêt de Vauclair
Juvincourt-et-Damary
St-Loup-Champagne
Braye-en-Laonnois
Cerny-en-Laonnois
Caverne du Dragon
Craonne
Mont de Nizy
Champ Roland
Guignycourt
Evergnicourt
Neufchâtel-s.-Aisne
Brienne-s-Aisne
Tagnon
Vendresse
Vallée de l'Aisne
Menneville
Sault-St-Remy
Roizy
Bergnicourt
Le Châtelet-s-Retourne
Moussy-Verneuil
Moulins
Vassogne
La Ville-aux-Bois-lès-Pontavert
Condé-s-Suippe
Variscourt
Pignicourt
Poilcourt-Sydney
Houdilcourt
l'Écaille
Retourne
Neuflize
Jumigny
Pargnan
Pontavert
Berry-au-Bac
Aguilcourt
Cote 108
Gernicourt
Chaudardes
Beaurieux
Œuilly
Bertricourt
St-Etienne-sur-Suippe
Alincourt
Pont-Arcy
Cuiry-lès-Chaudardes
Auménancourt
St-Mard
Viel-Arcy
Orainville
Ménil-Lépinois
Dhuizel
Villers-en-Prayères
Révillon
Maizy
Concevreux
Roucy
Bouffignereux
Cormicy
Auménancourt-le-Petit
Boult-sur-Suippe
Serval
Meurival
Guyencourt
Longueval-Barbonval
Glennes
Cauroy-lès-Hermonville
Berméricourt
Bazancourt
Warmeriville
Merval
Blanzy-lès-Fismes
Ventelay
Brimont
BOURGOGNE
Isles-sur-Suippe
Vauxcéré
Romains
Hermonville
Loivre
Aussonce
Paars
Basilieux-lès-Fismes
Bouvancourt
Marzilly
Villers-Franqueux
Fresnes-lès-Reims
Pomacle
Perles
Bazoches-sous-Vesle
Courlandon
Massif de St-Thierry
Pouillon
Thil
Courcy
Fort de Fresnes
Heutrégiville
Breuil
Montigny-sur-Vesle
Pévy
Aérodrome de Reims-Champagne
Lavannes
St-Masmes
St-Thibault
FISMES
Magneux
Trigny
Chenay
St-Thierry
Bétheny
Caurel
Selles
Mont-Notre-Dame
Ville-Savoye
Unchair
Jonchery-sur-Vesle
Prouilly
Merfy
Vesle
La Neuvillette
Witry-lès-Reims
Pontfaverger-Moronvilliers
Mont-St-Martin
St-Gilles
Hourges
Vandeuil
Châlons-sur-Vesle
Mâco
Epoye
Chéry-Chartreuve
Courville
Branscourt
Muizon
Champigny
La Maille
Cathédrale
Fort
Berru
Mont-sur-Courville
Crugny
Serzy-et-Prin
Courcelles-Sapicourt
Rosnay
Gueux
Thillois
St-Brice-Courcelles
Tinqueux
Cernay-lès-Reims
Nogent-l'Abbesse
Savigny-sur-Ardres
Janvry
St-Remi
Caves
REIMS
BEINE-NAUROY
Camp de Moronvilliers
Arcis-le-Ponsart
Treslon
Germigny
Vrigny
Ormes
Faverolles-et-Coëmy
Brouillet
Dravegny

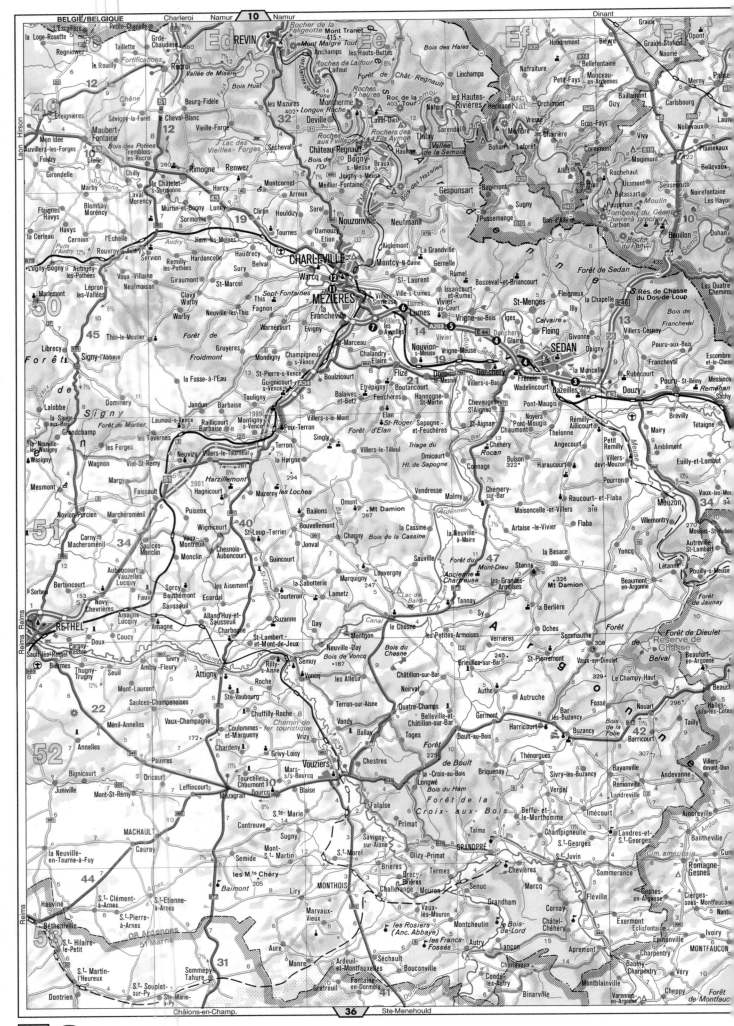
BELGIË/BELGIQUE
Charleroi
Namur
10
Namur
Dinant
Ed
Ee
Ef
Fa
REVIN
Rocroi
Mont Malgré Tout
Anchamps
les Hauts-Buttes
Roches de Laifour
Laifour
Forêt de Chât.-Regnault
Bois des Haies
Linchamps
Houdremont
Bièvre
Graide
Opont
Naomé
Bellefontaine
Nafraiture
Petit-Fays
Monceau-en-Ardennes
Les Hautes-Rivières
Orchimont
Oizy
Baillamont
Carlsbourg
Merny
Paliseul
Bourg-Fidèle
les Mazures
Monthermé
Deville
Roc de la Tour
Longue Roche
Laval-Dieu
Thilay
Sorendal
Vallée de la Semois
Nohan
Vresse
Membre
Bohan
Laforêt
Chairière
Gros-Fays
Vivy
Nollevaux
Cornimont
Mogimont
Plainevaux
Bellevaux
Rochehaut
Alle
Frahan
Ucimont
Sensenruth
Botassart
Poupehan
Tombeau du Géant
Chaire à prêcher
Corbion
Noirefontaine
Les Hayons
Bouillon
Dohan
Éteignières
Sévigny-la-Forêt
le Cheval-Blanc
Vieille-Forge
Maubert-Fontaine
Lac des Vieilles-Forges
Sécheval
Château-Regnault-Bogny-s.-Meuse
Braux
Joigny-s-Meuse
Meillier-Fontaine
Bois des Hazelles
Haulmé
Mon Idée
Auvillers-les-Forges
Foulzy
Étalle
Tremblois-lès-Rocroi
Rimogne
Renwez
Harcy
Montcornet
Arreux
Gespunsart
Bagimont
Sugny
Girondelle
Marby
Chilly
le Châtelet-s-Sormonne
Laval-Morency
Murtin-et-Bogny
Lonny
Cliron
Houldizy
Sorel
Nouzonville
Neufmanil
Pussemange
Ban-d'Alle
Flaignes-Havys
Blombay
Sormonne
Tournes
Damouzy
Etion
Aiglemont
La Grandville
Gernelle
Havys
Cernion
l'Echelle
Ham-les-Moines
la Cerleau
Rouvroy-s-Audry
Servion
Remilly-lès-Pothées
Hardoncelle
Haudrecy
Belval
CHARLEVILLE-
MÉZIÈRES
Warcq
Montcy-N-Dame
Rumel
Bosseval-et-Briancourt
Forêt de Sedan
Rés. de Chasse du Dos-de-Loup
Les Quatre Chemins
Logny-Bogny
Aubigny-les-Pothées
Vaux-Villaine
Neufmaison
Giraumont
Sury
St-Marcel
St-Laurent
Ville-s-Lumes
Issancourt-et-Rumel
Vivier-au-Court
St-Menges
Fleigneux
la Chapelle
Illy
Marlemont
Lépron-les-Vallées
Clavy-Warby
This
Sept-Fontaines
Fagnon
Neuville-lès-This
la Francheville
Villers-Semeuse
Lumes
Vrigne-au-Bois
Iges
Calvaire
Floing
Glaire
Givonne
Daigny
Villers-Cernay
Bois de Francheval
Warby
Warnécourt
Évigny
les Ayvelles
Nouvion-s-Meuse
Vrigne-Meuse
Donchery
SEDAN
Librecy
Thin-le-Moutier
Forêt de Froidmont
Gruyères
Mondigny
Champigneul-s-Vence
St-Marceau
Chalandry-Elaire
Pouru-aux-Bois
Escombres-et-le-Chesnois
Signy-l'Abbaye
la Fosse-à-l'Eau
St-Pierre-s-Vence
Boulzicourt
Flize
Dom-le-Mesnil
Villers-s-Bar
Frénois
Wadelincourt
Bazeilles
la Moncelle
Francheval
Rubécourt
Pouru-St-Rémy
Messincourt
Douzy
Sachy
Guignicourt-s-Vence
Étrépigny
Boutancourt
Hannogne-St-Martin
Cheveuges-St-Aignan
Pont-Maugis
Remilly-Aillicourt
Jandun
Barbaise
Touligny
Balaives-et-Butz
Feuchères
Elan
St-Roger
Sapogne-et-Feuchères
Noyers-Pont-Maugis
Chaumont
Thelonne
Brévilly
Tétaigne
Dommery
Lalobbe
la Sauge-aux-Bois
Forêt de Signy
Forêt de Mortier
Grandchamp
Launois-s-Vence
Raillicourt
Barbaise
Montigny-s-Vence
Poix-Terron
Villers-s-le-Mont
Forêt d'Elan
Singly
Triage du Omicourt
Ht. de Sapogne
Chéhéry
Rocan
Bulson
Angecourt
Petit Remilly
Villers-devt-Mouzon
Mairy
Amblimont
Eully-et-Lombut
la Neuville-lès-Wasigny
Wasigny
les Tavernes
les Forges
Wagnon
Viel-St-Remy
Neuvizy
Villers-le-Tourneur
Terron
la Horgne
Villers-le-Tilleul
Connage
Haraucourt
Pourron
Margy
Mesmont
Faissault
Harzillemont
Hagnicourt
Mazerny
les Loches
Vendresse
Malmy
Chémery-sur-Bar
Raucourt-et-Flaba
Mouzon
Vaux-lès-Mouzon
Novion-Porcien
Marchéroménil
Puiseux
Baâlons
Omont
Mt Damion
Maisoncelle-et-Villers
Flaba
Villemontry
Moulins-St-Hubert
Wignicourt
St-Loup-Terrier
Bouvellemont
la Cassine
la Neuville-à-Maire
Artaise-le-Vivier
Autrécourt-St-Lambert
Corny-Macheroménil
Vaux-Montreuil
Saulces-Monclin
Chesnois-Auboncourt
Jonval
Chagny
Bois de la Cassine
Forêt du Mont-Dieu
Sauville
Stonne
la Besace
Yoncq
Létanne
Pouilly-s-Meuse
Monclin
Guincourt
Louvergny
Ancienne Chartreuse
les Grandes-Armoises
Mt Damion
Beaumont-en-Argonne
Forêt de Jaunay
Aubencourt-Vauzelles
Lucquy
Sorcy-Bauthémont
les Aisement
la Sabotterie
Marquigny
Tourteron
Lametz
Tannay
la Berlière
Sorbon
Bertoncourt
Novy-Chevrières
Faux
Ecordal
Sausseuil
Alland'Huy-et-Sausseuil
Lac de Bairon
Sy
RETHEL
Amagne-Lucquy
Amagne
Coucy
Doux
Charbogne
Suzanne
Day
Canal
le Chesne
les Petites-Armoises
Verrières
Oches
Sommauthe
Forêt de Dieulet
Réserve de Chasse
Forêt de Belval
Beaufort-en-Argonne
Sault-lès-Rethel
Parny-Resson
Biermes
Givry
Ambly-Fleury
Attigny
St-Lambert-et-Mont-de-Jeux
Montgon
Semuy
Rilly-s-Aisne
Voncq
Neuville-Day
Bois de Voncq
Bois du Chesne
Brieulles-sur-Bar
St-Pierremont
Vaux-en-Dieulet
Le Champy-Haut
Thugny-Trugny
Seuil
Mont-Laurent
Roche
les Alleux
Châtillon-sur-Bar
Noirval
Authe
Autruche
Ste-Vaubourg
Saulces-Champenoises
Chuffilly-Roche
Terron-sur-Aisne
Quatre-Champs
Belleville-et-Châtillon-sur-Bar
Germont
Bar-lès-Buzancy
Fossé
Nouart
Halles-s/s-les-Côtes
Ménil-Annelles
Vaux-Champagne
Coulommes-et-Marqueny
Chemin de fer touristique
Vandy
Ballay
Toges
Harricourt
Buzancy
Bois de la Folie
Barricourt
Tailly
Annelles
Chardeny
Vrizy
Forêt de Boult
Boult-au-Bois
Thénorgues
Grivy-Loisy
Pauvres
Mars-s/s-Bourcq
Vouziers
Chestres
la Croix-au-Bois
Briquenay
Sivry-lès-Buzancy
Bayonville
Andevanne
Villers-devant-Dun
Bignicourt
Dricourt
Tourcelles-Chaumont
Longwé
Bois du Ham
Verpel
Rémonville
Juniville
Mont-St-Rémy
Leffincourt
Mazagran
Bourcq
Blaise
Forêt de la Croix-aux-Bois
Landreville
Falaise
Beffu-et-le-Morthomme
Imécourt
Aincreville
Ste-Marie
Contreuve
Primat
Talma
Champigneulle
Landres-et-St-Georges
Bantheville
MACHAULT
Sugny
Savigny-sur-Aisne
St-Georges
Cauroy
Mont-St-Martin
St-Morel
Olizy-Primat
GRANDPRÉ
St-Juvin
la Neuville-en-Tourne-à-Fuy
Semide
Brières
Termes
Chevières
Sommerance
Romagne-Gesnes
les Mts Chéry
Brécy-Brières
Senuc
Marcq
Baimont
Liry
MONTHOIS
Challerange
Mouron
Grandham
Fléville
Gesnes-en-Argonne
Cierges-sous-Montfaucon
Hauviné
St-Clément-à-Arnes
St-Étienne-à-Arnes
Vaux-lès-Mouron
Cornay
Béthenville
St-Pierre-à-Arnes
Marvaux-Vieux
les Rosiers (Anc. Abbaye)
Montcheutin
le Bois-de-Lord
Châtel-Chéhéry
Exermont
Eclisfontaine
Ivoiry
08 Ardennes
51 Marne
St-Hilaire-le-Petit
les Francs-Fossés
Autry
Lançon
Apremont
Épinonville
MONTFAUCON
Aure
Manre
Séchault
Charpentry
St-Martin-l'Heureux
Sommepy-Tahure
Ardeuil-et-Montfauxelles
Bouconville
Charlevaux
Baulny-Charpentry
Véry
St-Souplet-sur-Py
Ste-Marie-à-Py
Gratreuil
Fontaine-en-Dormois
Condé-lès-Autry
Montblainville
Cheppy
Forêt de Montfaucon
Dontrien
Binarville
Varennes-en-Argonne
Châlons-en-Champ.
36
Ste-Menehould
Laon
Hirson
Reims

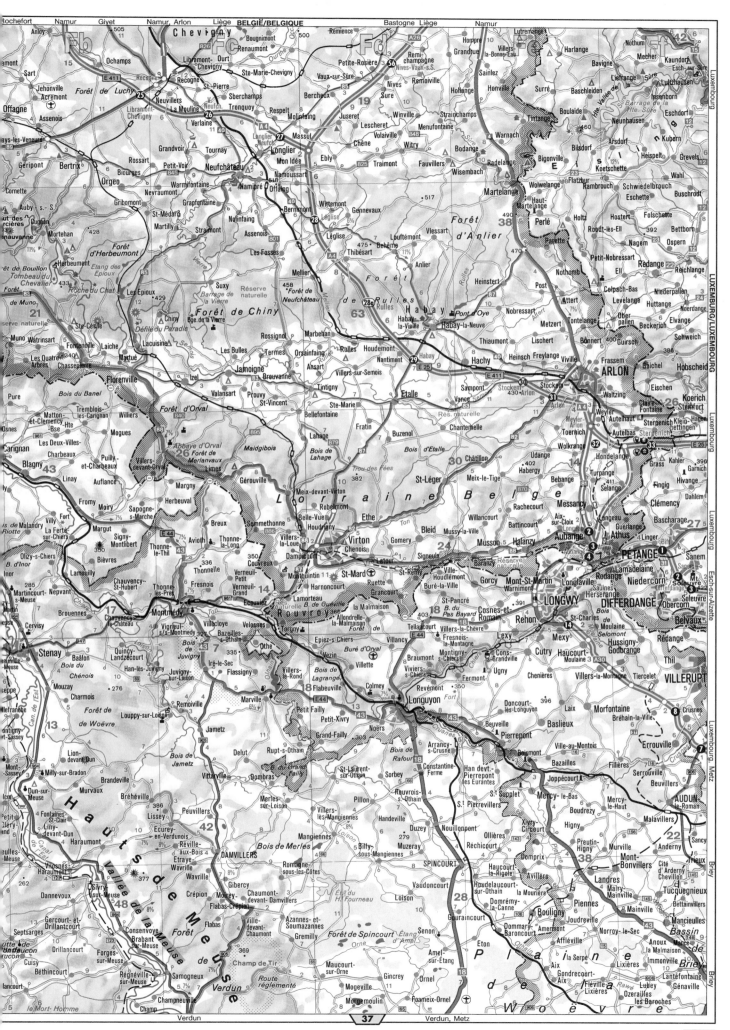
Rochefort
Namur
Givet
Namur, Arlon
Liège
BELGIË/BELGIQUE
Bastogne Liège
Namur
Fb
Fc
Fd
Fe
Ff
Chevigny
Libramont-Chevigny
Recogne
Neufchâteau
Longlier
Bertrix
Orgeo
Habay
Habay-la-Neuve
Forêt d'Anlier
Forêt de Rulles
Forêt de Chiny
Forêt d'Herbeumont
Florenville
Chiny
Jamoigne
Etalle
Hachy
ARLON
Martelange
Perlé
Redange
Attert
Steinfort
Virton
Lorraine Belge
Aubange
Athus
PÉTANGE
DIFFERDANGE
LONGWY
Rehon
Mont-St-Martin
Esch-sur-Alzette
Luxembourg
LUXEMBURG/LUXEMBOURG
Carignan
Blagny
Stenay
Montmédy
Forêt d'Orval
Abbaye d'Orval
Rouvroy
Longuyon
VILLERUPT
AUDUN-le-Roman
Spincourt
DAMVILLERS
Hauts de Meuse
Vallée de la Meuse
Forêt de Meuse
Forêt de Spincourt
Plaine de la Woëvre
Verdun
Verdun, Metz
Briey
Luxembourg, Metz
Bassin de Briey
37

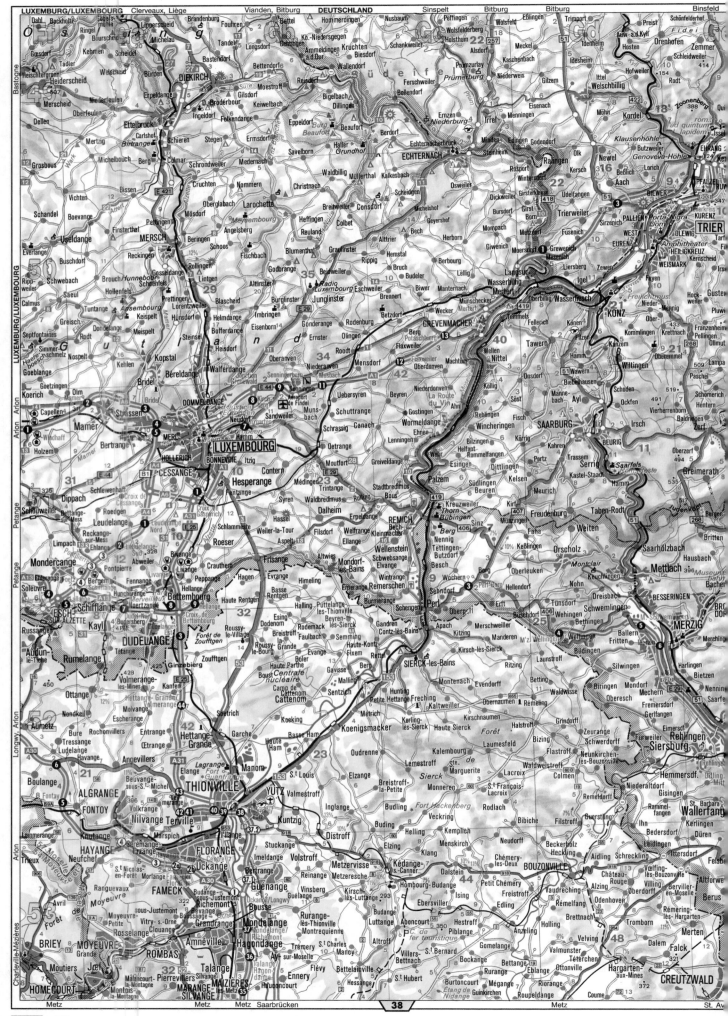
LUXEMBURG/LUXEMBOURG
Clerveaux, Liège
Vianden, Bitburg
DEUTSCHLAND
Sinspelt
Bitburg
Bitburg
Binsfeld
Bastogne
LUXEMBURG/LUXEMBOURG
Arlon
Petange
Longwy, Arlon
Arlon
Charleville-Mézières
Metz
Metz
Metz Saarbrücken
38
Metz
St. Av
DIEKIRCH
Ettelbruck
MERSCH
ECHTERNACH
GREVENMACHER
LUXEMBOURG
Hesperange
REMICH
Mondorf-les-Bains
Schengen
Perl
Bettembourg
DUDELANGE
ESCH-SUR-ALZETTE
Schifflange
Kayl
Rumelange
Mamer
Strassen
Bertrange
Dippach
Mondercange
THIONVILLE
YUTZ
Cattenom
Hettange-Grande
Manom
Koenigsmacker
SIERCK-les-Bains
FLORANGE
Uckange
HAYANGE
FAMECK
Nilvange
Terville
ALGRANGE
FONTOY
Ottange
Aumetz
Richemont
Guénange
Bousse
Mondelange
Hagondange
Amnéville
ROMBAS
MOYEUVRE
BRIEY
HOMECOURT
Talange
MAIZIÈRES-les-Metz
Kédange-s.-Canner
BOUZONVILLE
CREUTZWALD
Metzervisse
Distroff
TRIER
KONZ
SAARBURG
Mettlach
MERZIG
Wallerfang
Siersburg
Rehlingen
Langsur
Wasserbillig
Mertert
Igel
Irrel
Nittel
Wellen
Tawern
Freudenburg
Orscholz
Junglinster
Larochette
Berdorf
Beaufort
Consdorf
Süd eifel
Gutland
Ösling
Echternacherbrück
Kordel
Ehrang
Pfalzel
Welschbillig

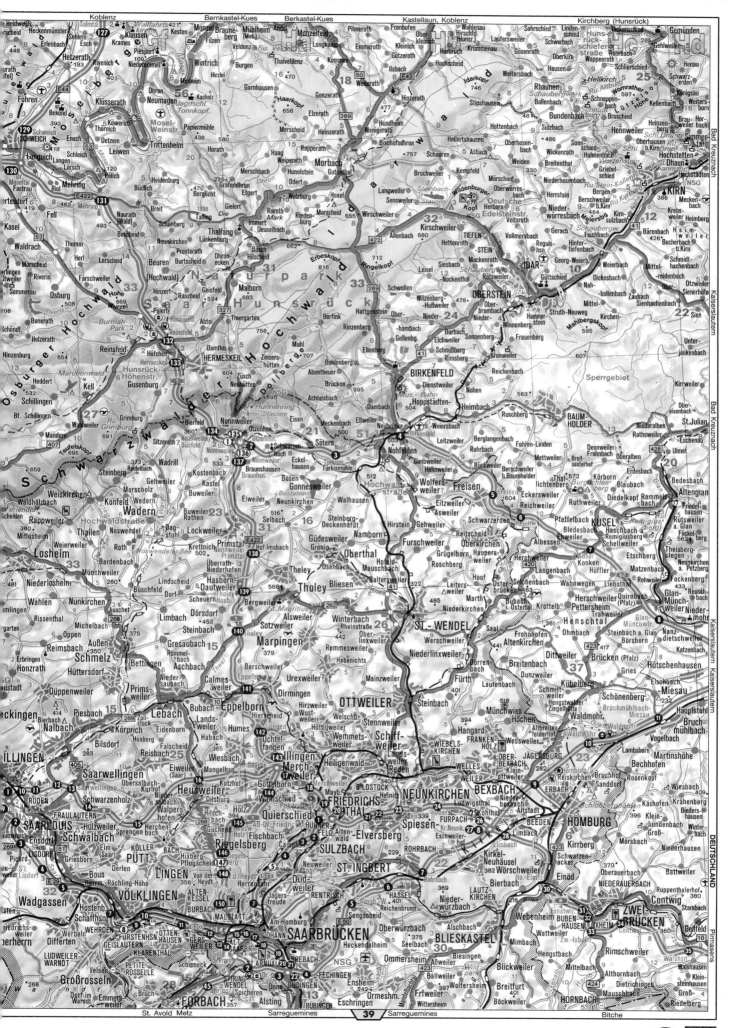
Koblenz
Bernkastel-Kues
Berkastel-Kues
Kastellaun, Koblenz
Kirchberg (Hunsrück)
Bad Kreuznach
Kaiserslautern
Bad Kreuznach
Kaiserslautern
Kaiserslautern
DEUTSCHLAND
Pirmasens
Bitche
Sarreguemines
39
Sarreguemines
St. Avold Metz
Naturpark
Saar-Hunsrück
Schwarzwälder Hochwald
Osburger Hochwald
Idarwald
SCHWEICH
Morbach
HERMESKEIL
BIRKENFELD
IDAR-OBERSTEIN
KIRN
BAUMHOLDER
KUSEL
Losheim
Wadern
Tholey
ST.-WENDEL
OTTWEILER
Lebach
Schmelz
Eppelborn
SAARLOUIS
Schwalbach
DILLINGEN
Saarwellingen
Heusweiler
Quierschied
Riegelsberg
FRIEDRICHSTHAL
NEUNKIRCHEN
BEXBACH
HOMBURG
SULZBACH
ST. INGBERT
VÖLKLINGEN
PÜTTLINGEN
SAARBRÜCKEN
BLIESKASTEL
ZWEIBRÜCKEN
FORBACH
Großrosseln
Wadgassen
Marpingen
Schiffweiler
Spiesen-Elversberg
Illingen
Merchweiler
Nohfelden
Freisen
Sperrgebiet

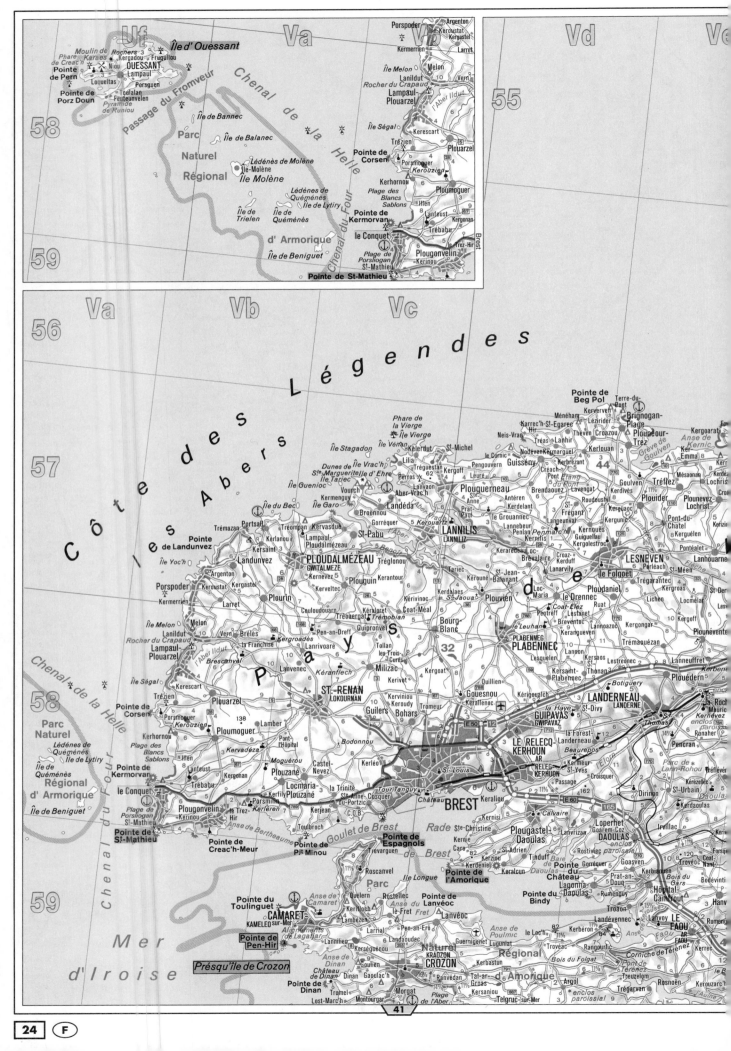
Uf
Va
Vb
Vd
55
58
59
Île d' Ouessant
OUESSANT
Lampaul
Pointe de Pern
Pointe de Porz Doun
Moulin de Karaes
Phare de Creac'h
Rochers
Kergadou
Frugullou
Niou
Loqueltas
Porsguen
Toulalan
Feuteunvelen
Pyramide de Runiou
Passage du Fromveur
Chenal de la Helle
Île de Bannec
Île de Balanec
Parc Naturel Régional d' Armorique
Lédénès de Molène
Île-Molène
Île Molène
Lédénes de Quéménès
Île de Lytiry
Île de Trielen
Île de Quéménès
Île de Beniguet
Chenal du Four
Pointe de St-Mathieu
Porspoder
Argenton
Keroustat
Kergastel
Kermerrien
Larret
Île Melon
Melon
Lanildut
Vern
Rocher du Crapaud
Lampaul-Plouarzel
l'Aber Ildut
Île Ségal
Kerescart
Trézien
Plouarzel
Pointe de Corsen
Porsmoguer
Kerouzien
Kerhornou
Plage des Blancs Sablons
Ploumoguer
Illien
Lanfeust
Kergonan
Pointe de Kermorvan
Trébabu
le Conquet
Plage de Porsliogan
St-Mathieu
Plougonvelin
Kerinou
le Trez-Hir
Brest
Vc
56
57
Côte des Légendes
les Abers
Pays de
Pointe de Beg Pol
Terre-du-Pont
Brignogan-Plage
Plounéour-Trez
Ménéham
Kerverven
Lézirider
Karrec'h-St-Egarec
Hir
Théven
Croazou
Neis-Vran
Tréas
Lanhir
Phare de la Vierge
Île Vierge
Île Stagadon
Île Véran
Kelerdut
St-Michel
Lilia
Tréguestan
Kergoff
le Cornic
Pengouvern
Guissény
Nodéven
Kermarguel
Kerbrezant
Kerlouan
Dunes de Ste-Marguerite
Île Vrac'h
Île d' Ehre
Île Tariec
Perros
Lanvaon
Leuré
Créach-Pont
Étang du Pont
Île Guenioc
Vourch
Aber-Vrac'h
Plouguerneau
Ste-Anne
Antéren
Brendaouez
Lavengat
Goulven
Tréflez
Kermenguy
Landéda
Prat-Paul
Kerdelant
Roudoushil
Kerdivès
Plouider
Île du Bec
Île Garo
Broënnou
Le Grouannec
St-Frégant
Kerguiac
Kergunic
Gorréquer
Kerouartz
Lannebeur
Lanneunval
Pont-du-Chatel
Kerguélen
Trémazan
Portsall
Tréompan
Kervasdué
St-Pabu
LANNILIS
LANNILIZ
Penlan
Penmarc'h
Kernilis
Kernoués
Guiguellau
Kergolestroc
Pointe de Landunvez
Kerlanou
Lampaul-Ploudalmézeau
Kersaint
Landunvez
PLOUDALMÉZEAU
GWITALMEZE
Tréglonou
Kerarédeau
Loc-Brévalaire
Croaz-Kerduff
Lanarvily
LESNEVEN
Le Folgoët
Porléach
Pontéalet
Lanhouarne
Île Yoc'h
Kernevez
Kerantour
Tariec
St-Jean-Balanant
Keroune
Plouguin
Kerveltec
Kerdalaes
St-Jaoua
Plouvien
Loc-Maria
Le Drennec
Ploudaniel
Trégarantec
Kergroas
St-Méen
Plourin
Kérivinoc
Coat-Méal
Coat-Elez
Pentreff
Ruat
Lichen
Locmélar
Caouldouarn
Kéraloret
Trémobian
Bourg-Blanc
Le Leuhan
Breventoc
Lannoazoc
Kergongar
Kergoff
Treouergat
Pen-an-Dreff
Guipronvel
Kergroadès
Brélès
Keranguéven
PLABENNEG
PLABENNEC
Trémaouézan
Plounéventer
La Franchise
Lanrivoaré
Tollan
les-Trois-Curés
Lannon
Lesquelen
Kersaos
St-Thonan
Lestreonec
Lanneuffret
Brescanvel
Lanvenec
Kéranflech
Milizac
Kergoat
Kersaint-Plabennec
Plouédern
Kerivot
Quillien
Botiguery
ST.-RENAN
LOKOURNAN
Gouesnou
Kerallenoc
Kérigoualch
LANDERNEAU
LANDERNE
Kerviniou
Keroudy
Guilers
Bohars
Tromeur
la Haye
St-Divy
GUIPAVAS
GWIPAVAZ
La Roche-Maurice
St-Thomas
Lamber
la Forest-Landerneau
Pencran
Runaher
Pont-l'Hôpital
Bodonnou
LE RELECQ-KERHOUN
Beaurepos
Kervadéza
Moguérou
Castel-Nevez
Kerléo
St-Louis
RELEG-KERHUON
Kermeur-St-Yves
l'Elorn
Parc de Lann-Rohou
Tréflévénez
Kerézellec
St-Urbain
Plouzané
Locmaria-Plouzané
la Trinité
Ste-Anne-du-Portzic
Tour Tanguy
Château
Passage
Croisquer
Dirinon
Kerfily
Porsmilin
Kerléren
Cosquer
BREST
Keraliou
Kerdaoulas
Kerjean
C.O.B.
Kernisi
Calvaire
Loperhet
Goarem-Coz
DAOULAS
Irvillac
Toulbroch
Anse de Bertheaume
Goulet de Brest
Rade de Brest
Ste-Christine
Plougastel-Daoulas
Lanvrizan
enclos paroissial
Pointe de Creac'h-Meur
Pointe du Pt Minou
Pointe de Espagnols
Trévarguen
Kernie
Caro
St-Adrien
Tinduff
Rostiviec
Goasven
Kerbiaouen
Coat-Nant
Roscanvel
Pointe de l'Amorique
Kerdeniel
Keralcun
Bare de Daoulas
Pointe du Château
Gorréquer
Prat-an-Douq
Bois du Gars
Bodévintin
Île Longue
Lagonna-Daoulas
Rumengol
Hôpital-Camfrout
Pointe du Toulinguet
Anse de Camaret
CAMARET-
KAMELEO sur-Mer
Quélern
Rostellec
Pointe de Lanvéoc
Pointe du Bindy
Kerillech
Lambézen
Anse du Fret
le Fret
Lanvéoc
Troaon
Landévennec
Lanvoy
LE FAOU
AR FAOU
Alignements de Lagatjar
Pointe de Pen-Hir
Larrial
Pen-an-Ero
Anse de Poulmic
le Loc'h
Kerbéron
Lannilien
Landaoudec
Guernigenet
Luguniat
Trovéac
Rangourlic
Corniche de Térénez
Mer d'Iroise
Présqu'île de Crozon
Kerséguénou
Anse de Dinan
Goulien
KRAOZON
CROZON
Kerbastun
Bois du Folgat
Pont de Térénez
Château de Dinan
Dinan
Gaoulac'h
Ranvédan
Tal-ar-Groas
Treuzelom
Pointe de Dinan
Tromel
Lost-Marc'h
Montourgar
Morgat
Plage de l'Aber
Kersaniou
Telgruc-sur-Mer
Argol
Trégarvan
Rosnoën
Kerouzarc'h
41

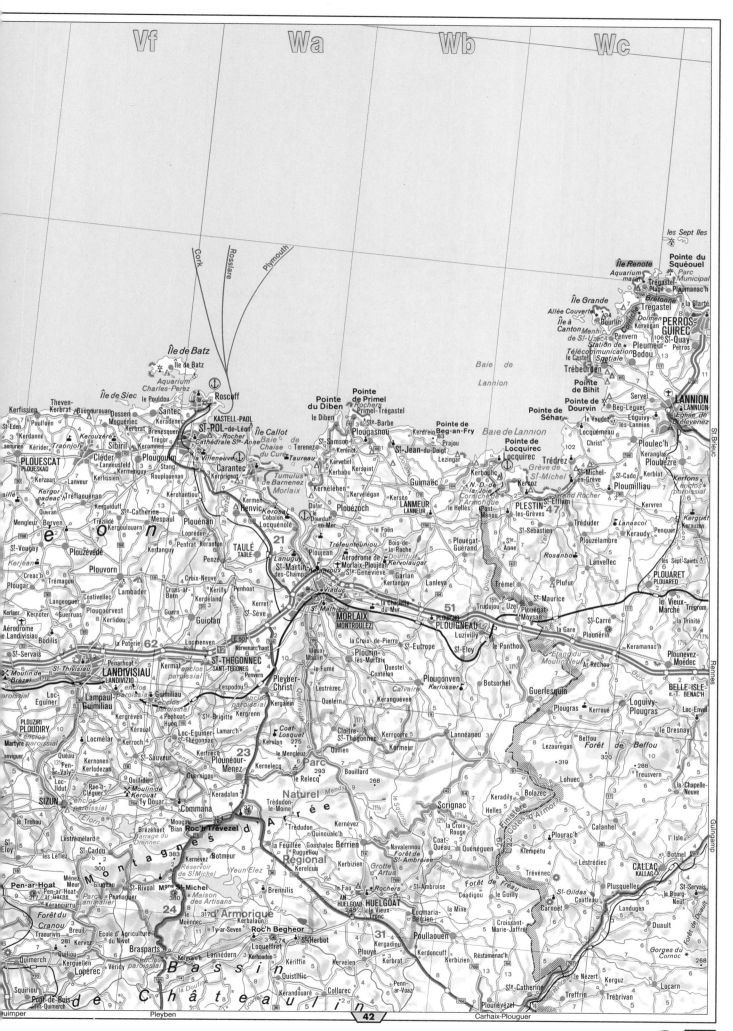
Vf
Wa
Wb
Wc
les Sept Iles
Pointe du Squéouel
Île Renote
Aquarium marin
Parc Municipal
Trégastel-Plage
Ploumanac'h
Île Grande
Bretonne
Trégastel
la Clarté
Allée Couverte
Île à Canton
Menhir de St-Uzec
Dourlin
Corniche
Dolmen
Kervégan
PERROS-GUIREC
Penvern
St-Quay-Perros
Station de Télécommunication Spatiale
Pleumeur-Bodou
le Castel
Trébeurden
Pointe de Bihit
Pointe de Dourvin
Servel
Beg-Léguer
LANNION
LANNUON
Église de Brélévenez
Loguivy-lès-Lannion
Pointe de Séhar
le Yaudet
Locquémeau
Christ
Ploulec'h
Trédrez
Kerangias
Ploubezre
St-Michel-en-Grève
St-Cado
Kerblat
Kerfons enclos paroissial
Ploumilliau
Grève de St-Michel
Grand Rocher
Baie de Lannion
Baie de Lannion
Pointe de Locquirec
Locquirec
Pointe de Beg-an-Fry
Kerdrein
Prajou
Lezingar
Kerboulic
N.-D. de la Joie
Corniche de l'Armorique
Kercoz
PLESTIN-les-Grèves
St-Efflam
Kervren
Kergrist
Kerauzen
Lanascol
Penquer
Keraudy
Tréduder
St-Sébastien
Plouzélambre
Ste-Anne
Rosanbo
Lanvellec
les Sept-Saints
PLOUARET
PLOUARED
Plufur
Trémel
St-Maurice
Plouégat-Moysan
Uzel
Trudujou
le Vieux-Marché
Trégrom
St-Carré
la Trinité
Plounérin
la Gare
Keramanac'h
Étang du Moulin Neuf
Ar Réchou
Plounévez-Moëdec
BELLE-ISLE-en-TERRE
BENAC'H
Botsorhel
Guerlesquin
Loguivy-Plougras
Plougras
Kerroué
Loc-Envel
le Dresnay
Belfou
Forêt de Beffou
Lezauregan
Treusvern
Lohuec
la Chapelle-Neuve
Bolazec
Keradily
Helles
Finistère
Côtes-d'Armor
Calanhel
l'Isle
Plourac'h
Klempétu
Lestrédiec
Botmel
CALLAC
KALLAG
Trévénec
Plusquellec
St-Servais
le Bourg-Neuf
St-Gildas
Coatleau
Carnoët
Landugen
Duault
Forêt de Duault
Gorges du Corno
le Nézert
Kerguz
Locarn
Treffrin
Trébrivan
Ste-Catherine
Plounévézel
Carhaix-Plouguer
Restamenac'h
Kerbizien
Kerdoncuff
Croissant-Marie-Jaffré
la Mine
Coadigou
le Guilly
Forêt de Fréau
l'Aulne
Quénéguen
Coat-Quéau
la Croix-Rouge
Scrignac
Lannéanou
Navalennou
Forêt de St-Ambroise
St-Ambroise
Poullaouen
Locmaria-Berrien
Kergadiou
Plouyé
Kerbrat
Penn-ar-Voaz
Collorec
Grotte d'Artus
Rochers
HUELGOAT
AN HUELGOAD
le Vieux-Tronc
le Fao
Kerbizien
Berrien
Kernévez
Pointe du Diben
le Diben
Pointe de Primel
Rochers
Primel-Trégastel
Ste-Barbe
Plougasnou
St-Jean-du-Doigt
St-Samson
Kerenot
Kervebel
Kerbabu
Kersaint
Guimaëc
Kernéléhen
Kervélégan
Kersco
LANMEUR
LANNEUR
le Hellès
Pont-Menou
Plouézoch
Dalar
le Dourduff-en-Mer
le Foën
Bois-de-la-Roche
Plouégat-Guérand
Tréfeunteuniou
Aérodrome de Morlaix-Ploujean
Kervolaugar
Dourduff
Ste-Geneviève
Garlan
Kertanguy
Lanleya
Ploujean
Viaduc
St-Mathieu
la Chapelle du-Mur
51
PLOUIGNEAU
Luzivilly
St-Éloy
le Ponthou
MORLAIX
MONTROULEZ
la Croix-de-Pierre
St-Eutrope
Plourin-lès-Morlaix
Questel
Coatélan
Plougonven
Kerlosser
Calvaire
Keranguéven
Cloître-St-Thégonnec
Kerrgorre
Kermeur
Quilien
Bouillard
Mendy
Île de Batz
Île de Batz
Aquarium Charles-Pérez
Île de Siec
le Pouldou
Roscoff
Cork
Rosslare
Plymouth
Kerfissien
Theven-Kerbrat
Bougourouan
Dossen
Santec
Moguériec
Keradenec
KASTELL-PAOL
ST-POL-de-Léon
Île Callot
Rocher Cathédrale Ste-Anne
Baie de Morlaix
Chaise du Curé
Terenez
Taureau
St-Éden
Poulfoën
Kerdanné
Kerouzéré
Kerbrat
Brenesquen
Trégor
Keromnes
Sibiril
Tronjoly
Kérider
PLOUESCAT
PLOUESKAD
Cléder
Lanneusfeld
Kermenguy
Plougoulm
la Villeneuve
Carantec
Kerprigent
Stang
Rouplouenan
Kerzean
Lanveur
Kerlissien
Tumulus de Barnenez
Kergornadeac'h
Tréflaouénan
Kerohantiou
Kermen
Henvic
Kerosal
Cobalon
Locquénolé
Kerguiduff
Ste-Catherine
Queran
Mengleuz
Berven
Trézilidé
Kergoulouarn
Mespaul
Plouénan
Lopréden
Penfrat
Keranton
Kertanguy
Penzé
TAULÉ
TAOLE
21
la Penzé
Léon
St-Vougay
Plouzévédé
Kerjean
Plouvorn
Creac'h
Trémagon
Plougar
Lambader
Croix-Neuve
Croas-ar-Born
Kerilly
Penhoat
Kerdéland
Lanuguy
St-Martin-des-Champs
Keranroux
Langeoguer
Coativellec
Plougourvest
Kerlidou
Guern
Guiclan
Kerret
St-Sève
Kerlaer
Kernoter
Guerruas
Aérodrome de Landivisiau
Bodilis
la Poterie
62
Locmenven
Kervenarc'hant
St-Servais
Penarhoat
Kermat
enclos paroissial
ST-THÉGONNEC
SANT-TEGONEG
Penvern
Vieux-Moulin
le Fumé
Moulin de Brézal
St-Thivisiau
LANDIVISIAU
LANDIVIZIO
Lespodou
Pleyber-Christ
Lestrézec
Quelern
Loc-Eguiner
Lampaul-Guimiliau
Guimiliau
enclos paroissial
Kergalein
Kergrenn
Ste-Brigitte
Penhoat-Huon
Kergréven
PLOUZIRI
PLOUDIRY
enclos paroissial
Martyre
Locmélar
Kéroual
Kerroch
Loc-Eguiner-St-Thégonnec
Lamarc'h
Kervian
Coat-Losquet
Kerfrecq
Plounéour-Menez
23
le Mengleuz
Parc
Kernelecq
le Relecq
Quéau
Pen-ar-Valy
Kernonen
Kerlodezan
St-Sauveur
Quillidiec
Guernigou
Naturel
Loc-Ildut
Rec'h-Cléguer
Moulin de Kerouat
Ty Douar
Keradalan
SIZUN
enclos paroissial
Commana
Trédudon-le-Moine
d'Arrée
le Tréhou
l'Élorn
Mougau-Bian
Roc'h Trévezel
Trédudon
Quinoualc'h
Lestrémélard
Brézéhant
Barrage du Drennec
St-Cadou
Montagnes
la Feuillée
Goashalec
Rugueliou
Régional
Kerelcun
St-Éloy
les Léflez
Kernévez
Botmeur
Réservoir de St-Michel
Yeun Elez
Ménez-Meur
Glugeau
Pen-ar-Hoat
Pen-ar-Hoat-ar-Garne
Parc animalier
Pennaguer
St-Rivoal
Mgne St-Michel
Maison des Artisans
Brennilis
Kérancurru
Forêt du Cranou
24
le Moënnec
d'Armorique
Kerbalaün
Elez
Traourivin
Breuil
Kervez
École d'Agriculture du Nivot
Ty-ar-Seven
Roc'h Begheor
Loqueffret
St-Herbot
Quiliou
Brasparts
Kerhoaden
Quimerch
Kerguellen
Lopérec
Vérédy
enclos paroissial
Keryvare'h
Lannédern
Bassin
Kériffin
Kervélen
Quistillic
Kerandouaré
de Châteaulin
Squiriou
Pont-de-Buis-lès-Quimerch
la Doufine
uimper
Pleyben
42
St. Brieuc
Rennes
Guingamp

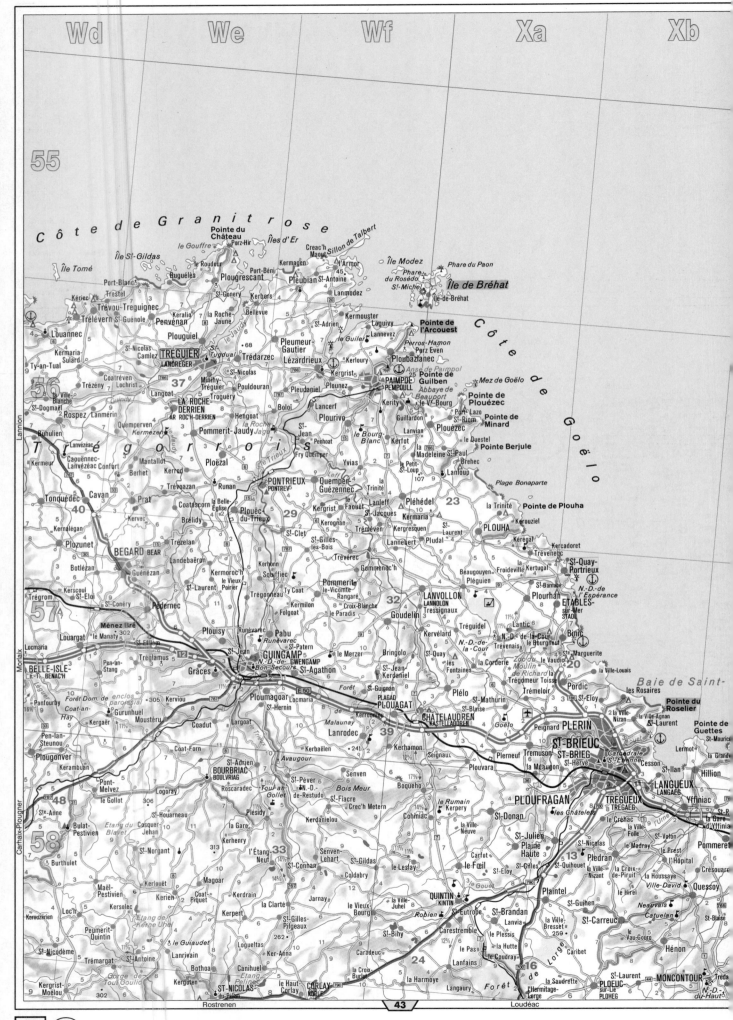
Wd
We
Wf
Xa
Xb
55
56
57
58
Côte de Granit rose
Pointe du Château
Porz-Hir
Îles d'Er
Creac'h Maout
Sillon de Talbert
le Gouffre
Île St-Gildas
Île Tomé
le Roudour
Port-Béni
Kermagen
l'Armor
Île Modez
Phare du Paon
Phare du Rosédo
St-Michel
Île de Bréhat
Île-de-Bréhat
Port-Blanc
Buguélès
Plougrescant
Pleubian
St-Antoine
Lanmodez
Kériec
Trestel
Trévou-Treguignec
St-Gonery
Kerbors
Bellevue
Trélévern
St-Guénolé
Keralio
Penvénan
la Roche-Jaune
Kermouster
Loguivy
Lannevez
Pointe de l'Arcouest
St-Adrien
Louannec
Plouguiel
le Jaudy
Pleumeur-Gautier
le Guilen
Perros-Hamon
Porz Even
Côte de Goëlo
Kermaria-Sulard
St-Nicolas
Camlez
TRÉGUIER
LANDREGER
St-Tugdual
Trédarzec
Lézardrieux
Kerloury
Ploubazlanec
Ty-an-Tual
St-Nicolas
Kergrist
Anse de Paimpol
Pointe de Guilben
Coatréven
Lochrist
37
Minihy-Tréguier
Pouldouran
Pleudaniel
Plounez
PAIMPOL
PEMPOULL
Mez de Goëlo
Trézény
Langoat
Abbaye de Beauport
la Ville-Blanche
LA ROCHE-DERRIEN
AR ROC'H-DERRIEN
Troguéry
Kerity
le Vx-Bourg
Pointe de Plouézec
St-Dogmaël
Rospez
Lanmérin
Hengoat
Boloï
Lancerf
Port-Lazo
St-Riom
Guillardon
Pointe de Minard
Lannion
Quemperven
Kermezen
la Roche-Jagu
Plourivo
Buhulien
Pommerit-Jaudy
St-Jean
le Bourg-Blanc
Kerfot
Lanvian
Plouézec
Trégorrois
Lanvézéac
Penhoat
le Trieux
Fry Quemper
le Questel
la Madeleine
St-Paul
Pointe Berjule
Kermeur
Caouënnec-Lanvézéac
Confort
Mantallot
Berhet
Ploëzal
Yvias
Brehec
le Petit-St-Loup
Kerrod
Runan
PONTRIEUX
PONTREV
Quemper-Guézennec
la Trinité
Lanloup
Plage Bonaparte
Trévoazan
Cavan
Tonquédec
Prat
40
Coatascorn
la Belle-Eglise
Plouëc-du-Trieux
29
Kergrist
le Faouët
Lanleff
Pléhédel
23
la Trinité
Pointe de Plouha
Kervec
Brélidy
Kerognan
St-Jacques
Kermaria
Kernalégan
St-Clet
Tréméven
Kergresquen
St-Laurent
PLOUHA
Kerouziel
Pluzunet
Trézélan
St-Gilles-les-Bois
Lannebert
Pludal
Kerégal
Kercadoret
Tréveneuc
BEGARD
BEAR
Landebaëron
Trévérec
Botlézan
Guénézan
Kerhonn
Squiffiec
Gommenec'h
la Froideville
Kertugal
Beaugouyen
Pléguien
St-Quay-Portrieux
Kermoroc'h
le Vieux-Poirier
Kerscoul
St-Eloi
St-Laurent
Ty Coat
Pommerit-le-Vicomte
Rangaré
LANVOLLON
LANNOLON
St-Barnabé
Plourhan
N.-D.-de-l'Espérance
Trégrom
St-Conéry
Trégonneau
Kermilon
Croix-Blanche
32
Tressignaux
ETABLES-sur-Mer
STADL
Pédernec
Folgoat
le Paradis
Goudelin
Ménez Bré
Lantic
Tréguidel
Louargat
le Manaty
Plouisy
Runévarec
Pabu
Kervélard
N.-D.-de-la-Cour
le Bourgneuf
Binic
Locmaria
St-Eloi
St-Patern
N.-D.-de-la-Cour
Trévenais
Tréglamus
St-Jean
GUINGAMP
GWENGAMP
N.-D.-de-Bon-Secours
le Merzer
Bringolo
St-Quay
les Fontaines
la Corderie
le Vaudic
Ste-Marguerite
Morlaix
BELLE-ISLE-en-T.
BENAC'H
Pen-an-Stang
Grâces
St-Agathon
St-Jean-Kerdaniel
Zoo du Moulin de Richard
Trégomeur
Toissé
20
la Ville-Louais
Baie de Saint-
les Rosaires
Panfourby
Forêt Dom. de Coat-an-Hay
enclos paroissial
Kerviou
Ploumagoar
Locmaria
Forêt de Malaunay
St-Guignan
Plélo
St-Mathurin
Trémeloir
Pordic
St-Eloy
Pointe du Roselier
Gurunhuel
Moustéru
St-Hernin
PLAGAD
PLOUAGAT
St-Blaise
la Ville-Nizan
la Ville-Agnan
St-Laurent
Kergaër
Coadut
Largoat
Kerrouzou
CHATELAUDREN
KASTELLAUDREN
Goëlo
Peignard
PLERIN
Pointe de Guettes
St-Maurice
Pen-lan-Steunou
Lanrodec
39
Kerhamon
Plerneuf
Tremuson
ST-BRIEUC
ST-BRIEG
Cathédrale St-Étienne
Lermot
la Grandville
Coat-Forn
Kerbaëlen
Avaugour
Seignaux
la Méaugon
St-Hervé
Cesson
Plougonver
St-Adrien
BOURBRIAC
BOULVRIAG
St-Ilan
Hillion
Kerambuan
Senven
Plouvara
Pont-Melvez
Roscaradec
St-Péver
Tour an Gollet
N.-D.-de-Restudo
Bois Meur
Boqueho
PLOUFRAGAN
TRÉGUEUX
TREGAEG
LANGUEUX
LANGAEG
Yffiniac
48
Logoray
le Gollot
Plésidy
St-Fiacre
Crec'h Metern
le Rumain
Kerpery
Cohiniac
St-Donan
les Châtelets
le Créhac
la Garde d'Yffiniac
Ste-Anne
St-Houarneau
Bulat-Pestivien
Étang du Blavet
Cosquer-Jehan
la Gare
Kerdanielou
la Ville-Neuve
la Ville-Folle
St-Volon
Pommeret
Kerhenry
St-Norgant
l'Étang-Neuf
33
Senven-Lehart
St-Julien
Plaine Haute
St-Nicolas
13
Pledran
le Madray
le Prest
l'Hôpital
Burthulet
St-Connan
St-Gildas
le Leslay
Carfot
le Fœil
St-Gilles
St-Quihouet
la Ville-Nizant
la Croix-de-Piruit
la Houssaye
Cresouare
Kerlouët
Magoar
Coldabry
St-Eloy
Maël-Pestivien
Kerien
Coat-Piquet
Kerdrain
la Clarté
Jarnay
le Vieux-Bourg
la Ville-Juhel
QUINTIN
KINTIN
le Gouët
Plaintel
Ville-David
Quessoy
Kersolec
le Hirel
Kerouzérien
Loc'h
Kerpert
St-Gilles-Pilgeaux
Robien
St-Eutrope
St-Brandan
Lanvia
St-Guihen
Neauvais
Catuelan
St-Carreuc
St-Blaise
Étang de Kerne Uhel
la Ville-Bresset
Peumerit-Quintin
St-Bihy
Carestremble
le Plessis
le Vau-Gouro
le Guiaudet
Logueltas
Hénon
St-Nicodème
Trémargat
St-Antoine
Lanrivain
Ker-Anna
Caradeuc
le Pas
la Hutte
le Coudray
Caribet
24
Gorge de Toul Goulic
Bothoa
Canihuel
Étang Pelinec
la Croix-Burlet
Lanfains
16
Forêt de Lorge
St-Laurent
MONCONTOUR
Tréda
Kergrist-Moëlou
Kergoten
ST-NICOLAS-du-Pelem
le Haut-Corlay
CORLAY
KORLE
la Harmoye
Langaury
la Saudrette
l'Hermitage-Lorge
PLOEUC-sur-Lié
PLOHEG
N.-D.-du-Haut
Rostrenen
43
Loudéac

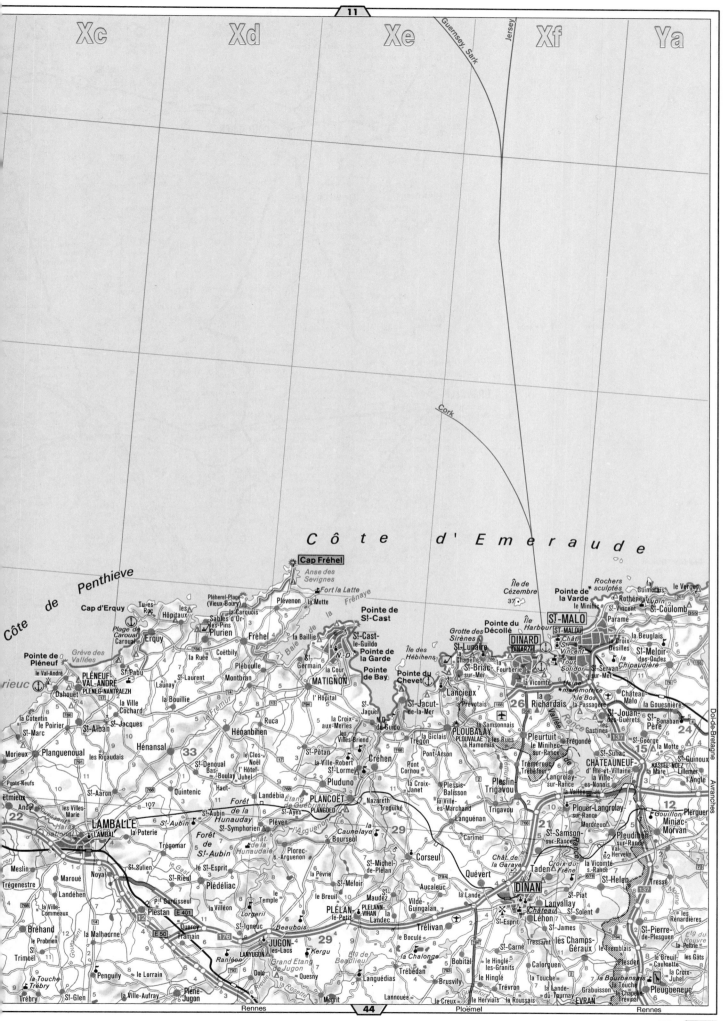

Xc   Xd   Xe   Xf   Ya

Guernsey Sark   Jersey

Cork

Côte   d'Emeraude

Côte   de   Penthieve

Côte   de

Cap Fréhel
Anse des Sevignes
Fort la Latte

Île de Cézembre
37

Rochers sculptés
Pointe de la Varde
le Minihic

la Guimorais
Rothéneuf
le Verger
Lupin

Cap d'Erquy
Tu-es-Roc
les Hôpitaux
Pléherel-Plage (Vieux-Bourg)
la Carquois
Sables d'Or-des-Pins
Plévenon
la Motte
Pointe de St-Cast

Pointe du Décollé
Île Harbour
St-Vincent
St-MALO
Paramé
St-Coulomb

Plage de Caroual
Caroual
Erquy
Plurien
Frehel
la Baillie
Baie
St-Cast-le-Guildo
N.D.
Pointe de la Garde

Grotte des Sirènes
St-Lunaire
la Chapelle
St-Briac-sur-Mer
la Fourberie
DINARD
DINARZH
St-Malō
Chât. St-Vincent
Tour Solidor
St-Servan-sur-Mer
la Beuglais
les Croix-Desilles
St-Meloir-des-Ondes
la Chipaudière

Pointe de Pléneuf
le Val-André
Grève des Vallées
PLÉNEUF-VAL-ANDRÉ
St-Pabu
PLENEG-NANTRAEZH
Dahouët
St-Laurent
Coëtbily
Plébeulle
Montbran
Germain
la Cour
MATIGNON
l'Hôpital
Pointe de Bay

Île des Hébihens
Lancieux
la Prévotais
la Vicomté
la Richardais
la Passagère
maromotrice
A le Bos

Château-Malo
la Gouesnière
St-Jouan-des-Guérets
St-Père
24

rieuc
le Val-André
la Cotentin
le Poirier
St-Marc
la Ville Cochard
St-Alban
St-Jacques
Launay
la Bouillie
Ruca
Hénanbihen
la Croix-aux-Merles
les Villes-Briend
St-Jaguel
N.D. du Guido
St-Jacut-de-la-Mer
Ploubalay
PLOUVALAE
la Hamonais
les Rues
la Samsonnais
26
Pleurtuit
le Minihec-sur-Rance
Trégondé
la Vallée
Tréméreuc
Trébéhou
la Ville-es-Nonais
St-Suliac
CHATEAUNEUF-d'Île-et-Vilaine
15
Lillemer
l'Angle
la Motte
St-George
St-Guinoux

Morieux
Planguenoual
les Rigaudais
33
le Clos-Noël
Boulay Juhel
l'Hôtel
St-Pôtan
la Giclais
Trégon
Pont-Arson
Plessis-Balisson
la Villé-es-Marchand
Pleslin-Trigavou
Langrolay-sur-Rance
KASTEL-NOEZ
la Mare

Ponts-Neufs
ëtmieux
Andel
22
St-Aaron
Quintenic
Haut-
Landébia
Étang de Guébriand
PLANCOËT
Nazareth
Tréguité
la Croix-Janet
Trigavou
Languénan
Plouër-Langrolay-sur-Rance
Mordreuc
St-Samson-sur-Rance
Pleudihen-sur-Rance
12
Gouillon
Miniac-Morvan
Plerguer

les Villes-Marie
Haras national
107
St-Aubin
PLANGEDÉD
Pléven
la Caunelaye
Bourseul
29
Carimel
Languénan
21
St-Hervelin
Val-
la Peltrie

LAMBALLE
LAMBAL
la Poterie
Trégomar
Forêt de la Hunaudaie
Forêt de St-Aubin
St-Symphorien
Chât. de la Hunaudaie
Plorec-s-Arguenon
St-Michel-de-Plélan
Corseul
Quévert
Chât. de la Garaye
Taden
Croix-du-Frêne
St-Helen
Tressé

Meslin
Marouè
Noyal
St-Sulien
le Gast
le St-Esprit
St-Rieul
Plédéliac
la Pévrie
St-Méloir
Aucaleuc
la Lande
DINAN
St-Piat
676

Trégenestre
Landéhen
la Ville-Commeaux
p.t Gardisseul
la Villéon
Lorgeril
le Temple
le Breuil
Maudez
Vildé-Guingalan
Lanvallay
Château
Léhon
St-Solent
les Renardières
St-Pierre-de-Plesguen
Elg du Rouvre

Bréhand
le Probrien
la Malheurne
Plestan
E 401
Querey
St-Igneuc
Beaubois
PLÉLAN-le-Petit
PLÉLANN-VIHAN
la Landec
Trélivan
St-Esprit
St-James
Tressaint
les Champs-Géraux
le Tremblais
le Breuil-Caulnette
la Croix-Juhel

Trimoël
E 50
Tramain
176
JUGON-les-Lacs
29
Kergu
le Bocule
St-Carné
Calorguen
Plesder

la Touche-Trébry
Trébry
St-Glen
Penguily
le Lorrain
la Ville-Aufray
Plène-Jugon
Dolo
LANYUGON
792
Ranléen
Grand Étang de Jugon
Quesny
Languédias
Trébedan
Brusvily
le Hinglé-les-Granits
le Hinglé
la Lande-du-Tournay
Trévron
794
la Bourbansais
la Touche
la Chapelle-Trévina
Pleugueneuc

Megrit
la Chalonge
Bobital
794
le Creux
le Herviais
la Roussais
EVRAN

Barneville-Carteret
Valognes
12
Lessay
Ya
Yb
Yc
Yd
Ye
Guernsey, Sark
Jersey
54
55
56
57
58
la Plage
Anneville-sur-Mer
le Bingard
la Rachinière
ST-SAUVEUR-LENDELIN
le Mesnilbus
Lozon
Montreuil-sur-Lozon
la Sorière
Muneville-le-Bingard
la Ronde-Haye
Montcuit
la Tortinière
Hauteville-la-Guichard
la Chapelle-en-Juger
Hébécrevon
Montsurvent
l'Hôtel-d'Artenay
Gouville-sur-Mer
Montcarville
Lineville
Ancteville
la Houssaye
Gonneville
Boisroger
Servigny
Monthuchon
les Mesnil-Amey
MARIGNY
St-Gilles
le Lorey
Brainville
la Vendelée
Blainville-sur-Mer
Gratot
Camprond
le Poteau
St-Malo-de-la-Lande
le Pavement
Cambernon
la Dinière
Cametours
Vallière
la Bourdonnière
CANISY
St-Ebremond-de-Bonfossé
Coutainville
Agon
Tourville-sur-Sienne
COUTANCES
Cathédrale
Carantilly
Quibou
Heugueville-sur-Sienne
Savigny
St-Sauveur-de-Bonfossé
St-Martin-de-Bonfossé
Grimouville
Urville
Briqueville-la-Blouette
Courcy
Belval
CERISY-la-Salle
Dangy
Nicorps
le Pavage
Ouville
Regnéville-sur-Mer
Montchaton
Orval
Saussey
Montpinchon
le Pont-Brocard
Soulles
Pointe d'Agon
le Rey
la Lande
MONTMARTIN-sur-Mer
St-Denis-le-Vêtu
Notre-Dame-de-Cenilly
Hauteville-sur-Mer-Plage
Hauteville-sur-Mer
la Martinière
Hyenville
Hérenguerville
Contrières
Roncey
Carrefour de-Paris
Annoville
Quettreville-sur-Sienne
Guéhébert
Trelly
St-Martin-de-Cenilly
le Bourg
l'Ermitage
la Haye-Bellefond
Tourneville
le Guislain
le Bourg-Sey
le Mesnil-Aubert
Grimesnil
Villebaudon
le Mesnil
la Planche-Guillemette
Lingreville
Maupertuis
Beaucoudray
Hambye
Lengronne
St-Denis-le-Gast
Thiphaigne
la Bretonnière
Bricqueville-sur-Mer
Muneville-sur-Mer
Cérences
le Brief
GAVRAY
la Baleine
la Haye
Abbaye de Hambye
Mont Robin
St-Martin-de-Bréhal
l'Isle
BRÉHAL
Chanteloup
la Rairie
PERCY
Iles Chausey
le Pignon
Grande Ile
le Castillon
Ver
Sourdeval-les-Bois
l'Orbehaye
le Hamel-ès-Hervy
Chefresne
Coudeville
Bourey
Diseau
le Mesnil-Hue
Montaigu-les-Bois
la Hubérdière
Bréville-sur-Mer
Bouillon
le Mesnil-Amand
l'Orail
la Colombe
Donneville-les-Bains
Hudimesnil
le Loreur
le Mesnil-Garnier
Longueville
Mesnil-Rogues
la Roche
le Mesnil-Sauvage
GRANVILLE
Pointe du Roc
Mesnilgé
St-Sauveur-la-Pommeraye
la Meurdraquière
le Mesnil-Villeman
la Bloutière
Yquelon
Chanteloup
le Vaux
le Repas
Equilly
Fleury
la Huardière
Beslon
St-Nicolas-près-Granville
Champrepus
VILLEDIEU-les-Poêles
St-Planchers
St-Jean-des-Champs
Folligny
Beauchamps
St-Pair-sur-Mer
le Croissant
la Porte-aux-Hogais
Hocquigny
Saultchevreuil-du-Tronchet
la Doublière
St-Aubin-des-Préaux
le Mesnil-Drey
le Tanu
St-Pierre-du-Tronchet
St-Maur-des-Bois
Lezeaux
la Lande-d'Airou
Kairon-Plage
le Chesnay
Laugny
St-Ursin
LA HAYE-PESNEL
la Chapelle-Cécelin
le Pont-Bleue
Kairon
St-Pierre-Langers
Abbaye de la Lucerne
Bourguenolles
Noirpalu
Rouffigny
Chérence-le-Héron
Mare de Bouillon
la Lucerne-d'Outremer
la Mouche
la Trinité
le Friloux
Jullouville
Bouillon
St-Michel-des-Loups
Champcervon
l'Epine
St-Martin-le-Bouillant
la Rochelle-Normandie
St-Jean-du-Corail-des-Bois
Pignon Butor
Grousset
Carolles
les Chambres
la Chaise-Baudouin
le Loges-sur-Brécy
Falaise de Champeaux
Angey
SARTILLY
Sublingy
le Luot
Ste-Pience
Braffais
St-Nicolas-des-Bois
Champeaux
St-Jean-le-Thomas
St-Laurent-de-Cuves
Montviron
Lolif
Pointe du Grouin
Île des Landes
Ronthon
St-Eugienne
St-Georges-de-Livoye
N.-D.-de-Livoye
Champcey
Chavoy
Plomb
la Bulaine
Dragey-Ronthon
Tissey
Bacilly
Souillet
St-Jean-de-la-Haize
Tirepied
Vernix
BRÉCEY
St-Jouan
la Gohannière
Marcey-les-Grèves
Ponts
les Cresnays
CANCALE
KANKAVEN
Genêts
le Fougeray
Vains
St-Senier-s.-Avranches
St-Brice
le Petit-Celland
la Tuaudière
Baie du Mont Saint-Michel
AVRANCHES
la Godefroy
le Grand-Celland
St-Léonard
Bouillé
le Quenoy
St-Ovin
St-Loup
la Boulouze
Reffuveille
le Val-St-Père
St-Martin-des-Champs
le Mesnil-Ozenne
la Chapelle-Urée
le Mont St-Michel
St-Quentin-sur-le-Homme
la Blanc-dinière
le Valdoue
Marcilly
Montgothier
la Mancellière
Montigny
St-Benoit-des-Ondes
Bas-Courtil
Hirel
le Vivier-s.-Mer
Ste-Anne
Courtils
Céaux
les Chéris
le Buat
le Mesnil-Bœufs
Vildé-la-Marine
le Bout-du-Chemin
Cherrueix
Mesgnier
Cerisel
la Fresnais
la Guéhairie
la Poultière
Quatre-Salines
la Rive
Huisnes-sur-Mer
DUCEY
la Touche-Durand
Chalandrey
Pain d'Avaine
ISIGNY-le-Buat
Marais de Dol
Beauvoir
Ardevon
Servon
Précey
Poilley
Juilley
Mont Dol
St-Marcan
Roz-sur-Couesnon
Tanis
Mortrie
le Mesnil-Thébault
Nattel
Mont-Dol
St-Broladre
St-Georges-de-Gréhaigne
le Ros-au-Bœuf
Moidrey
les Pas
Brée
St-Senier-de-Beuvron
Vezins
St-Aubin-de-Terregatte
le Puy
les Biards
Baguer-Pican
Crollon
DOL-de-Bretagne
la Pasgérault
Sains
Curey
Macey
Bouceel
St-Laurent-de-Terregatte
Virey
le Ricolais
ST-HILAIRE-du-Harcouët
Roz-Landrieux
Carfantin
Menhir de Champ-Dolent
Belle-Noë
le Pin
PONTORSON
Verconcey
Cormeray
Chassilly
Vaucel
PLEINE-FOUGÈRES
Plerguer
Baguer-Morvan
Benouis
Epiniac
la Chesnardais
Villecolière
Aucey-la-Plaine
Ballant
Villers-le-Pré
la Croix-Avranchin
St-Benoit
Montjoie-St-Martin
Hamelin
St-Martin-de-Landelles
St-Brice-de-Landelles
les Loges-Marchis
Beaufort
Launay-Blot
Vilhoët
la Boussac
la Crenne
Vessey
les Villettes
Abbaye N.-D.-du-Tronchet
le Tronchet
St-Léonard
les Ombres
les Ormes
Trans
Vieux-Viel
Sougéal
ST-JAMES
la Coursinière
Sacey
Carnet
Monthault
Landal
St-Georges-de-Reintembault
Douillet
la Touine
Broualan
Calvaire
Montanel
Argouges
l'Epine
Vaubondon
Lanhélin
Bonnemain
la Barbaie
le Mée
Forêt de Ville-Cartier
la Fontenelle
le Ferré
Moulin-de-Rouland
Mellé
LOUVIGNÉ-du-Désert
LOUVIGNEG-an-Dezerezh
Lourmais
ANTRAIN
ENTRAVEN
Autoroute des Estuaires
le Plessis-Margat
Étang de Tremigon
la Gallerie
Cuguen
St-Ouen-la-Rouërie
Villais
Poilley
Monthorin
les Alleux
Villamée
le Boulhard
COMBOURG
KOMBORN
les Trois-Croix
la Balue
Bonne-Fontaine
Guiborel
Coglès
la Selle-en-Coglès
Montours
la Violette
la Bouëxière
Nançon
la Bazouge-du-Désert
Meillac
le Grenouillière
Château
Trémeheuc
la Mellerie
Noyal-s.-Bazouges
Tremblay
le Rocher-Portail
la Ville-du-Bois
Parigné
la Gentière
Bazouges-la-Pérouse
la Chevalais
le Chesnais
Lanrigan
ST-BRICE-en-Coglès
Quéré
le Chatelier
Rennes
45
Fougères
Vitré
St-Malo
Dinan

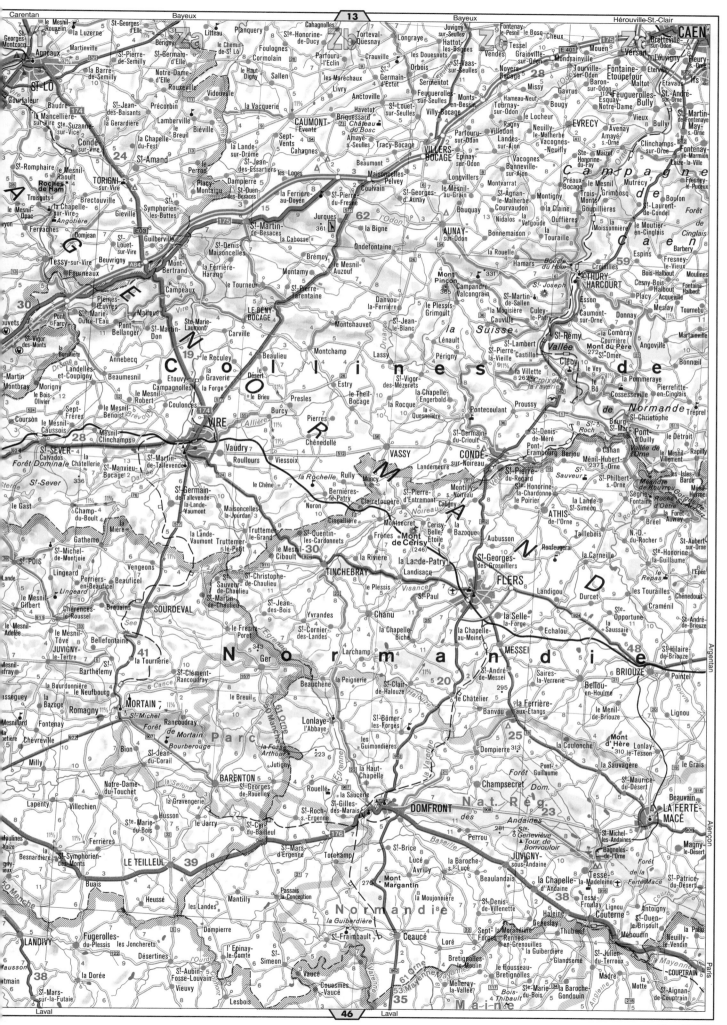
Carentan
Bayeux
13
Hérouville-St.-Clair
CAEN
ST-LÔ
Agneaux
TORIGNI-sur-Vire
Tessy-sur-Vire
CAUMONT-l'Éventé
VILLERS-BOCAGE
EVRECY
AUNAY-sur-Odon
THURY-HARCOURT
LE BÉNY-BOCAGE
VIRE
VASSY
CONDÉ-sur-Noireau
ST-SEVER-Calvados
Forêt Dominale
ATHIS-de-l'Orne
FLERS
TINCHEBRAY
SOURDEVAL
MORTAIN
JUVIGNY-le-Tertre
MESSEI
BRIOUZE
BARENTON
DOMFRONT
LA FERTÉ-MACÉ
JUVIGNY-sous-Andaine
LE TEILLEUL
LANDIVY
Ceaucé
COUPTRAIN
Campagne de Caen
Forêt de Cinglais
la Suisse Normande
Vallée de l'Orne
Collines de Normandie
BOCAGE NORMAND
Normandie
Parc Nat. Rég. Normandie Maine
Forêt de Mortain
Mont Pinçon
Mont de Cerisy
Mont Margantin
Argentan
Alençon
Paris
Laval
46

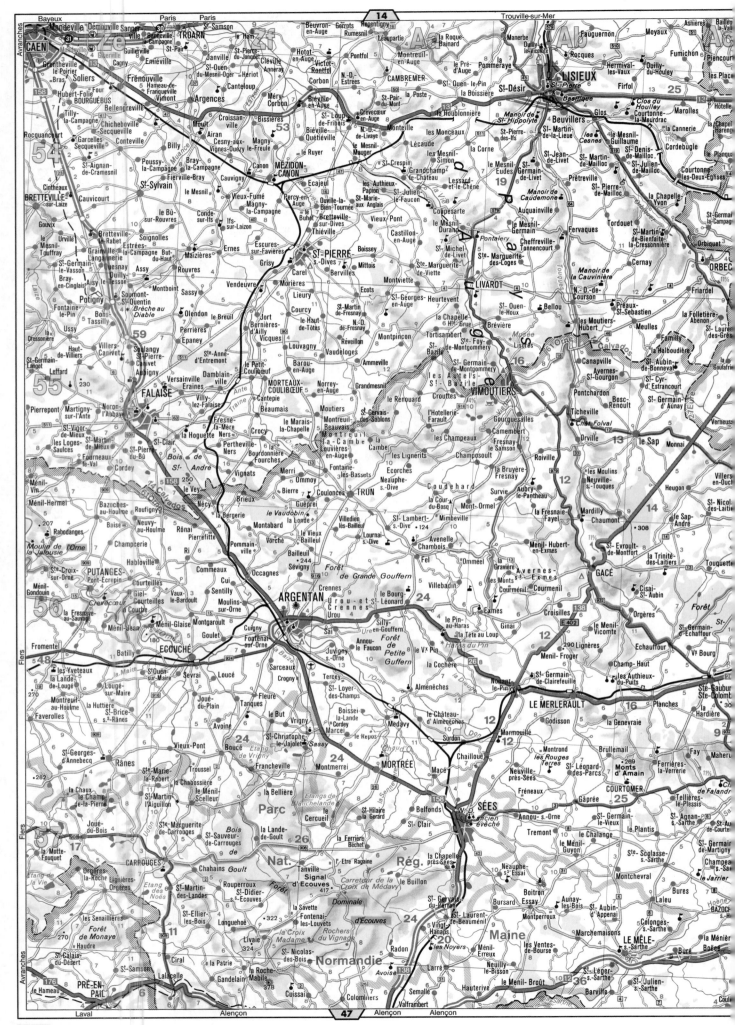

14
Bayeux
Paris
Paris
Trouville-sur-Mer
Avranches
CAEN
Mondeville
Démouville
Sannerville
TROARN
St-Samson
Banneville-la-Campagne
Guillerville
St-Pair
Beuvron-en-Auge
Gerrots
Repentigny
Rumesnil
Léaupartie
la Roque-Bainard
Manerbe
Fauguernon
Moyaux
Asnières
Grentheville
le Poirier
Bras
Soliers
Cagny
Emiéville
Frénouville
Janville
Clévillle
Hotot-en-Auge
Victot-Pontfol
Pontfol
Montreuil-en-Auge
le Pré-d'Auge
la Pommeraye
Ouilly-le-Vicomte
Rocques
Hermival-les-Vaux
Ouilly-du-Houley
Fumichon
Hubert-Folie
Four
BOURGUÉBUS
Hameau-de-Franqueville
Vimont
Argences
Canteloup
Corbon
N.-D.-Estrées
CAMBREMER
St-Ouen-le-Pin
la Boissière
St-Désir
LISIEUX
Firfol
Tilly-la-Campagne
Bellengreville
Chicheboville
Secqueville
Moult
Croissanville
Méry-Corbon
Biéville-en-Auge
St-Loup-de-Fribois
Crèvecœur-en-Auge
St-Pair-du-Mont
la Poste
la Houblonnière
Manoir de St-Hippolyte
Beuvillers
Glos
Clos du Houley
Courtonne-la-Meurdrac
Marolles
Rocquancourt
Garcelles-Secqueville
Conteville
Airan
Cesny-aux-Vignes-Ouézy
Bissières
Magny-le-Freule
Biéville-Quétiéville
N.-D.-de-Livaye
Monteille
les Monceaux
St-Pierre-des-Ifs
St-Martin-de-la-Lieue
les Cesnes
le Mesnil-Guillaume
la Cannerie
Cordebugle
Billy
Bray-la-Campagne
le Ruyer
le Mesnil-Mauger
Lécaude
la Corne
St-Jean-de-Livet
St-Martin-de-Mailloc
St-Denis-de-Mailloc
St-Julien-de-Mailloc
St-Aignan-de-Cramesnil
Poussy-la-Campagne
Fierville-Bray
Canon
MÉZIDON-CANON
St-Crespin
les Mesnil-Simon
Grandchamp-le-Château
le Mesnil-Eudes
St-Germain-de-Livet
Prêtreville
St-Pierre-de-Mailloc
Courtonne-les-Deux-Églises
Cintheaux
BRETTEVILLE-sur-Laize
St-Sylvain
Cauvigny
Écajeul
les Authieux-Papion
St-Julien-le-Faucon
Lessard-et-le-Chêne
Manoir de Caudemone
la Chapelle-Yvon
Cauvicourt
le Mesnil
Vieux-Fumé
Magny-la-Campagne
Percy-en-Auge
Ouville-la-Bien-Tournée
St-Marie-aux-Anglais
Coupesarte
Auquainville
le Bû-sur-Rouvres
Condé-sur-Ifs
Ifs-sur-Laizon
le Bu-het
Bretteville-sur-Dives
Vieux-Pont
le Mesnil-Durand
le Mesnil-Germain
Fervaques
Tordouet
St-Martin-de-Bienfaite-la-Cressonnière
Gouvix
Urville
Bretteville-le-Rabet
Soignolles
Thiéville
Castillon-en-Auge
Pontalery
Cheffreville-Tonnencourt
le Mesnil-Touffray
Grainville-Langannerie
Estrées-la-Campagne
But-du-Haut
Maizières
Ernes
Escures-sur-Favières
ST-PIERRE-s.-Dives
Boissey
St-Michel-de-Livet
Ste-Marguerite-des-Loges
Orbiquet
St-Germain-le-Vasson
Quesnay
Assy
Grisy
Carel
Mittois
Ste-Marguerite-de-Viette
Cernay
ORBEC
Bray-en-Cinglais
Aisy
Ouilly-le-Tesson
Rouvres
Vendeuvre
Morières
Bervilles
Montviette
LIVAROT
Manoir de la Cauvinière
N.-D.-de-Courson
Friardel
Potigny
Soumont-St-Quentin
Montboint
Sassy
Lieury
Ecots
St-Georges-en-Auge
Heurtevent
St-Ouen-le-Houx
Bellou
Préaux-St-Sébastien
Fontaine-le-Pin
Brèche au Diable
Olendon
le Breuil
Jort
Bernières-d'Ailly
Courcy
le Haut-de-Tôtes
St-Martin-de-Fresnay
N.-D.-de-Fresnay
la Chapelle-Hte-Grue
Brévière
les Moutiers-Hubert
la Folletière-Abenon
Meulles
Bons-Tassilly
Perrières
Epaney
Vicques
Montpinçon
Tortisambert
Musée
Lisores
Ussy
Louvagny
Réveillon
Ste-Foy-de-Montgommery
Familly
la Cressonière
Haut-de-Villiers
Villers-Canivet
59
Soulangy
St-Pierre-Canivet
Ste-Anne-d'Entremont
le Petit-Coulibœuf
Barou-en-Auge
Vaudeloges
Ammeville
St-Bazile
St-Germain-de-Montgommery
Canapville
Avernes-St-Gourgon
la Halboudière
St-Aubin-de-Bonneval
St-Germain-Langot
Leffard
55
Aubigny
Damblainville
Norrey-en-Auge
Grandmesnil
les Autels-St-Bazile
VIMOUTIERS
Pontchardon
St-Cyr-d'Estrancourt
Versainville
Eraines
FALAISE
MORTEAUX-COULIBŒUF
le Renouard
Crouttes
Bosc-Renoult
St-Germain-d'Aunay
Pierrepont
Martigny-sur-l'Ante
Noron-l'Abbaye
Villy-lez-Falaise
Cantepie
Beaumais
Moutiers
St-Gervais-des-Sablons
l'Hotellerie-Farault
Ticheville
Chât Folval
Verneusses
St-Vigor-de-Mieux
St-Martin-de-Mieux
les Loges-Saulces
St-Clair
la Hoguette
Fresné-la-Mère
Ners
Crocy
le Marais-la-Chapelle
Montreuil-Beauvais
Montreuil-la-Cambe
la Cambe
les Champeaux
Gourquesalles
Camembert
Orville
13
le Sap
Monnai
Fourneaux-le-Val
St-Pierre-du-Bû
Bois de St-André
Pertheville-Ners
la Bourdonnière
Fourches
Louvières-en-Auge
les Lignerits
Fresnay-le-Samson
Roiville
Cordey
Vignats
Merri
Fontaine-les-Bassets
Écorches
Champosoult
la Bruyère-Fresnay
les Moulins
Neuville-s.-Touques
Villers-en-Ouche
Ménil-Vin
le Vey
Ommoy
Bierre
Neauphe-s.-Dive
Coudehard
Survie
Aubry-le-Panthéau
12
Heugon
Ménil-Hermei
Bazoches-au-Houlme
Roufigny
Nécy
Brieux
Coulonces
TRUN
la Cour-du-Bosq
Mont-Ormel
Mardilly
14
St-Nicolas-des-Laitiers
Rabodanges
Baize
Neuvy-au-Houlme
Rônai
la Bergerie
le Vaudobin
Guêprei
la Londe
Villedieu lès-Bailleul
St-Lambert-s.-Dive
Mimbeville
la Fresnaie-Fayel
Chaumont
le Sap-André
Moulin de la Jalousie
l'Orne
Champcerie
Pierrefitte
Montabard
le Vieux Bailleul
Lournai-s.-Dive
Avenelle
Chambois
Menil-Hubert-en-Exmes
St-Evroult-de-Montfort
Ri
Pommainville
Vorché
Bailleul
la Trinité-des-Laitiers
Ste-Croix-sur-Orne
PUTANGES-Pont-Écrepin
Habloville
Commeaux
Occagnes
Sévigny
Forêt de Grande Gouffern
Fel
Omméel
la Gravière
Avernes-s.-Exmes
GACÉ
Touquettes
Ménil-Gondouin
Courteilles
Giel-Courteilles
Vaux-le-Bardoult
Cui
Sentilly
Crennes
le Bourg-St-Léonard
Villebadin
les Monts
Courménil
Cisai-St-Aubin
Forêt
56
Crevecœur
la Fresnaye-au-Sauvage
la Courbe
Moulins-sur-Orne
ARGENTAN
Urou-et-Crennes
Urou
24
Exmes
Croisilles
Orgères
Ménil-Jean
Ménil-Glaise
Montgaroult
Goulet
Cuigny
Fontenai-sur-Orne
Sai
Silly-en-Gouffern
le Pin-au-Haras
la Tête au Loup
Ginai
le Menil-Vicomte
St-Germain-d'Echaffour
Fromentel
Flers
48
ÉCOUCHÉ
Batilly
Juvigny-s.-Orne
Annou-le Faucon
Forêt de Petite Guffern
le Vx Pin
Haras du Pin
Lignères
Echauffour
Vx Bourg
les Yveteaux
la Lande-de-Lougé
Lougé-sur-Maire
St-Ouen-sur-Maire
Sevrai
Loucé
Sarceaux
Crogny
la Cochère
Menil-Froger
Champ-Haut
Montreuil-au-Houlme
la Huttière
St-Brice-s.-Rânes
Joué-du-Plain
Tanques
Fleuré
Tercey
St-Loyer-des-Champs
Almenêches
Nonant-le-Pin
St-Germain-de-Clairefeuille
les Authieux-du-Puits
Ste-Gauburge
Ste-Colombe
Faverolles
Avoine
le But
Vrigny
Boissei-la-Lande
Cordey
Marcei
Médavy
le Château-d'Almenêches
LE MERLERAULT
16
Planches
la Hardière
Godisson
la Genevraie
St-Georges-d'Annebecq
Vieux-Pont
Boucé
St-Christophe-le-Jajolet
Sassy
Étang de Vrigny
le Repos
Surdon
Marmouillé
Brullemail
Fay
Rânes
Ste-Marie-la-Robert
Trousset
Francheville
Montmerrei
MORTRÉE
Chailloué
Montrond
les Rouges Terres
St-Léonard-des-Parcs
Monts d'Amain
Ferrières-la-Verrerie
la Chaux
le Champ-de-la-Pierre
la Chabossière
le Ménil-Scelleur
la Bellière
Étangs de Blanchelande
Macé
Neuville-près-Sées
Fréneaux
COURTOMER
Tellières-le-Plessis
St-Martin-l'Aiguillon
Parc
le Cercueil
St-Hilaire la Gérard
Belfonds
SÉES
ancien évêché
Annou-s.-Orne
Gâprée
25
St-Germain-le-Vieux
St-Agnan-s.-Sarthe
Joué-du-Bois
Ste-Marguerite-de-Carrouges
Bois
St-Sauveur-de-Carrouges
de
la Lande-de-Goult
26
la Ferrière Béchet
St-Clair
Tremont
le Plantis
le Chalange
le Ménil-Guyon
St-Germain-de-Martigny
57
17
la Motte-Fouquet
CARROUGES
Chahains
Goult
Nat.
Tanville
l'Etre Ragaine
Rég.
la Chapelle-près-Sées
Ste-Scolasse-s.-Sarthe
Champeaux-s.-Sarthe
Étang de la Vie
Orgères-la-Roche
Lignières-Orgères
Étang des Noës
St-Martin-des-Landes
Rouperroux
St-Didier-s.-Écouves
Forêt
Signal d'Écouves
Carrefour de la Croix de Médavy
le Buillon
Neauphe-s.-Essai
Montchevral
le Jarrier
Bures
St-Ellier-les-Bois
la Savette
Fontenai-les-Louvets
Dominale
St-Gervais-du-Perron
Bursard
Boitron
Essay
Aunay-les-Bois
St-Aubin-d'Appenai
Laleu
BAZOCHES
les Senaillières
Forêt de Monaye
Haudre
Longuehoë
d'Écouves
24
St-Laurent-de-Beauménil
Montperroux
Colonges-s.-Sarthe
Livaie
la Croix Madame
Rochers du Vignage
Vingt-Hanaps
20
les Noyers
Maine
Marchemaisons
le Ménil-Broût
LE MÊLE-s.-Sarthe
St-Calais-du-Désert
St-Samson
Ciral
St-Nicolas-des-Bois
Normandie
Radon
Ménil-Erreux
les Ventes-de-Bourse
Buré
Boëcé
la Patrie
Lalacelle
Gandelain
la Roche-Mabile
Avoise
Larré
Neuilly-le-Bisson
St-Léger-s.-Sarthe
36
PRÉ-EN-PAIL
le Hameau
Cuissai
Semallé
Hauterive
Barville
St-Julien-s.-Sarthe
Colombiers
Valframbert
Laval
Alençon
47
Alençon
Alençon
Pays d'Auge

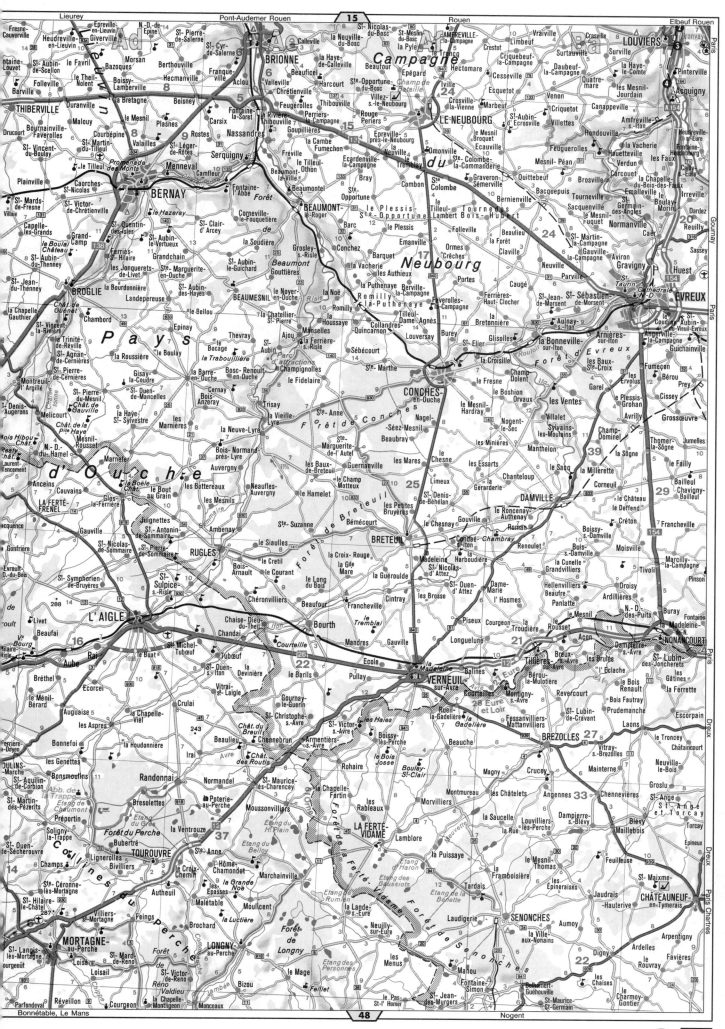

Lieurey
Pont-Audemer Rouen
15
Rouen
Elbeuf Rouen
Paris
Gournay
Paris
Paris
Dreux
Dreux
Paris Chartres
Bonnétable, Le Mans
48
Nogent
THIBERVILLE
BERNAY
BRIONNE
Campagne
LE NEUBOURG
LOUVIERS
EVREUX
BEAUMONT-le-Roger
Neubourg
BROGLIE
Pays
d'Ouche
BEAUMESNIL
CONCHES-en-Ouche
DAMVILLE
BRETEUIL
RUGLES
L'AIGLE
LA FERTÉ-FRENEL
Forêt de Conches
Forêt de Breteuil
Forêt d'Evreux
VERNEUIL-sur-Avre
NONANCOURT
Bourth
BREZOLLES
LA FERTÉ-VIDAME
CHÂTEAUNEUF-en-Tymerais
SENONCHES
Forêt de la Ferté-Vidame
Forêt de Senonches
TOUROUVRE
Forêt du Perche
Collines du Perche
MORTAGNE-au-Perche
LONGNY-au-Perche
Forêt de Longny
Randonnai
Eure et Loir

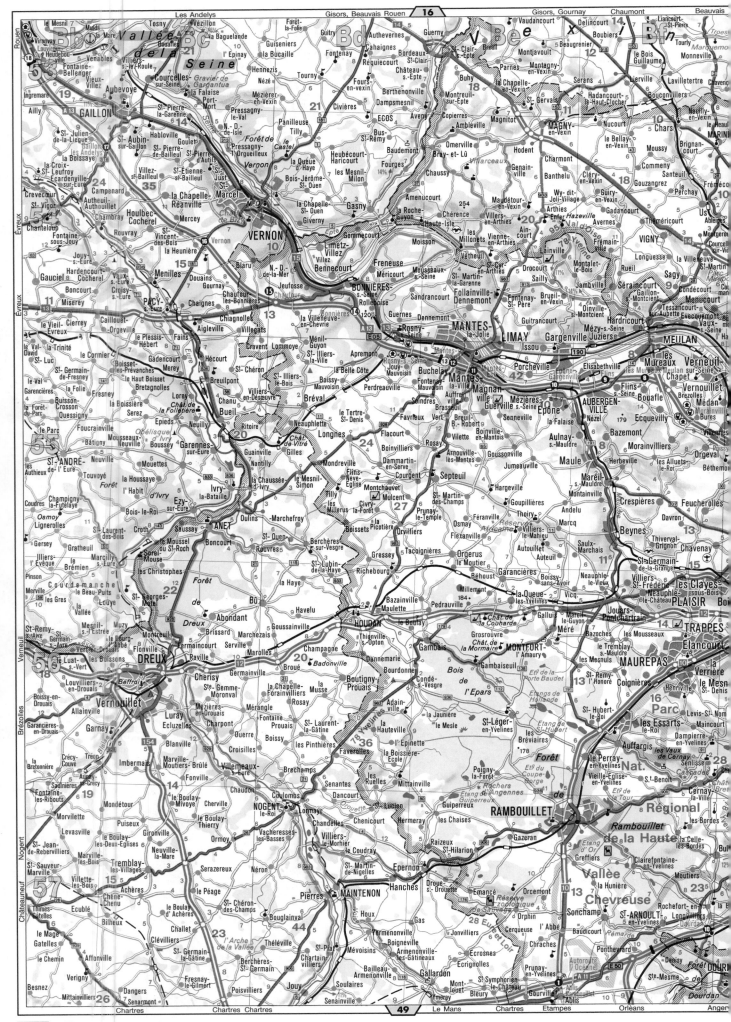
Les Andelys
Gisors, Beauvais Rouen
16
Gisors, Gournay
Chaumont
Beauvais
Rouen
Évreux
Verneuil
Brézolles
Nogent
Châteauneuf
Chartres
Chartres Chartres
49
Le Mans
Chartres
Etampes
Orléans
Angers
Bb
Bc
Bd
Be
Bf
Vallée de la Seine
Vexin
GAILLON
Aubevoye
Courcelles-sur-Seine
St-Aubin-sur-Gaillon
St-Marcel
VERNON
Giverny
Gasny
Bennecourt
BONNIÈRES-s.-Seine
Rolleboise
Rosny-s.-Seine
MANTES-la-Jolie
LIMAY
Gargenville
Juziers
MEULAN
Les Mureaux
Verneuil-sur-Seine
Vernouillet
Médan
Aubergenville
Epone
Mézières-s.-Seine
Magnanville
Buchelay
Porcheville
Issou
La Roche-Guyon
Haute-Isle
Vétheuil
MAGNY-en-Vexin
Chars
Marines
Vigny
Sagy
Menucourt
Évecquemont
Vaux-s.-Seine
PACY-s.-Eure
Menilles
Gauciel
Aigleville
Bréval
Longnes
Houdan
ANET
Ivry-la-Bataille
Ezy-sur-Eure
St-ANDRÉ-de-l'Eure
Forêt d'Ivry
DREUX
Vernouillet
Luray
Garnay
Forêt de Dreux
Abondant
Nogent-le-Roi
Coulombs
MAINTENON
Epernon
Gallardon
Bougainval
Septeuil
Maule
Beynes
Crespières
Feucherolles
Chavenay
Orgerus
Garancières
Montfort-l'Amaury
La Queue-les-Yvelines
Jouars-Pontchartrain
PLAISIR
Les Clayes-sous-Bois
TRAPPES
Élancourt
MAUREPAS
Coignières
La Verrière
Le Mesnil-St-Denis
Les Essarts-le-Roi
Gambais
Bois de l'Epars
St-Léger-en-Yvelines
Forêt de Rambouillet
RAMBOUILLET
Parc Nat. Régional de la Haute Vallée de Chevreuse
Chevreuse
ST-ARNOULT-en-Yvelines
Sonchamp
Ablis
Dourdan
Forêt de Dourdan
Cernay-la-Ville
Dampierre-en-Yvelines
Auffargis
Le Perray-en-Yvelines
Émancé
Orcemont
Droue-s.-Drouette
Hanches
Pierres
Jouy
Villemeux-s.-Eure
Cherisy
Marville-Moutiers-Brûlé
Tremblay-les-Villages
Autoroute l'Océane
A 13
A 11
E 05
E 50

Beauvais
Beauvais
17
Clermont
Pont
Compiègne
Arras
Crépy
Villers Cotterêts
Meaux
Meaux
Coulommiers
Provins Reims
Sézanne
Meaux Provins
Mormant
Sens
Etampes
Etampes
50
Malesherbes
Nemours
Fontainebleau
Fontainebleau
Montereau
MÉRU
Chambly
Persan
BEAUMONT-sur-Oise
CHANTILLY
Forêt de Chantilly
SENLIS
Gouvieux
Lamorlaye
Luzarches
Forêt d'Ermenonville
Autoroute du Nord
Parc Astérix
Ermenonville
PONTOISE
CERGY
AUVERS-sur-Oise
L'ISLE-ADAM
ST-OUEN-l'Aumône
TAVERNY
DOMONT
ÉCOUEN
GOUSSAIN-VILLE
Louvres
VILLIERS-le-Bel
GONESSE
Aéroport Charles de Gaulle
DAMMARTIN-en-Goële
CONFLANS-Ste-Honorine
HERBLAY
ANDRESY
Achères
Forêt de St-Germain
MAISONS-LAFFITTE
ARGENTEUIL
SARTROUVILLE
POISSY
ST-GERMAIN-en-Laye
NANTERRE
ST-DENIS
Aéroport du Bourget
AULNAY-s-Bois
TREMBLAY-en-France
MITRY-MORY
Villeparisis
CLAYE-SOUILLY
PARIS
Sacré Coeur
Arc de Triomphe
Louvre
Tour Eiffel
Notre Dame
BOULOGNE-BILLANCOURT
VERSAILLES
MARLY
ST-CYR-l'Ecole
MONTREUIL
VINCENNES
CHELLES
LAGNY-s-M.
EURO DISNEYLAND
MARNE-LA-VALLEE
ROISSY EN-BRIE
Ozoir-la-Ferrière
CRETEIL
ORLY
Aéroport d'Orly
MASSY
PALAISEAU
ORSAY
GIF-sur-Yvette
LONGJUMEAU
Forêt de Notre-Dame
Forêt de Sénart
BRIE-COMTE-ROBERT
TOURNAN-en-Brie
EVRY
CORBEIL-ESSONNES
ARPAJON
BRETIGNY-s.-O.
MENNECY
MELUN
LIMOURS
ST-CHÉRON
Autodrome Linas-Montlhéry

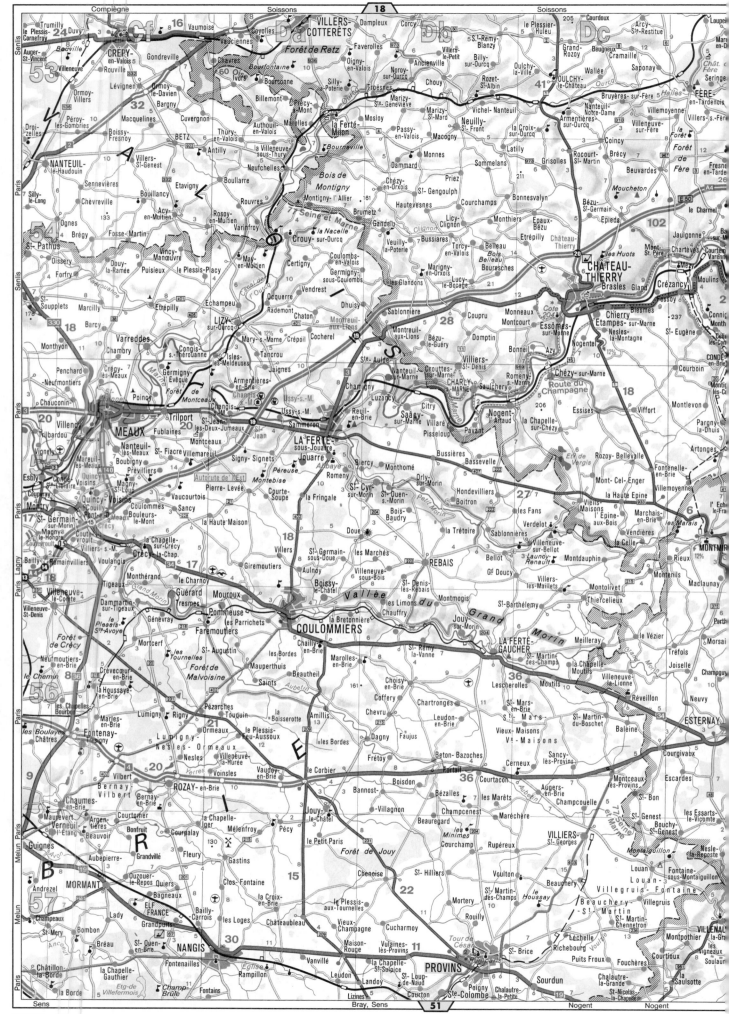
Compiègne
Soissons
18
Soissons
Senlis
Paris
Lagny
Melun
Sens
Bray, Sens
51
Nogent
VILLERS-COTTERÊTS
Forêt de Retz
CRÉPY-en-Valois
NANTEUIL-le-Haudouin
La Ferté-Milon
Bois de Montigny
Neuilly-St-Front
OULCHY-le-Château
FÈRE-en-Tardenois
Forêt de Fère
CHÂTEAU-THIERRY
LIZY-sur-Ourcq
MEAUX
LA FERTÉ-sous-Jouarre
Jouarre
CHARLY-s-MARNE
Nogent-l'Artaud
MONTMIRAIL
Autoroute de l'Est
Esbly
Quincy-Voisins
Crécy-la-Chap.
COULOMMIERS
REBAIS
Vallée du Grand Morin
LA FERTÉ-GAUCHER
Forêt de Crécy
Forêt de Malvoisine
Fontenay-Trésigny
ROZAY-en-Brie
ESTERNAY
Jouy-le-Châtel
Forêt de Jouy
VILLIERS-St-Georges
Guignes
MORMANT
NANGIS
PROVINS
VILLENAUXE
Route du Champagne
Côte 204
Seine et Marne

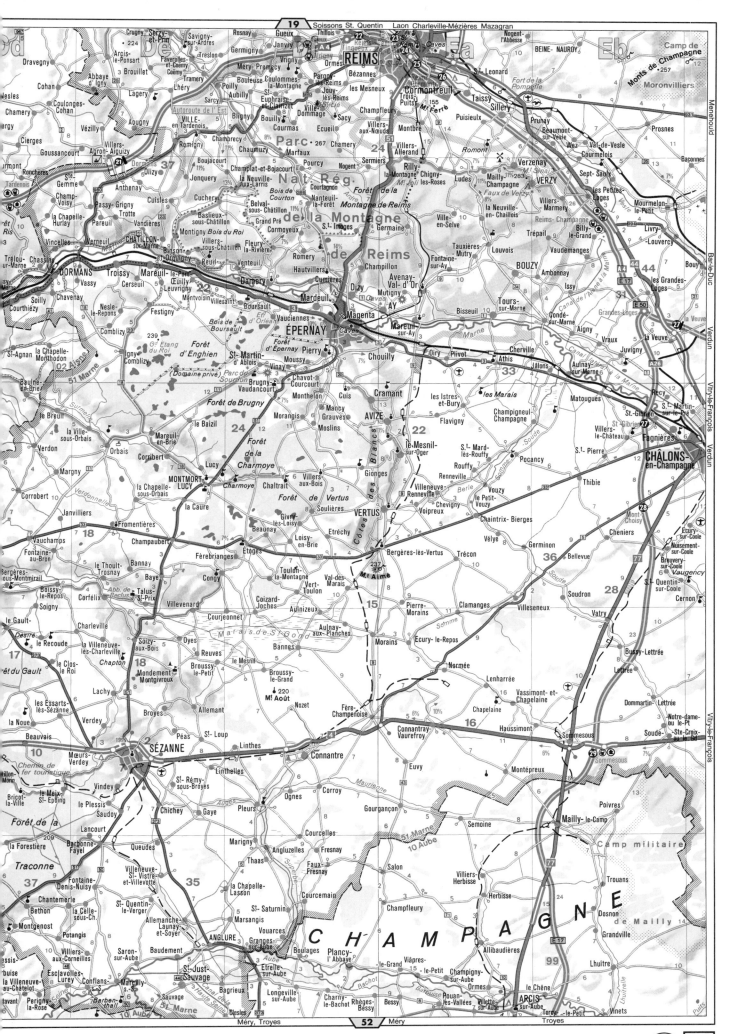
19
Soissons St. Quentin
Laon Charleville-Mézières Mazagran
REIMS
Camp de
Monts de Champagne
Moronvilliers
Cormontreuil
Taissy
Sillery
Autoroute de l'Est
VILLE-en Tardenois
Parc Nat Rég. de la Montagne de Reims
Forêt de la Montagne de Reims
Verzenay
VERZY
Mailly-Champagne
Bouzy
Ambonnay
Menehould
Bar-le-Duc
Verdun
Vitry-le-François
DORMANS
Troissy
CHÂTILLON-sur-Marne
Damery
Cumières
Hautvillers
Dizy
AY
Mareuil-sur-Ay
Mardeuil
Magenta
ÉPERNAY
Pierry
Chouilly
Oiry
Athis
Jâlons
Tours-sur-Marne
Condé-sur-Marne
Aulnay-sur-Marne
Juvigny
la Veuve
Recy
St-Martin-sur-le-Pré
Fagnières
CHÂLONS-en-Champagne
Forêt d'Enghien
Forêt de Brugny
Forêt de la Charmoye
Forêt de Vertus
Cramant
AVIZE
le Mesnil-sur-Oger
Côtes des Blancs
VERTUS
Bergères-lès-Vertus
Mt Aimé
MONTMORT-LUCY
Orbais
Champaubert
Étoges
Congy
Talus-St-Prix
Villevenard
Marais de St Gond
Soizy-aux-Bois
Mondement-Montgivroux
Broussy-le-Grand
Fère-Champenoise
Connantray-Vaurefroy
Sommesous
Normée
Lenharrée
Vatry
Soudron
Bussy-Lettrée
Dommartin-Lettrée
Soudé
SÉZANNE
Chemin de fer touristique
Forêt de la Traconne
Barbonne-Fayel
Connantre
Linthes
Linthelles
Pleurs
Gourgançon
Euvy
Montépreux
Mailly-le-Camp
Camp militaire
Semoine
Poivres
Trouans
Villiers-Herbisse
Herbisse
Champfleury
Salon
Fresnay
Faux-Fresnay
Courcemain
Thaas
ANGLURE
Granges-sur-Aube
Plancy-l'Abbaye
Boulages
C H A M P A G N E
de Mailly
Dosnon
Grandville
Allibaudières
Lhuître
Champigny-sur-Aube
Ormes
ARCIS-sur-Aube
St-Just-Sauvage
Marcilly-s.-S.
Conflans-s.-S.
Esclavolles-Lurey
Longeville-sur-Aube
Charny-le-Bachot
Rhèges-Bessy
Bessy
Pouan-les-Vallées
Villette-sur-Aube
Torcy-le-Petit
Vinets
Méry, Troyes
52
Méry
Troyes
51 Marne
10 Aube
02 Aisne

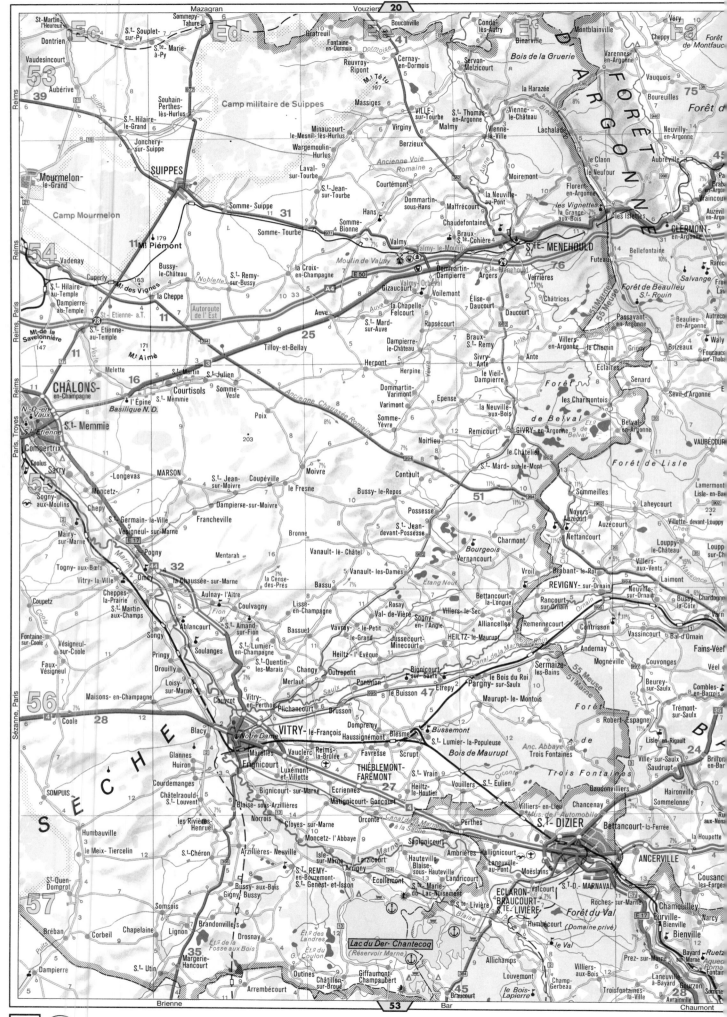

Mazagran
Vouziers
20
Ec
Ed
Ee
Ef
Fa
St-Martin-l'Heureux
Sommepy-Tahure
S.t- Souplet-sur-Py
S.te- Marie-à-Py
Dontrien
Vaudesincourt
53
Aubérive
39
Gratreuil
Fontaine-en-Dormois
Dormoise
Bouconville
Rouvroy-Ripont
Cernay-en-Dormois
M.t Têtu
197
Condé-lès-Autry
Binarville
Bois de la Gruerie
Servon-Melzicourt
Montblainville
Cheppy
Véry
Forêt de Montfaucon
Varennes-en-Argonne
Vauquois
Boureuilles
75
Forêt d
FORÊT D'ARGONNE
Camp militaire de Suippes
Souhain-Perthes-lès-Hurlus
Massiges
VILLE-sur-Tourbe
Virginy
S.t- Thomas-en-Argonne
Malmy
la Harazée
Vienne-le-Château
Vienne-la-Ville
Lachalade
Neuvilly-en-Argonne
S.t- Hilaire-le-Grand
Jonchery-sur-Suippe
Minaucourt-le-Mesnil-lès-Hurlus
Wargemoulin-Hurlus
Berzieux
Ancienne Voie Romaine
Aisne
Moiremont
le Claon
le Neufour
Aubréville
Mourmelon-le-Grand
SUIPPES
Laval-sur-Tourbe
S.t- Jean-sur-Tourbe
Courtémont
Dommartin-sous-Hans
Maffrécourt
la Neuville-au-Pont
Florent-en-Argonne
les Vignettes
la Grange-aux-Bois
les Islettes
CLERMONT-en-Argonne
Camp Mourmelon
Somme- Suippe
31
Hans
Somme-Bionne
Somme- Tourbe
Chaudefontaine
Braux-S.te- Cohière
S.TE- MENEHOULD
M.t Piémont
179
54
Vadenay
Cuperly
Bussy-le-Château
S.t- Remy-sur-Bussy
la Croix-en-Champagne
Valmy
Valmy- le-Moulin
Moulin de Valmy
Dommartin-Dampierre
Argers
Verrières
76
Bellefontaine
Futeau
Salvange
M.t des Vignes
163
S.t- Hilaire-au-Temple
Dampierre-au-Temple
la Cheppe
Noblette
E 50
A4
Valmy- Orbeval
Gizaucourt
Voilemont
Élise-Daucourt
Châtrices
Forêt de Beaulieu
S.t- Rouin
Autoroute de l'Est
Auve
la Chapelle-Felcourt
S.t- Mard-sur-Auve
Rapsécourt
Daucourt
Passavant-en-Argonne
Beaulieu-en-Argonne
Mt-de la Savelonnière
147
S.t- Etienne-au-Temple
St - Etienne- a.T.
11
171
M.t Aimé
Tilloy-et-Bellay
25
Dampierre-le-Château
Braux-S.t- Remy
Villers-en-Argonne
le Chemin
Brizeaux
Herpont
Herpine
Sivry-Ante
Ante
Eclaires
Melette
S.t- Martin
S.t- Julien
CHÂLONS-en-Champagne
16
Courtisols
Somme-Vesle
l'Épine
Basilique N.D.
S.t- Memmie
Dommartin-Varimont
le Vieil-Dampierre
Forêt de Belval
les Charmontois
Senard
Sevil-d'Argonne
Ancienne Chaussée Romaine
Varimont
Epense
la Neuville-aux-Bois
Belval-en-Argonne
N.-D.-en-Vaux
S.t- Etienne
S.t- Memmie
Compertrix
Poix
203
Somme-Yèvre
Remicourt
GIVRY- en-Argonne
Noirlieu
le Châtelier
S.t- Mard- sur-le-Mont
Forêt de Lisle
Vaubécourt
Coolus
Sarry
55
-Longevas
MARSON
S.t- Jean-sur-Moivre
Coupéville
Moivre
le Fresne
Contault
Bussy- le-Repos
51
Sommeilles
Lamermont
Lisle- en-Barrois
Sogny-aux-Moulins
Moncetz-
Chepy
Dampierre-sur-Moivre
Possesse
Laheycourt
S.t- Germain- la-Ville
Vésigneul- sur-Marne
Francheville
S.t- Jean-devant-Possesse
Noyers-Auzécourt
Auzécourt
Nettancourt
Villotte- devant-Louppy
Mairy-sur-Marne
E 17
Pogny
Bronne
Charmont
Bourgeois
Vernancourt
Louppy-le-Château
Togny- aux-Bœufs
Mentarah
Vanault- lè- Châtel
Vitry- la-Ville
Omey
32
la Chaussée- sur-Marne
la Cense-des-Prés
Vanault- les-Dames
Bassu
Étang Neuf
Vroil
Brabant- le-Roi
REVIGNY- sur-Ornain
Villers-aux-Vents
Laimont
Coupetz
Cheppes-la-Prairie
S.t- Martin-aux-Champs
Aulnay- l'Aître
Coulvagny
Lisse-en-Champagne
Rosay
Val- de-Vière
Bettancourt-la-Longue
Villers- le-Sec
Rancourt-sur-Ornain
Neuville-sur-Ornain
Bussy-la-Côte
Chardogne
Fontaine-sur-Coole
Vésigneul-sur-Coole
Ablancourt
S.t- Amand-sur-Fion
Vavray- le-Petit
le-Grand
Sogny-en- l'Angle
Alliancelles
Remennecourt
Contrisson
Vassincourt
Bal-d'Ornain
Songy
Bassuet
Jussecourt-Minecourt
HEILTZ- le-Maurupt
Faux-Vésigneul
Soulanges
S.t- Lumier-en-Champagne
Heiltz- l'Evêque
Andernay
Fains-Véel
Pringy
S.t- Quentin-les-Marais
Changy
Bignicourt-sur-Saulx
Canal de la Marne au Rhin
Sermaize-les-Bains
Mognéville
Couvonges
Véel
Drouilly
Loisy-sur-Marne
Merlaut
Outrepont
Ponthion
le Bois du Roi
Pargny- sur-Saulx
Etrepy
Beurey-sur-Saulx
Combles-en-Barrois
Maisons- en-Champagne
Couvrot
Vitry-en-Perthois
le Buisson
47
Maurupt- le- Montois
Tremont-sur-Saulx
56
Coole
28
Plichancourt
Brusson
Forêt de Trois Fontaines
Blacy
Notre Dame
VITRY- le-François
Dompremy
Haussignémont
Blesme
Bussemont
Robert- Espagne
Lisle- en-Rigault
Glannes
Huiron
Marolles
Frignicourt
Vauclerc
Reims-la-Brûlée
Favresse
Scrupt
S.t- Lumier- la-Populeuse
Bois de Maurupt
Anc. Abbaye Trois Fontaines
Ville- sur-Saulx
Saudrupt
Brillon-en-Barrois
24
Courdemanges
Luxémont-et-Villotte
THIÉBLEMONT-FARÉMONT
S.t- Vrain
Orconte
Heiltz-le-Hutier
Vouillers
S.t- Eulien
Baudonvilliers
Haironville
SOMPUIS
Châtelraould-S.t- Louvent
Bignicourt- sur-Marne
Ecriennes
27
Matignicourt- Goncourt
Villiers- en-Lieu
Chancenay
Sommelonne
CHAMPAGNE SÈCHE
Blaise- sous-Arzillières
Norrois
Cloyes- sur-Marne
Canal de la Marne à la Saône
Perthes
Mus. de l'Automobile
S.t- DIZIER
Bettancourt- la-Ferrée
les Rivières-Henruel
Humbauville
Moncetz- l'Abbaye
Saplonicourt
la Houpette
le Meix- Tiercelin
S.t- Chéron
Arzillières- Neuville
Isle-sur-Marne
Larzicourt
Ambrières
Hallignicourt
Hauteville
Blaise-sous- Hauteville
ANCERVILLE
Laneuville-au-Pont
Moëslains
S.T- REMY-en-Bouzemont-
S.t- Genest- et-Isson
Arrigny
Landricourt
Ecollemont
S.te- Marie-du-Lac-Nuisement
ECLARON-BRAUCOURT-S.TE- LIVIÈRE
Valcourt
S.T-D.- MARNAVAL
Cousances-les-Forges
S.t- Quen-Domprot
Bussy-aux-Bois
Gigny- Bussy
Roches- sur-Marne
Chamouilley
57
Somsois
S.te- Livière
Forêt du Val
E 17
Eurville-Bienville
Narcy
Brandonvillers
Humbécourt
(Domaine privé)
Bienville
Bréban
Corbeil
Chapelaine
Lignon
Drosnay
Ét.g des Landres
Lac du Der- Chantecoq
(Réservoir Marne)
Blaise
le Val
Ét.g de la Fosse aux Bois
Ét.g du G.d Coulon
35
Margerie-Hancourt
Allichamps
Prez- sur-Marne
Bayard-sur-Marne
Dampierre
S.t- Utin
Outines
Châtillon-sur-Broué
Giffaumont-Champaubert
Louvemont
Villiers-aux-Bois
Champ-Gerbeau
Laneuville-à-Bayard
Gourzon
Arrembécourt
45
Braucourt
le Bois-Lapierre
Troisfontaines-la-Ville
28
Avrainville
Brienne
53
Bar
Chaumont
Reims
Reims, Paris
Paris, Troyes
Sézanne, Paris

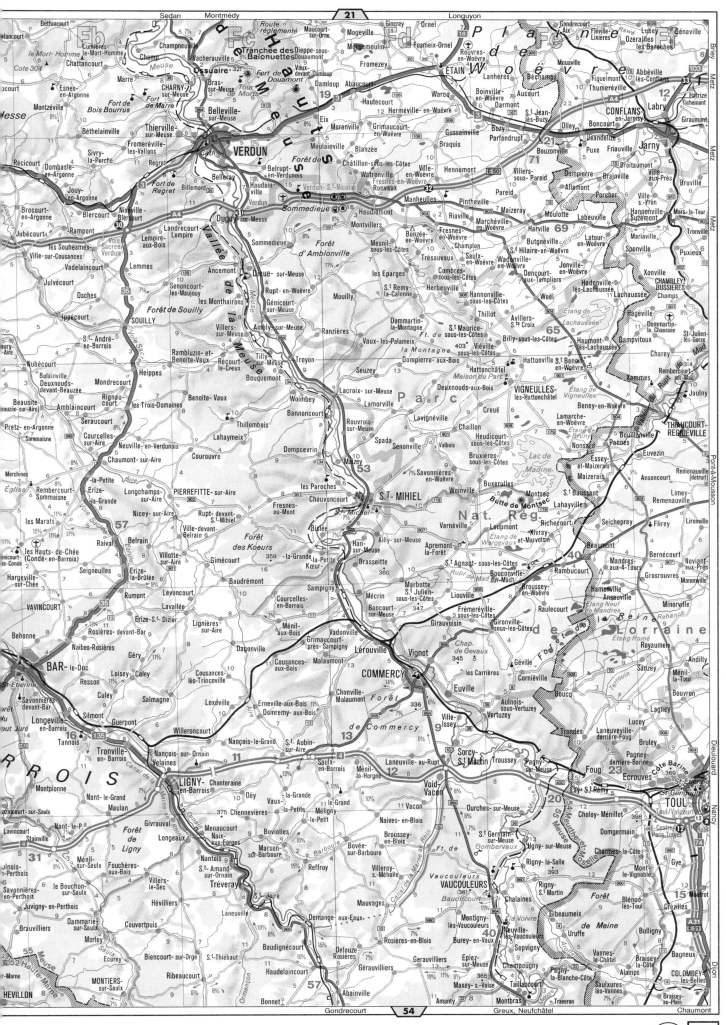
Sedan
Montmédy
21
Longuyon
Fb
Fc
Fd
Fe
Ff
Béthincourt
Cumières-le-Mort-Homme
le Mort-Homme
Cote 304
Chattancourt
Esnes-en-Argonne
Montzéville
Marre
Champneuville
Champ
Meuse
CHARNY-sur-Meuse
Fort de Bois Bourrus
Fort de Marre
Vacherauville
Ossuaire
Bras-sur-Meuse
Fort de Douaumont
Tranchée des Baïonnettes
Route réglementée
Maucourt-sur-Orne
Dieppe-sous-Douaumont
Vaux-devant-Damloup
Damloup
Abaucourt
Mogeville
Morgemoulin
Fromezey
Gincrey
Ornel
Foameix-Ornel
Rouvres-en-Woëvre
ÉTAIN
Plaine de la Woëvre
Gondrecourt-Aix
Fléville-Lixières
Lubey
Ozerailles
Les Baroches
Génaville
Lanhères
Béchamps
Mouaville
Fiquelmont
Abbéville lès-Conflans
Thumeréville
Briey
Metz
Hatrize
Tichémont
Giraumont
CONFLANS-en-Jarnisy
Labry
Boncourt
Olley
Jeandelize
Jarny
Aucourt
Boinville-en-Woëvre
Darmont
St Jean-lès-Buzy
Buzy
Parfondrupt
Warcq
Hautecourt
Herméville-en-Woëvre
Gussainville
Braquis
Belleville-sur-Meuse
Thierville-sur-Meuse
Béthelainville
Sivry-la-Perche
Fromeréville-les-Vallons
VERDUN
Regret
Eix
Moranville
Grimaucourt-en-Woëvre
Moulainville
Blanzée
Forêt de Châtillon-sous-les-Côtes
Watronville
Fresnes-en-Woëvre
Ville-en-Woëvre
Hennemont
Ronvaux
Villers-sous-Pareid
Pareid
Bouzonville
Puxe
Friauville
Droitaumont
Ville-aux-Prés
Bruville
Dompierre
Allamont
Brainville
Porcher
Ville-sur-Yron
Hannonville-Suzémont
Mars-la-Tour
Tronville
Récicourt
Dombasle-en-Argonne
Jouy-en-Argonne
Fort de Regret
Billemont
Belleray
Belrupt-en-Verdunois
Haudainville
Verdun-St-Nicolas
Sommedieue
Haudiomont
Manheulles
Pintheville
Maizeray
Moulotte
Labeuville
Brocourt-en-Argonne
Blercourt
Nixéville-Blercourt
Dugny-sur-Meuse
Jubécourt
Rampont
Landrecourt-Lempire
Lempire-aux-Bois
Les Souhesmes
Ville-sur-Cousances
Vadelaincourt
Voie Sacrée
Vallée de la Meuse
Montvillers
Riaville
Marchéville-en-Woëvre
Harville
Fresnes-en-Woëvre
Bonzée-en-Woëvre
Champlon
Mesnil-sous-les-Côtes
Forêt d'Amblonville
Trésauvaux
Saulx-en-Woëvre
Wadonville-en-Woëvre
Butgnéville
St Hilaire-en-Woëvre
Latour-en-Woëvre
Mariaville
Sponville
Puxieux
Lemmes
Ancemont
Dieue-sur-Meuse
Rupt-en-Woëvre
Génicourt-sur-Meuse
Les Eparges
Combres-sous-les-Côtes
St Remy-la-Calonne
Herbeuville
Doncourt-aux-Templiers
Jonville-en-Woëvre
Hadonville-lès-Lachaussée
Xonville
CHAMBLEY-BUSSIÈRES
Champs
Julvécourt
Senoncourt-les-Maujouy
Dsches
Les Monthairons
Mouilly
Hannonville-sous-les-Côtes
Woël
Lachaussée
Forêt de Souilly
SOUILLY
Ippécourt
Villers-sur-Meuse
Ambly-sur-Meuse
Ranzières
Dommartin-la-Montagne
Thillot
Avillers-Ste Croix
Étang de Lachaussée
Hagéville
Dommartin-la-Chaussée
St-Julien-lès-Gorze
St-André-en-Barrois
Vaux-les-Palameix
St Maurice-sous-les-Côtes
Billy-sous-les-Côtes
Haumont-lès-Lachaussée
Dampvitoux
Rambluzin-et-Benoite-Vaux
Récourt-le-Creux
Tilly-sur-Meuse
Troyon
la Montagne
Viéville-sous-les-Côtes
Dompierre-aux-Bois
Hattonville
St Benoît-en-Woëvre
Charey
Nubécourt
Heippes
Bouquemont
Seuzey
Hattonchâtel
Maison du Parc
Xammes
Rembercourt-sur-Mad
Bulainville
Deuxnouds-devant-Beauzée
Mondrecourt
Lacroix-sur-Meuse
Deuxnouds-aux-Bois
VIGNEULLES-lès-Hattonchâtel
Étang de Vigneulles
Jaulny
Beausite
Amblaincourt
Rignaucourt
les Trois-Domaines
Benoite-Vaux
Woimbey
Lamorville
Parc
Creuë
Beney-en-Woëvre
Seraucourt
Bannoncourt
Thillombois
Rouvrois-sur-Meuse
Lavignéville
Lamarche-en-Woëvre
THIAUCOURT-REGNIÉVILLE
Pretz-en-Argonne
Sommaisne
Courcelles-sur-Aire
Lahaymeix
Chaillon
Heudicourt-sous-les-Côtes
Étang de Bruny
Nonsard
Bouillonville
Pannes
Neuville-en-Verdunois
Spada
Senonville
Valbois
Chaumont-sur-Aire
Courouvre
Dompcevrin
Maizey
Bruxières-sous-les-Côtes
Lac de Madine
Essey-et-Maizerais
Euvezin
Pont-à-Mousson
Merchines
Rembercourt-Sommaisne
la Petite Erize-la-Grande
Longchamps-sur-Aire
PIERREFITTE-sur-Aire
Les Paroches
Chauvoncourt
ST-MIHIEL
Savonnières-en-Woëvre
Buxerulles
Woinville
Butte de Montsec
Montsec
Maizerais
St Baussant
Ansoncourt
Remenauville (détruit)
Limey-Remenauville
Église
Nicey-sur-Aire
Rupt-devant-St-Mihiel
Fresnes-au-Mont
St-Michel
Lahayville
Les Marats
Ville-devant-Belrain
Forêt des Koeurs
Bislée
Varnéville
Nat. Rég.
Loupmont
Richecourt
Xivray-et-Marvoisin
Étang de Wargevaux
Seicheprey
Flirey
Lironville
Raival
Belrain
Les Hauts-de-Chée (Condé-en-Barrois)
Han-sur-Meuse
Ailly-sur-Meuse
Apremont-la-Forêt
Beaumont
Bernécourt
Noviant-aux-Prés
Villotte-sur-Aire
Gimécourt
la Grande
la Petite Kœur
Brasseitte
St Agnant-sous-les-Côtes
Rupt de Mad
Bouconville-sur-Madt
Mandres-aux-4-Tours
Rambucourt
Grosrouvres
Manonville
Seigneulles
Hargeville-sur-Chée
Erize-la-Brûlée
Baudrémont
Sampigny
Marbotte
St Julien-sous-les-Côtes
Liouville
Broussey-en-Woëvre
Hamonville
Ansauville
Rumont
Leyoncourt
Courcelles-en-Barrois
Mécrin
Boncourt-sur-Meuse
Frémeréville-sous-les-Côtes
Raulecourt
Étang Neuf de Mandres
Minorville
VAVINCOURT
Lavallée
Erize-St-Dizier
Lignières-sur-Aire
Ménil-aux-Bois
Vadonville
Giraumont
Gironville-sous-les-Côtes
de la Reine
Lorraine
Étang Romé
Royaumeix
Behonne
Rosières-devant-Bar
Grimaucourt-près-Sampigny
Dagonville
Lérouville
Vignot
Chap. de Gevaux
Forêt de la Reine
Naibes-Rosières
Géry
Cousances-aux-Bois
Malaumont
Géville
Sanzey
Andilly
BAR-le-Duc
Resson
Loisey-Culey
Cousances-lès-Trincoville
COMMERCY
les Carrières
Corniéville
Ménil-la-Tour
St-Étienne
Savonnières-devant-Bar
Culey
Salmagne
Chonville-Malaumont
Forêt de Commercy
Euville
Boucq
Bouvron
Longeville-en-Barrois
Silmont
Guerpont
Loxéville
Erneville-aux-Bois
Domremy-aux-Bois
Aulnois-sous-Vertuzey
Vertuzey
Lagney
Tannois
Willeroncourt
Ville-Issey
Trondes
Lucey
Laneuveville-derrière-Foug
Bruley
Tronville-en-Barrois
Nançois-le-Grand
St-Aubin-sur-Aire
Sorcy-St Martin
Troussey
Pagny-sur-Meuse
Pagney-derrière-Barine
Dieulouard
Nançois-sur-Ornain
Velaines
BARROIS
Saulx-en-Barrois
Ménil-la-Horgne
Laneuville-au-Rupt
Foug
Écrouves
Côte Barine
St-Étienne
St-Gengoult
LIGNY-en-Barrois
Chanteraine
Void-Vacon
Lay-St Rémy
TOUL
Montplonne
Nant-le-Grand
Oëy
Vaux-la-Grande
Vaux-la-Petite
Méligny-le-Grand
Méligny-le-Petit
Vacon
Ourches-sur-Meuse
Choloy-Ménillot
Toul/Valcourt
Nancy
Maulan
Chennevières
Givrauval
Menaucourt
Naives-en-Blois
St Germain-sur-Meuse
Gombervaux
Domgermain
Toul-Centre, Paris, Troyes
Nant-le-Petit
Lavincourt
Stainville
Forêt de Ligny
Longeaux
Naix-aux-Forges
Boviolles
Marson-sur-Barboure
Bovée-sur-Barboure
Broussey-en-Blois
Ugny-sur-Meuse
Meurthe-et-Moselle
Charmes-la-Côte
Gye
Ménil-sur-Saulx
Fouchères-aux-Bois
Nantois
St-Amand-sur-Ornain
Tréveray
Reffroy
Villeroy-sur-Méholle
Vaucouleurs
VAUCOULEURS
Rigny-la-Salle
Mont-le-Vignoble
le Bouchon-sur-Saulx
Savonnières-en-Perthois
Villers-le-Sec
St-Joire
Mauvages
Baudicourt
Chalaines
Rigny-St Martin
Forêt de Meine
Blénod-lès-Toul
Moutrot
Crézilles
Juvigny-en-Perthois
Hévilliers
Laneuville
Demange-aux-Eaux
Montigny-lès-Vaucouleurs
Gibeaumeix
Uruffe
Bulligny
Brauvilliers
Dammarie-sur-Saulx
Couvertpuis
Morley
Rosières-en-Blois
Burey-en-Vaux
Neuville-lès-Vaucouleurs
Sepvigny
Vannes-le-Châtel
Bagneux
Baudignécourt
Delouze-Rosières
Épiez-sur-Meuse
Champougny
Braisey-la-Côte
Allamps
Écurey
Biencourt-sur-Orge
St-Thiébaut
Gérauvilliers
Haudelaincourt
Pagny-la-Blanche-Côte
COLOMBEY-les-Belles
Ribeaucourt
MONTIERS-sur-Saulx
Maxey-s.-Vaise
Taillancourt
Saulxures-lès-Vannes
Haute-Marne
Meuse
HEVILLON
Abainville
Bonnet
Amanty
Montbras
Traveron
Braisey-au-Plain
Gondrecourt
54
Greux, Neufchâtel
Chaumont
Dijon

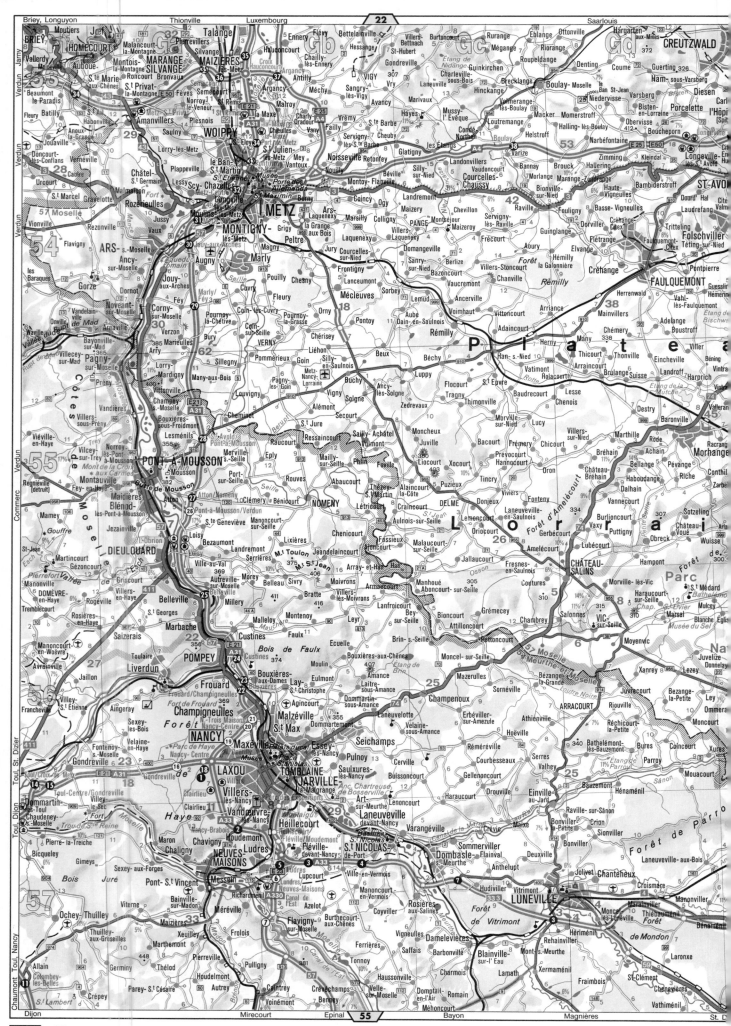
22
Briey, Longuyon
Thionville
Luxembourg
Saarlouis
Ga
Gb
Gc
Gd
BRIEY
HOMECOURT
MARANGE-SILVANGE
MAIZIÈRES-lès-Metz
Talange
Hauconcourt
Ennery
Bettelainville
Rurange
Mégange
Ottonville
CREUTZWALD
Boulay-Moselle
Varsberg
Porcelette
Amanvillers
WOIPPY
Vigy
Gondreville
Hayes
Guinkirchen
Hinckange
Volmerange-lès-Boulay
Bisten-en-Lorraine
Diesen
Saulny
St Julien-lès-Metz
Noisseville
Servigny-lès-Ste Barbe
Glatigny
Les Étangs
Condé-Northen
Varize
Helstroff
Narbéfontaine
Boucheporn
Longeville-lès-St Avold
Doncourt-lès-Conflans
Le Ban-St Martin
Plappeville
Lessy
Scy-Chazelles
Longeville-lès-Metz
Rozérieulles
Gravelotte
METZ
Courcelles-Chaussy
Landonvillers
Bionville-sur-Nied
Haute-Vigneulles
Bambiderstroff
ST-AVOLD
Vionville
Moulins-lès-Metz
MONTIGNY-lès-Metz
Ars-Laquenexy
Colligny
Pange
Servigny-lès-Raville
Raville
Guinglange
Créhange
Folschviller
ARS-s.-Moselle
Jussy
Vaux
Augny
Marly
Peltre
Jury
Courcelles-sur-Nied
Laquenexy
Domangeville
Berlize
Villers-Stoncourt
Hémilly
Elvange
Gorze
Ancy-sur-Moselle
Jouy-aux-Arches
Cuvry
Pouilly
Frontigny
Mécleuves
Sorbey
Lemud
Ancerville
Chanville
Rémilly
FAULQUEMONT
Novéant-sur-Moselle
Corny-sur-Moselle
Fleury
Orny
Pontoy
Aube
Rémilly
Vittoncourt
Arriance
Mainvillers
Vahl-lès-Faulquemont
Arnaville
Pagny-sur-Moselle
Pournoy-la-Chétive
Coin-sur-Seille
Verny
Chérisey
Adaincourt
Chémery
Boustroff
Plateau
Lorry-Mardigny
Prény
Vittonville
Sillegny
Pommérieux
Goin
Sillegny
Silly-en-Saulnois
Beux
Béchy
Herny
Thicourt
Thonville
Eincheville
Many-aux-Bois
Louvigny
Vigny
Buchy
Luppy
Flocourt
Tragny
St Epvre
Vatimont
Holacourt
Landroff
Vandières
Champey-s.-Moselle
Bouxières-sous-Froidmont
Cheminot
Alémont
Solgne
Secourt
Zedrevaux
Thimonville
Baudrecourt
Chenois
Lesse
Destry
Baronville
Côtes de Moselle
Viéville-en-Haye
Villers-sous-Prény
Lesménils
Norroy-lès-Pont-à-Mousson
PONT-À-MOUSSON
Vilcey-sur-Trey
Raucourt
Ressaincourt
Sailly-Achâtel
Vulmont
Moncheux
Juville
Bacourt
Frémery
Chicourt
Morville-sur-Nied
Villers-sur-Nied
Marthille
Rodé
Morhange
Montauville
Mousson
Morville-s.-Seille
Eply
Mailly-sur-Seille
Phlin
Liocourt
Xocourt
Prévocourt
Hannocourt
Oron
Achain
Bellange
Château-Bréhain
Pévange
Riche
Regniéville
Fey-en-Haye
Maidières
Atton
Port-sur-Seille
Rouves
Abaucourt
Thézey-St Martin
Alaincourt-la-Côte
Puzieux
Tincry
Viviers
Fonteny
Haboudange
Dalhain
Mamey
Blénod-lès-Pont-à-Mousson
Jezainville
Clémery
Bénicourt
NOMENY
Létricourt
Craincourt
DELME
Donjeux
Laneuveville-en-Saulnois
Forêt d'Amelécourt
Vannecourt
Burlioncourt
Sotzeling
Ste Geneviève
Loisy
Mononcourt-sur-Seille
Chenicourt
Aulnois-sur-Seille
Lemoncourt
Oriocourt
Vaxy
Puttigny
Château-Voué
Obreck
Wuisse
DIEULOUARD
Bezaumont
Lixières
Landremont
M.t Toulon
Jeandelaincourt
Fossieux
Ajoncourt
Malaucourt-sur-Seille
Gerbécourt
Amelécourt
Lubécourt
Martincourt
Gézoncourt
Ville-au-Val
Serrières
M.t St Jean
Array-et-Han
Jallaucourt
Fresnes-en-Saulnois
CHÂTEAU-SALINS
Hampont
Manonville
Domèvre-en-Haye
Griscourt
Villers-en-Haye
Autreville-sur-Moselle
Morey
Belleau
Sivry
Moivrons
Armaucourt
Manhoué
Aboncourt-sur-Seille
Coutures
Morville-lès-Vic
St Médard
Tremblecourt
Rogéville
Belleville
Millery
Bratte
Villers-lès-Moivrons
Lanfroicourt
Haraucourt-sur-Seille
Parc
Rosières-en-Haye
St Georges
Malleloy
Montenoy
Leyr
Bey-sur-Seille
Bioncourt
Grémecey
Chambrey
Salonnes
VIC-sur-Seille
Marsal
Blanche Église
Saizerais
Marbache
Custines
Faulx
Ecuelle
Attilloncourt
Moyenvic
Manoncourt-en-Woëvre
Toulaire
Liverdun
POMPEY
Bois de Faulx
Brin-s.-Seille
Pettoncourt
Moncel-sur-Seille
Juvelize
Donnelay
Avrainville
Jaillon
Frouard
Bouxières-aux-Dames
Lay-St Christophe
Moulin
Eulmont
Bouxières-aux-Chênes
Amance
Laitre-sous-Amance
Mazerulles
Sornéville
Bezange-la-Grande
Xanrey
Lezey
Villey-St Étienne
Francheville
Aingeray
Champigneulles
Agincourt
Malzéville
Dommartin-sous-Amance
Champenoux
Erbéviller-sur-Amezule
Arracourt
Juvrecourt
Bezange-la-Petite
Riouville
Ommeray
Sexey-les-Bois
Forêt de Haye
NANCY
St Max
Dommartemont
Laneuvelotte
Velaine-sous-Amance
Athienville
Hoéville
Réchicourt-la-Petite
Moncourt
Fontenoy-s.-Moselle
Velaine-en-Haye
Maxéville
Essey-lès-Nancy
Seichamps
Réméréville
Bathelémont-lès-Bauzemont
Bures
Coincourt
Gondreville
LAXOU
TOMBLAINE
JARVILLE-la-Malgrange
Pulnoy
Saulxures-lès-Nancy
Cerville
Courbesseaux
Serres
Valhey
Parroy
Buissoncourt
Gellenoncourt
Mouacourt
Villers-lès-Nancy
Art-sur-Meurthe
Drouville
Haraucourt
Bauzemont
Hénaménil
Dommartin-lès-Toul
Chaudeney-s.-Moselle
Villey-le-Sec
Clairlieu
Vandœuvre-lès-Nancy
Heillecourt
Laneuveville-devant-Nancy
Lenoncourt
Einville-au-Jard
Raville-sur-Sânon
Pierre-la-Treiche
Maron
Chaligny
Chavigny
Houdemont
Ludres
Fléville-devant-Nancy
Varangéville
St NICOLAS-de-Port
Crévic
Maixe
Bonviller-la-Petite
Crion
Sionviller
Forêt de Parroy
Bicqueley
Gimeys
NEUVES-MAISONS
Dombasle-s.-Meurthe
Sommerviller
Flainval
Deuxville
Laneuveville-aux-Bois
Sexey-aux-Forges
Bois Juré
Pont-St Vincent
Messein
Lupcourt
Ville-en-Vermois
Anthelupt
Jolivet
Chanteheux
Croismare
Bainville-sur-Madon
Richardménil
Manoncourt-en-Vermois
Hudiviller
Vitrimont
LUNÉVILLE
Manonviller
Ochey
Thuilley
Viterne
Méréville
Azelot
Burthecourt-aux-Chênes
Coyviller
Rosières-aux-Salines
Forêt de Vitrimont
Moncel-lès-Lunéville
Thiébauménil
Bénaménil
Maizières
Xeuilley
Frolois
Flavigny-sur-Moselle
Ferrières
Vigneulles
Damelevières
Hériménil
Rehainviller
Forêt de Mondon
Thuilley-aux-Groseilles
Marthemont
Pierreville
Saffais
Barbonville
Blainville-sur-l'Eau
Mont-s.-Meurthe
Laronxe
Allain
Colombey-les-Belles
Germiny
Thélod
Pulligny
Tonnoy
Charmois
Xermaménil
Lamath
Fraimbois
St-Clément
Chenevières
Houdelmont
Haussonville
Crépey
Parey-St Césaire
Autrey
Ceintrey
Voinémont
Crévéchamps
Velle-sur-Moselle
Domptail-en-l'Air
Romain
Vathiménil
St Lambert
Benney
Méhoncourt
Dijon
Mirecourt
Epinal
55
Bayon
Magnières
Verdun
Jarny
Commerc
Toul, St. Dizier
Toul, Dijon
Chaumont, Toul, Nancy

23
Saarbrücken
Saarbrücken
Kaiserslautern
Blieskastel
DEUTSCHLAND
Zweibrücken
Großrosseln
PETITE-ROSSELLE
STIRING-WENDEL
Spicheren
FECHINGEN
GÜDINGEN
Ensheim
Ballweiler
Breitfurt
Althornbach
Dietrichingen
Klein-steinhausen
Groß-
Riedelberg
FORBACH
Alsting
Ormesheim
Erfweiler
Wolfersheim
Böckweiler
HORNBACH
Mauschbach
Rolbing
Karlsbrunn
Emmersweiler
Zinzing
Eschringen
Hartungshof
Wittersheim
Bliesdalheim
Altheim
Oberecke
Dorst
Lauterbach
St. Nikolaus
Naßweiler
Behren-lès-Forbach
Kerbach
Grosbliederstroff
Klein-blittersdorf
Bliesransbach
Bebelsheim
Herbitzheim
Neualtheim
Brenschelbach
Loutzviller
Schweyen
Walschbronn
Cité Jeanne d'Arc
Merlebach
FREYMING-
Cocheren
Folkling
Bousbach
Blies-Guersviller
Bliesmengen-Bolchen
Gersheim
Walsheim
Seyweiler
Medelsheim
Peppenkum
Waldhouse
Ormersviller
Eschviller
Breidenbach
Théding
Tenteling
Cadenbronn
Rouhling
Sitterswald
Habkchn
Folpersviller
Bliesebersing
Reinheim
Niedergailbach
Obergailbach
Utweiler
Epping
Volmunster
Olsberg
Engelsheim
Bousseviller
Hanviller
St.-Avold-Carling
Béning
Ebring
Nousseviller-St.-Nabor
Rilchingen-Hanweiler
NEUNKIRCH
Bliesbruck
Erching
Weiskirch
Hombourg
Betting
Guenviller
Farébersviller (Pfarrebersweiler)
Diebling
Hundling
WELFERDING
Ippling
SARREGUEMINES (SAARGEMÜND)
Rimling
Guiderkirch
Dollenbach
Nousseviller-lès-Bitche
Macheren
Seingbouse
Farschviller
Metzing
DING
Urbach
Haspelschiedt
Petit-Ebersviller
Henriville
Route de l'amitié (Freundschaftsstr.)
Rémelfing
Sarreinsming
Hottviller
Parc
Marienthal
Lachambre (Kammern)
Loupershouse
Guebenhouse
Woustviller
Roth
Wœlfling-lès-Sarreguemines
Wiesviller
Guising
Bettviller
Schorbach
Quartier Pagezy
Holbach
Barst
Cappel
Ellviller
Ernestviller
Neufgrange
Zetting
Diding
Gros-Réderching
Hœlling
Kleinmühle
Petit-Réderching
Holbach
BITCHE (BITSCH)
Altviller
Biding
Valette
Bas-Hoste-Haut
Puttelange-aux-Lacs (Püttlingen)
Heckenransbach
Hambach
Siltzheim
Wittring
Singling
Meyerhof
Siersthal
Reyersviller
Dieffenbach-lès-Puttelange
Grundviller
Achen
Bining
ROHRBACH-lès-Bitche
Heiligenbronn
Lambach
Maxstadt
Laning
Leyviller
Rémering-lès-Puttelange
Schottenhof
Richeling
Weidesheim
Etting
Route de l'amitié (Freundschaftsstr.)
Lixing-lès-St.-Avold
Altrippe
St.-Jean-Rohrbach
Willerwald
Kalhausen
Guisberg
Enchenberg
Lemberg
Haguenau
Frémestroff
Hilsprich
Castviller
Herbitzheim
Schmittviller
Janau
Ft. de Lemberg
Mouterhouse
Bettring
Holving
Oermingen
Metschbruch
Montbronn
St.-Louis-lès-Bitche
Altschmelz
Freybouse
Hellimer
Diffembach-lès-Hellimer
Morsbronn
Hirbach
Hinsing
SARRALBE (SAARALBEN)
Rahling
Nat. Reg.
Goetzenbruck
Mouterhouse
Petit-Tenquin
Zellen
Steinbach
Eich
Rech
Luterbach
Dehlingen
Schieresthal
Grostenquin
Erstroff
Gréning
Uberkinger
Petit-Rohrbach
Ventzviller
le Val-de-Guéblange (Geblingen)
Keskastel
Butten
Meisenthal
Althorn
Melch
Linstroff
Francaltroff
Nelling
Kappelkinger
Hazembourg
Vœllerdingen
Ratzwiller
Soucht
Léning
Hinsingen
Schopperten
Domfessel
Lorentzen
Volksberg
Wildenguth
Obrick
Réning
Insming
Vittersbourg
Kirviller
Bissert
SARRE-UNION
Rimsdorf
Diemeringen
Rosteig
Wingen-s.-Moder
Reipertswiller
Virming
Neufvillage
Honskirch
Waldhambach
Bermering
Albestroff
Harskirchen
Mackwiller
Weislingen
Besville
Montdidier
Givrycourt
Altwiller
Sarrewerden
Zollingen
Frohmuhl
Puberg
Wimmenau
Vahl-lès-Bénestroff
Munster
Vibersviller
Neuweyerhof
Burbach
Thal-Drulingen
Rexingen
Adamswiller
Tieffenbach
Hinsbourg
Zittersheim
Route de l'amitié
Torcheville
Nébing
Étang Rouge
Bischtroff-s.-Sarre
Autoroute de l'Est
Berg
Durstel
Struth
Sparsbach
Bénestroff
Marimont-lès-Bénestroff
Lhor
Diedendorf
Wolfskirchen
Bettwiller
Asswiller
Weinbourg
Molring
Guinzeling
Étang du Moulin
Long Étang
Gungwiller
Drulingen
Petersbach
Erckartswiller
Bourgaltroff
Bassing
Lostroff
Niederstinzel
Eywiller
Weyer
Ottwiller
la Petite-Pierre (Lützelstein)
Weiterswiller
Ober-soultzbach
Nieder-
Guébling
Domnon-lès-Dieuze (Dommenheim)
Cutting
Mittersheim
Eschwiller
Lohr
Bidestroff
Loudrefing
Fénétrange (Finstingen)
Postroff
Baerendorf
Siewiller
Huneburg
Chât. de Herrenstein
Vergaville
Guébestroff
Zommange
Rohrbach-lès-Dieuze
Grand Étang de Mittersheim
Romelfing
Hirschland
Veckersviller
Bust
Schœnbourg
NEUWILLER-lès-Saverne
Berthelming
Kirrberg
Schalbach
Graufthal
Griesbach-le-Bastberg
Haute-Lindre-Basse
Dieuze
Angviller
Belles-Forêts
Étang de Nolweiher
St. Jean-de-Bassel
Hellering-lès-Fénétrange
Rauwiller
Metting
Hangviller
Pfalzweyer
Eschbourg
Dossenheim-s.-Zinsel
Imbsheim
Étang de Lindre
Bettborn
Goerlingen
Bickenholtz
Wintersbourg
Veschheim
Berling
Buchelberg
Ernolsheim-lès-Saverne
Hattmatt
Oberstinzel
Guermange
Gosselming
Sarreck
Vieux-Lixheim
Fleisheim
Hérange
Zilling
Mittelbronn
Vilsberg
Danne-Fontaine
St.-Jean-Saverne
Steinbourg
Strasbourg
Guéblange-lès-Dieuze
Tarquimpol
Desseling
Dolving
Hilbesheim
Brouviller
Bourscheid
Phalsbourg
Danne et Quatre-Vents
Otterstal
Monswiller
Rosenwiller
Alteville
Fribourg
Assenoncourt
Étang de Videlange
Haut-Clocher
Villa Gallo romane
Sarrewald
Sarraltroff
St-Jean-Kourtzerode
Dannelbourg
PHALSBOURG
Trois-Maisons
Zornhoff
SAVERNE (ZABERN)
Réding
Waltembourg
Lutzelbourg
Route de l'amitié
Rég
Gélucourt
Rhodes
Étang du Stock
Langatte
Couv. St-Ulrich
Boule
Languimberg
Kerprich-aux-Bois
SARREBOURG
Hommarting
Henridorff
Waldolwisheim
Furchhsn.
Azoudange
Diane-Capelle
Bühl-Lorraine
Arzviller
Canal de la Marne au Rhin
Plan incliné
Hultehouse
Haut Barr
Otterswiller
Schweinheim
Gottenhouse
Marimont
Bourdonnay
Maizières-lès-Vic
Romécourt
Étang de Gondrexange
Houillons
Huberville
Bébing
Niderviller
St.-Louis
Guntzviller
Garrebourg
Ft. de Savene
Haegen
Thal-Marmoutier
Sindelsberg
Lochwiller
Wolschheim
Kleingœft
de Lorraine
Hellocourt
Étang du Moulin
Haut Grier
Barchain
Imling
Schneckenbusch
Brouderdorff
Plaine-de-Walsch
Haselbourg
Châ. d'Ochsenstein
St.-Gall
Schwebwiller
MARMOUTIER (MAURSMÜNSTER)
Westhouse-Marmoutier
Reutenbourg
Zehnacker
Singrist
Bataville
Étang de Réchicourt
Gondrexange
Héming
Hertzing
Xouaxange
Hesse
Neufmoulins
Sitifort
Hommert
Hellert
Schaeferhof
Reinhardsmunster
Dimbsthal
Moussey
Réchicourt-le-Château
Landange
Hermelange
Nitting
Hartzviller
Biberkirch
St Hubert
Voyer
Troisfontaines
Harreberg
Hengwiller
Birkenwald
Salenthal
Allenwiller
Jetterswiller
Crastatt
Vaucourt
Remoncourt
St Georges
LORQUIN
Dabo (Dagsburg)
Col de (652) Valsberg
Eglise gothique
Romanswiller
Xousse
Avricourt (Moselle)
Aspach
Laneuville-lès-Lorquin
la Valette
Walscheid
Obersteigen
WASSELONNE (Wasselhm.)
Avricourt (Meurthe et Moselle)
Ibigny
Richeval
Fraquelfing
Niderhoff
Abreschviller
Chemin de fer touristique
St. Leon
Engenthal
Mossig
Cosswiller
Amenoncourt
Igney
Foulcrey
Risholtz
Hattigny
Heille
Vasperviller
Lettenbach
Gr.d-Soldat
Gr. Rossk.
Chât. de la Wangenbourg
Wangenbourg
Geissweg
Leintrey
Autrepierre
Repaix
Gogney
Étang Gresson
Bertrambois
St Quirin
Schneeberg
WESTHOFFEN
Elmersforst
Gondrexon
Reillon
la Vigne
Taconville
Fremonville
la Forêt
Lafrimbolle
Ft. de
Forêt
Windsbourg
Balbronn
Vého
Blémerey
Chazelles-s.-Albe
St.e Marie
BLÂMONT
les Harcholins
St. Quirin
d'Abreschvilles
Chât. du Nideck
Flexbourg
Domjevin
Verdenal
CIREY-s.-Vezouze
Châtillon
Saussenrupt
Sarre Blanche
Turquestein-Blancrupt
Chât. du Hohenstein
Haslach
St Martin
Fréménil
Vezouze
Barbas
Harbouey
Val-et-Châtillon
Turquestein
Malcôte
Rocher de Mutzig
Chât. du Ringelstein
Still
Dinsheim
Domèvre-s.-Vezouze
Halloville
Nonhigny
Petitmont
Oberhaslach
Niedershaslach
Eglise gothique
Herbéviller
Parux
Grand Rougimont
Heiligenberg
Gresswiller
Ogéviller
Réclonville
Mignéville
Montreux
Urmatt
Anceviller
Neuviller-lès-Bandonviller
Bréménil
St Sauveur
Mauvais
Lutzelhouse
Pettonville
Raon-lès-Leau
Donon 1009
Rosenwiller
Mollkirch
Hablainville
Vaxainville
Montigny
St. Maurice-aux-Forges
Tête du Girecourt
Raon-sur-Plaine
Wisches
Muhlbach-s.-Bruche
Laubenheim
Angomont
Celle
Hersbach
Guirbaden
Grendelbruch
Brouville
Reherrey
St.e Pôle
BADONVILLER
Allencombe
Luvigny
Grandfontaine
Russ
VOGESES
56
St. Dié

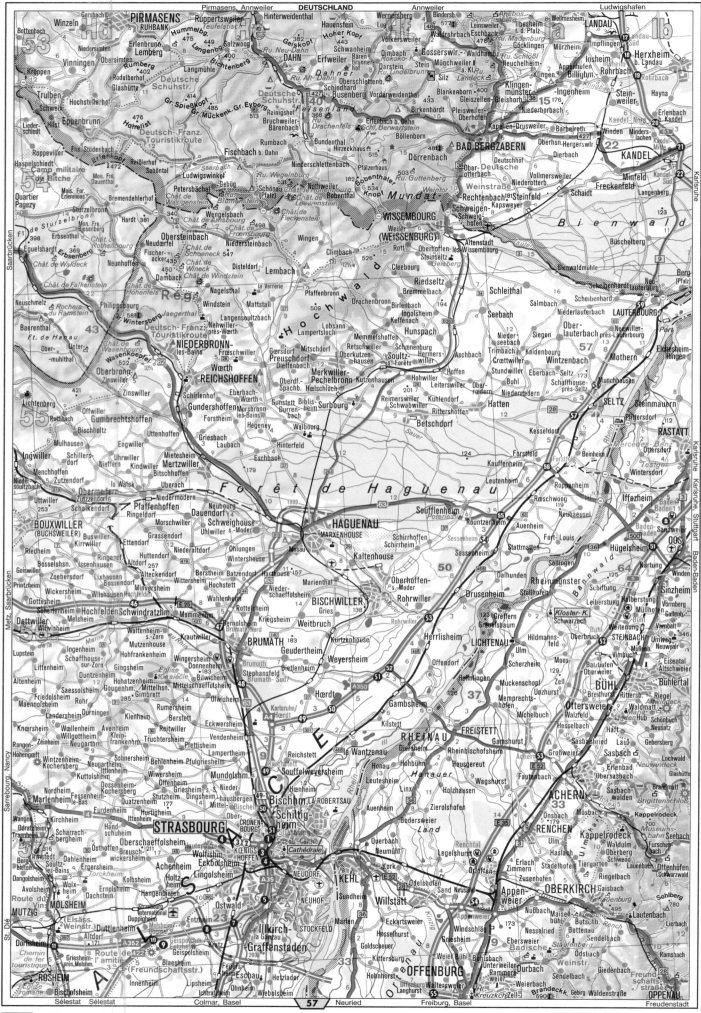
Pirmasens, Annweiler
DEUTSCHLAND
Annweiler
Ludwigshafen
PIRMASENS
Hinterweidenthal
LANDAU
Herxheim b. Landau
Lemberg
DAHN
Erfweiler
Busenberg
Bad Bergzabern
Kandel
Dahner Felsenland
Deutsche Schuhstr.
Deutsch-Franz. Touristikroute
Fischbach b. Dahn
Dörrenbach
Deutsche Weinstraße
Camp militaire de Bitche
Mundat-
Wissembourg
Weiler (Weissenburg)
Bienwald
Lembach
Hochwald
Lauterbourg
Niederbronn-les-Bains
Reichshoffen
Wœrth
Soultz-s.-Forêts
Seltz
Rastatt
Karlsruhe
Forêt de Haguenau
Haguenau
Bouxwiller (Buchsweiler)
Bischwiller
Brumath
Hochfelden
Herrlisheim
Lichtenau
Hügelsheim
Oos
Baden-Baden
Karlsruhe, Stuttgart
Sinzheim
Rheinmünster
Steinbach
Bühl
Achern
Rheinau
Freistett
Kappelrodeck
Renchen
Oberkirch
Strasbourg
Schiltigheim
Cathédrale
Neudorf
Kehl
Willstätt
Appenweier
Offenburg
Molsheim
Mutzig
Rosheim
Illkirch-Graffenstaden
Eschau
Alsace
Saarbrücken
Metz, Saarbrücken
Sarrebourg, Nancy
St. Dié
Sélestat
Colmar, Basel
Neuried
Freiburg, Basel
Freudenstadt
Oppenau
57

24

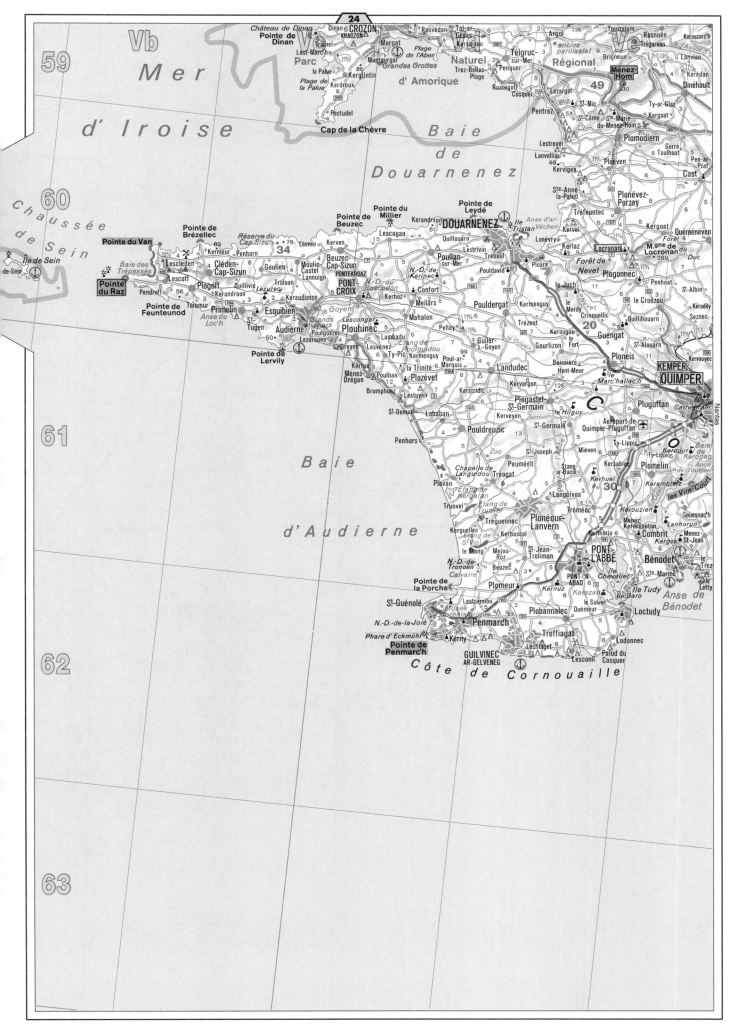
Vb
59
60
61
62
63
Mer
d' Iroise
Chaussée de Sein
Île de Sein
Château de Dinan
Pointe de Dinan
Dinan
CROZON
KRAOZON
Morgat
Plage de l'Aber
Lost-Marc'h
Parc
la Palue
Plage de la Palue
Kerdreux
Montourgar
Grandes Grottes
Kerguintin
Postudel
Cap de la Chèvre
Naturel
d' Amorique
Ranvédan
Tal-ar-Groas
Kersaniou
Telgruc-sur-Mer
Penquer
Trez-Bellec-Plage
Rostegoff
Cosquer
Argol
enclos paroissial
Régional
Treuzelom
Rosnoën
Trégarvan
Kerouzarc'h
l'Aulne
Lanvian
Brigneun
Ménez-Hom
330
Kérédan
Dinéhault
Lezargol
St-Nic
St-Côme
Ste-Marie-du-Ménez-Hom
Pentrez
Ty-ar-Glas
Kergoat
Plomodiern
Baie de Douarnenez
Lestrevet
Lanvelliau
Kervigen
Ploeven
Gorré
Toulhoat
Pen-ar-Prat
Cast
Ste-Anne-la-Palud
Plonévez-Porzay
Tréfeuntec
Kergoat
Quéménéven
Forêt
Mgne de Locronan
Pointe de Leydé
Pointe du Millier
Pointe de Beuzec
Pointe de Brézellec
Pointe du Van
Kerandraon
DOUARNENEZ
Ile Tristan
Anse d'ar-Véchen
Kervel
Lonévry
Kerlaz
Locronan
Forêt de Nevet
du Duc
Réserve du Cap Sizun
Kermeur
Penharn
Lesven
Kerven
Lescogan
Quillouarn
Lestrivin
Tréboul
Ploaré
Pouldavid
Plogonnec
Penhoat
St-Albin
Lescleden
Baie des Trépassés
Cléden-Cap-Sizun
Goulien
Moulin-Castel
Lannuign
Beuzec-Cap-Sizun
PONTEKROAZ
Poullan-sur-Mer
N.-D.-de-Kérinec
le Juch
Le Croëzou
Pointe du Raz
Lescoff
Pendreff
Plogoff
Kerandraon
Quillivic
Lézurec
Troloan
PONT-CROIX
N.-D.-du-Roscudon
Confort
Meilars
Pouldergat
Kermenguy
le Merdy
Cinquellic
Quillihouarn
Kéradily
Seznec
Pointe de Feunteunod
Toramur
Anse du Loc'h
Primelin
St-Tugen
Esquibien
Keraudierne
le Goyen
Grands Viviers
Kerhoz
Mahalon
Trézent
Guengat
Audierne
Poulgoazec
Lezarouen
Lescongar
Plouhinec
Pellay
Kerougou
le Fort
Gourlizon
St-Alouarn
Pointe de Lervily
St-Dreyer
Lambadu
Lesvénez
Ty-Pic
Etang de Poulguidou
Kermenguy
Guiler-s.-Goyen
Poul-ar-Marquis
Ploneis
Kervouyec
Kerruc
Ménez-Drégan
Poulhan
la Trinité
Plozévet
Landudec
Boissière
Hent-Meur
le Marc'hallac'h
KEMPER
QUIMPER
Brumphuez
Lestuyen
Kervargon
Kerstridic
Plogastel-St-Germain
Pluguffan
Cathédrale
Nantes
St-Demet
Lababan
Kerveyen
le Hilguy
St-Germain
Aéroport de Quimper-Pluguffan
Penhors
Pouldreuzic
Baie d'Audierne
Zoo
St-Joseph
Minven
Ty-Lippic
Kerdour
Baie de Kerogan
Chapelle de Languidou
Tréogat
Peumérit
Stang-ar-Bacol
Kersabiec
Plomelin
Anse de Toulven
Plovan
Etang de Kergalan
Kerhuel
Kerambleiz
les Vire-Court
Langolvoa
Trunvel
Etang de Trunvel
Tréméoc
Kerouzien
Gouesnac'h
Tréguennec
Plonéour-Lanvern
Lanhorun
Menez Kerdréanton
Kergulleс
Etang de St-Vio
Kerbascol
Kermaria
Combrit
Menez-St-Jean
Kergos
le Stang
Mejou-Roz
St-Jean-Trolimon
PONT-L'ABBÉ
Bénodet
N.-D.-de-Tronoën
Calvaire
Beuzec
Ile Chevalier
Ste-Marine
le Trez
Letty
Pointe de la Porche
Plomeur
PONT-'N-ABAD
Kernuz
Kerazan
Île Tudy
Anse de Bénodet
St-Guénolé
Lestriguiou
Musée préhistorique
le Suleur
Quémeur
Ile Garo
Plobannalec
Loctudy
N.-D.-de-la-Joie
Penmarc'h
Phare d'Eckmühl
Kérity
Treffiagat
Léchiagat
Lodonnec
Pointe de Penmarc'h
GUILVINEC
AR-GELVENEG
Lesconil
Palud du Cosquer
Côte de Cornouaille
34
49
20
30

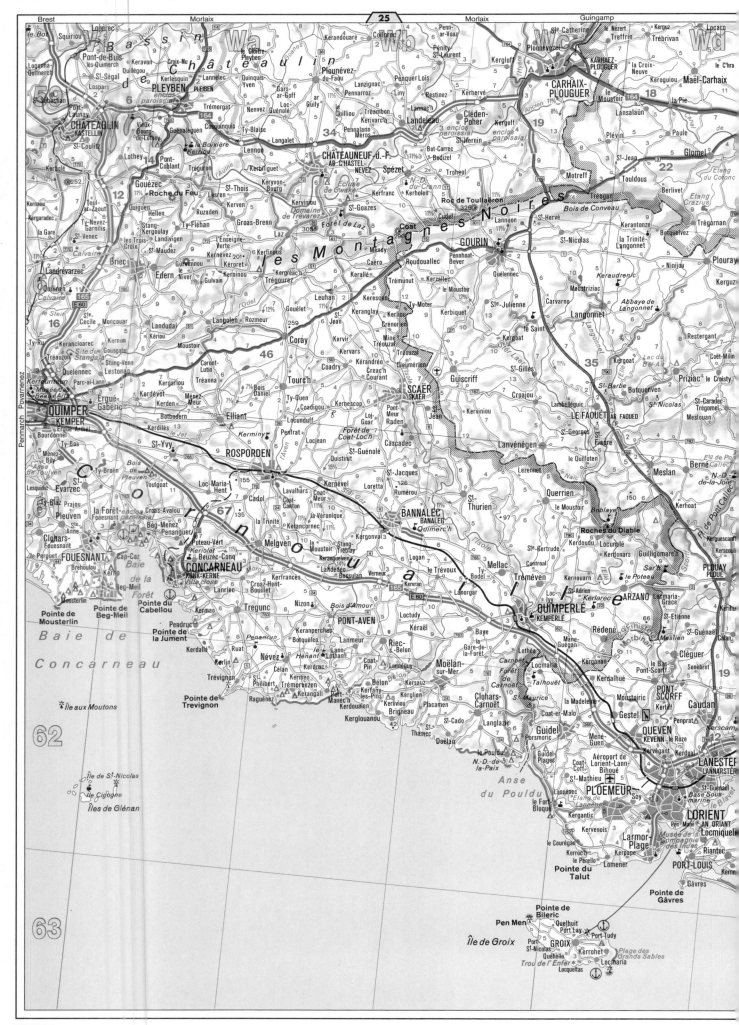

Brest
Morlaix
25
Morlaix
Guingamp
Wa
Wb
Wc
Wd
Bassin de Châteaulin
Pont-de-Buis-lès-Quimerch
Pleyben
Châteaulin
Kastellin
Pleyben
enclos paroissial
Plounévez-du-Faou
Collorec
Carhaix-Plouguer
Karhaez-Plouguer
Maël-Carhaix
Tréfrin
Trébrivan
Landeleau
Cléden-Poher
3 enclos paroissial
enclos paroissial
St-Hernin
Châteauneuf-d.-F.
Ar C'hastel-Nevez
Spézet
Glomel
Gouézec
Roche du Feu
Écluse de Gwaker
Domaine de Trévarez
Forêt de Laz
Roc de Toullaëron
Les Montagnes Noires
Bois de Conveau
Gourin
Laz
Briec
Edern
Landrévarzec
Coray
Roudouallec
Langonnet
Abbaye de Langonnet
Le Saint
Guiscriff
Scaër
Skaer
Le Faouët
Ar Faoued
Priziac
Plouray
Quimper
Kemper
Ergué-Gabéric
Elliant
Tourc'h
Forêt de Coat-Loc'h
Lanvénégen
Meslan
Berné
Rosporden
Kernével
St-Yvy
Bannalec
Banaleg
Querrien
Roches du Diable
Cornouaille
Pleuven
Fouesnant
Clohars-Fouesnant
La Forêt-Fouesnant
enclos paroissial
Melgven
Concarneau
Konk-Kerne
Ville close
Mellac
Tréméven
Arzano
Plouay
Ploue
Quimperlé
Kemperle
Rédené
Tregunc
Pont-Aven
Riec-s.-Belon
Moëlan-sur-Mer
Clohars-Carnoët
Forêt de Carnoët
Guidel
Gestel
Queven
Kevenn
Pont-Scorff
Caudan
Lanester
Lannarster
Ploemeur
Lorient
An Oriant
Larmor-Plage
Port-Louis
Locmiquélic
Riantec
Gâvres
Pointe de Gâvres
Pointe de Mousterlin
Pointe de Beg-Meil
Pointe du Cabellou
Pointe de la Jument
Baie de Concarneau
Pointe de Trevignon
Île aux Moutons
Île de St-Nicolas
Île Cigogne
Îles de Glénan
Anse du Pouldu
Le Pouldu
N.-D.-de-la-Paix
Aéroport de Lorient-Lann-Bihoué
Pointe du Talut
Pointe de Bileric
Pen Men
Île de Groix
Groix
Port Tudy
Locmaria
Plage des Grands Sables
Trou de l'Enfer
Base Sous-marine
Musée de la Compagnie des Indes
Musée des Beaux Arts
Penmarch
Pouvarnenez
Finistère
Morbihan
62
63

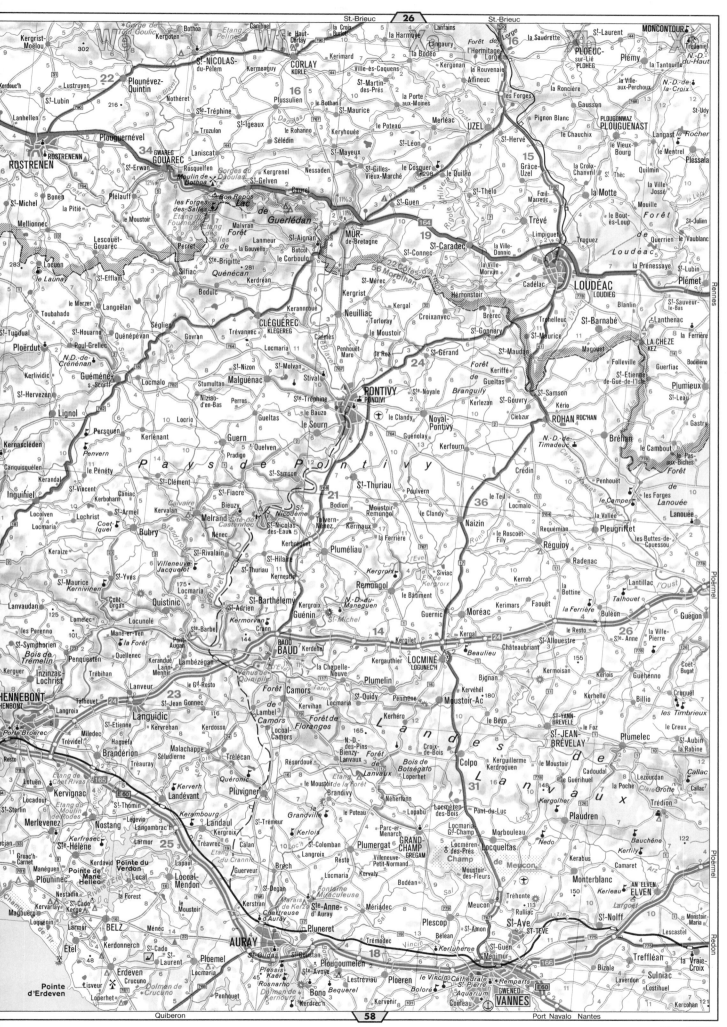
St.-Brieuc
26
St.-Brieuc
We
Wf
Xa
Xb
Xc
Kergrist-Moëlou
Bothoa
Kergoten
Canihuel
le Haut-Corlay
la Croix-Burlot
la Harmoye
Lanfains
Forêt de Lorge
la Saudrette
St-Laurent
MONCONTOUR
Trédaniel
N.-D.-du-Haut
St-NICOLAS-du-Pélem
CORLAY
KORLE
Kerimard
la Bodéo
Langaury
l'Hermitage-Lorge
PLOEUC-sur-Lié
PLOHEG
Plémy
la Tantouille
Kermenguy
Ville-ès-Coquens
Kergonan
la Rouvenaie
Kerdouc'h
Lustruyen
Plounévez-Quintin
St-Martin-des-Prés
Allineuc
la Ville-aux-Perchoux
N.-D.-de-la-Croix
St-Lubin
Nothéret
16
Plussulien
la Porte aux-Moines
les Forges
la Roncière
Gausson
St-Udy
Ste-Tréphine
le Bothan
St-Maurice
Lanhellen
St-Igeaux
le Rohanno
Keryhouée
le Poteau
Merléac
UZEL
Pignon Blanc
PLOUGONWAZ
PLOUGUENAST
Trozulon
Sélédin
St-Léon
le Chauchix
Langast
le Rocher
Plouguernével
St-Hervé
le Vieux-Bourg
le Mentrel
Plessala
ROSTRENEN
ROSTRENENN
34
GWAREG
GOUAREC
Laniscat
St-Mayeux
15
Grâce-Uzel
la Croix-Chanvril
St-Thec
Quilmin
St-Erwan
Rosquelfen
Moulin de Bothoa
Gorges du Daoulas
Kergrenel
Nessaden
St-Gilles-Vieux-Marché
le Cosquer
le Quillio
la Ville-Jossé
St-Gelven
Caurel
St-Thélo
Foeil-Marreuc
la Motte
St-Michel
Bonen
Pléiauff
Bon Repos
Lac de Guerlédan
St-Guen
Mouille
Forêt
la Pitié
les Forges-des-Salles
le Moustoir
le Bout-ès-Loup
St-Julien
Mellionnec
Malvran
Forêt des Salles
MUR-de-Bretagne
164
19
Trévé
Limpiguet
Truguez
de Loudéac
Querrien
le Vaublanc
Lescouët-Gouarec
Perret
Lanmeur
St-Aignan
St-Caradec
la Ville-Donnio
la Gouvello
Botcol
le Corboulo
St-Connec
Ste-Brigitte
22 Côtes-d'Armor
56 Morbihan
la Ville-Morvan
la Prénessaye
St-Lubin
Locuon
le Launay
Silfiac
Quénécan
281
St-Efflam
Kerdréan
St-Mérec
Cadélac
LOUDÉAC
LOUDIEG
Plémet
Rennes
Boduic
Kergrist
Hémonstoir
Blanlin
St-Sauveur-le-Bas
le Merzer
Langoëlan
Kerannroué
Kergal
Croixanvec
Brérec
Trohelleuc
St-Barnabé
Lanthenac
Toubahado
Neuilliac
Torloray
CLÉGUÉREC
KLEGEREG
Séglien
Trévannec
St-Tugdual
St-Houarno
Quénépévan
Govran
Calmès
le Moustoir
St-Gonnery
St-Maurice
la Ferrière
LA CHÈZE
KEZ
Ploërdut
Poul-Grellec
N.-D.-de-Crénénan
Locmaria
Penhouët-Maro
le Roz
St-Gérand
St-Maudan
Magouet
Folleville
Bodéléno
Kerlividic
Guémené-s.-Scorff
St-Nizon
St-Molvan
Stival
24
Forêt de Branguily
Kerifé
Gueltas
Guerfiac
St-Etienne-de-Gué-de-l'Isle
St-Hervezen
Locmalo
Stumultan
Malguénac
PONTIVY
PONDIVI
Ste-Noyale
St-Samson
Plumieux
St-Leau
Lignol
Niziao-d'en-Bas
Perros
Ste-Tréphine
Kerlezan
St-Gouvry
Kério
Lochrio
Gueltas
le Bauzo
le Clandy
Noyal-Pontivy
Clebzur
ROHAN
ROC'HAN
Gastry
Persquen
Kerlenant
le Sourn
Guénolay
N.-D.-de-Timadeuc
Bréhan
Kernascléden
Guern
Quelven
Kerfourn
le Cambout
Penvern
Pradigo
Canal de Nantes à Brest
le Pas-aux-Biches
Forêt
Canquisquélen
le Pénéty
Pays de Pontivy
Crédin
de
Kerandal
St-Samson
Penhouët
Lanouée
St-Clément
St-Thuriau
Pouivern
Inguiniel
St-Vincent
Caniac
Kerboharn
St-Fiacre
21
le Teil
36
le Camper
les Forges
Locolven
St-Armel
Kervalan
Calvaire
Bieuzy
St-Nicodème
Bodion
Moustoir-Remungol
le Clandy
Locmalo
Lochrist
Coet-Iquel
Melrand
Site de Castennec
St-Nicolas-des-Eaux
Talvern-Nénez
Kermaux
Naizin
Requémian
la Vallée
Lanouée
Locmaria
Bubry
Nénec
la Ferrière
le Roscoët-Fily
Pleugriffet
les Buttes-de-Couessou
Keraize
St-Rivalain
Kerbrégent
Pluméliau
Réguiny
Villeneuve-Jacquelot
St-Hilaire
St-Thuriau
Kernestic
Kergroix
Siviac
Radenac
St-Maurice
Kernivinen
St-Yves
175
Locmaria
Remungol
Kerrob
Lantillac
l'Oust
Ploërmel
Lanvaudan
Coët-Organ
Quistinic
St-Barthélemy
Kergroix
N.-D.-du-Maneguen
le Bâtiment
la Bottine
Talhouet
Lomelec
Locunolé
St-Adrien
Guénin
St-Michel
Guernic
Moréac
Kerimars
Faouët
la Ferrière
Buléon
Guégon
les Perenno
101
Mane-er-Ven
la Forêt
Kermorvan
Crann
144
14
Kergal
le Resto
26
la Ville-Pierre
St-Symphorien
Bois de Trémelin
Ste-Barbe
Pont-Augan
BAOD
BAUD
Kerdéhel
Kergilet
Beaulieu
St-Allouestre
Ste-Anne
Quellenec
Kerandué
Lambézégan
Lann-Menhir
Vénus de Quinipily
Kerguer
Inzinzac-Lochrist
Pengestén
Trébihan
la Chapelle-Neuve
Kergauthier
LOCMINÉ
LOGUNEC'H
Châteaubriant
155
Coët-Bugat
Kermoisan
Bignan
Kerlois
Guéhenno
Lanveur
le Gd-Resto
Plumelin
Kervéhel
180
HENNEBONT
HENBONT
Talhouet
23
St-Jean Gonnec
Forêt de Lambel
Camors
Kervihan
Locmaria
St-Quidy
Penmene
Moustoir-Ac
Kerhello
Cruguel
Billio
Langroix
Languidic
116
Kerhéro
le Bézo
Landes de Lanvaux
ST-YANN-BREVELE
ST-JEAN-BRÉVELAY
le Foz
les Timbrieux
Porte Broerec
St-Etienne
Kervréhan
Kerdosso
Locoal-Camors
Forêt de Floranges
165
le Creux
Miledec
Trévidel
Haquéla
N.-D.-des-Pins
Bienzy-Lanvaux
Forêt de Lanvaux
Croix-de-Bois
Plumelec
St-Aubin
la Rabine
Resto
Brandérion
Séludierne
Malachappe
Trélécan
Bois de Botségalo
Loperhet
Colpo
Kerguillerme
Kerdroguen
le Moustoir
Cadoudal
Callac
Tréauray
Résordoué
Etang de Coet Rivas
Quéronic
le Moustoir
Etang de la Forêt
31
le Guérihuel
la Poche
Grotte
Lezourdan
Lotuën
Kervignac
Kerverh
Landévant
Pluvigner
Brandivy
148
Néherlann
Kergolher
Callac
Locadour
St-Sterlin
Etang du Moulin de Rodes
St-Thomin
la Grandville
le Poteau
Lopabu
Locméren-des-Bois
Pont-du-Luc
Plaudren
Trédion
Merlevenez
Nostang
Légevin
Langombrac'h
Kerambourg
Landaul
St-Trémeur
Kerlois
Parc-er-Menarch
GRAND-CHAMP
GREGAM
Locmaria-Gd-Champ
Morbouleau
Bauchêne
122
Kerfresec
Ste-Hélène
Larmor
25
Tréavrec
Kergroix
Câlan
St-Colomban
Langroix
Plumergat
Villeneuve-Petit-Normand
Locméren-des-Prés
Locqueltas
Nedo
Kerfily
Groac'h-Carnet
Kerdavid
Pointe du Verdon
Lapaul
Etang du Crannic
Resto
Champ de Meucon
Kerabus
Camaret
Manéguen
Pointe de Mané Hellec
Plouhinec
Local
Locoal-Mendon
Gurerveur
Brech
Locmaria
Kervaly
Moustoir-des-Fleurs
Monterblanc
Nestadio
St-Cado
Rivière d'Etel
la Forest
St-Degan
Fontaine Miraculeuse
Bodéan
Kerleau
AN ELVEN
ELVEN
150
Kervarlay
Magouëro
le Moustoir
Kerstran
Marais de Kerzo
Ste-Anne-d'Auray
Mériadec
Meucon
Tréhonte
113
Rulliac
Largoët
Loquénin
Larmor
BELZ
Chartreuse d'Auray
Pluneret
Plescop
St-Amon
St-Ave
ST-TEVE
St-Nolff
Monstoir-Maria
Ménec
Trémodec
Béléan
Lescastel
Redon
Étel
Kerdonnerch
St-Cado
St-Laurent
AURAY
St-Gildas
St-Goustan
18
Vincin
Kerluherne
St-Guen
Menimur
Treffléan
la Vraie-Croix
48
Ploemel
Plougoumelen
Bizole
Erdeven
Crucuno
Dolmen de Crucuno
Locmaria
Plessis Kaër
Rosnarho
Ste-Avoye
Lestréviau
Ploeren
le Vincin
Cathédrale St-Pierre
Remparts
Aquarium
Laverdon
Sulniac
Pointe d'Erdeven
Lisveur
Loperhet
Penhouet
Dolmen de Kernours
Bono
Bequerel
Kerdrec'h
Kervenir
Boloré
Conleau
GWENED
VANNES
Lostihuel
Kercohan
Quiberon
58
Port Navalo
Nantes

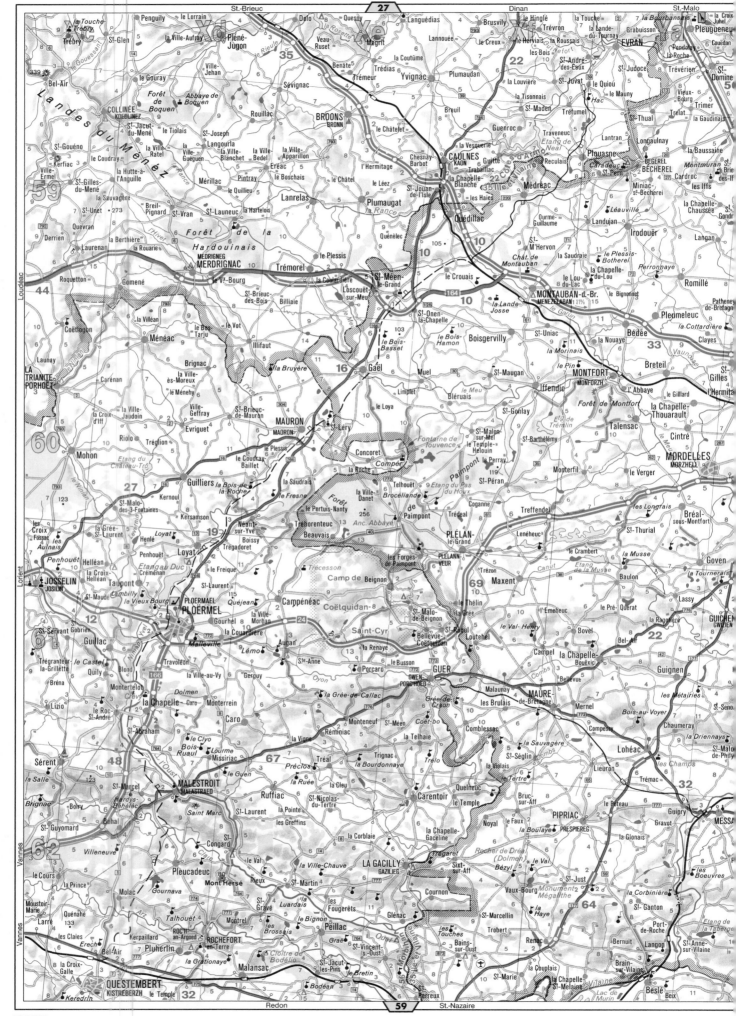
St.-Brieuc
27
Dinan
St.-Malo
Loudéac
Lorient
Vannes
Redon
59
St.-Nazaire
Landes du Ménez
Penguily
le Lorrain
Plénée-Jugon
Dolo
Quesny
Languédias
Brusvily
le Hinglé
Trévron
la Touche
Pleugueneuc
Trébry
St-Glen
la Ville-Aufray
Megrit
Lannouée
le Creux
les Hervias
la Roussais
EVRAN
Bel-Air
le Gouray
Ville-Jehan
Veau-Ruset
Bénate
Trédias
Yvignac
Plumaudan
la Louvière
St-André-des-Eaux
St-Judoce
Trévérien
Forêt de Boquen
Abbaye de Boquen
Sévignac
Trémeur
la Coutume
St-Juvat
le Quiou
Hac
COLLINÉE
KOLLINEZ
Rouillac
BROONS
BRONN
la Tisonnais
St-Maden
Tréfumel
St-Thual
Trimer
St-Jacut-du-Mené
le Tiolais
St-Joseph
le Châtelet
Breuil
Guenroc
Traveneuc
Lantran
Longaulnay
St-Gouéno
Kerfiac
Langourla
la Ville-Ratel
la Ville-Guéguen
la Ville-Blanchet
la Ville-Bedel
la Ville-Apparillon
le Coudray
Éréac
le Boschais
l'Hermitage
Chesnay-Barbot
CAULNES
KAON
Guitté
la Reculais
Plouasne
Caradeuc
BÉCHEREL
BEGEREL
Cardroc
la Baussaine
Ville-Ermel
St-Gilles-du-Mené
la Hutte-à-l'Anguille
Mérillac
Pintray
le Châtel
le Léez
St-Jouan-de-l'Isle
la Chapelle-Blanche
Médréac
St-Pern
Miniac-s-Becherel
les Iffs
la Sauvagère
le Quillieu
Lanrelas
Plumaugat
la Rance
les Haies
St-Unet
Breil-Pignard
St-Vran
St-Launeuc
la Hartelois
Quédillac
Ourme-Guillaume
Landujan
Léauvillé
la Chapelle-Chaussée
Quevran
Derrien
Forêt de la Hardouinais
Quénélec
Irodouër
Langan
la Berthière
Laurenan
la Rouarie
St-M'Hervon
Chât. de Montauban
la Saudraie
le Plessis-Botherel
Perronnaye
Romillé
MERDRIGNAC
MEDRIGNEG
le Plessis
Trémorel
St-Méen-le-Grand
le Crouais
le Lou-du-Lac
la Chapelle-du-Lou
Roquetton
Gomené
le Vx-Bourg
la Coulardière
Loscouët-sur-Meu
MONTAUBAN-d.-Br.
MENEZELABAN
le Bignonnet
St-Brieuc-des-Bois
Billiaie
St-Onen-la-Chapelle
la Lande-Josse
Pleumeleuc
Bédée
Coëtlogon
la Villéan
le Bos Tarju
le Vot
le Bois-Basset
le Bois-Hamon
Boisgervilly
St-Uniac
la Nouaye
la Cottardière
Clayes
Ménéac
Illifaut
la Morinais
Breteil
Launay
LA TRINITÉ-PORHOËT
Brignac
la Bruyère
Gaël
Muel
St-Maugan
le Pin
MONTFORT
MONFORZH
St-Gilles
l'Hermitage
Carénan
la Ville-ès-Moreux
le Ménehy
Limplet
le Meu
Bléruais
Iffendic
l'Abbaye
le Gillard
Forêt de Montfort
la Chapelle-Thouarault
la Croix-d'Iff
la Ville-Jaudoin
Ville-Geffray
St-Brieuc-de-Mauron
le Loya
St-Gonlay
MAURON
St-Léry
Étg de Trémelin
Talensac
Cintré
Evriguet
Riolo
Tréglion
St-Malon-sur-Mel
le Temple-Helouin
St-Barthélémy
Mohon
le Plessis
le Coudray-Baillet
Concoret
Fontaine de Jouvence
Comper
le Perray
MORDELLES
MORZHELL
Étang du Château-Trô
la Roche
Paimpont
Monterfil
le Verger
Guilliers
la Bois-de-la-Roche
la Saudrais
Telhouët
Étang du Pas du Houx
St-Péran
Kernoul
le Fresne
la Ville-Danet
Brocéliande
St-Malo-des-3-Fontaines
Forêt de Paimpont
le Pertuis-Nanty
Coganne
Treffendel
les Longrais
Bréal-sous-Montfort
Kersamson
Tréhorenteuc
Anc. Abbaye
Trédeal
la Gree-St-Laurent
Néant-sur-Yvel
Beauvais
PLÉLAN-le-Grand
Lenéheuc
St-Thurial
les Croix
Fossac
les Aulnais
Henlé
Loyat
Boissy
Trégadoret
les Forges-de-Paimpont
PLELANN-VEUR
le Crambert
la Musse
Goven
Penhouët
Helléan
Étang au Duc
Crémenan
le Freique
Trécesson
Trézon
Étang de la Musse
la Tournerais
JOSSELIN
JOSILIN
la Croix-Helléan
Taupont
Camp de Beignon
Maxent
Baulon
Lambilly
St-Laurent
Quéjean
Campénéac
le Thélin
St-Maudé
le Vieux Bourg
PLOËRMAEL
PLOËRMEL
Coëtquidan
la Grée
l'Emeheuc
le Pré-Quérat
Lassy
St-Malo-de-Beignon
GUICHEN
GWIZIEN
St-Servant
Gobrien
Gourhel
la Ville-Morhan
St-Raoul
le Val-Henry
Bovel
la Ragotière
Guillac
Malleville
la Couardière
Saint-Cyr
Bellevue-Coëtquidan
Loutehel
Bel-Air
Augan
Lémo
la Renaye
Campel
la Chapelle-Bouëxic
Trégranteur-la-Grillette
le Castel
Travoléon
St-Anne
Porcaro
le Busson
GUER
GWENN-PORC'HOED
Guignen
Quily
Blond
la Ville-au-Vy
Gerguy
Oyon
Malaunay
Bellevue
Bréna
Monterlelot
Dolmen
la Grée-de-Callac
MAURE-de-Bretagne
les Métairies
Lizio
le Roc-St-André
la Chapelle-Caro
Monterrein
Grée-de-Cojon
les Brulais
Mernel
St-Senoux
Caro
Monteneuf
St-Méen
Coët-bo
Comblessac
Compessy
Bois-au-Voyer
St-Abraham
Réminiac
Chaumeray
la Telhaie
le Clyo
Bois-Ruaul
Lourme
Missiriac
la Vigne
la Sauvagère
la Drïennays
St-Séglin
Sérent
Tréal
Trignac
la Bourdonnaye
Préclos
Trélo
la Violais
Lohéac
St-Malo-de-Phily
la Salle
MALESTROIT
MALASTRAED
le Guen
la Ruée
le Tertre
Lieuron
les Champs
St-Marcel
Trémac
la Cleu
Quelneuc
Brignac
Hardys-Béhélec
Saint Marc
Ruffiac
St-Nicolas-du-Tertre
Carentoir
le Temple
Bruc-sur-Aff
PIPRIAC
le Poteau
Guipry
Boiry
St-Laurent
la Pointe
Noyal
le Faux
Gravot
MESSAC
Béhal
St-Guyomard
les Greffins
la Boulaye
PRESPIEREG
Congard
la Corblaie
la Chapelle-Gaceline
la Glonais
Villeneuve
Rocher de Dréal (Dolmen)
le Val
la Ville-Chauve
LA GACILLY
GAZILIEG
Trégaret
Sixt-sur-Aff
Bézyl
le Val
St-Just
les Boeuvres
le Cours
Pleucadeuc
Mont Hersé
Rieux
St-Martin
Vaux-Bourg
Monument Mégalithe
la Corbinière
la Prince
Molac
Gournava
St-Gravé
Luardais
les Fougerêts
Cournon
St-Ganton
Moustoir-Marie
Quénahé
Talhouët
Montrel
le Bignon
Glénac
St-Marcellin
la Haye
Port-de-Roche
Larré
les Brossais
Peillac
Trobert
Étang de la Taberge
les Claies
Kerpaillard
ROC'H-an-Argoed
ROCHEFORT-en-Terre
Grae
St-Vincent-s.-Oust
les Touches
Bains-sur-Oust
Renac
Bernuit
Langon
St-Anne-sur-Vilaine
Erech
Bel-Air
Pluherlin
la Gravionaye
Cloître de Bodélio
St-Jacut-les-Pins
Oust
la Couplais
Brain-sur-Vilaine
la Croix-Galle
Malansac
le Bretin
St-Marie
la Chapelle-St-Melaine
Vilaine
Lac de Murin
QUESTEMBERT
KISTREBERZH
le Temple
Bodéan
St-Perreux
Beslé
Beix
Kerédrin

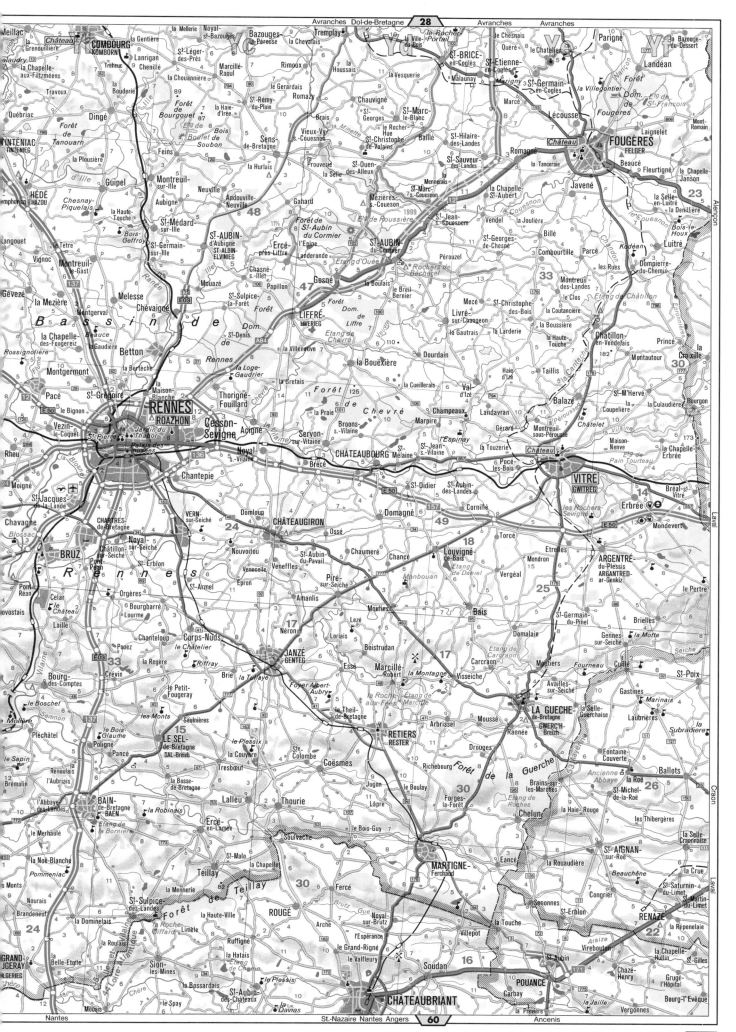
Avranches
Dol-de-Bretagne
28
Avranches
Avranches
COMBOURG
KOMBORN
Château
Meillac
la Gentière
la Mellerie
Noyal-s!-Bazouges
Bazouges-la-Pérouse
la Chevalais
Tremplay
le Rocher-Portail
la Ville-du-Bois
le Chesnais
Quéré
le Chatellier
Parigné
la Bazouge-du-Dessert
Lanrigan
S!-Léger-des-Prés
Marcillé-Raoul
Rimoux
la Houssais
la Vesquerie
S!-BRICE-en-Coglès
S!-Etienne-en-Coglès
Landéan
Forêt
Dom.
de
Fougères
la Chapelle-aux-Filtzméens
Trebeuc
Chenillé
la Chouannière
le Gerardais
Romazy
Malaunay
Marigny
S!-Germain-en-Coglès
la Villegontier
Etg de S!-François
Travoux
la Bouderie
S!-Rémy-du-Plain
Chauvigné
S!-Georges
S!-Marc-le-Blanc
Marcé
Lécousse
Mont-Romain
Québriac
Dingé
Forêt de Bourgouet
la Haie-d'Irée
Brais
le Rocher-Hue
S!-Christophe-de-Valains
Baillé
S!-Hilaire-des-Landes
Laignelet
FOUGÈRES
FELGER
Château
Forêt de Tanouarn
Bois Boulet de Soubon
Sens-de-Bretagne
Vieux-Vy-s.-Couesnon
la Minette
TINTÉNIAC
TINTENIEG
la Plousière
Feins
la Prouverie
la Selle
S!-Ouen-des-Alleux
S!-Sauveur-des-Landes
Romagné
la Tanceraie
Beaucé
Fleurtigné
la Chapelle-Janson
la Hurlais
Mennerais
S!-Marc-s.-Couesnon
Javené
Montreuil-sur-Ille
Guipel
Neuville
Andouville-Neuville
Gahard
Mézières-s.-Coueson
la Chapelle-S!-Aubert
la Selle-en-Luitré
la Denillière
23
HÉDÉ
HAZOU
Chesnay-Piquelais
la Haute-Touche
Aubigné
48
1999
S!-Jean-s.-Couesnon
Etg de Roussière
Vendel
la Joulière
Bois-le-Houx
S!-Médard-sur-Ille
Bois-Geffroy
S!-AUBIN-d'Aubigné
ST-ALBIN-ELVINIEG
Forêt de S!-Aubin du Cormier
Ercé-près-Liffré
l'Epine
S!-AUBIN-du-Cormier
Billé
S!-Georges-de-Chesné
Kodéan
Luitré
Langouet
le Tetre
S!-Germain-sur-Ille
Landeronde
Etang d'Ouée
Rochers de Bécherel
Pérouzel
Comboutillé
Parcé
Dompierre-du-Chemin
Vignoc
Montreuil-le-Gast
Chasné-s.-Illet
Gosné
les Rues
Mouazé
Papillon
47
la Boulais
le Breil-Bernier
33
Montreuil-des-Landes
le Clos
Etang de Châtillon
Gévezé
la Mezière
Melesse
Chévaigné
S!-Sulpice-la-Forêt
Forêt
Forêt Dom. de Liffré
Mecé
S!-Christophe-des-Bois
la Coutancière
Montgerval
Bassin de Rennes
LIFFRÉ
LIVERIEG
Livré-sur-Changeon
la Boussière
la Chapelle-des-Fougereiz
Beauce
la Gaudière
S!-Denis
Dom. de Rennes
Etang de Chevré
la Gautrais
la Larderie
Châtillon-en-Vendelais
Princé
Rossignolière
Betton
la Villeneuve
110
la Haute-Touche
182
Montautour
la Croixille
Montgermont
la Bertèche
la Loge-Gaudrier
la Bouëxière
Dourdain
Haie d'Izé
Taillis
30
la Gretais
la Cuillerais
Val-d'Izé
S!-M'Hervé
Pacé
S!-Grégoire
la Maison-Blanche
Thorigné-Fouillard
Forêt de Chevré
125
Balazé
la Culaudière
Bourgon
le Bignon
RENNES
ROAZHON
Cesson-Sévigné
la Praie
Champeaux
Landavran
Coupelière
le Châtelet
Vezin-le-Coquet
Jardin du Thabor
Palais des musées
Acigné
Broons-s.-Vilaine
Marpire
Gérard
Montreuil-sous-Pérousse
Maison-Nenve
S!-Pierre
Servon-sur-Vilaine
l'Espinay
la Touzerie
la Chapelle-Erbrée
Rheu
Noyal-s.-Vilaine
S!-Jean-s.-Vilaine
Château
Etg de Pain Tourteau
CHÂTEAUBOURG
S!-Melaine
Brécé
Pocé-les-Bois
VITRÉ
GWITREG
Moigné
Chantepie
S!-Didier
S!-Aubin-des-Landes
Bréal-s!-Vitré
S!-Jacques-de-la-Lande
14
Erbrée
Domloup
Domagné
Cornillé
les Rochers-Sévigné
Chavagne
CHARTRES-de-Bretagne
VERN-sur-Seiche
24
CHÂTEAUGIRON
49
Mondevert
Blossac
Noyal-sur-Seiche
Ossé
18
Torcé
Etrelles
BRUZ
Châtillon-sur-Seiché
Nouvoitou
Chaumeré
Louvigné-de-Bais
ARGENTRÉ-du-Plessis
ARGANTRED-ar-Genkiz
Pont-Péan
S!-Erblon
S!-Aubin-du-Pavail
Chancé
Mondron
Rennes
Venecelle
Veneffles
Etang de Daniel
Vergéal
S!-Armel
Epron
Piré-sur-Seiche
Monbouan
25
le Pertre
Pont-Réan
Orgères
Amanlis
Celar
le Château
Bourgbarré
Lourme
Moulins
Bais
S!-Germain-du-Pinel
Brielles
Laillé
Lezé
17
Néron
Loriais
Domalain
Gennes-sur-Seiche
la Motte
Chanteloup
Corps-Nuds
le Châtelier
JANZÉ
GENTEG
Boistrudan
Etang de Carcraon
Seiche
Pouez
Riffray
Essé
Marcillé-Robert
Carcraon
Moutiers
Fourneau
Cuillé
S!-Poix
Crévin
la Regère
Brie
la Tullaye
la Montagne
Visseiche
Availles-sur-Seiche
Gastines
Bourg-des-Comptes
le Petit-Fougeray
Foyer Albert-Aubry
la Roche aux-Fées
Etang de Marcillé
Marinais
le Boschet
les Monts
Saulnières
le Theil-de-Bretagne
LA GUERCHE-de-Bretagne
GWERC'H-Breizh
la Selle-Guerchaise
Laubrières
Mollière
Semnon
Mousse
Rannée
la Subradière
Pléchâtel
le Bois-Glaume
15
LE SEL-de-Bretagne
SAL-Breizh
RETIERS
RESTER
Arbrissel
Poligné
le Plessix
Drouges
Fontaine-Couverte
le Sapin
Pancé
la Couyère
S!e-Colombe
Richebourg
Forêt de la Guerche
Ancienne Abbaye
Ballots
Renoulais
Coësmes
la Roë
26
Brémalin
l'Aubriais
Tresbœuf
la Bosse-de-Bretagne
Jugon
le Boulay
Brains-sur-les-Marches
S!-Michel-de-la-Roë
l'Abbaye-des-Landes
BAIN-de-Bretagne
BAEN
Lalleu
Thourie
Forges-la-Forêt
Etang de Roches
la Haie-Rouge
la Robinais
Lâpre
Chelun
les Thibergères
Etang de la Bornière
Ercé-en-Lamée
le Bois-Guy
le Merhaulé
Soulvache
la Selle-Craonnaise
S!-AIGNAN-sur-Roë
S!-Malo
la Noë-Blanche
la Chapelle
Eancé
la Rouaudière
Pommeniac
Teillay
MARTIGNÉ-Ferchaud
Beauchêne
la Crue
s Monts
la Mennerie
Forêt de Teillay
30
Fercé
Congrier
S!-Saturnin-du-Limet
Nourais
S!-Sulpice-des-Landes
Sénonnes
S!-Martin-du-Limet
Brandeneuf
la Haute-Ville
ROUGÉ
Noyal-sur-Brutz
S!-Erblon
RENAZÉ
24
la Dominelais
la Roche Giffard
Limèle
Arche
la Touche
la Répenelaie
22
la Roulais
Ruffigné
l'Espérance
Villepôt
Araize
GRAND-FOUGERAY
la Belle-Etoile
la Hatais
Etang de Chanin
le Grand-Rigné
Virebouton
la Chapelle-Hullin
S!-Gilles
Sion-les-Mines
le Valfleury
Soudan
16
S!-Aubin
le Plessis
Chazé-Henry
Grugé-l'Hôpital
la Bossardais
POUANCÉ
S!-Aubin-des-Châteaux
Carbay
Bourg-l'Evêque
Chère
le Spay
CHÂTEAUBRIANT
la Davias
la Jaille
Mouais
la Previère
Vergonnes
Nantes
St.-Nazaire
Nantes
Angers
60
Ancenis
Alençon
Laval
Craon
Laval

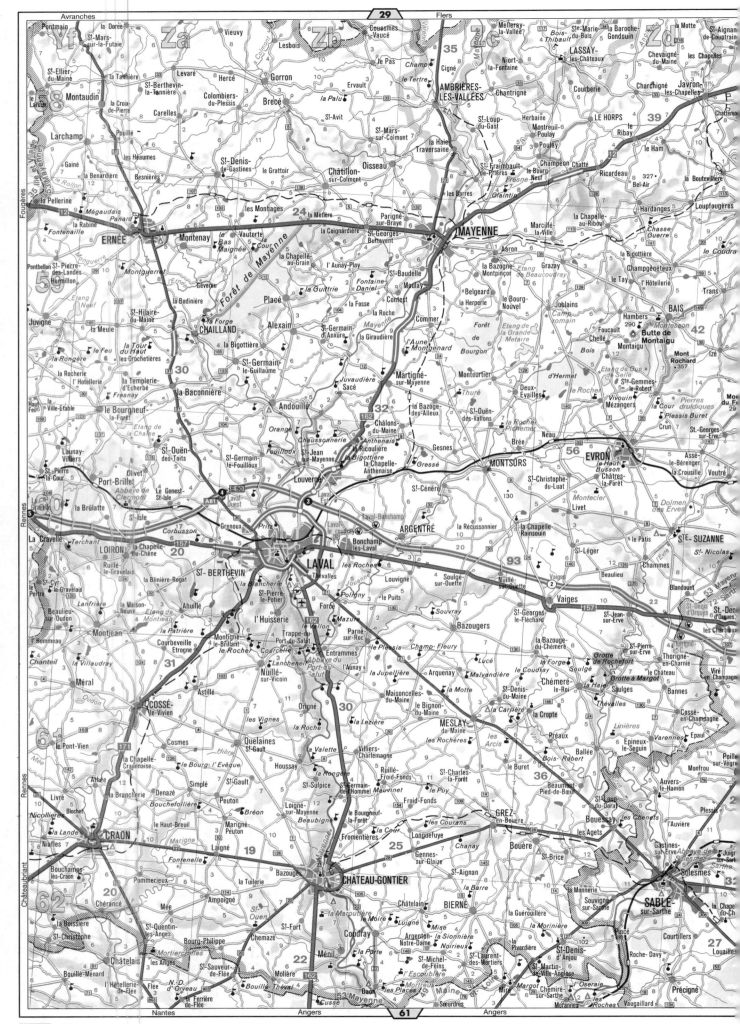
29
Avranches
Flers
Yf
Za
Zb
Zc
Zd
Pontmain
la Dorée
St-Mars-sur-la-Futaie
Vieuvy
Lesbois
Couesmes-Vaucé
Melleray-la-Vallée
Bois-Thibault
St-Marie-du-Bois
la Baroche-Gondouin
la Motte
St-Aignan-de-Couptrain
LASSAY-les-Châteaux
Chevaigné-du-Maine
les Chapelles
Niort-la-Fontaine
St-Ellier-du-Maine
le Pas
Champ
Cigné
Levaré
Hercé
Gorron
la Tannière
St-Berthevin-la-Tannière
Colombiers-du-Plessis
Ervault
le Tertre
AMBRIÈRES-LES-VALLÉES
Chantrigné
Courberie
Charchigné
Javron-les-Chapelles
Montaudin
la Croix-de-Pierre
Carelles
Brecé
la Palu
St-Avit
St-Loup-du-Gast
Herbaine
Montreuil-Poulay
Poulay
LE HORPS
le Ribay
Larchamp
Pouillé
St-Mars-sur-Colmont
la Haie Traversaine
le Ham
les Heaumes
St-Denis-de-Gastines
le Grattoir
Châtillon-sur-Colmont
Oisseau
St-Fraimbault-de-Prières
Champéon
Chatté
Ricordeau
Bel-Air
la Bouteveillère
Gainé
la Benardière
Besnières
le Bourg-Neuf
Fresne
Grantin
les Barres
la Pellerine
les Monhages
la Metière
Parigné-sur-Braye
la Chapelle-au-Riboul
Hardanges
Loupfougères
Mégaudais
Panard
la Rabine
Fontenaille
ERNÉE
Montenay
Vautorte
le Bas Maignée
la Cour
la Coignardière
St-Georges-Buttavent
MAYENNE
Marcillé-la-Ville
Chasse-Guerre
la Bigottière
le Coudray
Aaron
Pontbellon
St-Pierre-des-Landes
Hermillon
Montguerret
Forêt de Mayenne
la Chapelle-au-Grain
l' Aunay-Play
St-Baudelle
la Bazogne-Montpinçon
Etang de Beaucoudray
Grazay
le Tay
Champgenéteux
l'Hôtellerie
Géveray
la Guittrie
Fontaine-Daniel
Moulay
Belgeard
la Herperie
le Bourg-Nouvel
Jublains
Camp romain
Trans
BAIS
Hambers
Butte de Montaigu
Montaigu
Chellé
Foucault
Mont Rochard
Izé
Juvigne
la Bodinière
St-Hilaire-du-Maine
la Meule
la Forge
CHAILLAND
Placé
Alexain
la Fosse
la Roche
Contest
Commer
St-Germain-d'Anxure
la Giraudière
l'Aune
Montgenard
Forêt de Bourgon
Etang de la Grande Metaire
Bois d'Hermet
le Feu
la Rongère
la Tour du Haut
les Crochetières
la Bigottière
St-Germain-le-Guillaume
Martigné-sur-Mayenne
Montourtier
la Rocherie
l' Hotellerie
la Templerie-d'Echerbé
Fresnay
la Baconnière
Juvaudière
Sacé
Deux-Evailles
Thuré
le Rocher
Vivouin
Mézangers
Ste-Gemmes-le-Robert
la Cour
Plessis Buret
Pierres druidiques
Haut Feil
la Ville-Etable
le Bourgneuf-la-Forêt
Andouillé
la Bazoge-des-Alleux
St-Ouën-des-Vallons
Etang de la Chaîne
Orange
Chaussonnerie
Châlons-du-Maine
Anthenais
la Ricoulière
la Bigottière
la Roche Pichemer
Neau
Crun
St-Georges-sur-Erve
Launay-Villiers
St-Ouën-des-Toits
St-Germain-le-Fouilloux
Fouilloux
St-Jean-sur-Mayenne
la Chapelle-Anthenaise
Gesnes
Gressé
Brée
MONTSÛRS
EVRON
le Haut-Busson
Châtres-la-Forêt
Assé-le-Bérenger
la Crousille
Voutré
St-Pierre-la-Cour
Port-Brillet
Olivet
Abbaye de Clermont
Le Genest-St-Isle
Louverné
St-Céneré
St-Christophe-du-Luat
Montecler
la Brûlatte
St-Isle
Grenoux
Pritz
Laval-Bonchamp
Livet
Dolmen des Erves
Rennes
La Gravelle
Terchant
Corbusson
LOIRON
la Chapelle-du-Chêne
Ruillé-le-Gravelais
la Blinière-Rogat
ST-BERTHEVIN
LAVAL
Thévalles
Bonchamp-lès-Laval
ARGENTRÉ
la Récussonnier
la Chapelle-Rainsouin
le Pâtis
STE-SUZANNE
St-Nicolas
St-Léger
Chammes
les Roches
Louvigné
Soulgé-sur-Ouette
Nuillé-sur-Ouette
Beaulieu
Blandouet
St-Cyr-le-Gravelais
le Pertre
la Blancherie
St-Pierre-le-Potier
Poligny
le Puits
Vaiges
Lanfrière
la Maison-Neuve
Ahuillé
Etang de Montjean
Beaulieu-sur-Oudon
Montjean
l'Huisserie
Forcé
Mazure
Souvray
Bazougers
St-Georges-le-Fléchard
St-Jean-sur-Erve
St-Denis-d'Orques
les Chartreux
la Patrière
le Vallon
Trappe-du-Port-du-Salut
Parné-sur-Roc
le Plessis
Champ-Fleury
la Bazouge-du-Chémeré
St-Pierre-sur-Erve
Thorigné-en-Charnie
l'Hommeau
Courbeveille
Etrogne
Montigné-le-Brillant
le Rocher
Courcelle
Entrammes
Chanteil
la Villaudray
Lancheneil
Abbaye du Port-du-Salut
l'Aunay
la Jupellière
Arquenay
Malvandière
Luce
le Coudray
la Forge
Soulgé
Grotte de Rochefort
Grotte à Margot
le Château
Viré-en-Champagne
Méral
Astillé
Nuillé-sur-Vicoin
Maisoncelles-du-Maine
la Motte
St-Denis-du-Maine
Chémeré-le-Roi
la Haie
Saulges
Bannes
Thévalles
COSSÉ-le-Vivien
Origné
le Bignon-du-Maine
la Carrière
la Cropte
MESLAY-du-Maine
Cossé-en-Champagne
les Vignes
la Lezière
la Roche
les Rochères
les Arcis
Préaux
Linières
Varennes
Epaul
le Pont-Vien
Cosmes
Quelaines St-Gault
la Valette
Villiers-Charlemagne
Epineux-le-Seguin
Ballée
Bois-Robert
la Chapelle-Craonnaise
le Bourg-l'Evêque
Houssay
la Rongère
Ruillé-Froid-Fonds
St-Charles-la-Forêt
le Buret
Monfrou
Athée
Simplé
St-Gault
St-Sulpice
St-Germain-de-l'Hommel
Mauvinet
le Puy
Auvers-le-Hamon
Livré
la Brancherie
Denazé
Bouchefollière
Peuton
Blochet
Loigné-sur-Mayenne
Froid-Fonds
Beaumont-Pied-de-Bœuf
Nicollières
Bréon
le Bourgneuf-la-Forêt
Beaubigné
GREZ-en-Bouère
St-Loup-du-Dorat
Plessis
la Lande
le Haut-Breuil
Marigné-Peuton
la Cour
les Courans
Bouessay
les Chenets
l'Auvière
CRAON
Niafles
Fromentières
Longuefuye
les Agets
Marigne
Laigné
Chanay
Bouère
Gastines-sur-Erve
Abbaye de Solesmes
Juigné-sur-Sarthe
Fontenelle
Gennes-sur-Glaize
St-Brice
Bouchamps-lès-Craon
Pommerieux
la Tuilerie
Bazouges
CHÂTEAU-GONTIER
St-Aignan
Solesmes
la Barre
la Monnerie
Chérancé
Ampoigné
Souvigné-sur-Sarthe
SABLÉ-sur-Sarthe
Mée
Châtelain
BIERNÉ
la Chapelle-du-Chêne
la Boissière
la Maroutière
le Moiré
Luigné
la Guérouillère
St-Quentin-les-Anges
St-Ouen
Mise
la Morinière
St-Christophe
St-Fort
Coudray
Argenton-Notre-Dame
la Sionnière
Noirieux
la Piverdière
St-Denis-d'Anjou
Pincé
Courtillers
Bourg-Philippe
Chemazé
Mortiercrolles
Châtelais
les Anges
Ménil
la Porte
St-Michel-de-Feins
St-Laurent-des-Mortiers
St-Martin-de-Villenglose
Roche-Davy
Louailles
Bouillé-Ménard
St-Sauveur-de-Flée
Molière
l'Escoublère
Margot
Chemiré-sur-Sarthe
l'Oseraie
l'Hôtellerie-de-Flée
N.-D. d'Orveau
Bouillé-Théval
Daon
les Places
Mortreux
Miré
les Roches
Vaugaillard
Précigné
Flée
la Ferrière-de-Flée
Cussé
Sœurdres
Morannes
Nantes
Angers
Châteaubriant
Fougères
61

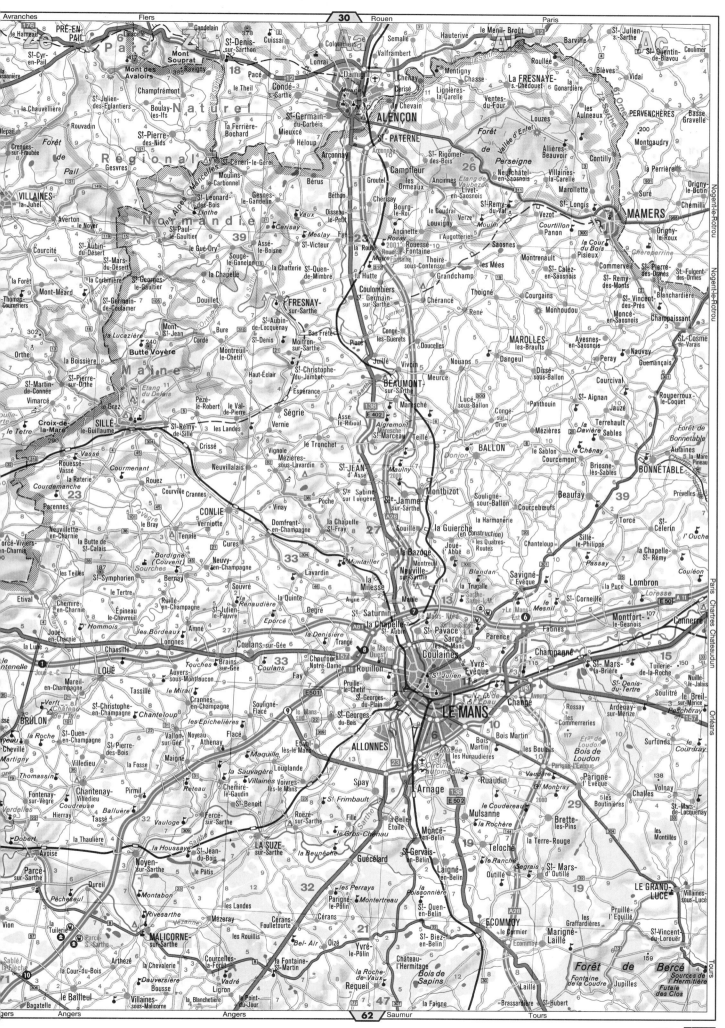

Avranches
Flers
30
Rouen
Paris
PRÉ-EN-PAIL
St-Denis-sur-Sarthon
Mont Souprat
Mont des Avaloirs
Pacé
Condé-s.-Sarthe
Semallé
Valframbert
Hauterive
le Menil-Broût
Barville
St-Julien-s.-Sarthe
St-Quentin-de-Blavou
Coulimer
Damigny
Cerisé
ALENÇON
St-PATERNE
Arçonnay
Montigny
Chassé
Lignières-la-Carelle
LA FRESNAYE-s.-Chédouet
la Gonardière
Roullée
Blèves
Vidai
PERVENCHÈRES
Basse Gravelle
Champfrémont
St-Julien-des-Eglantiers
Boulay-les-Ifs
la Chauvellière
Rouvadin
St-Germain-du-Corbéis
Mieuxcé
Héloup
la Ferrière-Bochard
St-Pierre-des-Nids
Gesvres
Forêt de Pail
Forêt de Perseigne
Campfleur
Ancinnes
St-Rigomer-des-Bois
Neufchâtel-en-Saosnois
Louzes
les Aulneaux
Allières-Beauvoir
Villaines-la-Carelle
Montgaudry
Contilly
la Perrière
Marollette
Suré
Origny-le-Butin
VILLAINES-la-Juhel
Averton
Moulins-le-Carbonnel
St-Léonard-des-Bois
Gesnes-le-Gandelin
Bérus
Béthon
Oisseau-le-Petit
Bourg-le-Roi
Louvigny
St-Remy-du-Val
St-Longis
MAMERS
Chemilli
Origny-le-Roux
Vezot
Courtillon
Panon
St-Paul-le-Gaultier
le Gué-Ory
Assé-le-Boisne
St-Victeur
Fyé
Rouessé-Fontaine
Thoiré-sous-Contensor
Saosnes
les Mées
Montrenault
Pisieux
Commerveil
St-Pierre-des-Ormes
St-Fulgent-des-Ormes
Courcité
St-Aubin-du-Désert
St-Mars-du-Désert
Sougé-le-Ganelon
la Chapelle
la Chatterie
St-Ouen-de-Mimbré
la Hutte
Coulombiers
Grandchamp
St-Calez-en-Saosnois
St-Remy-des-Monts
Mont-Méard
St-Georges-le-Gaultier
St-Germain-de-Coulamer
Douillet
FRESNAY-sur-Sarthe
St-Germain-sur-Sarthe
Chérancé
Thoigné
Courgains
Monhoudou
St-Vincent-des-Prés
Moncé-en-Saosnois
Champaissant
Mont-St-Jean
Butte Voyère
Corbé
Bure
St-Aubin-de-Locquenay
St-Denis
Moitron-sur-Sarthe
Bas Frété
Congé-les-Guerets
René
MAROLLES-les-Braults
Avesnes-en-Saosnois
St-Cosme-en-Varais
Orthe
la Boissière
Montreuil-le-Chétif
Piacé
Doucelles
Nouans
Dangeul
Nauvay
Peray
Gueméançais
St-Martin-de-Connée
St-Pierre-sur-Orthe
Haut-Éclair
St-Christophe-du-Jambet
Juillé
Vivoin
BEAUMONT-sur-Sarthe
Meurcé
Dissé-sous-Ballon
Courcival
Rouperroux-le-Coquet
Vimarcé
Espérance
Pezé-le-Robert
le Val-de-Pierre
Ségrie
Mareschè
Lucé-sous-Ballon
Congé-sur-Orne
Ponthouin
St-Aignan
Jauzé
Croix-de-la-Mare
SILLÉ-le-Guillaume
St-Rémy-de-Sillé
les Landes
Vernie
Asse-le-Riboul
St-Marceau
Teillé
Mézières
Terrehault
la Davière
Sables
Forêt de Bonnétable
Vassé
Crissé
le Tronchet
BALLON
le Sablon
Courcemont
le Chênay
Aulaines
Rouessé-Vassé
Courmenant
Neuvillalais
Vignole
Mézières-sous-Lavardin
St-JEAN-d'Assé
Briosne-lès-Sables
BONNÉTABLE
la Raterie
Rouez
Cranners
Courville
Sabine-sur Longève
Ste-Jamme-sur-Sarthe
Montbizot
Souligné-sous-Ballon
Beaufay
Prévelles
Parennes
CONLIE
Verniette
Vinay
Poche
Domfront-en-Champagne
la Chapelle-St-Fray
Souillé
la Guierche
la Harmonerie
Courcebœufs
Torcé
St-Célerin
l'Ouche
Neuvillette-en-Charnie
le Bray
Tennie
la Butte de St-Calais
Cures
Joué-l'Abbé
les Quatres-Routes
Chanteloup
Sillé-le-Philippe
la Chapelle-St-Rémy
Bordigné (Couvent)
Neuvy-en-Champagne
Montailler
la Bazoge
Neuville-sur-Sarthe
Blandan
Savigné-l'Évêque
Passay
Couléon
les Teillés
St-Symphorien
Bernay
Lavardin
la Milesse
la Trugalle
la Puce
Lombron
Etival
Chemiré-en-Charnie
le Tertre
Ruillé-en-Champagne
Souvré
la Quinte
Degré
Aigné
Maule
St-Corneille
le Mesnil
Épineau le-Chevreuil
St-Julien-le-Pauvre
la Renaudière
Eporcé
St-Saturnin
la Chapelle-St-Aubin
Montfort-le-Gesnois
Connerré
l'Hommois
Joué-en-Charnie
les Bordeaux
Amné
Longnes
la Denisière
Trangé
St-Pavace
Sargé-lès-le-Mans
Parence
Fatines
la Lune
Chassillé
Brains-sur-Gée
Coulans-sur-Gée
Chaufour-Notre-Dame
Rouillon
Coulaines
Yvré-l'Évêque
Champagné
St-Mars-la-Brière
Tuilerie-de-la-Roche
LOUÉ
Auvers-sous-Montfaucon
Touches
Fay
St-Julien
Nuillé-le-Jalais
Mareil-en-Champagne
Tassillé
le Mirail
Cranne-en-Champagne
Pruillé-le-Chétif
St-Georges-du-Plain
Changé
Rossay
Ardenay-sur-Mérize
St-Denis-du-Tertre
Soulitré
le Breil-sur-Mérize
Pescheray
BRÛLON
St-Christophe-en-Champagne
Chanteloup
Souligné-Flacé
St-Georges-du-Bois
LE MANS
les Commerreries
Bois Martin
St-Ouen-en-Champagne
les Épichelières
Flacé
Vallon-sur-Gée
Noyeau
Athenay
Etival-lès-le-Mans
ALLONNES
Bois Martin
les Hunaudières
les Boulais
Bois de Loudon
Surfonds
le Courdray
St-Pierre-des-Bois
Maquille
Maigné
Villedieu
la Fosse
la Sauvagère
Louplande
Villaines
Spay
Parigné-l'Évêque
Ruaudin
Vaudère
Gd Monbray
Challes
Volnay
Chantenay-Villedieu
Pirmil
Reteau
Chemiré-le-Gaudin
Voivres-lès-le-Mans
Arnage
St-Benoit
St-Frimbault
le Coudereau
Mulsanne
la Rochère
les Boutinières
St-Mars-de-Locquenay
Coudreuse
Ballueré
Tassé
Hierray
Fercé-sur-Sarthe
Roëzé-sur-Sarthe
Fillé
la Belle Étoile
Brette-les-Pins
les Montillés
la Thaulière
Vauloge
Moncé-en-Belin
Teloché
la Terre-Rouge
Avoise
la Houssaye
St-Jean-du-Bois
LA SUZE-sur-Sarthe
la Beunêche
Guécélard
St-Gervais-en-Belin
le Ranché
Segrais
St-Mars-d'Outillé
Parcé-sur-Sarthe
Noyen-sur-Sarthe
le Pâtis
Laigné-en-Belin
Outillé
LE GRAND-LUCÉ
Villaines-sous-Lucé
Pêcheseul
Dureil
Montabon
les Perrays
Parigné-le-Pôlin
Montertreau
la Poissonnière
St-Quen-en-Belin
Pruillé-l'Eguillé
Vion
Rivesarthe
les Landes
Mézeray
Cérans-Foulletourte
Cérans
ECOMMOY
le Cormier
les Graffardières
la Tuilerie
MALICORNE-sur-Sarthe
les Rouillis
Bel-Air
Oizé
St-Biez-en-Belin
Marigné-Laillé
St-Vincent-du-Lorouër
Sablé/la Flèche
Arthézé
la Chevalerie
Courcelles-la-Forêt
la Fontaine-St-Martin
Yvré-le-Pôlin
Château-l'Hermitage
Bois de Sapins
Forêt de Bercé
la Cour-du-Bois
Dauversière
Bousse
Vadré
Ligron
la Roche-de-Vaux
Requeil
Fontaine de la Coudre
Jupilles
Sources de l'Hermitière
Futaie des Clos
le Bailleul
Villaines-sous-Malicorne
la Blanchetière
le Point-du-Jour
la Faigne
Laillé
Brassardière
St-Hubert
Bagatelle
Angers
62
Saumur
Tours
Nogent-le-Rotrou
Paris
Chartres
Chateaudun
Orléans

31

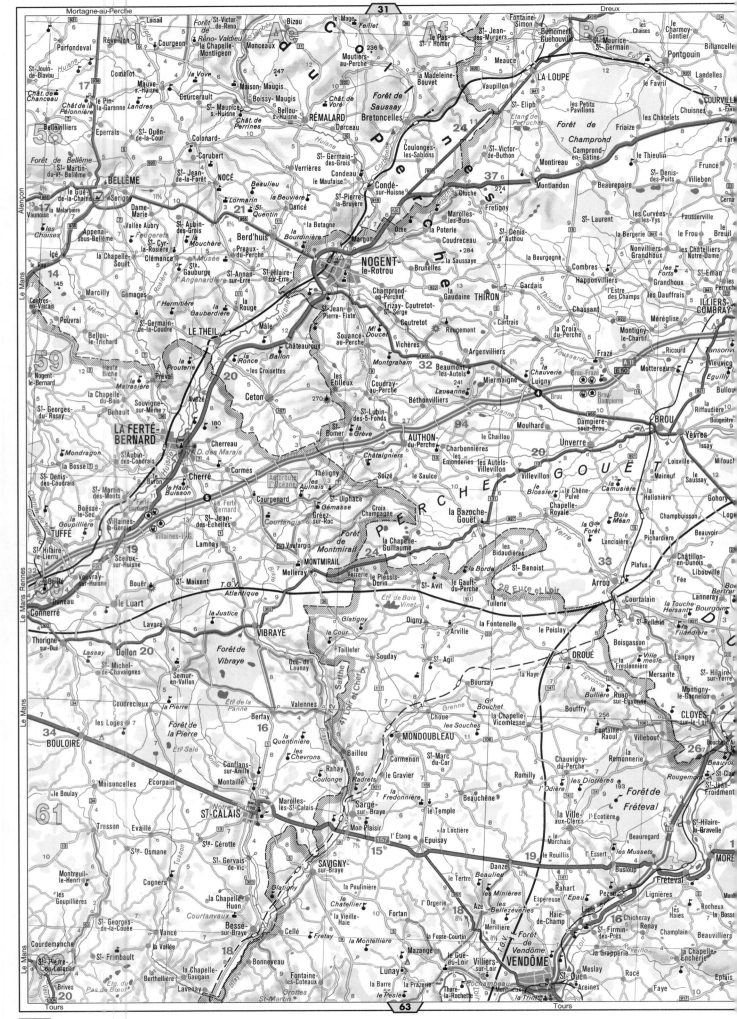
Mortagne-au-Perche
Dreux
Ad
Ae
Af
Ba
Collines du Perche
Loisail
Forêt de Réno-Valdieu
St-Victor-de-Reno
Bizou
le Mage
Feillet
Fontaine-Simon
St-Jean-des-Murgers
Belhomert-Guéhouville
les Chaises
le Charmoy-Gontier
St-Maurice-St-Germain
Billancelles
Parfondeval
Réveillon
Courgeon
la Chapelle-Montligeon
Monceaux
Moutiers-au-Perche
le Pas-St-l'Homer
Meauce
Pontgouin
St-Jouin-de-Blavou
Comblot
Mauves-s-Huisne
la Vove
Maison-Maugis
Boissy-Maugis
la Madeleine-Bouvet
Vaupillon
LA LOUPE
Landelles
Le Favril
Chât. de Chanceau
Châtde la Pélonnière
le Pin-la-Garenne
Landres
Courcerault
St-Maurice-s-Huisne
Bellou-s-Huisne
Chât. de Voré
RÉMALARD
Forêt de Saussay
Bretoncelles
St-Eliph
les Petits Pavillons
Etang de Perruchet
COURVILLE s.-Eure
Chuisnes
Bellavilliers
Eperrais
St-Ouen-de-la-Cour
Chât. de Perrines
Dorceau
Forêt de Champrond
Friaize
les Châtelets
Colonard-Corubert
Coulonges-les-Sablons
St-Victor-de-Buthon
Champrond-en-Gâtine
Forêt de Bellême
St-Martin-du-V.-Bellême
Verrières
St-Germain-des-Grois
Condeau
le Maufaise
Montireau
le Thieulin
Fruncé
BELLÊME
St-Jean-de-la-Forêt
NOCÉ
Montlandon
Beaurepaire
St-Denis-des-Puits
Villebon
le Gué-de-la-Chaîne
Serigny
Beaulieu
Condé-sur-Huisne
la Cloche
Vaunoise
la Melarbière
Dame-Marie
la Beuvière
Lormarin
St-Quentin
Dancé
St-Pierre-la-Bruyère
Fretigny
Marolles-les-Buis
St-Laurent
les Curvées-les-Yys
Fausserville
les Chaises
Appenai-sous-Bellême
Vallée Aubry
St-Aubin-des-Grois
Feugerets
la Mouchère
Berd'huis
la Botagne
la Bourdinière
Margon
Dozée
la Poterie
Coudreceau
St-Denis-d'Authou
la Bergerie
le Frou
le Breuil
Igé
la Chapelle-Souët
St-Cyr-la-Rosière
Clémance
Preaux-du-Perche
Musée
Ste-Gauburge
l'Angenardière
St-Annan-sur-Erre
St-Hilaire-sur-Erre
NOGENT-le-Rotrou
la Saussaye
la Bourgogne
Nonvilliers-Grandhoux
les Châtelliers-Notre-Dame
le Ray
Brunelles
Combres
Happonvilliers
les Forts
St-Eman
Marcilly
Gémages
Champrond-en-Perchet
la Gaudaine
THIRON
Gardais
Thironne
l'Estre des Champs
Grandhoux
les Dauffrais
ILLIERS-COMBRAY
Contres-en-Vairais
l'Hermitière
la Gauberdière
la Rouge
St-Jean-Pierre-Fixte
Trizay-Coutretot-St-Serge
Chassant
Méréglise
Pouvrai
St-Germain-de-la-Coudre
LE THEIL
Mâle
Coutretot
Rougemont
la Cartrais
la Croix-du-Perche
Montigny-le-Chartif
Bellou-le-Trichard
Châteauroux
Ballon
Souancé-au-Perche
Mt Doucet
Vichères
Argenvilliers
Frazé
Ricourd
Tansonville
la Prouterie
Haute Biche
la Ronce
les Croisettes
Montgraham
Beaumont-les-Autels
la Chauverie
Foussarde
Brou-Frazé
Mottereau
Vieuvicq
Nogent-le-Bernard
Préval
la Matrasière
Ceton
les Etilleux
Coudray-au-Perche
Miermaigne
Luigny
Egilly
Bullou
la Chapelle-du-Bois
Souvigné-sur-Même
Avezé
Béthonvilliers
Lausanne
Brou
Brou-Dampierre
la Riffaudière
St-Georges-du-Rosay
Dehault
St-Lubin-des-5-Fonds
Ozanne
Moulhard
Dampierre-sous-Brou
BROU
Bougeâtre
LA FERTÉ-BERNARD
St-Bomer
la Grève
AUTHON-du-Perche
le Chaillou
Unverre
Yèvres
Issay
Mondragon
St-Aubin-des-Coudrais
Cherreau
N.D. des Marais
Châtaigniers
Charbonnières
les Emonderies
les Autels-Villevillon
Loisville
Mifouche
la Bosse
Cormes
Autoroute l'Océane
Théligny
Soizé
le Saulce
Villevillon
PERCHE-GOUËT
Maineuf
le Saussay
St-Denis-des-Coudrais
Buron
Cherré
les Aulnais
la Camusière
la Hallonière
St-Martin-des-Monts
le Haut-Buisson
Courgenard
St-Ulphace
le Blossier
le Chêne-Pulvé
Gohory
Boëssé-le-Sec
La Ferté-Bernard
Gémasse
Croix Champagne
la Bazoche-Gouët
Chapelle-Royale
Champbuisson
la Goupillière
Villaines-la-Gonais
St-Jean-des-Echelles
Courtangis
Gréez-sur-Roc
la Gde Forêt
Bois Méan
TUFFÉ
Villaines-l-G.
Forêt de Montmirail
Lancisière
la Pichardière
Beauvoir
St-Hilaire-le-Lierru
Lamnay
Vaufargis
la Chapelle-Guillaume
les Bidaudières
Châtillon-en-Dunois
Sceaux-sur-Huisne
MONTMIRAIL
Melleray
la Verrerie
le Plessis-Dorin
St-Avit
la Borde
St-Benoist
Plafus
Libouville
Beillé
Vouvray-sur-Huisne
Bouër
St-Maixent
T.G.V. Atlantique
le Gault-du-Perche
Eure et Loir
Arrou
Fée
Duneau
le Luart
Étg de Bois Vinet
la Tuilerie
Courtalain
Lanneray
la Touche-Hersant
Bourgoin
Connerré
la Justice
Glatigny
Oigny
Arville
la Fontenelle
le Poislay
St-Pellerin
la Filandière
Thorigné-sur-Dué
Lavaré
VIBRAYE
la Cour
Boisgasson
Lassay
Dollon
Forêt de Vibraye
Taillefer
Souday
St-Agil
DROUÉ
Ville mesle
Langey
St-Michel-de-Chavaignes
Gué-de-Launay
la Haye
la Freslonnière
Mersante
St-Hilaire-sur-Yerre
Semur-en-Vallon
Boursay
Egvonne
la Bullière
Ruan-sur-Egvonne
Montigny-le-Gannelon
Coudrecieux
la Pierre
Étg de la Panne
Valennes
Sarthe
Grenne
Gd Bouchet
Bouffry
CLOYES-sur-le-Loir
les Loges
Forêt de la Pierre
Berfay
Loir et Cher
Choue
les Souches
la Chapelle-Vicomtesse
Fontaine-Raoul
BOULOIRE
la Quentinière
MONDOUBLEAU
Villebout
Étg Salé
Anille
les Chevrons
Baillou
Cormenon
St-Marc-du-Cor
Chauvigny-du-Perche
la Remonnerie
Bouche d'Aigre
Beauvoir
Conflans-sur-Anille
Rahay
Coulonge
les Radrets
le Gravier
Romilly
les Diorières
Rougemont
St-Claude
Maisoncelles
Ecorpain
Montaillé
la Fredonnière
l'Odière
Forêt de Fréteval
St-Jean-Froidmont
le Boulay
Notre-Dame
Marolles-lès-St-Calais
Sargé-sur-Braye
le Temple
Beauchêne
la Ville-aux-Clercs
l'Ecotière
ST-CALAIS
Mon Plaisir
l'Étang
la Loctière
St-Hilaire-la-Gravelle
Tresson
Evaillé
Ste-Cérotte
Epuisay
le Marchais
Beauregard
les Mussets
Ste-Osmane
Tusson
le Rouillis
l'Essert
MORÉE
Montreuil-le-Henri
St-Gervais-de-Vic
SAVIGNY-sur-Braye
Danzé
Beaulieu
Busloup
Fréteval
Cogners
Glatigny
la Poulinière
le Tertre
les Minières
Rahart
Pezou
Lignières
les Goupillières
la Chapelle-Huon
le Chatellier
l'Orgerie
Espéreuse
l'Epau
Lisle
Rocheux
Courtanvaux
la Vieille-Haie
Fortan
Azé
les Bellezéveries
Haie-de-Champ
Chicheray
les Haies
la Bosse
St-Georges-de-la-Couée
Vancé
Bessé-sur-Braye
Cellé
Fretay
la Montellière
la Merillière
Forêt de Vendôme
St-Firmin-des-Prés
Renay
Champlain
Beauvilliers
Courdemanche
la Vallée
la Fosse-Courtin
Rétoille
la Grapperie
la Chapelle-Enchérie
St-Frimbault
Bonneveau
Mazangé
le Gué-du-Loir
VENDÔME
Meslay
Rocé
St-Pierre-du-Lorouër
la Berthellière
la Chapelle-Gaugain
Fontaine-les-Coteaux
Lunay
Villiers-sur-Loir
St-Ouen
Étg du Pas de Bœuf
Lavenay
Grottes
la Barre
la Prazerie
Rochambeau
Areines
Faye
Brives
St-Martin
le Pesle
Thoré-la-Rochette
Montrieux
la Trinité
Tours
Le Mans
Alençon
Le Mans Rennes

63

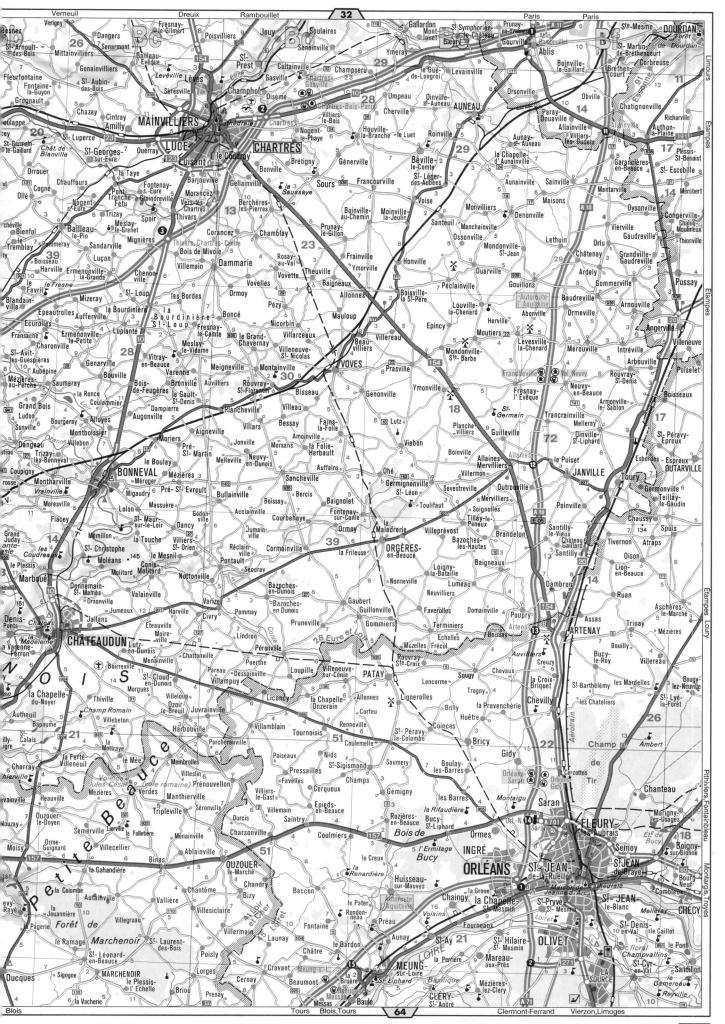
Verneuil
Dreux
Rambouillet
32
Paris
Paris
Limours
Etampes
Etampes
Etampes
Étampes Loury
Pithiviers,Fontainebleau
Montargis,Troyes
Blois
Tours
Blois,Tours
64
Clermont-Ferrand
Vierzon,Limoges
Bc
Bd
Be
Bf
Dangers
Senarmont
Poisvilliers
Jouy
Soulaires
Gallardon
Ymeray
Bleury
Gourville
Ablis
DOURDAN
Lèves
Champhol
MAINVILLIERS
LUCÉ
Lucé
Luisant
CHARTRES
Cathédrale
le Coudray
Umpeau
AUNEAU
Chatignonville
Allainville
Gellainville
Sours
Francourville
Béville-le-Comte
Voise
Denonville
Oysonville
Mignières
Dammarie
Pussay
Angerville
Bonneval
BONNEVAL
Méréglise
VOVES
Prasville
Janville
JANVILLE
Toury
OUTARVILLE
Allaines-Mervilliers
Orgères-en-Beauce
ORGÈRES-en-Beauce
Terminiers
Poupry
ARTENAY
CHÂTEAUDUN
Châteaudun
PATAY
Chevilly
Gidy
Saran
FLEURY-les-Aubrais
Semoy
Boigny-sur-Bionne
ORLÉANS
Orléans
INGRÉ
Ormes
St-JEAN-de-la-Ruelle
St-JEAN-de-Braye
St-JEAN-le-Blanc
OLIVET
CHÉCY
la Chapelle-St-Mesmin
MEUNG-sur-Loire
Baule
CLÉRY-St-André
OUZOUER-le-Marché
MARCHENOIR
Forêt de Marchenoir
Oucques
Petite Beauce
DUNOIS
Loire
Loiret
Eure
Eure et Loir
28 Eure et Loir
41 Loir et Cher
45 Loiret
Forêt de Dourdan
Bois de Bucy
Champ de Tir
Autoroute l'Aquitaine
Cathédrale
Maison de Jeanne d'Arc
Parc floral
LA SOURCE

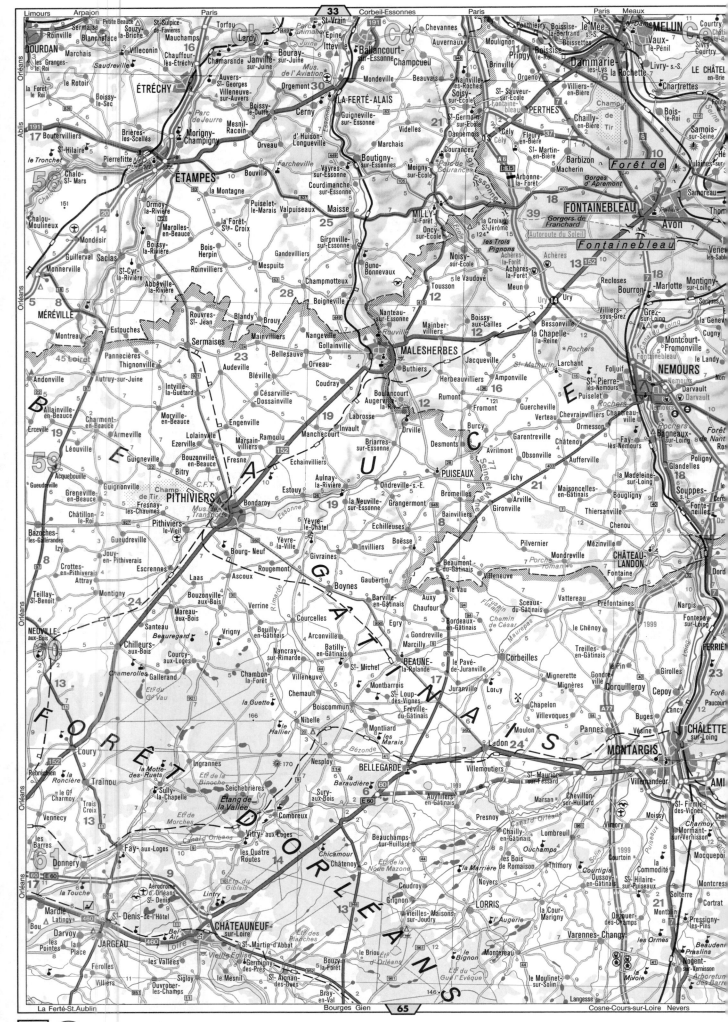
33
65
Limours
Arpajon
Paris
Corbeil-Essonnes
Meaux
Orléans
Ablis
La Ferté-St.Aublin
Bourges Gien
Cosne-Cours-sur-Loire Nevers
DOURDAN
ÉTRÉCHY
ÉTAMPES
LA FERTÉ-ALAIS
Ballancourt-sur-Essonne
MELUN
Dammarie-les-Lys
Boissise-le-Roi
PERTHES
FONTAINEBLEAU
Forêt de Fontainebleau
Avon
MILLY-la-Forêt
MALESHERBES
NEMOURS
MÉRÉVILLE
PITHIVIERS
PUISEAUX
CHÂTEAU-LANDON
NEUVILLE-aux-Bois
BEAUNE-la-Rolande
Corbeilles
BELLEGARDE
MONTARGIS
CHÂLETTE-sur-Loing
LORRIS
CHÂTEAUNEUF-sur-Loire
JARGEAU
Fay-aux-Loges
Boiscommun
Ladon
Chilleurs-aux-Bois
Sermaises
Boynes
Souppes-s.-L.
Ferrières
Varennes-Changy
Nogent-sur-Vernisson
BEAUCE
GÂTINAIS
FORÊT D'ORLÉANS
Étang de la Vallée
Canal d'Orléans
Loire
Essonne
Juine
Seine
Loing
A6
A77
E15
E60
45 Loiret
77 Seine et Marne

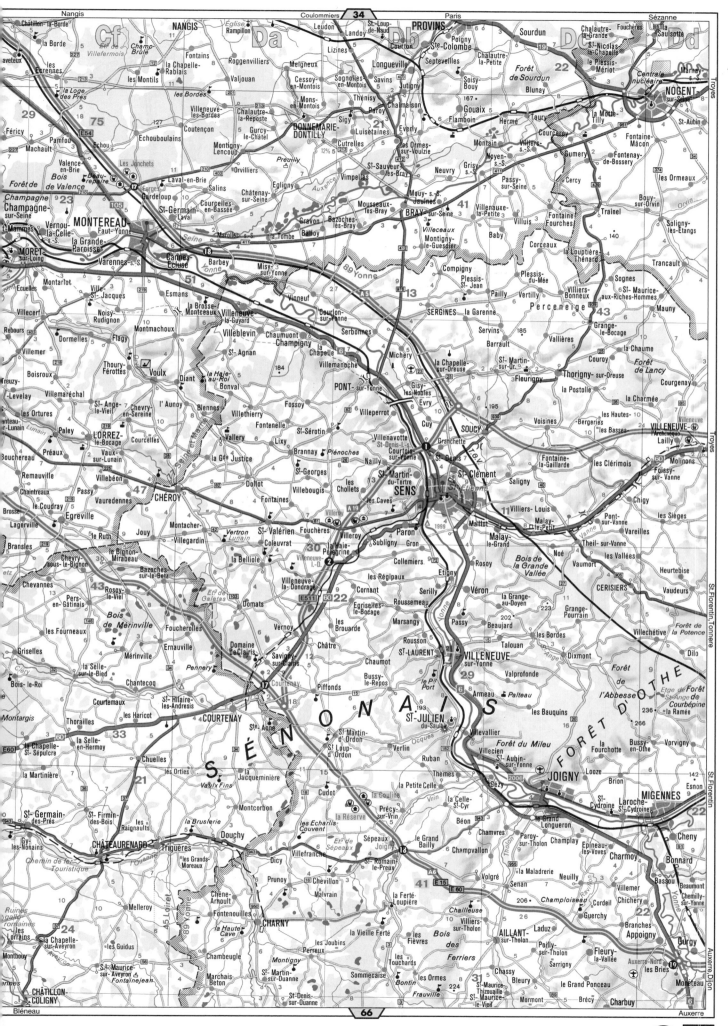
Nangis
Coulommiers
34
Paris
Sézanne
Cf
Da
Db
Dc
Dd
NANGIS
PROVINS
Sourdun
Forêt de Sourdun
NOGENT-sur-Seine
Centrale nucléaire
Troyes
Longueville
DONNEMARIE-DONTILLY
Gouaix
Montigny-Lencoup
Fontaine-Mâcon
Champagne-sur-Seine
Forêt de Champagne
Bois de Valence
MONTEREAU-Faut-Yonne
MORET-sur-Loing
La Grande-Paroisse
St-Germain-Laval
Cannes-Écluse
Seine
BRAY-sur-Seine
Trainel
Villeneuve-la-Guyard
Vinneuf
Courlon-sur-Yonne
89 Yonne
SERGINES
Perceneige
Villeblevin
Champigny
Pont-sur-Yonne
Thorigny-sur-Oreuse
Forêt de Lancy
Voulx
LORREZ-le-Bocage
SOUCY
VILLENEUVE-l'Archevêque
SENS
St-Clément
CHÉROY
Egreville
Paron
Malay-le-Grand
Bois de la Grande Vallée
CERISIERS
St.Florentin,Tonnerre
Bois de Mérinville
Véron
VILLENEUVE-sur-Yonne
St-LAURENT
Forêt de l'Abbesse
FORÊT D'OTHE
Forêt de Courbépine
COURTENAY
SÉNONAIS
ST-JULIEN du-Sault
Forêt du Mileu
JOIGNY
MIGENNES
St.Florentin
Montargis
CHÂTEAURENARD
Chemin de fer Touristique
Douchy
Charmoy
AILLANT-sur-Tholon
Bois des Ferriers
CHARNY
Auxerre,Dijon
CHÂTILLON-COLIGNY
Bléneau
66
Auxerre

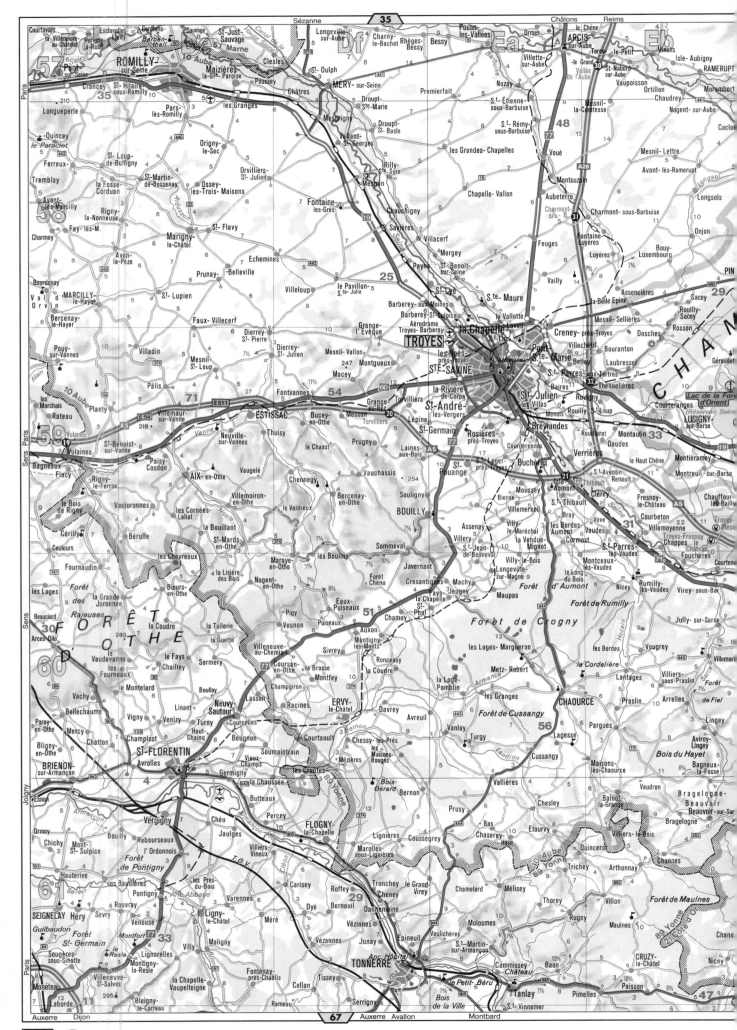

Sézanne
35
Châlons
Reims
Paris
Sens
Joigny
Auxerre
Dijon
67
Auxerre Avallon
Montbard
ROMILLY-sur-Seine
Pont-sur-Seine
Crancey
St-Hilaire-sous-Romilly
Maizières-la-Gde-Paroisse
St-Just-Sauvage
Longeville-sur-Aube
Charny-le-Bachot
Rhèges-Bessy
Bessy
Pouan-les-Vallées
ARCIS-sur-Aube
Ormes
Villette-sur-Aube
Torcy-le-Petit
St-Nabord-sur-Aube
Isle-Aubigny
RAMERUPT
Vinets
Vaupoisson
Ortillon
Chaudrey
Morembert
Nogent-sur-Aube
Clesles
Poussey
St-Oulph
MÉRY-sur-Seine
Châtres
les Granges
Premierfait
Nozay
St-Étienne-sous-Barbuise
St-Rémy-sous-Barbuise
Mesnil-la-Comtesse
Longueperle
Pars-lès-Romilly
Droupt-Ste-Marie
Droupt-St-Basle
Mesgrigny
Quincey
le Paraclet
Ferreux
Tremblay
Origny-le-Sec
St-Loup-de-Buffigny
Vallant-St-Georges
les Grandes-Chapelles
Voué
Mesnil-Lettre
Avant-lès-Ramerupt
St-Martin-de-Bossenay
la Fosse-Corduan
Ossey-les-Trois-Maisons
Orvilliers-St-Julien
Rilly-Ste-Syre
St-Mesmin
Montsuzain
Aubeterre
Chapelle-Vallon
Longsols
Avant-lès-Marcilly
Rigny-la-Nonneuse
Fontaine-les-Grès
Chauchigny
Charmont-sous-Barbuise
Onjon
Fay-lès-M.
Charmoy
Marigny-le-Châtel
St-Flavy
Savières
Villacerf
Fontaine-Luyères
Feuges
Luyères
Bouy-Luxembourg
Avon-la-Pèze
Echemines
Prunay-Belleville
Mergey
Payns
St-Benoit-sur-Seine
Vailly
Bourdenay
MARCILLY-le-Hayer
Val d'Orvin
St-Lupien
Villeloup
le Pavillon-Ste-Julie
St-Lyé
Ste-Maure
Assencières
Sacey
la Belle Epine
Bercenay-le-Hayer
Faux-Villecerf
Barberey-aux-Moines
Barberey-St-Sulpice
la Vallotte
Lavau
Mesnil-Sellières
Rouilly-Sacey
Rosson
Dierrey-St-Pierre
Dierrey-St-Julien
Grange-l'Évêque
Aérodrome Troyes-Barberey
TROYES
la Chapelle-St-Luc
Creney-près-Troyes
Villechétif
Dosches
Pouy-sur-Vannes
Villadin
Mesnil-St-Loup
Mesnil-Vallon
Montgueux
Macey
les Noës-près-Troyes
STE-SAVINE
Cathédrale
Pont-Ste-Marie
Bouranton
Laubressel
St-Parres-aux-Tertres
Thennelières
Géraudot
Pâlis
Fontvannes
la Rivière-de-Corps
St-André-les-Vergers
St-Julien-les-Villas
Baires
Rouilly-St-Loup
Ruvigny
Menois
Lac de la Forêt d'Orient
Courteranges
LUSIGNY-sur-Barse
Planty
les Marchais
Rateau
Villemaur-sur-Vanne
ESTISSAC
Grange-au-Rez
Torvilliers
Bucey-en-Othe
Messon
Lépine
St-Germain
Rosières-près-Troyes
Bréviandes
Rouilllerot
Montaulin
Daudes
Vulaines
St-Benoist-sur-Vanne
Neuville-sur-Vannes
Thuisy
le Chaast
Prugny
Laines-aux-Bois
Courgerennes
Buchères
Verrières
le Haut Chêne
Montiéramey
Bagneaux
Flacy
Paisy-Cosdon
Rigny-le-Ferron
AIX-en-Othe
Vaugelé
Chennegy
Vauchassis
St-Pouange
St-Léger-près-Troyes
Isle-Aumont
St-Thibault
St-Aventin
Renault
Montreuil-sur-Barse
le Bois de Rigny
Vaujuronnes
les Cornées-Laliat
Villemoiron-en-Othe
le Valdreux
Bercenay-en-Othe
Souligny
BOUILLY
Bierne
Moussey
Villemereuil
Clérey
Fresnoy-le-Château
Chauffour-lès-Bailly
Courbeton
Villemoyenne
Cérilly
Bérulle
la Bouillant
St-Mards-en-Othe
Sommeval
Assenay
Villy-le-Maréchal
la Vendue-Mignot
les Bordes-Aumont
Vaudes
Cormost
St-Parres-lès-Vaudes
Troyes-Fresnoy
Chappes
le Château
Fouchères
Coulours
les Chevreaux
Villery
St-Jean-de-Bonneval
Villy-le-Bois
Montceaux-lès-Vaudes
Fournaudin
la Lisière des Bois
Maraye-en-Othe
les Boulins
Javernant
Longeville-sur-Mogne
le Long du Bois
Forêt d'Aumont
Rumilly-lès-Vaudes
Nicey
Virey-sous-Bar
Nogent-en-Othe
Forêt Chenu
Cresantignes
Machy
Fays-la-Chapelle
Jeugny
Maupas
Forêt de Rumilly
les Loges
Forêt des Rajeuses
la Grande Jaronnée
Bœurs-en-Othe
Eaux-Puiseaux
Pigy
Vosnon
Puiseaux
Chamoy
St-Phal
Forêt de Crogny
Jully-sur-Sarce
Beauciard
Arces-Dilo
FORÊT D'OTHE
la Coudre
la Tuilerie
la Guette
Auxon
Montigny-lès-Monts
les Loges-Margueron
les Bordes
Vougrey
le Vaudevanne
les Fourneaux
le Fays
Chailley
Sormery
Villeneuve-au-Chemin
Sivrey
Roncenay
la Coudre
Metz-Robert
la Cordelière
Lantages
Villiers-sous-Praslin
Forêt de Fiel
Vachy
le Montelard
Coursan-en-Othe
la Brosse
Montfey
Boullay
la Loge-Pomblin
les Granges
CHAOURCE
Praslin
Arrelles
Bellechaume
Linant
Neuvy-Sautour
Champgiron
Racines
ERVY-le-Châtel
Davrey
Avreuil
Forêt de Cussangy
Paroy-en-Othe
Mercy
Vigny
Venizy
Turny
Haut-Chaing
Courcelles
Vanlay
Turgy
Lagesse
Pargues
Lingey
Bligny-en-Othe
Chatton
Champlost
ST-FLORENTIN
Avrolles
Beugnon
Courtaoult
Chessy-les-Prés
les Maisons-Rouges
Cussangy
Maisons-lès-Chaource
Bois du Hayet
Avirey-Lingey
Bagneux-la-Fosse
BRIENON-sur-Armançon
Soumaintrain
Vieux-Champs
les Crâutes
Germigny
Mézières
Bois-Gérard
Bernon
Vallières
Vaudron
Bragelogne-Beauvoir
Esnon
la Chaussée
Butteaux
Percey
Chesley
Balnot-la-Grange
Bragelogne
Ormoy
Vergigny
Chéu
Jaulges
FLOGNY-la-Chapelle
Prusy
Bas
Chaserey-Haut
Etourvy
Villiers-le-Bois
Chichy
Mont-St-Sulpice
Bouilly
Rebourseaux
l'Ordonnois
Forêt de Pontigny
Villiers-Vineux
Lignières
Coussegrey
Marolles-sous-Lignières
Quincerot
Arthonnay
Channes
Hauterive
les Baudières
Pontigny
les Prés-du-Bois
Carisey
Roffey
Tronchoy
le Grand-Virey
Chamelard
Mélisey
Trichey
SEIGNELAY
Héry
Sevry
Rouvray
Venouse
Montfort
Ligny-le-Châtel
Varennes
Dyé
Bernouil
Cheney
Dannemoine
Thorey
Villon
Forêt de Maulnes
Guilbaudon
Forêt St-Germain
la Resle
Lignorelles
Villy
Méré
Vézinnes
Molosmes
Rugny
Maulnes
Chann
Sougères-sous-Sinotte
Montigny-la-Resle
Maligny
Vézannes
Junay
Epineuil
Vaulichères
St-Martin-sur-Armançon
CRUZY-le-Châtel
Nicey
Villeneuve-St-Salves
Fontenay-près-Chablis
Anc. Hôpital
TONNERRE
Commissey-Château
Baon
Moneteau
la Chapelle-Vaupelteigne
Tissey
Collan
le Petit-Béru
Tanlay
Pimelles
Paisson
Laborde
Bleigny-le-Carreau
Rameau
Serrigny
Bois de la Ville
St-Vinnemer
CHAMPAGNE

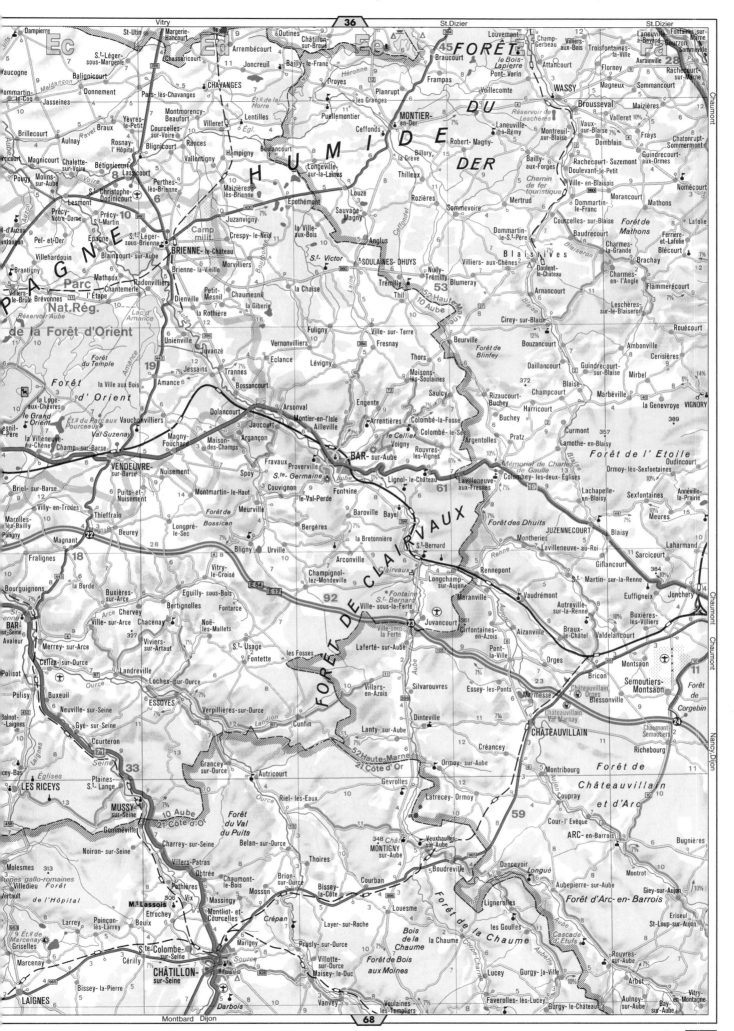
36
Vitry
St.Dizier
St.Dizier
Chaumont
Chaumont
Chaumont
Chaumont
Nancy,Dijon
Montbard
Dijon
68
Ec
Ed
Ee
Fa
FORÊT DU DER
HUMIDE
PAGNE
Parc Nat.Rég. de la Forêt d'Orient
FORÊT DE CLAIRVAUX
Dampierre
St-Utin
Margerie-Hancourt
Outines
Châtillon-sur-Broué
Arrembécourt
Louvemont
Champ-Gerbeau
Villiers-aux-Bois
Troisfontaines-la-Ville
Laneuville-à-Bayard
Fontaines-sur-Marne
Gourzon
Sommeville
S.t-Léger-sous-Margerie
Chassericourt
Joncreuil
Bailly-le-Franc
Braucourt
le Bois-Lapierre
Pont-Varin
Attancourt
Flornoy
Avrainville
Rachecourt-sur-Marne
Vaucogne
Balignicourt
Donnement
Pars-lès-Chavanges
CHAVANGES
Droyes
Frampas
Voillecomte
WASSY
Magneux
Sommancourt
Jasseines
Planrupt
les Granges
Brousseval
Maizières
Montmorency-Beaufort
Puellemontier
MONTIER-en-Der
Laneuville-à-Rémy
Vaux-sur-Blaise
Valleret
Yèvres-le-Petit
Lentilles
Villeret
Ceffonds
Montreuil-sur-Blaise
Frays
Brillecourt
Aulnay
Braux
Courcelles-sur-Voire
Rosnay-l'Hôpital
Blignicourt
Rances
Hampigny
Boulancourt
Robert-Magny
Domblain
Chatonrupt-Sommermont
Magnicourt
Chalette-sur-Voire
Bétignicourt
Vallentigny
Longeville-sur-la-Laines
Billory
la Grève
Bailly-aux-Forges
Rachecourt-Suzemont
Doulevant-le-Petit
Guindrecourt-aux-Ormes
Pougy
Molins-sur-Aube
Lassicourt
Perthes-lès-Brienne
Maizières-lès-Brienne
Thilleux
Chemin de fer touristique
Ville-en-Blaisois
Nomécourt
S.t-Christophe-Dodinicourt
Lesmont
Louze
Rozières
Mertrud
Dommartin-le-Franc
Morancourt
Mathons
Précy-Notre-Dame
Précy-S.t-Martin
Épothémont
Juzanvigny
Sauvage-Magny
Sommevoire
Courcelles-sur-Blaise
Forêt de Mathons
Lafolie
Ferrière-et-Lafolie
Pel-et-Der
Épagne
S.t-Léger-sous-Brienne
Camp milit.
Crespy-le-Neuf
la Ville-aux-Bois
Anglus
Dommartin-le-S.t-Père
Baudrecourt
Charmes-la-Grande
Blécourt
Villehardouin
BRIENNE-le-Château
Blaincourt-sur-Aube
S.t-Victor
SOULAINES-DHUYS
Nully-Trémilly
Villiers-aux-Chênes
Blaisrives
Doulent-le-Château
Brachay
Brantigny
Mathaux
Brienne-la-Vieille
Morvilliers
Trémilly
Blumeray
Charmes-en-l'Angle
Flammerécourt
Villiers-le-Brûlé
Brévonnes
l'Étape
Chantemerle
Radonvilliers
Petit-Mesnil
Chaumesnil
la Chaise
Thil
Arnancourt
Dienville
la Giberie
Leschères-sur-le-Blaiseron
Réservoir Aube
Lac d'Amance
la Rothière
52 Haute-Marne
10 Aube
Cirey-sur-Blaise
Rouécourt
Unienville
Fuligny
Ville-sur-Terre
Beurville
Bouzancourt
Ambonville
Juvanzé
Vernonvilliers
Fresnay
Forêt de Blinfey
Cerisières
Forêt du Temple
Eclance
Lévigny
Thors
Daillancourt
Guindrecourt-sur-Blaise
Mirbel
Jessains
Trannes
Maisons-lès-Soulaines
372
Blaise
Forêt d'Orient
la Ville aux Bois
Amance
Bossancourt
Saulcy
Rizaucourt-Buchey
Champcourt
Marbéville
la Genevroye
VIGNORY
la Loge-aux-Chèvres
Dolancourt
Arsonval
Engente
Harricourt
389
le Grand Orient
Ét.g du Parc aux Pourceaux
Vauchonvilliers
Jaucourt
Montier-en-l'Isle
Ailleville
Arrentières
Colombé-la-Fosse
Buchey
Mesnil-S.t-Père
Val Suzenay
Magny-Fouchard
Maison-des-Champs
Arganςon
le Cellier
Voigny
Colombé-le-Sec
Pratz
Curmont
357
la Villeneuve-au-Chêne
Champ-sur-Barse
BAR-sur-Aube
Rouvres-les-Vignes
Argentolles
Lamothe-en-Blaisy
Forêt de l'Étoile
Oudincourt
VENDEUVRE-sur-Barse
Nuisement
Fravaux
Proverville
S.te-Germaine
Spoy
Lignol-le-Château
Laville-neuve-aux-Fresnes
Mémorial de Charles de Gaulle
Colombey-les-deux-Églises
Ormoy-lès-Sexfontaines
Briel-sur-Barse
Puits-et-Nuisement
Montmartin-le-Haut
Couvignon
le-Val-Perde
Fontaine
Lachapelle-en-Blaisy
Sexfontaines
Annéville-la-Prairie
Villy-en-Trodes
Thieffrain
Forêt de Bossican
Meurville
Baroville
Bayel
Forêt des Dhuits
Meures
Marolles-lès-Bailly
Poligny
Magnant
Beurey
Longpré-le-Sec
Bergères
la Bretonnière
S.t-Bernard
Montheries
JUZENNECOURT
Lavilleneuve-au-Roi
Blaisy
Laharmand
Fralignes
Bligny
Urville
Arconville
Rennepont
Gillancourt
Sarcicourt
Vitry-le-Croisé
Champignol-lez-Mondeville
Clairvaux
Longchamp-sur-Aujon
Vaudrémont
S.t-Martin-sur-la-Renne
384
Bourguignons
la Borde
Buxières-sur-Arce
Eguilly-sous-Bois
Fontaine S.t-Bernard
Maranville
Autreville-sur-la-Renne
Euffigneix
Jonchery
Bertignolles
Fontarce
Ville-sous-la-Ferté
Buxières-lès-Villiers
BAR-sur-Seine
Avaleur
Ville-sur-Arce
Chervey
Chacenay
Noë-les-Mallets
Juvancourt
Cirfontaines-en-Azois
Aizanville
Braux-le-Châtel
Valdelancourt
327
Merrey-sur-Arce
Viviers-sur-Artaut
S.t-Usage
Fontette
les Fosses
Laferté-sur-Aube
Pont-la-Ville
Orges
Montsaon
Celles-sur-Ource
Landreville
Bricon
Semoutiers-Montsaon
Polisot
Loches-sur-Ource
Villars-en-Azois
Silvarouvres
Essey-les-Ponts
Marmesse
Châteauvillain Orges
Blessonville
Forêt de Corgebin
Polisy
Buxeuil
Neuville-sur-Seine
ESSOYES
Verpillières-sur-Ource
Châteauvillain Val Marnay
Gyé-sur-Seine
Cunfin
Dinteville
Lanty-sur-Aube
CHÂTEAUVILLAIN
Chaumont-Semoutiers
Courteron
Créancey
Richebourg
Grancey-sur-Ource
Autricourt
52 Haute-Marne
21 Côte d'Or
Ormoy-sur-Aube
Montribourg
Forêt de Châteauvillain et d'Arc
LES RICEYS
Plaines-S.t-Lange
Gevrolles
Riel-les-Eaux
Latrecey-Ormoy
Coupray
MUSSY-sur-Seine
10 Aube
21 Côte d'Or
Forêt du Val du Puits
Cour-l'Evêque
Gommeville
ARC-en-Barrois
Charrey-sur-Seine
Belan-sur-Ource
348
Châtillon
MONTIGNY-sur-Aube
Veuxhaulles-sur-Aube
Bugnières
Noiron-sur-Seine
Thoires
Molesmes
313
Villers-Patras
Obtrée
Dancevoir
Longuó
Montrot
Ruines gallo-romaines
Villedieu
Forêt de l'Hôpital
Pothières
Vix
M.t Lassois
306
Chaumont-le-Bois
Brion-sur-Ource
Mosson
Courban
Boudreville
Aubepierre-sur-Aube
Giey-sur-Aujon
Bissey-la-Côte
Forêt d'Arc-en-Barrois
Massingy
Etrochey
Montliot-et-Courcelles
Crépan
Louesme
Lignerolles
Forêt de la Chaume
Larrey
Poinςon-lès-Larrey
Bouix
Layer-sur-Roche
les Goulles
Eriseul
St-Loup-sur-Aujon
Ét.g de Marcenay
Griselles
S.te-Colombe-sur-Seine
Marigny
Prusly-sur-Ource
Bois de la Chaume
la Chaume
Cascade d'Étufs
Marcenay
Cérilly
CHÂTILLON-sur-Seine
Musée
Source
Villotte-sur-Ource
Maisey-le-Duc
Forêt de Bois aux Moines
Lucey
Gurgy-la-Ville
Rouvres-sur-Aube
Arbot
Bissey-la-Pierre
Darbois
LAIGNES
Vanvey
Voulaines-les-Templiers
Faverolles-lès-Lucey
Gurgy-le-Château
Aulnoy-sur-Aube
Vitry-en-Montagne
Bay-sur-Aube

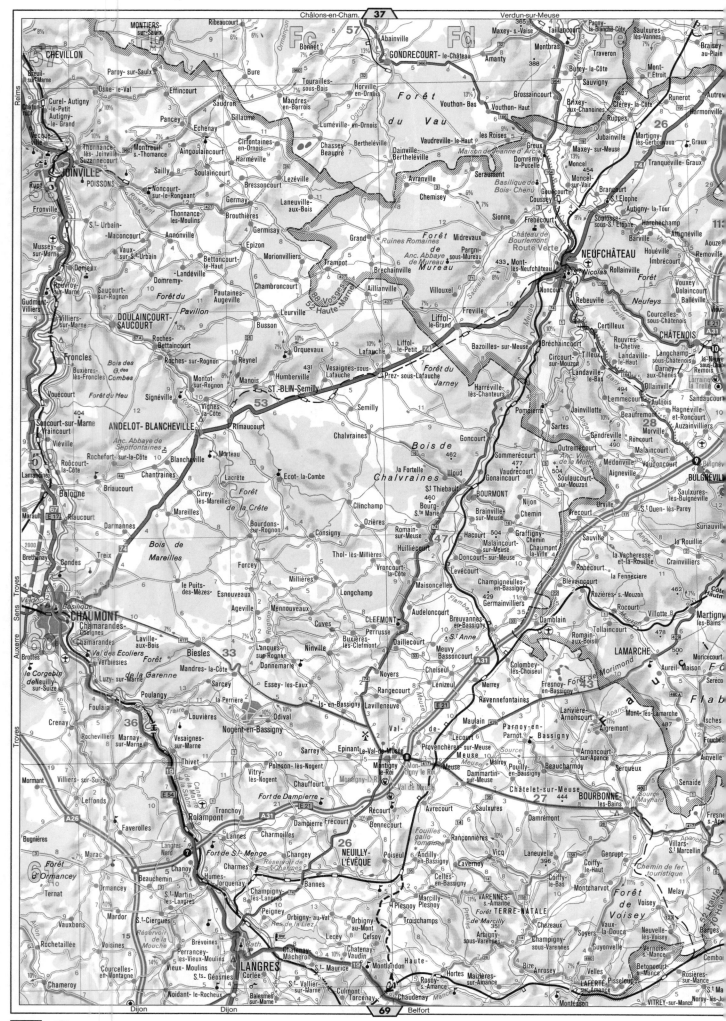
Châlons-en-Cham.
37
Verdun-sur-Meuse
Fc
Fd
Fe
CHEVILLON
MONTIERS-sur-Saulx
Ribeaucourt
Bonnet
Abainville
GONDRECOURT-le-Château
Maxey-s.-Vaise
Taillancourt
Pagny-la-Blanche-Côte
Saulxures-lès-Vannes
Montbras
Amanty
Traveron
Braisey-au-Plain
Paroy-sur-Saulx
Bure
Tourailles-sous-Bois
Horville-en-Ornois
Burey-la-Côte
Sauvigny
Mont-l'Étroit
Breuil-sur-Marne
Osne-le-Val
Effincourt
Forêt du Vau
Vouthon-Bas
Vouthon-Haut
Grossaincourt
Brixey-aux-Chanoines
Clérey-la-Côte
Runerot
Harmonville
Curel-Autigny
Chatonrupt
Saudron
Mandres-en-Barrois
Gillaumé
Pancey
Luméville-en-Ornois
Ruppes
Echenay
Vecqueville
Thonnance-lès-Joinville
Suzannecourt
JOINVILLE
POISSONS
Montreuil-s.-Thomance
Aingoulaincourt
Cirfontaines-en-Ornois
Harméville
Chassey-Beaupré
Bertheléville
Dainville-Bertheléville
Vaudreville-le-Haut
les Roises
Greux
Maison de Jeanne d'Arc
Domrémy-la-Pucelle
Maxey-sur-Meuse
Jubainville
Martigny-lès-Gerbonvaux
Graux
Moncel
Tranqueville-Graux
Sailly
Soulaincourt
Lezéville
Avranville
Seraumont
Basilique de Bois-Chenu
Moncel-sur-Vair
Brancourt
Noncourt-sur-le-Rongeant
Bressoncourt
Germay
Laneuville-aux-Bois
Chemisey
Goussaincourt
Coussey
St Elophe
Autigny-la-Tour
Fronville
Thonnance-les-Moulins
Brouthières
Sionne
Frebécourt
Soulosse-sous-St Elophe
Harchéchamp
Attignéville
St-Urbain-Maconcourt
Germisay
Midrevaux
Château de Bourlémont
Route Verte
Barville
Annonville
Grand
Ruines Romaines
Forêt de Mureau
Pargni-sous-Mureau
Aouze
Mussey-sur-Marne
Epizon
Anc. Abbaye de Mureau
NEUFCHÂTEAU
Houéville
Removille
Vaux-sur-St-Urbain
Bettoncourt-le-Haut
Morionvilliers
Trampot
Mont-lès-Neufchâteau
St Nicolas
Rollainville
Imbrécourt
Donjeux
Landéville
Brechainville
Domremy-
Chambroncourt
Aillianville
Villouxel
Noncourt
Rebeuville
Forêt
Vouxey
Rouvroy-sur-Marne
Saucourt-sur-Rognon
Forêt du Pavillon
Pautaines-Augeville
88 Vosges
52 Haute-Marne
Neufeys
Dolaincourt
Balléville
Gudmont-Villiers
Leurville
Freville
Liffol-le-Grand
Courcelles-sous-Châtenois
DOULAINCOURT-SAUCOURT
Villiers-sur-Marne
Busson
Certilleux
CHÂTENOIS
Roches-Bettaincourt
Orquevaux
Liffol-le-Petit
Lafauche
Bazoilles-sur-Meuse
Bréchaincourt
Rouvres-la-Chétive
Landaville-le-Haut
Langchamp-sous-Châtenois
Froncles
Reynel
Humberville
Vesaignes-sous-Lafauche
Forêt du Jarney
Prez-sous-Lafauche
Circourt-sur-Mouzon
Tilleux
Landaville-le-Bas
Darney-aux-Chênes
la-Neuve-sous-Châtel
Bois des G.des Combes
Buxières-lès-Froncles
Montot-sur-Rognon
Manois
ST.-BLIN-Semilly
Harréville-lès-Chanteurs
Ollainville
Vouécourt
Forêt du Heu
Signéville
Vignes-la-Côte
Semilly
Pompierre
Lemmecourt
Aulnois
Sandaucourt
Beaufremont
Hagnéville-et-Roncourt
Soncourt-sur-Marne
Vraincourt
ANDELOT-BLANCHEVILLE
Rimaucourt
Jainvillotte
Sartes
Auzainvilliers
Morville
Viéville
Chalvraines
Goncourt
Gendreville
Roncourt
Anc. Abbaye de Septfontaines
Bois de Chalvraines
Sommerécourt
Outremécourt
Malaincourt
Rochefort-sur-la-Côte
Blancheville
Morteau
Anc. Ville de la Motte
Médonville
Vaudoncourt
Roôcourt-la-Côte
Lamancines
Chantraines
Lacrête
Ecot-la-Combe
la Fortelle
Illoud
Vaudrecourt
Gonaincourt
Soulaucourt-sur-Mouzon
Aigneville
BULGNÉVILLE
Briaucourt
Forêt de la Crête
St Thiebault
BOURMONT
Bologne
Cirey-lès-Mareilles
Clinchamp
Bourg-Ste Marie
Nijon
Brainville-sur-Meuse
Chemin
Urville
Saulxures-lès-Bulgnéville
St Ouen-lès-Parey
Marault
Riaucourt
Mareilles
Bourdons-sur-Rognon
Ozières
Vrecourt
Darmannes
Consigny
Romain-sur-Meuse
Hacourt
Malaincourt-sur-Meuse
Graffigny-Chemin
Suriauville
Bois de Mareilles
Huilliécourt
Chaumont-la-Ville
Sauville
la Rouillie
Brethenay
Treix
Thol-lès-Millières
Doncourt-sur-Meuse
la Vacheresse-et-la-Rouillie
Crainvilliers
Condes
Forcey
Vroncourt-la-Côte
Lévécourt
Robécourt
Millières
Maisoncelles
Champigneulles-en-Bassigny
Blévaincourt
la Fenneciere
le Puits-des-Mèzes
Esnouveaux
Longchamp
Germainvilliers
Rozières-s.-Mouzon
Villotte
Troyes
Sens
Auxerre
Basilique
CHAUMONT
Chamarandes-Choignes
Ageville
Mennouveaux
Audeloncourt
Damblain
Rocourt
Martigny-les-Bains
Laville-aux-Bois
Cuves
CLEFMONT
Breuvannes-en-Bassigny
Tollaincourt
Brottes
Val des Écoliers
Verbiesles
Forêt de la Garenne
Biesles
Langues-sur-Rognon
Ninville
Perrusse
Buxières-lès-Clefmont
Daillecourt
St Anne
Meuvy
Bassoncourt
Romain-aux-Bois
LAMARCHE
Moricécourt
le Corgebin
deNeuilly-sur-Suize
Luzy-sur-Marne
Mandres-la-Côte
Donnemarie
Noyers
Choiseul
Colombey-lès-Choiseul
Aureil-Maison
Sarcey
Essey-les-Eaux
Rangecourt
Lénizeul
Merrey
Fresnoy-en-Bassigny
Forêt de Morimond
Poulangy
Foulain
la Perrière
Is-en-Bassigny
Lavilleneuve
Ravennefontaines
Larivière-Arnoncourt
Mont-lès-Lamarche
Sereco
Flab
Crenay
Louvières
Odival
Nogent-en-Bassigny
Val-de-Meuse
Maulain
Parnoy-en-Bassigny
Aigremont
Isches
Rochevilliers
Marnay-sur-Marne
Vesaignes-sur-Marne
Sarrey
Epinant
Le-Val-de-Meuse
Lécourt
Provenchères-sur-Meuse
Source
Arnoncourt-sur-Apance
Fouchécourt
Thivet
Poinson-lès-Nogent
Montigny-le-Roi
Meuse
Malroy
Pouilly-en-Bassigny
Beaucharmoy
Serqueux
Ainvelle
Mormant
Villiers-sur-Suize
Vitry-lès-Nogent
Chauffourt
Dammartin-sur-Meuse
Senaide
Leffonds
Canal de la Marne à la Saône
Fort de Dampierre
Val de Meuse
Châtelet-sur-Meuse
BOURBONNE-les-Bains
Source Maynard
Rolampont
Tronchoy
Récourt
Avrecourt
Saulxures
Damrémont
Fresnes-s.-Apance
Bugnières
Faverolles
Dampierre
Frécourt
Bonnecourt
Fouilles gallo-romaines
Ranconnières
Villars-St Marcellin
Langres-Nord
Marac
Lannes
Charmoilles
NEUILLY-L'ÉVÊQUE
Vicq
Laneuville
Genrupt
Fort de St-Menge
Changey
Poiseul
Andilly-en-Bassigny
Coiffy-le-Haut
Chemin de fer touristique
Forêt d'Ormancey
Chanoy
Charmes
Réservoir de Charmes
Lavernoy
Beauchemin
Humes-Jorquenay
Celles-en-Bassigny
Coiffy-le-Bas
Montcharvot
Melay
Ternat
Ormancey
St-Martin-lès-Langres
Bannes
Champigny-lès-Langres
Marcilly-Plesnoy
VARENNES-s.-Amance
Forêt de Voisey
Plesnoy
TERRE-NATALE
Voisey
Mardor
St-Ciergues
Peigney
Orbigny-au-Val
Orbigny-au-Mont
Troischamps
Forêt de Marcilly
Chezeaux
Vauxbons
Réservoir de la Mouche
Rés de la Liez
Lecey
Celsoy
Arbigny-sous-Varennes
Soyers
Vaux-la-Douce
Neuvelle-lès-Voisey
Barges
Rochetaillée
Voisines
Brévoines
Cath.
Chatenay-Mâcheron
Chatenay-Vaudin
Champigny-sous-Varennes
Guyonvelle
Vernois-s.-Mance
Cemboi
Perrancey-les-Vieux-Moulins
Vieux-Moulins
LANGRES
St-Maurice
Montlandon
Haute-
Hortes
Bize
Anrosey
Velles
Betoncourt-s.-Mance
Rosières-sur-Mance
Courcelles-en-Montagne
Sts-Géosmes
Corlée
St-Vallier-sur-Marne
Rosoy-s.-Amance
Maizières-sur-Amance
LAFERTÉ-sur-Amance
Pisseloup
Chameroy
Noidant-le-Rocheux
Balesmes-sur-Marne
Culmont
Torcenay
Chaudenay
Montesson
VITREY-sur-Mance
Noroy-lès-Jussey
Dijon
Dijon
69
Belfort
A31
A26
E17
E21
E54
52 Haute-Saône 70

38
Nancy
Nancy
Nancy
Nancy
Ga
Gb
Gc
Gd
Colmar
St.Dié
Strasbourg
Strasbourg
Colmar
Mulhouse
Dijon
Vesoul Belfort
70
Crépey
Selaincourt
Dolcourt
Saulxerotte
Favières
Forêt de St.-Amond
Gélaucourt
Battigny
Vandeléville
Tramont-St.-André
Fécocourt
Pulney
Gugney
Soncourt
Pleuvezain
Beuvezin
Maconcourt
Aboncourt
Parey-S.t Césaire
Houdreville
Hammeville
VÉZELISE
Ognéville
Souveraincourt
Vroncourt
Forcelles-S.t Gorgon
Chaouilley
Etreval
Thorey-Lyautey
Praye
Saxon-Sion
Vaudémont
Signal de Vaudémont
Houssevile
Forcelles-sous-Gugney
Fraisnes-en-Saintois
Grimonviller
Courcelles
Boulaincourt
Blémerey
Chef-Haut
Frenelle-la-Grande
Frenelle-la-Petite
Repel
Oëlleville
Puzieux
Ambacourt
Juvaincourt
Poussay
Biécourt
Totainville
Rouvres-en-Xaintois
Baudricourt
Domvallier
Ramecourt
Dombasle-en-Xaintois
Gironcourt-s.-Vraine
Houécourt
S.t Menge
Gemmelaincourt
Thiraucourt
Remicourt
Offroicourt
Viviers-lès-Offroicourt
Bazoilles-et-Ménil
Domjulien
Estrennes
Dombrot-sur-Vair
Belmont-sur-Vair
Parey-sous-Montfort
S.t Remimont
Domèvre-sous-Montfort
Rozerotte
Madecourt
Remoncourt
They-sous-Montfort
la Neuveville-sous-Montfort
Rancourt
Norroy
VITTEL
S.t Remy
Haréville
Valleroy-le-Sec
Valfroicourt
Contrexéville
Route Verte
Monthureux-le-Sec
Esley
Lignéville
Dombrot-le-Sec
S.t Baslemont
Thuillières
Senonges
Provenchères-lès-Darney
Viviers-le-Gras
Gignéville
Relanges
Mont S.t Jean
Bonvillet
Belmont-lès-Darney
Marey
Serocourt
le Bambois
DARNEY
Forêt de Darney
Belrupt
Nonville
Attigny
la Grange-au-Bois
Bleurville
Tignécourt
MONTHUREUX-sur-Saône
Claudon
la Sybille
la Frison
Thiétry
Clairey
la Hatrey
Hennezel
Mont-de-Savillon
Godoncourt
la Grande-Catherine
la Planchotte
Forêt de Selles et Passavant
Regnevelle
Fignévelle
Martinvelle
Bousseraucourt
Passavant-la-Rochère
la Rochère
la Côte
Selles
Pont-du-Bois
Vougécourt
la Basse-Vaivre
Alaincourt
Ameuvelle
Châtillon-sur-Saône
Jonvelle
Bourbévelle
Montcourt
Corre
Demangevelle
Montdoré
Ranzevelle
Vauvillers
Villars-le-Pautel
Hurecourt
Aisey-et-Richecourt
Ormoy
Saponcourt
Betaucourt
Magny-lès-Jussey
Cendrecourt
Tartécourt
la Gare
Venisey
Senoncourt
Contréglise
Buffignécourt
JUSSEY
Montureux-lès-Baulay
Polaincourt-et-Clairefontaine
Melincourt
S.t Remy
Cubry-lès-Faverney
Bassigney
Dampierre-lès-Conflans
Varigney
Briaucourt
Conflans-sur-Lanterne
Anchenoncourt-et-Chazel
Jasney
la Pisseure
Anjeux
Girefontaine
Bouligney
S.t LOUP-sur-Semouse
Ainvelle
Magnoncourt
Cuve
Fleurey-lès-S.t Loup
Dampvalley-S.t-Pancras
Betoncourt-S.t Pancras
Mailleroncourt-S.t Pancras
Fontenois-la-Ville
Fontenoy-le-Château
le Magny
la Vierge
les Trémeures
Montmotier
Ambiévillers
Peu-d'Acquet
le Morillon
les Baraques
le Chesnois
Bains-les-Bains
la Manufacture
les Fontenelles
Trémonzey
le Raval
Puton
Aillevillers-et-Lyaumont
Corbenay
Fontaine-lès-Luxeuil
Hautevelle
LUXEUIL-les-Bains
la Corveraine
Froideconche
Esboz-Brest
S.t-Valbert
la Motte
la Chiquerie
les Baraques-Chardin
Fougerolles
Fougerolles-le-Château
les Chavannes
Pré du Rupt
la Vaivre
le Grand-Fays
Thiéloup
la Croisette
la Branleure
Grand Poirmont
Ruaux
PLOMBIÈRES-les-Bains
Lassus
la Fosse
le Clerjus
la Landre
le Molieu
Haudompré
la Gabiotte
Bellefontaine
le Ménil
Fallières
REMIREMONT
Forêt de Humont
Parc
Rég. Nat.
des Ballons des Vosges
le Val-d'Ajol
Faymont
Girmont-Val-d'Ajol
Hamanxard
Outremont
Prémourey
Croslières
S.t Bresson
Raddon-et-Chaupendu
Amage
Paucogney-et-la-Mer
S.te-Marie-en-Chanois
la Proiselière-et-Langle
la Voivre
Melay
Esmoulières
la Longine
la Rochotte
le Marchessant
la Rosière
la Montagne
Lepange
Maxonchamp
Breuil
la Beuille
Cascade du Géhard
S.t Nabord
Seux
St.-Etienne-lès-Remiremont
Longuet
Raon-aux-Bois
Raon-Basse
Eloyes
Pouxeux
Jarménil
Archettes
Cheniménil
Docelles
Arches
Aneuménil
Géroménil
Hadol
Senade
la Houssière
la Racine
Buzegney
XERTIGNY
Granges
le Pransieux
Amerey
Grémifontaine
Moyenpal
le Void-de-la-Bure
Uzemain
la Xatte
les Buissons
Dounoux
Uriménil
Thiélouse
Naymont
Gumenil
le Roulier
Laméni
Dinozé
S.t Laurent
Renauvoid
le Bois-de-Girancourt
Void-de-Girancourt
Barbonfaing
Agémont
Puttegney
Saussenot
Nobaimont
Reblangotte
Mélomenil
la Moge
Rasey
le Tolloy
la Haye
Harsault
Thunimont
la Forge-de-Thunimont
la Grande-Fosse
les Vaivres
la Chapelle-aux-Bois
Hautmougey
Hardémont
la Forêt
les Granges-Richard
Grandrupt-de-Bains
Gruey-lès-Surance
Moseou
Fontaines chaudes
Etang des Cerisiers
le Torchon
Vioménil
la Bataille
Source de la Saône
Maupotel
Cuveau des Fées
Charmois-l'Orgueilleux
Dombasle-dev.-Darney
Jésonville
le Void-d'Escles
Escles
Lerrain
Dommartin-lès-Vallois
Sans-Vallois
les Vallois
Pierrefitte
Pont-lès-Bonfays
Légéville-et-Bonfays
Ville-sur-Illon
les Ableuvenettes
Gelvécourt-et-Adompt
Adompt
Frénois
Begnécourt
Dompaire
Damas-et-Bettegney
Hennecourt
Darnieulles
Gorhey
Adoncourt
Chaumousey
Sanchey
Dommartin-aux-Bois
la Rue
Harol
Longeroye
le Ménil
Girancourt
Bouzey
Réservoir de Bouzey
Les Forges
Chantraine
ÉPINAL
S.t Maurice
Notre Dame
Musée
Forêt d'Epinal
Golbey
Uxegney
Domèvre-sur-Avière
Fomerey
Bocquegney
Madonne-et-Lamerey
Naglaincourt
Hagécourt
Valleroy-aux-Saules
Racécourt
Maroncourt
Hymont
Velotte-et-Tatignécourt
Mattaincourt
Vroville
Ahéville
MIRECOURT
Villers
Jorxey
Avillers
Mazirot
Chauffecourt
Bettoncourt
Gircourt-lès-Viéville
Bouxurulles
Rapey
Ubexy
Varmonzey
Brantigny
Evaux-et-Ménil
le Ménil
Vincey
Portieux
Nomexy
CHÂTEL-sur-Moselle
Zincourt
Pallegney
Vaxoncourt
Igney
Thaon-les-Vosges
Chavelot
Girmont
Bayecourt
Villoncourt
Domèvre-sur-Durbion
Sercœur
Dompierre
Dognéville
Dogneville
Longchamp
Jeuxey
Deyvillers
Aydoilles
Vaudéville
Fontenay
Girecourt-s.-Durbion
Gugnécourt
Vimenil
Méménil
Nonzeville
Padoux
Destord
Pierrepont-sur-l'Arentèle
Bult
Badménil-aux-Bois
Vomécourt
Hadigny-lès-Verrières
Moriville
la Verrerie-de-Portieux
Rehaincourt
Moyemont
Ortoncourt
S.t Genest
Romont
Fauconcourt
Hardancourt
RAMBERVILLERS
Forêt de Rambervillers
St.Gorgon
Ste.-Lucie
Roville-aux-Chenes
Doncières
Xaffévillers
Ménarmont
S.t Maurice-s.-Mortagne
Haillainville
Clézentaine
Damas-aux-Bois
Deinvillers
S.t Remy-aux-Bois
H.t de la Côte
Loromontzey
S.t Germain
Borville
Vennezey
S.t Boingt
Essey-la-Côte
Giriviller
Mattexey
Séranville
Vallois
Remenoville
Rozelieures
Clayeures
Moriviller
Landécourt
Einvaux
Franconville
Haudonville
GERBÉVILLER
Moyen
Vathiménil
Chenevières
Flin
Magnières
Domptail
Fontenoy-la-Joûte
S.t Pierremont
Meurthe-et-Moselle
Vosges
Haute-Saône
CHARMES
Forêt de Charmes
Essegney
Langley
Rugney
Savigny
Viéville
Vomécourt-sur-Madon
Pont-sur-Madon
Florémont
Xaronval
Avrainville
Hergugney
Battexey
Socourt
Germonville
Bralleville
Jevoncourt
Marainville-s.-Madon
Diarville
Bouzanville
S.t Firmin
Xirocourt
Affracourt
Tantonville
HAROUÉ
Ville-sur-Madon
Quevilloncourt
Gerbécourt-et-Haplemont
Omelmont
Lemainville
Voinémont
Ceintrey
Clérey-s.-Brenon
Autrey
Houdelmont
Crévéchamps
Benney
Velle-sur-Moselle
S.t Mard
S.t Remimont
Ormes-et-Ville
Neuviller-s.-Moselle
Laneuveville-devant-Bayon
Mesnils-sur-Madon
Vaudeville
Leménil-Mitry
Vaudigny
Lebeuville
Bainville-aux-Miroirs
Gripport
Chamagne
Mangonville
Roville-dev.-Bayon
BAYON
Virecourt
Villacourt
Froville
Bremoncourt
Haigneville
Lorey
H.t de la Sue
Méhoncourt
Romain
Domptail-en-l'Air
Haussonville
Goviller
M.t d'Anon
Puxe
Laloef
Eulmont
Dommarie-Eulmont
They-sous-Vaudémont
Tramont-Emy
Tramont-Lassus
Bouzemont
Derbamont
Circourt
Bazegney
Vaubexy
Madegney
Regney
S.t Vallier
Bettegney-S.t Brice
Frizon
Bouxières-aux-Bois
Oncourt
Mazeley
Gigney
Croix de Virine
H.t des Faux
le Chesnois
Lorraine
Plaine
Cascade de Faymont
le P.t Moulin
Fontaine Stanislas
Etang des Breuillots
Jussey
le Donnet
Blondefontaine
Lombey-les-Belles
Colombey-les-Belles
S.t Lambert
S.t Jean de Cotane
Morelmaison
Ménil-en-Xaintois
S.t Paul
Dommartin-sur-Vraine
S.t Prancher
Etablissement thermal
Gallo-romaines
Lyaumont

39
Strasbourg
Nancy
Epinal
Hablainville
Vaxainville
Montigny
Reherrey
BADONVILLER
Fenneviller
Col de la Chapelotte
Raon-sur-Plaine
Luvigny
Vexaincourt
Grandfontaine
Wisches
Hersbach
Muhlbach-s.-Bruche
SCHIRMECK
Rothau
Signal de Grendelbruch
Klingenthal
Azerailles
Glonville
Gélacourt
Vacqueville
Pexonne
Pierre-Percée
Allarmont
Forêt du Val de Senones
Celles-sur-Plaine
Tête du Coquin
Donon
Fontenoy-la-Joûte
BACCARAT
Musée du Cristal
Badménil
Neufmaisons
Deneuvre
Bertrichamps
Grand Reclos
Moussey
le Saulcy
la Parière
Champenay
Plaine
Natzwiller
Neuviller-la-Roche
Mont Ste Odile
Lachapelle
Thiaville-s.-Meurthe
RAON-L'ÉTAPE
Senones
la Petite-Raon
Moyenmoutier
SENONES
Col du Hantz
Saulxures
Blancherupt
Belmont
le Hohwald
Champ du Feu
Bazien
Nossoncourt
Ste Barbe
Anglemont
Ménil-sur-Belvitte
Etival-Clairefontaine
Vieux Moulin
Ménil-de-Senones
Grandrupt
St Stail
Solamont
Bourg
Colroy-la-Roche
Stampoumont
Ranrupt
ANDLAU
Bernardvillé
Reichsfeld
Breitenbach
Albé
le Pair
la Chapelle
le Rouaux
Châtas
SAALES
Bourg-Bruche
la Salcée
Steige
Maisongoutte
Villé
Brû
St Benoit-la-Chipotte
le Ménil
St Remy
Hurbache
la Hollande
Denipaire
la Fontenelle
Nayemont
Ban-de-Sapt
la Grande-Fosse
Col de Saales
Climont
Charbes
Wagenbach
St Martin
Bassemberg
Triembach-au-Val
Hohwarth
Jeanménil
Biarville
Nompatelize
la Voivre
le Villé
St Jean-d'Ormont
Gemainfaing
la Petite-Fosse
Colroy-la-Grande
Lubine
Urbeis
Lalaye
Fouchy
Breitenau
Thanvillé
Fraipertuis
Forêt de Housseras
la Salle
St Michel-s.-Meurthe
la Bourgonce
Robache
Provenchères-sur-Fave
Roche du Sapin Sec
Spitzemberg
Fouillaupré
Neuviller
Dieffenbach-au-Val
Neubois
Rambervillers
Sauceray
Forêt de Mortagne
ST DIÉ
Nayemont-les-Fosses
le Beulay
Lusse
les 3 Maisons
Tunnel Maurice Lemaire
Tunnel à Péage
Frapelle
Neuvillers-sur-Fave
Combrimont
Autrey
Ancienne Abbaye
St Hélène
la-Haute
Wuillaume-Fontaine
Col du Ht Jacques
la Bolle
Fosses
Pair-et-Grandrupt
Ste Marguerite
Rombach-le-Franc
Gd Rombach
Croix-aux-Mines
Liepvre
Val-de-Villé
Châtenois
Fremifontaine
la-Basse
Mortagne
les Rouges-Eaux
Rougiville
Côte St Martin
Remomeix
Bertrimoutier
Raves
Wisembach
Roc du Haut du Faite
Ste Blaise
Fertrupt
Haut Koenigsbourg
Kintzheim
Orschwiller
Taintrux
Remémont
Coinches
Gemaingoutte
Ste-Marie-aux-Mines
BROUVELIEURES
Bois-de-Champ
Chevry
Anozel
Saulcy-sur-Meurthe
Ban-de-Laveline
Col de Ste Marie
Echery
Ramelstein
ST HIPPOLYTE (ST. PILT)
Rodern
Thannenkirch
Grandvillers
Domfaing
Forêt de Champ
le Paire
Fouchifol
Entre-deux-Eaux
Mandray
Verpellière
Lauterupt
Rorschwihr
Bruyères
Belmont-sur-Buttant
Biffontaine
Sarupt
Bénifosse
Col de Mandray
la Croix-aux-Mines
Ittenheim
la Petite Liepvre
Bergheim
Vervezelle
l'Epaxe
Vanémont
Léonard
Parc
Salem
Aubure
Laval-sur-Vologne
les Poulières
l'Anoux
la Côte
le Souche
le Chipal
le Brezouard
Bilsteinthal
RIBEAUVILLÉ
Champ-le-Duc
la Chapelle-dev.-Bruyères
la Houssière
les Gouttes
FRAIZE
Col des Bagenelles
Kalblin
Ursprung
Hunawihr
Zellenberg
Lépanges-sur-Vologne
Fimenil
Prey
Mont Thiriville
Ruxurieux
CORCIEUX
Anould
Clefcy
Col du Bonhomme
le Bonhomme
Fréland
RIQUEWIHR
Ostheim
Beauménil
Laval-dev.-Bruyères
Ivoux
Plainfaing
Barançon
Ribeaugoutte
Beblenheim
Deycimont
Herpelmont
Amontzey
Vienville
Tête des Faux
Alspach
Mittelwihr
la Neuveville-dev.-Lépanges
Jussarupt
Barbey-Seroux
Rambaville
Habeaurupt
Route des Crêtes
Lapoutroie
Hachimette
Sigolsheim
Bennwihr
le Bruleux
St Jean-du-Marché
Gerbépal
Sachemont
Col du Calvaire
KAYSERSBERG
Kientzheim
Route du Vin
Houssen
Faucompierre
Houx
Granges-s.-Vologne
Arrentès-de-Corcieux
la Scie
Haut de Steige
Rocher Belmont
Orbey
Labaroche
Ammerschwihr
Xamontarupt
Laveline-du-Houx
Champdray
Rehaupal
Champ de Roche
Vallée des Granges
Ban-sur-Meurthe
Gazon de Faing
Tannach
Pairis
Katzenthal
Tendon
Martimpré
le Plainfaing
la Glacière
Défilé de Straiture
Naturel
l'Eglise
les Trois-Epis
Niedermorschwihr
Ingersheim
Cascade de Tendon
Col de Martimpré
Kirchompré
le Valtin
le Grand-Valtin
le Tanet
Lac Vert
TURCKHEIM
Liézey
Xonrupt-Longemer
Ht Fourneau
Route Verte
Zimmerbach
Musée Unterlinden
le Tholy
la Forge
Lac de Gérardmer
Lac de Longemer
GÉRARDMER
Hohrodberg
Walbach
Wintzenheim
COLMAR
Flaconnières
le Costet
Cascade de Mérelle
Ht Poirot
la Rochotte
Roche du Diable
Col de la Schlucht
Ampfersbach
Soultzeren
Wihr-au-Val
Gunsbach
Wettolsheim
EGUISHEIM
Cleurie
Julienrupt
Régional
Jardin alpin du Haut Chitelet
Stosswihr
Luttenbach-près-Munster
Hohrod
Munster
Hohlands-bourg
Putières
Route Verte
Belle-Hutte
Bas-Rupts
Col de Grosse Pierre
le Hohneck
Muhlbach-sur-Munster
Griesbach-au-Val
Soultzbach-les-Bains
Husseren-les-Châteaux
Obermorschwihr
Herrlisheim-près-Colmar
le Syndicat
Sapois
Rochesson
La Bresse
le Kastelberg
Breitenbach-Haut Rhin
Eschbach-au-Val
Voegtlinshofen
Hattstatt
Ste-Croix-en-Plaine
St Amé
Vagney
Lejole
Gerbamont
Forêt de Noirgoutte
les Baraques
Vallée de Vologne
le Rainkopf
Metzeral
Sondernach
Wasserbourg
Gueberschwihr
Franould
Rondfaing
Col de Bramont
Mittlach
Osenbach
Pfaffenheim
Dommartin-lès-Remiremont
Zainvillers
Planois
Lac des Corbeaux
Landersen
Wintzfelden
Tête de Houe
Basse-sur-le-Rupt
Ht du Roc
Cherménil
Wildenstein
Col du Herrenberg
Schnepfenriedkopf
le Petit Ballon
Soultzmatt
Westhalten
Vecoux
Reherrey
Thiéfosse
Xoulces
le Grand Ventron
Route des Crêtes
Linthal
Ste-Gangolf
le Schimberg
ROUFFACH
SAULXURES-sur-Moselotte
Cornimont
les Baranges
Château de Wildenstein
le Klintzkopf
Sengern
Lautenbach
Lautenbachzell
Schweighouse
Bergholtzzell
Gundolsheim
Forêt de Longegoutte
les Meix
Travexin
Ventron
Vallée de la Thur
Kruth
le Trehkopf
le Markstein
Lac de la Lauch
Buhl
Bergholtz
Munwiller
Meyenheim
Rupt-sur-Moselle
Tête du Midi
Ermitage du Frère Joseph
Cascade St Nicolas
Oderen
Lac du Ballon
Belchenthal
Rimbach-près-Guebwiller
Murbach
GUEBWILLER
Issenheim
Merxheim
Reguisheim
Ferdrupt
Remanvillers
le Ménil
des
Ballons
le Grand Ballon
Rimbachzell
Ste Anne
SOULTZ-Haut-Rhin
Raedersheim
Ungersheim
la Chêne
Ramonchamp
LE THILLOT
les Vés
la Hutte
Grand Drumont
Petit Drumont
Col de Bussang
Urbès
Husseren-Wesserling
Fellering
Ranspach
Bramaly
Geishouse
le Sudelkopf
Jungholtz
Wuenheim
Fresse-sur-Moselle
Bussang
Tête de Neufs Bois
Storckensohn
Mollau
Mitzach
Malmerspach
ST AMARIN
Goldbach
Altenbach
Route des Crêtes
Hartmannswiller
Bollwiller
Feldkirch
ENSISHEIM
Col des Croix
St Maurice-sur-Moselle
Goutte-du-Rieux
les Charbonniers
Mossch
Molkenrain
Vieil Armand
Berrwiller
Pulversheim
Ruelisheim
Belotte-St Laurent
le Haut-du-Them-Château-Lambert
Ballon de Servance
Tête de Perches
Sternsee
Neuweiher
Ermensbach
Willer-sur-Thur
Bitschwiller-lès-Thann
Wattwiller
Route du Vin
Staffelfelden
Cité Rossalmend
Wittenheim
Kingersheim
Servance
Ballon d'Alsace
Lac d'Alfeld
Rimbach-près-Masevaux
Oberbruck
Rossberg
Steinbach
Œil de la Sorcière
Uffholtz
CERNAY
Wittelsheim
Cité Jeune-Bois
Col du Ballon
Sewen
Lac de Sewen
Route Joffre
Coll. St-Thiebaut
THANN
Plateau de Bravouse
Dolleren
Wegscheid
Vosges
Bourbach-le-Haut
Rammersmatt
Leimbach
Graffenwald
Cité Amélie
Fernand-Anna
Richwiller
Illzach
Bois de Nonnenbruch
71
Belfort
Mulhouse

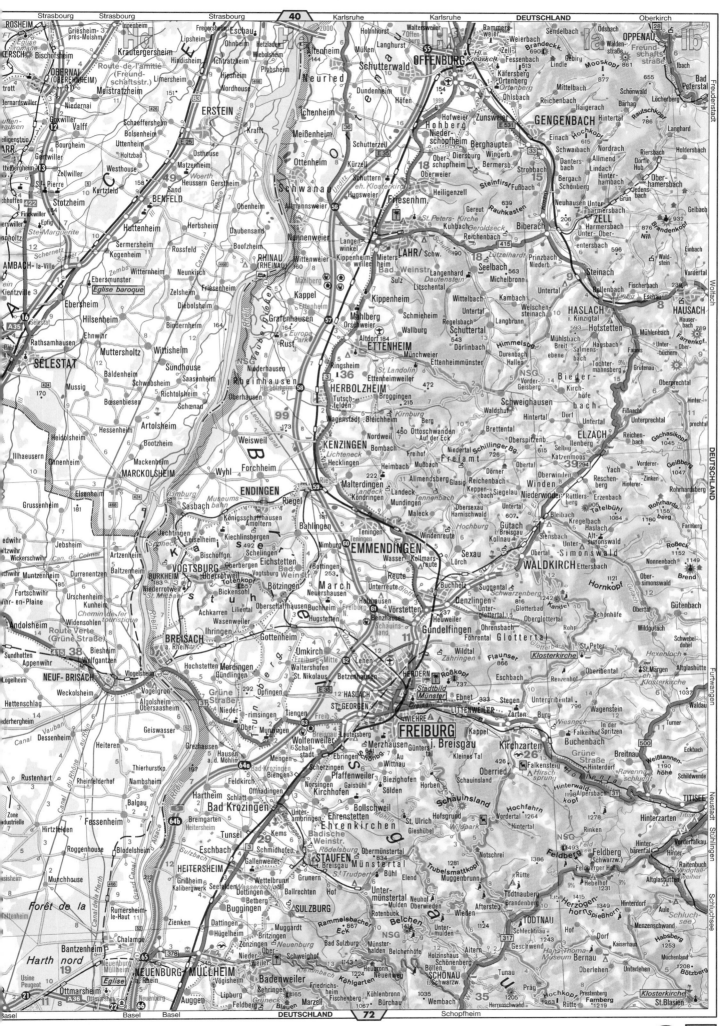

Strasbourg
Strasbourg
Strasbourg
40
Karlsruhe
Karlsruhe
DEUTSCHLAND
Oberkirch
Freudenstadt
Wolfach
DEUTSCHLAND
Furtwangen
Neustadt
Stühlingen
Schluchsee
Basel
Basel
Basel
DEUTSCHLAND
72
Schopfheim
ROSHEIM
OBERNAI
Krautergersheim
Meistratzheim
ERSTEIN
BENFELD
Huttenheim
SÉLESTAT
MARCKOLSHEIM
BREISACH a. Rhein
NEUF-BRISACH
VOGTSBURG
BURKHEIM
Eglise baroque
OFFENBURG
Schutterwald
Neuried
Schwanau
RHINAU (KREINAU)
GENGENBACH
ZELL a. Harmersbach
Biberach
LAHR/ Schw.
Seelbach
Kippenheim
Mahlberg
Kappel
Rust
Europa Park
ETTENHEIM
HASLACH i. Kinzigtal
HAUSACH
Steinach
Schuttertal
HERBOLZHEIM
KENZINGEN
ELZACH
ENDINGEN
Riegel
Weisweil
Forchheim
Wyhl
EMMENDINGEN
Teningen
WALDKIRCH
Denzlingen
Gundelfingen
Glottertal
Kandel
FREIBURG i. Breisgau
Stadtbild Münster
Kirchzarten
Oberried
Schauinsland
Feldberg
TITISEE
Hinterzarten
Bad Krozingen
HEITERSHEIM
STAUFEN i. Breisgau
Münstertal
SULZBURG
Belchen
TODTNAU
SCHÖNAU i. Schwarzw.
NEUENBURG a. Rhein
MÜLLHEIM
Badenweiler
Bernau
St. Blasien
Klosterkirche
Fessenheim
Forêt de la Harth
Harth nord
Ottmarsheim
Eglise
Kaiserstuhl
Grüne Straße
Route Verte (Grüne Straße)
Route de l'amitié (Freund-schaftsstr.)
Chemin de fer touristique
Badische Weinstr.

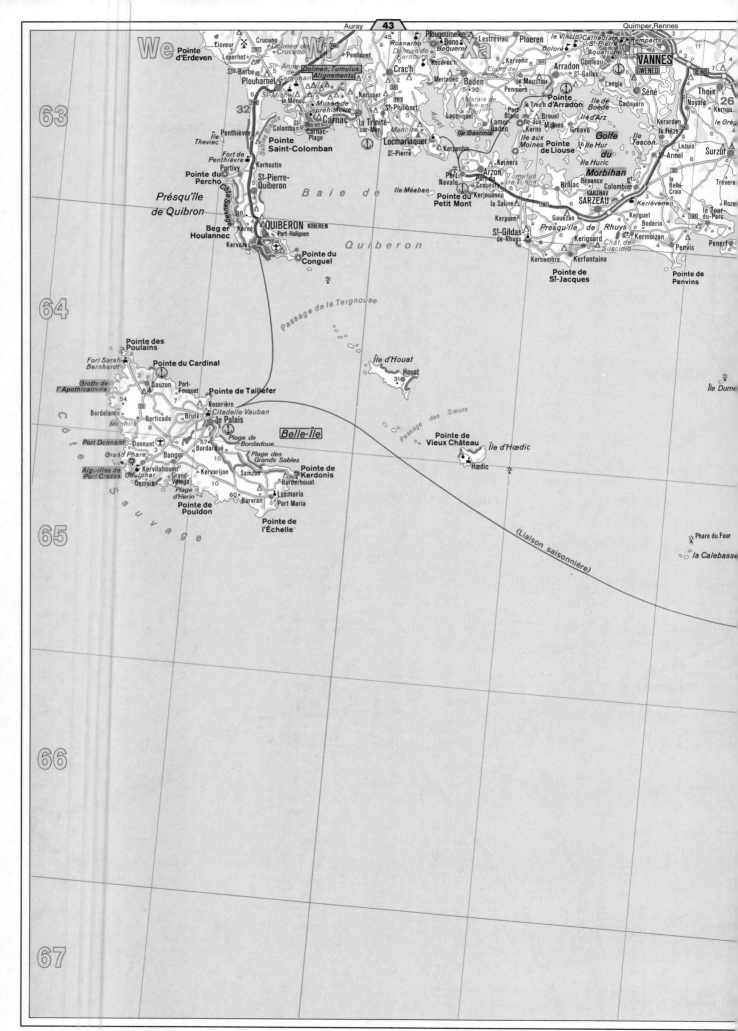

We Wf Xa

Pointe
d'Erdeven

Lisveur
Loperhet
Crucuno
Dolmen de
Crucuno
Penhouet
Rosnarho
Plougoumelen
Bono
Bequerel
Lestréviau
Ploeren
le Vincin
Bolore
Cathédrale
St-Pierre
Aquarium
Ramparts

Ste-Barbe
Ste-Anne
de
Kerohan
Dolmen, Tumulus
Alignements
Crac'h
Kerdrec'h
Kervenir
le Moustoir
Arradon
St-Galles
Langle
VANNES
GWENED

Plouharnel
St-Michel
le Ménec
Colomban
Carnac
la Trinité-
sur-Mer
St-Philibert
Kerisper
Meriadec
Baden
Penmern
Etang de
Pomper
Port-
Blanc
Lamor-
Baden
Pointe
le Trec'h d'Arradon

63

32

Musée de
préhistoire
Carnac-
Plage
St-Pierre
Locmariaquer
Kerpenhir
Ile Gavrinis
Ile aux
Moines
Ile d'Arz
Ile aux
Moines
Pointe
de Liouse
Ile Huric
Golfe
du
Morbihan
Séné
Theix
Noyalo
Kernau

Ile
Theviec
Pointe
Saint-Colomban
Ile Méaban
Kerners
Gréavo
Ile Hur
Ile
Tascon
Lezuis
St-Armel
Surzur
Ile Grég

Fort de
Penthièvre
Penthièvre
Portivy
Kerhostin
St-Pierre-
Quiberon
Baie de
Arzon
Port du
Crouesty
Port-
Navalo
Tumulus
de Tumiac
Brillac
SARZHAV
SARZEAU
Bénance
Colombier
la Belle-
Croix
le Tour-
du-Parc

Pointe du
Percho
Présqu'île
de Quibron
Côte Sauvage
38
Kerné
Kervozes
QUIBERON KIBEREN
Port-Haliguen
Quiberon
Pointe du
Petit Mont
Kerjouanno
la Saline
Kerpont
Gouézan
Kerguet
Bodérin
le
195

64

Beg er
Houlannec
Pointe du
Conguel
St-Gildas-
de-Rhuys
Presqu'île de Rhuys
Kercambre
Kerignard
Chât. de
Suscinio
Kermoizan
Penvis

Pointe de
St-Jacques
Pointe de
Penvins

Passage de la Teignouse
Ile d'Houat
Houat
31
Ile Dume

Pointe des
Poulains
Fort Sarah
Bernhardt
Grotte de
l'Apothicairerie
Pointe du
Cardinal
Sauzon
Port-
Fouquet
Pointe de Taillefer
Roserière
Citadelle Vauban
le Palais
Brute
Passage des Sœurs
Pointe de
Vieux Château
Ile d'Hœdic
Hœdic

54
26
Bordelande
Menhirs
Borticado
8
Belle-Île

Port Donnant
Donnant
Grand Phare
Bangor
57
Bordardué
10
Plage de
Bordadoue
Plage des
Grands Sables

65

Aiguilles de
Port Croton
Kervilahouen
Goulphar
Damois
Grand-
Village
Plage
d'Herin
Kervarijon
10
Samzun
60
Borvran
Locmaria
Port Maria
Borderhouat
Pointe de
Kerdonis
Phare du Four
la Calebass

Pointe de
Pouldon
Pointe de
l'Échelle
(Liaison saisonnière)

66

67

la Croix-Galle
verdon
osthuel
QUESTEMBERT
KISTREBERZH
le Gorvello
Kercohan 121
Kéredrin
le Plessis-
Josso
Clesse
Berric
St-Jean
Coët-Bihan
le Temple
le Lot
St-Gorgon
la Béraye
la Croisette
St-Jacut-
les-Pins
le Bretin
Bodéan
St-Marie
la Couplais
la Chapelle-
Melaine
Brin-
sur-Vilaine
Besle
Lauzach
Rangornan
Carnély
Trévelo
Limerzel
la Croisette
St-Eutrope
St-Jean-
la-Poterie
REDON
Lac de
Murin
St-Nicolas-
de-Redon
Avessac
Massérac
la Trinité-
Surzur
Logorenhe
le Guet
Caden
Allaire
ALAER
Bellevue
Glère
Nérac
la Ville-
en-Pierre
Friguel
Noyal
Muzillac
Étang de
Penmur
le Guerno
le Poteau
l'Étier
Trégouët
Béganne
le Val
Rieux
le Dreneuc
Fégréac
Bel-Air
le Saint
l'Écare
MUZILLAC
MUZILHEG
Seréac
Kertouard
Péaule
le Château
Léhélec
Bocqueréux
Trefin
28
Branléix
Coisnauté
Bellevue
Dreny
Trégouet
Pont-Forêt
le Plessis
Ambon
Billiers
Marzan
Cassan
Ste-Cry
Ste-Anne
le Plessis
Cadouzan
114
Théhillac
Saverac
Bel-Air
Rozay
la Piardière
Cromenach
Lantiern
Bodeuc
Martinais
St-Dolay
Kernan
St-Gildas-
des-Bois
Guenrouet
l'Angle
Plessé
Carheil
imgan
Kervoyal
Pointe de
Pen-Lan
Arzal
la Cour-de-
Marzan
Izernac
la Bonne-Façon
la Couarde
Perny
la Rivière
le Grény
Brivé
la Douettée
Quinhu
Pénestin
Tréhiguier
Vieille Roche
Camoël
Féreol
le Boizeul
Beurnais
165
Coiffy
Dretféac
Catiha
le Clos
l'Épaud
Pestan
St-Omer
Kerfalher
Ker-Obert
Missillac
Berreau
l'Ebaupin
Quilly
Barrel
Kervraud
l'Esté
Quair
le Quénel
Guernet
le Sabot-
d'Or
21
la Chapelle-
des-Marais
Ste-Reine-
de-Bretagne
la Noë
St-Lomer
la Belinais
Coislin
Pen Bé
Mesquer
Asserac
HERBIGNAC
Kerdavy
Ranrouet
Mayun
Cuziac
Québitre
la Madeleine
PONTCHÂTEAU
Balassan
l'Ébaupin
Quehillac
Bessac
Bouvron
Quimiac
Kéreabellec
le Rostu
Pont-
d'Armes
Coët-
Carrel
Arbourg
Camer
Camerun
St-
Guillaume
St-Roch
Campbon
Kéro
Boulay
Pompas
Crossac
la Paviotais
la Croix-
Michéon
Mesquer
Quifistre
St-Molf
30
St-
Lyphard
St-Joachim
Ile-de-Mazin
Besné
19
la Chapelle-
Launay
Cavalais
le Verger
Mélaniac
Kerguénec
Régional
Ile-de-Fédrun
Ile-d'Errand
Revin
la Massonnais
Prinquiau
SAVENAY
Malville
Bellalie
Port-au-
Loup
Lerat
Lauvergnac
Fourbihan
48
Trescalan
Bouzeray
la Madeleine
Bréca
Kerbourg
Dolmen
Sandun
Ile-de-Ménac
Ile-de-Guersac
Ile-Malo-
de-Guersac
23
Sem
171
la Sencie
le Chatelier
Boistuaud
la Vallée
la Turballe
GUÉRANDE
29
Trehé
Bilac
Marland
le Pin
MONTOIR-
de-Bretagne
Donges
Bouée
la Cour
Lavau-
sur-Loire
Cordemais
Clis
Lessac
St-André-
des-Eaux
le Pouliguen
Marais
Dolmen
26
Brais
Bert
Trignac
Salants
Cap d'
Escoublac
LE CROISIC
Plage Valentin
Roffiat
Batz-
sur-Mer
Saillé
LA BAULE-
ESCOUBLAC
171
St-NAZAIRE
Corsept
PAIMBOEUF
le Plessis
Mareil
Pointe du
Croisic
Grande
Côte
Grotte des
Korrigans
Pornichet
l'Immaculée
Mindin
St-Viaud
St-Brevin-
les-Pins
12
Loire
Bonne Source
St-Sébastien
92
St-Brevin-
l'Océan
le Landreau
le Plessis
Grimaud
Frossay
Cimetière
Allemand
Ste-Marguerite
St-Marc
Fort de Leve
la Brosse
Pays
la Banche
Grand Charpentier
les Rochelets
a Maillardière
la Rouaudière
le Quarteron
St-PÈRE-
en-Retz
Vue
59
Launay
le Prouaud
St-Michel-
Chef-Chef
la Pauvredrie
la Baconnière
le Pas-Bochet
la Sicaudais
Rouans
Chelx-
en-Retz
Tharon-
Plage
Pont-Giraud
la Mazure
le Cormier
la Severie
le Feuillardais
Chauvé
de
les 4-Peux
la Tindière
le Pont-
Béranger
Pointe de
St-Gildas
la Plaine-
sur-Mer
21
la Bregeonnière
Rietz
Princé
26
Préfailles
Portmain
PORNIC
la Croix
Haute Perche
le Bois-
Rouaud
Côte de Jade
Ste-Marie
le Clion-
sur-Mer
la Baconnière
Chéméré
Ste-
Pazanne
la Birochère
Arthon-
en-Retz
Baie
de
Bourgneuf
la Rogère
la Bernerie-
en-Retz
l'Auvière
la Morandière
St-Hilaire-
de-Chaléons
19
Île du Pilier
Pierre Moine
la Sennetière
16
Prigny
la Davière
la Carouère
le Moulin-
Henriette
le Bois-
Flamberge
la Blanche
(Ancienne Abbaye)
la Madeleine
Pointe de l'Herbaudière
l'Herbaudière
le Grand-Viel
Plage des Souzeaux
les Moutiers
Lyorne
le Collet
BOURGNEUF-
en-Retz
le Breil
Bois-de-la-Chaise
NOIRMOUTIER-en-l'Île
le Pont-
du-Fresne
la Coupelasse
St-Cyr-
en-Retz
la Roche
Île de Noirmoutier
Roches
de
Bouin
Fresnay-
en-Retz
le Treil
l'Épine
la Guérinière
les Brochets
la Prée
St-Même-
le-Tenu
le Fier
Bouin
MACHECOUL

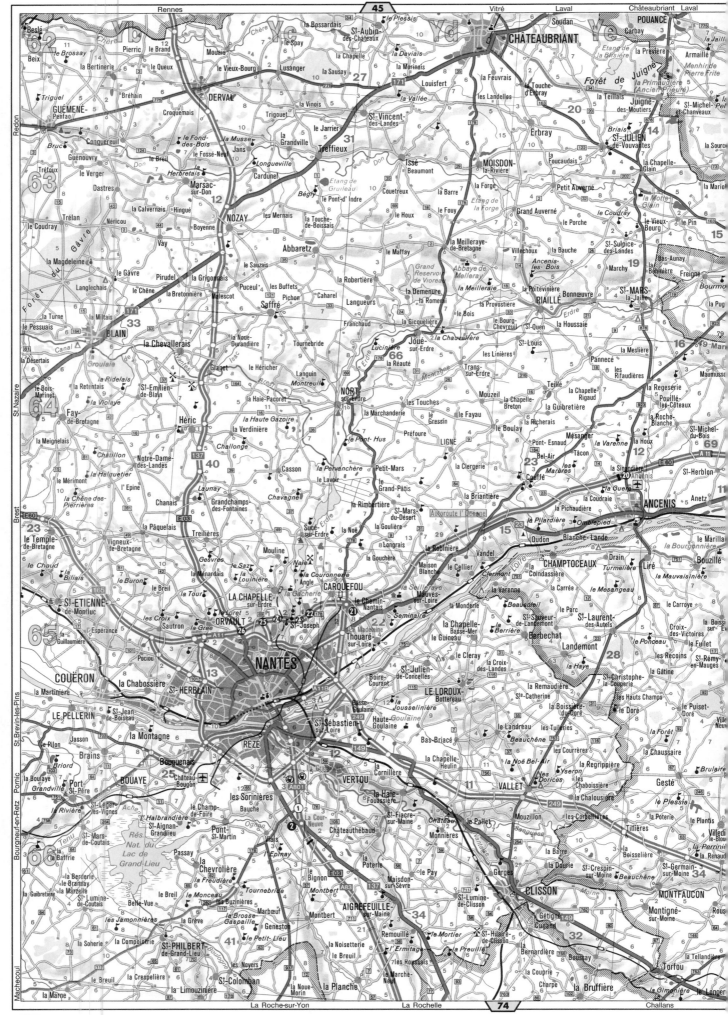
Rennes
45
Vitré
Laval
Châteaubriant Laval
Redon
St.Nazaire
Brest
St.Brevin-les-Pins
Pornic
Bourgneuf-en-Retz
Machecoul
La Roche-sur-Yon
La Rochelle
74
Challans
CHÂTEAUBRIANT
POUANCÉ
DERVAL
GUÉMENÉ-Penfao
NOZAY
BLAIN
Treffieux
Abbaretz
Saffré
Héric
Nort-sur-Erdre
Joué-sur-Erdre
RIAILLÉ
Moisdon-la-Rivière
Erbray
St-Julien-de-Vouvantes
St-Mars-la-Jaille
Ligné
Couffé
ANCENIS
Oudon
CHAMPTOCEAUX
CARQUEFOU
LA CHAPELLE-sur-Erdre
ORVAULT
St-Joseph
Thouaré-sur-Loire
NANTES
St-HERBLAIN
COUËRON
LE PELLERIN
St-ÉTIENNE-de-Montluc
REZÉ
St-Sébastien-sur-Loire
Bouguenais
BOUAYE
VERTOU
Les Sorinières
LE LOROUX-Bottereau
VALLET
CLISSON
MONTFAUCON
St-PHILBERT-de-Grand-Lieu
St-Colomban
AIGREFEUILLE-sur-Maine
Landemont
Barbechat
Rés. Nat. du Lac de Grand-Lieu
Forêt du Gâvre
Forêt de Juigné
Grand Reservoir de Vioreau
Autoroute l'Océane
Loire
Erdre

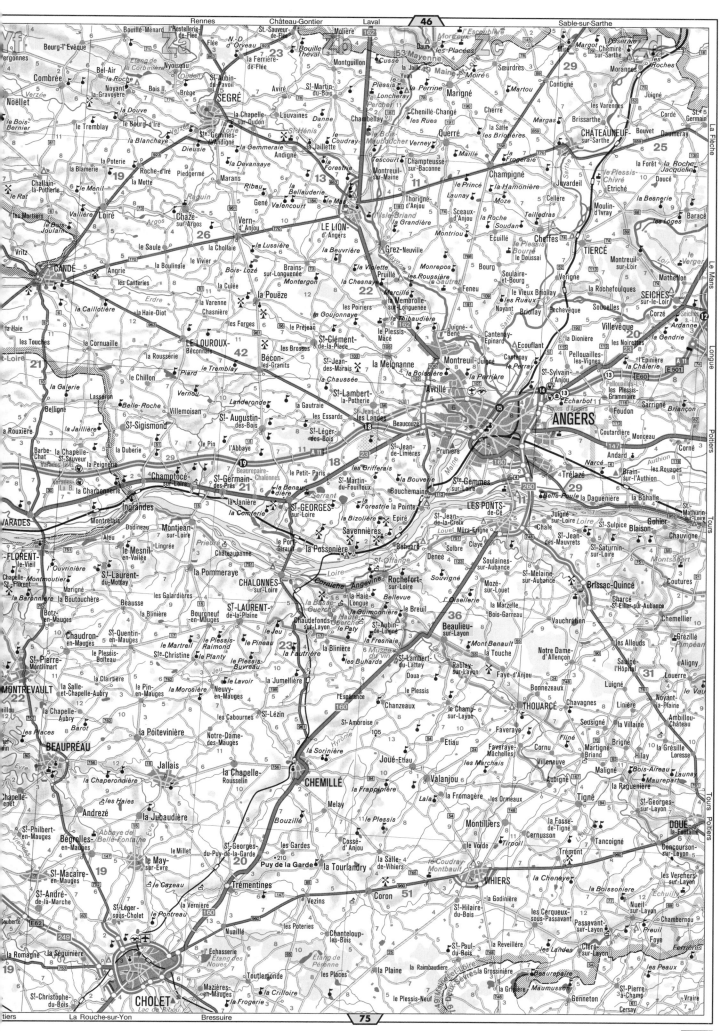

Rennes
Château-Gontier
Laval
46
Sable-sur-Sarthe
Za
Zb
Zc
Zd
Bouillé-Ménard
l'Hostellerie-de-Flée
St-Sauveur-de-Flée
Molière
Bourg-l'Évêque
Flée
la Ferrière-de-Flée
Bouillé-Théval
Montguillon
Daon
les Placées
Sœurdres
Miré
Chemiré-sur-Sarthe
Morannes
les Roches
Combrée
Bel-Air
Nyoiseau
St-Aubin-du-Pavoil
SEGRÉ
Marigné
Contigné
Noëllet
Bois II.
Brège
Aviré
St-Martin-du-Bois
la Perrine
Martou
Juigné
le Bois-Bernier
le Tremblay
le Bourg-d'Iré
la Chapelle-sur-Oudon
Louvaines
Danne
Chambellay
Chenillé-Changé
Cherré
les Varennes
Brissarthe
Corde
St-Germain
Ste-Gemmes-d'Andigné
la Blanchaye
Dieusie
la Gemmeraie
Andigné
la Jaillette
le Coudray
Querré
la Salle
CHÂTEAUNEUF-sur-Sarthe
Bouvet
Daumeray
la Poterie
la Blamerie
Roche-d'Iré
Piedgermé
la Devansaye
Marans
la Forestrie
Tescourt
Champteussé-sur-Baconne
Montreuil-sur-Maine
Maillé
la Frogeraie
Champigné
Juvardeil
Etriché
la Forêt
la Roche-Jacquelin
Doucé
Challain-la-Potherie
le Menil
la Motte
Ribau
la Bellauderie
le Mas
Thorigné-d'Anjou
le Prince
la Hamonière
Cellère
la Besnerie
le Rat
les Mortiers
Vallière
Loiré
Chazé-sur-Argos
Gené
Valencourt
Vern-d'Anjou
LE LION-d'Angers
Sceaux-d'Anjou
la Grandière
la Roche
Soudan
Moulin-d'Ivray
Baracé
le Bois-Joulain
Montriou
Ecuillé
Cheffes
TIERCÉ
les Loges
Vritz
le Saule
la Chollaie
la Lussière
la Beuvrière
Grez-Neuville
le Doussai
CANDÉ
Angrie
la Boulinaie
le Vivier
Bois-Lozé
Brains-sur-Longuenée
la Violette
Prouillé
Monrepos
les Roussière
Bourg
Soulaire-et-Bourg
Montreuil-sur-Loir
Verigne
le Verger
Mathefion
les Canteries
la Culée
la Pouëze
Montergon
la Chesnaye
Marcillé
Feneu
le Vieux Briollay
les Ruaux
la Rochefoulques
SEICHES-sur-le-Loir
la Caillotière
la Varenne
Chasnière
les Poiriers
la Membrolle-sur-Longuenée
Noyant
Briollay
Pechevêque
Soucelles
Corzé
la Haie-Diot
les Forges
le Préjean
la Goujonnaye
la Thibaudière
Juigné-Bené
Villevêque
Ardanne
la Haie
les Touches
la Cornuaille
LE LOUROUX-Béconnais
St-Clément-de-la-Place
le Plessis-Macé
Cantenay-Epinard
Ecouflant
la Dionière
les Noirettes
la Gendrie
la Rousserie
Bécon-les-Granits
les Brosses
St-Jean-des-Marais
la Meignanne
Montreuil-Juigné
Cantenay
le Perray
Pellouailles-les-Vignes
l'Epinière
la Chalerie
le Tremblay
Piard
la Boissière
la Perrière
St-Sylvain-d'Anjou
le Chillon
la Galerie
la Chaussée
Avrillé
Echarbot
les Plessis-Grammoire
Lasseron
Vernou
St-Lambert-la-Potherie
Sarrigné
Briançon
Belligné
Belle-Roche
Landeronde
la Gautraie
Foudon
Villemoisan
les Essards
ANGERS
la Rouxière
la Jaillière
St-Sigismond
St-Augustin-des-Bois
St-Jean-de-Linières
Beaucouzé
St-Léger-des-Bois
Coutardière
Monceau
Barbe-Chat
la Chapelle-St-Sauveur
la Duberie
le Pin
l'Abbaye
Pruniers
Andard
Corné
la Peignerie
Varades
la Charbonnerie
Champtocé-sur-Loire
St-Germain-des-Prés
le Petit-Paris
les Grifferais
Narcé
Brain-sur-l'Authion
les Rouages
Trélazé
Beaurepaire-Chalonnes
la Benaudière
St-Martin-du-Fouilloux
la Bouverie
Ste-Gemmes-sur-Loire
la Daguenière
la Bohalle
Ingrandes
la Janière
Serrant
Bouchemaine
Belle-Poule
St-Mathurin-sur-Loire
VARADES
Montrelais
la Comterie
ST-GEORGES-sur-Loire
la Forestrie
la Pointe
LES PONTS-de-Cé
Juigné-sur-Loire
St-Sulpice
Blaison-Gohier
Tours
Dodineau
Montjean-sur-Loire
la Bizolière
Epiré
St-Jean-de-la-Croix
Mûrs-Erigné
Chale
St-Jean-des-Mauvrets
Chauvigné
Aleu
Lingrée
le Port-Girault
Savennières
Béhuard
Solbre
Claye
St-Saturnin-sur-Loire
ST-FLORENT-le-Vieil
le Mesnil-en-Vallée
Châteaupanne
la Possonière
Denée
Soulaines-sur-Aubance
Montsabert
l'Ouvrinière
St-Laurent-du-Mottay
la Pommeraye
Rochefort-sur-Loire
Souvigné
St-Melaine-sur-Aubance
Brissac-Quincé
Coutures
la Chapelle-St-Florent
Montmoutier
Marigné
CHALONNES-sur-Loire
Corniche Angevine
Mozé-sur-Louet
la Baronnière
la Boutouchère
les Galardières
la Haie-Longue
Bellevue
l'Oisellerie
la Marzelle
Charcé-St-Ellier-sur-Aubance
Beausse
la Blinière
ST-LAURENT-de-la-Plaine
la Guimonnière
le Breuil
Bois-Garreau
Chemellier
Botz-en-Mauges
Bourgneuf-en-Mauges
Chaudefonds-sur-Layon
St-Aubin-de-Luigné
Beaulieu-sur-Layon
Vauchrétien
Chaudron-en-Mauges
St-Quentin-en-Mauges
le Plessis-Raimond
le Jeu
le Pineau
le Paty
la Fresnaie
Mont Benault
Grézillé
le Martreil
la Fautrière
la Blinière
la Touche
Notre Dame-d'Allençon
les Alleuds
St-Pierre-Montlimart
le Plessis-Boiteau
Ste-Christine
le Planty
le Plessis-Buvreau
les Buhards
St-Lambert-du-Lattay
Rablay-sur-Layon
Faye-d'Anjou
Saulgé-l'Hôpital
Aligny
la Clairtière
le Lavoir
la Jumellière
Doua
Louerre
MONTREVAULT
la Salle-et-Chapelle-Aubry
le Pin-en-Mauges
la Morosière
Neuvy-en-Mauges
l'Espérance
le Plessis
Bonnezeaux
Luigné
le Vau
la Chapelle-Aubry
Chanzeaux
le Champ-sur-Layon
THOUARCÉ
Chavagnes
Linière
Noyant-la-Plaine
Barot
les Cabournes
St-Lézin
St-Ambroise
Faveraye
Sousigné
la Villaine
Ambillou-Château
les Places
la Poitevinière
Notre-Dame-des-Mauges
la Sorinière
Etiau
Faveraye-Machelles
Cornu
Fliné
Martigné-Briand
Brigné
la Grésille
Loresse
BEAUPRÉAU
Jallais
Joué-Etiau
les Marchais
Villeneuve
Hilay
la Chapelle-Rousselin
CHEMILLÉ
Valanjou
Aubigné
Maligné
Bois-Aireau
Launay
Maurepart
la Chaperonnière
la Frappinière
la Raguenière
les Haies
Melay
Lala
la Fromagère
les Ormeaux
Tigné
St-Georges-sur-Layon
Andrezé
la Jubaudière
Bouzillé
le Plessis
Montilliers
la Fosse-de-Tigné
DOUÉ-la-Fontaine
St-Philbert-en-Mauges
Abbaye de Belle-Fontaine
Cernusson
Tancoigné
Bégrolles-en-Mauges
le Millet
St-Georges-du-Puy-de-la-Garde
les Gardes
Cossé-d'Anjou
le Volde
Tirpoil
Concourson-sur-Layon
le May-sur-Evre
Puy de la Garde
la Tourlandry
la Salle-de-Vihiers
le Coudray-Montbault
Trémont
St-Macaire-en-Mauges
le Cazeau
Trémentines
Coron
VIHIERS
la Chenaye
les Verchers-sur-Layon
la Boissonière
St-André-de-la-Marche
la Vernière
Vezins
la Godinière
St-Léger-sous-Cholet
le Pontreau
St-Hilaire-du-Bois
les Cerqueux-sous-Passavant
Nueil-sur-Layon
Chambernou
Nuaillé
les Poteries
Chanteloup-les-Bois
Passavant-sur-Layon
Preuil
Foye
la Romagne
la Séguinière
l'Echasserie
St-Paul-du-Bois
la Reveillère
les Landes
Cléré-sur-Layon
Ferrières
Étang de Péronne
la Plaine
la Raimbaudière
la Grossinière
Beaurepaire
les Peaux
Toutlemonde
les Places
Maumusson
St-Christophe-du-Bois
Mazières-en-Mauges
la Crilloire
la Frogerie
CHOLET
Lac de Ribou
le Plessis-Neuf
la Grillère
Genneton
St-Pierre-à-Champ
Vraire
Cersay
La Rouche-sur-Yon
Bressuire
75
La Flèche
Le Mans
Longue
Poitiers
Tours Poitiers

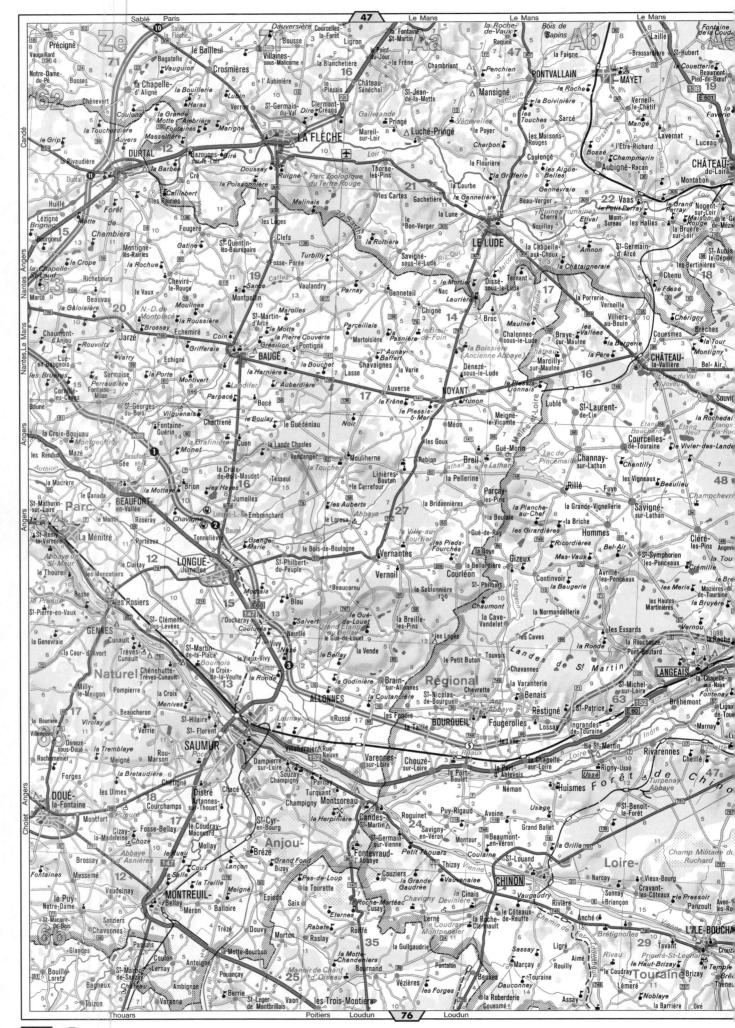
47
Sablé
Paris
Le Mans
Le Mans
Le Mans
Candé
Nantes Angers
Nantes Le Mans
Angers
Angers
Cholet Angers
Thouars
Poitiers
Loudun
76
Loudun
Précigné
Vaugaillard
Notre-Dame-du-Pé
Bosses
Chênevert
le Bailleul
Crosmières
Bagatelle
la Chapelle-d'Aligné
Dauversière
Courcelles-la-Forêt
Bousse
Villaines-sous-Malicorne
Ligron
la Blanchetière
la Fontaine-St-Martin
le Point-du-Jour
le Frêne
Château-Sénéchal
St-Jean-de-la-Motte
Chambriant
la Roche-de-Vaux
Requeil
Bois de Sapins
la Faigne
Penchien
Mansigné
PONTVALLAIN
la Roche
MAYET
Laillé
Brassardière
St-Hubert
Fontaine de la Coudre
la Couetterie
Beaumont-Pied-de-Bœuf
Verneil-le-Chétif
Mangé
Lavernat
Luceau
la Boivinière
les Touches
Sarcé
Clermont-Créans
Dire
St-Germain-du-Val
Verron
Lubin
LA FLÈCHE
Gallerande
Pringé
Luché-Pringé
Vénevelles
le Poyer
Mareil-sur-Loir
Cherbon
les Maisons-Rouges
Coulongé
l'Etre-Richard
Bossé
Champmarin
Aubigné-Racan
CHÂTEAU-du-Loir
Montabon
DURTAL
Bazouges-sur-le-Loir
Biré
la Barbée
Doussay
Ruigné
Parc Zoologique du Tertre Rouge
Thorée-les-Pins
la Flourière
la Griflerie
les Aigue-Belles
Gennévraie
la Courbe
la Gannetière
Gachetière
Beau-Verger
22 Vaas
le Petit Perray
Ruines romaines
Cherré
Etival
Mont-Sureau
Noullay
les Halles
le Grand Perray
Nogent-sur-Loir
Maison-Rouge
la Bruère-sur-Loir
Huillé
Lézigné
Brignac
Forêt de Chambiers
Motte
Cré
Caillebert
les Rairies
la Poissonnière
Melinais
les Cartes
les Loges
Fougeré
le Bon-Verger
la Lune
LE LUDE
la Chapelle-aux-Choux
Amnon
St-Germain-d'Arcé
Bourgneuf
le Crope
la Chapelle-St-Laud
Richebourg
Marce
Montigné-lès-Rairies
Gatine
la Rochue
St-Quentin-lès-Beaurepaire
Clefs
Turbilly
Fosse-Porée
la Roltière
Savigné-sous-le-Lude
la Châtaigneraie
Chenu
le Fossé
les Bertinières
Beauvau
Cheviré-le-Rouge
le Vaux
Moulines
la Galoisière
N.-D. de Montplacé
Brossay
Jarzé
Echemiré
la Roussière
Sance
Montpollin
Vaulandry
Parnay
Genneteil
le Mortier
Nac
Laurière
Dissé-sous-le-Lude
Ternant
la Porrerie
Vernoille
Villiers-au-Bouin
Chérigny
Brèches
Chaumont-d'Anjou
Rouvoltz
Grifferaie
Coin
Marolles
St-Martin-d'Arcé
la Motte
la Pierre Couverte
Grésilion
Pontigné
BAUGÉ
Parceillais
Martoisière
la Pasnière
le Breil-de-Foin
Chigné
Broc
Maulne
Chalonnes-sous-le-Lude
Braye-sur-Maulne
les Vallées
la Bergerie
Couesmes
la Tour
Montigny
CHÂTEAU-la-Vallière
Bel-Air
Luë-en-Baugeois
Varry
Echigné
les Bruères
Sermaise
la Porte
Montivert
la Perraudière
Fontaine-Milon
Cornillé-les-Caves
Landifer
la Harnière
le Bouchet
l'Auberdière
Lasse
Chavaignes
l'Aunay-Baffert
la Varie
la Boissière (Ancienne Abbaye)
Dénezé-sous-le-Lude
Marcilly-sur-Maulne
le Père
Etang du Val Joyeux
Bauné
St-Georges-du-Bois
Parpacé
Bocé
Auverse
le Frêne
NOYANT
Hunon
le Plessis-Lionnais
Lublé
St-Laurent-de-Lin
Souvigné
la Rochedale
Vilguenais
Chartrené
le Boulay
le Guédéniau
Noir
le Plessis-ô-Mer
Méon
Meigné-le-Vicomte
Etang Bouchard
Etang Neuf
la Croix-Boujuau
Montgeoffroy
Fontaine-Guérin
la Grafinière
Cuon
la Lande Chasles
les Goux
Gué-Morin
Courcelles-de-Touraine
le Vivier-des-Landes
les Rendus
Mazé
Beaufort-en-V.
Gée
Monet
Vendanger
la Touche
Mouliherne
Rabion
Breil
le Lathan
Lac de Pincemaille
Channay-sur-Lathan
Chantilly
Authion
la Macrère
le Canada
la Mottaye
Brion
la Croix-de-Bois-Maudet
Tesseul
Linières-Bouton
le Carrefour
la Pellerine
les Vigneaux
Beaulieu
48
BEAUFORT-en-Vallée
les Hayes
Jumelles
Embranchard
les Auberts
Parçay-les-Pins
Rillé
Fuye
Champchevrier
St-Mathurin-sur-Loire
Parc
le Montil
Roseray
Chavigné
Longué-L-G.
le Loroux
Abbaye
27
la Bridonnières
la Planche-au-Chef
la Grande-Vignellerie
Savigné-sur-Lathan
St-Rémy-la-Varenne
la Ménitré
Porteaux
Tonnelièvre
Baugé
Grange-Marie
la Ville-au-Fourrier
la Boulaie
la Briche
Gué-de-Ray
les Girardières
Hommes
Clère-les-Pins
Abbaye de St-Maur
le Thoureil
les Moncotiers
le Clairay
LONGUÉ-Jumelles
le Bois-de-Boulogne
St-Philbert-du-Peuple
Vernantes
Vernoil
les Pieds-Fourchés
la Boye
la Bellardière
Courléon
Gizeux
Ricordières
Mas-Vaux
Bel-Air
St-Symphorien-les-Ponceaux
Avrillé-les-Ponceaux
Crémille
le Prieuré
St-Pierre-en-Vaux
Besse
les Rosiers
Modtais
Blou
Beaucornu
la Sablonnière
St-Philbert
Continvoir
la Baugerie
les Meris
Mazières-de-Touraine
la Bruyère
les Hautes-Martinières
GENNES
St-Clément-des-Levées
l'Oucheray
Salvert
Grand Étang de Bellay
le Gué-de-Louet
la Breille-les-Pins
Chaumont
la Cave-Vandelet
la Normandellerie
Vernou
les Essards
la Genevraie
Cunault
la Cour-d'Avort
Trèves-Cunault
Coutures
Neuillé
le Gué-de-Louet
les Loges
les Caves
Landes de St Martin
la Ronde
la Rouchouze
Pont-Boutard
Chênehutte-Trèves-Cunault
Boumois
St-Martin-de-la-Place
le Vieux-Vivy
Vivy
Nazé
le Bellay
la Vende
le Petit Buton
Touvois
Chavannes
LANGEAIS
la Chapelle-aux-Naux
Naturel
la Croix-de-la-Voulte
Vigy-Samur
la Ronde
la Godinière
Brain-sur-Allonnes
Régional
Chevrette
la Varanterie
Benais
St-Michel-sur-Loire
Fontenay
Bréhémont
Milly-le-Meugon
Pompierre
la Croix
Menives
ALLONNES
la Coutancière
St-Nicolas-de-Bourgueil
Abbaye
Restigné
St-Patrice
Lignières-de-Touraine
Beaucheron
St-Hilaire
St-Florent
Launay
Russe
les Fondis
la Taille
BOURGUEIL
Fougerolles
Lossay
Ingrandes-de-Touraine
Marnay
la Bournée
Virolay
Verrie
SAUMUR
Poce
Villebernier
Rue-Neuve
Varennes-sur-Loire
Chouzé-sur-Loire
les Réaux
le Lane
la Chapelle-sur-Loire
Ile St-Martin
Rivarennes
Cheillé
Dénezé-sous-Doué
la Tremblaye
Rou-Marson
Rochemenier
Meigné
Dampierre-sur-Loire
Souzay-Champigny
Parnay
le Port-Boulet
le Port-d'Ablevois
Rigny-Ussé
Ussé
Forêt de Chinon
Turpenay Abbaye
Forges
la Bretaudière
Chétigné
Chacé
Turquant
Néman
Huismes
DOUÉ-la-Fontaine
les Ulmes
Distré
Artannes-sur-Thouet
Courchamps
Champigny
Montsoreau
Candes-St-Martin
Roguinet
Puy-Rigaud
Avoine
Usage
St-Benoît-la-Forêt
Montfort
Prieuré
la Herpinière
Savigny-en-Véron
Grand Ballet
Cizay-la-Madeleine
Fosse-Bellay
le Coudray-Macouard
St-Cyr-en-Bourg
Anjou-
St-Germain-sur-Vienne
Montour
Beaumont-en-Véron
la Grille
Champ Militaire du Ruchard
Choze
Mollay
Abbaye d'Asnières
Brézé
Fontevraud-l'Abbaye
Petit Thouars
Coulaine
St-Louand
Loire-
Brossay
le Ruau
Coux
Lançon
Grand Fond
Bizay
Thizay
Vienne
Fontaines
Messemé
la Salle
la Treille
Pas-de-Loup
la Tourette
Couziers
la Grande-Gaudrée
Vauvenaise
CHINON
Narcay
Vieux-Bourg
Vaudelnay
Meigné
Epieds
Chavigny
Devinière
la Cinais
Vaugaudry
Sonnay
Briançon
Cravant-les-Côteaux
le Pressoir
Panzoult
le Puy-Notre-Dame
MONTREUIL-Bellay
Méron
Balloire
Saix
la Roche-Mortéac
Cusay
Eternes
le Côteaux-de-Reuffe
Rivière
Anché
Avon-les-Roches
St-Macaire-du-Bois
Sanziers
Chavannes
Trézé
Douvy
Morton
Rabaté
Raslay
Roiffé
Lerné
le Coudray Montpensier
la Roche-Clermault
Chemin de Fer
Brétignolles
L'ILE-BOUCHARD
Glandes
Passais
la Motte-Bourbon
la Motte-Chandeniers
35
la Guilgaudrie
Sassay
Ligré
29
Tavant
Couton
Lernay
Antoigné
Manoir de Chant d'Oiseau
Bournand
Pontalon
Marçay
Aimé
Rivau
Prieuré-St-Leonard
le Haut-Brizay
Crouzilles
le Temple
Bouillé-Loretz
St-Martin-de-Sanzay
Château
Bagneux
Ambignon
Pouançay
25
Vézières
les Forges
Beuxes
Dauconnay
Touraine
Rouilly
le Coudray
Touraine
Brizay
Theneuil
Taizon
Varanne
Berrie
St-Léger-de-Montbrillais
Vaon
les Trois-Moutiers
la Roberderie
Couesmé
Assay
Lémeré
Noblaye
la Barrière
Oiré

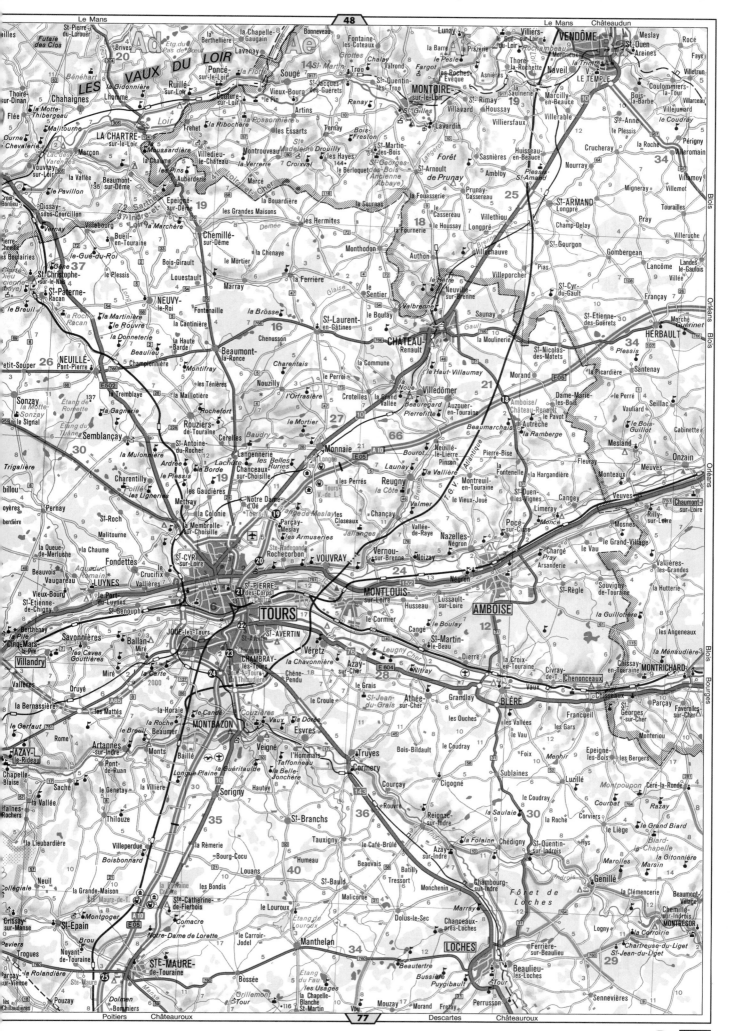
Le Mans
Le Mans
Châteaudun
LES VAUX DU LOIR
VENDÔME
MONTOIRE-sur-le-Loir
LA CHARTRE-sur-le-Loir
Chahaignes
Ruillé-sur-Loir
Poncé-sur-le-Loir
Sougé
Artins
Troo
Lavardin
St-Rimay
Houssay
Villiersfaux
Naveil
LE TEMPLE
Marcilly-en-Beauce
Villerable
Forêt de Prunay
Ambloy
Sasnières
Huisseau-en-Beauce
Nourray
Crucheray
St-ARMAND
Longpré
Champ-Delay
Villemot
Pray
Villeruche
Gombergean
Lancôme
Landes-le-Gaulois
Françay
HERBAULT
Santenay
Seillac
Onzain
Mesland
Monteaux
Veuves
Chaumont-sur-Loire
Rilly-sur-Loire
Mosnes
Limeray
Cangey
Pocé-sur-Cisse
Nazelles-Négron
AMBOISE
St-Règle
Souvigny-de-Touraine
Vallières-les-Grandes
la Hutterie
MONTRICHARD
Chissay-en-Touraine
Chenonceaux
Civray-de-T.
Chisseaux
BLÉRÉ
Francueil
Luzillé
Céré-la-Ronde
Epeigné-les-Bois
Montpoupon
Genillé
Chemillé-sur-Indrois
MONTRÉSOR
Chartreuse-du-Liget
St-Jean-du-Liget
Forêt de Loches
LOCHES
Beaulieu-lès-Loches
Ferrière-sur-Beaulieu
Perrusson
Sennevières
Chambourg-sur-Indre
Chedigny
St-Quentin-sur-Indrois
Azay-sur-Indre
Reignac-sur-Indre
Cigogné
Sublaines
Chanceaux-près-Loches
Dolus-le-Sec
Tauxigny
St-Bauld
Manthelan
Bossée
Louans
Cormery
Truyes
Courçay
St-Branchs
Esvres
Veigné
Sorigny
Montbazon
Monts
Artannes-sur-Indre
Thilouze
Villeperdue
Ste-Catherine-de-Fierbois
St-Epain
STE-MAURE-de-Touraine
Noyant-de-Touraine
Pouzay
Trogues
Sepmes
TOURS
St-CYR-sur-Loire
St-PIERRE-des-Corps
St-AVERTIN
JOUÉ-lès-Tours
CHAMBRAY-lès-Tours
Ballan-Miré
Savonnières
Villandry
AZAY-le-Rideau
Druyé
Fondettes
LUYNES
MONTLOUIS-sur-Loire
VOUVRAY
Rochecorbon
Vernou-sur-Brenne
Noizay
Véretz
Azay-sur-Cher
Athée-sur-Cher
Dierre
Lussault-sur-Loire
St-Martin-le-Beau
Monnaie
Reugny
Chançay
Vernou
Mettray
Notre-Dame-d'Oé
Parçay-Meslay
Chanceaux-sur-Choisille
Rouziers-de-Touraine
Cerelles
Semblançay
Charentilly
Sonzay
NEUILLÉ-Pont-Pierre
Beaumont-la-Ronce
Nouzilly
Crotelles
Villedômer
CHÂTEAU-Renault
Auzouer-en-Touraine
Neuillé-le-Lierre
St-Laurent-en-Gâtines
Monthodon
Authon
St-Cyr-du-Gault
Saunay
Neuville-sur-Brenne
NEUVY-le-Roi
Louestault
Chemillé-sur-Dême
Bueil-en-Touraine
Villebourg
St-Christophe-sur-le-Nais
St-Paterne-Racan
Marray
St-Paterne
Epeigné-sur-Dême
Marçon
Pernay
St-Roch
Vallères
Poitiers
Châteauroux
Descartes
Châteauroux
Blois
Orléans
Bourges
A 10
E 05
E 604
A 85

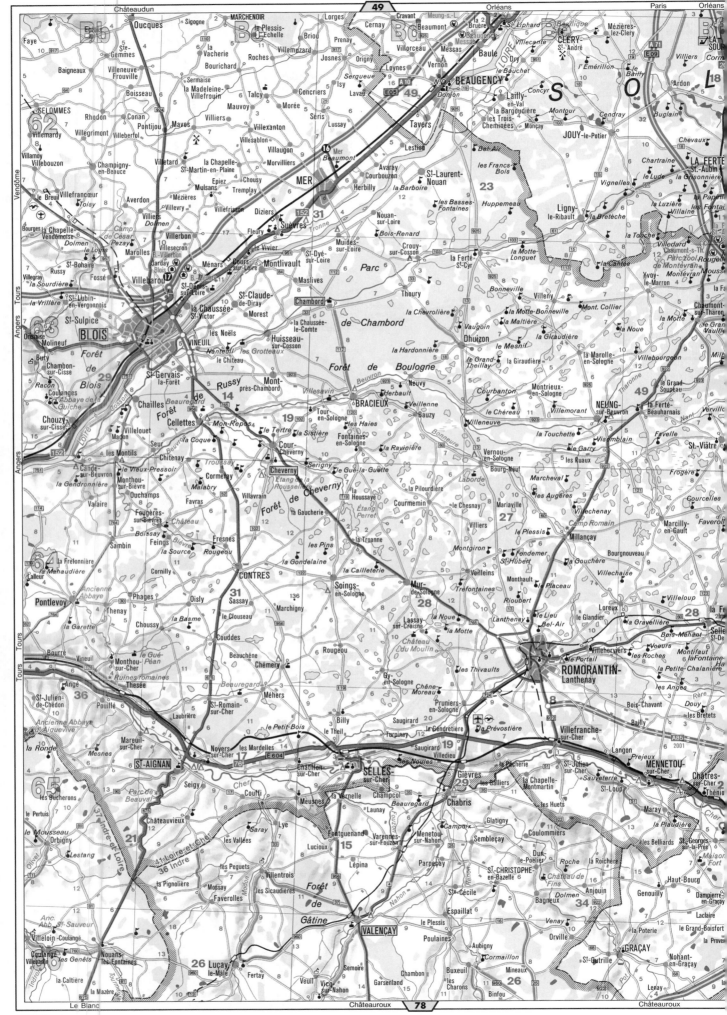
49
Châteaudun
Orléans
Paris
Orléans
Oucques
MARCHENOIR
le Plessis-l'Échelle
Lorges
Cernay
Beaumont
Meung-s.-L.
St-Liphard
Mézières-lez-Clery
CLERY-St-André
Faye
Ste-Gemmes
la Vacherie
Villemuzard
Briou
Prenay
Villorceau
Messas
Baule
Dry
Villecante
Baigneaux
Villeneuve-Frouville
Bourichard
Roches
Josnes
Origny
Loynes
Vernon
le Bouchet
l'Émerillon
le Bailly
Villiers
Sermaise
la Madeleine-Villefrouin
Talcy
Concriers
Isy
Serqueue
Lavau
BEAUGENCY
Lailly-en-Val
Concyr
Ardon
Boisseau
SELOMMES
Rhodon
Conan
Pontijou
Maves
Mauvoy
Morée
Séris
Lussay
Donjon
Tavers
la Bargoudière
les Trois-Cheminées
Montour
Moncay
Cendray
Buglain
Villemardy
Villegrimont
Villeberfol
Villiers
Villexanton
Villesablon
Villaugon
Mer
Beaumont
Lestiou
Bel-Air
JOUY-le-Potier
Chevaux
Villamoy
Villebouzon
Villetard
la Chapelle-St-Martin-en-Plaine
Morvilliers
Avaray
Courbouzon
les Francs-Bois
St-Laurent-Nouan
Chartraine
la Lude
LA FERTÉ-St-Aubin
la Grisonnière
Champigny-en-Beauce
Epiez
Chousy
Tremplay
Mulsans
MER
Herbilly
la Barboire
Vignelles
Vendôme
le Breuil
Villefrancœur
Toisy
Averdon
Mézières
Villevry
Villefrisson
Diziers
les Basses-Fontaines
Huppemeau
Ligny-le-Ribault
la Bretèche
la Luzière
Villaine
la Papin
Bourges
la Chapelle-Vendômoise
Dolmen
Camp de César
Pezay
Villiers
Dolmen
Villerbon
Fleury
Suèvres
Tronne
Nouan-sur-Loire
Bois-Renard
la Touche
Villedard
Chaumont-s-Th.
Parc zool. de Montevran
le Logis
Marolles
Villesecron
B. Villerbon
le Vivier
Muides-sur-Loire
Crouy-sur-Cosson
la Ferté-St-Cyr
la Motte-Longuet
la Canée
Montevran
St-Bohaire
Villegray
Russy
Fossé
la Sourdière
Villebarou
Jarday
Ménars
Cours-sur-Loire
Montlivault
St-Dyé-sur-Loire
Parc
Yvoy-le-Marron
Tours
St-Lubin-en-Vergonnois
la Villière
St-Denis-sur-Loire
Maslives
St-Claude-de-Diray
Chambord
Thoury
Bonneville
Villeny
Mont. Collier
Chaumont-sur-Tharonne
la Chaussée-St-Victor
Morest
la Chevrolière
la Motte-Bonneville
la Motte
St-Sulpice
BLOIS
Angers
la Chaussée-le-Comte
de Chambord
Vaugoin
la Maltière
la Noue
Orchaise
Molineuf
les Noëls
VINEUIL
Huisseau-sur-Cosson
Dhuizon
la Giraudière
Bury
Forêt de Blois
Nanteuil
les Grotteaux
le Chiteau
la Hardonnière
le Mesnil
Chambon-sur-Cisse
St-Gervais-la-Forêt
Forêt de Boulogne
le Grand-Theillay
la Giraudière
la Marolle-en-Sologne
Villebourgeon
Racon
Coulanges
Abbaye de la Guiche
Russy
Mont-près-Chambord
Villesavin
Beuvron
Neuvy
Herbault
Courbanton
Montrieux-en-Sologne
le Grand Soupeau
Chouzy-sur-Cisse
Chailles
Forêt de
Beauregard
Cellettes
BRACIEUX
Veillenne
Bauzy
le Chéreau
Villemorant
NEUNG-sur-Beuvron
la Ferté-Beauharnais
Villelouet
Macon
Mon-Repos
Tour-en-Sologne
les Haies
Villeneuve
Nant
Seur
la Coque
le Tertre
la Sistière
Fontaines-en-Sologne
la Touchette
Favelle
St-Viâtre
les Montils
Chitenay
Cour-Cheverny
la Ravinière
Bonneure
Vernou-en-Sologne
le Garry
Visomblain
les Ruaux
Candé-sur-Beuvron
le Vieux-Pressoir
Troussay
Cheverny
Serigny
le Gué-la-Guette
Bourg-Neuf
Frogère
la Gendronnière
Monthou-sur-Bièvre
Cormeray
Étang de la Rousselière
Laborde
Marcheval
Malabry
Villavrain
Forêt de Cheverny
la Houssaye
la Pilourdière
les Augères
Ouchamps
Favras
la Gaucherie
Étang Perret
Courmemin
le Chesnay
Mariaville
Villechenay
Courcelles
Valaire
Fougères-sur-Bièvre
Château
Camp Romain
Marcilly-en-Gault
Faverolles
Boissay
Feings
Fresnes
la Troanne
Villiers
le Plessis
Millançay
Sambin
la Source
Rougeou
les Pins
Montgiron
Fondemer
St-Hubert
Bourgnouveau
la Frelonnière
la Mahaudière
la Gondelaine
la Cailleterie
Veilleins
la Gouchère
Villechaise
Calleur
Cornilly
CONTRES
Soings-en-Sologne
Mur-de-Sologne
Tréfontaines
Monthault
le Placeau
Ancienne Abbaye
Pontlevoy
Phages
Oisly
Sassay
Marchigny
Rioubert
Loreux
Villeloup
Thenay
le Clouseau
Lassay-sur-Croisne
la Noue
le Lieu
Lanthenay
le Glandier
Bel-Air
la Gravellière
la Garette
Choussy
la Basme
la Motte
Bois-Menant
Selles-St-Denis
Couddes
Château du Moulin
Bourré
Vineuil
Monthou-sur-Cher
le Gué-Péan
Beauchêne
Rougeou
Villeherviers
les Roches
Voeurs
Montifaut
Ruines romaines
Chémery
le Portail
ROMORANTIN-Lanthenay
la Petite-Chalanière
Angé
Thésée
les Thivaults
les Anges
St-Julien-de-Chédon
Pouillé
Beauregard
Méhers
Gy-en-Sologne
Chêne-Moreau
Bois-Chavant
Douy
Ancienne Abbaye d'Aiguevive
Laubrière
St-Romain-sur-Cher
Pruniers-en-Sologne
les Bretets
Billy
Saugirard
Bailly
la Ronde
Mareuil-sur-Cher
le Petit-Bois
le Theil
Turpinay
la Gendretière
la Prévostière
Villefranche-sur-Cher
Mesnes
Noyers-sur-Cher
les Mardelles
Saugirard
Villedieu
Langon
Prejeux
MENNETOU-sur-Cher
ST-AIGNAN
Châtillon-sur-Cher
SELLES-sur-Cher
les Noues
la Pacherie
St-Julien-sur-Cher
Châtres-sur-Cher
Thénioux
Seigy
Couffi
Gièvres
les Galliers
la Chapelle-Montmartin
Sauveterre
St-Loup
les Bûcherons
Parc de Beauval
la Vernelle
Champcol
Meusnes
Beauregard
Chabris
les Huets
Maray
le Pertuis
Launay
Campoux
Glatigny
la Plaudière
Châteauvieux
Saray
Lye
Fontguenand
Varennes-sur-Fouzon
Menetou-sur-Nahon
Sembleçay
Coulommiers
les Belliards
St-Georges-sur-la-Prée
le Mousseau
Orbigny
les Vallées
Lucioux
Dun-le-Poëlier
Roche
la Roichère
Lestang
Loir-et-Cher
Indre
les Peguets
Villentrois
Lépina
Parpeçay
ST-CHRISTOPHE-en-Bazelle
Château de Fins
Haut-Bourg
la Pignolière
Mossay
les Sicaudières
Forêt de Gâtine
St-Cécile
Dolmen
Anjouin
Genouilly
Dampierre-en-Graçay
Faverolles
Espaillat
Bagneux
Anc. Abb. St-Sauveur
le Plessis
Venay
Laclaire
Villeloin-Coulangé
VALENÇAY
Poulaines
Orville
la Poterie
le Grand-Boisfort
Coulangé
Villesaint
les Genêts
Nouans-les-Fontaines
Luçay-le-Mâle
Aubigny
Cormaillon
GRAÇAY
St-Outrille
Nohant-en-Graçay
Fertay
Semoire
Mineaux
la Caltière
la Mazère
Veuil
Vicq-sur-Nahon
Chambon
Garsenland
Buxeuil
les Charons
Binfou
Lenay
Le Blanc
Châteauroux
78
Châteauroux

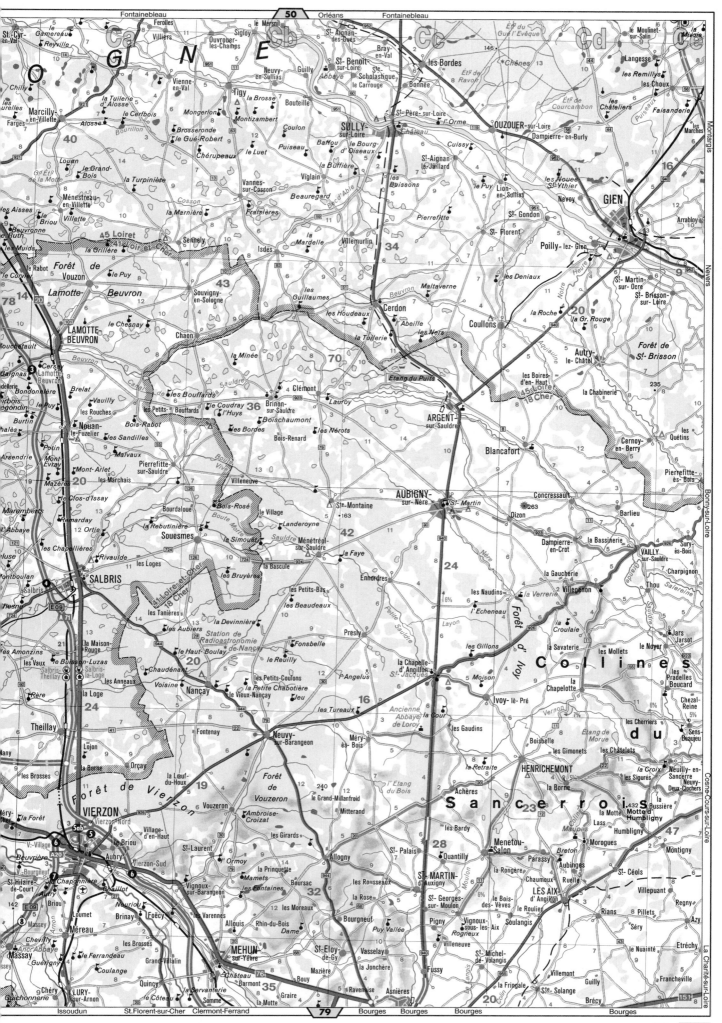

Fontainebleau
50
Orléans
Fontainebleau
Montargis
Nevers
Bonny-sur-Loire
Cosne-Cours-sur-Loire
La Charité-sur-Loire
Issoudun
St.Florent-sur-Cher
Clermont-Ferrand
79
Bourges
Bourges
Bourges
Bourges
O G N E
Ca
Cb
Cc
Cd
Ce
St.-Cyr-en-Val
Ferolles
Villiers
Ouvrouer-les-Champs
Sigloy
le Mesnil
St-Aignan-des-Gués
Bray-en-Val
St-Benoit-sur-Loire
Neuvy-en-Sullias
Guilly
Ste-Scholastique
le Carrouge
Bonnée
les Bordes
Langesse
les Remillys
les Choux
les Châteliers
Faisanderie
Vienne-en-Val
Tigy
Marcilly-en-Villette
Farges
Montizambert
Bouteille
SULLY-sur-Loire
St-Père-sur-Loire
l'Orme
OUZOUER-sur-Loire
Dampierre-en-Burly
Cuissy
St-Aignan-le-Jaillard
Lion-en-Sullias
les Noues St-Ythier
Nevoy
GIEN
Arrabloy
Ménestreau-en-Villette
Villette
Vannes-sur-Cosson
Viglain
Beauregard
la Marnière
Fraisières
Pierrefitte
St-Gondon
St-Florent
Poilly-lez-Gien
45 Loiret
41 Loir-et-Cher
Sennely
Isdes
Villemurlin
la Grillère
Forêt de Vouzon
Lamotte-Beuvron
Souvigny-en-Sologne
les Guillaumes
Cerdon
les Houdeaux
Maltaverne
les Deniaux
St-Martin-sur-Ocre
St-Brisson-sur-Loire
la Roche
la Gr. Rouge
Coullons
LAMOTTE-BEUVRON
Chaon
la Tuilerie
les Ners
Autry-le-Châtel
Forêt de St-Brisson
la Minée
Etang du Puits
Clémont
Lauroy
les Boires-d'en-Haut
la Chabinerie
45 Loiret
18 Cher
Nouan-le-Fuzelier
les Bouffards
les Petits-Bouffards
le Coudray
l'Huys
Brinon-sur-Sauldre
Boischaumont
les Bordes
les Nérots
ARGENT-sur-Sauldre
Bois-Renard
Blancafort
Cernoy-en-Berry
les Quétins
Pierrefitte-sur-Sauldre
Pierrefitte-ès-Bois
les Marchais
Villeneuve
Concressault
AUBIGNY-sur-Nère
St-Martin
Ste-Montaine
Oizon
Barlieu
Bois-Rosé
le Village
la Rebutinière
Landeroyne
Souesmes
la Simouët
Ménétréol-sur-Sauldre
la Faye
Dampierre-en-Crot
la Bassinerie
VAILLY-sur-Sauldre
Sury-ès-Bois
les Chapellières
Rivaulde
les Loges
la Bascule
SALBRIS
les Bruyères
Ennordres
la Gaucherie
Charpignon
Thou
les Naudins
la Verrerie
Villegenon
les Petits-Bas
les Beaudeaux
l'Echeneau
Forêt d'Ivoy
41 Loire-et-Cher
18 Cher
les Tanières
la Devinnière
la Croulaie
Jars
Presly
les Aubiers
Station de Radioastronomie de Nançay
Fonsbelle
les Gillons
la Savaterie
les Mollets
le Noyer
le Haut-Boulay
le Reuilly
la Chapelle-d'Angillon
C o l l i n e s
les Amonzins
le Buisson-Luzas
Chaudénant
Voisine
les Anneaux
la Loge
Nançay
le Vieux-Nançay
les Petits-Coulons
la Petite Chabotière
Moison
Ivoy-le-Pré
la Chapelotte
les Pradelles
Boucard
Chezal-Reine
Theillay
les Tureaux
Ancienne Abbaye de Loroy
la Cour
les Gaudins
les Cherriers
Sens-Beaujeu
Fontenay
Neuvy-sur-Barangeon
Méry-ès-Bois
Boisbelle
les Gimonets
les Châtelets
d u
Lojon
la Borne
Orçay
les Brosses
Forêt de Vierzon
la Lœuf-du-Houx
Forêt de Vouzeron
le Grand-Millanfroid
l'Etang du Bois
la Retraite
HENRICHEMONT
Achères
la Borne
la Croix
les Sigurés
Neuilly-en-Sancerre
Neuvy-Deux-Clochers
VIERZON
Vouzeron
Mitterand
S a n c e r r o i s
la Bussière
la Motte
Motte d'Humbligny
Humbligny
Ambroise-Croizat
Village-d'en-Haut
les Bardy
Lass
le Briou
Aubry
Vierzon-Sud
les Girards
St-Laurent
l'Ormoy
Allogny
St-Palais
Quantilly
Menetou-Salon
Parassy
Breton
Morogues
Montigny
la Prinquette
Mamets
Boursac
les Rousseaux
ST-MARTIN-d'Auxigny
la Rongère
Aubinges
Chaumoux
Ruelle
St-Céols
St-Hilaire-de-Court
la Chaponnière
Vignoux-sur-Barangeon
les Fontaines
la Rose
St-Georges-sur-Moulon
le Bois-des-Vèves
LES AIX-d'Angillon
le Roulier
Villepuant
Regny
Massay
Méreau
Nouriou
Brinay
Foëcy
les Varennes
Allouis
Rhin-du-Bois
Dame
Bourgneuf
Puy Vallée
Pigny
Vignoux-sous-les-Aix
Rogneux
Soulangis
Rians
Pillets
Azy
Séry
Chevilly
les Brosses
le Ferrandeau
Coulange
Grand-Villain
MEHUN-sur-Yèvre
St-Eloy-de-Gy
Vasselay
Villeneuve
St-Michel-de-Volangis
le Nuainté
Etréchy
Guérigny
Château
Barmont
Mazière
la Jonchère
Fussy
Villemont
Guilly
Francheville
Chéry
LURY-sur-Arnon
Quincy
le Côteau
la Servanterie
Somme
Graire
la Motte
Bouy
Ravenaise
Asnières
la Fringale
Ste-Solange
Brécy

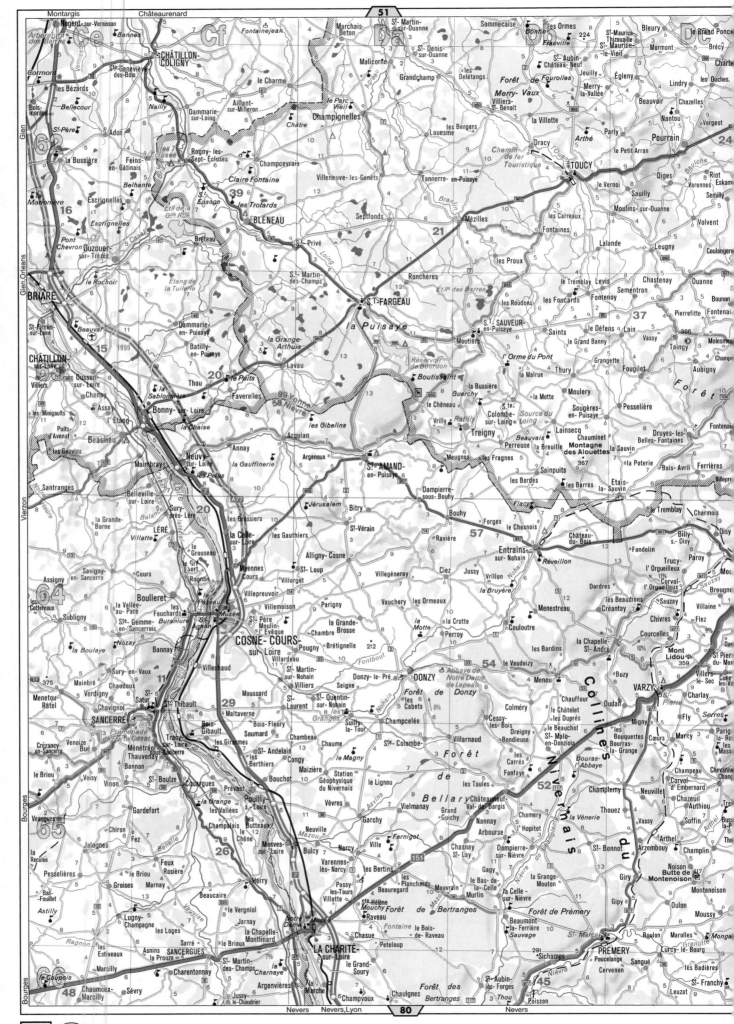

Montargis
Châteaurenard
51
Nogent-sur-Vernisson
CHÂTILLON-COLIGNY
Ste-Geneviève-des-Bois
Fontainejean
Marchais-Beton
St-Martin-sur-Ouanne
St-Denis-sur-Ouanne
Sommecaise
les Ormes
Bleury
Malicorne
Grandchamp
Forêt de Fourolles
Merry-Vaux
Villiers-St-Benoit
Jeuilly
Égleny
Merry-la-Vallée
Lindry
Chazelles
Nantou
Pourrain
Dammarie-sur-Loing
Aillant-sur-Milleron
le Charme
Champignelles
Châtre
Louesme
les Bergers
la Villotte
Parly
Arthé
Dracy
TOUCY
Chemin de fer Touristique
Rogny-les-Sept-Écluses
Feins-en-Gâtinais
Champcevrais
Claire Fontaine
Villeneuve-les-Genêts
Tannerre-en-Puisaye
Diges
le Vernoi
Sauilly
Moulins-sur-Ouanne
Escrignelles
St-Eusoge
les Trotards
BLÉNEAU
Septfonds
Mézilles
les Carreaux
Fontaines
Volvent
Pont Chevron
Ouzouer-sur-Trézée
Breteau
St-Privé
Lalande
Leugny
Coulangeron
le Rochoir
Étang de la Tuilerie
St-Martin-des-Champs
Ronchères
les Proux
le Tremblay
Levis
Chastenay
Ouanne
BRIARE
ST-FARGEAU
Ét. des Barres
les Roudons
les Foucards
Fontenoy
Sementron
la Puisaye
Dammarie-en-Puisaye
ST-SAUVEUR-en-Puisaye
Saints
le Défens
Lain
Pierrefitte
St-Firmin-sur-Loire
Beauval
la Grange-Arthuis
Moutiers
le Grand Banny
Vassy
Taingy
CHÂTILLON-sur-Loire
Batilly-en-Puisaye
Réservoir de Bourdon
l'Orme du Pont
Grangette
Fougilet
Aubigny
Lavau
Boutissaint
la Malrue
Thury
Forêt
Ousson-sur-Loire
Thou
le Puits
la Bussière
Moulery
la Sablonnière
Faverelles
Guerchy
la Motte
Pesselière
Bonny-sur-Loire
le Chêneau
Ste-Colombe-sur-Loing
Sougères-en-Puisaye
les Minigaults
les Gibelins
Vrilly
Ratilly
Source du Loing
Lainsecq
Treigny
Beauvais
Chauminet
Druyes-les-Belles-Fontaines
Beaulieu
Arquian
Perreuse
la Breuille
Montagne des Alouettes
la Sauvin
les Gauvins
Annay
Argenoux
ST-AMAND-en-Puisaye
Meugnes
les Fragnes
la Poterie
Bois-Avril
Ferrières
Neuvy-sur-Loire
la Gauffinerie
Sainpuits
Maimbray
Santranges
Belleville-sur-Loire
Dampierre-sous-Bouhy
les Bordes
les Barres
Étais-la-Sauvin
Jérusalem
Bitry
Flacy
le Tremblay
Charmois
Sury-près-Léré
LÉRÉ
la Grande-Borne
Villatte
les Brossiers
la Celle-sur-Loire
les Gauthiers
St-Vérain
Bouhy
Forges
le Chesnois
Ravière
Château-du-Bois
Billy-s.-Oisy
Entrains-sur-Nohain
Réveillon
Fondelin
le Grouseau
Savigny-en-Sancerre
Assigny
Cours
Myennes
Alligny-Cosne
St-Loup
Villorget
Villegéneray
Ciez
Jussy
Vrillon
Trucy-l'Orgueilleux
Corvol-l'Orgueilleux
Paroy
Boulleret
Villepreuvoir
la Bruyère
Dordres
les Beaudions
Créantay
Sauzay
Breugnon
Villaine
la Vallée-au-Paré
les Fouchards
Buranlure
Ste-Gemme-en-Sancerrois
Sury-en-Vaux
Subligny
Villemoison
Parigny
Vauchery
les Ormeaux
la Crotte
Menestreau
Chivres
Flez
St-Père
Moulin-l'Évêque
la Grande-Brosse
Chambre
la Motte
Perroy
Couloutre
Courcelles
Mont Lidou
la Boulaye
Nozay
COSNE-COURS-sur-Loire
Pougny
Brétignelle
Villardeau
les Bardins
la Chapelle-St-André
Bannay
Villechaud
St-Martin-sur-Nohain
Villiers
Fontbout
Donzy-le-Pré
DONZY
Abbaye de Notre Dame de Lepeau
le Vaudoizy
Menou
Collines du Nivernais
VARZY
Mainbré
Verdigny
Chaudoux
Seigne
Moussard
St-Quentin-sur-Nohain
Forêt de Donzy
les Cabets
Chauffour
Oudan
Charlay
Menetou-Râtel
Chavignol
St-Satur
St-Thibault
St-Laurent
Maltaverne
les Granges
Suilly-la-Tour
Champcelée
Colméry
Cessy-les-Bois
le Châtelet
les Duprés
Mhigny
Fly
SANCERRE
Promenade de la Porte César
Bois-Fleury
Bois-Gibault
Soumard
Chambeau
Dreigny
Bondieuse
le Beauchot
St-Malo-en-Donziois
les Bouquettes
Bourras-la-Grange
Cœurs
Marcy
Crézancy-en-Sancerre
Venoize
Bué
Ménétréol-sous-Sancerre
Thauvenay
Tracy-sur-Loire
les Girarmes
St-Andelain
les Berthiers
Congy
Chaume
Ste-Colombe
Villarnaud
Forêt de Bellary
les Carrés
Fonfaye
Bourras-l'Abbaye
le Magny
Champeau
le Briou
Voisy
Bannon
St-Bouhy
Vinon
Courgues
Bouchot
Maizière
Station Géophysique du Nivernais
le Lignou
les Taules
Corvol-d'Embernard
Neuvillet
Champlemy
Prévant
Pouilly-s.-Loire
Vèvres
Vielmanay
Grand Guichy
Château-neuf-Val-de-Bargis
Chamery
Chazeuil
Authiou
la Grange
les Vallées
Gardefort
Garchy
Nannay
la Vénerie
Thouez
Vassy
Soffin
Veaugues
Champalais
les Butteaux
le Chêne
Neuville
Mazou
Arbourse
l'Hopitot
Chiron
Fez
Mesves-sur-Loire
Bulcy
Narcy
Ville
Fernigot
Chasnay
St-Lay
Dompierre-sur-Nièvre
St-Bonnot
Arzembouy
Champlin
Jalognes
la Reculée
Feux
Rosière
Varennes-lès-Narcy
les Bertins
les Planchards
Beauregard
Mauvrain
Murlin
Gagy
le Bas-de-la-Celle
la Grange-Mouton
Noison
Butte de Montenoison
Pesselières
le Briou
Groises
Marnay
Herry
Passy-les-Tours
Villatte
la Celle-sur-Nièvre
Giry
Montenoison
Bas-Fouillet
Beaucaire
Ste-Hélène
Mouchy
Raveau
Forêt de Bertranges
Forêt de Prémery
Gipy
Oulon
Astilly
Lugny-Champagne
le Vergniol
Jarnay
Notre Dame
Musée
Beaumont-la-Ferrière
Sauvage
Moussy
les Loges
la Chapelle-Montlinard
Chasue
Fontaine
le Bois-de-Raveau
St-Marcel
PRÉMERY
Boulon
Marolles
Mongeon
Ragnon
les Estiveaux
Sarré
Asnins
la Prouze
SANCERGUES
le Brioux
LA CHARITÉ-sur-Loire
Peteloup
Sichamps
Poucelange
Sangué
Lurcy-le-Bourg
Marcilly
Charentonnay
St-Martin-des-Champs
la Charnaye
le Grand-Soury
Cervenon
les Badières
le Coupois
Chaumoux-Marcilly
Sévry
Argenvières
la Marche
Champvoux
Chaulgnes
Forêt des Bertranges
St-Aubin-les-Forges
Thou
Poisson
Nièvre
St-Franchy
Leuzat
Jussy-le-Chaudrier
Gien
Gien, Orléans
Vierzon
Bourges
Nevers
Nevers, Lyon
80

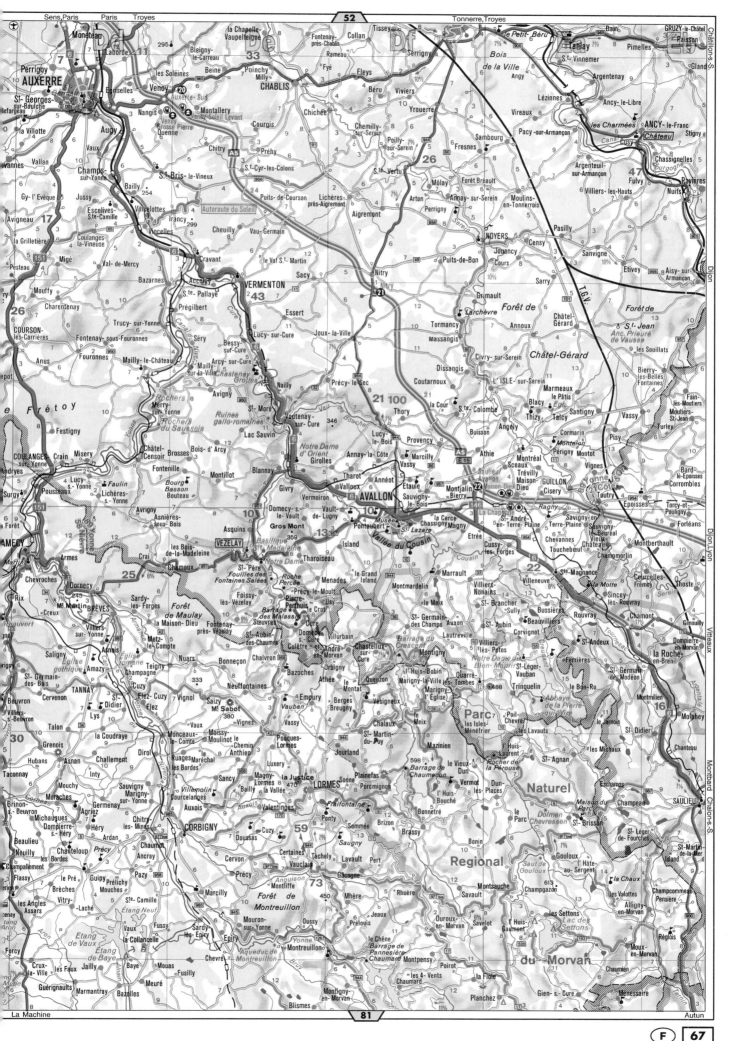

52
Sens,Paris
Paris
Troyes
Tonnerre,Troyes
Moneteau
Perrigny
AUXERRE
St-Georges-sur-Baulche
Laborde
Bleigny-le-Carreau
la Chapelle-Vaupelteigne
Fontenay-près-Chablis
Collan
Tissey
Serrigny
le Petit-Béru
Tanlay
Baon
GRUZY-le-Châtel
Paisson
Pimelles
St-Vinnemer
Gland
Bois de la Ville
Angy
Argentenay
Lézinnes
Ancy-le-Libre
les Charmées
ANCY-le-Franc
Château
Stigny
Vireaux
Pacy-sur-Armançon
Chassignelles
Argenteuil-sur-Armançon
Fulvy
Ravières
Nuits
Villiers-les-Hauts
Rameau
Fyé
Beine
Poinchy
Milly
CHABLIS
Fleys
Béru
Viviers
Yrouerre
les Soleines
Venoy
Egriselles
Auxerre-Sud
Montallery
Venoy-Soleil Levant
Nangis
Venoy Grosse Pierre
Quenne
Courgis
Chichée
Chemilly-sur-Serein
Poilly-sur-Serein
Fresnes
Sambourg
la Villotte
Augy
Vaux
Chitry
Préhy
St-Cyr-les-Colons
Ste-Vertu
Môlay
Forêt Bréault
Annay-sur-Serein
Moulins-en-Tonnerrois
Vallan
Champs-sur-Yonne
St-Bris-le-Vineux
Bailly
Gy-l'Evêque
Jussy
Escolives-Ste-Camille
Vincelottes
Irancy
Autoroute du Soleil
Puits-de-Courson
Lichères-près-Aigremont
Aigremont
Arton
Perrigny
Avigneau
Coulanges-la-Vineuse
Vincelles
Cheuilly
Vau-Germain
NOYERS
Censy
Pasilly
Sanvigne
Jouancy
Cours
Puits-de-Bon
la Grilletière
Migé
Val-de-Mercy
Cravant
le Val St-Martin
Sacy
Nitry
Sarry
Etivey
Aisy-sur-Armançon
Pesteau
Bazarnes
Accolay
VERMENTON
Mouffy
Ste-Pallaye
Essert
Grimault
Larchevre
Forêt de
Châtel-Gérard
Annoux
St-Jean
Anc. Prieuré de Vausse
T.G.V.
Charentenay
Prégilbert
Tormancy
Massangis
Trucy-sur-Yonne
COURSON-les-Carrières
Fontenay-sous-Fouronnes
Séry
Lucy-sur-Cure
Joux-la-Ville
Fouronnes
Bessy-sur-Cure
Arcy-sur-Cure
Civry-sur-Serein
les Souillats
Anus
Mailly-le-Château
Mailly-la-Ville
Chastenay Grottes
Nailly
Précy-le-Sec
Dissangis
Coutarnoux
L'ISLE-sur-Serein
Marmeaux
le Pâtis
Bierry-les-Belles-Fontaines
Fain-les-Moutiers
Moutiers-St-Jean
Rochers
Merry-sur-Yonne
Avigny
St-Moré
Fretoy
Ruines gallo-romaines
Vodtenay-sur-Cure
Thory
la Cour
Ste-Colombe
Blacy
Thizy
Talcy
Santigny
Vassy
Festigny
Rochers du Saussois
Lac Sauvin
Lucy-le-Bois
Provency
Buisson
Angely
Cormarin
Montelon
Périgny
Montot
Pisy
Turley
COULANGES-sur-Yonne
Crain
Misery
Châtel-Censoir
Brosses
Bois-d'Arcy
Notre Dame d'Orient
Girolles
Annay-la-Côte
Marcilly
Vassy
Athie
Montréal
Sceaux
Trévilly
Bard-le-Epoisses
Corrombles
Lucy-s.-Yonne
Faulin
Lichères-s.-Yonne
Pousseaux
Surgy
Fontenille
Bourg Basson Bouteau
Montillot
Blannay
Tharot
Valloux
Annéot
Etaule
Montjalin
Bierry
Saulieu Avallon
Maison-Dieu
GUILLON
Cisery
Toutry
Epoisses
Torcy-et-Pouligny
Givry
Vermoiron
AVALLON
Sauvigny-le-Bois
Avrigny
Asnières-sous-Bois
Domecy-s.-le-Vault
Vault-de-Lugny
Pontaubert
Musée
St-Lazare
Chassigny
la Cerce
Magny
La Chapelle
St-André-en-Terre-Plaine
Ragny
Savigny-en-Terre-Plaine
Forléans
Forêt
Gros Mont
Asquins
VÉZELAY
Basilique Ste-Madeleine
Island
Vallée du Cousin
Etrée
Cussy-les-Forges
Chevannes
Touchebœuf
Sauvigny-le-Beuréal
Vieux-Château
Montberthault
Champmorlin
AMECY
Armes
les Bois-de-la-Madeleine
Crai
St-Père
Fouilles des Fontaines Salées
Tharoiseau
Chamoux
Roche Percée
Menades
le Grand Island
Montmardelin
Marrault
Villiers-Nonains
Villeneuve
Ste-Magnance
la Motte
Courcelles-Frémoy
Thoste
Chevroches
Dornecy
Rix
Creux
Mt Martin
BRÈVES
Sardy-les-Forges
Forêt de Maulay
Foissy-lès-Vézelay
Précy-le-Moult
Pierre-Perthuis
Usy
le Crot
St-Brancher
Sully
Bussières
Rouvray
Sincey-lès-Rouvray
Chamont
Genouilly
la Maison-Dieu
Barrage des Malassis
Sœuvres
Fontenay-près-Vézelay
Cure
Domecy-s.-Cure
Villurbain
St-Germain-des Champs
Auxon
St-Aubin
Beauvilliers
Corvignot
Villiers-sur-Yonne
Metz-le-Comte
St-Aubin-des-Chaumes
Culètre
St-André-en-Morvan
Chastellux-sur-Cure
Barrage du Crescent
Montigny
Lautreville
Villiers-lès-Potos
St-Andeux
Dompierre-en-Morvan
la Roche-en-Brenil
Saligny
Asnois
Eglise romane
Eglise gothique
Amazy
Teigny
Champagne
Nuars
Bonneçon
Chalvron
Urbigny
Bazoches
Athée
Queuzon
l'Huis-Bobin
Marigny-la-Ville
Marigny-l'Eglise
Quarré-les-Tombes
Notre Dame de Bien-Mourir
St-Léger-Vauban
Ferrières
St-Germain-de-Modéon
St-Germain-des-Bois
TANNAY
St-Didier
Cuzy
Flez-Cuzy
Vignol
Neuffontaines
le Montat
Tringuelin
le Bon-Ru
Montmilien
Molphey
Beuvron
Cervenon
Lys
Saizy
Mt Sabot
Empury
Vauban
Berges
Breugny
Vésigneux
Parc
Poil-Chevre
les Isles-Ménéfrier
Abbaye de la Pierre-qui-Vire
Villiers-s.-Beuvron
Talon
Flez
Vaux
Moissy-Moulinot
Vignes
Vassy
Chalaux
le Meix
les Lavauts
le Jarnois
St-Didier
30
Grenois
Monceaux-le-Comte
la Coudraye
Pouques-Lormes
St-Martin-du-Puy
Chanteau
Hubans
Asnan
Challement
Dirol
Ruages
le Maréchal
les Bordes
le Chemin
Anthien
Jourland
Mazinien
Huis-Laurent
Rocher de la Pérouse
St-Agnan
les Michaux
Taconnay
Inty
Luxery
Barrage de Chaumecon
le Vieux-Dun
Vermot
Dun-les-Places
Naturel
Eschamps
Mouchy
Moraches
Sauvigny
Marigny-sur-Yonne
Villemolin
Courcelanges
Sancy
Magny-Lormes
Bailly
la Vallée
la Justice
LORMES
Sonne
Plainefas
Porcmignon
l'Huis-Bouché
Champeau
Maison du Parc
SAULIEU
Brinon-s.-Beuvron
Germenay
Auxois
Valentinges
Fraifontaine
Bonnetré
le Parc
Dolmen Chevresse
St-Brisson
Michaugues
Agriez
Dompierre-s.-Héry
Héry
Chitry-les-Mines
CORBIGNY
Ardan
Ponty
Sommée
Brizon
Brassy
St-Léger-de-Fourches
Beaulieu
Neuilly
Chanteloup
Précy
Chaumot
Doussas
Cuzy
59
Saugny
Bonin
Gouloux
St-Martin-de-la-Mer
Island
les Bordes
Ancray
Cervon
Certaines
Tachely
Lavault
Pert
Regional
Saut de Gouloux
l'Hâte-au-Sergent
Champallement
Flassy
le Pré
Guipy
Prélichy
Pazy
Précy
Vauclaix
Gâcogne
Montsauche
la Chaux
Brèches
Mouches
Marcilly
Anguison
Montliffe
73
Mhère
Rhuère
Savault
Champgazon
les Valottes
Champcommeau
Pensière
Vitry-Laché
Ste-Camille
Etang Neuf
Forêt de Montreuillon
Alligny-en-Morvan
les Angles
Assars
Mouron-sur-Yonne
Oussy
Jeaux
Prélouis
Ouroux-en-Morvan
Savelot
l'Huis-Gaumont
les Settons
Lac des Settons
Réglois
Aron
Etang de Vaux
Vaux
Fussy
Sardy-lès-Epiry
Epiry
la Collancelle
Montreuillon
le Chêne
Barrage de Pannesière-Chaumard
Moux-en-Morvan
Forcy
Etang de Baye
Baye
Chevré
Aqueduc de Montreuillon
Montpensy
Poirot
du Morvan
Crux-la-Ville
les Faux
Jailly
Mouas
Fusilly
les 4-Vents
Chaumard
la Fiole
Chaumien
Guérignaults
Marmantray
Bazolles
Meuré
Montigny-en-Morvan
Planchez
Gien-s.-Cure
Ménessaire
Blismes
La Machine
81
Autun
Châtillon-s.-S.
Dijon
Dijon,Lyon
Vitteaux
Montbard
Chalons-s.-S.

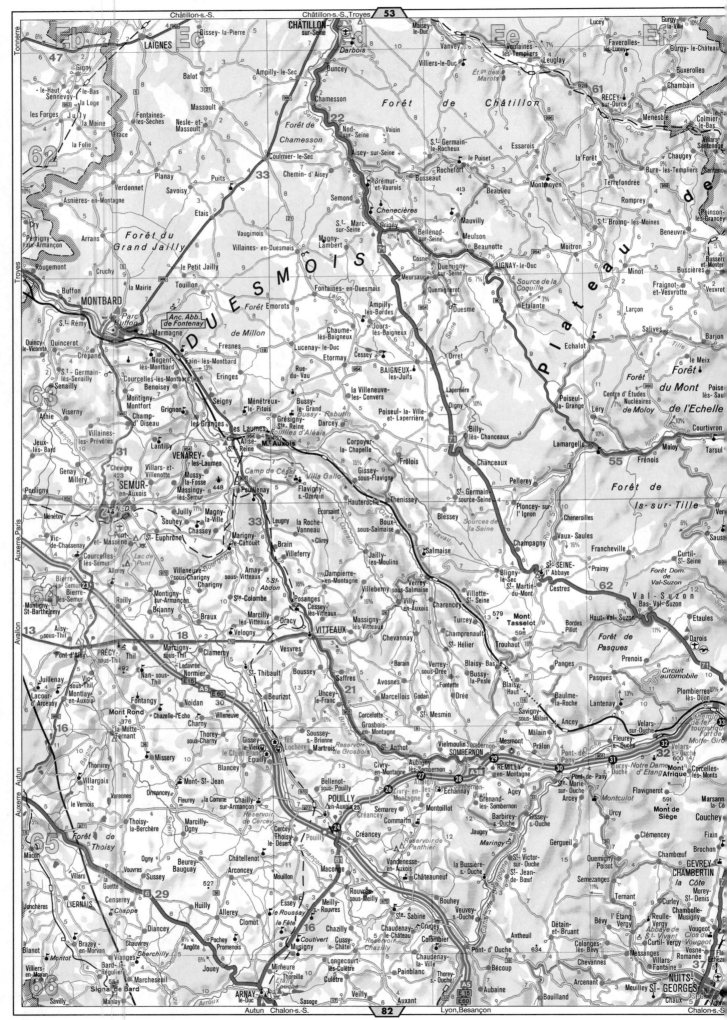
Châtillon-s.-S.
Châtillon-s.-S., Troyes
53
CHÂTILLON-sur-Seine
Eb
Ec
Ed
Ee
Ef
Tonnerre
LAIGNES
Bissey-la-Pierre
Maisey-le-Duc
Vanvey
Voulaines-les-Templiers
Leuglay
Lucey
Faverolles-lès-Lucey
Gurgy-la-Ville
Gurgy-le-Château
Darbois
Gigny
Buncey
Villiers-le-Duc
Ét.gs des Marots
Buxerolles
Chambain
Balot
Ampilly-le-Sec
Sennevoy-le-Haut
Sennevoy-le-Bas
la Loge
Jully
les Forges
la Maine
Chamesson
Forêt de Châtillon
RECEY-sur-Ource
Menesble
Colmier-le-Bas
Massoult
Fontaines-les-Sèches
Nesle-et-Massoult
Forêt de Chamesson
Nod-sur-Seine
Voisin
Villars-Santenoge
la Folie
Coulmier-le-Sec
Aisey-sur-Seine
St-Germain-le-Rocheux
Essarois
la Forêt
Chaugey
le Puiset
Bure-les-Templiers
Rochefort
Planay
Puits
Chemin-d'Aisey
Brémur-et-Vaurois
Busseaut
Beaulieu
Montmoyen
Terrefondrée
Verdonnet
Savoisy
Asnières-en-Montagne
Semond
Chenecières
Romprey
Etais
Mauvilly
St-Broing-les-Moines
Poinson-lès-Grancey
Cry
Perrigny-sur-Armançon
Arrans
Forêt du Grand Jailly
Vaugimois
St-Marc-sur-Seine
Origny
Bellenod-sur-Seine
Meulson
Beneuvre
Villaines-en-Duesmois
Magny-Lambert
Beaunotte
Moitron
Rougemont
Cruchy
le Petit Jailly
Cosne
Quemigny-sur-Seine
AIGNAY-le-Duc
Minot
Bussières
Meursauge
Source de la Coquille
Fraignot-et-Vesvrotte
Vesvrot
Troyes
Buffon
MONTBARD
la Mairie
Touillon
Fontaines-en-Duesmois
Quemignerot
Duesme
Etalante
Larçon
Parc Buffon
Anc. Abb. de Fontenay
Forêt Emorots
Ampilly-les-Bordes
DUESMOIS
St-Rémy
Marmagne
de Millon
Chaume-lès-Baigneux
Jours-lès-Baigneux
Salives
Barjon
Quincy-le-Vicomte
Quincerot
Fresnes
Lucenay-le-Duc
Echalot
Crépand
Nogent-lès-Montbard
Fain-lès-Montbard
Etormay
Cessey
Orret
Tille
le Meix
St-Germain-lès-Senailly
Courcelles-lès-Montbard
Eringes
Rue-du-Vau
BAIGNEUX-les-Juifs
Plateau de Langres
Forêt du Mont de l'Echelle
Senailly
Benoisey
la Villeneuve-les-Convers
Laperrière
Centre d'Études Nucléaires de Moloy
Poiseul-lès-Saulx
Montigny-Montfort
Seigny
Ménétreux-le-Pitois
Bussy-le-Grand
Bussy-Rabutin
Poiseul-la-Ville-et-Laperrière
Oigny
Poiseul-la-Grange
Léry
Athie
Viserny
Grignon
Champ-d'Oiseau
les Granges
Grésigny-Ste-Reine
Darcey
Courtivron
Villaines-les-Prévôtes
les Laumes
Fouilles d'Alésia
Billy-lès-Chanceaux
Jeux-lès-Bard
Lantilly
Alise-Ste-Reine
Mt Auxois
Corpoyer-la-Chapelle
Lamargelle
Moloy
Tarsul
VENAREY-les-Laumes
Frôlois
Frénois
Genay
Chevigny
Villars-et-Villenotte
Mussy-la-Fosse
Camp de César
Villa Gallo-
Gissey-sous-Flavigny
Chanceaux
Forêt de Is-sur-Tille
Millery
SEMUR-en-Auxois
Massingy-lès-Semur
Pouillenay
Flavigny-s.-Ozerain
Pellerey
Pouligny
Hauteroche
Thenissey
St-Germain-source-Seine
Ménétoy
Jully
Magny-la-Ville
Ecorsaint
Blessey
Ploncey-sur-l'Ignon
Chenerailles
Souhey
Leugny
la Roche-Vanneau
Boux-sous-Salmaise
Sources de la Seine
Vaux-Saules
Vic-de-Chassenay
Pont-et-Massène
St-Euphrône
Chassey
Marigny-le-Cahouët
Clirey
Champagny
Francheville
Courcelles-lès-Semur
Lac de Pont
Brain
Villeferry
Jailly-les-Moulins
Salmaise
Curtil-St-Seine
Auxerre, Paris
Allerey
Villeneuve-sous-Charigny
Arnay-sous-Vitteaux
St-Abdon
Dampierre-en-Montagne
Bligny-le-Sec
St-SEINE-l'Abbaye
Prairay
Forêt Dom. de Val-Suzon
Bierre-lès-Semur
Charigny
Villeberny
Verrey-sous-Salmaise
Villotte-St-Seine
St-Martin-du-Mont
Cestres
Val-Suzon
Bas-Val-Suzon
Montigny-St-Barthélemy
Montigny-sur-Armançon
Roilly
Brianny
Ste-Colombe
Posanges
Cessey-lès-Vitteaux
Villy-en-Auxois
Charencey
Mont Tasselot
Haut-Val-Suzon
Etaules
Avallon
Aisy-sous-Thil
Braux
Marcilly-lès-Vitteaux
Dracy
Massigny-lès-Vitteaux
Turcey
Bordes Pillot
Darois
Velogny
VITTEAUX
Chevannay
Champrenault
Forêt de Pasques
Pont-d'Aisy
PRÉCY-sous-Thil
Thil
Marcigny-sous-Thil
Clamerey
Vesvres
St-Hélier
Trouhaut
Prenois
Juillenay
Nan-sous-Thil
Ledavrée
Normier
St-Thibault
Boussey
Barain
Verrey-sous-Drée
Blaisy-Bas
Bussy-la-Pesle
Panges
Circuit automobile
Lacour-d'Arcenay
Vic-sous-Thil
Montlay-en-Auxois
Saffres
Avosnes
Fontette
Blaisy-Haut
Pasques
Fontangy
Noidan
Beurizot
Uncey-le-Franc
Marcellois
Godan
Drée
Baulme-la-Roche
Lantenay
Plombières-lès-Dijon
Mont Rond
Chazelle-l'Echo
Villeneuve
Charny
Corcelotte
St-Mesmin
Savigny-sous-Mâlain
Ancey
Velars-sur-Ouche
La Motte-Ternant
Thorey-sous-Charny
Gissey-le-Vieil
les Lochères
Soussey-s.-Brionne
Martrois
Réservoir de Grosbois
Grosbois-en-Montagne
St-Anthot
Vielmoulin
SOMBERNON
Mesmont
Mâlain
Fleurey-s.-Ouche
Chemin de fer touristique
Fort de la Motte-Giron
Missery
Le Chien Blanc
Eguilly
Pralon
Pont-de-Pany
Velars-sur-Ouche
Thomirey
Blancey
Civry-en-Montagne
Aubigny-lès-Sombernon
REMILLY-en-Montagne
Mont Afrique
Corcelles-les-Monts
Villargoix
Mont-St-Jean
Bellenot-sous-Pouilly
Civry-en-Montagne
Echannay
Sombernon-Ouest
Pont-de-Pany
Ste-Marie-sur-Ouche
Notre Dame d'Etang
Flavignerot
le Vernois
Varennes
Ormancey
Fleurey
la Comme
Chailly-sur-Armançon
POUILLY-en-Auxois
Semarey
Montoillot
Agey
Arcey
Montculot
Marsann
Thoisy-la-Berchère
Marcilly-Ogny
Réservoir de Cercey
Créancey
Commarin
Grenand-lès-Sombernon
Barbirey-s.-Ouche
Gissey-s.-Ouche
Urcy
Mont de Siège
Couchey
Forêt de Thoisy
Cercey
Thoisy-le-Désert
Pouilly
Réservoir de Panthier
Jaugey
Maringy
Clémencey
Fixin
Mâcon
Ogny
Beurey-Bauguay
Châtellenot
Arconcey
Vandenesse-en-Auxois
la Bussière-s.-Ouche
St-Victor-sur-Ouche
Gergueil
Brochon
Chambœuf
Quemigny-Poisot
GEVREY-CHAMBERTIN
la Côte
Vouvres
Sussey
Mouillon
Maconge
Châteauneuf
St-Jean-de-Bœuf
Semezanges
Morey-St-Denis
Villars
la Guette
Rouvres-sous-Meilly
Ternant
Curley
Chambolle-Musigny
Jonchères
LIERNAIS
Censerey
Chappe
Huilly
Allerey
Essey
Meilly-s.-Rouvres
le Roussay
Bouhey
Veuvey-s.-Ouche
Bévy
l'Etang-Vergy
Reulle-Vergy
Vougeot
Clos de Vougeot
Diancey
Clomot
le Fête
Chazilly
Ste-Sabine
Chaudenay-le-Château
Crugey
Détain-et-Bruant
Abbaye de St-Vivant
Curtil-Vergy
Vosne-Romanée
Blanot
Brazey-en-Morvan
Chauvirey
Angôte
Pochey
Promenois
Coutivert
Musigny
Cussy-le-Châtel
Réservoir Chazilly
Colombier
Antheuil
Colonges-lès-Bévy
Messanges
Montot
Vianges
Cherchilly
Pont-d'Ouche
Villiers-en-Morvan
Bard-le-Régulier
Jouey
Mimeure
Thoreille
Longecourt-lès-Culêtre
Chaudenay-la-Ville
Bécoup
Chevannes
Villars-Fontaine
Marcheseuil
Culêtre
Painblanc
Thorey-s.-Ouche
Arcenant
NUITS-St-GEORGES
Signal de Bard
Étang Fouché
ARNAY-le-Duc
Veilly
Aubaine
Meuilley
Savilly
Manlay
Arroux
Sasoge
Auxant
Bouilland
Chaux
Autun
Autun Chalon-s.-S.
82
Lyon, Besançon
Chalon-s.-S.

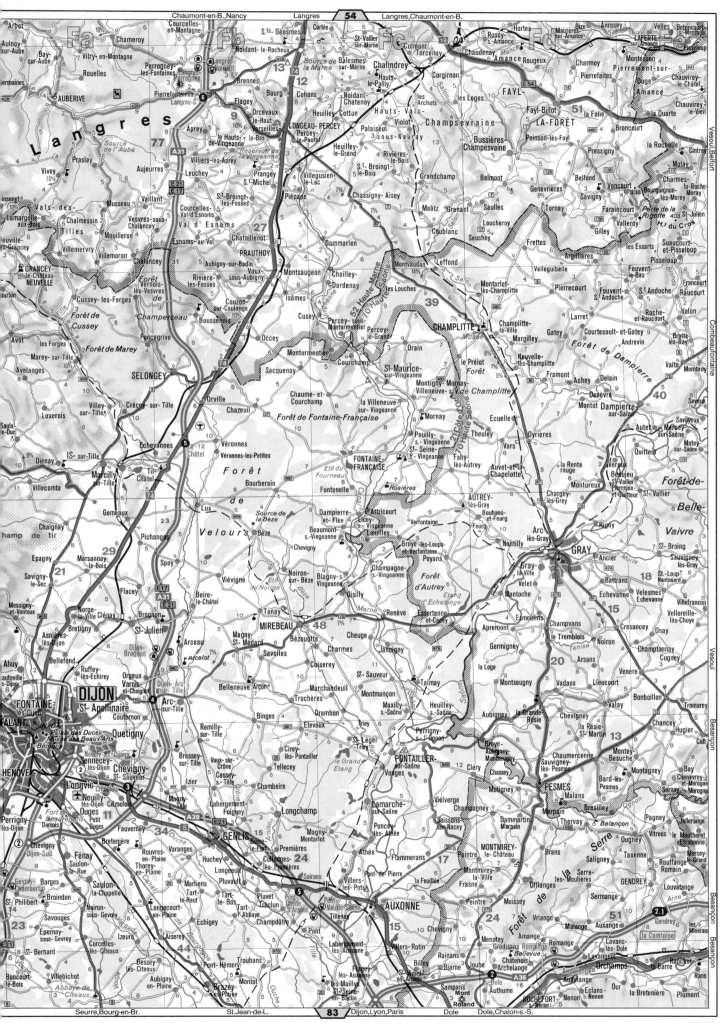

Chaumont-en-B.,Nancy
Langres
54
Langres,Chaumont-en-B.
Fa
Fb
Fc
Fd
Fe
Langres
Chameroy
AUBERIVE
Praslay
Vivey
Aujeurres
Musseau
Vaillant
Chalmessin
Villemervry
Villemoron
Chalancey
GRANCEY-le-Château-NEUVELLE
Cussey-les-Forges
Forêt de Cussey
Forêt de Marey
Avelanges
SELONGEY
Luxerois
IS-sur-Tille
Marcilly-sur-Tille
Til-Châtel
Villecomte
Gemeaux
Epagny
Savigny-le-Sec
Norge-la-Ville
Clénay
Bretigny
St-Julien
Asnières-lès-Dijon
Ahuy
Ruffey-lès-Echirey
Orgeux
Varois-et-Chaignot
DIJON
St-Apollinaire
FONTAINE-lès-Dijon
TALANT
Quetigny
Sennecey-lès-Dijon
Chevigny-St-Sauveur
CHENÔVE
Longvic
Neuilly-lès-Dijon
Crimolois
Ouges
Perrigny-lès-Dijon
Chevigny
Fénay
Saulon-la-Rue
Saulon-la-Chapelle
Gevrey-Chambertin
Barges
Broindon
St-Philibert
Noiron-sous-Gevrey
Savouges
Epernay-sous-Gevrey
Corcelles-lès-Cîteaux
St-Bernard
Boncourt-le-Bois
Villebichot
Abbaye de Cîteaux
Bessey-lès-Cîteaux
Aubigny-en-Plaine
Izeure
Aiserey
Longecourt-en-Plaine
Echigey
Rouvres-en-Plaine
Thorey-en-Plaine
Varanges
Bretenière
Fauverney
Magny-sur-Tille
Izier
Bressey-sur-Tille
Remilly-sur-Tille
Arc-sur-Tille
Couternon
Arceau
Brognon
Flacey
Beire-le-Châtel
Spoy
Pichanges
Marsannay-le-Bois
Lux
Echevannes
Véronnes
Orville
Chazeuil
Crécey-sur-Tille
Foncegrive
Forêt de Velours
Bourberain
Bèze
Source de la Bèze
Viévigne
Noiron-sur-Bèze
Tanay
MIREBEAU
Magny-St-Médard
Bézouotte
Savolles
Belleneuve
Arçon
Trochères
Binges
Etevaux
Cirey-lès-Pontailler
Tellecey
Vaux-sur-Crône
Cessey-sur-Tille
Chambeire
Labergement-Foigney
Longchamp
GENLIS
Magny-Montarlot
Premières
Collonges-lès-Premières
Huchey
Longeault
Pluvault
Tart-le-Haut
Tart-le-Bas
Tart-l'Abbaye
Marliens
Pluvet
Tréclun
Champdôtre
Pont
Trouhans
Pont-Hémery
Montot
Brazey-en-Plaine
Labergement-lès-Auxonne
Flagey-lès-Auxonne
Les Maillys
St-Seine-en-Bâche
AUXONNE
Tillenay
Villers-les-Pots
Athée
Poncey-lès-Athée
Lamarche-sur-Saône
PONTAILLER-sur-Saône
Vonges
Perrigny-sur-l'Ognon
Heuilley-sur-Saône
Maxilly-sur-Saône
Talmay
Montmançon
St-Sauveur
Marchandeuil
Drambon
Charmes
Cheuge
Jancigny
Renève
Blagny-sur-Vingeanne
Oisilly
Champagne-sur-Vingeanne
Beaumont-sur-Vingeanne
Chevigny
Dampierre-et-Flée
Licey-sur-Vingeanne
Attricourt
Fontenelle
FONTAINE-FRANÇAISE
Forêt de Fontaine-Française
Chaume-et-Courchamp
Sacquenay
Montormentier
Occey
Courchamp
Percey-le-Grand
St-Maurice-sur-Vingeanne
la Villeneuve-sur-Vingeanne
Mornay
Pouilly-sur-Vingeanne
St-Seine-sur-Vingeanne
Rosières
Fahy-lès-Autrey
AUTREY-lès-Gray
Broye-les-Loups-et-Verfontaine
Poyans
Forêt d'Autrey
Essertenne-et-Cecey
CHAMPLITTE
Champlitte-la-Ville
Montarlot-lès-Champlitte
Leffond
Montvaudon
les Louches
Isômes
Cusey
Montsaugeon
Choilley-Dardenay
Dommarien
PRAUTHOY
Vaux-sous-Aubigny
Aubigny-sur-Badin
Chatoillenot
Esnoms-au-Val
Courcelles-Val-d'Esnoms
Vesvres-sous-Chalancey
St-Broingt-les-Fosses
Piépape
Villegusien-le-Lac
Leuchey
Villiers-lès-Aprey
Prangey
Aprey
le Haut-de-Vingeanne
Orcevaux
Verseilles-le-Haut
LONGEAU-PERCEY
Flagey
Heuilley-Cotton
Brennes
Cohons
Bourg
Perrogney-les-Fontaines
Noidant-le-Rocheux
Balesmes-sur-Marne
Source de la Marne
Chalindrey
Culmont
Torcenay
Noidant-Chatenoy
Palaiseul
Heuilley-le-Grand
Rivières-le-Bois
St-Broingt-le-Bois
Chassigny-Aisey
Maâtz
Grenant
Coublanc
Saulles
Belmont
Grandchamp
Corgirnon
Champsevraine
Bussières-Champesvaine
les Loges
FAYL-BILLOT
Fayl-Billot
Chaudenay
Rosoy-sur-Amance
Hortes
Maizières-sur-Amance
Bize
Anrosey
Velles
LAFERTÉ-sur-Amance
Pisseloup
Rougeux
Charmoy
Pierrefaites
Montesson
Pierremont-sur-Amance
Chauvirey-le-Châtel
Chauvirey-le-Vieil
la Quarte
Broncourt
la Folie
Poinson-lès-Fayl
Pressigny
la Rochelle
Cintrey
Molay
Charmes-la-Roche
Voncourt
Savigny
Genevrières
Tornay
Farincourt
Vallerey
Gilley
Frettes
Argillières
Velleguibelle
Pierrecourt
Fouvent-le-Bas
Fouvent-St-Andoche
Larret
Gatey
Courtesoult-et-Gatey
Andrevin
Forêt de Dampierre
Margilley
Neuvelle-lès-Champlitte
Framont
Achey
Delain
Denèvre
Montot
Dampierre-sur-Salon
Ecuelle
Theuley
Dyrières
Vars
Auvet-et-la-Chapelotte
Montureux
Chargey-lès-Gray
Bouhans-et-Feurg
Arc-lès-Gray
GRAY
Gray-la-Ville
Nantilly
Velet
Mantoche
Apremont
Esmoulins
Champvans
le Tremblois
Noiron
Germigney
Arsans
Montseugny
Vadans
Lieucourt
Valay
Aubigney
la Grande-Résie
Chevigney
la Résie-St-Martin
Broye-Aubigney-Montseugny
Chassey
Clery
Mutigney
PESMES
Malans
Sauvigney-lès-Pesmes
Chaumercenne
Montagney
Bard-lès-Pesmes
Brésilley
Vielverge
Champagney
Soissons-sur-Nacey
Dammartin-Marpain
Thervay
Balançon
MONTMIREY-le-Château
Montmirey-la-Ville
Brans
Offlanges
Serre-les-Moulières
Forêt de la Serre
Moissey
Peintre
Chevigny
Flammerans
Pont-de-Pierre
la Feuillée
Villers-Rotin
Billey
Rainans
Biarne
Jouhe
Menotey
Gredisans
Amange
Vriange
Châtenois
Archelange
Romange
Authume
Sampans
Mont Roland
Dole
ROCHEFORT-sur-Nenon
Nenon
Eclans-Nenon
Audelange
Orchamps
Lavans-lès-Dole
la Barre
Rans
Our
la Bretenière
Malange
Auxange
Gendrey
GENDREY
Sermange
Louvatange
Taxenne
Rouffange
Romain
Saligney
Ougney
Pagney
Vitreux
Sornay
Chenevrey-et-Morogne
Bay
Montey-Besuche
Cult
Hugier
Chancey
Bonboillon
Tromarey
Venère
Cugney
Champtonnay
Onay
Cresancey
Velloreille-lès-Choye
Villefrancon
Velesmes-Echevanne
Echevanne
Battrans
Ancier
St-Broing
Sauvigney-lès-Gray
St-Loup-Nantouard
Forêt-de-Belle-Vaivre
Rigny
Beaujeu
St-Vallier
Quitteur
Autet
Mercey-sur-Saône
Motey-sur-Saône
Savoyeux
Seveux
Vaite
Membrey
Volon
Roche-et-Raucourt
Raucourt
Francourt
St-Andoche
Suaucourt-et-Pisseloup
les Essarts
St-Julien
Perte de la Rigotte
Vesoul,Belfort
Combeaufontaine
Vesoul
Besançon
Seurre,Bourg-en-Br.
St.Jean-de-L.
83
Dijon,Lyon,Paris
Dole
Dole,Chalon-s.-S.

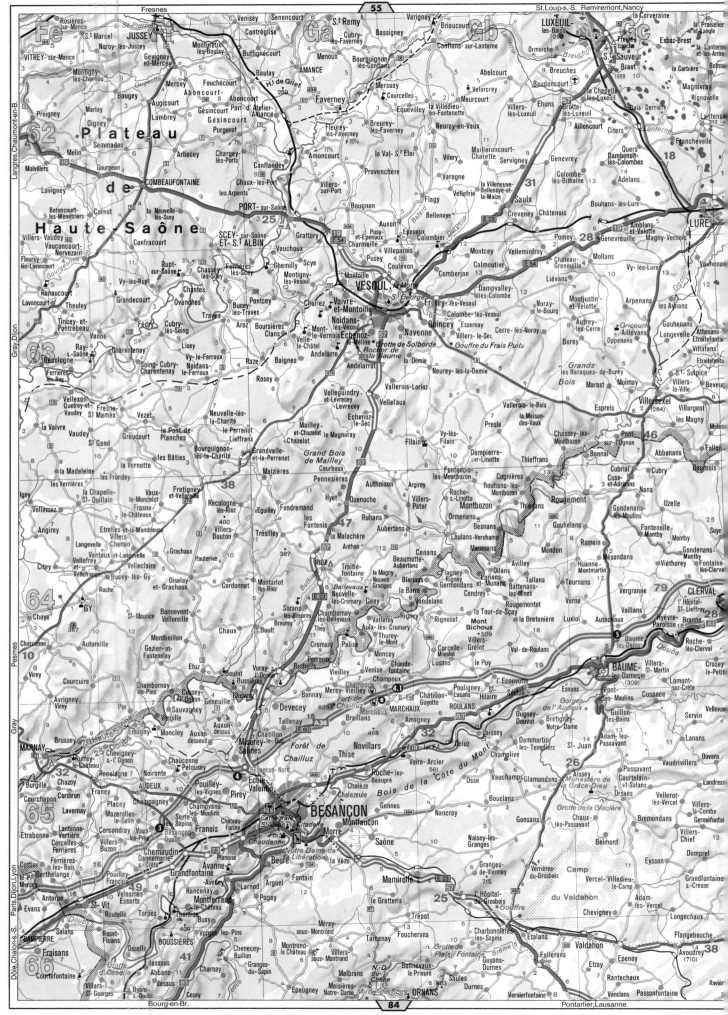
Fresnes
55
St.Loup-s.-S. Remiremont,Nancy
Fe
Ga
Gb
Gc
Rosières-sur-Mance
JUSSEY
Venisey
Senoncourt
S.t Remy
Varigney
Briaucourt
LUXEUIL-les-Bains
la Corveraine
VITREY-sur-Mance
Noroy-lès-Jussey
Gevigney-et-Mercey
Contréglise
Montureux-lès-Baulay
Buffignécourt
Cubry-lès-Faverney
Bassigney
Conflans-sur-Lanterne
Menoux
Bourguignon-lès-Conflans
Ormoiche
Breuchin
St-Sauveur
Esboz-Brest
Montigny-lès-Cherlieu
Baulay
AMANCE
Mersuay
Abelcourt
Breuches
Brest
Mercey
Fouchécourt
H.t de Gilet
Courcelles
Velorcrey
Baudoncourt
Magnivray
Aboncourt-Gésincourt
Bougey
Aboncourt
Faverney
Equevilley
la Villedieu-en-Fontenette
Meurcourt
la Chapelle-lès-Luxeuil
Rignovelle
Preigney
Marlay
Augicourt
Gésincourt
Port-d'Atelier-Amance
Villers-lès-Luxeuil
Ehuns
Brotte-lès-Luxeuil
Bois-Derrière
Oigney
Lambrey
Gésincourt
Fleurey-lès-Faverney
Breurey-lès-Faverney
Neurey-en-Vaux
Ailloncourt
Citers
62
Plateau
Purgerot
Semmadon
Mélin
Arbecey
Chargey-lès-Ports
Amoncourt
le Val-S.t Eloi
Mailleroncourt-Charette
Servigney
Genevrey
Quers
Dambenoit-lès-Colombes
Francheville
18
Malvillers
Gourgeon
Conflandey
Vilory
Provenchère
Colombe-lès-Bithaine
Adelans
Lavigney
COMBEAUFONTAINE
de
Chaux-lès-Port
Villers-sur-Port
Varogne
la Villeneuve-Bellenoye-et-la-Maize
31
les Arpents
Vellefrie
Flagy
Saulx
Cornot
la Neuvelle-lès-Scey
PORT-sur-Saône
Bougnon
Bellenoye
Creveney
Châtenois
Bouhans-lès-Lure
Betoncourt-les-Ménétriers
25
Auxon
LURE
Haute-Saône
SCEY-sur-Saône-ET-S.t ALBIN
Grattery
Pusy-et-Epenoux
Epenoux
Colombier
Pomoy
28
Genevreuille
Amblans-et-Velotte
Magny-Vernois
Villers-Vaudey
Vauconcourt-Nervezain
Confracourt
Vauchoux
Charmoille
Villeparois
Montcey
Velleminfroy
Fleurey-lès-Lavoncourt
Rupt-sur-Saône
Chassey-lès-Scey
Ferrières-lès-Scey
Chemilly
Scye
Pusey
Coulevon
Calmoutier
Château-Grenouille
Mollans
Vy-lès-Lure
Vouhenans
Montigny-lès-Vesoul
Montoille
VESOUL
la Motte
Comberjon
Liévans
Renaucourt
Vy-lès-Rupt
Chantes
Pontcey
S.t George
Frotey-lès-Vesoul
Dampvalley-lès-Colombe
Noray-le-Bourg
Montjustin-et-Velotte
Arpenans
les Aynans
Lavoncourt
Theuley
Grandecourt
Ovanches
Bucey-lès-Traves
Chariez
Vaivre-et-Montoille
Colombe-lès-Vesoul
Autrey-lès-Cerre
Oricourt
Aillevans
Gouhenans
Athesans-Etroitefontaine
Tincey-et-Pontrebeau
Traves
Noidans-lès-Vesoul
Quincey
Essernay
Cerre-lès-Noroy
Oppenans
Longevelle
Villafans
Vanne
Fédry
Cubry-lès-Soing
Aroz
Boursières
Clans
Mont-le-Vernois
Echenoz-la-Méline
Navenne
Villers-le-Sec
Borey
63
Ray-s.-Saône
Charentenay
Lisey
Velle-le-Châtel
Grotte de Solborde
Rocher de la Baume
Gouffre du Frais Puits
Recologne
Soing-Cubry-Charentenay
Vy-le-Ferroux
Noidans-le-Ferroux
Raze
Baignes
Andelarre
Andelarrot
la Demie
Neurey-lès-la-Demie
Grands Bois
les Baraques-de-Borey
S.t-Sulpice
Ferrières-lès-Ray
Rosey
Vallerois-Lorioz
Marast
Moimay
Villers-la-Ville
Beveuge
Vellexon-Quetrey-et-Vaudey
Velleguindry-et-Levrecey
Vellefaux
Villersexel
Villargent
Fresne-St Mamès
Vezet
Neuvelle-lès-la-Charité
Echenoz-le-Sec
Vallerois-le-Bois
la Maison-des-Vaux
Esprels
les Magny
la Vaivre
Vaudey
Greucourt
le Pont-de-Planches
le Perrenot
Mailley-et-Chazelot
le Magnoray
Presle
Chassey-lès-Montbozon
Pont-sur-l'Ognon
46
St Gand
Lieffrans
Chazelot
Filain
Vy-lès-Filain
Abbenans
Fallon
les Bâties
Bourguignon-lès-la-Charité
Grandvelle-et-le-Perrenot
Grand Bois de Mailley
Dampierre-sur-Linotte
Thieffrans
Bonnal
la Madeleine
la Vernotte
les Frondey
Maizières
Courboux
Cubrial
Cubry
Bournois
les Verrières
Pennesières
Fontenois-lès-Montbozon
Cognières
Cuse-et-Adrisans
la Chapelle-St-Quillain
Vaux-le-Moncelot
Fretigney-et-Velloreille
38
Authoison
Argirey
Bouhans-lès-Montbozon
Nans
Frasne-le-Châteaux
Recologne-lès-Rioz
Hyet
Quenoche
Villers-Pater
Roche-s.-Linotte
Rougemont
Uzelle
Vellemoz
Fondremand
Montbozon
Gondenans-lès-Moulins
Angirey
Etrelles-et-la-Montbleuse
Villers-Bouton
Eguilley
les Fontenis
Ruhans
Aubertans
Ormenans
Thiénans
Fontenelle-Montby
Villers-Chemin
47
Besnans
Gouhelans
Montby
Longevelle
Tresilley
la Malachère
Loulans-Verchamp
Romain
Vantoux-et-Longevelle
Grachaux
Hauterive
Anthon
Maussans
Mondon
Gondenans-Montby
Citey
Vellefrey-et-Vellefrange
Velleclaire
RIOZ
Traitié-fontaine
Cenans
Beaumotte-Aubertans
Avilley
Mésandans
Viéthorey
Fontaine-lès-Clerval
Bucey-lès-Gy
Oiselay-et-Grachaux
Cordonnet
Montarlot-lès-Rioz
le Magny
Neuves Granges
Flagey-Rigney
Germondans
Blarians
Ollans
Larians-et-Munans
Tallans
Huanne-Montmartin
Roche
Bellevaux
Neuvelle-lès-Cromary
la Barre
Cendrey
Battenans-les-Mines
Tournans
Vergranne
79
CLERVAL
64
GY
Bonnevent-Velloreille
Sorans-lès-Breurey
Chambornay-lès-Bellevaux
Cirey
Vandelans
Rougemontot
Verne
l'Hôpital-St-Lieffroy
Choye
St-Maurice
Breurey
Valleroy
Rigney
Rignosot
la Tour-de-Scay
Voillans
Autreille
Montboillon
Chaux
Boult
They
Aulx-lès-Cromary
Mont Bichoux
la Bretenière
Luxiol
Autechaux
Hyèvre-Paroisse
Branne
Charcenne
Gezier-et-Fontenelay
Cromary
Palise
Thurey-le-Mont
Corcelle-Mieslot
Villers-Grélot
Baume-les-Dames
Roche-lès-Clerval
10
Moncey
Val-de-Roulans
Pesmes
Etuz
Boulot
Voray-s.-l'Ognon
Buthiers
Perrouse
Venise
Chaudefontaine
Lusans
le Puy
19
Villers-St-Martin
Crosey-le-Petit
Virey
Courcuire
Bussières
Vieilley
Champoux
l'Ecouvotte
BAUME-les-Dames
Chambornay-lès-Pins
Cussey-s.-l'Ognon
Merey-Vieilley
Pouligney-Lusans
St-Hilaire
Séchin
Esnans
Pont-les-Moulins
Lomont-sur-Crête
Avrigney-Virey
Geneuille
Chevroz
Bonnay
B.-Est
Châtillon-Guyotte
ROULANS
Cusance
Vellevans
Pin
Sauvagney
Devecey
Fort de Chailluz
MARCHAUX
Gorges de l'Audeux
Guillon-les-Bains
Gray
Vregille
Tallenay
Braillans
Amagney
Ougney-Douvot
Bretigney-Notre-Dame
Servin
Haute-Saône
Emagny
Moncley
Auxon-dessus
A 36
32
Laissey
Dammartin-les-Templiers
Adam-lès-Passavant
Lanans
Brussey
Auxon-dessous
Châtillon-le-Duc
Miserey-Salines
Forêt de Chailluz
Novillars
Vaire-le-Pt
Deluz
St-Juan
Doubs
Thise
Vaire-Arcier
Champlive
Vaudrivillers
Ouvans
MARNAY
Ruffey-le-Château
Chevigney-s.-l'Ognon
Chaucenne
Pelousey
Besançon-Nord
Roche-lez-Beaupré
Aissey
Passavant
Courtelain-et-Salans
Recologne
Noironte
Bois de la Côte du Mont
Osse
Vauchamps
Glamondans
Monastère de la Grâce-Dieu
Orsans
Landresse
Burgille
Chazoy
AUDEUX
Pouilley-les-Vignes
Ecole-Valentin
Chalèze
Chalezeule
Bouclans
Vellerot-lès-Vercel
Courchapon
Cordiron
Franey
Champagney
Pirey
BESANÇON
Gennes
Grotte de la Glacière
Villers-la-Combe
65
Lavernay
Placey
Champvans-les-Moulins
Cathédrale St-Jean
Citadelle
Nancray
Chaux-lès-Passavant
Bremondans
Germéfontaine
Mazerolles-le-Salin
Serre-les-Sapins
Château-Farine
Montfaucon
Gonsans
Etrabonne
Lantenne-Vertière
Corcondray
Vaux-les-Prés
Franois
Fort Chaudanne
Morre
Saône
Naisey-les-Granges
Villers-Chief
Corcelles-Ferrières
Villers-Buzon
Chemaudin
Notre Dame de la Libération
Belmont
Dompre
Dannemarie-s.-Crête
Planoise
Beure
la Vèze
Granges-de-Vienney
Camp
Eysson
Cottier
Ferrières-les-Bois
16
Avanne
Verrières-du-Grosbois
Vercel-Villedieu-le-Camp
Berthelange
Pouilley-Français
Grandfontaine
Fontain
Mamirolle
Grandfontaine s.-Creuse
le-Pt
Mercey
49
Velesmes-Essarts
Aveney
Larnod
Arguel
l'Hôpital-du-Grosbois
du Valdahon
Adam-lès-Vercel
Antorpe
Rancenay
Pugey
25
Gouffre
Evans
St-Vit
Montferrand-le-Château
le Gratteris
Chevigney
Longechaux
Routelle
Torpes
Thoraise
Busy
Trépot
Salans
DAMPIERRE
Roset-Fluans
BOUSSIÈRES
Vorges-les-Pins
Mérey-sous-Montrond
Foucherans
Charbonnières-les-Sapins
Etalans
Flangebouche
Fraisans
Osselle
Chenecey-Buillon
Montrond-le Château
Tarcenay
Grotte de Plaisir Fontaine
Valdahon
Avoudrey
38
66
41
Villers-sous-Montrond
Fallerans
Epenoy
Grotte d'Osselle
Abbans-dessus
Abbans-dessous
Granges-du-Sapin
Charnay
Malbrans
N.-D. du Chêne
Bonnevaux-le Prieuré
Guyans-Durnes
Etray
Courtefontaine
Villars-St-Georges
Byans-s.-Doubs
Cessy
Epeugney
Maisières-Notre-Dame
Miroir de Scey
ORNANS
Saules
Durnes
Rantechaux
Vernierfontaine
Vanclans
Passonfontaine
Bourg-en-Br.
84
Pontarlier,Lausanne
Langres,Chaumont-en-B.
Gray,Dijon
Dôle,Chalon-s.-S. Paris,Dijon,Lyon

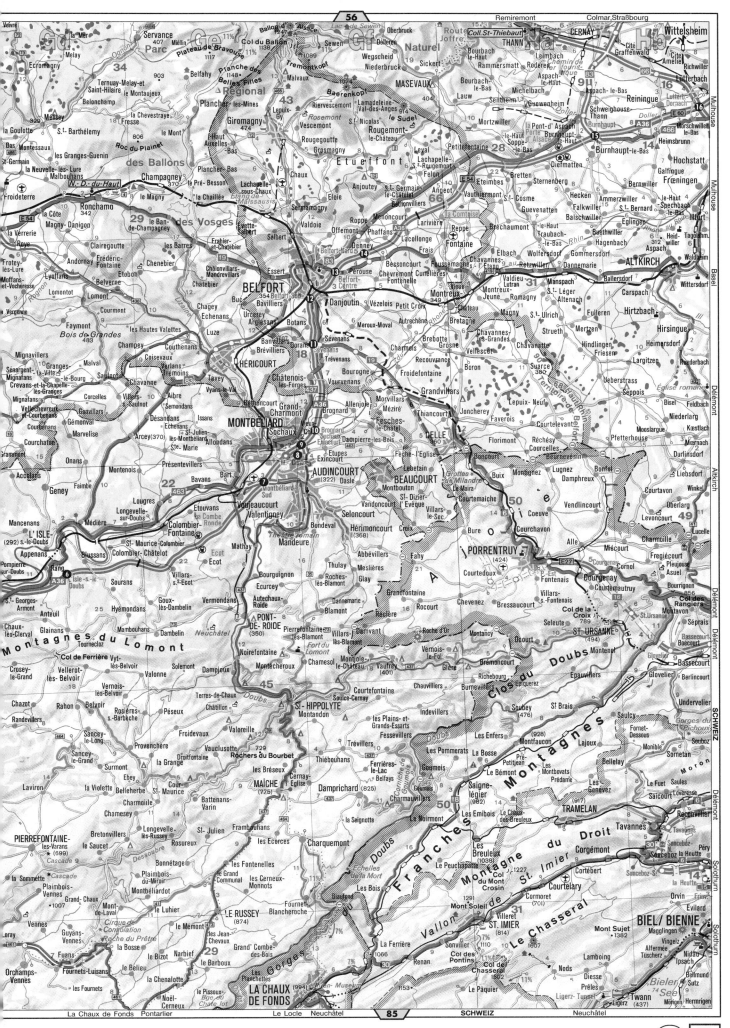
56
Remiremont
Colmar,Straßbourg
Servance
Ballon d'Alsace
Col du Ballon
Sewen
Oberbruck
Dolleren
THANN
CERNAY
Wittelsheim
Plateau de Bravouse
Planche des Belles Filles
Tremontkopf
Baerenkopf
Wegscheid
Niederbruck
Sickert
MASEVAUX
Bourbach-le-Haut
Rammersmatt
Roderen
Leimbach
Aspach-le-Haut
Michelbach
Cité Graffenwald
Richwiller
Lutterbach
Reiningue
Mulhouse
Ecromagny
Melay
Ternuay-Melay-et Saint-Hilaire
Belfahy
Malvaux
Lepuix-Gy
Giromagny
Plancher-les-Mines
Riervescemont
Lamadeleine-Val-des-Anges
le Sudel
Rougemont-le-Château
Lauw
Sentheim
Guewenheim
Schweighouse-Thann
Burnhaupt-le-Haut
Burnhaupt-le-Bas
Heimsbrunn
Morschwiller-le-Bas
Mélisey
la Goulotte
St.-Barthélemy
Belonchamp
Fresse
la Chevestraye
le Mont
Roc du Plainet
des Ballons
Vescemont
Rougegoutte
Grosmagny
Etueffont
Auxelles-Bas
Montessaux
les Granges-Guenin
la Neuvelle-lès-Lure
Malbouhans
N.-D.-du-Haut
Champagney
le Pré-Besson
Plancher-Bas
Chaux
Lachapelle-sous-Chaux
Leval
Lachapelle-s.-Rougemont
Felon
Petitefontaine
Soppe-le-Bas
Dietmatten
Hochstatt
Galfingue
Frœningen
Froideterre
Ronchamp
le Magny
la Chaillée
Etang de Malsaucy
Sermamagny
Anjoutey
Etoie
St.-Germain-le-Châtelet
Bethonvilliers
Angeot
Vauthiermont
Eteimbes
Bretten
Sternenberg
St.-Cosme
Hecken
Guevenatten
Falkwiller
Bernwiller
Ammerzwiller
St.-Bernard
Spechbach-le-Bas
Illfurt
la Côte
Magny-Danigon
le Ban-de-Champagney
des Vosges
la Verrerie
Roye
Clairegoutte
Evette-Salbert
Valdoie
Offemont
Roppe
Menoncourt
Phaffans
Larivière
la Comtoise
Reppe
Fontaine
Bréchaumont
Traubach-le-Bas
Balschwiller
Eglingen
Buethwiller
Hagenbach
Heidwiller
Tagolsheim
Aspach
Frotey-lès-Lure
Andornay
Frédéric-Fontaine
les Barres
Frahier-et-Chatebier
Chenebier
Salbert
Denney
Lacollonge
Frais
Elbach
Wolfersdorf
Gommersdorf
Dannemarie
ALTKIRCH
Waldheim
Lyoffans
Belverne
Etobon
Châlonvillars
Mandrevillars
Essert
BELFORT
Pérouse
Bessoncourt
Chèvremont
Cunelières
Fontenelle
Foussemagne
Chavannes-s.-l'Etang
Retzwiller
Ballersdorf
Wittersdorf
Basel
Lomontot
Lomont
Chatebier
Buc
Bavilliers
Danjoutin
Vézelois
Petit Croix
Montreux-Château
Valdieu-Lutran
Montreux-Jeune
Romagny
Manspach
St.-Léger
Altenach
Carspach
Vergenne
Courmont
Chagey
Echenans
Urcerey
Argiésans
Botans
Meroux-Moval
Autrechêne
Bretagne
Magny
St.-Ulrich
Fulleren
Hirtzbach
Hirsingue
Faymont
Bois de Grandes
les Hautes Valettes
Luze
Banvillars
Brévilliers
Sevenans
Charmois
Brebotte
Chavannes-les-Grandes
Chavanatte
Strueth
Mertzen
Heimersdorf
Mignavillers
Champey
Couthenans
Coisevaux
Verlans
Trémoins
HÉRICOURT
Trévenans
Bourogne
Recouvrance
Grosne
Vellescot
Suarce
Hindlingen
Friesen
Largitzen
Riederbach
Malval
Saulnot
Chavanne
Tavey
Vyans-le-Val
Châtenois-les-Forges
Vourvenans
Froidefontaine
Boron
Ueberstrass
Seppois
Délémont
Corcelles
Villers-s.-Saulnot
Aibre
Semondans
Bethoncourt
Grand-Charmont
Allenjoie
Brognard
Morvillars
Méziré
Grandvillars
Thiancourt
Joncherey
Lepuix-Neuf
Faverois
Courtelevant
Bisel
Feldbach
Niederlarg
Gonvillars
Désandans
Issans
Echenans
MONTBELIARD
Sochaux
Fesches-le-Châtel
DELLE
Florimont
Réchésy
Courcelles
Mooslargue
Kœstlach
Pfetterhouse
Mœrnach
Gémonval
Marvelise
Courchaton
Arcey
St.-Julien-lès-Montbéliard
Allondans
Ste-Marie
Dampierre-les-Bois
Exincourt
Etupes
Féche-l'Eglise
Boncourt
Beurnevésin
Durlinsdorf
Onans
Présentevillers
Montenois
Bavans
Bart
AUDINCOURT
Dasle
Lebetain
BEAUCOURT
Montbouton
Grottes de Milandre
Buix
Montignez
Lugnez
Damphreux
Bonfol
Liebsdorf
Accolans
Geney
Faimbe
Lougres
Longevelle-sur-Doubs
Etouvans
Voujeaucourt
Valentigney
Vandoncourt
St.-Dizier-l'Evêque
Villars-le-Sec
Le Maira
Courtemaiche
Coeuve
Vendlincourt
Courtavon
Winkel
Oberlarg
Levoncourt
Altkirch
Mancenans
Médière
L'ISLE-s.-le-Doubs
Colombier-Fontaine
Seloncourt
Hérimoncourt
Bondeval
Croix
Bure
Courchavon
Alle
Miécourt
Charmoille
Lucelle
Appenans
Blussans
St.-Maurice-Colombier
Colombier-Châtelot
Ecot
Mathay
Mandeure
Théâtre romain
Abbévillers
Fahy
PORRENTRUY
Courtedoux
Fontenais
Courgenay
Cornol
Fregiécourt
Pleujouse
Asuel
Rang
Isle-s.-le-Doubs
Villars-s.-Ecot
Sourans
Bourguignon
Ecurcey
Thulay
Roches-lès-Blamont
Meslières
Glay
Courtemautruy
Bourrignon
St.-Georges-Armont
Anteuil
Goux-lès-Dambelin
Hyémondans
Vermondans
Autechaux-Roide
Dannemarie
Blamont
Grandfontaine
Réclère
Rocourt
Chevenez
Bressaucourt
Villars-s.-Fontenais
Col de la Croix
Col des Rangiers
Montavon
Chaux-lès-Clerval
Glainans
Mambouhans
Dambelin
Neuchâtel
PONT-DE-ROIDE
Pierrefontaine-lès-Blamont
Villars-lès-Blamont
Damvant
Roche d'Or
Montancy
Ocourt
Seleute
ST. URSANNE
Sépraïs
Bassecourt
Boécourt
Montagnes du Lomont
Tournecloz
Col de Ferrière
Vyt-lès-Belvoir
Noirefontaine
Fort du Lomont
Chamesol
Montjoie-le-Château
Vaufrey
Vernois-le-Fol
Montenol
Glovelier
Crosey-le-Grand
Vellerot-lès-Belvoir
Valonne
Solemont
Dampjoux
Montécheroux
Glère
Brémoncourt
Epauvillers
Berlincourt
Vernois-lès-Belvoir
Terres-de-Chaux
Châtillon
Doubs
ST-HIPPOLYTE
Montandon
Courtefontaine
Soulce-Cernay
Chauvilliers
Richebourg
Burnevillers
Epiquerez
Clos du Doubs
Chazot
Rahon
Belvoir
Rosières-s.-Barbèche
Péseux
Indevillers
Soubey
St Brais
Undervelier
Randevillers
Sancey-le-Long
Froidevaux
Valoreille
les Plains-et-Grands-Essarts
Fessevillers
Saulcy
Fornet-Dessous
Gorges du Pichoux
SCHWEIZ
Sancey-le-Grand
Provenchère
Vauclusotte
Rochers du Bourbet
Trévillers
Les Enfers
Montfaucon
Lajoux
Souboz
Surmont
Droitfontaine
La Grange
les Bréseux
Thiébouhans
Ferrières-le-Lac
Belfays
Les Pommerats
La Bosse
Pré-Petitjean
Franches Montagnes
Bellelay
Monible
Sornetan
Laviron
Ebey
la Violette
Belleherbe
Cour-St-Maurice
MAÎCHE
Cernay-l'Eglise
Damprichard
Goumois
Corniche de Goumois
Charmauvillers
Saignelégier
Le Bémont
Les Montbovats
Prédame
Les Genevez
Le Fuet
Saules
Moron
Charmoille
Chamesey
Battenans-Varin
Le Noirmont
Les Emibois
Le Chaux-des-Breuleux
TRAMELAN
Saicourt
Loveresse
Reconvilier
Tavannes
PIERREFONTAINE-les-Varans
Bretonvillers
Longevelle-lès-Russey
St.-Julien
Frambouhans
la Seignotte
Le Saucet
Rosureux
Les Ecorces
Charquemont
Les Breuleux
Montagne du Droit
Corgémont
Sonceboz
Péry
La Heutte
Cascade
Dessoubre
Bonnétage
les Fontenelles
le Grand Communal
les Cerneux-Monnots
Echelles de la Mort
Le Peuchapatte
Mont Crosin
Col du Mont Crosin
St. Imier
Cortébert
Courtelary
la Sommette
Plaimbois-du-Miroir
Plaimbois-Vennes
Montbéliardot
Grand-Chaux
Les Bois
Biaufond
Fournet-Blancheroche
Mont Soleil
Cormoret
Orvin
Frinvillier
Solothurn
Mont-de-Laval
le Luhier
LE RUSSEY
Villeret
ST. IMIER
Le Chasseral
Vallon de St. Imier
Evilard
BIEL/BIENNE
Cirque de Consolation
Roche du Prêtre
Vennes
Guyans-Vennes
le Mémont
les Jean-Chevaux
Grand' Combe-des-Bois
La Ferrière
Sonvilier
Col des Pontins
Mont Sujet
Magglingen
Vingelz
Nidau
Ipsach
La Bosse
le Bizot
Narbief
le Barboux
Gorges du Doubs
Renan
Col du Chasseral
Lamboing
Alfermée
Tüscherz
Orchamps-Vennes
Fuans
Fournets-Luisans
le Belieu
la Chenalotte
Les Planchettes
Nods
Diesse
Prêles
Bellmund
Sutz
les Fournets
le Pissoux
Noël-Cerneux
LA CHAUX DE FONDS
Le Pâquier
Ligerz-Tunnel
Ligerz
Twann
Bieler See
Mörigen
Hermrigen
La Chaux de Fonds
Pontarlier
Le Locle
Neuchâtel
85
SCHWEIZ
Neuchâtel

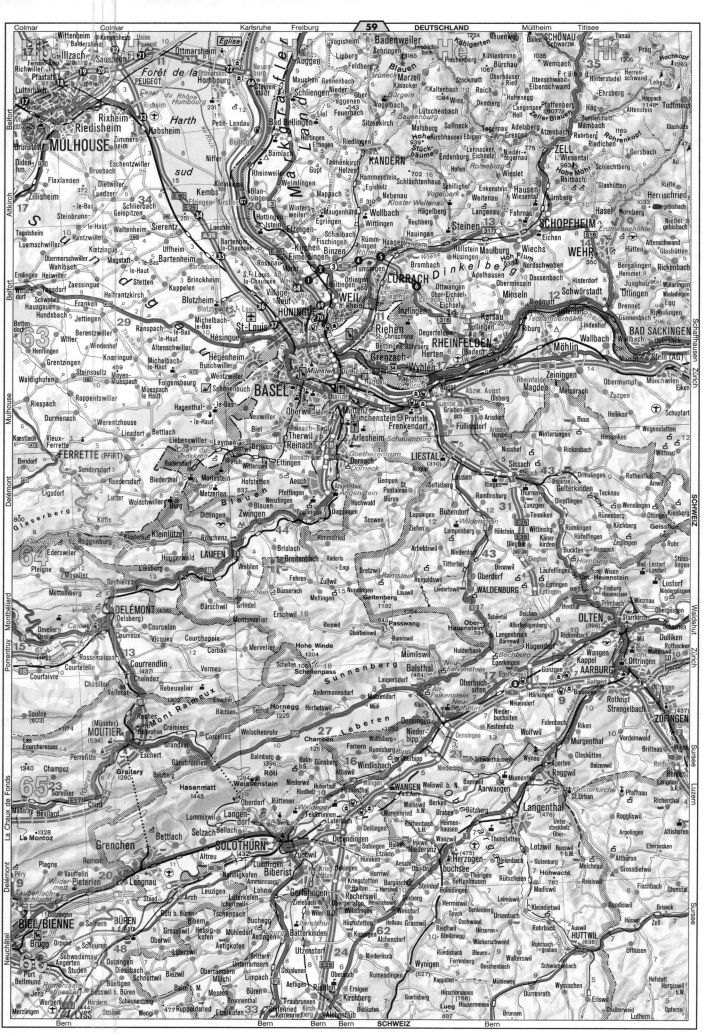

Colmar
Karlsruhe
Freiburg
59
DEUTSCHLAND
Müllheim
Titisee
Belfort
Altkirch
Mulhouse
Delémont
Montbéliard
Porrentruy
La Chaux de Fonds
Neuchâtel
Bern
SCHWEIZ
Schaffhausen
Zürich
Waldshut
Sursee
Luzern
MULHOUSE
Illzach
Sausheim
Riedisheim
Rixheim
Habsheim
Ottmarsheim
Forêt de la Harth
Badenweiler
Kandern
Schliengen
Bad Bellingen
Markgräfler Land
Schönau i. Schwarzw.
Zell i. Wiesental
Schopfheim
Wehr
Steinen
Lörrach
Weil a. Rhein
Huningue
St-Louis
Hésingue
Hégenheim
BASEL
Riehen
Grenzach-Wyhlen
Rheinfelden
Rheinfelden (Baden)
Bad Säckingen
Möhlin
Dinkelberg
Sundgau
Ferrette (Pfirt)
Muttenz
Pratteln
Münchenstein
Arlesheim
Reinach
Therwil
Oberwil
Aesch
Dornach
Liestal
Sissach
Gelterkinden
Laufen
Delémont (Delsberg)
Breitenbach
Waldenburg
Balsthal
Olten
Aarburg
Zofingen
Oftringen
Moutier
Mont Raimeux
Sunnenberg
Leberen
Weissenstein
Hasenmatt
Grenchen
Solothurn
Biel/Bienne
Lengnau
Pieterlen
Büren a. d. Aare
Biberist
Gerlafingen
Zuchwil
Wangen a. d. Aare
Aarwangen
Langenthal
Herzogenbuchsee
Huttwil
Kirchberg
Utzenstorf
Bätterkinden
Lyss
Burgdorf
Oberaargau

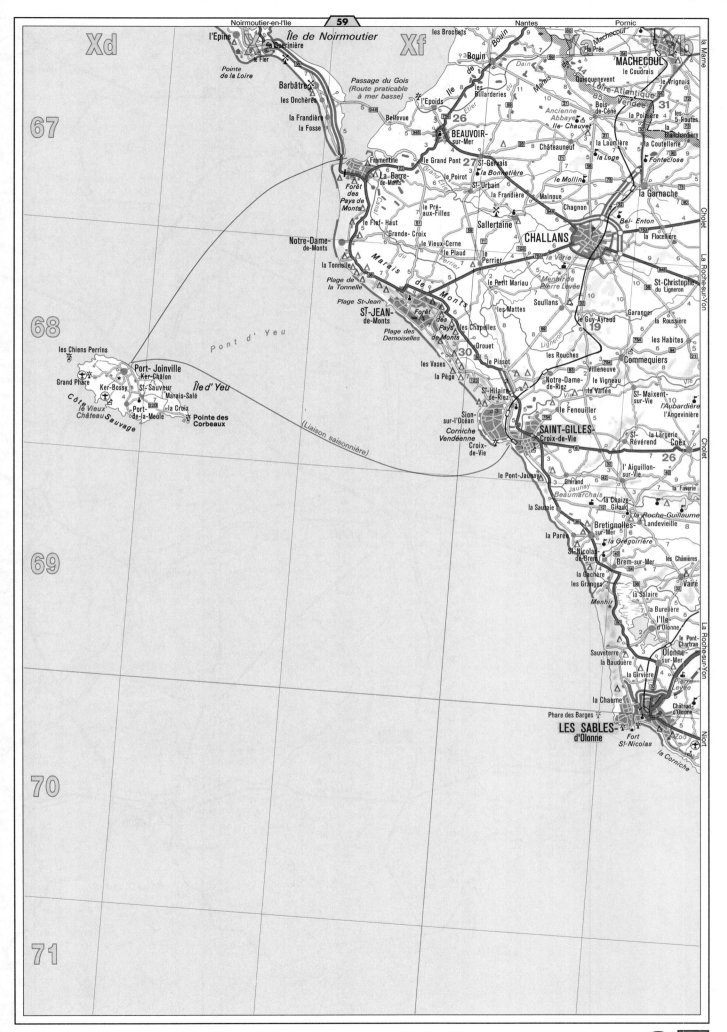

Xd Xe Île de Noirmoutier Xf Ya Yb

l'Épine
la Guérinière
le Fier
Pointe de la Loire
Barbâtre
les Onchères
la Frandière
la Fosse

les Brochets
Bouin
3 Bouin
Machecoul
le Coudrais
la Prée
Quinquenevent
le Vrignais
les 5-Routes
la Blanchardière
la Coutellerie
Fontéclose

67

Passage du Gois
(Route praticable
à mer basse)
l'Époids
26
Bellevue

les Billarderies
Ancienne Abbaye
Ile-Chauvet
Bois-de-Céné
la Poitière

BEAUVOIR-sur-Mer
Châteauneuf
la Laumière
la Loge

Fromentine
le Grand Pont 27 St-Gervais
la Bonnetière
le Mollin
la Garnache
La Barre-de-Monts
le Poirot
St-Urbain
Bel-Enton
la Flocellière

Forêt des Pays de Monts
le Pré-aux-Filles
la Frandière
Malnoue
Chagnon

le Fief-Haut
Grande-Croix
le Vieux-Cerne
le Plaud
CHALLANS

Notre-Dame-de-Monts
le Perrier
la Vérie

la Tonnelle
St-Christophe du Ligneron

Plage de la Tonnelle
le Petit Mariau
Menhir de Pierre Levée
Soullans

68

Plage St-Jean
Forêt
Garanger
la Roussière

ST-JEAN-de-Monts
des Pays de Monts
les Chapelles
le Guy-Ayraud 19
les Habites

Plage des Demoiselles
Orouet
les Rouches
Commequiers

30
les Vases
le Pissot
Villeneuve
le Vigneau
754

la Pège
123
St-Hilaire-de-Riez
Notre-Dame-de-Riez
la Vallée
St-Maixent-sur-Vie
l'Aubardière
l'Angevinière

les Chiens Perrins
Port-Joinville
Ker-Châlon
Pont d' Yeu
Sion-sur-l'Océan
le Fenouiller
la Largerie

Grand Phare
Ker-Bossy
St-Sauveur
Île d' Yeu
SAINT-GILLES-Croix-de-Vie
St-Révérend
Coëx

le Vieux Château Sauvage
Port-de-la-Meule
Marais-Salé
la Croix
Pointe des Corbeaux
Corniche Vendéenne
Croix-de-Vie
l' Aiguillon-sur-Vie 26

Côte Sauvage
(Liaison saisonnière)
le Pont-Jaunay
la Faverie

le Pont-Jaunay
Givrand
Beaumarchais
la Chaize-Giraud
la Roche-Guillaume
Landevieille

la Sauzaie

69

la Parée
Bretignolles-sur-Mer
la Grégoirière

St-Nicolas-de-Brem
Brem-sur-Mer
les Chânières
Vairé

la Gachère
les Granges
la Salaire
la Burelière

Menhir
l'Île-d'Olonne

le Pont-Chartran

Sauveterre
la Baudière
Olonne-sur-Mer

la Girvière
Pierre Levée

la Chaume
Château d'Olonne

Phare des Barges
LES SABLES-d'Olonne
Zoo

70

Fort St-Nicolas
la Corniche

71

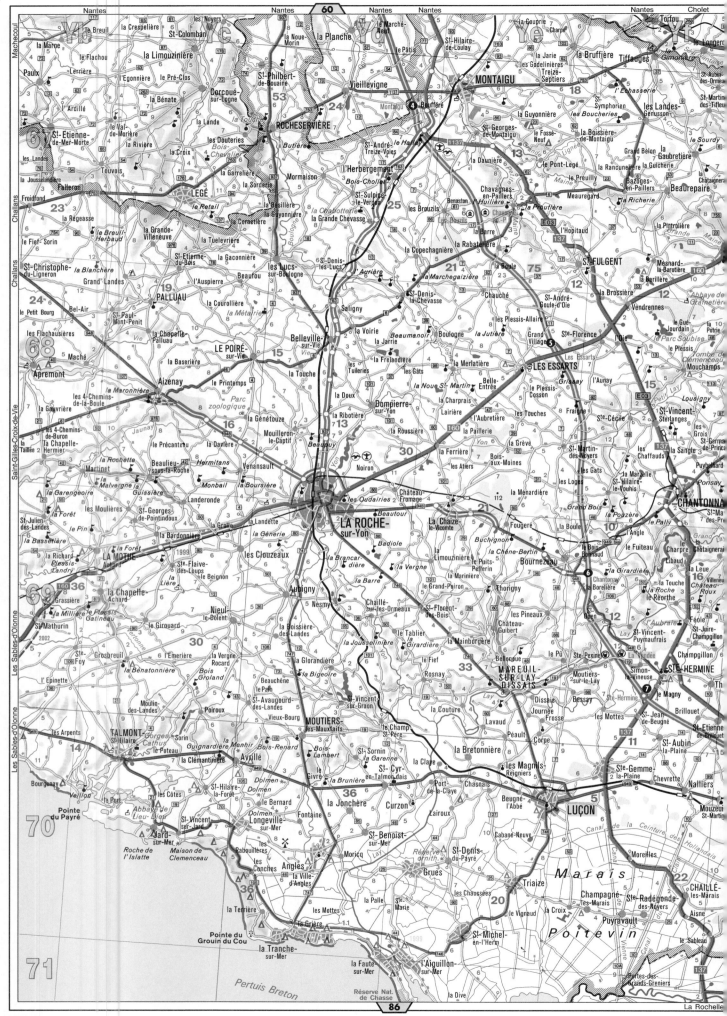

Nantes
60
Cholet
Machecoul
la Marne
Paulx
la Limouzinière
St-Colomban
la Planche
Vieillevigne
MONTAIGU
la Bruffière
Tiffauges
Corcoué-sur-Logne
St-Philbert-de-Bouaine
ROCHESERVIÈRE
Boufféré
St-Georges-de-Montaigu
la Guyonnière
St-Symphorien
les Landes-Genusson
la Boissière-de-Montaigu
St-Etienne-de-Mer-Morte
Touvois
LEGÉ
Falleron
Froidfond
Challans
St-André-Treize-Voies
l'Herbergement
Mormaison
Chavagnes-en-Paillers
la Gaubretière
Bazoges-en-Paillers
Beaurepaire
Meauregard
les Brouzils
la Grande Chevasse
la Grande-Villeneuve
St-Etienne-du-Bois
les Lucs-sur-Boulogne
la Copechagnière
la Rabatelière
St-Fulgent
St-Christophe-du-Ligneron
Grand' Landes
PALLUAU
Beaufou
St-Denis-la-Chevasse
Chauché
St-André-Goule-d'Oie
Mesnard-la-Barotière
Vendrennes
Saligny
Belleville-sur-Vie
Boulogne
Ste-Florence
LES ESSARTS
Mouchamps
LE POIRÉ-sur-Vie
Aizenay
Apremont
Maché
Dompierre-sur-Yon
St-Vincent-Sterlanges
Mouilleron-le-Captif
Venansault
Noiron
Beaulieu-sous-la-Roche
Martinet
Landeronde
LA ROCHE-sur-Yon
Château-Fromage
la Ferrière
les Clouzeaux
La Chaize-le-Vicomte
Fougeré
Bournezeau
CHANTONNAY
la Chapelle-Achard
LA MOTHE-Achard
Ste-Flaive-des-Loups
Aubigny
Nesmy
Chaillé-sur-les-Ormeaux
Thorigny
St-Florent-des-Bois
Château-Guibert
St-Mathurin
Nieul-le-Dolent
la Boissière-des-Landes
MAREUIL-SUR-LAY-DISSAIS
STE-HERMINE
Grosbreuil
Ste-Foy
Rosnay
Poiroux
MOUTIERS-les-Mauxfaits
St-Vincent-sur-Graon
la Couture
la Bretonnière
TALMONT-St-Hilaire
Avrillé
St-Cyr-en-Talmondais
les Magnils-Reigniers
Ste-Gemme-la-Plaine
Nalliers
la Jonchère
Curzon
LUÇON
St-Vincent-sur-Jard
Longeville-sur-Mer
St-Benoist-sur-Mer
Jard-sur-Mer
Angles
Moricq
Grues
St-Denis-du-Payré
Triaize
Marais Poitevin
Champagné-les-Marais
Ste-Radégonde-des-Noyers
CHAILLÉ-les-Marais
Puyravault
la Tranche-sur-Mer
St-Michel-en-l'Herm
l'Aiguillon-sur-Mer
la Faute-sur-Mer
Pointe du Grouin du Cou
Pointe du Payré
Pertuis Breton
Réserve Nat. de Chasse
86
La Rochelle
Les Sables-d'Olonne
Saint-Gilles-Croix-de-Vie

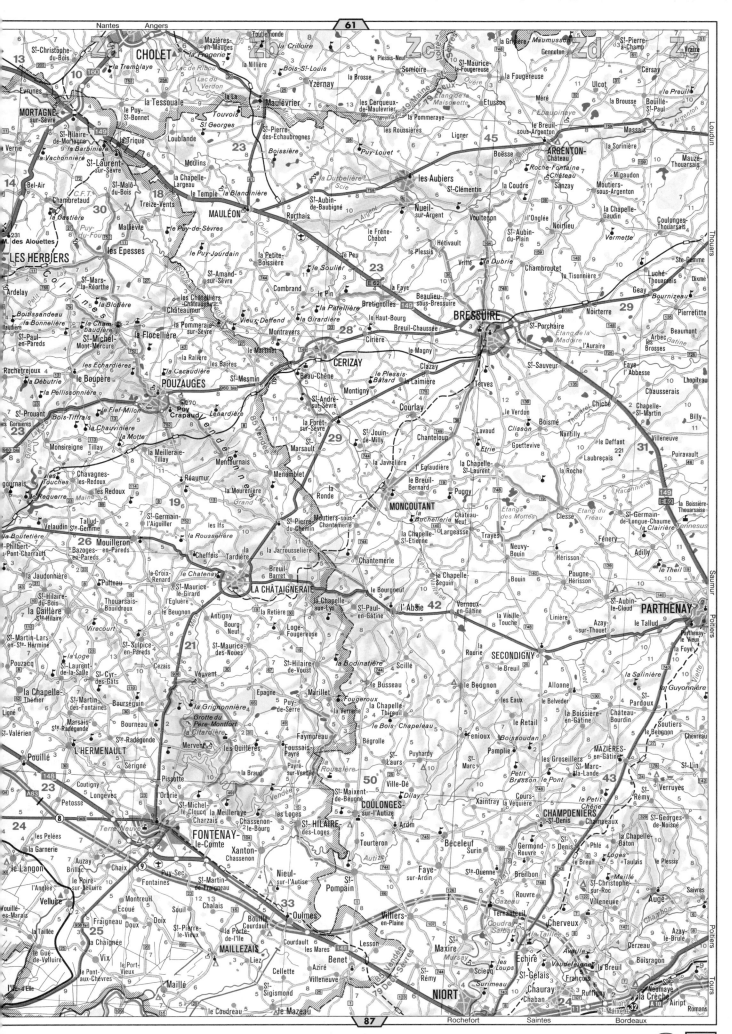

Nantes
Angers
61
CHOLET
Mazières-en-Mauges
Toutlemonde
la Crilloire
Maulévrier
Yzernay
la Tessouale
MORTAGNE-sur-Sèvre
St-Laurent-sur-Sèvre
Mauléon
les Cerqueux-de-Maulévrier
Somloire
St-Maurice-la-Fougereuse
Argenton-Château
Massais
Cersay
Bouillé-St-Paul
les Aubiers
Nueil-sur-Argent
St-Clémentin
Voultegon
Chambretaud
LES HERBIERS
les Epesses
St-Mars-la-Réorthe
les Châtelliers-Châteaumur
la Pommeraie-sur-Sèvre
St-Michel-Mont-Mercure
la Flocellière
le Boupère
POUZAUGES
CERIZAY
BRESSUIRE
Montravers
Cirière
Courlay
Chiché
Boismé
Clessé
Luché-Thouarsais
Noirterre
Moncoutant
Pugny
la Châtaigneraie
l'Absie
Secondigny
Parthenay
Azay-sur-Thouet
Mouilleron-en-Pareds
Thouarsais-Bouildroux
Cezais
Vouvant
Mervent
L'HERMENAULT
Pouillé
Fontenay-le-Comte
Coulonges-sur-l'Autize
Champdeniers-St-Denis
Mazières-en-Gâtine
St-Hilaire-des-Loges
Nieul-sur-l'Autise
Oulmes
Maillezais
Benet
Vix
Maillé
le Langon
Velluire
Niort
Echiré
Chauray
St-Gelais
la Crèche
Augé
Saivres
Loudun
Thouars
Saumur
Poitiers
Tours
Rochefort
Saintes
Bordeaux
87

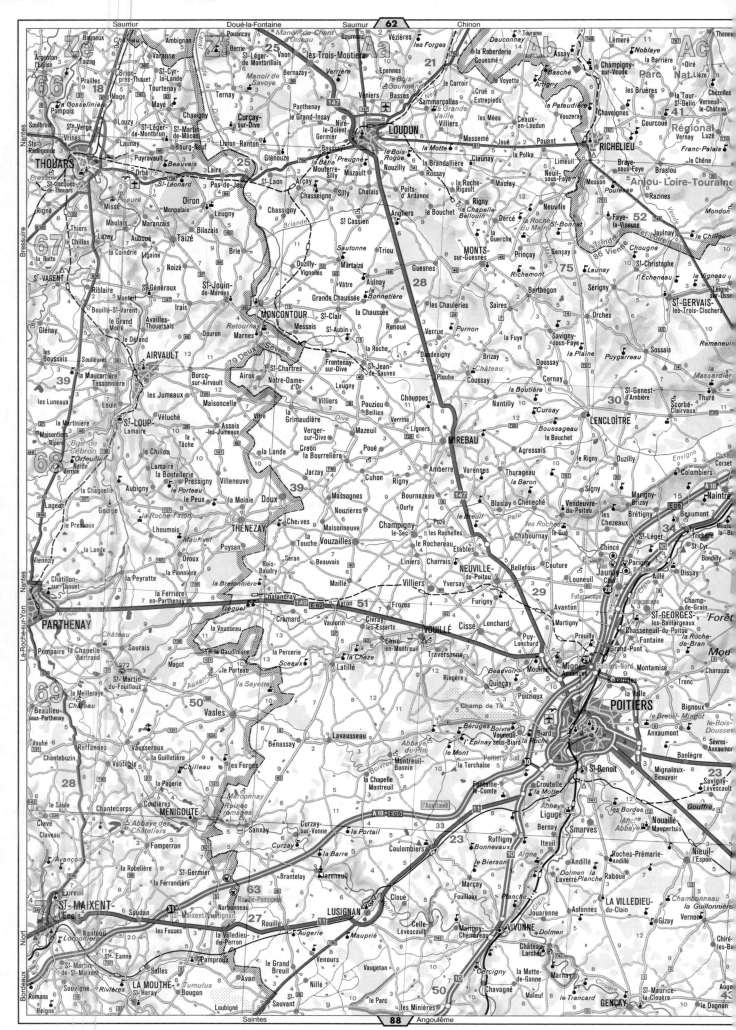

Saumur
Doué-la-Fontaine
Saumur
62
Chinon
Ze
Zf
Aa
Ab
Ac
Bagneux
Argenton-l'Église
Taizon
Ambignon
Varanne
Pouançay
Berrie
St-Léger-de Montbrillais
Vaon
Manoir de Chant d'Oiseau
25
Bournand
Les Trois-Moutiers
Vézières
les Forges
21
Dauconnay
la Roberderie
Couesmé
Touraine
Assay
Lémeré
Noblaye
la Barrière
Oiré
Liéze
Champigny-sur-Veude
Parc
Nat
Regional
Thenez
66
Prailles
18
Brion-près-Thouet
St-Cyr-la-Lande
Tourtenay
Mayé
Bernazay
Manoir de Savoye
Verrière
Epennes
le Bois-Gourmand
le Carroir
la Voyette
Basché
Artigny
les Bruères
la Tour-St-Gelin
Chézelles
Verneuil-le-Château
la Gosselinière
Pompois
Mage
Ternay
Panthenay
le Grand-Insay
Veniers
Basses
Sammarcolles
la Grande Jaille
Villiers
Crué
Estrepieds
la Pataudière
Vouzeray
Chaveignes
Courcoué
41
Soulbrois
Ste-Verge
Vrines
Louzy
Chavigny
St-Léger-de-Montbrun
St-Martin-de-Mâcon
Curçay-sur-Dive
Niré-le-Dolent
Germier
LOUDUN
les Mées
Ceaux-en-Loudun
Vernay
Luzé
Ste-Radegonde
THOUARS
Launay
Bourg-Neuf
Limon
Ranton
Messemé
Joué
Pouant
RICHELIEU
Franc-Palais
Puyravault
Glénouze
Baussay
le Bois-Rogue
la Motte
la Brandallière
Claunay
la Polka
Limeuil
Braye-sous-Faye
Braslou
le Chêne
Pressoir
St-Jacques-de-Thouars
Orbé
Beauvais
Laire
25
la Bâtie
Mouterre-Silly
Preugné
Mazault
Nouzilly
Rossay
Neuil-sous-Faye
Mosson
Poulesse
Anjou-Loire-Touraine
St-Léonard
Pas-de-Jeu
St-Laon
Arçay
Chasseigne
Silly
Chalais
Puits-d'Ardanne
la Roche-Rigault
Maulay
Razines
Rigné
le Prieuré
Missé
Oiron
Monpalais
Leugny
Chassigny
Briande
Rigny
la Chapelle-Bellouin
Dercé
Neuville
Faye-la-Vineuse
52
Mondon
Thiors
Maulais
Maranzais
Bilazais
St Cassien
Angliers
le Bouchet
la Roche du Maine
St-Bonnet
Jaulnay
le Chillou
Bressuire
67
le Chillas
Luzay
Auboué
Taizé
Brie
Sautonne
Triou
la Guerche
Princay
Gençay
37 Indre-et-Loire
86 Vienne
Chougne
la Coindrie
Ligaine
Ouzilly-Vignolles
Martaizé
Guesnes
MONTS-sur-Guesnes
St-Christophe
la Butte
Noizé
Aulnay
28
Richemont
75
Launay
St-VARENT
Riblaire
St-Généroux
St-Jouin-de-Marnes
Vâtre
la Bonnetière
Berthegon
Sérigny
l'Echeneau
le Vigneau
Leigné-sur-Usseau
Bouillé-St-Varent
Monteil
Irais
Grande Chaussée
les Chaulleries
Saires
Orches
St-GERVAIS-les-Trois-Clochers
Glénay
le Grand Moiré
Availles-Thouarsais
MONCONTOUR
St-Clair
la Chaussée
Renoué
Purnon
Savigny-sous-Faye
le Défend
Douron
Retournay
Marnes
Messais
St-Aubin
Verrue
la Fuye
la Plaine
Remeneuil
les Boussais
Soulièvres
AIRVAULT
79 Deux-Sèvres
Frontenay-sur-Dive
la Roche
Dandesigny
Brizay
Puygarreau
Sossais
39
la Maucarrière
Tessonnière
Borcq-sur-Airvault
Airon
St-Chartres
Notre-Dame-d'Or
St-Jean-de-Sauves
Château
Doussay
la Massardière
Ploube
Coussay
Cernay
St-Genest-d'Ambière
Thuré
les Luneaux
les Jumeaux
Maisoncelle
Leugny
Villiers
Pouziou
Bellien
Chouppes
la Boutière
Nantilly
30
Scorbé-Clairvaux
Louin
la Martinière
St-LOUP-Lamaire
Véluché
Vitré
la Grimaudière
Dive
Verrine
Cursay
LENCLOÎTRE
Maisontiers
Ripère
Bge de Cébron
la Tâche
Assais-les-Jumeaux
Verger-sur-Dive
Mazeuil
Lignes
MIREBAU
Boussageau
le Bouchet
Orfeuille
Naide
Verrine
68
le Chillou
la Lande
Craon
la Bourrelière
Poué
Agressais
le Rigny
Ouzilly
Envigne
Corset
Lamairé
la Bontellerie
Pressigny
Villeneuve
Jarzay
Cuhon
Amberre
Varennes
Thurageau
la Baron
Colombiers
Aubigny
le Porteau
le Peux
la Moinie
Doux
39
Rigny
Signy
Marigny-Brizay
la Chagnelle
Lageon
Gourge
Massognes
Bournezeau
Ourly
Blaslay
Cheneché
Vendeuvre-du-Poitou
15
Naintré
Bretigny
Beaumont
la Roche-Faton
le Pressoux
THÉNEZAY
Chervés
Nouzières
le Breuil
Palu
les Roches
les Chezeaux
34
la Tricherie
Lhoumois
Maurivet
Maisonneuve
Champigny-le-Sec
Puzé
les Rochelles
le Gué
Chabournay
St-Léger
St-Cyr
la Lande
Puysan
la Touche
Vouzailles
le Rochereau
Etables
Chincé
Bondilly
Viennay
Oroux
Seran
Beauvais
Liniers
Charrais
NEUVILLE-de-Poitou
Bellefois
Couture
Jaunay
Clan
Parigny
Aillé
Dissay
la Pionnière
Bois-Baudry
Châtillon-sur-Thouet
la Peyratte
la Bretonnière
Maillé
Villiers
Yversay
29
Louneuil
28
Futuroscope
Nantes
la Ferrière-en-Parthenay
Chalandray
Ayron
51
Frozes
Furigny
Avanton
Champ-de-Grain
Tréguel
Cramard
Vaulorin
Civray-les-Essarts
VOUILLÉ
Cissé
Lonchard
Martigny
St-GEORGES-les-Baillargeaux
Forêt
PARTHENAY
la Vausseau
Chasseneuil-du-Poitou
la Roche-de-Bran
Château
Saurais
Chiré-en-Montreuil
Puy-Lonchard
Preuilly
Fontaine
Mou
Pompaire
la Chapelle-Bertrand
la Daudinière
la Percerie
la Chèze
Traversonne
Grand-Pont
272
Magot
le Porteau
Sceaux
Latillé
Beauvoir
Moulinet
Migné-Auxances
Poitiers-Nord
Montamisé
Charasse
St-Martin-du-Fouilloux
Auxances
la Sayette
Ringère
Quinçay
Buxerolles
Tronc
La-Roche-sur-Yon
69
la Meilleraye
Château
50
la Valle
Beaulieu-sous-Parthenay
Vasles
12
Champ de Tir
Pouzioux
POITIERS
Bignoux
le Breuil-Mingot
le-Bois-Doussel
Béruges
Boivre
Vouneuil-sous-Biard
Biard
Vouhé
Reffannes
Vausseroux
Bénassay
Lavausseau
l'Epinay
la Roche
Anxaumont
Sèvres-Anxaumont
Chantebuzin
la Guillotière
Abbaye du Pin
le Mont
Poitiers-Sud
Banlègre
Vautebis
Chilleau
les Forges
Montreuil-Bonnin
la Torchaise
30
St-Benoit
Mignaloux-Beauvoir
23
28
la Pagerie
Boivre
10
Savigny-Lévescault
la Chapelle Montreuil
Fontaine-le-Comte
Croutelle
la Motte
le Saule
Marconnay
Ruines romanes
l'Aquitaine
Gouffre
Clavé
Chantecorps
Coutières
MÉNIGOUTE
11
Abbaye
Ligugé
les Bordes
Claveau
Abbaye des Châteliers
Sanxay
Curzay-sur-Vonne
le Portail
A 10
E 05
33
Bernay
Smarves
Anc.ne Abbaye
Nouaillé-Maupertuis
Fomperron
Curzay
Coulombiers
23
Ruffigny
Bonnevaux
Iteuil
Roches-Prémarie-Andillé
Nieuil-l'Espoir
Avançon
la Robelière
la Barre
le Bierson
Aigne
Andillé
St-Germier
Brantelay
Jazeneuil
Dolmen
la Laverré
Planche
Raboué
la Ferrandière
63
Rouillé-Pamproux
Marçay
Exireuil
St-MAIXENT-École
Soudan
31
Narbonneau
St-Maixent/Lusignan
Cloué
Fouilloux
Planche
LA VILLEDIEU-du-Clain
Chambonneau
la Guillonnière
27
Rouillé
LUSIGNAN
Jouarenne
Aslonnes
Gizay
Vernon
Nanteuil
Lorpoitiers
Les Fosses
la Villedieu-du-Perron
Augerie
Mauprié
Celle-Lévescault
Marigny-Chémereau
VIVONNE
Dolmen
Niort
Ste-Eanne
Pamproux
Venours
Château Larcher
Chiré-les-B
St-Martin-de-St-Maixent
Salles
le Grand Breuil
Vaugeton
Cercigny
la Motte-de-Ganne
Marnay
Clouère
Bordeaux
Souvigné
Rivières
LA MOTHE-St-HERAY
Tumulus
Bougon
Avon
Nillé
50
Chavagné
Maleuf
le Trancard
St-Maurice-la-Clouère
Romans
Reigné
Loubigné
St-Sauvant
le Parc
les Minières
GENÇAY
le Dogno
Saintes
88
Angoulême

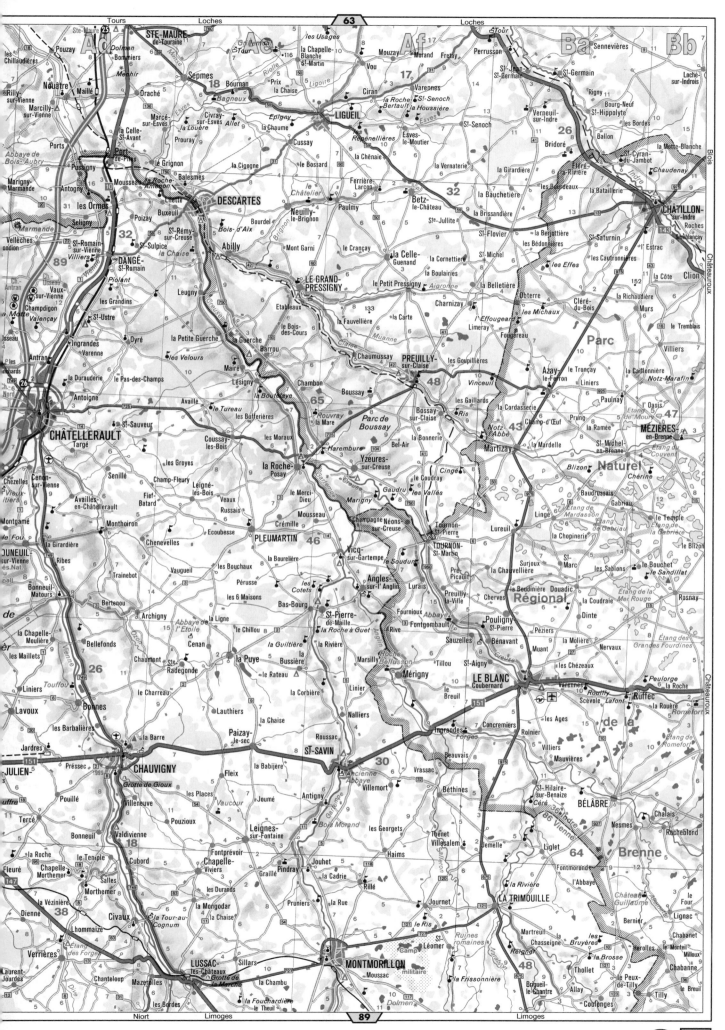

Tours
Loches
63
Loches
Ac
Ae
Af
Ba
Bb
STE-MAURE-de-Touraine
Pouzay
Dolmen
Bommiers
Menhir
les Chillaudières
Sepmes
Bournan
Nouâtre
Maillé
Drache
Rilly-sur-Vienne
Marcilly-sur-Vienne
la Chapelle-Blanche-St-Martin
les Usages
Grand Tour
Prix
la Chaise
Bagneux
Ligoire
Vou
Mouzay
Morand
Fretay
Perrusson
Ciran
Varennes
la Roche-Bertault
St-Senoch
la Houssière
St-Jean-St-Germain
St-Germain
Sennevières
Loché-sur-Indrois
Rigny
Bourg-Neuf
St-Hippolyte
les Bordes
Verneuil-sur-Indre
Marcé-sur-Esves
Civray-sur-Esves
la Louère
Allet
Epigny
LIGUEIL
la Chaume
Esves
St-Senoch
la Celle-St-Avant
Ports
Prouray
Cussay
les Repenellières
Esves-le-Moutier
Bridoré
Ballon
Abbaye de Bois-Aubry
Port-de-Piles
le Grignon
la Cigogne
le Bossard
la Chênaie
la Vernaterie
la Girardière
Fléré-la-Rivière
St-Cyran-du-Jambot
Chaudenay
la Motte-Blanche
Pussigny
Balesmes
Marigny-Marmande
Antogny
Mousseau
la Roche-Amenon
Ferrière-Larçon
Betz-le-Château
la Bauchetière
les Bourdeaux
la Batailleric
Blois
les Ormes
Liette
DESCARTES
le Châtelier
Paulmy
la Brissandière
CHÂTILLON-sur-Indre
Roches
Seligny
Poizay
Buxeuil
Neuilly-le-Brignon
Bourdel
Ste-Jullite
Marmande
Vellèches
St-Romain-sur-Vienne
St-Rémy-sur-Creuse
Bois-d'Aix
St-Flovier
la Berjottière
St-Saturnin
Semblançay
St-Sulpice
Abilly
Mont Garni
le Crançay
la Celle-Guenand
les Bédonnières
l'Estrac
Châteauroux
Villiers
DANGÉ-St-Romain
la Chaise
la Cornettière
St-Michel
les Effes
les Cautronnières
Vaux-sur-Vienne
Piolant
la Boulairies
la Côte
Clion
Champdigon
Leugny
LE GRAND-PRESSIGNY
le Petit Pressigny
Aigronne
la Belletière
Obterre
Cléré-du-Bois
la Richaudière
la Motte
Valençay
les Grandins
Charnizay
les Michaux
Murs
St-Ustre
Etableaux
la Fauvellière
la Carte
l'Effougeard
Limeray
le Tremblais
le Bois-des-Cours
Fougereau
Parc
Ingrandes
Oyré
la Petite Guerche
la Guerche
Muanne
Varenne
Barrou
Claise
Villiers
les Velours
Chaumussay
PREUILLY-sur-Claise
les Goupillières
Antran
la Durauderie
le Pas-des-Champs
Mairé
Azay-le-Ferron
le Tronçay
la Caillonnière
Notz-Marafin
Lésigny
Vinceuil
Liniers
Chambon
Boussay
Paulnay
Antoigne
la Boutelaye
les Gaillards
l'Oasis
Availlé
le Tureau
la Cordasserie
Etang de Moury
les Bufferières
Rouvray
la Mare
Bossay-sur-Claise
Ris
Champ-d'Œuf
Prung
Parc de Boussay
Notz-l'Abbé
la Ramée
MÉZIÈRES-en-Brenne
St-Sauveur
CHÂTELLERAULT
Targé
Coussay-les-Bois
les Moraux
Harembure
Bel-Air
la Bonnerie
Martizay
la Mardelle
St-Michel-en-Brenne
Etang du Couvent
les Groyes
la Roche-Posay
Yzeures-sur-Creuse
Cingé
Blizon
Naturel
Senillé
Champ-Fleury
Leigné-les-Bois
le Coudray
Chérine
Chezelles
Cenon-sur-Vienne
Fief-Batard
Veaux
le Merci-Dieu
Gaudru
les Vallés
Baudrussais
Gabriau
Availles-en-Châtellerault
Russais
Marigny
Etang de Mardasson
Etang de Gabriau
Linge
le Temple
Etang de la Gabrière
Montgamé
Monthoiron
Mousseau
Champagne
Néons-sur-Creuse
Crémille
Tournon-St-Pierre
Lureuil
la Chopinerie
Ecoubesse
PLEUMARTIN
TOURNON-St-Martin
Chenevelles
le Blizon
la Girardière
Vicq-sur-Gartempe
la Bourelière
le Soudun
Surjoux
St-Marc
le Bouchet
le Sandillat
Ribes
Trainebot
les Bouchaux
Vaugueil
Pré-Picault
la Chauvellière
les Sablons
Pérusse
les Cotets
Angles-sur-l'Anglin
Lurais
la Boudinière
Douadic
Bonneuil-Matours
les 6 Maisons
Bertenou
Bas-Bourg
Preuilly-la-Ville
Cherves
Régional
la Coudraie
Etang de la Mer Rouge
Rosnay
Archigny
St-Pierre-de-Maillé
Fournioux
Abbaye
Fontgombault
Pouligny-St-Pierre
Dinte
Abbaye de l'Etoile
la Ligne
le Chillou
la Roche à Guet
Rive
Péziers
la Chapelle-Moulière
Bellefonds
Cenan
la Guiltière
la Rivière
Sauzelles
Bénavant
la Molière
Etang des Grandes Fourdines
les Maillets
Chaumont
Ste-Radegonde
la Puye
la Bussière
Marsilly
Roche Bellusson
Tillou
St-Aigny
Muant
Nervaux
les Chézeaux
le Rateau
Mérigny
LE BLANC
Coubernard
Varennes
Peulorge
la Roche
Liniers
Touffou
le Charreau
la Corbière
Linier
le Breuil
Rouilly
Scévole
Lafont
Ruffec
la Rouère
Romefort
Lavoux
Bonnes
Lauthiers
Nalliers
les Ages
la Chaise
de la
les Barbalières
Concremiers
Paizay-le-sec
Ingrandes
Forges
Rolnier
la Barre
Roussac
Villiers
Etang de Romefort
Jardres
ST-SAVIN
Beauvais
Mauvières
Pressec
CHAUVIGNY
la Babijère
Ancienne Abbaye
Vrassac
Fleix
St-Julien-
Grotte de Gioux
Villemort
Béthines
St-Hilaire-sur-Benaize
Pouillé
les Places
Joumé
Antigny
Céré
BÉLABRE
Chalais
Villeneuve
Vaucour
Tercé
Pouzioux
Bois Morand
Nesmes
Bonneuil
Valdivienne
Leignes-sur-Fontaine
les Georgets
Thenet
Rocheblond
Villesalem
Jemelle
Liglet
Brenne
Fontprévoir
la Roche
le Temple
Cubord
Chapelle-Viviers
Jouhet
Haims
Fleuré
Chapelle-Morthemer
Salles
Graillé
Pindray
la Cadrie
Fontmorond
l'Abbaye
Morthemer
les Durands
Rillé
la Rivière
la Vézinière
la Mongodar
Pruniers
la Rue
Journet
LA TRIMOUILLE
Château Guillaume
le Four
Lignac
Dienné
Civaux
la Chaise
la Tour-au-Cognum
le Ris
Bernier
Lhommaizé
Ruines romaines
Martreuil
Chasseigne
les Bruyères
Chabanet
Verrières
Etang des Forges
St-Léomer
Camp
Reigner
la Brosse
Herolles
le Monteil
Milloux
LUSSAC-les-Châteaux
Sillars
MONTMORILLON
militaire
Thollet
Chabanne
St-Laurent-Jourdes
Chanteloup
Mazerolles
Grotte de la Marche
la Chambu
Moussac
la Frissonnière
Brugueil-le-Chantre
Allay
le Peux-de-Tilly
le Breuil
les Bordes
la Fouchardière
le Theuil
Dolmen
Coulonges
Tilly
Niort
Limoges
89
Limoges

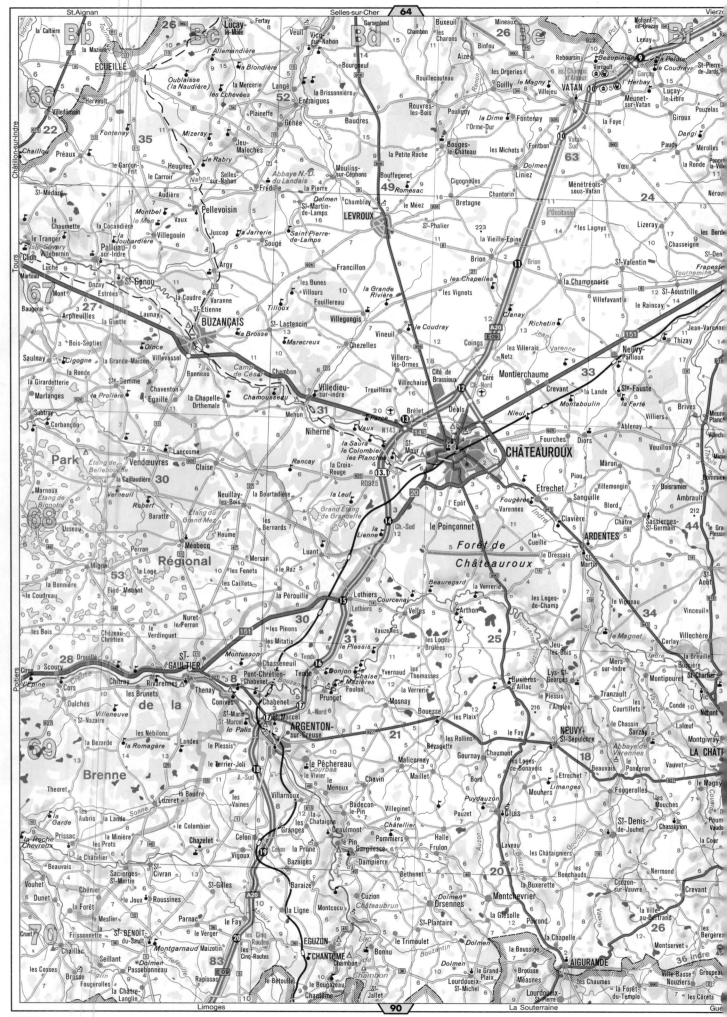

St.Aignan
Selles-sur-Cher
64
Bb
Bc
Bd
Be
Bf
Luçay-le-Mâle
Fertay
Veuil
Vicq-sur-Nahon
Garsenland
Chambon
Buxeuil
les Charons
Mineaux
Binfou
Aize
Mohant-en-Grazay
Lenay
la Caltière
la Mazière
ECUEILLÉ
l' Allemandière
la Blondière
Oublaisse (la Naudière)
la Mercerie
les Echevées
Langé
Entraigues
la Brissonnière
Bourgneuf
Rouillecouteau
les Orgeries
Guilly
le Magny
Villejeu
Reboursin
la Beaupinière
Vornault
VATAN
l'Herbay
Lucay-le-Libre
Meunet-sur-Vatan
Giroux
Pouzelas
66
Hervault
Villedômain
22
Fontenay
35
Mizeray
Plaineffe
Géhée
Baudres
Rouvres-les-Bois
Pouligny
la Dime
l'Orme-Dur
Fontenay
la Foye
Dangi
Paudy
Mérolles
Chaillou
Préaux
Jeu-Maloches
le Rabry
Heugnes
le Gardon-Frit
le Carroir
Selles-sur-Nahon
Abbaye N.-D. du Landais
Frédille
la Pierre
Moulins-sur-Céphons
la Petite Roche
Bouges-le-Château
les Michots
Fontbon
Vatan-Sud
63
Dolmen
Liniez
Vœu
la Ronde
St-Médard
Audière
Pellevoisin
Montbel
le Mée
Vaux
Bouffegenet
49
Romesac
Cigognolles
Chantorin
Ménétréols-sous-Vatan
24
Dolmen
St-Martin-de-Lamps
Chamblay
LEVROUX
le Méez
Bretagne
l'Occitanie
la Chaumette
la Cocandière
la Joubardière
Villegouin
Juscop
la Jarrerie
Saint Pierre-de-Lamps
Sougé
St-Phalier
la Vieille-Epine
les Lagnys
Lizeray
Chasseigne
le Tranger
Palluau-sur-Indre
Clion
Villebernin
Argy
Brion
St-Valentin
Tours
Marteau
Luché
Onzay
Estrées
St-Genou
la Coudre
Varanne
Francillon
les Bunes
Villours
la Grande Rivière
les Chapelles
les Vignots
la Champenoise
St-Aoustrille
67
Mont
27
Baugerai
Arpheuilles
la Guette
Launay
St-Etienne
BUZANÇAIS
Tilloux
Fouillereau
Villegongis
St-Lactencin
la Brosse
le Coudray
Clanay
Richetin
Villefavant
le Raincay
Bois-Septier
Oince
Marecreux
Vineuil
Coings
Jean-Varenne
Thizay
Saulnay
Cigogne
la Grande-Maison
Villevassol
Bonneau
Camp de César
Chambon
Chezelles
Villers-les-Ormes
les Villerais
Notz
Neuvy-Pailloux
la Ronde
la Girardetterie
Ste-Gemme
Chaventon
Villedieu-sur-Indre
Cité de Brassioux
Céré
Montierchaume
33
Marlanges
la Prolière
l'Egaillé
la Chapelle-Orthemale
Chamousseau
Treuilleau
Villechaise
Crevant
la Lande
Ste-Fauste
Brives
Subtray
Corbançon
Mehun
31
Brélet
Parce
Déols
Nieul
Montaboulin
la Ferté
Villiers
Niherne
Vaux
Ablenay
Park
Lancosme
la Saura
le Colombier
les Planches
St-Maur
CHÂTEAUROUX
Fourches
Diors
Vouillon
Étang de Bellebouche
Vendœuvres
Claise
Rancay
la Croix-Rouge
Mâron
la Caillaudière
30
Piou
Marnoux
Étang de Bignotoi
Verneuil
Robert
Neuillay-les-Bois
la Bourtadière
la Leuf
l' Epôt
Etrechet
Villemongin
Boisramier
Ambrault
68
Baratte
Étang du Grand Mez
Grand Étang de Grandeffe
Fougères
Varennes
Sanguille
Blord
Usseau
les Bernards
Houme
la Lienne
Ch.-Sud
le Poinçonnet
Clavière
Châtre
Sassierges-St-Germain
44
Méobecq
Perron
la Cueille
ARDENTES
Luant
Forêt de Châteauroux
Mignė
Régional
Mersan
le Dressais
St-Martin
la Loge
les Fenets
le Raz
53
la Bonnière
les Caillots
Beauregard
le Coudreau
Pied-Monant
la Pérouille
la Verrerie
Lothiers
Courcenai
Arthon
les Loges-de-Champ
le Vigneau
34
Vinceuil
les Bois
Nuret-le-Ferron
30
les Pinons
Velles
Chézeau-Chrétien
le Verdinguet
les Mitatis
31
Vauzelles
les Loges-Brûlées
25
le Magnet
Villechère
Corlay
28
Drouillé
ST-GAULTIER
Montusson
Chasseneuil
le Plessis
Jeu-les-Bois
la Breuille
Ciron
Scoury
l'Epine
Cors
Chitray
Rivarennes
Thenay
Pont-Chrétien-Chabenet
Tendu
Donjon
la Chaise
Mazières
Yvernaud
les Thomasses
Buxières-d'Aillac
Lys-St-Georges
Mers-sur-Indre
Bussière
St-Chartier
Montipouret
Poitiers
les Brunets
de la
Conives
Chabenet
Prunget
Foulon
la Verrerie
le Plessis
Tranzault
Vic
Oulches
Villeneuve
St-Nazaire
St-Marin
St-Marcel
le Palis
ARGENTON-sur-Creuse
A.-Nord
Mosnay
Bouesse
les Plaix
l'Anglée
les Courtillets
Condé
Nohant
les Nébilons
le Plessis
21
les Rollins
le Fay
NEUVY-St-Sépulcre
le Chassin
Sarzay
Lacœur
Montgivray
69
la Bezarde
la Romagère
Landes
le Terrier-Joli
le Pêchereau
Bézagette
Chaumont
Abbaye de Varennes
LA CHÂTRE
Brenne
le Vivier
Courbas
Malicornay
Gournay
les Loges-de-Bonavais
18
Beauvais
le Ponderon
Vauvet
Theuret
la Boudre
A.-Sud
le Menoux
Chavin
Maillet
Bord
Etrechet
Limanges
Mouhers
Fougerolles
le Magny
la Garde
les Aubris
la Lande
Luzeret
Villarnoux
les Vaines
Badecon-le-Pin
Villeginet
Puydauzon
Pouzet
Cluis
les Mouches
la Roche Chevreux
Prissac
la Minière
les Prots
le Colombier
Chazelet
les Granges
la Chataigne
Ceaulmont
le Châtellier
Pommiers
Halle
Frulon
St-Denis-de-Jouhet
Chassignon
le Chatelier
Celon
Vigoux
la Prune
Bazaiges
le Pin
Gargilesse-Dampierre
Laveau
les Châtaigniers
la Cour
Beauvais
Saciergues-St-Martin
St-Civran
St-Gilles
Baraize
Bethenet
les Bouchauds
Nermond
Vouhet
Dunet
Chénier
le Joux
Roussines
Cuzion
Châteaubrun
Dolmen
Orsennes
20
la Buxerette
Montchevrier
Crozon-sur-Vauvre
Crevant
la Forêt
le Meslier
Parnac
le Fay
la Ligne
Montcocu
la Glesolle
Poirond
la Ville-au-Bertrand
Cruet
70
Frissonnette
ST-BENOÎT-du-Sault
le Verger
les Cinq Routes
EGUZON-CHANTÔME
Lac de Chambon
St-Plantaire
le Trimoulet
Dolmen
la Chapelle
26
Montserval
les Bergères
Chaillac
Montgarnaud
Maizotin
Dolmen
Seillant
Passebonneau
83
les Cinq-Routes
Bonnu
la Boussige
AIGURANDE
36 Indre
Grospeau
les Cosses
Brosse
Fougerolles
Rapissac
le Betoulle
le Bouzazeau
Chantôme
St-Jallet
Dolmen
le Grand-Plaix
Brousse
Méasnes
les Chaumes
Ville-Basse
Nouziers
la Chatre-Langlin
Lourdoueix-St-Michel
Lourdoueix-St-Pierre
la Forêt-du-Temple
les Cörets
Limoges
90
La Souterraine

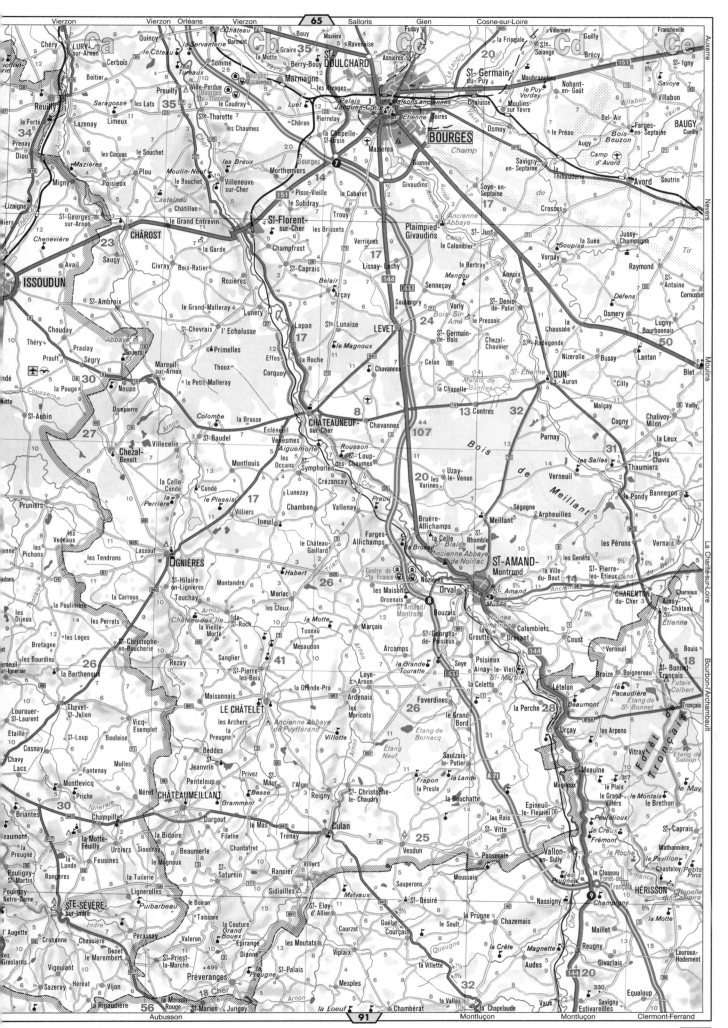
Vierzon
Vierzon
Orléans
Vierzon
65
Salloris
Gien
Cosne-sur-Loire
Auxerre
Nevers
Moulins
La Charité-sur-Loire
Bourbon-l'Archambault
Clermont-Ferrand
Montluçon
Montluçon
91
Aubusson
Ca
Cb
Cc
Cd
Ce
BOURGES
ST-DOULCHARD
ISSOUDUN
CHÂROST
St-Florent-sur-Cher
LEVET
DUN-s.-Auron
CHATEAUNEUF-sur-Cher
LIGNIÈRES
ST-AMAND-Montrond
CHARENTON-du-Cher
LE CHÂTELET
CHÂTEAUMEILLANT
Culan
STE-SÉVÈRE-sur-Indre
HÉRISSON
BAUGY
Avord
Reuilly
Mehun
Marmagne
Quincy
Lury-sur-Arnon
Chéry
Cerbois
Preuilly
St-Germain-du-Puy
Moulins-sur Yèvre
Osmoy
Savigny-en-Septaine
Plaimpied-Givaudins
Soye-en-Septaine
Lissay-Lochy
Senneçay
Vorly
St-Germain-des-Bois
Lunery
Lapan
Ste-Lunaise
Bois de Meillant
Meillant
Orval
Bruère-Allichamps
Farges-Allichamps
Drevant
Ainay-le-Vieil
Urçay
Meaulne
Vallon-en-Sully
Forêt de Tronçais
Épineuil-le-Fleuriel
Saulzais-le-Potier
Ardenais
Reigny
Sidiailles
Préveranges
St-Marien
Vesdun
Thaumiers
Bannegon
Vernais
Blet
Ainay-le-Château
Lurcy-Lévis
Uzay-le-Venon
Arcomps
Montlouis
Crézancay
Chambon
Vallenay
St-Ambroix
Mareuil-sur-Arnon
Chezal-Benoit
Saugy
Civray
Ineuil
Villecelin
Touchay
Morlac
Marçais
St-Pierre-les-Bois
Maisonnais
Thevet-St-Julien
Vicq-Exemplet
Beddes
St-Jeanvrin
Culan
St-Saturnin
Montlevicq
Champillet
Urciers
Vigoulant
St-Priest-la-Marche
Courçais
Chambérat
Vaux
Estivareilles
Reugny
Maillet
Nassigny
Chazemais
Audes
Le Brethon
Vitray
Coust
Colombiers
Bouzais
Faverdines
la Celle
Nozières
Saint-Amand
Ancienne Abbaye de Noirlac
Centre de la France
Ancienne Abbaye de Puyferrand
Étang de Bornacq
Camp d'Avord
Canal du Berry
Cher
Arnon
Yèvre
Auron
Indre
Théols

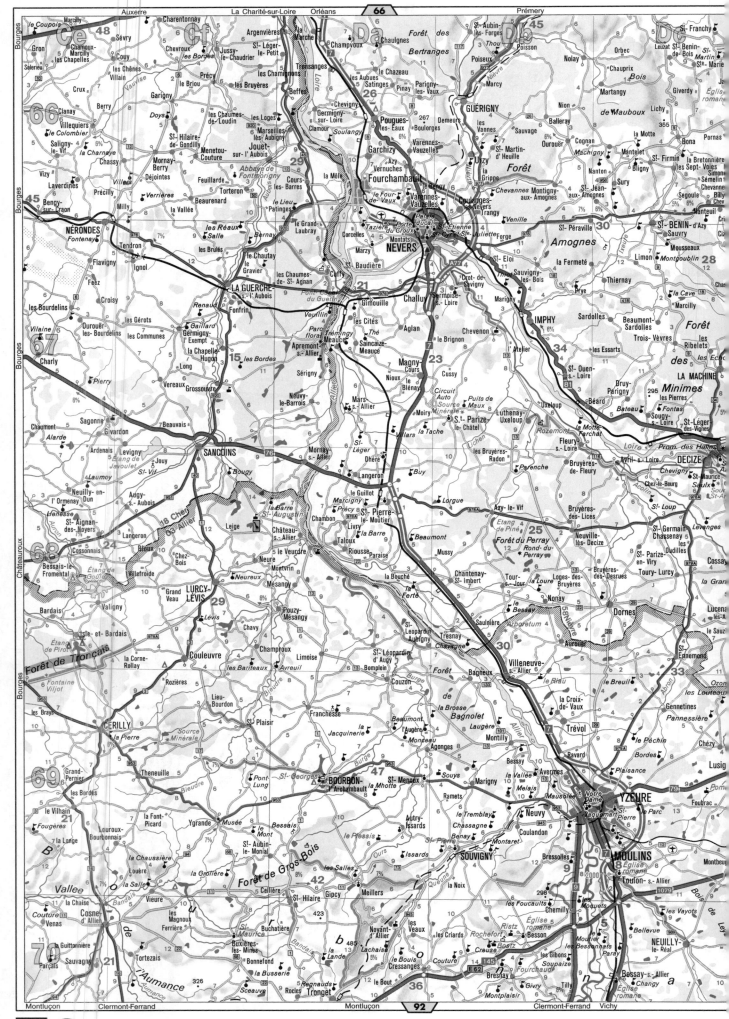
Auxerre
La Charité-sur-Loire
Orléans
66
Prémery
Bourges
Bourges
Bourges
Châteauroux
Bourges
Montluçon
Clermont-Ferrand
Montluçon
92
Clermont-Ferrand
Vichy
Ce
Cf
Da
Db
Dc
48
45
66
67
68
69
70
NÉRONDES
LA GUERCHE-s.-l' Aubois
SANCOINS
LURCY-LÉVIS
CERILLY
BOURBON-l'Archambault
SOUVIGNY
MOULINS
YZEURE
NEVERS
Fourchambault
Garchizy
Pouges-les-Eaux
GUÉRIGNY
IMPHY
DECIZE
St-BENIN-d'Azy
LA MACHINE
NEUILLY-le-Réal
Forêt des Bertranges
Forêt de Tronçais
Forêt de Gros-Bois
Forêt du Perray
Amognes
Vallee de l'Aumance
Loire
Allier
Jouet-sur-l'Aubois
Charenton-du-Cher
Sévry
Couy
Chamoux-Marcilly
Chaulgnes
Varennes-Vauzelles
Urzy
Coulanges-lès-Nevers
St-Pierre-le-Moûtier
Magny-Cours
Chantenay-St-Imbert
Villeneuve-s.-Allier
Trévol
Dornes
Bagneux
Couleuvre
Ygrande
Cosne-d'Allier
Tronget
Meillers
Bessay-s.-Allier
Toulon-s.-Allier
Avermes
Neuvy
Coulandon
Chemilly
Noyant-d'Allier
Châteauneuf
Le Veurdre
Mornay-s.-Allier
Apremont-s.-Allier
Saincaize-Meauce
Challuy
Sermoise-s.-Loire
St-Parize-le-Châtel
Luthenay-Uxeloup
Fleury-s.-Loire
Avril-s.-Loire
Sougy-s.-Loire
Toury-Lurcy
Lucenay-lès-Aix
Château-s.-Allier
Lurcy
Isle-et-Bardais
Theneuille
Vieure
Buxières-les-Mines

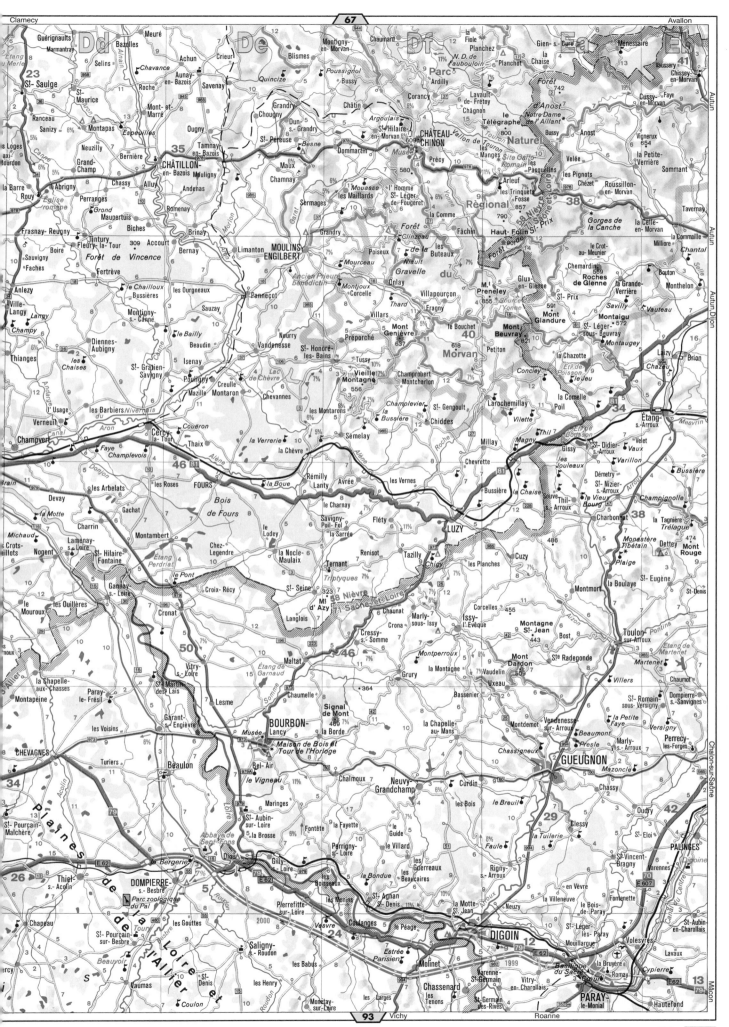
67
Clamecy
Avallon
Dd
De
Df
Ea
Eb
Guérignaults
Marmantray
Meuré
Bazolles
Achun
Crieur
Blismes
Montigny-en-Morvan
Chaumard
la Fiole
Planchez
N. D. de Faubouloin
Planchot
Gien-s.-Cure
la Chaise
Ménessaire
Vaussery
Chissey-en-Morvan
St-Saulge
Selins
Chavance
Aunay-en-Bazois
Savenay
Quincize
Poussignol
Bussy
Parc
Ardilly
Forêt d'Anost
Notre Dame de l'Aillant
Cussy-en-Morvan
Faye
Autun
St-Maurice
Roche
Mont-et-Marré
Grandry
Chougny
Dun-s.-Grandry
Châtin
Argoulais
St-Hilaire-en-Morvan
Coranc
Lavault-de-Frétoy
Châgnon
le Télégraphe
Ranceau
Sanizy
Montapas
Espeuilles
Ougny
St-Péreuse
Besne
Dommartin
CHÂTEAU-CHINON
Musée
Vallon de Touron
Naturel
Bussy
Anost
Vignerux
la Petite-Verrière
Sommant
Neuzilly
Bernière
35
CHÂTILLON-en-Bazois
Tamnay-en-Bazois
Mouligny
Andenas
Maux
Chamnay
Précy
les Manges
Site Gallo-Romain
les Pasquelins
Velée
les Pignots
Chézet
Roussillon-en-Morvan
Grand-Champ
Abrigny
Chassy
Alluy
Mouasse
les Maillards
l'Homme
St-Léger-de-Fougeret
Arleuf
les Trinquets
Fosse
Régional
38
Gorges de la Canche
la Celle-en-Morvan
Tavernay
la Barre
Rouy
Eglise romane
Perranges
Grond
Maupertuis
Romenay
Biches
Sermages
la Comme
Fâchin
Haut-Folin
Frasnay-Reugny
Jintury
Fleury-la-Tour
Accourt
Brinay
Bernay
Limanton
MOULINS-ENGILBERT
Forêt
Clinzeau
de la Nuault
les Buteaux
la Commaille
Milliore
le Crot-au-Meunier
Chantal
Boire
Sauvigny
Faches
Forêt de Vincence
Fertrève
Mourceau
Ancien Prieuré bénédictin
Gravelle
du
Chemardin
Roches de Glenne
la Grande-Verrière
Bouton
Monthelon
Anlezy
le Chailloux
Bussières
les Ourgneaux
Pannecot
Montjoux
Corcelle
Onlay
Villapourçon
Mt Preneley
Source de l'Yonne
Glux-en-Glenne
St-Prix
Ville-Langy
Langy
Champy
Montigny-s.-Canne
Sauzay
Thard
Fragny
Mont Glandure
Savilly
Montaigu
Vauteau
Autun, Dijon
le Bailly
Villars
Mont Genièvre
le Bouchet
Mont Beuvray
St-Léger-sous-Beuvray
Montaugey
Diennes-Aubigny
Beaudin
Neurry
Vandenesse
St-Honoré-les-Bains
Préporché
40
Morvan
Petiton
Thianges
les Chaises
Isenay
Tussy
Vieille Montagne
Champrobert
Montcharlon
la Chazotte
Laizy
Chazeu
Brion
St-Gratien-Savigny
Poulignyo
Creulle
Montaron
Lac de Chèvre
Concley
Etg de Poisson
le Jeu
Mazille
Chevannes
Champlevier
la Bussière
St-Gengoult
Chiddes
Larochemillay
Vilette
la Comelle
Poil
l'Usage
les Barbiers
Nivernais
les Montarons
34
Étang-s.-Arroux
Verneuil
Canal du
Cercy-la-Tour
Couéron
Aron
Sémelay
Thil
Magny
Etg de Bousson
Gissy
St-Didier-s.-Arroux
Vaux
Velet
Mesvrin
Champvert
Faye
Champlevois
Thaix
la Verrerie
la Chèvre
Millay
Chevrette
les Jouleaux
Varillon
Bussière
46
les Arbelats
les Roses
FOURS
Bois de Fours
la Boue
Rémilly
Lanty
Avrée
les Vernes
Bussière
la Chaise
Souve
Thil-s.-Arroux
Démetry
St-Nizier-s.-Arroux
le Vieux Bourg
Champignolle
Devay
Gachat
le Charnay
la Motte
Charrin
Montambert
le Lodey
Savigny-Poil-Fol
la Sarrée
Fléty
LUZY
Charbonnat
38
la Tagnière
Trélague
Michaud
les Crots-Baillots
Nogent
Lamenay-s.-Loire
St-Hilaire-Fontaine
Etang Perdriat
Chez-Legendre
la Nocle-Maulaix
Renisot
Tazilly
Chigy
les Planches
Cuzy
Monastère Tibétain
Dettey
Mont Rouge
Plaige
le Pont
Gannay-s.-Loire
Croix-Récy
Ternant
Triptyques
St-Seine
Mt d'Azy
58 Nièvre
71 Saône-et-Loire
Corcelles
Montmort
la Boulaye
St-Eugène
St-Denis
le Mouroux
les Ouillères
Cronat
Langlois
Chaunat
Crona
Marly-sous-Issy
Issy-l'Évêque
Montagne St-Jean
Bost
Toulon-sur-Arroux
Etang de Martenet
50
Cressy-s.-Somme
Maltat
Montperroux
la Montagne
Mont Dardon
Ste Radegonde
Martenet
Vitry-s.-Loire
Etang de Garnaud
Grury
Vaudelin
Uxeau
Villers
Chaumot
la Chapelle-aux-Chasses
St-Martin-des-Lais
Chaumelle
Bassenier
St-Romain-sous-Versigny
Dompierre-s.-Sanvignes
Montapeine
Paray-le-Frésil
Lesme
Signal de Mont
la Chapelle-au-Mans
Montdemot
Vendenesse-sur-Arroux
la Petite Faye
Versigny
les Voisins
Garant-s.-Engièvre
BOURBON-Lancy
la Borde
Musée
Maison de Bois et Tour de l'Horloge
Beaumont
Presle
Marly-s.-Arroux
Perrecy-les-Forges
Chassigneux
GUEUGNON
CHEVAGNES
Turiers
Beaulon
Bel-Air
le Vigneau
Chalmoux
Neuvy-Grandchamp
Curdin
Mazoncle
Chalon-sur-Saône
34
Plaines
Acolin
Maringes
les Bois
le Breuil
Chassy
St-Aubin-sur-Loire
la Brosse
Fontète
la Fayette
le Guide
29
Clessy
Oudry
42
St-Pourçain-Malchère
Abbaye de Sept-Fons
le Villard
la Tuilerie
Faule
St-Eloi
PALINGES
la Bergerie
Diou
Gilly-s.-Loire
Perrigny-s.-Loire
les Guerreaux
les Beaucaires
Rigny-s.-Arroux
St-Vincent-Bragny
Varennes
Digoine
26
Thiel-s.-Acolin
DOMPIERRE-s.-Besbre
Parc zoologique du Pal
les Boisseaux
la Bondue
les Monins
St-Agnan
St-Denis
la Motte-St-Jean
Neuzy
en Vèvre
la Villeneuve
le Bois-de-Paray
Fontenette
Canal du Centre
St-Aubin-en-Charollais
Chapeau
St-Pourçain-sur-Besbre
les Gouttes
Pierrefitte-sur-Loire
Vesvre
Coulanges
24
le Péage
DIGOIN
12
St-Léger-lès-Paray
Mouillargue
Volesvres
Lavaux
Beauvoir
Saligny-s.-Roudon
Estrée
Parisien
Molinet
Basilique du Sacré-Cœur
la Bruyère
Romay
Cypierre
13
Mâcon
les Babus
Varenne-St-Germain
Vitry-en-Charollais
PARAY-le-Monial
Vaumas
St-Denis
les Henry
Chassenard
les Tenons
St-Germain-des-Rives
Hautefond
Coulon
Monétay-sur-Loire
les Larges
de la Loire et de l'Allier
93
Vichy
Roanne

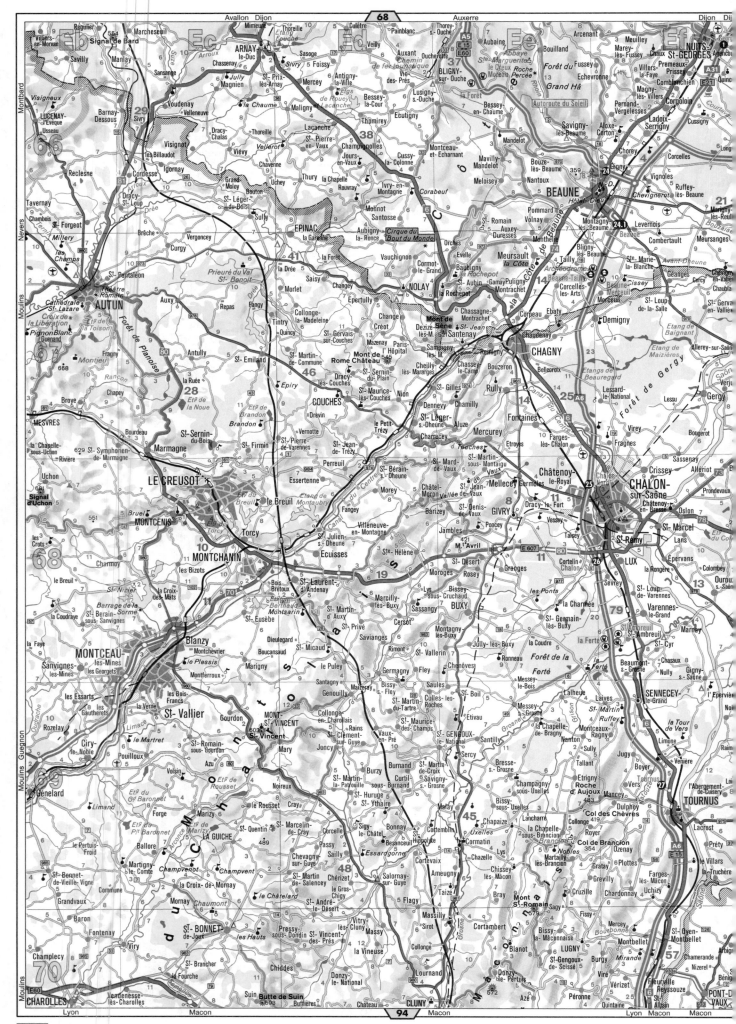
Avallon Dijon
68
Auxerre
Dijon
Montbard
Nevers
Moulins
Moulins Gueugnon
Lyon
Macon
94
Macon
Lyon Macon
Macon
Eb
Ec
Ed
Ee
Ef
66
67
68
69
70
Villiers-en-Morvan
Signal de Bard
Marcheseuil
Savilly
Manlay
Visigneux
LUCENAY-l'Evêque
Barnay-Dessous
Voudenay
Visignot
Reclesne
Igornay
Cordesse
Dracy-St-Loup
Tavernay
St-Forgeot
Brêche
Curgy
AUTUN
St-Pantaléon
Cathédrale St-Lazare
Théâtre Romain
Forêt de Planoise
Auxy
Antully
Broye
MESVRES
Uchon
Signal d'Uchon
LE CREUSOT
MONTCENIS
Torcy
Marmagne
MONTCHANIN
Blanzy
MONTCEAU-les-Mines
St-Vallier
Ciry-le-Noble
Génelard
Charmoy
Marizy
LA GUICHE
St-BONNET-de-Joux
CHAROLLES
Viry
Ballore
ARNAY-le-Duc
Foissy
Mercey
Maligny
Lacanche
Thury
EPINAC
Sully
St-Léger-du-Bois
Collonge-la-Madeleine
Tintry
St-Emiland
COUCHES
Saisy
Epertully
NOLAY
Cirque du Bout du Monde
Chagny
CHAGNY
Santenay
Mont de Sène
Dezize-lès-M.
Mont de Rome Château
St-Sernin-du-Plain
St-Léger-s.-Dheune
Mercurey
Rully
Givry
GIVRY
Mellecey
St-Bérain-s.-Dheune
Ecuisses
St-Julien-s.-Dheune
St-Laurent-d'Andenay
Montsarin
Marcilly-lès-Buxy
BUXY
Sassangy
St-Désert
Moroges
Jambles
Mt Avril
St-Vallerin
Germagny
MONT-ST-VINCENT
Collonge-en-Charollais
Joncy
St-Clément-sur-Guye
Burzy
St-GENGOUX-le-National
Sercy
Cormatin
Salornay-sur-Guye
Massilly
Taizé
CLUNY
Chiddes
Butte de Suin
Donzy-le-National
Lournand
Cortambert
Mont St-Romain
LUGNY
St-Gengoux-de-Scissé
Chapaize
Uxelles
Col des Chèvres
Col de Brancion
Ozenay
TOURNUS
Lacrost
Préty
Chardonnay
Uchizy
Farges-lès-Mâcon
Montbellet
Fleurville
PONT-DE-VAUX
Péronne
Blanot
Bissy-la-Mâconnaise
Burgy
Viré
Vérizet
Azé
Mancey
Etrigny
Royer
Jugy
Boyer
Sennecey-le-Grand
SENNECEY-le-Grand
Laives
Beaumont-s.-Grosne
Gigny-s.-Saône
Varennes-le-Grand
St-Loup-de-Varennes
Sevrey
Lux
LUX
St-Rémy
St-Marcel
CHALON-sur-Saône
Châtenoy-le-Royal
Châtenoy-en-Bresse
Crissey
Fragnes
Virey
Farges-lès-Chalon
Fontaines
Forêt de Gergy
Gergy
Demigny
Ebaty
Corpeau
Chaudenay
Chassagne-Montrachet
Puligny-Montrachet
Meursault
Auxey-Duresses
Volnay
Pommard
BEAUNE
Hôtel-Dieu
Montagny-lès-Beaune
Levernois
Chevignerot
Vignoles
Bligny-lès-Beaune
Tailly
Merceuil
Savigny-lès-Beaune
Aloxe-Corton
Ladoix-Serrigny
Corgoloin
Pernand-Vergelesses
Magny-lès-Villers
NUITS-St-GEORGES
Bouilland
Forêt du Grand Hâ
Autoroute du Soleil
Bessey-en-Chaume
BLIGNY-sur-Ouche
Lusigny-s.-Ouche
Thomirey
Champignolles
Cussy-la-Colonne
Ivry-en-Montagne
Corabeuf
Aubigny-la-Ronce
Vauchignon
Cormot-le-Grand
La Rochepot
Orches
Baubigny
St-Romain
Meloisey
Mavilly-Mandelot
Nantoux
Bouze-lès-Beaune
Montceau-et-Echarnant
Aubaine
Abbaye Ste-Marguerite
Roche Percée
Fussey
Echevronne
Arcenant
Vic-des-Prés
Auxant
Painblanc
Veilly
Antigny-la-Ville
Bessey-la-Cour
Jours-en-Vaux
St-Pierre-en-Vaux
Vellerot
Viévy
Thoreille
Dracy-Chalas
Chassenay
Jully
Magnien
Sivry
Sasoge
Culètre
Thorey-s.-Ouche
Mimeure
Thoreille
Côte de Beaune
Canal du Centre
Mont Saint-Vincent
Montagne Charollais
Monts du Charolais
Monts du Mâconnais

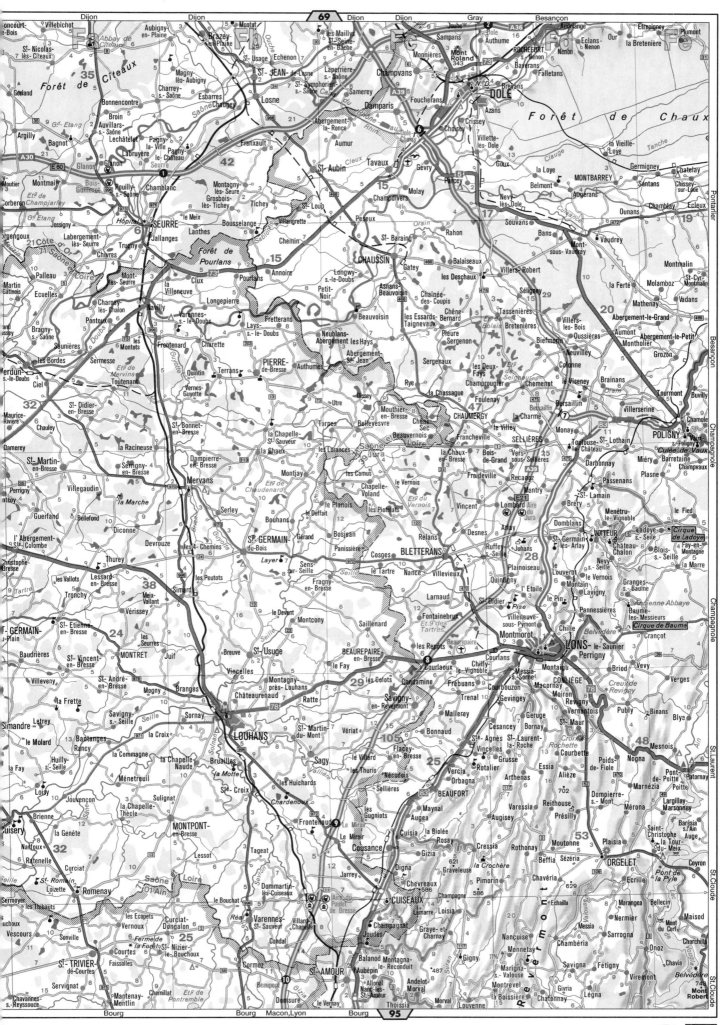
Dijon
Dijon
69
Dijon
Dijon
Gray
Besançon
Fb
Fc
Fd
Fe
Villebichot
Abbay de Cîteaux
St- Nicolas-lès- Cîteaux
Forêt de Cîteaux
Aubigny-en- Plaine
Brazey-en-Plaine
Montot
les Maillys
St- Seine-en- Bâche
St- Usage
Echenon
St- JEAN- de-Losne
Losne
Laperrière-s.- Saône
St- Symphorien-s.- Saône
Samerey
Champvans
Damparis
Sampans
Monnières
Mont Roland
Jouhe
Authume
Dole
DOLE
ROCHEFORT s.- Nenon
Baverans
Brevans
Falletans
Eclans-Nenon
Nenon
Our
Audelange
Etrepigney
Plumont
la Bretenière
Foucherans
Azans
Forêt de Chaux
Crissey
Choisey
Villette-lès- Dole
Gevry
Parcey
Goux
la Loye
Belmont
MONTBARREY
Augerans
Germigney
Santans
Chatelay
Chissey-sur-Loue
Ecleux
Chamblay
Ounans
Magny-lès- Aubigny
Charrey-s.- Saône
Esbarres
Chaugey
Bonnencontre
Broin
Auvillars-s.- Saône
Lechâtelet
Pagny-la- Ville
Pagny-le- Château
Labruyère
Gerland
Argilly
Bagnot
Glanon
Seurre
Franxault
Abergement-la- Ronce
Aumur
St- Aubin
Tavaux
Molay
Champdivers
Montagny-lès- Seurre
Grosbois-lès- Tichey
Tichey
St- Loup
Villangrette
Bousselange
Pouilly-s.- Saône
Chamblanc
Montmain
Corberon
Jossigny
Hôpital
SEURRE
le Meix
Lanthes
Jallanges
Trugny
Chivres
Labergement-lès- Seurre
Chemin
Peseux
St- Baraing
CHAUSSIN
Rahon
Nevy-lès- Dole
Souvans
Bans
Mont-sous- Vaudrey
Vaudrey
Forêt de Pourlans
Pourlans
Annoire
Clux
la Villeneuve
Longepierre
Mont-lès- Seurre
Palleau
Ecuelles
Charnay-lès- Chalon
Navilly
Pontoux
Longwy-s.-le-Doubs
Petit-Noir
Gatey
Balaiseaux
Asnans-Beauvoisin
les Deschaux
Villers- Robert
Séligney
Tassenières
Bretenières
Chainée-des- Coupis
Chêne-Bernard
les Essards-Taignevaux
Beauvoisin
Fretterans
Lays-s.- le- Doubs
Varennes-s.- le- Doubs
Bragny-s.- Saône
Saunières
les Bordes
Frontenard
Charette
Neublans-Abergement
les Hays
Abergement-St- Jean
PIERRE-de-Bresse
Authumes
Terrans
Quintin
Sermesse
Toutenant
Ciel
Vernes-Guyotte
Pleure
Sergenon
Sergenaux
les Deux-Fays
Champrougier
Chemenot
Biefmorin
Villers-les- Bois
Oussières
Neuvilley
Colonne
le Viseney
Brainans
Aumont
Montholier
Abergement-le-Grand
Abergement-le-Petit
Grozon
Tourmont
Buvilly
la Ferté
Molamboz
Mathenay
Montmalin
St- Cyr-Montmalin
Vadans
Rye
la Chassagne
Foulenay
CHAUMERGY
Bersaillin
Villerserine
POLIGNY
Chamole
Dissey
Utre
Mouthier-en- Bresse
Chêne-Sec
Bellevesvre
Torpes
la Chapelle-St- Sauveur
St- Didier-en- Bresse
Chauley
St- Bonnet-en- Bresse
la Racineuse
la Chaux
Dampierre-en- Bresse
les Lorances
Beauvernois
Francheville
le Villey
la Charme
Monay
SELLIÈRES
Toulouse-le- Château
St- Lothain
Darbonnay
Miéry
Barretaine
Champvaux
Plasne
Passenans
St- Lamain
Bréry
Menétru-le- Vignoble
le Fied
Domblans
VOITEUR
St- Germain-lès- Arlay
Ladoye-s.- Seille
Cirque de Ladoye
Fay-en-Montagne
Château-Chalon
Blois-s.- Seille
la Marre
Nevy-s.- Seille
le Louverot
le Vernois
Montain
Lavigny
Granges-s.- Baume
Baume-les- Messieurs
Cirque de Baume
Crançot
Pannessières
le Pin
Chille
Belvédère
LONS-le- Saunier
Perrigny
Montaigu
CONLIÈGE
Briod
Vevy
Verges
Creux de Revigny
Revigny
Vernantois
Publy
Binans
Blye
St- Maur
Mesnois
Nogna
Courbette
Poids-de- Fiole
Pont-de- Poitte
Patornay
Poitte
Largillay-Marsonnay
Marnézia
Mérona
Dompierre-s.- Mont
Alièze
Essia
Reithouse
Présilly
Moutonne
Plaisia
ORGELET
Saint-Christophe
la Tour-du- Meix
Barésia s.l'Ain
Auge
Coyron
Pont de la Pyle
Ecrille
Sézéria
Beffia
Chavéria
Echailla
Marangea
Bellecin
Nermier
Maisod
Mont du Cerf
Sarrogna
Charchilla
Onoz
Chavia
Belvédère
Virement
Fétigny
Savigna
Chambéria
Messia
Légna
Chatonnay
Givria
Montrevel
la Boissière
Marigna-s.- Valouse
Monnetay
Nanciuse
Revermont
Gigny
Louvenne
Morval
Andelot-Morval
Thoissia
Montagna-le- Reconduit
Balanod
Aubépin
Allonal
Nanc-lès-St.-Amour
St- AMOUR
Domsure
le Vernay
Beaupont
Cormoz
Condal
Villard-Chapelle
Varennes-St- Sauveur
Réal
le Bouchat
Aire du Poulet de Bresse
Joudes
Champagnat
Graye- et-Charnay
Lamarre
Loisia
CUISEAUX
Chevreaux
Champagne
Pimorin
Graveleuse
la Crochère
Cressia
Rothonay
Gizia
Rosay
la Biolée
Cuisia
Cousance
le Miroir
Digna
Jarrey
Augea
Maynal
BEAUFORT
Orbagna
Vercia
Rotalier
Grusse
Vincelles
Ste- Agnès
St- Laurent-la- Roche
Cesancey
Bornay
Geruge
Arthenas
Varessia
Augisey
Gevingey
Courbouzon
Macornay
Moiron
Messia-s.- Sorne
Chilly-le- Vignoble
Frébuans
Trenal
Mallerey
Bonnaud
Savigny-en- Revermont
Condamine
Courlaoux
Courlans
Montmorot
Villeneuve-sous- Pymont
St- Didier
Pise
l'Etoile
Quintigny
Plainoiseau
Juhans
Ruffey-s.- Seille
Arlay
Lombard
Aire du Jura
Mantry
Recanoz
Froideville
Vers-sous- Sellières
Bois-de-Grand
la Chaux-en- Bresse
Vincent
Desnes
Relans
BLETTERANS
Villevieux
Larnaud
Fontainebrux
les Repôts
Beaurepaire
BEAUREPAIRE en- Bresse
Saillenard
Nance
Cosges
le Tartre
Panissière
Bosjean
Bouhans
Gérand
St- GERMAIN-du-Bois
Layer
Sens-sur- Seille
Fragny-en- Bresse
le Devant
Montcony
le Planois
le Deffait
les Piotelats
Chapelle-Voland
les Camus
le Vernois
Montjay
Serley
Mervans
Serrigny-en- Bresse
St- Martin-en- Bresse
Perrigny
Villegaudin
la Marche
Guerfand
Bellefond
Diconne
Devrouze
les 4- Chemins
l' Abergement-Ste- Colombe
Thurey
Lessard-en- Bresse
les Vallots
Tronchy
Meix-Vallant
Simard
les Peutots
Vérissey
St- Etienne-en- Bresse
les Seurres
MONTRET
Juif
Baudrières
St- Vincent-en- Bresse
St- André-en- Bresse
Villeveny
Mogny
Branges
la Frette
Savigny-s.- Seille
Sornay
LOUHANS
Châteaurenaud
Ratte
Montagny-près- Louhans
Vincelles
St- Usuge
Breuve
les Cotols
le Fay
St- Martin-du- Mont
Vériat
Sagy
le Villard
Flacey-en- Bresse
les Thuris
Nécudois
Sellières
les Huichards
Bruailles
la Motte
St- Croix
Chardenoux
Frontenaud
le Miroir
les Gugniots
Letrey
le Molard
Bantanges
Rancy
la Croix
la Commagne
la Chapelle-Naude
Huilly-s.- Seille
la Fay
Ménetreuil
Loisy
Jouvençon
Sulignat
la Chapelle-Thècle
Brienne
Cuisery
MONTPONT-en-Bresse
la Genête
Naftoux
Ratenelle
Lessot
Tageat
Curciat
St- Romain
Loizette
Romenay
Dommartin-lès-Cuiseaux
les Thibauts
les Ecopets
Vernoux
Curciat-Dongalon
Sermoyer
Vescours
Sonville
Ferme de la Forêt
St- Nizier-le- Bouchoux
Courtes
Faissolles
St- TRIVIER-de-Courtes
Servignat
Mantenay-Montlin
Chemillat
Chavannes-s.-Reyssouce
Bourg
Bourg
Macon,Lyon
Bourg
95
Pontarlier
Besançon
Champagnole
Champagnole
St.Laurent
St.Claude
St.Claude

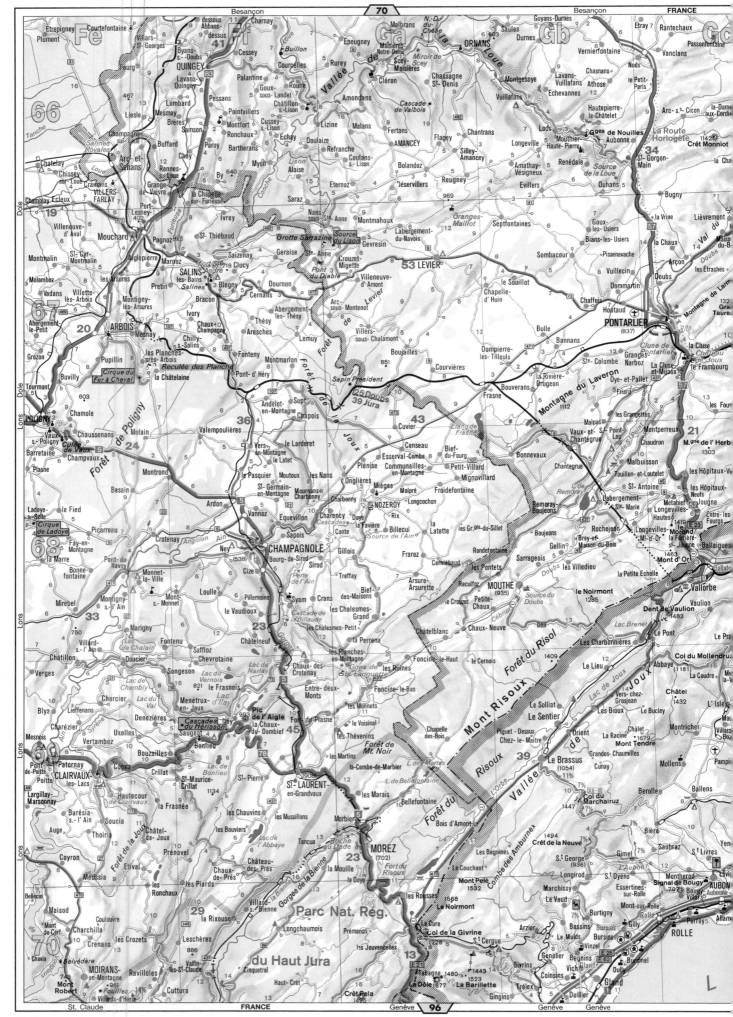

Besançon
70
Besançon
FRANCE
Fe
Ff
Ga
Gb
66
67
68
69
70
Courtefontaine
Etrepigney
Plumont
QUINGEY
Byans-s.-Doubs
Lavans-Quingey
Lombard
Liesle
Mesmay
Brères
Samson
Buffard
Champagne-sur-Loue
Salines Royales
Arc-et-Senans
Chatelay
Chissey-sur-Loue
Cramans
VILLERS FARLAY
Rennes-s.-Loue
Grange-de-Vaivre
Chamblay
Ecleux
Port-Lesney
Mouchard
Pagnoz
Villeneuve-d'Aval
Montmalin
St-Cyr-Montmalin
Aiglepierre
Marnoz
les Arsures
Molamboz
Vadans
Villette-lès-Arbois
Montigny-lès-Arsures
Pretin
ARBOIS
Mesnay
Abergement-le-Petit
Grozon
Pupillin
Cirque du Fer à Cheval
Buvilly
Tourmont
POLIGNY
Chamole
Vaux-s.-Poligny
Culée de Vaux
Chaussenans
Barretaine
Champvaux
Forêt de Poligny
Plasne
Molain
Montrond
Besain
Ladoye-s.-Seille
Le Fied
Cirque de Ladoye
Picarreau
Fay-en-Montagne
la Marre
Bonnefontaine
Pont-du-Navoy
Monnet-la-Ville
Mont-s.-Monnet
Mirebel
Montigny-s.-l'Ain
Marigny
Lac de Chalain
Fontenu
Villard-s.-l'Ain
Châtillon
Doucier
Verges
Songeson
Lac de Chambly
Charcier
Blye
Lieffenans
Menétrux-en-Joux
Lac d'Ilay
Denezières
Cascades du Hérisson
Charézier
Uxelles
Saugeot
Mesnois
Vertamboz
Bonlieu
Bouzailles
Patornay
Pont-de-Poitte
CLAIRVAUX-les-Lacs
Cogna
Crillat
Largillay-Marsonnay
Hautecour
Barésia-s.-l'Ain
la Frasnée
Soucia
Auge
Thoiria
Châtel-de-Joux
Forêt de la Joux
Coyron
Prénovel
Etival
Meussia
les Ronchaux
les Piards
Bellecin
Maisod
Charchilla
Crenans
les Crozets
Chavia
Belvédère
MOIRANS-en-Montagne
Ravilloles
Mont Robert
Fouilles
Villards-d'Héria
Cuttura
St. Claude
FRANCE
dessous Abbans-dessus
Charnay
Cessey
Buillon
Courcelles
Palantine
Pessans
Pointvillers
Montfort
Ronchaux
Paroy
Bartherans
Myon
By
Châtillon-s.-Lison
Cussey-s.-Lison
Echay
Doulaize
Lizine
Alaise
Refranche
Coulans-s.-Lison
Eternoz
Saraz
Ivrey
St-Thiébaud
Nans-sous-St-Anne
Grotte Sarrazine
Source du Lison
Saizenay
Geraise
Ste-Anne
Clucy
SALINS-les-Bains
Blegny
Dournon
Cernans
Bracon
Ivory
Chaux-Champagny
Thésy
Aresches
Abergement-lès-Thésy
Chilly-s.-Salins
les Planches-près-Arbois
Reculée des Planches
la Châtelaine
Fonteny
Pont-d'Héry
Montmarlon
Lemuy
Andelot-en-Montagne
Supt
Chapois
Valempoulières
Vers-en-Montagne
le Larderet
le Latet
le Pasquier
Moutoux
les Nans
St-Germain-en-Montagne
Mournans-Charbonny
Ardon
Vannoz
Equevillon
Crotenay
Sapois
Ney
CHAMPAGNOLE
Bourg-de-Sirod
Sirod
Cize
Loulle
Syam
le Vaudioux
Pillemoine
Crans
Châtelneuf
Saffloz
Chevrotaine
Lac de Narlay
le Frasnois
Pic de l'Aigle
la Chaux-du-Dombief
Fort-du-Plasne
Chaux-des-Crotenay
Entre-deux-Monts
St-Maurice-Crillat
St-Pierre
ST-LAURENT-en-Grandvaux
les Chauvins
les Bouviers
Lac de l'Abbaye
Tancua
Château-des-Prés
Chaux-de-Prés
Gorges de la Bienne
Villard-s.-Bienne
la Rixouse
Longchaumois
Leschères
Valfin-lès-St-Claude
Cinquetral
Haut-Crêt
Parc Nat. Rég. du Haut Jura
Malbrans
N.-D.-du-Chêne
Epeugney
Maisières-Notre-Dame
Scey-Maisières
Miroir de Scey
Vallée de la Loue
Rurey
Cléron
Amondans
Malans
Fertans
AMANCEY
Bolandoz
Déservillers
Reugney
Cascade de Valbois
Chassagne-St-Denis
Flagey
Silley-Amancey
Chantrans
ORNANS
Montmahoux
Granges-Maillot
Labergement-du-Navois
Gevresin
Crouzet-Migette
Pont du Diable
Villeneuve-d'Amont
Arc-sous-Montenot
Forêt de Levier
Villers-sous-Chalamont
Boujailles
Sapin Président
53 LEVIER
Cuvier
Censeau
Esserval-Combe
Plénise
Communailles-en-Montagne
Onglières
Mièges
NOZEROY
Molpré
Longcochon
Charbonny
Charency
Doye
Cascades
la Favière
Rix
Billecul
Source de l'Ain
Conte
Gillois
Treffay
Perte de l'Ain
Bief-des-Maisons
les Chalesmes-Grand
les Chalesmes-Petit
Cascade de la Billaude
la Perrena
les Planches-en-Montagne
Gges de la Langouette
les Ruines
Foncine-le-Bas
Foncine-le-Haut
les Monnets
le Voisinal
les Thévenins
Forêt de Mt. Noir
les Martins
la-Combe-de-Morbier
les Marais
Morbier
MOREZ
Fort du Risoux
la Mouille
la Doye
les Rousses
Prémanon
les Jouvencelles
Crêt Pela
Genève
96
Saules
Durnes
Guyans-Durnes
Vernierfontaine
Montgesoye
Vuillafans
Lavans-Vuillafans
Chasnans
Athose
Echevannes
Hautepierre-le-Châtelet
Lods
Gges de Nouilles
Mouthier-Haute-Pierre
Aubonne
Longeville
Renédale
Source de la Loue
Amathay-Vésigneux
Evillers
Ouhans
Septfontaines
Goux-les-Usiers
Bians-les-Usiers
Sombacour
Pissenavache
Vuillecin
Dommartin
le Souillot
Chapelle-d'Huin
Chaffois
Houtaud
PONTARLIER
Bulle
Bannans
Dompierre-les-Tilleuls
Courvières
Ste-Colombe
Granges-Narboz
la Rivière-Drugeon
Bouverans
Frasne
Montagne du Laveron
Etang de Frasne
Bief-du-Fourg
Petit-Villard
Mignovillard
Froidefontaine
Bonnevaux
Vaux-et-Chantegrue
Chantegrue
Malpas
St-Point-Lac
Lac de St-Point
Remoray-Boujeons
Labergement-Ste-Marie
Boujeons
Rochejean
Brey-et-Maison-du-Bois
Gellin
Sarrageois
les Villedieu
Rondefontaine
les Pontets
Cerniébaud
Fraroz
la Latette
Arsure-Arsurette
Reculfoz
MOUTHE
Source du Doubs
le Crouzet
Petite-Chaux
Chaux-Neuve
Châtelblanc
le Cernois
Forêt du Risol
Mont Risoux
Chapelle-des-Bois
Forêt du Risoux
Bellefontaine
Bois d'Amont
Combe des Amburnex
les Begnines
le Couchant
Mont Pelé
Le Noirmont
Col de la Givrine
St Cergue
Tabagno
La Dôle
La Barillette
Gingins
Trélex
Duillier
Gland
Etray
Rantechaux
Vanclans
Nods
le Petit-Paris
Passonfontaine
Arc-s.-Cicon
La Route Horlogère
Crêt Monniot
St-Gorgon-Main
Bugny
la Vrine
Lièvremont
la Chaux
Arçon
Doubs
les Etraches
Montagne de Larmont
la Cluse
Château de Joux
Cluse de Pontarlier
La Cluse-et-Mijoux
le Frambourg
Oye-et-Pallet
les Grangettes
Montperreux
Chaudron
Malbuisson
Touillon-et-Loutelet
St-Antoine
Métabief
Longevilles-Hautes
Longevilles-Mt-d'Or
Mont d'Or
la Petite Echelle
Vallorbe
le Noirmont
Dent de Vaulion
Vaulion
Le Pont
Lac Brenet
les Charbonnières
Col du Mollendruz
L'Abbaye
La Coudre
Le Lieu
Lac de Joux
Vers-chez-Grosjean
Les Bioux
Le Solliat
Le Sentier
Le Bucley
Châtel
Piguet-Dessus
Chez-le-Maitre
Orient
La Racine
Chalet
Mont Tendre
Le Brassus
Grandes-Chaumilles
Cunay
Vallée de Joux
Col du Marchairuz
Berolle
Ballens
Mollens
Montricher
Bière
Crêt de la Neuve
Gimel
Saubraz
St Livres
St George
Longirod
St Oyens
Montherod
Signal de Bougy
AUBONNE
Marchissy
Le Vaud
Essertines-sur-Rolle
Mont-sur-Rolle
Burtigny
Bassins
Bursins
Gilly
Arzier
Le Muids
Vinzel
Genolier
Begnins
Givrins
Vich
Coinsins
Dully
ROLLE
Perroy
Allaman
Genève
Genève

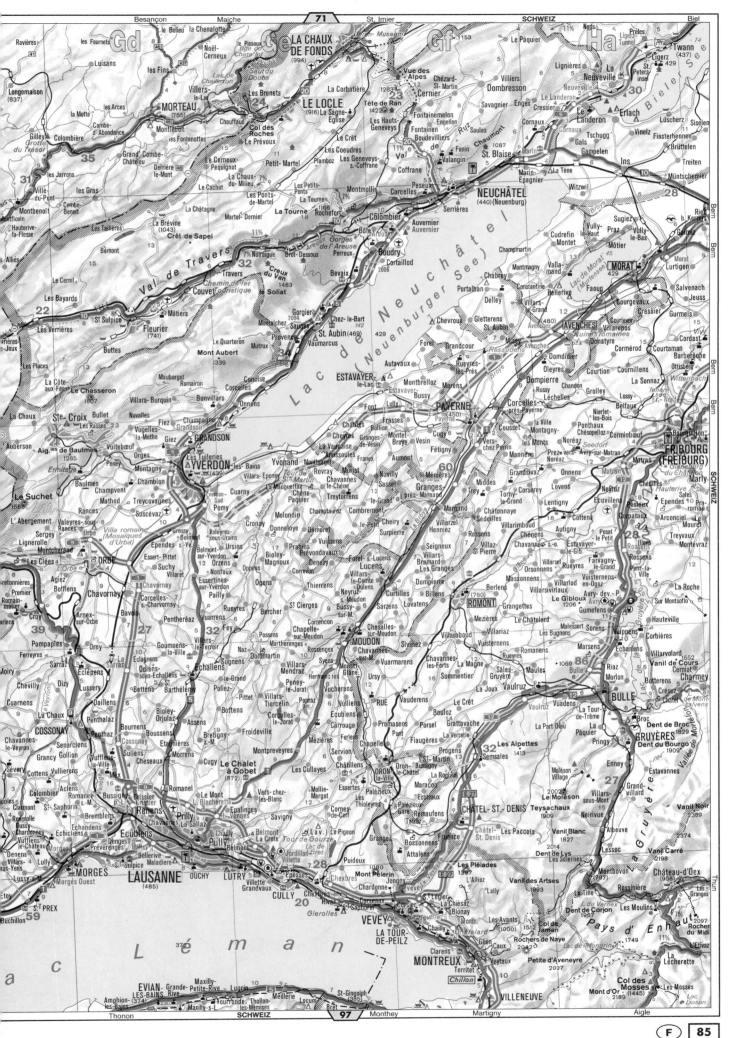

Gd   Gc   Gf   Ha

LA CHAUX DE FONDS (994)

Ravières (41)   les Fournets   le Belieu   la Chenalotte   le Pissoux   Bge de   Uhren-Museum   11%   Liger   Préles   Twann 74   Ligerz
les Fins   Noël-Cerneux   Chatu   Vue des   Le Pâquier   Tunnel   St. Peters-insel   Ligerz (437)   429
Longemaison (837)   la Motte   les Arces   Villers   461   Les Brenets   24   LE LOCLE   La Corbatière   Alpes   Chézard-   Villiers   Lignières   La Neuveville   30
Combe-d'Abondance   Montlebon   Lac de   920   (916) La Sagne-   1283   Vue des   St-Martin   Dombresson   Neuveville   Ee   Erlach
Gilley   Colombière   Grand' Combe-   les Fontenottes   Chailexon   919   Église   Alpes   Engollon   Le Landeron   Landeron   Lüscherz   Siselen
Grotte du Trésor   Châtelu   le Cerneux-   Col des   Tête de Ran   Fontainemelon   Savagnier   Enges   Cornaux   Cornaux   Vinelz   Finsterhennen   Brütteln
35   Derrière   Péquignot   Roches   1422   Fontainen   Ruz   Saules   Cressier   5   Gals   Gampelen   Treiten
31   les Jarrons   le-Mont   Le Prévoux   11   Le Crêt   11%   Boudevilliers   de   Chaumont   St. Blaise   Marin   La Tène   Ins   Witzwil   Müntschemier   28
les Gras   La Chaux-   Petit-Martel   Les Geneveys-   Fenin   1087   Marin-   La Tène   10
Ville-du-Pont   Combe-   du-Milieu   7%   Plamboz   s.-Coffrane   Val   Valangin   Epagnier
Montbenoît   Benoît   La Châtagne   Les Ponts-   7%   Montmollin   Coffrane   NEUCHÂTEL   Serrières   Sugiez   Rieb-Kera
Montflovin   La Brévine   de-Martel   7%   La Tourne   Corcelles   (440) (Neuenburg)   Praz   Vully-   Motier   Salvenach   Jeuss
Hauterive-la-Flesse   (1043)   Martel-   1166   Rochefort   10   Peseux   Cudrefin   Vully-Haut   45   Morat   Jeuss
les Taillères   Crêt de Sapel   Dernier   18   La Tourne   Colombier   Auvernier   Montet   Bas   MORAT   Lurtigen   Gurmels
22   Le Cernil   11%   Gorges   Auvernier   Auvernier   Chabrey   Constantine   Lac de Morat   429   Cressier
Les Bayards   Bémont   de l'Areuse   Boudry   Perreux   Montmagny   Vallamand   (Murtensee)   Courgevaux   Courlevon   Gurmels
Crêt   10   7% Noiraigue   Brot-Dessous   2006   Cortaillod   Delley   Bellerive   Faoug   13   Cormérod   Courtaman   Barberêche
La Côte-aux-Fées   St Sulpice   Fleurier   32   Travers   Creux du Van   Bevaix   Portalban   Gletterens   (480)   AVENCHES   Donatyre   Courgevaux   Cordast   Ottisberg   Wittenbach
rières-Joux   Les Verrières   (741)   Couvet   Chemin de fer   1463   le Soliat   Gorgier   Champmartin   St. Aubin   AVENCHES   Villarepos   Cormérod   Courtaman   Barberêche
Buttes   touristique   2004   Montalchez   Chez-le-Bart   429   Missy   Ruines romaines   Domdidier   Dompierre   La Sonnaz   BOURGLLON   FRIBOURG (FREIBURG)
Mont Aubert   Mutrux   Sauges   142   St. Aubin (469)   Forel   Grandcour   Rueyres-   Avenches   Oleyres   Dompierre   Russy   Léchelles   Grolley   Lossy   Belfaux
1339   Provence   Vaumarcus   Oleyres   les-Prés   Morens   Chandon   Villarepos   Hauterive
La Côteaux-Fées   Mauborget   Corcelles   Vaumarcus   Estavayer-   Montbrelloz   Bussy   Corcelles-   la Ville   Nierlet-les-Bois   Marly
Le Chasseron   Villars-Burquin   Concise   le-Lac   Estavayer-   Font   Lully   le Lac   PAYERNE   près-Payerne   Montagny-   Glanefeld   du Chatillon   Glâneberg
1607   Romairon   Bonvillars   Onnens   Le Quarteron   Frasses   Payerne (450)   Cousset   la Ville   Ponthaux   Corminbœuf   Chésopelloz   Noréaz   Onnens   Ependes
Ste-Croix   Novalles   Fiez   Champagne   Châbles   Cheyres   Bollion   Montet-   Vesin   Vers-chez-Perrin   les Monts   Chésopelloz   Arconciel   Mouret
les Rasses   23   Vuitebœuf   Giez   Grandson   Cheyres   La Vounaise   Broye   Fétigny   Mannens   Prez-vers-   Noréaz   12   Ecuvillens   Posieux   Corpataux   Treyvaux
Bullet   Peney   GRANDSON   Les Tuileries   Yvonand   Arrissoules   Franex   Aumont   Grandsivaz   Onnens   Matran   Posat   Monteraux
Auberson   Aig. les de Baulmes   Montagny   Les Tuileries   Yvonand   Rovray   60   Nuvilly   Sassel   Middes   Tomy-   Lovens   le Petit   Montévraz
1285   Chamblon   YVERDON   (439)   Villars-Epeney   Montanvet   Chavannes-   Ménières   Grandsivaz   le-Grand   Corserey   Autigny   La Roche
Le Suchet   Baulmes   Champvent   YVERDON-les-Bains   la Mauguettaz   le-Chêne   Treytorrens   Granges-   Trey   Sédeilles   Cottens   Farvagny-   Rueyres   12
1588   Mathod   Yverdon-   Villars-   le Grand   près-Marnand   Villarzel   Chavannes-s.-o.   le-Grand   Treyvaux
L'Abergement   Rances   Treycovagnes   Pomy   Sud-Yverdon   Molondin   Combremont-   Henniez   Rossens   Villarimboud   Estavayer-   Avry   Ecuvillens
Sergey   Valeyres-sous-   Suscévaz   Cuarny   Cronay   Démoret   Ursins   le-Petit   Cheiry   Marnand   Villaz-   Chênens   le-Gib.   Rossens   Pont-
Lignerolle   Rances   Villa romaine   4   Molondin   Donneloye   Prahins   Vuissens   Surpierre   St-Pierre   Châtonnaye   Orsonnens   Villarsel   Farvagny-   la-Ville
Montcherand   (Mosaïques d'Urba)   9   Belmont-   Oppens   17   Prévondavaux   Lucens   Villarzel   Villarsiviriaux   le-Grand   Massonnens   Villarlod   12
ORBE   sur-Yverdon   12   Orzens   Bioley-   Denezy   Forel-s.-Lucens   Villars-   Berlens   Villarsiviriaux   Le Gibloux   Avry-dev.-P.   La Roche
retonnières   Agiez   Essert-Pittet   Suchy   Villaret   Magnoux   Correvon   Villars-le-Comte   Bramard   1206   Vuisternens-en-Ogoz   Sur Montsoflo
Premier   Arnex-   Chavornay   Pailly   Ogens   Thierrens   Ursins   Oulens   Les Granges   Dompierre   (760)   Grangettes   Hauteville
Romain-   sur-Orbe   Bavois   Rueyres   Bercher   St Cierges   Bussy-   Sarzens   Billens   ROMONT   Le Châtelard   Sorens   Corbières
motier   Croy   27   Vuarrens   Fey   32   Correncon   Neyruz-   sur-M.   Lovatens   Mézières   Grangettes   Villaz   Vuippens   Villarvolard   Vanil de Cours
riens   Ferreyres   Villars-   Chapelle-   s.-Moudon   Cultilles   Cerniat   Charmey
39   Pompaples   Orny   le-Terroir   Possens   sur-Moudon   Chesalles-   Villaraboud   Villariaz   Les Bugnons   Marsens   552   Botterens   Charmey
Ferreyres   Eclagnens   Naz   Martherenges   Rossenges   MOUDON   sur-Moudon   Sivriez   Vuisternens   Romanens   Rueyres   86   Riaz   Morlon   Cresuz
Chevilly   La   Sarraz   Dommartin   Vuarmarens   Chavannes-   Sommentier   Maules   Bulle   Vuadens   Châtel
Cuarnens   Dizy   Lussery   Sugnens   Villars-   Syens   sur-M.   Ursy   Chavannes-   La Magne   BULLE   La Tour-
La Chaux   Daillens   Echallens   le-Grand   Mendraz   Hermenches   les-Forts   12   La Joux   Vaulruz   de-Trême
9   Penthalaz   Bettens   St   Poliez-   Peney-   Vulliens   RUE   Vauderens   Le Crêt   Vuadens   Broc   Dent de Broc
COSSONAY   Penthaz   Barthélémy   5   Pittet   le-Jorat   Villars-   Ecublens   Bouloz   Grattavache   E 27   Le Pâquier   1829   Dent du Bourgo
Chavannes-le-Veyron   Senarclens   Bournens   Boussens   Villars-   Tiercelin   Popraz   Bottens   Carrouge   Porsel   La Verrerie   La Part Dieu   Pringy   BRUYÈRES   1909
Grancy   Gollion   Sullens   Etagnières   Bretigny-   Assens   Promasens   Fiaugères   Semsales   Enney   Dent du Bourgo
Vufflens-   Mörrens   s.-M.   Froideville   Mézières   Ferlens   Pont   Progens   32   Les Alpettes   Estavannes
Séwery   Cottens   la-Ville   Cugy   Le Chalet   Chapelle   Servion   Chapelle   Essertes   Chatillens   St-Martin   1413   Moléson   27   Grand-
Colombier   Vullierens   Méx   à Gobet   Les Cullayes   Vers-chez-   Mollie-   ORON-   Bussigny   La Rogivue   Village   villard
Aclens   Romanel-   (872)   les-Blanc   Margot   la-Ville   Oron-le-Châtel   2002   Villars-   Vanil Noir
Clarmont   s.-M.   Bussigny   Crissier   Le Mont   Savigny   Cornes-   Maracon   Ecoteaux   Le Moléson   sous-Mont   15   2389
Reverolle   St Saphorin   pr.-L.   Blécherette   Epalinges   de-Cerf   Palézieux   Les   Châtel-   Neirivue   Vanil Blanc
Bussy-   Echichens   Renens   Prilly   Le Pigeon   Paléziux-   Thioleyres   St-Denis   Teysachaux   1827
Vufflens-   Echandens   Chavannes   La Sallaz   Vers-chez-   Gare   Remaufens   CHÂTEL-ST-DENIS   1909   Vanil des Artses   Dent de Lys
le-Château   Denens   Mex   Ecublens   Prévérenges   (Lav.)   Le Pigeon   Remaufens   Les Paccots   Les Sciernes   1993   Vanil Carré
Villars-   Morges   Denges   Pully   Belmont   Tour de Gourze   Attalens   Château-
Lully   s-Yens   Bellerive   La Croix   Jordillon   Puidoux   1080   Mont Pèlerin   Lessoc   d'Œx
su-Yens   Lussy   St Sulpice   Maladière   Villette   Epesses   Mont Pèlerin   L'Alliaz   Vanil des Artses   (958)
MORGES   Morges Ouest   LAUSANNE   OUCHY   LUTRY   28   Villette   Chexbres   1397   Jongny   L'Alliaz   Montbovon   Les Granges
Buchillon   59   (485)   Grandvaux   CULLY   20   Chexbres   Rivaz   St-Saphorin   Corseaux   La Chiésaz   Les Pléiades   797   Rossinière   Rocher du Midi
S¹ PREX   Chailly   Lutry   CULLY   Glerolles   VEVEY   Corsier   Blonay   Les Avants   (1000)   1512   Col de Jaman   2097
toy   Epesses   La Tour-   de-Peilz   Légier   La Chiésaz   Lally   Dent de Corjon   L'Etivaz
EVIAN-LES-BAINS   Grande-   Maxilly-   Lugrin   VILLENEUVE   Clarens   Veytaux   Rochers de Naye   1987   Les Moulins
Amphion-   (374)   Petite-Rive   Rive   Bret   St-Gingolph   MONTREUX   Territet   2042   Caux   Petite d'Aveneyre   La Lécherette
les-Bains   Maxilly-s-L   Thollon-   Meillerie   Locum   (385)   Chillon   Glion   2027   Col des Mosses   2097 Rocher du Midi
les-Mémises   Fourronde   Bret   97   L'Etivaz   Mont d'Or   1749   (1445)   Les Mosses
Lac Léman

74
Nantes
Fontenay-le
Yc
Yd
Ye
Pertuis Breton
Phare des Baleineaux
Phare des Baleines
les Portes-en-Ré
ILE DE RÉ
le Gillieux
St-Clément-des-Baleines
Loix
Pointe du Groin
ST-MARTIN-de-Ré
Citadelle
ARS-en-Ré
la Couarde-sur-Mer
le Morinant
la Flotte
Abbaye des Châteliers
Fort de la Prée
le Bois-Plage-en-Ré
Phare de Chanchardon
Rivedoux-Plage
lesGrenettes
la Noue
Ste-Marie-de-Ré
la Faute-sur-Mer
l'Aiguillon-sur-Mer
Réserve Nat. de Chasse
la Dive
le Génie
les Sablons
Anse de l' Aiguillon
Pointe de l'Aiguillon
Bourg-Chapon
Charron
MARANS
Partes-des-Grands-Greniers
l'Ile-d'Elle
Poitevin
Sérigny
Andilly
Villedoux
Esnandes
Marsilly
Nantilly
Nieul-sur-Mer
Lauzières
l' Houmeau
Lagord
Puilboreau
St-Xandre
la Sauzaie
le Raguenaud
Longèves
Nuaillé-d'Aunis
Angliers
St-Sauveur-d'Aunis
St-Jean-de-Liversay
Luché
Sourdon
Loiré
Usseau
Ste-Soulle
Dompierre-sur-Mer
Belle-Croix
les Brandes
Chagnolet
Vérines
Anais
la Pallice
LA ROCHELLE
Phare de Chauveau
Tour du Lavardin
Périgny
Villeneuve
Bourgneuf
St-Médard-d'Aunis
les Touches
la Martinière
Bouhet
St-Rogatien
Montroy
Clavette
l'Aubertière
Cugné
St-Christophe
Virson
Aytré
Buzay
la Jarne
LA JARRIE
Puyvineux
AIGREFEUILLE-d'Aunis
Marlonge
Pertuis d'Antioche
72
Angoulins
Cramahé
le Roullet
Croix-Chapeau
Salles-sur-Mer
Herbaudière
Forges
Puydrouard
Mortagne
le Thou
Cigogne
la Gravelle
Rocher d'Antioche
Châtelaillon-Plage
St-Vivien
Thairé
Phare de Chassiron
Rade des Basques
les Boucholeurs
Voutron
Ballon
Ciré-d'Aunis
Ardillières
la Gautrie
St-Denis-d'Oléron
la Brée-les-Bains
les Boulassiers
Île d'Aix
Fort Liedot
Baye d'Yves
le Marouillet
Grand Agère
Yves
Flay
les Huttes
Port du Douhet
Plaisance
Plage de la Gautrelle
Fort Boyard
Île-d'Aix
Fort de la Rade
Fort Enet
la Fumée
Fouras
Liron
Chaucre
l'Ile
St-Georges-d'Oléron
Fort
Rade de l'Ile d' Aix
la Barre
Moulin-de-la-Croisée
Loire-les-Marais
ÎLE D'OLÉRON
Domino
Chéray
Sauzelle
Boyardville
Breuil-Magné
Soumard
St-Laurent-de-la-Prée
Île Madame
l'Ileau
St-Gilles
ST-PIERRE-d'Oléron
Port-des-Barques
la Roche
Rochefort-Nord
Champservé
Tonnay-Charente
73
la Biroire
38
les Allards
Piemont
ROCHEFORT
St-Nazaire-sur-Charente
la Noue
TONNAY-Charente
la Cotinière
Dolus-d'Oléron
Soubise
St-Hippolyte
la Perroche
la Remigeasse
St-Froult
la Renaissance
Gaconnière
Plaisance
Moëze
Vert-Bois
LE CHÂTEAU-d'Oléron
Thionnet
Echillais
Plage de Vert-Bois
la Chevalerie
Loubresse
Ancienne Abbaye
Trizay
le Grand-Village-Plage
Ors
Viaduc d' Oléron
Brouage
Hiers-Brouage
Beaugeay
Ancienne Abbaye
Montierneuf
Saint Trojan-les-Bains
la Plage
Pointe de Manson
Boursefranc-le-Chapus
la Gataudière
St-Agnant
Razour
l'Essert
Beurlay
Tramway touristique
la Grande Plage
MARENNES
Malaigre
Villeneuve
St-Radegonde
Champagne
Marennes-Plage
Pointe de Gatseau
Ronce-les-Bains
Pont-l' Abbé d' Arnoult
Pertuis de Maumusson
le Lindron
Mauzac
Luzac
St-Just-Luzac
la Gripperie-St-Symphorien
Rochebonne
St-Jean-d'Angle
St-Sulpice-d' Arnoult
Tour des 4 Fontaines
Broue
74
LA TREMBLADE
Artouan
les Touches
16
Fôret de la Coubre
Coux
Parcs à huîtres
Bren-Assis
Saint Sornin
Saint Nadeau
la Petite Vergne
Sainte Gemme
le Mur
Côte Sauvage
le Piochet
Nieulle-sur-Seudre
Cadeuil
les Piphanes
la Moulinette
Bouverie
Arvert
Avallon
Chatressac
Nancras
Brisquettes
Tour
Etaules
Chaillevette
Saint Martin
Colombier
Balanzac
les Mathes
le Maine-Auriou
Souhe
Chalons
le Gua
l'Ile-d'Etaules
Mornac-sur-Seudre
Montsanson
Sablonceaux
Ancienne Abbaye de Sablonceaux
Phare de la Coubre
la Palmyre
Zoo
Saint Augustin
le Billeau
Chemin de fer touristique
Plordonnier
Eguille
Dercie
le Pont
18
le Grallet
Breuillet
le Breuil
Saint Romain-de-Benet
Plage de la Palmyre
Camp Romain
Pointe de la Coubre
Charosson
Taupignac
Fontbedeau
Toulon
Villeneuve
Lafont
Champagnole
Saint Sulpice-de-Royan
SAUJON
Tour de Pirelonge
Plage de Grande Côte
la Grande-Côte
la Palud
Courlay-sur-Mer
les Maries
le Vivier
75
Vaux-sur-Mer
Beaunant
Saint Palais-sur-Mer
la Grande Gorce
Grd Passe de l' Ouest
Pontaillac
Médis
Briagne
Meursac
ROYAN
les Brandes
Musson
la Chay
Couvent
Corme-Ecluse
le Cormier
98
Bergerac

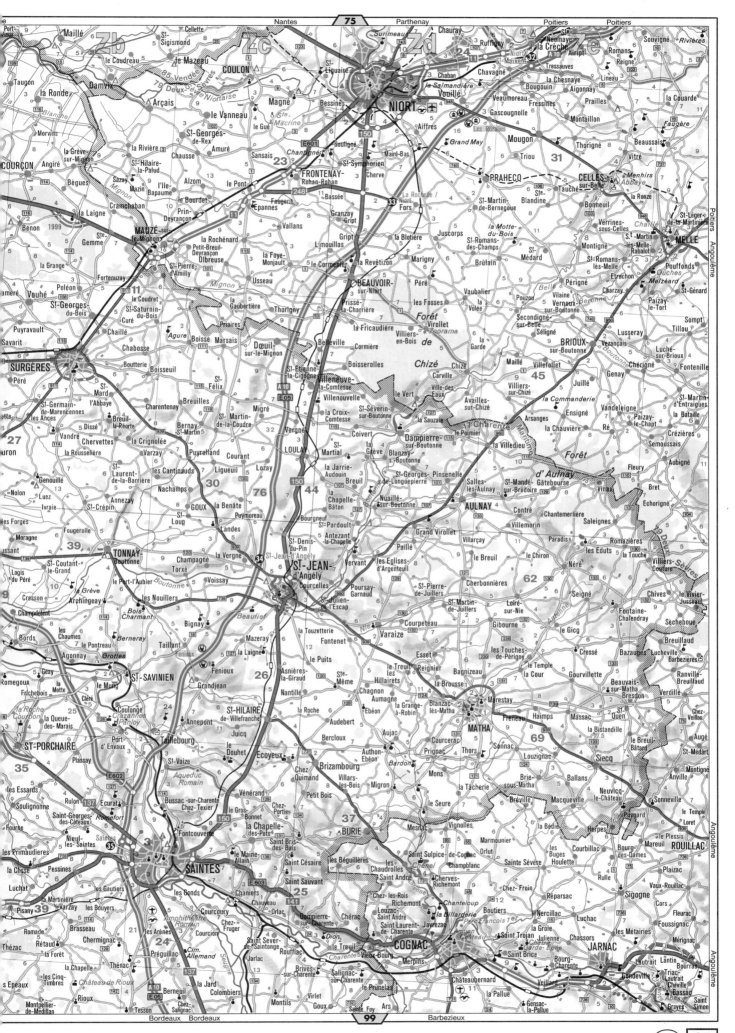
Nantes
75
Parthenay
Poitiers
Poitiers
Maillé
St-Sigismond
Cellette
le Coudreau
le Mazeau
COULON
Damvix
Taugon
la Ronde
Arçais
le Vanneau
Magné
Bessines
NIORT
Chauray
Ruffigny
la Crèche
Ste-Néomaye
Aiript
Romans
Souvigné
Rivières
St-Liguaire
Surimeau
Chaban
Chavagné
St-Maixent
Tressauves
la Chesnaye
Bougouin
Aigonnay
Prailles
la Couarde
la Salmandière
Vouillé
Veaumoreau
Fressines
Gascougnolle
Montaillon
Faugère
Morvins
St-Georges-de-Rex
Amuré
Sansais
le Gué
Aiffres
Les Ruralies
Grand May
Mougon
Thorigné
Beaussais
la Grève-sur-Mignon
la Rivière
Chausse
St-Hilaire-la-Palud
Chantigné
Soulignée
Mairé-Bas
Triou
31
Vitré
COURÇON
Angiré
23
FRONTENAY-Rohan-Rohan
St-Symphorien
Cherve
PRAHECQ
CELLES-sur-Belle
Menhirs
Abbaye
Bègues
Sazay
Mazin
l'Ile-Bapaume
Alzom
le Pont
le Bourdet
Cramchaban
Prin-Deyrançon
Épannes
Faugerit
Bassée
la Rochelle / Niort
Fors
St-Martin-de-Bernegoue
Ste-Blandine
Tauché
Bonneuil
la Ronze
la Laigne
Benon
1999
MAUZÉ-sur-le-Mignon
Vallans
Granzay-Gript
Gript
Juscorps
la Motte-du-Bois
St-Romans-des-Champs
Verrines-sous-Celles
St-Léger-de-la-Martinière
St-Martin-lès-Melle
Rabalot
MELLE
Ste-Gemme
la Rochénard
Petit-Breuil-Deyrançon
Olbreuse
la Foye-Monjault
Limouillas
la Blotière
St-Médard
Montigné
la Grange
St-Pierre-d'Amilly
le Cormenier
la Revêtizon
Marigny
Brûlain
St-Romans-lès-Melle
Pouffonds
Fortenuzay
Usseau
BEAUVOIR-sur-Niort
Péré
Périgné
Etrochon
Melzéard
Vouhé
Poléon
11
le Coudret
St-Saturnin-du-Bois
Mignon
la Gaubertière
Thorigny
Prissé-la-Charrière
les Fosses
Vaubalier
la Volée
Pouzou
Vilaine
Vernoux-sur-Boutonne
St-Génard
Paizay-le-Tort
St-Georges-du-Bois
Curé
Priaires
la Fricaudière
Forêt
Virollet
Zoorama
Secondigné-sur-Belle
Séligné
Sompt
Tillou
Puyravault
Chaillé
Agure
Boisse
Marsais
Dœuil-sur-le-Mignon
Belleville
Cormière
Villiers-en-Bois
de
la Garde
BRIOUX-sur-Boutonne
Vezançais
Lusseray
Luché-sur-Brioux
Savarit
Chabosse
Boisserolles
Chizé
Maillé
Villefollet
Chérigné
Fonteniile
SURGÈRES
Boutterie
Boisseuil
St-Étienne-la-Cigogne
Villeneuve-la-Comtesse
Carville
Chizé
Villiers-sur-Chizé
45
Juillé
Genay
Péré
St-Mard
St-Félix
Villenouvelle
le Vert
Ville-des-Eaux
Availles-sur-Chizé
la Commanderie
St-Martin-d'Entraigues
St-Germain-de-Marencennes
les Ances
l'Abbaye
Charentenay
Breuilles
Migré
St-Martin-de-la-Coudre
la Croix-Comtesse
St-Séverin-sur-Boutonne
la Sauzaie
Arsanges
Ensigné
Vandeleigne
Paizay-le-Chapt
la Bataille
Disse
Breuil-la-Réorte
Bernay-St-Martin
Vergné
Coivert
Dampierre-sur-Boutonne
le Poimier
la Chauvière
Ré
Crézières
27
Vandré
Chervettes
la Crignolée
32
LOULAY
St-Martial
la Grève
Blanzay-s.-Boutonne
la Villedieu
Semoussais
la Rousselière
Varzay
Puyrolland
Courant
Forêt
Aubigné
St-Laurent-de-la-Barrière
les Cantinauds
Ligueuil
Lozay
la Jarrie-Audouin
St-Georges-de-Longuepierre
Pinsenelle
Salles-lès-Aulnay
St-Mandé-sur-Brédoire
d' Aulnay
Gâtebourse
Fleury
Bret
Genouillé
30
Nachamps
76
44
Breuil
Vinax
Nolon
Luez
Ivraie
Annezay
St-Crépin
GOUX
la Benâte
la Chapelle-Bâton
Nuaillé-sur-Boutonne
AULNAY
Contré
Echorigné
les Forges
Puymoreau
St-Loup
Landes
Bourgneuf
St-Pardoult
Grand Virollet
Villemorin
Chantemerlière
Saleignes
Moragne
Fougerolle
St-Denis-du-Pin
Antezant-la-Chapelle
Villarçay
Paradis
Romazières
39
TONNAY-Boutonne
St-Coutant-le-Grand
Champagné
Torxé
la Vergne
34
St-Jean-d'Angély
ST-JEAN-d'Angély
Vervant
Paillé
les Églises-d'Argenteuil
le Breuil
le Chiron
les Eduts
la Touche
Néré
Villiers-Couture
Logis du Péré
la Grève
le Port-l'Aubier
Voissay
Courcelles
Poursay-Garnaud
St-Julien-de-l'Escap
St-Pierre-de-Juillers
Cherbonnières
62
Seigné
Chives
le Vivier-Jussead
Cresson
Archingeay
les Nouillers
Bois Charmant
Beaufief
St-Martin-de-Juillers
Loiré-sur-Nie
Fontaine-Chalendray
Sècheboue
Champdolent
Bignay
Courpeteau
Gibourne
le Gicg
Bords
les Chaumes
le Pontreau
Berneray
la Touzetterie
Fontenet
Varaize
Breuillaud
Taillant
Mazeray
la Laigné
12
Esset
les Touches-de-Périgny
Cressé
Bazauges
Lucheville
Barbezières
Agonnay
Grottes
Fenioux
le Puits
Asnières-la-Giraud
le Treuil
les Hillairets
Reignier
Bagnizeau
le Temple
la Cour
Gourvillette
Ranville-Breuillaud
Geay
ST-SAVINIEN
Grandjean
26
Ste-Même
la Brousse
Beauvais-sur-Matha
Bresdon
Romegoux
Frichebois
la Motte
le Mung
Nantillé
Chagnon
Aumagne
Marestay
Verdille
Clérac
la Roche Courbon
Coulonge
Crazannes
Panloy
24
St-HILAIRE-de-Villefranche
la Roche
la Grange-à-Robin
Blanzac-lès-Matha
Ébéon
Fréneau
Haimps
Massac
St-Quen
Chez-Veillon
la Queue-des-Marais
Annepont
Audebert
MATHA
la Bistandille
ST-PORCHAIRE
Port-d'Envaux
Taillebourg
Juicq
le Douhet
Bercloux
Aujac
Courcerac
Thors
Sonnac
69
le Breuil-Bâtard
Augé
St-Médard
Plassay
Ecoyeux
Authon-Ébéon
Prignac
Louzignac
Siecq
35
St-Vaize
Brizambourg
Chez Quimand
Bardon
Mons
Montigné
Anville
Aqueduc Romain
Villars-les-Bois
Migron
Brie-sous-Matha
Ballans
les Essards
Rulon
Ecurat
Petit Bois
la Tâcherie
Neuvicq-le-Château
Bréville
Macqueville
Sonneville
Soulignonne
Romefort
Bussac-sur-Charente
Chez-Texier
Vénérand
Chez-Portier
le Seure
le Temple
Saint-Georges-des-Coteaux
le Gros-Bonnet
37
Puyroard
Loret
Fourne
Nieul-lès-Saintes
Fontcouverte
la Chapelle-des-Pots
BURIE
Mesnac
Vignolles
la Bédie
Herpes
le Plessis
Mareuil
ROUILLAC
les Primaudières
le Maine-Allain
Saint Bris-des-Bois
Marmounier
Orlut
Courbillac
Bourg-des-Dames
Saint Sulpice-de-Cognac
les Buges
Houlette
Sainte Sévère
Plaizac
la Chisse
Pessines
SAINTES
Saint Césaire
les Béguillères
les Chaudrolles
Saint André
Champblanc
Chenel
Rulle
Cherves-Richemont
Luchat
les Gautiers
les Gonds
Chaniers
Saint Sauvant
25
Chez-Frouin
Vaux-Rouillac
la Martinière
Varzay
Pisany
39
les Bouyers
Chauveau
Orlac
Chez-les-Rois
Richemont
Chanteloup
Réparsac
Sigogne
Cors
Courcoury
Amphithéâtre Romain
Dompierre-sur-Charente
Chérac
Louzac-Saint André
la Billarderie
Boutiers
Nercillac
Luchac
Fleurac
Brasseau
Chez-Fruger
Saint Laurent-de-Charente
Javrezac
Parc François 1er
Foussignac
Romade
Rétaud
les Arènes
Courcion
Chermignac
Saint Sever-de-Saintonge
Dion
le Treuil
COGNAC
la Groie
Saint Trojan
Julienne
Chassors
les Métairies
Thézac
la Forêt
24
Préguillac
Cim. Allemand
Rouffiac
Vieux-Bourg
Merpins
Saint Brice
Garde-Épée
JARNAC
Mérignac
Thénac
Jarlac
Bourg-Charente
Lantin
Bourras
la Chapelle
les Cinq-Timbres
Château de Rioux
Brives-sur-Charente
Salignac-sur-Charente
Châteaubernard
Veillard
Gondeville
Triac-Lautrait
Cheville
les Epeaux
la Jard
Berneuil
le Prunelas
la Pallue
Bassac
Abbaye
Rioux
Colombiers
Virlet
Gensac-la-Pallue
Graves
Saint Simon
Montpellier-de-Médillan
Tesson
Chez-Salignac
Montils
Goux
Sainte Foy
Ars
Bordeaux
Bordeaux
99
Barbezieux
Poitiers
Angoulême
Angoulême
Angoulême
A10
E05
E601
E602
E603

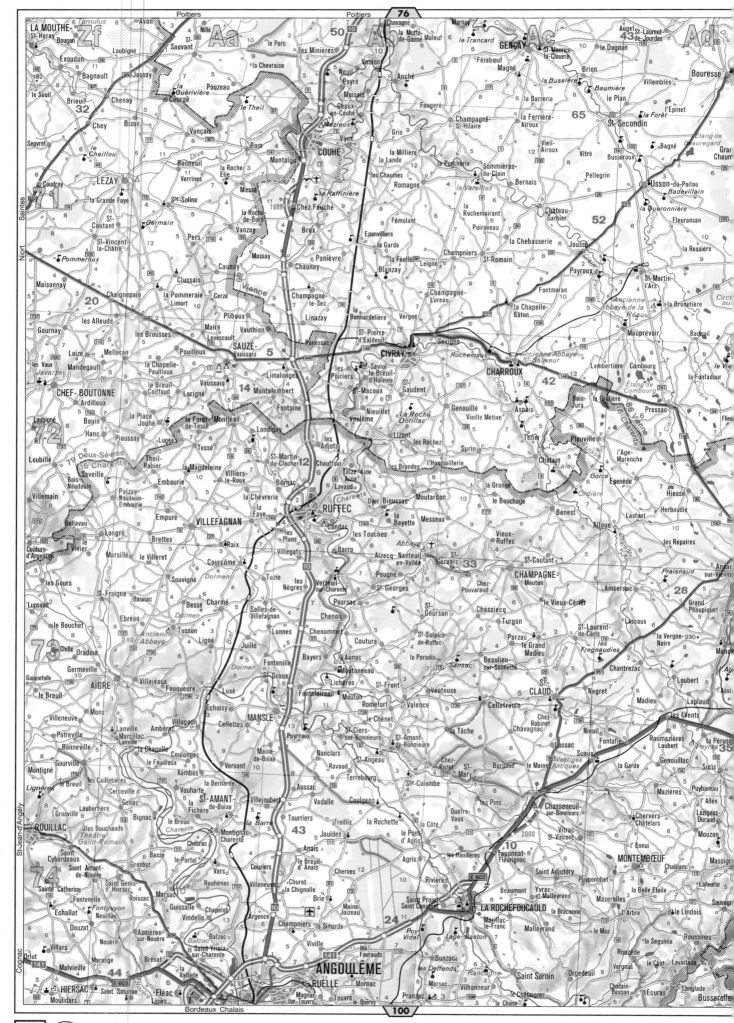
Poitiers
Poitiers
76
Zf
Aa
Ab
Ac
Ad
LA MOTHE-St-Heray
Bougon
Exoudun
Bagnault
Jassay
le Souil
Brieuil
32
Chenay
Chey
Bizon
Sepvret
St-Sauvant
Loubigné
Nillé
Avon
Couhé
la Chevraise
le Parc
les Minières
50
Chavagné
la Motte-de-Ganne
Maleuf
Voulon
Anché
Neuil
Payré
Moisais
Ceaux-en-Couhé
Mezieux
Vaux
COUHÉ
Montaigu
Rom
Vançais
la Guérivière
Pouzeau
Courgé
le Theil
Marnay
le Trancard
GENÇAY
St-Maurice-la-Clouère
Férabœuf
Magné
Brion
la Bussière
Baumière
le Plan
la Barrerie
Fougeré
Champagné-St-Hilaire
la Ferrière-Airoux
65
St-Secondin
la Forêt
l'Epinet
Villemblée
Bouresse
Auget
St-Laurent-de-Jourdes
43
le Dognon
Gris
Vieil-Airoux
Vitré
Busseroux
Bagné
Etang de Beauregard
la Millière
la Lande
la Porcherie
Sommières-du-Clain
Bernais
les Chaumes
Romagne
le Vareilles
Pellegrin
Usson-du-Poitou
Badevillain
la Gueronnière
Fleuransan
52
Château-Garnier
la Rochemairant
Puiraveau
Fémolant
Epanvilliers
la Garde
la Chebasserie
Joussé
la Ressière
le Chaillou
Bonneuil
Verrines
Dive
la Roche-Elie
Messé
LEZAY
Coudray
71
la Grande Foye
Ste-Soline
St-Coutant
Germain
St-Vincent-la-Châtre
Pers
Pommeroux
la Raffinière
Chez Fouché
la Roche-de-Bord
Vanzay
Brux
Massay
Panièvre
Chaunay
Caunay
Saintes
Niort
Maisonnay
Clussais
la Pommeraie
Limort
Cerzé
Chaignepain
20
Champagné-le-Sec
Pliboux
Linazay
Vienne
la Féolle
Leigné
Blanzay
Champniers
St-Romain
Payroux
St-Martin-l'Ars
Fontmoran
Champagné-Lureau
la Chapelle-Bâton
Ancienne Abbaye de la Réau
la Brunetière
Mauprévoir
Badeuil
les Alleuds
Gournay
les Brousses
Mairé-Levescault
Vauthion
la Bonnardelière
Vergné
St-Pierre-d'Exideuil
Savigné
Rochemaux
Ancienne Abbaye St-Sauveur
CIVRAY
CHARROUX
Loizé
Melleran
Pouilloux
SAUZÉ-Vaussais
5
Panessac
les Vaux
Javarzay
Mandegault
la Chapelle-Pouilloux
Limalonges
les Poiriers
St-Saviol
le Breuil-d'Haleine
St-Gaudent
42
Lambertière
Combourg
Etang de Combourg
la Fonfadour
le Vieux
CHEF-BOUTONNE
Ardilleux
le Breuil-Coiffaud
Lorigné
Vaussais
14
Montalembert
St-Macoux
Fontaine
Nieuillet
Vouléme
La Roche Dorillac
Genouillé
Vieille Métive
Asnois
Bois-Jura
la Grolière
Pressac
Loubigné
Bouin
72
Hanc
la Place
Jouhé
la Forêt-de-Tessé
Montjean
Londigny
Pioussay
Lugée
Tessé
les Adjots
Lizant
les Réchez
Surin
Tezier
Pleuville
86 Vienne
16 Charente
Loubillé
79 Deux-Sèvres
16 Charente
Theil-Rabier
la Magdeleine
St-Martin-du-Clocher
12
Chauffour
les Brandes
l'Houmaillerie
Chatain
Laleu
l'Age-Marenche
Saveille
Bois-Naudouin
Paizay-Naudouin-Embourie
Embourie
Villiers-le-Roux
Bernac
Taizé-Aizie
Aizie
Lavaud
la Grange
Gorce
Epenède
Ordière
Villemain
la Chèvrerie
Charente
Oyer
Bigussac
Moutardon
le Bouchage
Hiesse
Herbaudie
Empuré
VILLEFAGNAN
la Faye
RUFFEC
la Bayette
Messeux
Benest
Lasfont
Bellavau
le Vivier
Longré
Brettes
Condac
les Touches
Alloue
les Repaires
Couture-d'Argenson
Marsillé
le Villeret
Raix
les Plans
Villegats
Barro
Abbaye
Aizecq
Nanteuil-en-Vallée
St-Gervais
33
Vieux-Ruffec
St-Coutant
Courcôme
Tuzie
les Nègres
Verteuil-sur-Charente
Pougné
St-Georges
CHAMPAGNE-Mouton
Chez-Pouvaraud
Ambernac
Praisnaud
28
Ansac-sur-Vienne
les Gours
Souvigné
Dolmen
St-Fraigne
Baunac
Charmé
Bessé
Poursac
St-Gourson
Chassiecq
le Vieux-Cérier
Grand Peaupiquet
Lupsault
le Bouchet
Ebréon
Tusson
Ancienne Abbaye
Salles-de-Villefagnan
Chenon
Turgon
Lascoux
Chillé
Oradour
73
Ligné
Lonnes
Chenommet
Couture
St-Sulpice-de-Ruffec
Parzac
le Grand Madieu
St-Laurent-de-Céris
les Fregnaudies
la Vergne-230-Noire
Germeville
Juillé
Fontenille
Bayers
Aunac
Moutonneau
le Paradis
Sansac
Beaulieu-sur-Sonnette
Chantrezac
Guignefolle
AIGRE
Villejésus
Fouqueure
St-Groux
Lichères
St-Front
Ventouse
St-Claud
Negret
Loubert
le Breuil
Luxé
Fontclaireau
Mouton
Romefort
Valence
Cellefrouin
Madieu
Laplaud
Mons
Echoisy
MANSLE
Villeneuve
Villognon
Cellettes
le Chênet
Chez-Robinet
Chavagnac
Nieuil
les 4 Vents
Patreville
Lanville
Marcillac-Lanville
Ambérac
Puyréaux
St-Ciers-sur-Bonnieure
St-Amant-de-Bonnieure
la Tâche
Fontafie
Roumazières-Loubert
Bonneville
la Chapelle
Coulonges
Maine-de-Boixe
Nanclars
Lussac
Suaux
la Pérouse
Gourville
le Fouilloux
Vervant
St-Angeau
Ravaud
Chez-Rozet
St-Mary
Burgaud
le Maine
Vestiges Antiques
la Garde
Genouillac
Suris
Montigné
Xambes
Terrebourg
Lignères
le Breuil
les Caillètières
Cerceville
la Bernarde
Aussac
Ste-Colombe
Puybareau
Genac
Vouharte
ST-AMANT-de-Boixe
Villejoubert
Vadalle
Coulgens
les Pins
Mazières
l'Allée
Grosville
Laubertière
Bignac
la Fichère
Tourriers
Quatre-Vaux
Chasseneuil-sur-Bonnieure
Lézignac-Durand
ROUILLAC
les Bouchauds
Théâtre Gallo-Romain
le Breuil
Charente
la Barre
43
Treillis
la Rochette
le Pont-d'Agris
la Côte
Chervers-Châtelars
Vitrac-St-Vincent
Mouzon
Chébrac
Montignac-Charente
Jauldes
Anais
2000
l'Ennui
Saint Cybardeaux
Basse
Grosbot
le Portal
le Breuil-d'Anais
Agris
les Houillères
Taponnat-Fleurignac
10
MONTEMBŒUF
Chablanc
Massignac
Saint Amant-de-Nouère
74
Vars
Couziers
Cherves
Saint Adjutory
Puyponchet
Sainte Catherine
Saint Genis-d'Hiersac
Rouhénac
Villeneuve
Churet
la Chignolle
Rivières
Beaumont
Yvrac-et-Malleyrand
la Belle Etoile
Lafaurie
Fontenelle
Marsac
Roissac
Brie
Maine-Joizeau
Saint Projet
Saint Constant
LA ROCHEFOUCAULD
la Braconne
Mazerolles
Sauvagnac
Echallat
Fontguyon
Neuillac
Guissalle
Chapelot
Vindelle
Argence
Champniers
24
Marillac-le-Franc
l'Arbre
le Lindois
Douzat
Asnières-sur-Nouère
Balzac
la Simarde
Puy Vidal
Lage-Baston
Malleyrand
le Mas
Roussines
Villars
Nouère
Saint Yrieix-sur-Charente
Viville
les Favrauds
la Seguinie
Orlut
Malvieille
Marange
Brénat
la Vallade
ANGOULÊME
Bunzac
les Deffends
Rancogne
Rouzède
le Chat
Lavallade
44
HIERSAC
Saint Saturnin
Fléac
RUELLE
Mornac
Marsac
Vilhonneur
Saint Sornin
Orgedeuil
Vergnas
Chatain-Besson
Ecuras
Langlade
Busserolle
Moulidars
Linars
Magnac-sur-Touvre
Touvre
le Quéroy
Pranzac
le Châtaigner
la Chaise
St-Jean-d'Angély
Cognac
Bordeaux
Chalais
100

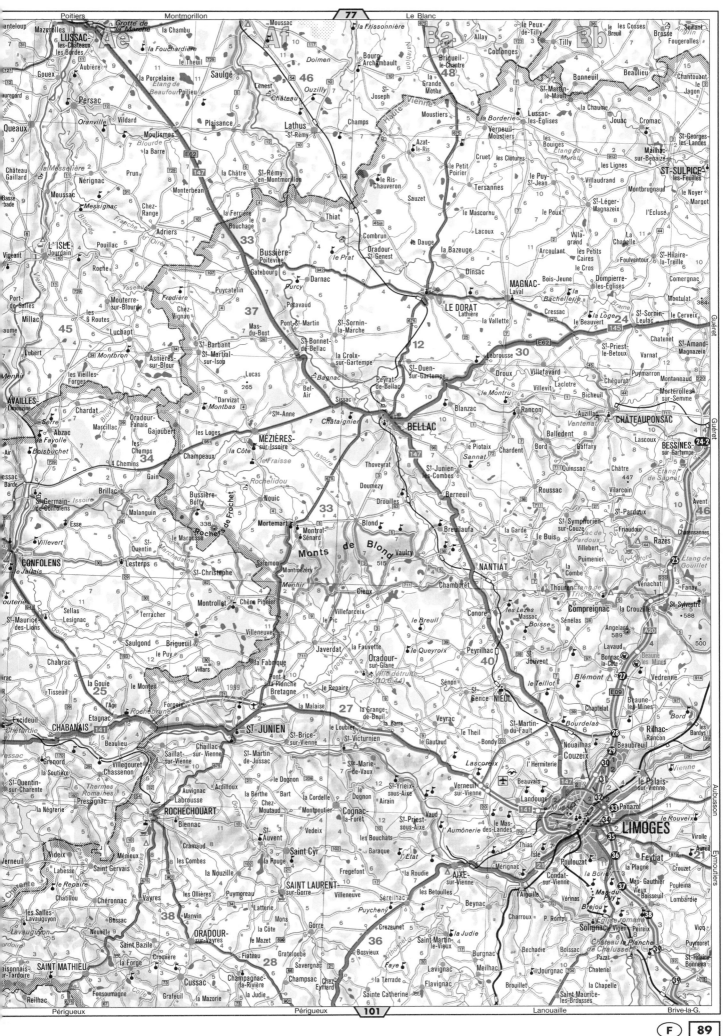

Poitiers
Montmorillon
77
Le Blanc
Guéret
Aubusson
Eymoutiers
Périgueux
101
Lanouaille
Brive-la-G.
LUSSAC-les-Châteaux
Saulgé
Lathus
Bussière-Poitevine
L'ISLE-Jourdain
AVAILLES-Limouzine
CONFOLENS
MÉZIÈRES-sur-Issoire
LE DORAT
MAGNAC-Laval
BELLAC
CHÂTEAUPONSAC
BESSINES-sur-Gartempe
ST-SULPICE-les-Feuilles
NANTIAT
Monts de Blond
ST-JUNIEN
CHABANAIS
ROCHECHOUART
NIEUL
LIMOGES
AIXE-sur-Vienne
SAINT LAURENT-sur-Gorre
ORADOUR-sur-Vayres
SAINT MATHIEU
Oradour-sur-Glane
Compreignac
Couzeix
Panazol
Feytiat
Solignac
Saint Cyr
Cussac

Châteauroux
78
Châteauroux Bourges
Bourges
Limoges
Angoulême
St-Flour
102
Passebonneau
Rapissac
le Bétoulle
Chambon
Lac de Chambon
Dolmen
Lourdoueix-St-Michel
le Grand-Plaix
Brousse
Méasnes
AIGURANDE
les Chaumes
Ville-Basse
Nouziers
Grospeaux
Vigoulant
Sazeray
la Châtre-Langlin
Mazerolle
Aumône
St-Sébastien
Chantôme
le Bouzageau
St-Jallet
le Petit-Plaix
la Forêt-du-Temple
les Côrets
Tercillat
la Bouée
Mouhet
Fant
Lignat
Crozant
St-Léon
Puyguillon
Lourdoueix-St-Pierre
Vost
Mortroux
Vichez
la Cellette
Viviers
les Grands-Chezeaux
Rhodes
Azerables
les Forges
365
les Places
Fresselines
Nouzerolles
Chatelus
Moutier-Malcard
la Forgette
Puy-Cesset
les Genêts
la Chapelle-Baloue
Lauzine
Lignaud
les Chauffaux
Ecosse
Moisse
la Chaume
Chanteloube
Bazelat
Chadeurniat
Tenèze
Maison-Feyne
les Forges
Chambon-Ste-Croix
Villechiron
Linard
Laboutant
la Villatte
la Roche
Bois-Mandé
Sardé
Cheniers
Pradon
Malval
Abbaye de Prébenoit
Genouillac
Forgevielle
Lorioux
Lafat
337
Rochetaillade
Beauvais
le Quérut
ST-SULPICE-les-Feuilles
Font-Vieillé
le Gat
Villard
le Peux
Basseneuille
St-Germain-Beaupré
les Genêtes
Lavaud
la Celle-Dunoise
Grandsagne
BONNAT
les Champs
Argère
Mornay
le Theil
St-Dizier-les-Domaines
Vareilles
42
Sagnat
Champotier
Marseuil
Chanteloube
le Monteil
Rufasson
St-Agnant-de-Versillat
St-Léger-Bridereix
Colondannes
Dun-le-Palestel
St-Sulpice-le-Dunois
le Bourg-d'Hem
Gorges
Bordat
Breuil
Rioux
CHÂTELUS-Malvaleix
Jalesches
Marsillat
Arnac-la-Poste
Clairbize
la Villate
547
Langledure
les Gouttes
Roches
le Vignaud
Anzême
Champsanglard
Folbeix
la Bussière-Madeleine
l'Aumône
Azat
Naillat
le Mandement
les Francs
Lacoux
Quéroix
les Monceaux
Lezat
l'Age-Troinay
LA SOUTERRAINE
la Barde
Etang de la Grande Cazine
Fleurat
Bussière-Dunoise
Jouillat
Villelot
Chignaroche
11
le Peyroux
636
Monnéger
Montcheny
Ladapeyre
Blaudeix
le Dognon
Noth
le Vergnioux
Balsac
Longechaud
Glénic
Mauques
St-Maurice-la-Souterraine
le Pommier
Leyport
Dolmen
Lizières
St-Hilaire
34
Demorange
Masmeau
145
ST-VAURY
Clavérolles
Puy-Gaillard
Rameix
Ajain
30
St-Fiel
Brugnat
St-Sulpice-le-Guérétois
Bordessoule
St-Priest-la-Feuille
Maubrant
St-Priest-la-Plaine
St-Martin
le Magnenon
Feuyas
Brejassoux
JARNAGES
580
Roudeau
Pionnat
Malval
Fromental
Cros
Grand Nérat
Château du Seigneur
Masgelier
St-Pierre-de-Fursac
la Brionne
St-Léger-le-Guérétois
685
GUÉRET
E62
St-Laurent
les Ternes
Chabanne
LE GRAND-BOURG
Chamborand
Colonges
Gartempe
Vigeville
Menhir
la Traverse
Crépiat
St-Etienne-de-Fursac
la Ribe
Luchat
St-Silvain-Montaigut
Mazeirat
Bantardeix
Cressat
Grande Balleyte
la Mazeire
les Mazeires
Ste-Feyre
la Saunière
le Theret
les Bains
le Monteil
Montaigut-le-Blanc
St-Victor-en-Marche
Folles
Paulhac
Bois-Auzareix
BÉNÉVENT
St-Hilaire-la-Plaine
Busseau
Fursannes
Ardour
Marsac
la Chaud
Busserolles
35
Peyrabout
Villard
la Chapelle-Taillefert
St-Christophe
Savennes
St-Yrieix-les-Bois
22
Moutier-d'Ahun
72
Bersac-sur-Rivalier
LAURIÈRE
Bagnol
Vieilleville
Augères
Châtenet
la Chézotte
la Feyte
Petillat
Nouailles
Maillofargueix
St-Sulpice-Laurière
Arrènes
Mourioux
Aulon
Villard
Azat-Châtenet
AHUN
Lavaveix-les-Mines
Ceyroux
St-Eloi
Maisonnisses
Lépinas
Mareille
Pierrefite
Sous-Parsat
Masgenon
Chantaud
Lailloux
Reix
Bord
Bourdaleix
Janaillat
Rebeyrolle
Villatange
Soulier
Cœurgne
la Mazeaud
Cluptat
Sardent
la Chaud
le Sec
Chamberaud
St-Martial-le-Mont
St-Goussaud
les Combes
Jabreilles-les-Bordes
697
St-Dizier-Leyrenne
Bonnefont
Chaussadas
33
Durazat
le Frais
St-Léger-la-Montage
Villechabrolle
la Mazère
le Pommier
Bonneville
Marque
la Vergne
la Chapelle St-Martial
le Donzeil
Sauvagnac
Sauvages Abbaye
701
Bosmoreau-les-Mines
Thauron
Rocherolle
Bournazeau
Fransèches
la Jonchère-St-Maurice
les Egaux
Châtelus-le-Marcheix
Murat
Taurion
PONTARION
Ponsat
ST-SULPICE-les-Champs
St-Avit-le-Pauvre
Ars
la Chèze
Lignac
Masbaraud-Mérignat
Grandvallée
141
St-Hilaire-le-Château
St-Georges-la-Pouge
le Coussa
Chavannat
Entrecolle
les Billanges
St-Pierre-Chérignat
la Forêt
Martineiche
Mansat-la-Courrière
Cosnat
la Pouge
Charbonnier
le Châtelus
Vergnas
AMBAZAC
St-Martin-Ste-Catherine
les Martyrs
Rigour
BOURGANEUF
Soubrebost
Brigoux
Vidaillat
39
la Borne
St-Laurent-les-Eglises
les Loges
Sargnat
Montboucher
Chignal
Chavanat
la Chapelle
St-Michel-de-Veisse
Ribagnac
les Villards
Pourrioux
Faux-Mazuras
le Breuil
Savenas
Marlhac
Roches de Mazuras
le Grand Janoit
la Monteil-au-Vicomte
Banize
Courcelles
St-Martin-Terressus
le Nouhaut
St-Amand-Jartoudeix
Magnat
627
Augères
Morterolles
Jartaud
Epagnat
73
Salvanet
St-Priest-Taurion
le Châtenet-en-Dognon
Sauviat-sur-Vige
le Trop
St-Pierre-Bellevue
Lachaud
Colombeix
la Cour-du-Rozet
St-Pardoux-Morterolles
la Parade
Vallières
Montfayon
Montaletang
21
le Compeix
Pimpérigeas
Lestrade
Brignac
Auriat
St-Junien-la-Bregère
Maulde
Chatain
St-Just-le-Martel
50
Moissannes
St-Yrieix-la-Montagne
Montoulier
Royères
Lussac
Vernon
Alème
le Pic
Rubaine
Bessat
ST-LÉONARD-de-Noblat
le Pommier
St-Moreil
Artin
St-Martin-Château
831
les Bordes
Arpeix
le Theil
Tard
Cheissoux
Mont Larron
624
Ladrat
ROYÈRE-de-Vassivière
St-Marc-à-Loubaud
la Nouaille
Chénour
Lartige
Champnétery
les Sechères
Prieuré de l'Artige
le Chataignier
Chazetas
Villetelle
St-Julien-le-Petit
le Massoubrot
Lintignat
Auchaise
Masgrangeas
Lac de la Vaud-Gelade
Valeoux
le Chiroux
Aureil
Eyboulsuf
Breix
Samis
Peyrat-le-Château
Auphelle
les Salles
Villemoneix
le Bonneix
les Allois
Villejoubert
Bujaleuf
Langlard
la Subertange
le Mazet
le Villard
792
Senoueix
Soumeix
Janouzeix
le Chatain
St-Denis-des-Murs
Bellabre
Augne
St-Amand-le-Petit
Balendeix
Lac de Vassivière
Lachaud
Eyjaux
la Geneytouse
le Chatenet
Vienne
Quenouille
764
Broussas
859
Paillier
les Farges
Marsac
les Verges
le Mont
Négrignas
Serre
10
l'Epine
la Vareille
GENTIOUX-Pigerolles
17
Pigerolles
Mon. Mégalithique
Peyret
Masléon
Jalouneix
Verviale
Châteaucourt
Beaumont-du-Lac
Champagnat
la Lézioux
Chaumont
Angioux
St-Paul
les Ribières
Combret
15
Roziers-St-Georges
Virolle
Soumagnas
Veyrieras
Chassat
Sazy
Plazanet
Moulières
Louvage
13
Pic
Sivergnat
la Pierre-de-Neuvic
Bussy
Farsac
Eglise romane
EYMOUTIERS
Pert
Fumouse
Faux-la-Montagne
Loudouneix
le Rat
Neuvialle
Comps
Soulière
la Pomelie
Leycuras
Aigueperse
Bonnefont
Grand-Bueix
Reilhac
la Croix-Lattée
Parsac
la Veytizout
Lauzat
la Villedieu
Jallagnat
Arsaillier
Malsagne
Négarioux
Caux
la Jasse
le Bos
17
St-Bonnet-Briance
Mazermaud
Petit-Bueix
Neuvic-Entier
CHÂTEAUNEUF-la-Forêt
St-Anne-St-Priest
Golas
Bouchefarol
Nedde
28
Bon-Martin
Chammet
866
la Cour
Ludinas
Grande Combe
St-Genest-sur-Roselle
Siardeix
Linards
la Bessade
Lavaud
Légaud
le Maspecout
Chatain
Orliac

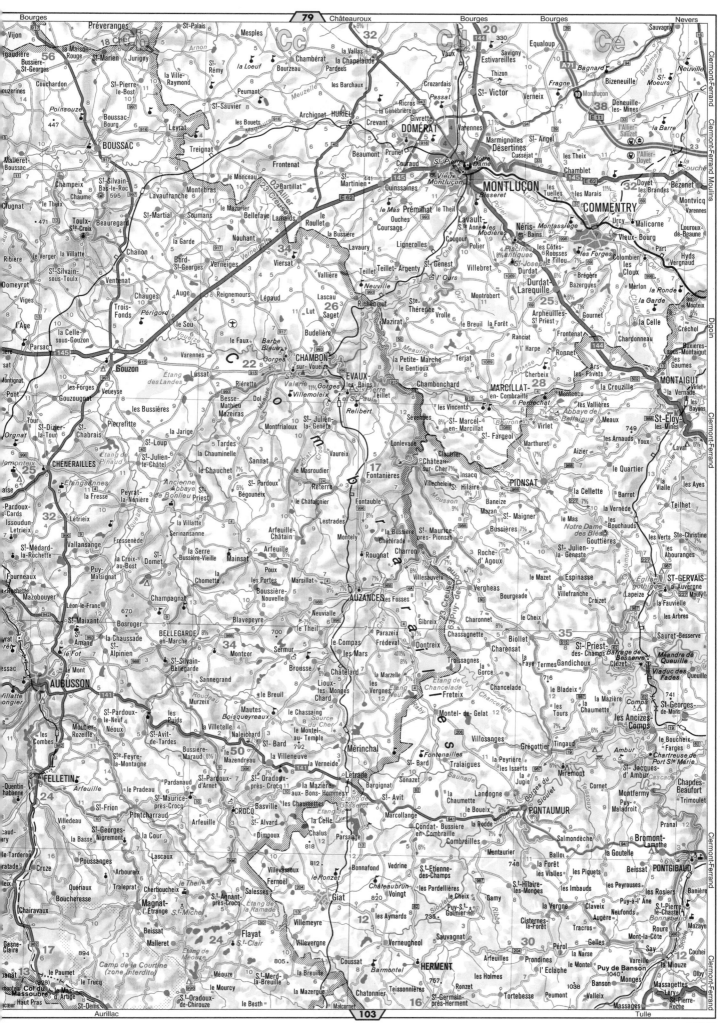
79
Bourges
Châteauroux
Bourges
Bourges
Nevers
Clermont-Ferrand
Clermont-Ferrand Moulins
Digoin
Clermont-Ferrand
Clermont-Ferrand
Clermont-Ferrand
Aurillac
103
Tulle
Cc
Cd
Ce
MONTLUÇON
COMMENTRY
DOMÉRAT
Désertines
BOUSSAC
Gouzon
CHÉNÉRAILLES
AUBUSSON
FELLETIN
CHAMBON-sur-Voueize
EVAUX-les-Bains
AUZANCES
MONTAIGUT
St-Eloy-les-Mines
PIONSAT
MARCILLAT-en-Combraille
ST-GERVAIS-d'Auvergne
PONTAUMUR
PONTGIBAUD
HERMENT
Giat
Mérinchal
CROCQ
BELLEGARDE-en-Marche
HURIEL
Néris-les-Bains
Durdat-Larequille
Combraille
Les Ancizes-Comps
Méandre de Queuille
Viaduc des Fades
Étang de Chancelade
Camp de la Courtine (zone interdite)
Col du Massoubre
Chartreuse de Port Ste Marie
Abbaye de Bellaigue
Ancienne Abbaye de Bonlieu
Étang des Landes
Gorges du Sioulet

Digion
80
Moulins
Moulins
Cf
Da
Db
Dc
Bessay-s.-Allier
LE MONTET
Villefranche-d'Allier
MONTMARAULT
VARENNES-sur-Allier
ST-POURÇAIN-sur-Sioule
CHANTELLE
Forêt de Marcenat
Bellenaves
Billy
CUSSET
VICHY
ÉBREUIL
GANNAT
Bellerive-sur-Allier
RANDAN
AIGUEPERSE
COMBRONDE
MANZAT
Châtelguyon
RIOM
ENNEZAT
MARINGUES
Volvic
GERZAT
LEZOUX
PONT-DU-CHÂTEAU
Montferrand
CLERMONT-FERRAND
Chamalières
ROYAT
COURNON-d'Auvergne
VERTAIZON
BILLOM
COURPIÈRE
THIERS
Puy de Dôme
Puy-Guillaume
Châteldon
Parc Nat. Rég. des Volcans d'Auvergne
Monts Dômes
Montluçon
Bourges
Montluçon
Montluçon
Aubusson
Brive-la-Gaillarde
La Châtre
Clermont-Ferrand
Tulle
Le Puy
104
Le Puy

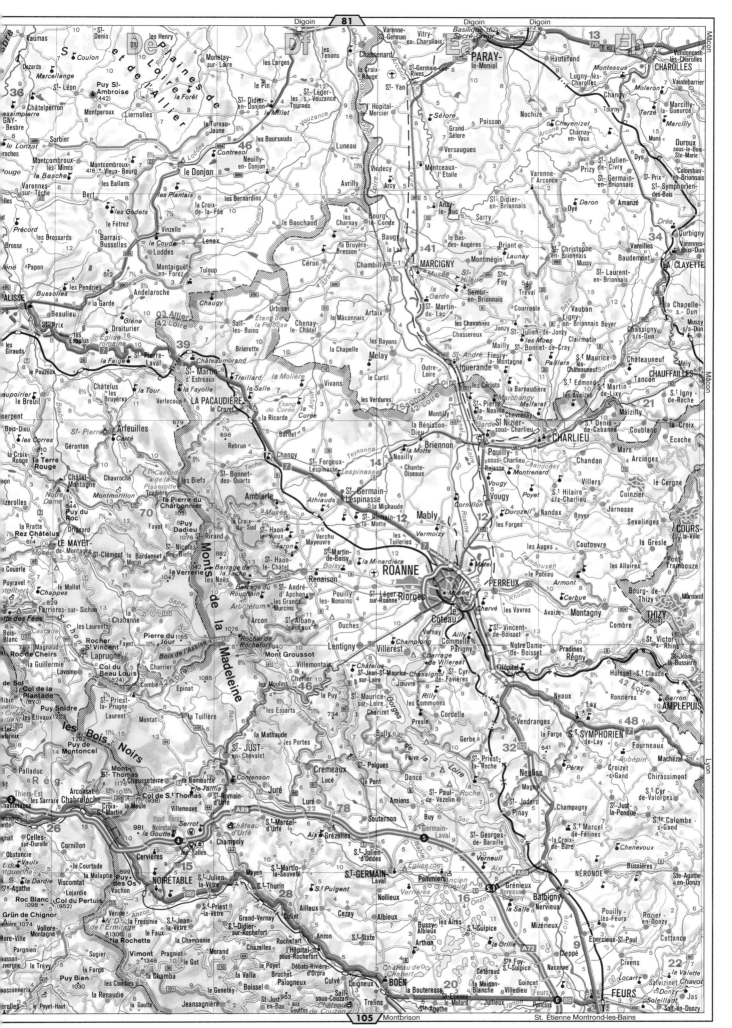
Digoin
81
Digoin
Digoin
Mâcon
Mâcon
Lyon
105
Montbrison
St. Étienne Montrond-les-Bains
De
Df
Ea
Eb
Plaines de Loire et de l'Allier
PARAY-le-Monial
Basilique du Sacré Cœur
CHAROLLES
Vendenesse-lès-Charolles
Hautefond
Lugny-lès-Charolles
Changy
Montessus
Vaudebarrier
Moleron
Marcilly-la-Gueurce
Terzé
Varenne-St-Germain
Vitry-en-Charollais
Chassenard
St-Germain-des-Rives
St-Yan
l'Hôpital-le-Mercier
Sélore
Grand Sélore
Poisson
Nochize
Chevenizet
Charnay-en-Vaux
Versaugues
Luneau
Avrilly
Vindecy
Arcy
Montceaux-l'Etoile
Varenne-l'Arconce
St-Julien-de-Civry
Prizy
St-Germain-en-Brionnais
Dyo
Ouroux sous-le-Bois-Ste-Marie
Colombier-en-Brionnais
St-Prix
St-Symphorien-des-Bois
Anzy-le-Duc
St-Didier-en-Brionnais
Oyé
Daron
Amanzé
Sarry
Bourg-le-Comte
Baugy
le Lac
le Bas-des-Augères
Briant
Launay
St-Christophe-en-Brionnais
Mussy
Vareilles
Curbigny
Varennes-sous-Dun
LA CLAYETTE
Baudemont
St-Laurent-en-Brionnais
MARCIGNY
Montmégin
Ste-Foy
Semur-en-Brionnais
St-Martin-du-Lac
Trèval
Courroule
Vauban
Ligny-en-Brionnais
Boyer
la Chapelle-s.-Dun
Mussy s/s-Dun
Chassigny-s/s-Dun
les Chavannes
Chassereux
Jonzy
St-Julien-de-Jonzy
les Mues
Mailly
St-Bonnet-de-Cray
Clairmatin
Fleury-la-Montagne
Iguerande
St Maurice-lès-Châteauneuf
Châteauneuf
Mély
CHAUFFAILLES
Tancon
Paillers
St Edmond
St Martin-de-Lixy
St Igny-de-Roche
les Carjots
la Barnaudière
les Avaizes
Marchangy
Malfarat
St-Pierre-la-Noaille
Chevenay
St Nizier-sous-Charlieu
CHARLIEU
St Denis-de-Cabanne
Maizilly
Coublanc
la Croix
Ecoche
Pouilly-sous-Charlieu
Chandon
Mars
Arcinges
Montrenard
Vougy
Poyet
St Hilaire-s/s-Charlieu
Villers
le Cergne
Cuinzier
Nandax
Jarnosse
Durozeil
les Forges
Boyer
Sevelinges
COURS-la-Ville
Coutouvre
la Gresle
les Auges
Trambouzan
les Allaires
Pont-Trambouze
le Poteau
Armont
PERREUX
Cerbue
Bourg-de-Thizy
Marnand
THIZY
Montagny
Combre
les Vavres
Avaize
Chervé
St-Vincent-de-Boisset
St. Victor-s-Rhins
Notre Dame-de-Boisset
Pradines
Régny
St-Jean-la-Bussière
l'Hôpital
Huisset
St Claude
Neaux
Ronzières
Sarron
AMPLEPUIS
Lay
Vendranges
la Farge
St SYMPHORIEN-de-Lay
Fourneaux
Machézal
Gerbe
St-Priest-la-Roche
Neulise
Magny
Péray
Croizet-s-Gand
Chirassimont
St-Jodard
Pinay
Champagny
St-Just-la-Pendue
St Cyr-de-Valorges
Ste Colombe-s-Gand
St Marcel-de-Félines
la Croix-de-Bard
Chenevoux
NÉRONDE
Bussières
Ste-Agathe-en-Donzy
Grénieux
Balbigny
Nervieux
la Salle
Mizérieux
Pouilly-lès-Feurs
Rozier-en-Donzy
Cottance
Epercieux-St-Paul
Cleppé
Naconne
Civens
Salvizinet
Chavot
la Valette
Locart
Donzy
FEURS
Soleillant
Jas
Salt-en-Donzy
Poncins
Ste-Foy-St-Sulpice
Goincet
Villedieu
Cétéraud
la Maison-Blanche
Juilieux
St-Etienne-le-Molard
la Bouteresse
Ste-Agathe
BOEN
Trelins
Leigneux
Sail-sous-Couzan
Château de Couzan
Château de Chabert
Arthun
Bussy-Albieux
les Aires
St-Sulpice
la Grille
Verneuil
Pommiers
St-GERMAIN-Laval
Nollieux
Albieux
St-Sixte
Cezay
St-Julien-d'Oddes
Grézolles
Aix
Souternon
Buy
St-Germain-Laval
St-Georges-de-Baroille
Cremeaux
Luré
Juré
St-Marcel-d'Urfé
Château d'Urfé
Champoly
St-Polgues
le Pont
Amions
Dancé
St-Paul-de-Vézelin
Loire
Bully
Fouve
Cordelle
Presle
les Communes
Rilly
St-Maurice-sur-Loire
Charizet
St-Jean-St-Maurice-sur-Loire
Châtelus
Chassignol
St-Cyr-de-Favières
Villerest
Barrage de Villerest
Commelle
Parigny
Champlong
Lentigny
Ouches
Vernay
Ailly
le Coteau
ROANNE
Riorges
St-Léger-sur-Roanne
Pouilly-les-Nonains
Renaison
St-André-d'Apchon
les Grands Murcins
Arcon
St-Alban-les-Eaux
Mont Groussot
Villemontais
Cherier
St-Just-en-Chevalet
la Mathaude
les Portes
les Essarts
le Puy
les Moulins
Monts de la Madeleine
Rocher de Rochefort
Barrage du Rouchain
Barrage de la Tâche
St-Haon-le-Châtel
St-Haon-le-Vieux
la Croix-du-Sud
Ambierle
St-Romain-la-Motte
la Minardière
St-Martin-de-Boisy
Boisy
Verchu
Mayeuvre
Tuileries
Vermoizy
Mably
Cornillon
la Michaude
St-Germain-Lespinasse
les Athiauds
Lespinasse
St-Forgeux-Lespinasse
Noailly
la Motte
Chante-Oiseaux
Briennon
la Bénisson-Dieu
Montilly
les Verdures
le Curtil
Vivans
Outre-Loire
Melay
la Chapelle
les Bayons
le Mâconnais
Artaix
Chambilly
Chenay-le-Châtel
Urbise
Céron
la Bruyère-Bresson
le Bouchaud
les Charnay
Sail-les-Bains
Briennette
Changy
St-Bonnet-des-Quarts
Rebrun
Bardet
la Ricarde
la Curée
Étang de Corée
la Molière
la Salle
Treillard
LA PACAUDIÈRE
le Crozet
St-Martin-d'Estréaux
Châteaumorand
la Fayolle
St-Pierre-Laval
la Faige
Verlecoup
Châtelus
les Bruyères
la Tour
Arfeuilles
Carré
St-Pierre
Géranton
la Terre Rouge
Châtel-Montagne
Chavroche
les Biefs
Trapière
la Pierre du Charbonnier
Montmorillon
Puy du Roc
Puy Dadieu
St-Rirand
St-Nicolas-des-Biefs
le Bardonnet
Morin
St-Clément
LE MAYET-de-Montagne
Rez Châtelus
la Pratte
Drigeard
Fayot
la Verrerie
les Noës
le Mallot
Chappes
Ferrières-sur-Sichon
la Chabanne
les Laurents
Pierre du Jour
Rocher St Vincent
Laprugne
Fayet
Magnaud
Roc de Cheirs
la Guillermie
Lavoine
Col du Beau Louis
Charrier
Combe
Epinat
Col de la Plantade
St-Priest-la-Prugne
Laurent
Puy Snidre
les Etivaux
Montat
la Tuilière
les Bois Noirs
Puy de Montoncel
Palladuc
Mont St-Thomas
Chausseterre
la Bombarde
le Taillis
Contenson
Arconsat
Chabreloche
Col de St Thomas
St-Romain-d'Urfé
Thiers-Est
les Sarraix
Croix-St-Martin
la Meule
Villeneuve
Haut Forez
Serrot
Noirétable
la Goutte
Celles-sur-Durolle
Cornillon
Cervières
les Salles
Vaulx
la Courtade
la Malaptie
Puy des Os
Vachon
NOIRÉTABLE
la Dardie
Viscomtat
Ste-Agathe
Roc Blanc
Col du Pertuis
Lojardie
St-Julien-la-Vêtre
Mayen
St-Martin-la-Sauveté
St-Thurin
St Pulgent
Ailleux
St-Priest-la-Vêtre
Grand-Vernay
Collet
St-Didier-sur-Rochefort
Anzon
Rochefort
l'Hôpital-sous-Rochefort
Chazelles
Débats-Rivière-d'Orpra
le Poyet
Bruchet
Palogneux
Culvé
la Valla
Boissel
le Genetey
St-Just-en-Bas
Jeansagnière
Grün de Chignor
Vollore-Montagne
Vérine
la Fressinie
St-Jean-la-Vêtre
le Faux
la Rochette
la Chambonie
Vimont
Pragniot
Morand
le Got
Sugier
la Farge
la Chamba
Puy Bien
les Combes
la Renaudie
le Trévy
Parignien
Vaumas
St-Denis
Coulon
Marcellange
St-Léon
Puy St-Ambroise
Châtelperron
Montperoux
Liernolles
les Henry
la Forêt
Monétay-sur-Loire
les Larges
le Pin
St-Didier-en-Donjon
le Millet
St-Léger-s-Vouzance
les Tournus
les Tenons
le Tureau-Jaune
les Boursauds
Contresol
Neuilly-en-Donjon
Sorbier
le Lonzat
Montcombroux-les-Mines
Montcombroux-Vieux-Bourg
la Besche
le Donjon
les Ballans
Varennes-sur-Tèche
Bert
les Plantais
la Croix-de-la-Fée
les Bernardins
les Godets
le Fêtrez
Précord
les Brossards
Barrais-Bussolles
Vinzelle
le Coude
Lodes
Lenax
Papon
Montaiguët-en-Forez
Tuloup
les Pendries
Andelaroche
Chaugy
Bussolles
la Garde
Glène
Droiturier
Beaulieu
St-Prix
les Espalus
les Giraudes
le Pouzoux
le Breuil
Bois-Dieu
les Corres
la Croix-Rouge
Puyravel
Bois-Blanc
Celles
Fourneaux
Puy Bien
03 Allier
42 Loire
71 Saône-et-Loire
42 Loire

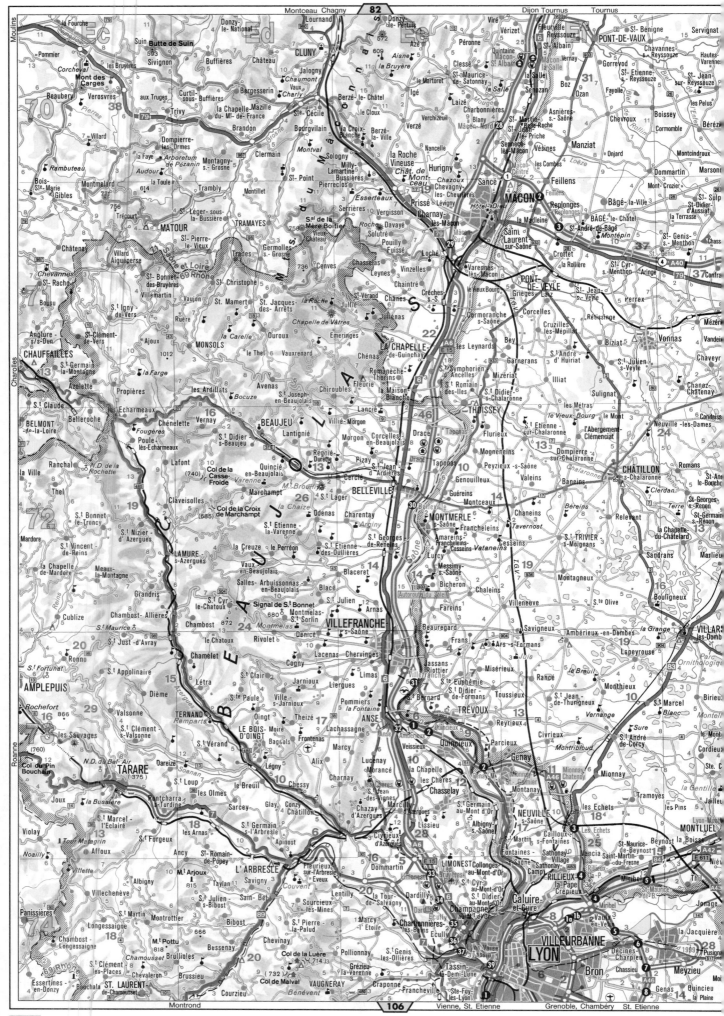
Montceau Chagny
82
Dijon Tournus
Tournus
Moulins
Charolles
Roanne
Montrond
106
Vienne, St. Etienne
Grenoble, Chambéry St. Etienne
Butte de Suin
Mont des Carges
CLUNY
Donzy-le-National
Donzy-le-Pertuis
Sivignon
Buffières
Château
Jalogny
Verosvres
Trivy
Bergesserin
la Chapelle-du-Mt-de-France
Mazille
Ste-Cécile
Brandon
Bourgvilain
Berzé-le-Châtel
Berzé-la-Ville
Dompierre-les-Ormes
Arboretum de Pézanin
Montagny-s.-Grosne
Clermain
Rambuteau
Montmelard
Gibles
Trambly
MATOUR
Tramayes
St-Point
Sologny
Milly-Lamartine
Bussières
Pierreclos
la Roche Vineuse
Hurigny
Sancé
MÂCON
Prissé
Charnay-lès-Mâcon
Davayé
Solutré
Pouilly
Fuissé
Vergisson
Serrières
Vinzelles
Loché
Chaintré
Crèches-s.-S.
Chânes
Juliénas
Jullié
St-Vérand
Leynes
Chasselas
Cenves
Germolles-s.-Grosne
Trades
St-Christophe
St. Mamert
St. Jacques-des-Arrêts
Vaujon
Monsols
Ouroux
Avenas
Vauxrenard
Chénas
Emeringes
LA CHAPELLE-de-Guinchay
Romanèche-Thorins
Fleurie
Chiroubles
Villié-Morgon
Lancié
BEAUJEU
Lantignié
Quincié-en-Beaujolais
Régnié-Durette
Morgon
Corcelles-en-Beaujolais
Pizay
St Jean-d'Ardières
BELLEVILLE
Cercié
St Lager
Odenas
Charentay
MONTMERLE-s-Saône
St Georges-de-Reneins
Blacé
Arnas
VILLEFRANCHE s-Saône
Gleizé
Denicé
Lacenas
Limas
ANSE
Pommiers
Theizé
Oingt
LE BOIS-D'OINGT
Frontenas
Alix
Marcy
Lachassagne
Morancé
Lucenay
Chazay-d'Azergues
Chessy
Châtillon
L'ARBRESLE
Savigny
Sain-Bel
Fleurieux-sur-l'Arbresle
Eveux
Lentilly
Dommartin
Limonest
Dardilly
Champagne-au-Mt-d'Or
Charbonnières-les-Bains
Ecully
Tassin-la-Demi-Lune
Ste-Foy-lès-Lyon
Francheville
Craponne
Vaugneray
Grézieu-la-Varenne
Pollionnay
St Genis-les-Ollières
Col de la Luère
Col de Malval
LYON
VILLEURBANNE
Caluire-et-Cuire
Rillieux-la-Pape
Crépieux
Bron
Décines-Charpieu
Meyzieu
Chassieu
Genas
Vaulx-en-Velin
Miribel
MONTLUEL
Beynost
NEUVILLE-s-Saône
Genay
Quincieux
Trévoux
Reyrieux
Parcieux
Massieux
Fontaines-s-Saône
Sathonay-Camp
Sathonay-Village
Mionnay
Les Echets
Tramoyes
Civrieux
Misérieux
Toussieux
Rancé
Savigneux
Ars-s-Formans
Frans
Jassans-Riottier
Beauregard
Fareins
Villeneuve
Ambérieux-en-Dombes
VILLARS-les-Dombes
Chaleins
Messimy-s.-Saône
Lurcy
Montceaux
Guéreins
Genouilleux
Peyzieux-s-Saône
Valeins
Mogneneins
Thoissey
Saint-Didier-s-Chalaronne
Illiat
Mizériat
CHÂTILLON s-Chalaronne
Dompierre-sur-Chalaronne
St Etienne-sur-Chalaronne
Baneins
Chaneins
Relevant
Sandrans
St TRIVIER-s-Moignans
Montagneux
Bouligneux
Neuville-les-Dames
Vonnas
Biziat
St Julien-s-Veyle
PONT-DE-VEYLE
Crottet
St Laurent-sur-Saône
Feillens
Replonges
Manziat
BÂGÉ-le-Châtel
Bâgé-la-Ville
Dommartin
PONT-DE-VAUX
Chavannes-s.-Reyssouze
Gorrevod
Boz
Ozan
Asnières-s.-Saône
Vésines
Sennecé-lès-Mâcon
St-Martin-Belle-Roche
Charbonnières
Laizé
Senozan
Viré
Fleurville
Vérizet
Clessé
Péronne
Azé
Igé
Verzé
BEAUJOLAIS
Monts du Mâconnais
Col de la Croix de Marchampt
Col de la Casse-Froide
Signal de St Bonnet
Montmelas-St Sorlin
Marchampt
Claveisolles
LAMURE-s-Azergues
Chambost-Allières
Grandris
Cublize
AMPLEPUIS
TARARE
Pontcharra-s-Turdine
St Forgeux
Affoux
Violay
Panissières
Villechenève
Montrottier
St Laurent-de-Chamousset
Brussieu
Courzieu
Bessenay
Chevinay
Bibost
Sourcieux-les-Mines
St Pierre-la-Palud
Ancy
St-Romain-de-Popey
St Germain-s-l'Arbresle
Sarcey
Les Olmes
St Loup
Dareizé
St Vérand
Ternand
Valsonne
St Clément-s-Valsonne
Dième
Létra
Chamelet
St Just-d'Avray
Ronno
Ranchal
Thel
Poule-lès-Echarmeaux
Chénelette
Vernay
Les Echarmeaux
Propières
Azolette
CHAUFFAILLES
Belmont-de-la-Loire
Belleroche
St Igny-de-Vers
Ajoux
St Bonnet-des-Bruyères
Villemartin
Aigueperse
Châtenay
Autoroute du Soleil
A6
A40
A42
A46
E15
Lyon-Montluel

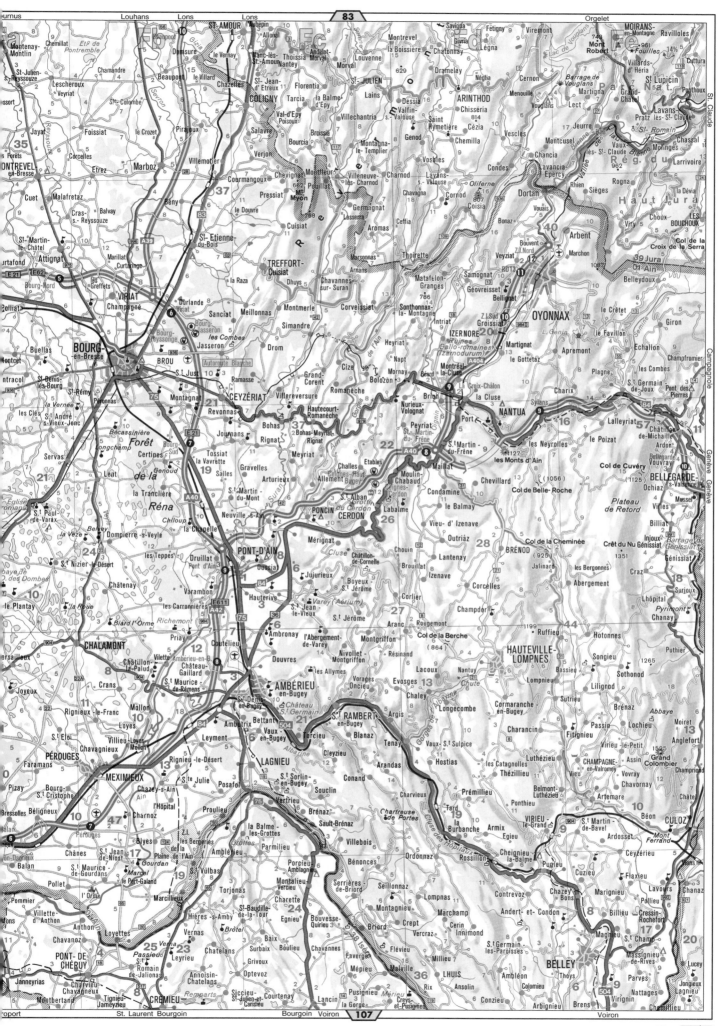
83
Louhans
Lons
Lons
Orgelet
St-AMOUR
COLIGNY
St-JULIEN
ARINTHOD
MOIRANS-en-Montagne
St Lupicin
St. Claude
Barrage de Vouglans
Lac de Vouglans
Mont Robert
MONTREVEL-en-Bresse
Marboz
Treffort-Cuisiat
Mt Myon
Revermont
Dortan
Oyonnax
Arbent
Bellignat
Izernore
Ruines Gallo-romaines (Izarnodurum)
Montréal-la-Cluse
NANTUA
Haut Jura
Les Bouchoux
Belleydoux
Col de la Croix de la Serra
Col de Cuvéry
BELLEGARDE-s-Valserine
Genève
Campagnole
Plateau de Retord
Col de Belle-Roche
Col de la Cheminée
Crêt du Nu Génissiat
Barrage de Génissiat
BRÉNOD
BOURG-en-Bresse
BROU
Autoroute Blanche
CEYZÉRIAT
Viriat
Péronnas
Forêt de la Réna
PONT-D'AIN
PONCIN
CERDON
Grotte du Cerdon
Neuville-s-Ain
Pont d'Ain
Ambronay
AMBÉRIEU-en-Bugey
Château St Germain
St RAMBERT-en-Bugey
HAUTEVILLE-LOMPNES
Col de la Berche
Grand Colombier
CULOZ
CHALAMONT
PÉROUGES
MEXIMIEUX
LAGNIEU
St Sorlin-en-Bugey
Chartreuse de Portes
Cluse des Hôpitaux
Gorges de l'Albarine
VIRIEU-le-Grand
BELLEY
PONT-DE-CHÉRUY
CRÉMIEU
Remparts
LHUIS
Les Monts d'Ain
Gorges de l'Ain
St. Laurent Bourgoin
Bourgoin Voiron
107
La Gorge
Voiron

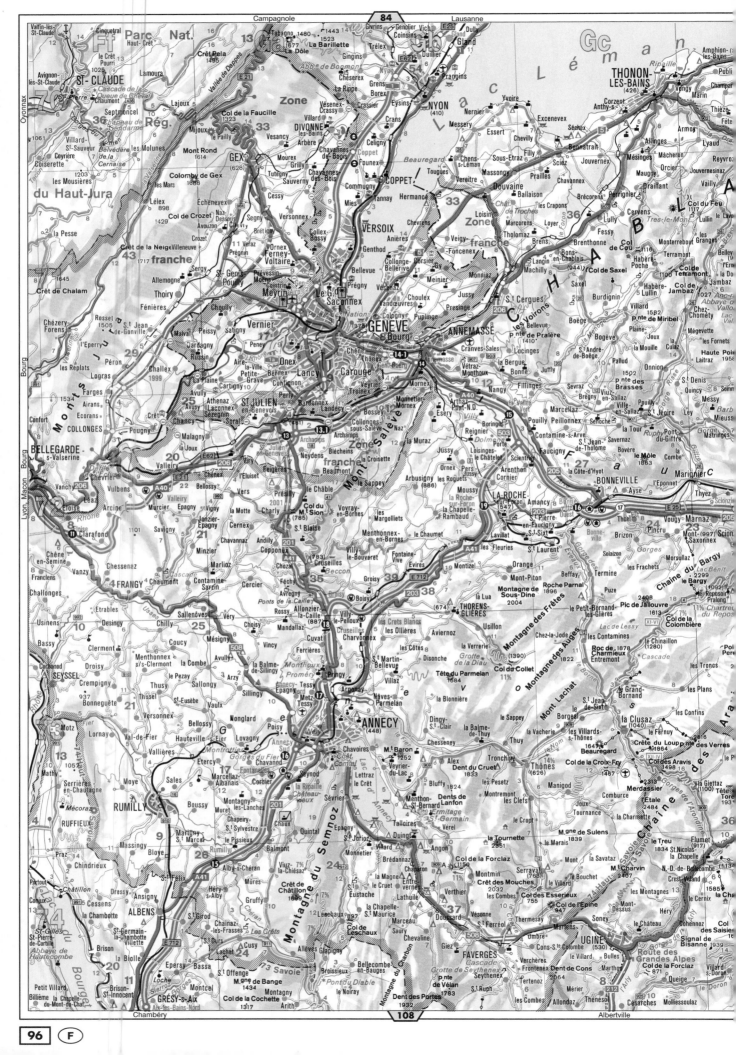

Campagnole
84
Lausanne
Parc Nat.
du Haut-Jura
ST-CLAUDE
Crêt Pela
La Dôle
Gingins
Trélex
Gland
Coinsins
THONON-LES-BAINS
Lac Léman
Col de la Faucille
Zone
Rég.
DIVONNE-les-Bains
NYON
Crans
Celigny
Coppet
Yvoire
Excenevex
Nernier
Messery
Chens-s-Léman
Sciez
Douvaine
Evian
GEX
Mont Rond
Colomby de Gex
COPPET
Hermance
Versoix
VERSOIX
Genthod
Anières
Bellevue
Pregny
Lélex
Col de Crozet
Ferney-Voltaire
Prévessin-Moëns
Meyrin
Le G.d Saconnex
Crêt de la Neige
franche
Crêt de Chalam
Thoiry
St Genis-Pouilly
Sergy
Allemogne
Fénières
Vernier
Satigny
GENEVE
Cologny
Vandœuvres
Choulex
Puplinge
ANNEMASSE
Chêne-Bourg
Thônex
Onex
Lancy
Carouge
Russin
Dardagny
Challex
Péron
Collex-Bossy
Monts Jura
Pougny
COLLONGES
Farges
BELLEGARDE-s-Valserine
Chancy
Avully
Athenaz
Laconnex
Soral
ST JULIEN-en-Genevois
Bardonnex
Troinex
Veyrier
Bossey
Collonges-sous-Salève
Mont Salève
Archamps
Neydens
Valleiry
Vulbens
Chevrier
Viry
Feigères
Beaumont
Le Sappey
Présilly
Le Châble
Col du Mt Sion
Cruseilles
Copponex
Andilly
Cernex
Clarafond
Vanzy
Chêne-en-Semine
Chessenaz
FRANGY
Chaumont
Contamine-Sarzin
Marlioz
Minzier
Vovray-en-Bornes
Menthonnex-en-Bornes
Villy-le-Bouveret
Arbusigny
Reignier
Esery
Monnetier-Mornex
Mornex
Nangy
Fillinges
Bonne
Lucinges
Cranves-Sales
les Voirons
St Cergues
Boëge
CHABLAIS
Bogève
Bellevue
Bons-en-Chablais
Brenthonne
Fessy
Lully
Col de Cou
Col de Saxel
Saxel
Burdignin
Habère-Poche
Habère-Lullin
Col de Jambaz
Villard
P.nte de Miribel
Onnion
P.nte des Brasses
Viuz-en-Sallaz
Ville-en-Sallaz
St Jeoire
Mieussy
Marignier
BONNEVILLE
Ayse
Thyez
Marnaz
Scionzier
Vougy
Mont-Saxonnex
Le Môle
Faucigny
Contamine-s-Arve
St Jean-de-Tholome
LA ROCHE-sur-Foron
Amancy
St Pierre-en-Faucigny
St Sixt
St Laurent
Orange
Mont-Piton
Montagne de Sous-Dine
Roche Parnal
THORENS-GLIERES
Usillon
Le Petit-Bornand-les-Glières
Pic de Jallouvre
Col de la Colombière
Chaîne du Bargy
Montagne des Frètes
Montagne des Auges
Col du Collet
Tête du Parmelan
Aviernoz
Evires
Groisy
Villy-le-Pelloux
Allonzier-la-Caille
Charvonnex
Les Ollières
Pringy
Argonay
Naves-Parmelan
Villaz
ANNECY
Metz-Tessy
Epagny
Poisy
Lovagny
Nonglard
Sillingy
La Balme-de-Sillingy
Mésigny
Choisy
Mandallaz
Sallenôves
Chilly
Desingy
Usinens
Clermont
Droisy
SEYSSEL
Menthonnex-s/s-Clermont
Thusy
Sallongy
Crempigny
Bonneguête
Versonnex
Vallières
Hauteville-s-Fier
Val-de-Fier
Lornay
Motz
Etercy
Marcellaz-Albanais
Chavanod
Seynod
Sales
RUMILLY
Boussy
Moye
Serrières-en-Chautagne
RUFFIEUX
Massingy
Bloye
Marigny-St Marcel
Alby-s-Chéran
Gruffy
Mûres
Crêt de Châtillon
Montagne du Semnoz
Viuz-la-Chiésaz
Quintal
Sévrier
St Jorioz
Duingt
Talloires
Menthon-St-Bernard
Veyrier-du-Lac
Mt Baron
Dent du Cruet
Bluffy
Dents de Lanfon
Alex
Thônes
Manigod
Col de la Croix-Fry
Les Clefs
Montremont
Dingy-St-Clair
La Balme-de-Thuy
Thuy
Le Grand-Bornand
St Jean-de-Sixt
Mont Lachat
la Clusaz
Crêt du Loup
Beauregard
Col des Aravis
Chaîne des Aravis
La Giettaz
Merdassier
l'Etale
La Tournette
M.gne de Sulens
Col de la Forclaz
Montmin
Crêt des Mouches
Col des Esserieux
Serraval
Le Bouchet
Col de l'Epine
Mt Charvin
Doussard
Lathuile
Verthier
Chevaline
St Ferréol
FAVERGES
Seythenex
Cascade de Seythenex
P.nte de Vélan
Dent des Portes
Montagne du Charbon
Marlens
UGINE
Thermesay
Mont-Dessus
Cons-Ste Colombe
Dent de Cons
Tertenoz
Queige
Col de la Forclaz
Signal de Bisanne
Route des Grandes Alpes
Flumet
N.-D.-de-Bellecombe
Crest-Voland
Col des Saisies
Cessens
ALBENS
Chainaz-les-Frasses
St Girod
La Biolle
Cusy
Allèves
Col de Leschaux
Leschaux
Bellecombe-en-Bauges
Mgne de Bange
St Offenge
Col de la Cochette
GRÉSY-s-Aix
Brison-St-Innocent
Chindrieux
Châtillon
Conjux
Lac du Bourget
St-Pierre-de-Curtille
Abbaye de Hautecombe
Chambéry
108
Albertville
Lyon, Macon
Bourg
Oyonnax

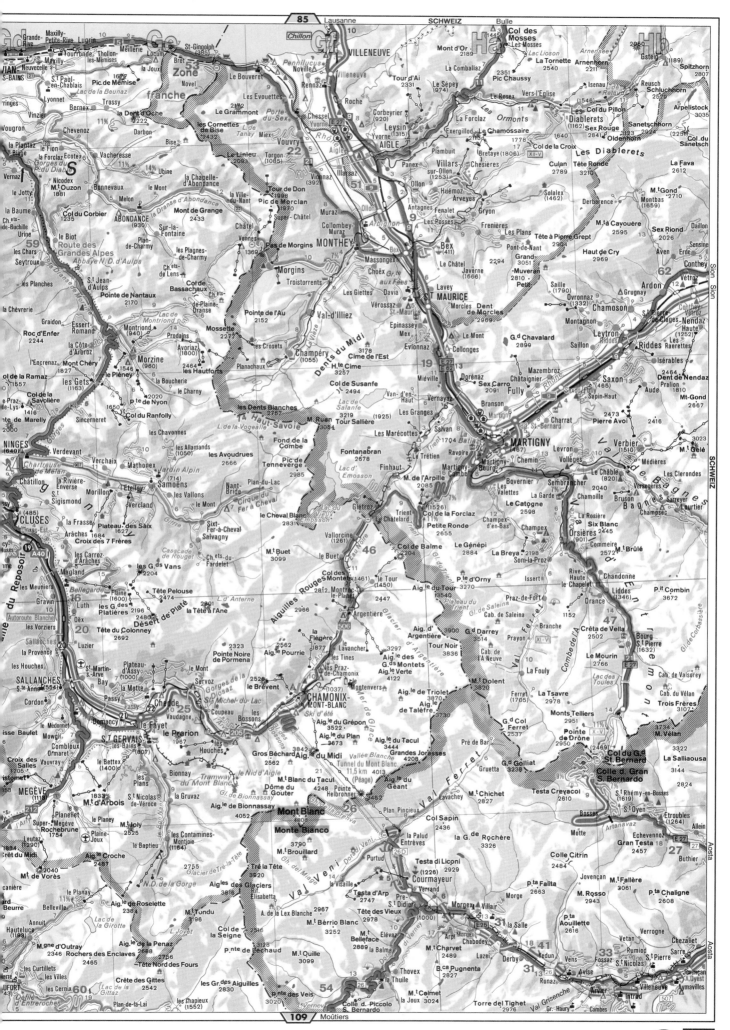

Yd Ye Yf Za

Grd Passe de l' Ouest

Pontaillac Rochefort Saintes

ROYAN

les Brandes Musson Corme-Ecluse le Cormier

Trignac Didonne Grézac 117

Saint Georges-de-Didonne 18 Semussac

75

Chênaumoine Bardécille Conteneuil le Gor

Pointe de Grave Serres Beloire 730

Mon! U.S.A. Fort du Verdon le Compin **COZE**

le Verdon-sur-Mer Brézillas Liboulas Arces

Chemin du fer touristique Meschers-sur-Gironde 25 Javrezac Epargnes

les Huttes le Royannais 114 Barzan

Talmont le Caillaud 145 Chenac-sur-Gironde

Soulac-sur-Mer Jeune-Soulac les Monards

Neyran Saint Seurin-d'Uzet

76

Amélie Lillan Mortagne-sur-Gironde

Talais Ermita Saint Mar

215 Port-de-Saint Vivien

17 Grayan-et-l'Hôpital Saint Vivien la Brasserie

le Gurp 39 Jau- Dignac Port-de-Richard

l'Hôpital 101 Dignac-et-Loirac Port-de-Goulée

M Vensac Noillac Loirac

les Arrestieux la Gua Sipian Valeyrac

Mayan Sémian Larnac la Verdasse la Lagune

102 Courbian Port-de-By

Montalivet-les-Bains Mouva Laujac Bégadanet

Moulineyre Queyrac Bégadan Saint Christoly-Médoc

Vendays-Montalivet Civrac-en-Médoc Couquèques Port-de-Lamen

Houréan les Ormes 10 Gaillan-en-Médoc 11 Saint Yzans-de-Médoc

Cáyrehours É Prignac-en-Médoc Blaignan Peyressan Saint Seur

77

Roudillac Blanc **LESPARRE-**Médoc Potensac Ordonnac la Marec Saint-Seur

Bergantón Escot Vernous Canquillac Marque Cadourne de-Cadour

la Bresquette 215 204 Saint Germain- le Tralé Saint Corbian Sa

Saint Isidore Rebichette Bourries Plassan d'Esteuil Pes Este

le Pin- sec 3 Liard Artiguillon Saint Gaux Saint Corbian Leyssac

D Naujac- Magagnan la Toudeille Vertheuil Marti

Lisan sur-Mer la Prise Lagune Lugagnac la Caussade Lafite

Hourtin-Plage Cártignac 4 12 6 les Reynals Mouton

le Contaut 17 Bré Saint Sauveur le Breuil Padarnac

Piqueyrot 76 205 11 Fonpiqueyre Artigues

60 Etang HOURTIN Lagunan 101 37 Fournas Grand Puy

78

Dunes des Places d'Hourtin Pey-de-Camin Haut- Bré 11 Sémignan Ballac Batailley

le Crohot- et de Lachanau Mourlan Villeneuve 7 206

de-France Lupian Marsillan Tal

la Gracieuse Carcans Sainte Hélène- 12 Peintre Rionet **SAINT LAURENT-**Médoc Carnet Lagran

Phâres de-Hourtin le Garthieu Craste Lambert 16 Picard

d'Hourtin Sainte-Hélène- O Bernos Courbiac

le Crohot- de-l'Etang 24 Couyras Benon 10

des-Cavales Berdillan Senajou Donissan

Bombannes Villeneuve Saint Queyran 215 Méc

Carcans- **CARCANS** Couyrasseau Pudos Listrac-Médoc Lestage

Plage le Pouch 9 Berron Bernones Fon- Réaux Mou

Maubuisson Cap Mayne- Pauvre 207 Brach C Toulerón Bouqueyran Mauvesin

le Montaut de Ville Craste Raouset Avensan

Devinas Craste Queyre 207 les Lamberts **CASTELN-**de-Méd

Reserve 12 Grand Ludey Petit Ludey Cordes 10

naturelle 14 Constantenins la Providence Mongarni

le Huga 13 Craste Moringout le Devès 104 10 Leujean

Lacanau- le Mouthic Talaris Méogas Villeneuve 5 les Chal

Océan les Pins au Chalet Sainte Hélène Saint Raphaé

Carreyre Lac Narsot Taussac Gémeillan Pimbelin

le Tedey de **LACANAU** Méjos 104 Sadouillan

le Lion le Port 16 Maubourguet

Grande Escoure Lacanau aux-Andraux Bedillon le Plec Sego

les Nerps Craste de la Levade 23

Dunes du Hugney Mistre le Grand Tronquats 27 Houron

Forêt du Etang Courgas Saumos Salaunes

Porge de Bateiin 110 Arcachon **Bordeaux**

Etang de Batourtot

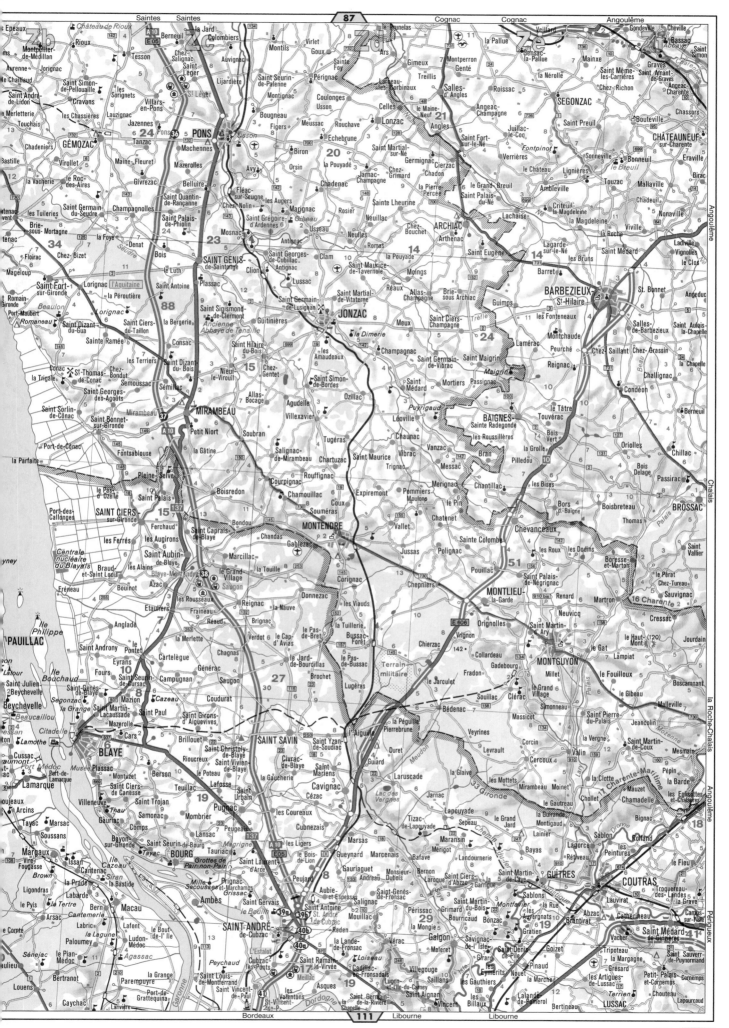
87
Saintes
Saintes
Cognac
Cognac
Angoulême
Angoulême
Chalais
la Roche-Chalais
Angoulême
Périgueux
Bordeaux
111
Libourne
Libourne
Zb
Zc
Zd
Ze
Zf
PONS
GÉMOZAC
SAINT GENIS-de-Saintonge
JONZAC
ARCHIAC
SEGONZAC
CHÂTEAUNEUF-sur-Charente
BARBEZIEUX-St-Hilaire
BAIGNES-Sainte Radegonde
MIRAMBEAU
SAINT CIERS-sur-Gironde
MONTENDRE
BROSSAC
Chevanceaux
MONTLIEU-la-Garde
MONTGUYON
SAINT SAVIN
BLAYE
PAUILLAC
BOURG
SAINT-ANDRÉ-de-Cubzac
GUÎTRES
COUTRAS
LUSSAC
Saint Médard-de-Guizières
Salles-d'Angles
Lonzac
Saint Fort-sur-Gironde
Port-Maubert
Saint Dizant-du-Gua
Saint Thomas-de-Conac
Saint Aubin-de-Blaye
Centrale nucléaire du Blayais
Étauliers
Saint Yzan-de-Soudiac
Cavignac
Pugnac
Macau
Margaux
Lamarque
Beychevelle
Saint Julien-Beychevelle
Ambès
Bassac
Saint Même-les-Carrières
Jarnac-Champagne
Montils
Mosnac
Clion
Léoville
Chierzac
Montendre
Fronsac
Galgon
Saint Denis-de-Pile
Abzac
Terrain militaire
E 05
E 606
A 10
16 Charente
17 Charente-Maritime
33 Gironde
24
Dordogne
Gironde
Garonne
Seudre
Né

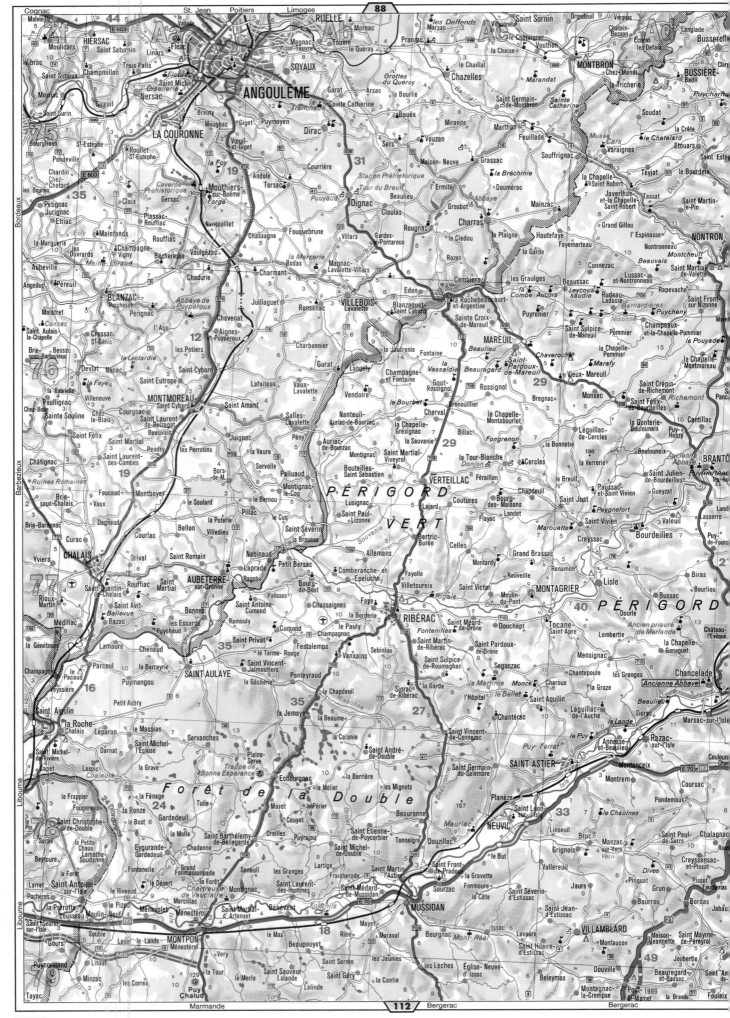
Cognac
St. Jean
Poitiers
Limoges
88
RUELLE
Mornac
Magnac-sur-Touvre
Touvre
le Quéroy
SOYAUX
ANGOULÊME
HIERSAC
Saint Saturnin
Moulidars
Linars
Fléac
Vibrac
Trois Palis
Champmillon
Saint Simeux
Saint Michel
Mosnac
Nersac
Sireuil
Saint Surin
LA COURONNE
Bourglioux
St-Estèphe
Roullet St-Estèphe
Pondeville
Chardin
Mouthiers-sur-Boëme
Gersac
Claix
Pétignac
Jurignac
Etriac
Mainfonds
Plassac-Rouffiac
Rouffiac
Nanteuillet
la Marguerite
Champagne-Vigny
Bécheresse
Voulgézac
Aubeville
Péreuil
Chadurie
Angeduc
BLANZAC-Porcheresse
Abbaye de Puypéroux
Malâtret
Pérignac
Saint Aulais-la-Chapelle
Cressac-St-Génis
Brie-sous-Barbezieux
Bessac
les Potiers
la Léotardie
Devlat
Nonac
Saint Cybard
la Faye
Saint Eutrope
MONTMOREAU-Saint Cybard
Poullignac
Villeneuve
Sainte Souline
Courgeac
Saint Laurent-de-Belzagot
Saint Félix
Saint Martial
Peudry
Châtignac
Saint Laurent-des-Combes
Ruines Romaines
Brie-sous-Chalais
Vaux
Foucaud
Montboyer
Brie-Bardenac
Dagnaud
Curac
Courlac
CHALAIS
Yviers
Orival
Saint Romain
Rouffiac
Saint Martial
AUBETERRE-sur-Dronne
Saint Quentin-de-Chalais
Saint Avit
Bellevue
Bazac
Bonnes
les Essards
Puychaud
Médillac
la Génétouze
Lamaure
Chenaud
Parcoul
la Barreyrie
SAINT AULAYE
Puymangou
Champagne
le Pacaud
Peyssière
Petit Aubry
Saint Aigulin
la Roche-Chalais
Léparon
le Massias
Saint Michel-l'Écluse
Servanches
Saint Michel-de-Rivière
Darnat
Lespic
la Grave
Chalaure
Trappe de Bonne Espérance
Pleine-Serve
Echourgnac
Forêt de la Double
la Fénage
Le Frappier
Fougereau
la Ronze
Tuile
le Bost
Saint Christophe-de-Double
Gardedeuil
la Molle
Saint Barthélemy-de-Bellegarde
Serre
Eygurande-Gardedeuil
Chadenne
Beytoure
Fontenelle
Grand Fonmassonnade
la Forêt
Saint Antoine-sur-l'Isle
le Désert
Chartreuse de Vauclaire
Larret
Pochères
le Riveaud
Montignac
la Perrotte
Cousseau
Moulin-Neuf
le Pizou
Ménesplet
Ménestérol
Saint Martial-d'Artenset
Saint Seurin-sur-l'Isle
Soubie
Laser
la Lande
MONTPON-Ménestérol
Gours
Puynormand
Litout
Minzac
les Corres
Puy Chalud
Tayac
Marmande
112
Bergerac
Charmant
Juillaguet
Chavenat
Aignes-et-Puypéroux
Ronsenac
VILLEBOIS-Lavalette
Charbonnier
Gurat
Lafaiteau
Vaux-Lavalette
Saint Amant
Salles-Lavalette
Juignac
la Vaure
Servolle
Palluaud
Bors-de-M.
Montignac-le-Coq
le Bernou
Pillac
le Soulard
la Poterie
Villedieu
Bellon
le Cuq
Saint Séverin
la Brousse
Nabinaud
Laprade
Petit Bersac
Ragot
Bourg-du-Bost
Palisses
Saint Antoine-Cumond
Chassaignes
Ramouly
Cumond
Saint Privat
Champagnac
Festalemps
le Terme-Rouge
Saint Vincent-Jalmoutiers
la Gâcherie
Ponteyraud
le Chapdeuil
la Jemaye
la Beaume
la Calonie
Saint André-de-Double
la Barrière
le Mélier
Marot
le Périer
Couyet
Dreilles
Puyrajou
Saint Michel-de-Double
Seneuil
les Granges
Lartige
Saint Laurent-des-Hommes
Fraicherode
Saint Médard-de-Mussidan
Bénévent
Mayet
Ribe
Le Mas
Beaupouyet
Very
la Tour
le Merle
Saint Sauveur-Lalande
Lalinde
Saint Géry
Saint Sermin
les Jaunies
la Contie
Maraval
MUSSIDAN
Bourgnac
Mont-Réal
Issac
les Lèches
Église-Neuve-d'Issac
Saint Étienne-de-Puycorbier
Tonnaigre
Beauronne
les Mignots
Saint Martin-l'Astier
Douzillac
Saint Front-de-Pradoux
Sourzac
Fonmoure
la Côte
la Gravette
Saint Séverin-d'Estissac
Saint Jean-d'Estissac
Lavaure
Saint Hilaire-d'Estissac
VILLAMBLARD
Monfaucon
Douville
Beleymas
Montagnac-la-Crempse
Pont-St-Mamet
la Brande
Saint Germain-du-Salembre
Planèze
Saint Léon-sur-l'Isle
NEUVIC
Mauriac
le But
Vallereuil
Grignols
Jaure
Linseuil
Bruc
SAINT ASTIER
Montrem
Montanceix
Puy-Ferrat
Annesse-et-Beaulieu
Razac-sur-l'Isle
Marsac-sur-l'Isle
le Puy
Saint Vincent-de-Connezac
Chantérac
Saint Aquilin
Léguillac-de-l'Auche
la Lande
Sioriac
Beaulieu
Chancelade
Ancienne Abbaye
les Granges
la Groze
Charoux
Moncé
le Bellet
l'Hôpital
la Martinie
la Garde
Siorac-de-Ribérac
Segonzac
Saint Sulpice-de-Roumagnac
Saint Martin-de-Ribérac
Fontenilles
Saint Méard-de-Drône
Saint Pardoux-de-Drône
Douchapt
Tocane-Saint Apre
Chantepoule
Mensignac
Lembertie
Ancien prieuré de Merlande
la Chapelle-Gonaguet
Château-l'Évêque
RIBÉRAC
Faye
la Borderie
le Pauly
Vanxains
Sebinlou
Comberanche-et-Epeluche
Allemans
Fayolle
Villetoureix
Saint Victor
Moulin-du-Pont
MONTAGRIER
Rouveille
Grand Brassac
Renamon
Montardy
Celles
Bertric-Burée
Lisle
Biras
Bussac
Bourliou
PÉRIGORD
Dourle
PÉRIGORD VERT
Lusignac
Saint Paul-Lizonne
Flayac
Londet
Coutures
Lajard
VERTEILLAC
Bouteilles-Saint Sébastien
Féraillon
Bourg-des-Maisons
Chapdeuil
Marouatte
Saint Vivien
Creyssac
Bourdeilles
Valeuil
Saint Just
Peygnefort
Paussac-et-Saint Vivien
Saint Julien-de-Bourdeilles
Gueyzat
la Tour-Blanche
Donjon
Cercles
le Breuil
la Verrerie
Bouloneix
Puymartéau
BRANTÔME
Auriac-de-Bourzac
Montignac
Saint Martial-Viveyrol
Nanteuil-Auriac-de-Bourzac
la Chapelle-Grésignac
la Sauvanie
Billac
Fongrenon
la Bonnetie
Léguillac-de-Cercles
Puy-Henry
la Gonterie-Boulouneix
Cantillac
Péry
Vendoire
le Bourbet
Cherval
Brenouillier
la Chapelle-Montabourlet
Bregnac
Monsec
Saint Félix-de-Bourdeilles
Richemont
Saint Crépin-de-Richemont
Champagne-et Fontaine
Gout-Rossignol
Rossignol
la Vassaldie
Fontaine
Langely
la Jautrenie
Beauregard
Saint-Pardoux-de-Mareuil
Vieux-Mareuil
Chaveroche
Marafy
la Chapelle-Pommier
la Chapelle-Montmoreau
MAREUIL
Beaulieu
Sainte Croix-de-Mareuil
la Rochebeaucourt-et-Argentine
Blanzaguet-Saint Cybard
Edon
Puyrenier
Saint Sulpice-de-Mareuil
Pommier
Champeaux-et-la-Chapelle-Pommier
la Pouyade
Nizonne
les Graulges
la Combe
Aucors
Leycous-saudie
Rudeau-Ladosse
Bernardières
Puycheny
Beaussac
Lussac-et-Nontronneau
Rapevache
Saint Front-sur Nizonne
Combiers
Rozet
le Cledou
la Garde
Connezac
Beauvais
Montcheuil
Saint Martial-de-Valette
Nontronneau
NONTRON
l'Espinasse
Grand Gillou
Hautefaye
Fayemarteau
la Plaigne
Charras
Grosbot
Abbaye
Mainzac
Saint Martin-le-Pin
Tassat
Javerlhac-et-la Chapelle-Saint Robert
la Chapelle-Saint Robert
Teyjat
le Bourdeix
Etouars
Varaignes
Cars
Souffrignac
Feuillade
Marthon
Mirande
Grassac
la Bréchinie
Doumérac
l'Ermite
Maison-Neuve
Vouzan
Sers
Bouëx
la Bourlie
Sainte Catherine
Garat
Arsac
Grottes du Quéroy
Chazelles
le Chaillat
la Chaise
Saint Germain-de-Montbron
Sainte Catherine
Marandat
MONTBRON
Chez-Manot
la Tricherie
BUSSIÈRE-Badil
Puycharnaud
Soudat
le Chatelard
la Crête
Ecuras
les Defaix
Chatain-Besson
Vergnas
Orgedeuil
Saint Sornin
Vilhonneur
le Chataigner
Vouthon
les Deffends
Marsac
Pranzac
Langlade
Busserolles
Puymoyen
Giget
Mougnac
Breuty
Dirac
la Tranchade
Vœuil-et-Giget
la Foy
Andole
Torsac
Courrière
Station Préhistorique
Tour du Breuil
Pouyaud
Dignac
Beaulieu
Cloulas
Rougnac
Gardes-le-Pontaroux
Villars
Fouquebrune
Chassagne
la Mercerie
Rodas
Magnac-Lavalette-Villars
Caverne Préhistorique
Forge
Bordeaux
Barbezieux
Libourne
100
F

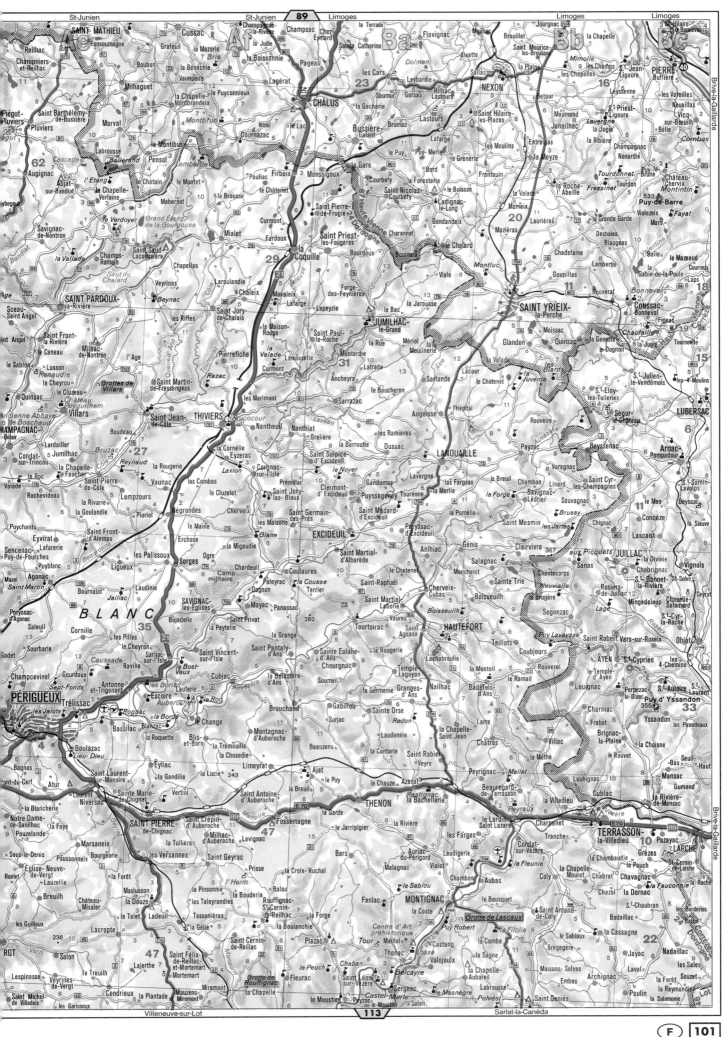

St-Junien
89
Limoges
Brive-la-Gaillarde
Villeneuve-sur-Lot
113
Sarlat-la-Canéda
SAINT MATHIEU
Cussac
Champsac
Flavignac
Reilhac
Champniers-et-Reilhac
Milhaguet
CHÂLUS
NEXON
Piégut-Pluviers
Marval
Dournazac
Bussière-Galant
Lastours
Saint Hilaire-les-Places
Janailhac
Augignac
Firbeix
Courbefy
Saint Nicolas-Courbefy
Ladignac-le-Long
Saint Pierre-de-Frugie
Mialet
Saint Priest-les-Fougères
la Coquille
Montluc
Puy-de-Barre
SAINT PARDOUX-la-Rivière
Saint Jory-de-Chalais
JUMILHAC-le-Grand
SAINT YRIEIX-la-Perche
Coussac-Bonneval
Milhac-de-Nontron
Pierrefiche
Saint Paul-la-Roche
Villars
THIVIERS
Saint Jean-de-Côle
Nantheuil
Nanthiat
Angoisse
LUBERSAC
Jumilhac
LANOUAILLE
Payzac
Arnac-Pompadour
Saint Sulpice-d'Excideuil
Corgnac-sur-l'Isle
Saint Pierre-de-Côle
Négrondes
Saint Jory-las-Bloux
Saint Germain-des-Prés
Saint Médard-d'Excideuil
EXCIDEUIL
Sorges
Saint Martial-d'Albarède
Génis
JUILLAC
Ligueux
Agonac
BLANC
SAVIGNAC-les-Eglises
Cherveix-Cubas
HAUTEFORT
Saint Robert
Vars-sur-Roseix
Objat
Tourtoirac
AYEN
Saint Vincent-sur-l'Isle
Nailhac
PÉRIGUEUX
Trélissac
Puy d'Ysssandon
Yssandon
Boulazac
Villac
Atur
Saint Laurent-sur-Manoire
Saint Antoine-d'Auberoche
THENON
SAINT PIERRE-de-Chignac
Terrasson-la-Villedieu
Pazayac
LARCHE
Rouffignac-St-Cernin-de-Reilhac
MONTIGNAC
Grotte de Lascaux
Thonac
Plazac
le Moustier
Saint Léon-sur-Vézère
Sergeac
Castel-Merle
Saint Geniès
Grotte de Rouffignac
Saint Félix-de-Reilhac-et-Mortemart
Salon

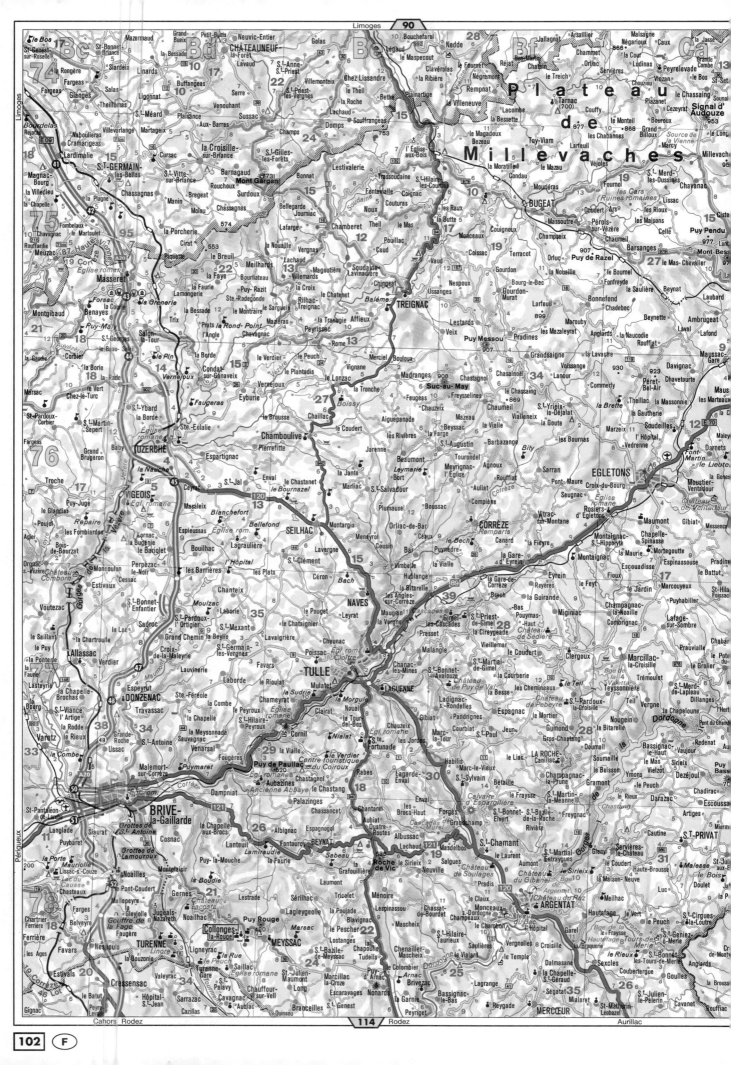
Limoges
90
Bc
Bd
Be
Bf
Ca
74
75
76
77
78
le Bos
St-Genest-sur-Roselle
la Rongère
Fargeas
Glanges
St-Bonnet-Briance
Mazermaud
Grand-Bueix
Petit-Bueix
Neuvic-Entier
CHÂTEAUNEUF-la-Forêt
Golas
Linards
Slardeix
Salas
Theillomas
Ligonnat
St-Méard
Plaisance
Sussac
Venouhant
Serre
Villemonteix
Chez Lissandre
le Theil
la Roche
Lachaud
Domps
Souffrangeas
Bouchefarol
Légaud
le Maspecout
Nedde
Clavérolas
la Ribière
le Fournet
Négremont
Rempnat
la Villeneuve
Plainartige
Bethe
Jallagnat
Arsaillier
Réjat
Chatain
Chammet
Orliac
le Treich
Malsagne
Négarioux
Caux
la Cour
Ludinas
Servières
Peyrelevade
le Bos
Chouziou
Vinzan
Plateau de Millevaches
Tarnac
Lacombe
la Bessette
Couffy
le Chassaing
Plazanet
Cezeyrat
Signal d'Audouze
953
le Monteil
Grand Billoux
Source de la Vienne
Bourdelas
Réjatas
Naboulieras
Cramarigeas
Villevarlange
Martageix
Cursac
la Croisille-sur-Briance
St-Gilles-les-Forêts
Champs
Lardimalie
St-GERMAIN-les-Belles
St-Vitte-sur-Briance
Barnagaud
Mont Gargan
731
Rouchoux
Surdoux
Bonnat
Lestivalerie
Trassoudaine
St-Hilaire-les-Courbes
l'Église-aux-Bois
le Magadoux
Bezeau
Toy-Viam
Larfeuil
les Chabannes
la Moratille
le Mazau
Condau
Vejoles
Fournol
St-Merd-les-Oussines
Chayanac
Millevaches
Magnac-Bourg
la Villedieu
la Chapelle
la Plagne
Chassagnas
Manin
Bregeat
Molau
Chassagnas
Bellegarde
Journiac
Fontevialle
Coignac
Couturas
Noux
Theil
le Mas
Soudaine
les Raux
la Butte
Mouriéras
BUGEAT
les Cars (Ruines romaines)
Lissac
Goudert
Ars
les Rioux
Massoutre
Pérols-sur-Vézère
les Maisons
Celle
Puy Pendu
977
Fombelaux
Chavagnac
le Martoulet
Rouffardie
Meuzac
Haute Vézère
la Porcherie
Cirat
574
553
Lafarge
Chamberet
Pouillac
Caud
Monceaux
Couignoux
Champseix
Chaumeil
Barsanges
Mont Bess
Piquette
le Breuil
la Nouaille
Vergnas
Lachaud
Magoutière
Villemards
Soudaine-Lavinadière
Vaud
Coissac
Terracot
Orluc
Puy de Razel
907
le Bournel
Fonfreyde
le Mas-Chevalier
Église romane
Masseret
Meilhards
la Faye
Bourliataeu
la Faurie
Lamongerie
Puy-Razit
Ste-Radegonde
la Croix
Rilhac-Treignac
le Chatenet
Chingeat
Baléme
TREIGNAC
Ussanges
Nespoux
Gourdon
Bourg-le-Bec
Gourdon-Murat
la Nouaille
la Saulière
Beynat
Laubard
Forsac
Benayes
la Grenerie
la Courie
Montgibaud
Puy-Maly
la Bessade
le Montraire
le Sargueix
Prats
le Rond-Point
Mazièras
la Tranugie
Affieux
Larfeuil
899
Bonnefond
Chadebec
Beynette
Ambrugeat
Trix
l'Angle
Chavagnac
Peyrissac
Lestards
Veix
Marouby
les Mazaleyrat
Anglards
la Naucodie
Rouffiat
Laval
Lafond
St-Georges
Salon-la-Tour
le Beau-Soleil
Auvézère
la Gaudie
Corbier
le Pin
la Borde
Rome
Merciel
Bouloux
Puy Messou
907
Pradines
Grandsaigne
la Lavastre
Voissange
Maussac-Gare
la Borie
la Rade
Vernejoux
Condat-sur-Ganaveix
le Verdier
le Peuch
le Plantadis
Vignane
Madranges
908
Suc-au-May
Chastagnol
Chasalnoël
Lanour
930
Davignac
Péret-Bel-Air
Chavetourte
Marsac
le Vert
Chez-le-Turc
Faugeras
Vernejoux
Eyburie
le Lonzac
la Tronche
Boissy
Feugeas
Chauzeix
Freysselines
le Chassaing
869
Commerly
Theillac
la Massonnie
les Marteaux
St-Pardoux-Corbier
St-Ybard
la Borde
St-Martin-Sepert
Ste-Eulalie
la Brousse
Chaillac
le Coudert
Aiguepanade
Mazeau
Beyssac
Chaumeil
la Vialle
Vialleneix
St-Yrieix-le-Déjalat
la Goute
la Brette
la Gautherie
Soudeilles
Église romane
UZERCHE
Fargeas
Grand Brugeron
Baby
Chamboulive
Pierrefitte
les Rivières
la Farge
St-Augustin
Barbazange
les Bournas
Marzeix
l'Hôpital
Vedrenne
Jarenne
Tourondel
Beaumont
Bity
Font-Martin
Darnets
le Lieute
Espartignac
la Nauche
St-Jal
Enval
le Chastanet
le Bournazel
la Jante
Marliac
St-Salvadour
Leymarie
Bort
Meyrignac-l'Église
Agnoux
Rouffiat
Sarran
Pont-Maure
EGLETONS
Croix-du-Bourg
Moustier-Ventadour
Troche
VIGEOIS
Égl. romane
Ceyrat
Puy-Juge
le Glandier
Masaleix
Blanchefort
Bellefond
Auliat
Compiène
Corrèze
Seugnac
Rosiers-d'Egletons
Château de Ventadour
Repaire
Poujol
les Fombiardes
Espieussas
Église rom.
Lagraulière
SEILHAC
Montargis
Plumausel
Boussac
Orliac-de-Bar
CORRÈZE
Remparts
Canard
Vitrac-sur-Montane
Maumont
Gibiat
Messence
Agier
Bois-de-Bourzat
Lornac
la Bugénie
le Bariolet
Bouilhac
Lavergne
Meneyrol
Cousin
Céaux
Puynèdre
le Bech
la Fieyre
Montaignac-St-Hippolyte
Chapelle-Spinasse
Mortegoutte
la Maurie
Orgnac-s.-Vézère
Château Comborn
Moncoulan
Perpezac-le-Noir
les Barrières
l'Hôpital
les Plats
St-Clément
Bar
Vimbelle
la Vialle
la Gare-d'Eyrein
Montaignac
Escouadisse
l'Espinassouse
le Battut
Estivaux
Cessac
Céron
Bach
Hublange
la Bitarelle
la Gare-de-Corrèze
Eyrein
Fioux
le Feyt
Royères
Marcouyeux
le Jardin
St-Hila Foissac
Gorges de la Vézère
Voutezac
St-Bonnet-l'Enfantier
Chanteix
Moulzac
Laborie
NAVES
les Angles-sur-Corrèze
Brach
la Guirande
Miginiac
Champagnac-la-Noaille
Puyhabiller
Lafage-sur-Sombre
le Saillant
le Puy
Sadroc
St-Pardoux-l'Ortigier
Grand Chemin
la Beylie
St-Mexant
le Pouget
le Chataignier
Leyrat
Maugein
la Vergne
Cascades
Gimel-les-Cascades
St-Priest-de-Gimel
Presset
la Cireygeade
Bas Pouymas-Haut
Château de Sédière
Combrignac
la Ponterie
Allassac
la Chartrouille
Croix-de-la-Maleyrie
Verdier
St-Germain-les-Vergnes
Lavalgrière
Chaunac
Poissac
Égl. rom.
Cloître
Malangle
Vieillemar
le Coudert
Clergoux
Marcillac-la-Croisille
Pravialle
Chabar
la Faurie
Lauvinerie
Favars
TULLE
Chanac-les-Mines
St-Martial-de-Gimel
la Courbèrie
le Grolier
Lasteyrie
la Chapelle-Brochas
Espeyrut
DONZENAC
Laborde
le Rioulat
Mulatet
LAGUENNE
St-Bonnet-Avalouze
Château de Puy de Val
la Besse
les Chemineaux
le Teil
Bge de la Valette
Teyssonnière
Trémoulet
St-Merd-de-Lapleau
Dillanges
le Bourg
St-Viance
l'Artige
la Rodde
le Rieux
Ste-Féréole
Travassac
la Combe
Chameyrat
la Sudrie
la Morguie
Clairat
Noual
le Peyroux
Église romane
St-Hilaire-Peyroux
la Tour-del-Bos
Ladignac-s.-Rondelles
Pandrignes
Gibiat
Château de Pebeyre
St-Pardoux-la-Croisille
le Mortier
Espagnac
Vergne
la Chapeloune
Teil
l'Hert
Varetz
Grande-Roche
Ussac
St-Antoine
la Chapelle
la Meysonnade
Sauvagnac
Venarsal
Cornil
la Vialle
Nialat
Égl. romane
Ste-Fortunade
Chauzeix
les Jordes
Marc-la-Tour
Courbiat
St-Paul
Jeune
Gumond
Gros-Chastang
Nougein
la Bitarelle
Dordogne
Pont du Chambon
la Combe
Malemort-sur-Corrèze
Puymaret
Fougères
Puy de Paulliac
520
le Verdier
Centre touristique du Coiroux
Rabes
Lagarde-Enval
Habilis
Marc-le-Vieux
St-Sylvain
le Liac
LA ROCHE-Canillac
Doumail
Soumaille
le Buisson
Bassignac-le-Haut
le Mas
Sirieix
Vielzot
Vaujour
Redenat
Puy Bass
Église romane
Aubazines
Ancienne Abbaye
Chastagnol
le Chastang
Champagnac-la-Prune
Ymons
Gramont
Dezéjoul
St-Pantaléon-de-Larche
Dampniat
Palazinges
Chassancet
Chantarel
Enval
les Brocs-Haut
Forgès
Calvaire d'Espargillière
Bétaille
le Fraysse
St-Martin-la-Méanne
Bge de Chastang
le Rieux
le Peuch
Chadirac
Darazac
Escoussa
BRIVE-la-Gaillarde
Grottes de St-Antoine
Siaurat
Langlade
Puybaret
Cosnac
la Chapelle-aux-Brocs
Albignac
Espagnogol
Aubiat
Quatre-Routes
Cascades
Murel
Grandchamp
St-Bonnet-Elvert
St-Bazile-de-la-Roche
Rivière
Freygnac
Artiges
Miem
Périgueux
Grottes de Lamouroux
Lanteuil
Lamiraudie
Fontourcy
BEYNAT
Sabeau
Albussac
Lachaud
Masdelbos
St-Chamant
Gorges
Cautine
S.T-PRIVAT
la Porte
Mauriolle
Lissac-s.-Couze
Lac du Causse
Chasteaux
Montplaisir
Puy-la-Mouche
la Faurie
Roche de Vic
le Sirieix
Neuville
Salgues
Château de Soulages
le Laurent
St-Martial-Entraygues
Glény
Servières-le-Château
Aumont
Château du Gibanel
le Sirieix
le Coudert
Haute-Brousse
Malesse
St-Juli aux-E
le Bois
Noailles
le Pont-Coudert
la Boudie
Gernes
Laumont
Grafouillière
Pradis
de Argentat
la Maison-Neuve
Doulet
Luc
Farges
Mallepeyre
Gleyjolle
Jugeals-Nazareth
Château Lacoste
Noailhac
Lestrade
Sérilhac
Tricelet
la Poujade
Blavignac
Ménoire
Lespinassou
Chassat-de-Bourdet
Champeaux
le Claux
Monceaux-s.-Dordogne
Château du Bec
Château du Raz
ARGENTAT
Meilhac
Chartrier-Ferrière
Belveyre
Gouffre de la Fage
Faugère
Puy Rouge
420
Lagleygeolle
Marsac
le Pescher
Lostanges
Mascheix
le Chambon
l'Hôpital
Hautefage
le Vert
St-Cirgues-la-Loutre
Ferrière
Favars
les Ages
Nespouls
TURENNE
Collonges-la-Rouge
MEYSSAC
St-Bazile-de-Meyssac
Ligneyrac
la Chapoullie
Tudeils
St-Hilaire-Taurieux
Saulières
Vergnolles
Croisille
Garel
la Broquerie
Bge de la Hautefage
le Fraysse
Tours de Merle
le Peuch
St-Geniez-ô-Merle
Anglards
Linore
la Bouzonie
la Rue
le Peuch
Saillac
Église romane
Chenailler-Mascheix
le Vialard
le Temple
Dalmasane
le Rieux
St-Bonnet-les-Tours-de-Merle
Sexcles
Coubertergue
Goulles
Estivals
Turenne-Gare
St-Palavy
St-Julien-Maumont
Marcillac-la-Croze
Puy-d'Arnac
Arnac
le Colombier
Brivezac
Lagrange
la Chapelle-St-Géraud
Ségatat
Cressensac
Valeyrac
Sarrazac
Cavagnac
Chauffour-sur-Vell
Long
Escaravages
Nonards
la Garnie
Peyriget
Bassignac-le-Bas
Reygade
Mialaret
MERCŒUR
St-Mathurin-Léobazel
St-Julien-le-Pèlerin
Cavanet
la Brouss
Rouffiac
le Batut
Peyre-Levade
Hôpital-St-Jean
Gignac
Cazillas
Aubiac
Quinsou
Branceilles
St-Genest
Cahors Rodez
114
Rodez
Aurillac
Lot
Corrèze
A20
E09
E70
120
121
89
Dordogne

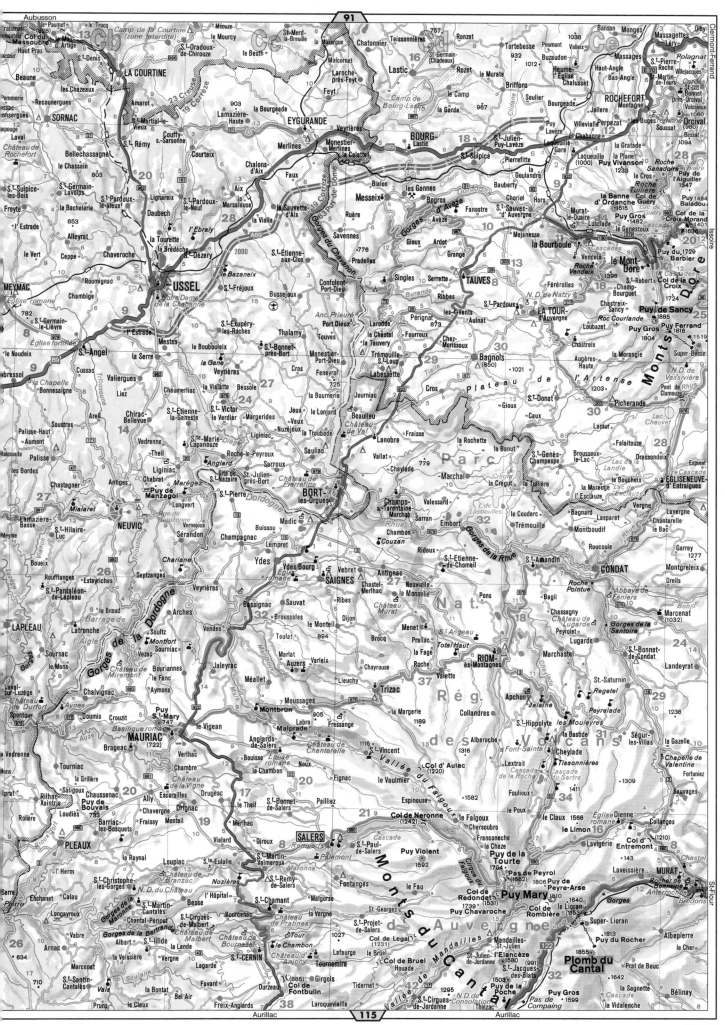

Aubusson
91
Clermont-Ferrand
Issoire
St-Flour
Aurillac
115
Aurillac
LA COURTINE
SORNAC
USSEL
MEYMAC
NEUVIC
EYGURANDE
BOURG-Lastic
Lastic
ROCHEFORT-Montagne
Orcival
la Bourboule
le Mont-Dore
TAUVES
LA TOUR-d'Auvergne
BORT-les-Orgues
Ydes
SAIGNES
MAURIAC
PLEAUX
LAPLEAU
SALERS
Trizac
RIOM-ès-Montagnes
CONDAT
ÉGLISENEUVE-d'Entraigues
MURAT
S.t-CERNIN
Puy de Sancy
Puy Mary
Plomb du Cantal
Monts Dore
Monts du Cantal
Parc Nat. Rég. des Volcans d'Auvergne
Gorges de la Dordogne
Gorges de la Rhue
Gorges du Chavanon
Plateau de l'Artense
Vallée du Falgoux
Vallée de Mandailles

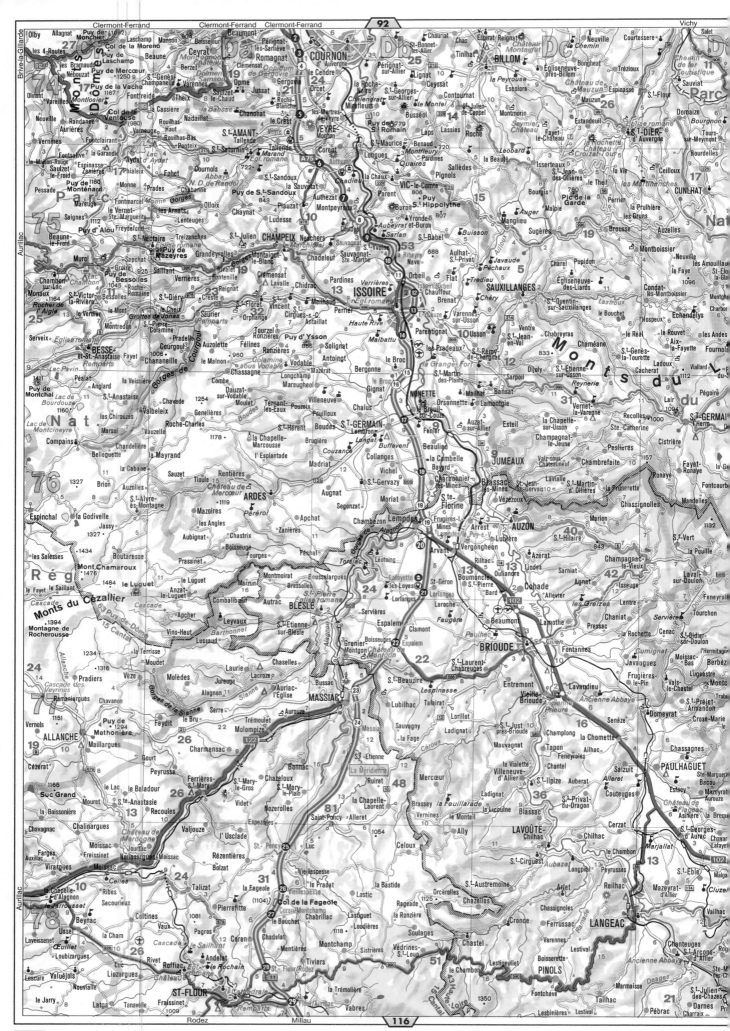

Clermont-Ferrand
Clermont-Ferrand
Clermont-Ferrand
92
Vichy
Brive-la-Gaillarde
Aurillac
Aurillac
Rodez
Millau
116
Olby
Monts Dômes
Col de la Moreno
Puy de Laschamp
Puy de Mercœur
Puy de la Vache
Col de la Ventouse
Beaumont
Ceyrat
Romagnat
Gergovie
COURNON-d'Auvergne
le Cendre
Orcet
Pérignat-sur-Allier
Lignat
Chauriat
BILLOM
Tinlhat
Églisenneuve-près-Billom
Trézioux
Neuville
Courtessere
le Chemin
St-Bonnet-lès-Allier
Mirefleurs
le Crest
VEYRE-Monton
St-AMANT-Tallende
St-Saturnin
Aydat
Puy de St-Romain
Busséol
Laps
Lassias
Roche
Montmorin
Contournat
Ceyssat
St-Julien-de-Coppel
St-DIER-d'Auvergne
Domaize
Estandeuil
Fayet-le-Château
Mauzun
Espinasse
Sauviat
Escolore
Saulzet-le-Froid
Puy de Monténard
Monne
Fohet
Prades
Olloix
Cournols
Puy de St-Sandoux
St-Sandoux
Plauzat
Authezat
Montpeyroux
Corent
Longues
Chadieu
la Sauvetat
VIC-le-Comte
Parent
Buron
Yronde-et-Buron
Pardines
Pignols
Sallèdes
la Beauté
Isserteaux
St-Jean-des-Ollières
Bourgis
Pic de la Garde
Perrier
Manglieu
Sugères
Brousse
Auzelles
CUNLHAT
Ceilloux
la Prulhière
Saignes
Puy d'Alou
Beaune-le-Froid
St-Nectaire
Murol
Puy de Mazeyres
Chambon-sur-Lac
Lac Chambon
Grandeyrolles
St-Julien
CHAMPEIX
Montaigut-le-Blanc
Neschers
Coudes
Sauvagnat-Ste-Marthe
Chadeleuf
St-Yvoine
St-Babel
Aulhat-St-Privat
Orbeil
Flat
Javaude
Pêchaux
SAUXILLANGES
Églisenneuve-des-Liards
Condat-lès-Montboissier
Montboissier
Neuville
Verrières
Saillant
Puy de Bessolles
Monaux
St-Victor-la-Rivière
Rocher de l'Aigle
St-Diéry
Creste
Reignat
Clémensat
Chidrac
Pardines
ISSOIRE
Perrier
Meilhaud
St-Floret
St-Vincent
Orphange
Saurier
le Cheix
Grottes de Jonas
St-Pierre-Colamine
BESSE-et-St-Anastaise
Serveix
Courgoul
Chananeille
Gorges de Courgoul
Auzolette
le Malnon
Tourzel-Ronzières
Félines
Puy d'Ysson
Solignat
Antoingt
Vodable
Haute Rive
Malbattu
Parentignat
Usson
Varennes-sur-Usson
Brenat
Chauffour
St-Jean-en-Val
Chabreyras
Chaméane
Monts du L
St-Genès-la-Tourette
Echandelys
Aix-la-Fayette
le Rouvet
Ladoux
Lac Pavin
Puy de Montchal
Pèalat
Anglard
St-Anastaise
Chavade
Valbeleix
Chassagne
Combe
Dauzat-sur-Vodable
Longchamp
Mareugheol
Ternant-les-Eaux
Villeneuve
Pouzeix
Bergonne
le Broc
Gignat
NONETTE
Orsonnette
le Breuil-sur-Couze
Auzat-sur-Allier
Lamontgie
Mailhat
Bansat
St-Martin-des-Plains
Sarpoil
Dijoly
St-Etienne-sur-Usson
Reynerie
Vernet-la-Varenne
Lair
Pégoire
Lac de Montcineyre
Nat
Compains
Roche-Charles
Genelières
Chalus
St-GERMAIN-Lembron
St-Hérent
la Chapelle-Marcousse
Boudes
Brugière
Couzance
Longat
Buffevent
Beaulieu
la Combelle
Esteil
la Chapelle-sur-Usson
Champagnat-le-Jeune
Recolles
Ste-Catherine
Cistrière
Belleguette
la Mayrand
Rentières
Madriat
Collanges
Vichel
St-Gervazy
Charbonnier-les-Mines
Bayard
JUMEAUX
Brassac-les-Mines
Valz-sous-Châteauneuf
Chambrefaite
Lavialle
St-Martin-d'Ollières
la Prunerette
Fayet-Ronaye
76
Brion
Sauzet
Tioule
Château de Mercœur
ARDES
Augnat
Segonzat
Moriat
Auzolles
St-Alyre-ès-Montagne
Espinchal
la Godivelle
Jassy
Mazoires
les Angles
Pérérol
Apchat
Chambezon
Lempdes
Ste-Florine
Vézézoux
Chassignolles
Marion
AUZON
Arrest
Frugères-les-Mines
Aubignat
Chastrix
Zanières
Boisseuge
Fourges
Gorges de l'Alagnon
Léotoing
Torsiac
Arvant
Vergongheon
Lubière
St-Hilaire
St-Vert
la Pouille
Azérat
Champagnac-le-Vieux
Laval-sur-Doulon
les Salesses
Mont Chamaroux
Boutaresse
Prassinet
Rég.
le Luguet
Anzat-le-Luguet
Montmoirat
Bousselargues
Marzun
Bressolles
Lafayette
les Loyes
St-Géron
Rilhac
Lindes
Ouliandre
Bournoncle-St-Pierre
Sarniat
Agnat
Cohade
Allevier
Isseuge
Feneyrolle
Monts du Cézallier
Montagne de Rocherousse
Combalibœuf
Autrac
BLESLE
Leyvaux
Apcher
Vins-Haut
Barthonnet
Lussaud
St-Etienne-sur-Blesle
Servières
Espalem
Lorlanges
Laroche
Faugère
Beaumont
Paulhac
Clamont
les Greizes
Lentre
Chaniat
Pressac
Servière
Tourchon
la Rochette
Cenac
St-Didier-sur-Doulon
BRIOUDE
Fontannes
Grenier-Montgon
Château de Montgon
St-Laurent-Chabreuges
Lamothe
la Terrisse
Moudet
Pradiers
Vèze
Molèdes
Laurie
Lacroze
Chaselles
Jureuge
Alagnon
Auriac-l'Église
Bussac
MASSIAC
St-Beauzire
Lespinasse
Lubilhac
Talairat
Entremont
Vieille-Brioude
Lavaudieu
Javaugues
Frugières-le-Pin
Moissac-Bas
Berbez
Lugeastre
Vals-le-Chastel
St-Préjet-Armandon
Domeyrat
Crose-Marie
Romaniargues
Chavanon
Feydit
Serre
le Bru
Aurouze
Trémoulet
Molompize
Puy de Mathonière
ALLANCHE
Maillargues
Vernols
Charmensac
Gourt
Sauvagny
la Fage
Lorillot
Ladignat
St-Just-près-Brioude
Champlong
la Chomette
Senèze
Chassagnes
Cézérat
Peyrusse
Ferrières-St-Mary
St-Mary-le-Gros
Chazeloux
St-Mary-le-Plain
Bonnac
St-Etienne
La Méridienne
Ruiret
la Chapelle-Laurent
Mercœur
Mauvagnat
Tapon
Feneyroles
Chantel
la Vialette
Villeneuve-d'Allier
St-Ilpize
Auberat
Salzuit
Allerel
Couteuges
PAULHAGUET
Suc Grand
le Lac
le Baladour
Mouret
Ste-Anastasie
Recoules
la Boissonière
Vidèt
Nozerolles
Saint-Poncy
Alleret
Brassey
la Feuillarade
Vernines
le Monteil
la Licoulne
Blassac
Ladignat
St-Privat-du-Dragon
Château de Flageac
Chavagnac
Chalinargues
Valjouze
Espezolles
l'Usclade
Ally
LAVOÛTE-Chilhac
Chilhac
Cerzat
Marjallat
Moissac
Freissinet
Neussargues-Moissac
Virargues
Celles
Rézentières
Bolzat
St-Poncy
Luc
Celoux
le Chambon
St-Cirgues
Aubazat
Longpré
Peyrusses
St-Eble
Mazeyrat-d'Allier
Clùzel
la Chapelle-d'Alagnon
le Jarrousset
Ribes
Secourieux
Talizat
Pierrefitte
Vieillespesse
la Fageole
le Pradat
Col de la Fageole
la Bastide
Lastic
St-Austremoine
Orcerolles
Chazelles
Arlet
Reilhac
Chassignoles
Beynac
Coltines
Vaux
Pagros
Coren
le Bouchet
Chabrillac
Lastiguet
Loudières
Rageade
la Ronzière
Soulages
Cronce
Ferrussac
LANGEAC
Vailhac
Ussel
Laveissenet
Loubizargues
la Cham
le Sailhant
Andelat
Chadelat
Mentières
Montchamp
Sistrières
Védrines-St-Loup
Chastel
Varennes
Lestival
Chanteuges
St-Arcons-d'Allier
Lescure
Valuéjols
Luc
Lioozargues
Rivet
Roffiac
le Rochain
Tiviers
le Chambon
Lestigeollet
Boisserette
PINOLS
Ancienne Abbaye
le Jarry
Nouvialle
Latga
Tanavelle
Fraissinet
ST-FLOUR
Remparts
Cathédrale
la Trémolière
Vabres
Fontchâve
Tailhac
Marmaisse
St-Julien-des-Chazes
Darnes
Pébrac
Charraix
Lesbinières
Haute-Loire
Cantal
Puy-de-Dôme
Allier
Alagnon
Sianne
Gorges de la Sianne
Cascade des Veyrines

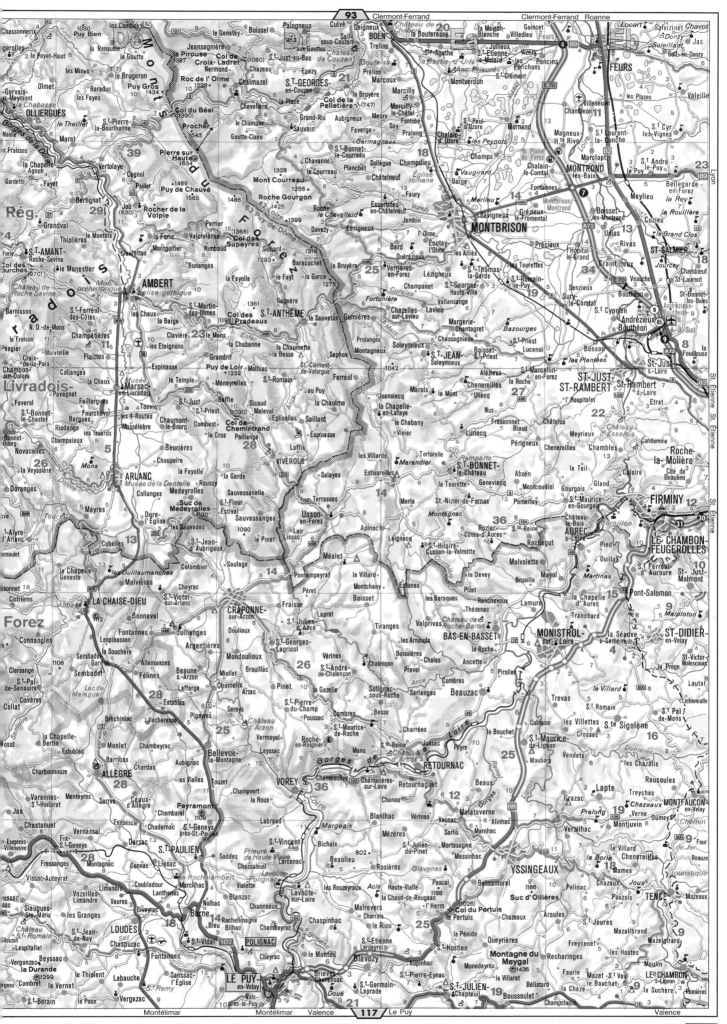
93
Clermont-Ferrand
Clermont-Ferrand Roanne
Lyon
St. Étienne
Montélimar
Montélimar Valence
117 Le Puy
Valence
BOËN
FEURS
MONTBRISON
MONTROND les-Bains
ST-GALMIER
Andrézieux-Bouthéon
ST-JUST-ST-RAMBERT
FIRMINY
LE CHAMBON-FEUGEROLLES
ST-DIDIER-en-Velay
MONISTROL-sur-Loire
BAS-EN-BASSET
AUREC s-Loire
ST-BONNET-le-Château
ST-JEAN-Soleymieux
ST-GEORGES-en-Couzan
ST-ANTHÈME
AMBERT
ARLANC
VIVEROLS
Usson-en-Forez
CRAPONNE-sur-Arzon
LA CHAISE-DIEU
ALLÈGRE
VOREY
RETOURNAC
YSSINGEAUX
MONTFAUCON-en-Velay
TENCE
LE CHAMBON s-Lignon
ST-PAULIEN
LOUDES
POLIGNAC
LE PUY-en-Velay
ST-JULIEN-Chapteuil
OLLIERGUES
ST-AMANT-Roche-Savine
Monts du Forez
Livradois-Forez
Mont Courreau
Roche Gourgon
Pierre sur Haute 1634
Col du Béal
Suc de Medeyrolles
Montagne du Meygal 1436
Gorges de la Loire

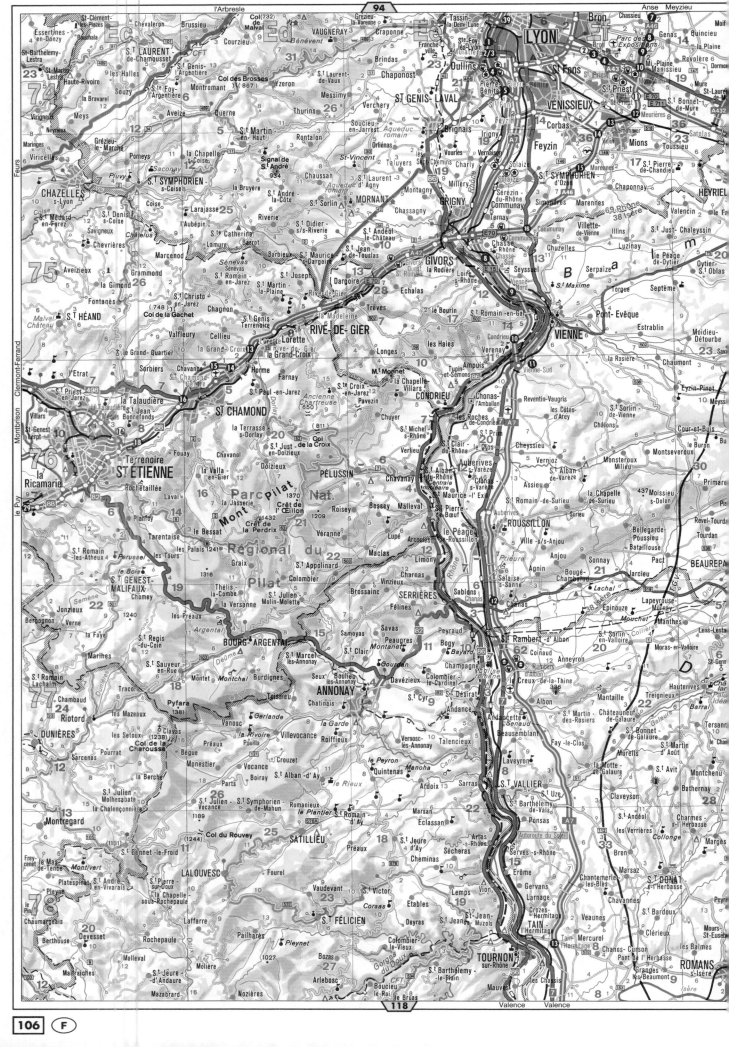

94
l'Arbresle
Anse
Meyzieu
LYON
Bron
Chassieu
Genas
Quincieu
St Fons
VÉNISSIEUX
St Priest
Corbas
Feyzin
Mions
Toussieu
Dullins
Pierre-Bénite
ST GENIS-LAVAL
Brignais
Irigny
Vernaison
Charly
Millery
GRIGNY
GIVORS
Communay
Ternay
Chaponost
Brindas
Craponne
Vaugneray
Courzieu
Brussieu
Chevaleron
St LAURENT-de-Chamousset
Yzeron
Col des Brosses
Thurins
Messimy
Soucieu-en-Jarrest
Mornant
St Martin-en-Haut
Rontalon
Signal de St André
St SYMPHORIEN-s-Coise
CHAZELLES-s-Lyon
Feurs
St Médard-en-Forez
Chevrières
Aveizieux
Grammond
Fontanès
St HÉAND
Col de la Gachet
Chagnon
RIVE-DE-GIER
Lorette
la Grand-Croix
St CHAMOND
la Talaudière
St Priest-en-Jarez
Villars
St-Genest-Lerpt
Terrenoire
St ETIENNE
la Ricamarie
Rochetaillée
Montbrison
Clermont-Ferrand
le Puy
Planfoy
Tarentaise
le Bessat
Parc Nat. Régional du Pilat
Mont Pilat
Crêt de l'Œillon
Crêt de la Perdrix
Col de la Croix
Pélussin
Chavanay
St Pierre-de-Bœuf
Malleval
Condrieu
Ampuis
VIENNE
Vienne-Sud
Pont-Evêque
Estrablin
Septème
Serpaize
Chuzelles
Seyssuel
St Just-Chaleyssin
Villette-de-Vienne
HEYRIEUX
St SYMPHORIEN-d'Ozon
Chaponnay
Marennes
St Pierre-de-Chandieu
Les Roches-de-Condrieu
St Clair-du-Rhône
St Alban-du-Rhône
Auberives-s-Varèze
St Maurice-l'Exil
le Péage-de-Roussillon
ROUSSILLON
Salaise-s-Sanne
Sablons
Chanas
SERRIÈRES
St Rambert-d'Albon
Anneyron
Beaurepaire
Moras-en-Valloire
Hauterives
Annonay
Davézieux
Boulieu-lès-Annonay
St Marcel-lès-Annonay
Bourg-Argental
St GENEST-MALIFAUX
Jonzieux
Marlhes
Riotord
DUNIÈRES
Montregard
St Bonnet-le-Froid
Col du Rouvey
SATILLIEU
LALOUVESC
St FÉLICIEN
Andance
Andancette
St Vallier
Laveyron
Sarras
Ponsas
Serves-s-Rhône
Erôme
Gervans
Larnage
Crozes-Hermitage
TAIN-l'Hermitage
TOURNON sur-Rhône
Mauves
St Barthélemy-le-Plain
Lamastre
Mercurol
Chanos-Curson
St DONAT-s-l'Herbasse
Clérieux
ROMANS s-Isère
Châteauneuf-de-Galaure
St Martin-d'Août
Valence
118

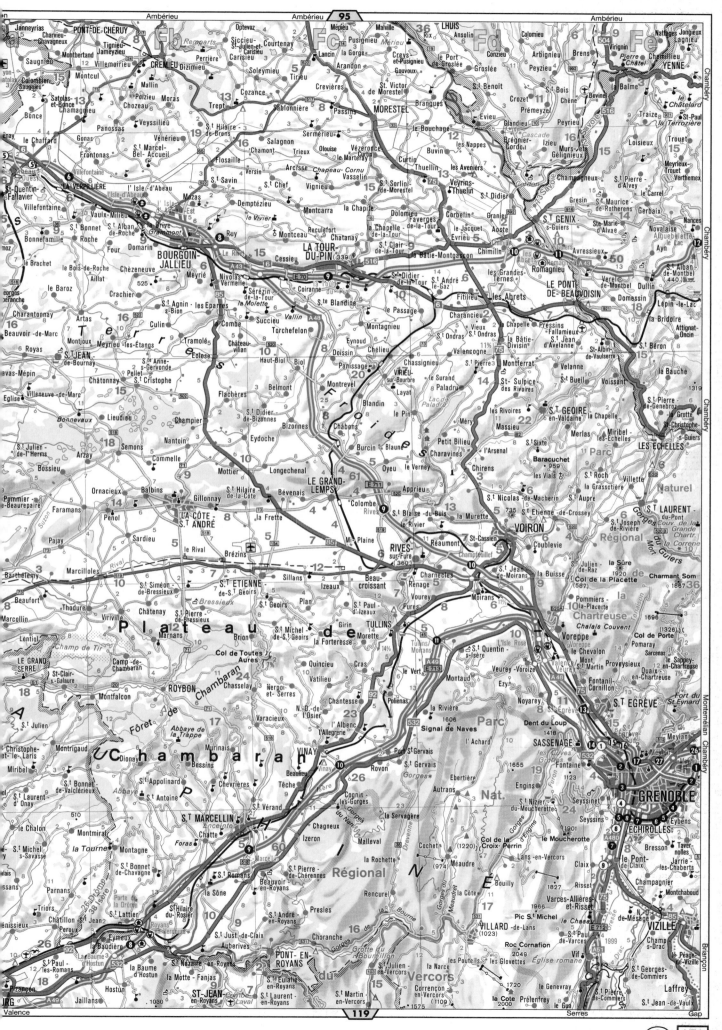
Ambérieu
95
Fb
Fc
Fd
Fe
PONT-DE-CHÉRUY
CREMIEU
Courtenay
MORESTEL
LHUIS
YENNE
Chambéry
LA VERPILLIÈRE
St-Quentin-Fallavier
Villefontaine
l' Isle-d'Abeau
BOURGOIN-JALLIEU
LA TOUR-DU-PIN
S.t GENIX-s-Guiers
LE PONT-DE-BEAUVOISIN
les Abrets
St-Didier-de-la-Tour
Terres Froides
S.T JEAN-de-Bournay
VIRIEU-sur-Bourbre
Lac de Paladru
S.T GEOIRE-en-Valdaine
LES ÉCHELLES
LE GRAND-LEMPS
LA CÔTE-S.T ANDRÉ
VOIRON
Parc Naturel Régional de la Chartreuse
S.T LAURENT-du-Pont
RIVES-sur-Fure
S.T ETIENNE-de-S.T Geoirs
TULLINS
Plateau de Chambaran
Voreppe
ROYBON
Forêt de Chambaran
Col de Porte
S.T EGRÈVE
VINAY
SASSENAGE
GRENOBLE
ECHIROLLES
S.T MARCELLIN
Parc Naturel Régional du Vercors
VILLARD-de-Lans
VIZILLE
S.t Romans
PONT-EN-ROYANS
ST-JEAN-en-Royans
Valence
119
Serres
Gap
Briançon
Montmélian

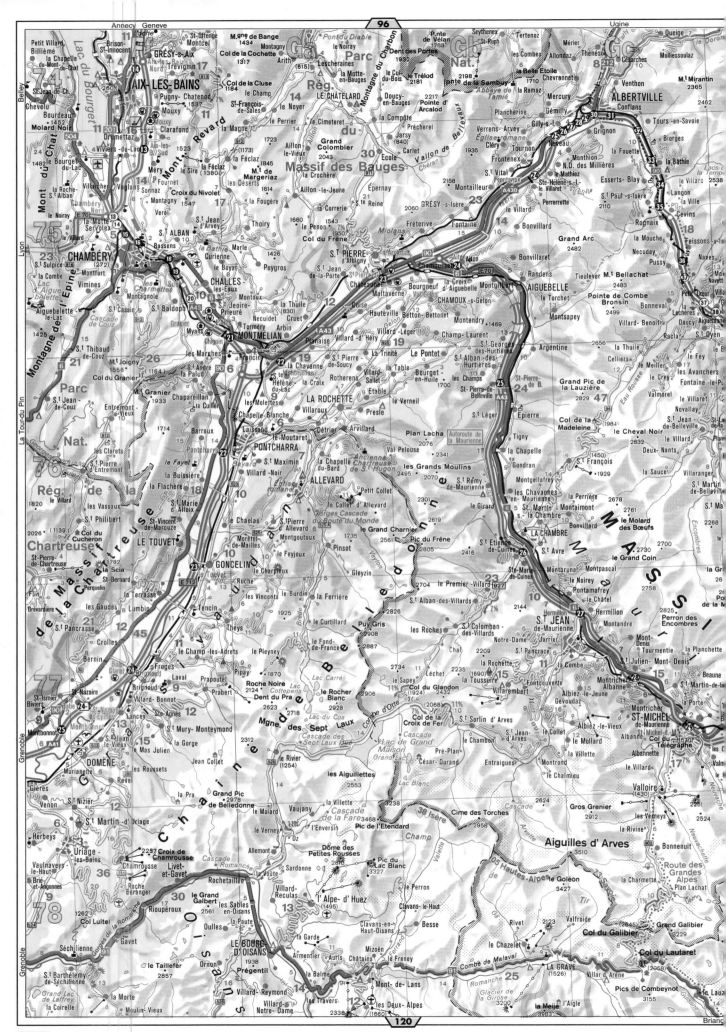
96
Annecy
Genève
Ugine
AIX-LES-BAINS
GRÉSY-s-Aix
Lac du Bourget
Mont du Chat
Mont Revard
Parc Rég. du Massif des Bauges
Massif des Bauges
LE CHÂTELARD
Montagne du Charbon
Dent des Portes
Col de la Cochette
Col de la Cluse
Col du Frêne
Croix du Nivolet
CHAMBÉRY
S.t ALBAN
CHALLES-les-Eaux
MONTMÉLIAN
S.t PIERRE-d'Albigny
Miolans
Fréterive
GRÉSY-s-Isère
Vallon de Bellevaux
Pointe d'Arcalod
Pointe de la Sambuy
Abbaye de Tamié
La Belle Etoile
ALBERTVILLE
Conflans
Gilly-s.-I.
Frontenex
Tournon
Grignon
Tours-en-Savoie
la Bâthie
Cevins
Rognaix
Feissons-s-Isère
Aiton
Chamousset
AIGUEBELLE
Randens
Bonvillaret
Montsapey
Pointe de Combe Bronsin
M.t Bellachat
Grand Arc
Montagne de l'Epine
Lac d'Aiguebelette
Aiguebelette-le-Lac
Parc Nat. Rég. de la Chartreuse
Massif de la Chartreuse
Chartreuse
St-Pierre-de-Chartreuse
M.t Granier
Col du Granier
Chapareillan
LA ROCHETTE
PONTCHARRA
ALLEVARD
Autoroute de la Maurienne
Chaîne de Belledonne
Vallée du Grésivaudan
GONCELIN
LE TOUVET
Col du Cucheron
Tencin
Theys
Crolles
Bernin
Froges
Laval
Prapoutel
Roche Noire
Dent du Pra
Mgne. des Sept Laux
Puy Gris
Le Rocher Blanc
Col du Glandon
Col de la Croix de Fer
Lac de Grand' Maison
Grand Lac
Pic de l'Etendard
Cime des Torches
Aiguilles d'Arves
Massif de la Maurienne
S.t JEAN-de-Maurienne
LA CHAMBRE
S.t Etienne-de-Cuines
Epierre
S.t Léger
Col de la Madeleine
Grand Pic de la Lauzière
le Cheval Noir
S.t François
le Molard des Bœufs
Grand Coin
Perron des Encombres
ST-MICHEL de-Maurienne
Col du Télégraphe
Valloire
Col du Galibier
Grand Galibier
Col du Lautaret
Route des Grandes Alpes
Plan Lachat
Montricher-Albanne
Croix de Chamrousse
Chamrousse
Uriage-les-Bains
S.t Martin-d'Uriage
Grand Pic de Belledonne
DOMÈNE
Gières
Grenoble
Montbonnot
St-Nazaire
Vaujany
Allemont
Dôme des Petites Rousses
Pic du Lac Blanc
l'Alpe-d'Huez
LE BOURG-D'OISANS
Massif de l'Oisans
Rochetaillée
Le Grand Galbert
Les Sables en-Oisans
Gorges de la Romanche
Séchilienne
Col Luitel
le Taillefer
Vizille
Mont-de-Lans
les Deux-Alpes
Mizoën
Besse
Clavans-en-Haut-Oisans
LA GRAVE
la Meije
Villar d'Arêne
Pics de Combeynot
le Goléon
05 Hautes-Alpes
73 Savoie
38 Isère
Combe de Malaval
120
Brianç

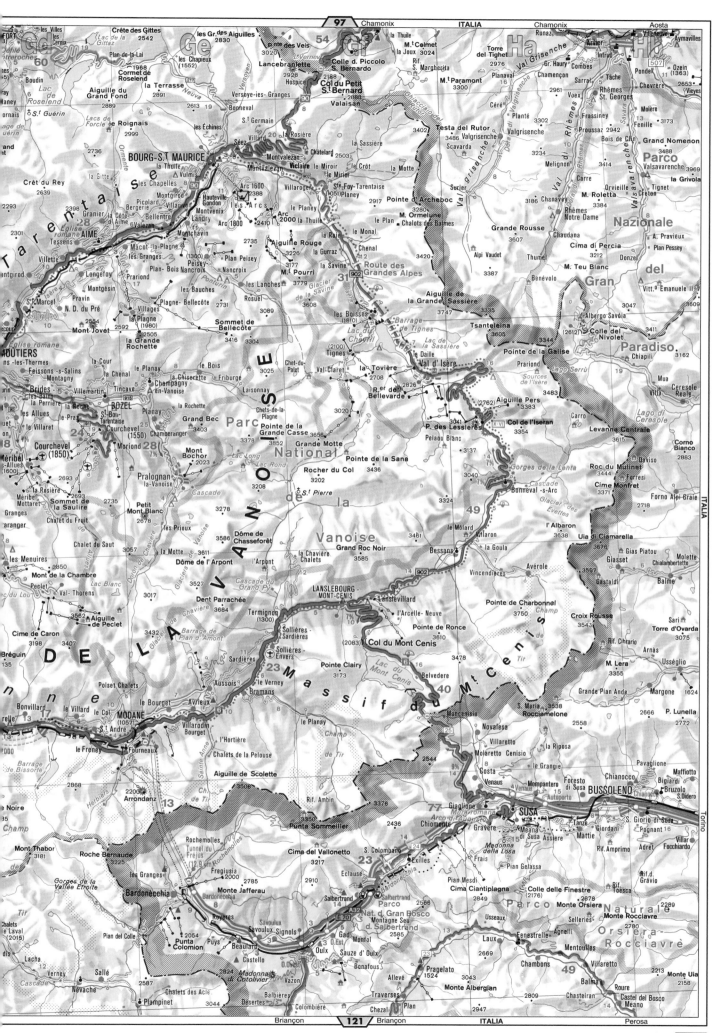

97
Chamonix
ITALIA
Chamonix
Aosta
Crête des Gittes
2542
les Gr.des Aiguilles
2830
Lac de la Gittaz
Plan-de-la-Lai
les Chapieux
(1552)
Cormet de Roselend
Boudin
Lac de Roselend
Aiguille du Grand Fond
2889
la Terrasse
2891
S.t Guérin
Lacs de Forclaz
le Roignais
2999
pointe des Veis
3020
Lancebranlette
2928
Hospice
Colle d. Piccolo S. Bernardo
Col du Petit S.t Bernard
2188
Versoye-les- Granges
Bonneval
S.t Germain
les Échines
Villard
Séez
la Rosière
Valaisan
2888
la Thuile
M.t Colmet
la Joux
3024
Rif. S. Margherita
M.t Paramont
3300
Torre del Tighet
2976
Planaval
Val Grisenche
Gr. Haury
Chamençon
Combes
Arvier
Intrud
Sarral
Tâche
Rhêmes St. Georges
Pondel
Ozein (1363)
Chevrère
Vieyes
Aymavilles
Villeneuve
Runaz
2653
2961
Voex
Céré
Planté
3302
Valgrisenche
Testa del Rutor
3486
Scavarda
3402
Ghiacciaio del Rutor
Frassiney
Proussaz
2942
Bois de Clin
Molère
Fenille
3173
Grand Nomenon
3488
Parco
Valsavarenche
3969
la Grivola
Tignet
Creton
2736
BOURG-S.T MAURICE
la Thuile
Vulmis
les Chapelles
Montvalezan
Viclaire
le Miroir
le Châtelard
2503
la Sassière
le Crôt
la Motte
Crêt du Rey
2639
Montgirod
Picolard
Bergerie
Villaroger
Arc 1600
2388
Ste-Foy-Tarentaise
(1051) Planey
Hauteville Gondon
les Arcs
Montvenix
Landry
Bellentre
Valezan
Arc 1800
Arc 2000
2410
le Planey
la Thuile
2917
Pointe d'Archeboc
3280
M. Ormelune
Chalots des Balmes
le Plan
Surier
3186
Chanavey
Rhêmes Notre Dame
M. Roletta
3384
Orvieille
3414
Melignon
3234
Carre
2293
2398
Granier
la Côte-d'Aime
AIME
Tessens
2301
Tarentaise
Eglise romane
Montchavin
le Monal
la Raie
la Gurraz
Chenal
la Savine
Route des Grandes Alpes
902
Grande Rousse
3607
Chaudana
Cima di Percia
3212
Donzel
Nazionale
A. Pravieux
Plan Pessey
Villette
Macot-la-Plagne
les Granges
Plan- Bois
Nancroix
Peisey
Plan Peisey
Aiguille Rouge
3226
3177
M.t Pourri
3779
Longefoy
Prariond
les Bauches
les Lanches
Rosuel
3608
Glacier de la Savine
3420
Alpi Vaudet
Thumel
3387
Bénevolo
M. Teu Blanc
Gran
del
Vitt.o Emanuele II
Montgésin
Pravin
S.t Marcel
N. D. du Pré
Plagne- Bellecôte
2731
Villages
la Plagne (1980)
2554
Mont Jovet
2592
la Grande Rochette
2505
Sommet de Bellecôte
3416
3304
3089
les Boisses (1810)
Barrage de Tignes
Lac du Chevril
Aiguille de la Grande Sassière
3747
3335
3047
Albergo Savóia
(2612)
Colle del Nivolet
3411
3609
Tsanteleina
3605
3344
Paradiso
Chiapili
3162
MOÛTIERS
Eglise romane
Feissons -s-Salins
Montagny
la Cour
la Chenal
le Planay
la Chiserette
Champagny-en-Vanoise
le Bois
Friburge
3025
Chet-du-Palet
Val Claret
Tignes (2100)
la Tovière
2708
2826
Lac de la Sassière
le Daille
Val d'Isère
Pointe de la Galise
Prariond
Sources de l'Isère
Lago Serrù
Mua
Ceresole Reale
Villa
Brides-les-Bains
la Perrière
Villemartin
Tincave
BOZEL
la Roche
les Allues
le Praz
S.t Bon-Tarentaise
Courchevel (1550)
le Villaret
Laisonnay
R.er de Bellevarde
3483
Aiguille Pers
(2762)
3383
la Rochette
Planay
Grand Bec
3403
Chets-de-la-Plagne
3020
3041
P. des Lessières
Col de l'Iseran
3354
Carro
Levanna Centrale
3615
Lago di Ceresole
Courchevel (1850)
Méribel
Champeranger
Moriond
Mont Bochor
2023
Pralognan la-Vanoise
Parc
Pointe de la Grande Casse
3656
3378
3852
Grande Motte
National
Lac Long
Lac Rond
Pointe de la Sana
3436
Rocher du Col
3202
Pelaou Blanc
3137
Gorges de la Lenta
3040
Bonneval -s-Arc
Cascade
Roc du Mulinet
3444
Daviso
Corno Bianco
2883
Forresi
Cime Monfret
3371
Forno Alpi Graie
2718
2693
la Rosière
Méribel Mottaret
Sommet de la Saulire
2693
Granges
Chalet du Fruit
2735
Petit Mont Blanc
2678
Cascade
3208
S.t Pierre
de
la
VANOISE
3278
3324
49
Glacier des Evettes
l'Albaron
3638
Uia di Ciamarella
3676
ITALIA
les Prioux
3586
Dôme de Chasseforêt
Vanoise
Grand Roc Noir
3585
3461
le Mollard
Villaron
Bessans
la Goula
Chalet du Saut
3057
la Motte
3611
Dôme de l'Arpont
l'Arpont
la Chavière Chalets
Gias Piatou
Giasset
3597
Molette
Chialambertetto
Balme
Castaldi
les Menuires
2850
Mont de la Chambre
Lac Blanc
Peclet
Val- Thorens
3017
3527
Cascade du Grand Py
Averole
Vincendières
902
LANSLEBOURG-MONT-CENIS
Lanslevillard
l'Arcelle- Neuve
Dent Parrachée
3684
Termignon (1300)
3562
Aiguille de Peclet
Pointe de Charbonnel
3750
Champ
Croix Rousse
3543
Sari
Torre d'Ovarda
3075
Cime de Caron
3198
3407
3432
Barrage de Plan d'Amont
Sollières-Sardières
Pointe de Ronce
3610
(2083)
Col du Mont Cenis
Rif. Cibrario
Arnàs
Bréguin
DE LA VANOISE
Sardières
Sollières-Envers
Lac du Mont Cenis
3478
Belvedere
Massif du Mt Cenis
M. Lera
3355
Usséglio
Pointe Clairy
3173
Tir
le Verney
Bramans
Aussois
Polset Chalets
40
Grande Plan Ande
Margone
1624
Bonvillard
le Villard
le Col
le Bourget
Avrieux
MODANE (1057)
S.t André
Villarodin-Bourget
le Planay
Champ
Moncenisio
S. Maria
3538
Rocciamelone
2666
P. Lunella
2772
2558
le Freney
Fourneaux
l'Hortière
Chalets de la Pelouse
de Tir
Novalesa
Villaretto
la Riposa
Molaretto Cenisio
2544
le Grangie
Pavaglione
Maffiotto
Bigiardi
Bruzolo
S.Didero
Barrage de Bissorte
2868
Aiguille de Scolette
3508
Costa
Venaus
Mompantero
Foresto di Susa
Chianocco
BUSSOLENO
Autoporto
2200
Arrondaz
Rif. Ambin
3376
Noire
Giaglione
Arco di Augusto
Mura romane
SUSA
Torino
Champ
Punta Sommeiller
3350
2436
Chiomonte
Gravere
Meana di Susa
Assiere
Tanze
Mattie
Giordani
S. Giorio di Susa
Pognant
Villar Focchiardo
Adret
Rif. Amprimo
Mont Thabor
3181
Roche Bernaude
3225
Rochemolles
Tunnel du Fréjus (12,9 km)
Cima del Vallonetto
3217
S. Colombano
Exilles
Madonna della Losa
Frais
Pian Gelassa
les Granges
Fregiusia
2785
Gorges de la Vallée Étroite
Bardonecchia
Monte Jafferau
2910
Eclause
Salbertrand
Pian Mesdi
Cima Ciantiplagna
2849
Colle delle Finestre
(2176)
2878
Rif. Toesca
Rif.d. Grávio
Tir
Royeres
Savoulx
Signols
Parco Nat. d. Gran Bosco
Montagne Seu d. Salbertrand
2585
2566
Parco
Monte Orsiera
Naturale
Selleries
Monte Rocciavrè
2780
2289
Orsiera-Rocciavrè
Chalets de Laval (2015)
Plan del Colle
Punta Colomion
2054
Puys
Beaulard
Castello
Gad
Monfol
Oulx
Sauze d' Oulx
Usseaux
Laux
Fenestrelle
Agnelli
Mentoulles
Villaretto
Chambons
49
2669
Lacha
Verney
Sallé
Cascade
Névache
2587
2824
Madonna di Cotolivier
Vazon
Bonafous
Pragelato
1524
Allevé
3043
Monte Albergian
2213
Monte Uia
2158
Balma
Roure
Castel del Bosco
Meano
Chalets des Acle
Plampinet
3044
Désertes
Balbières
Colombière
Traverses
Chezal
Plan
2809
Chasteiran
2947
Briançon
121
Briançon
ITALIA
Perosa

98
123
Sainte Hélène
Lesparre-Médoc
Bayonne
Mont-de-Marsan
Yd
Ye
Yf
Za
79
80
81
82
83
Dunes du Hugney
Forêt du Porge
Étang de Batejin
Étang de Batourtot
Étang de Lède Basse
le Porge-Océan
Dunes de Partillot
Dune du Gr.d Crohot
Canal de Lège ou du Porge
le Porge
Laruau
Lauros
Lège-Cap-Ferret
Grand-Crohot-Océan
le Grand Courgas
Grand Bos
Petit Bos
Bedillon
Saumos
Serigas
Sautuges
le Temple
le Crastieu
Terrain militaire
Maisonnieu
les Dorats
Mautans
Blagon
Grande Berle d'Arpech
Maubourguet
le Plec
Salaunes
Hourton
la Main-d'E
Cérillan
Issac
Martignas-sur-Jalle
Saint Jean-d'Illac
le Las
Berganton
Pierroton
Castillonville
Croix-d' Hins
Marcheprime
les Quatre-Routes
Bellebiste
les Gargails
Toctouca
Dune de Bayle
Claouey
Arès
Bassin d'Arcachon
Andernos-les-Bains
Taussat
Cassy
Lanton
Parc d'attractions
les Nargues
Jossaume
la Pointe
Lubec
Hougueyra
le Petit Piquey
le Grand Piquey
le Canon
Ile aux Oiseaux
Villa-Algérienne
la Vigne
Tramways du Cap-Ferret
Cap Ferret
Bélisaire
les Abatilles
ARCACHON
le Moulleau
Pyla-sur-Mer
Pyla-Plage
LA TESTE
Gujan-Mestras
Meyran
Parc aquatique
Ruat
Parc Ornithologique
le Teich
Facture
Biganos
Tagon
Vignaud
AUDENGE
les Argentières
Quartier-Bas
Lacanau-de-Mios
Testarouch
Florence
les Douils
Balanos
le Voisin
Mios
Caze
Arcachon
Mougnet
le Barp
Jaugut
Castor
la Vignolle
Marguit
Banc d'Arguin (Réserve ornithologique)
Dune de Pyla
Forêt Nezer
Petit Caudos
Moura
Arnauton
l'Illet
Peylon
Argilas
Peylahon
Castendet
Parc
Arnautille
Caudos
Caplanne
Salles
le Mayne
Lanot
Bilos
le Bran
Vieux Lugo
Béliet
BELIN-Béliet
Naturel
Cès
Gaillouneys
Dunes de Ginestras
Pointe d'Arcachon
Champ de Tir
Cazaux
la Salle
le Petit Lagnereau
Langeot
Bernon
Étang de Cazaux et de Sanguinet
Champ de Tir
Dunes des Places
Louse
Sanguinet
Lombard
Méoule
le Bougés
le Clerc
Courneilley
Sillac
Régional
Lugos
Gare de Lugos
Camontès
Marian
le Puch
Boutox
Quartier-de-Joue
le Meynieu
Biscarrosse-Plage
Navarrosse
en Mayotte
Goubern
Canal
Millas
Bosque
en Bergoin
en Hill
Narp
Larreillet
Lubiosse
Nigon
Lilaire
Centre d'Essais
des
le Muret
la Crabette
Peyrin
Biganon
Saugnacq-et-Muret
Landes
Mirador
Hourson
Lesquire
BISCARROSSE
Étang de Biscarrosse et de Parentis
Lahitte
PARENTIS-en-Born
le Bôo
le Lac
Ruisseau des Forges
Poms
Herran
Bourruque
Ychoux
Mothes
Castelnau
Moustey
la Nave
Zone militaire interdite
Gastes
Hillan
Maynage
Esleys
Dupouy
Lucats
les Forges
Bourdieu
Liposthey
Vieux-Richet
Richet
Peloucho
Lafont
Mongaillard
Saint Trosse
Lavigne
PISSOS
Sainte Eulalie-en-Born
Grand-Ligautenx
Petit-Ligautenx
Escourssolles
Guirosse
Souleyraou
Bestaven
Pontenx-les-Forges
Menaut
Tuyas
Daugnague
Gruey
de
Étang d'Aureilhan
Mimizan-Plage
MIMIZAN
Jean-de-Crabe
Bouricos
Baxente
Canteloup
Cantegrit
la Crotte
les Houssats
Saint Paul-en-Born
la Barde
Larrousseau
Haza
Lüe
Gaillard
Labouheyre
Médous
Aureilhan
Grande Leyre
Eyre
A 63
A660
250
Montaiu
Berdoy
Haut-R
Hourto

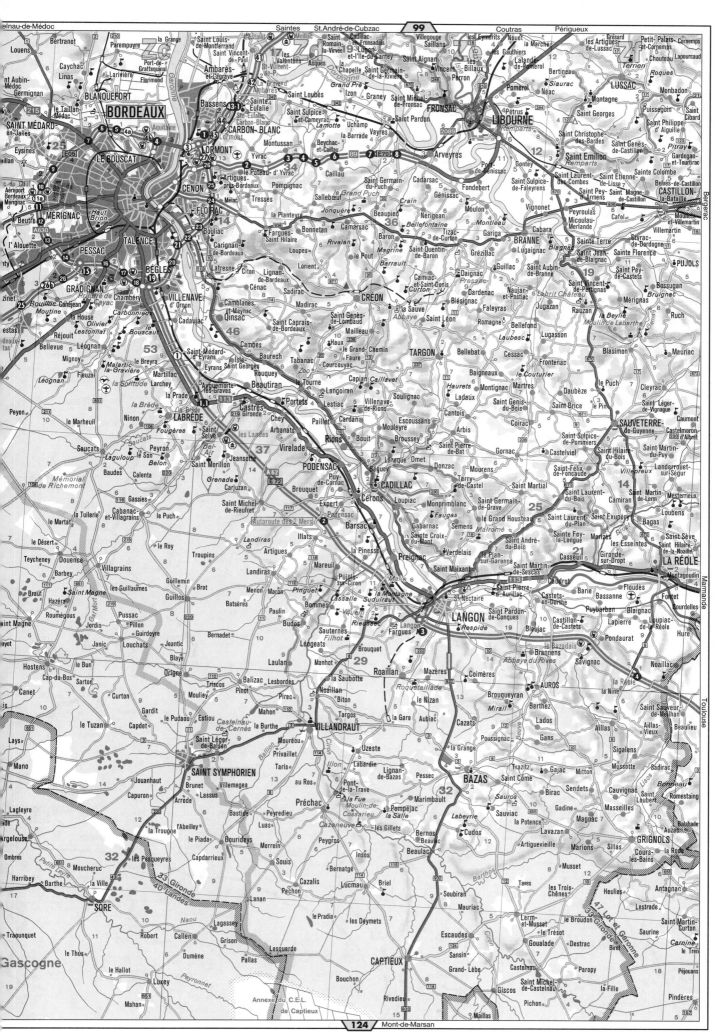
elnau-de-Médoc
Saintes
St.André-de-Cubzac
99
Coutras
Périgueux
Bergerac
Marmande
Toulouse
124
Mont-de-Marsan
BORDEAUX
LE BOUSCAT
MÉRIGNAC
PESSAC
TALENCE
BÈGLES
GRADIGNAN
VILLENAVE-d'Ornon
CENON
FLOIRAC
LORMONT
CARBON-BLANC
BLANQUEFORT
SAINT MÉDARD-en-Jalles
LIBOURNE
FRONSAC
LUSSAC
Saint Emilion
CASTILLON-la-Bataille
BRANNE
CRÉON
TARGON
SAUVETERRE-de-Guyenne
PUJOLS
LA RÉOLE
CADILLAC
PODENSAC
LABRÈDE
LANGON
VILLANDRAUT
SAINT SYMPHORIEN
BAZAS
AUROS
GRIGNOLS
CAPTIEUX
SORE
Gascogne
Annexe du C.E.L. de Captieux
Autoroute des 2 Mers
33 Gironde
40 Landes
47 Lot et Garonne
33 Gironde

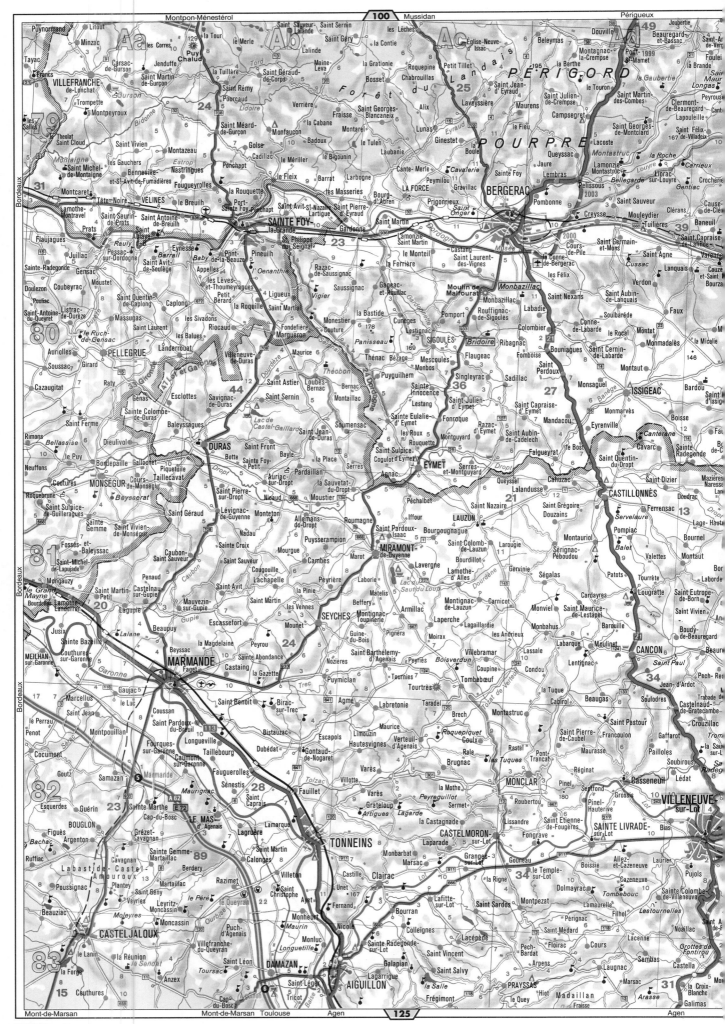

Montpon-Ménestérol
100
Mussidan
Périgueux
Aa
Ab
Ac
Ad
Forêt du Landais
PÉRIGORD
POURPRE
VILLEFRANCHE-de-Lonchat
VÉLINES
SAINTE FOY-la-Grande
LA FORCE
BERGERAC
PELLEGRUE
DURAS
MONSÉGUR
SIGOULÈS
EYMET
ISSIGEAC
CASTILLONNÈS
LAUZUN
MIRAMONT-de-Guyenne
SEYCHES
MARMANDE
MEILHAN-sur-Garonne
CANCON
MONCLAR
VILLENEUVE-sur-Lot
SAINTE LIVRADE-sur-Lot
CASTELMORON-sur-Lot
LE MAS-d'Agenais
TONNEINS
Clairac
BOUGLON
CASTELJALOUX
DAMAZAN
AIGUILLON
PRAYSSAS
Bordeaux
Bordeaux
Bordeaux
Mont-de-Marsan
Mont-de-Marsan Toulouse
Agen
125
Agen

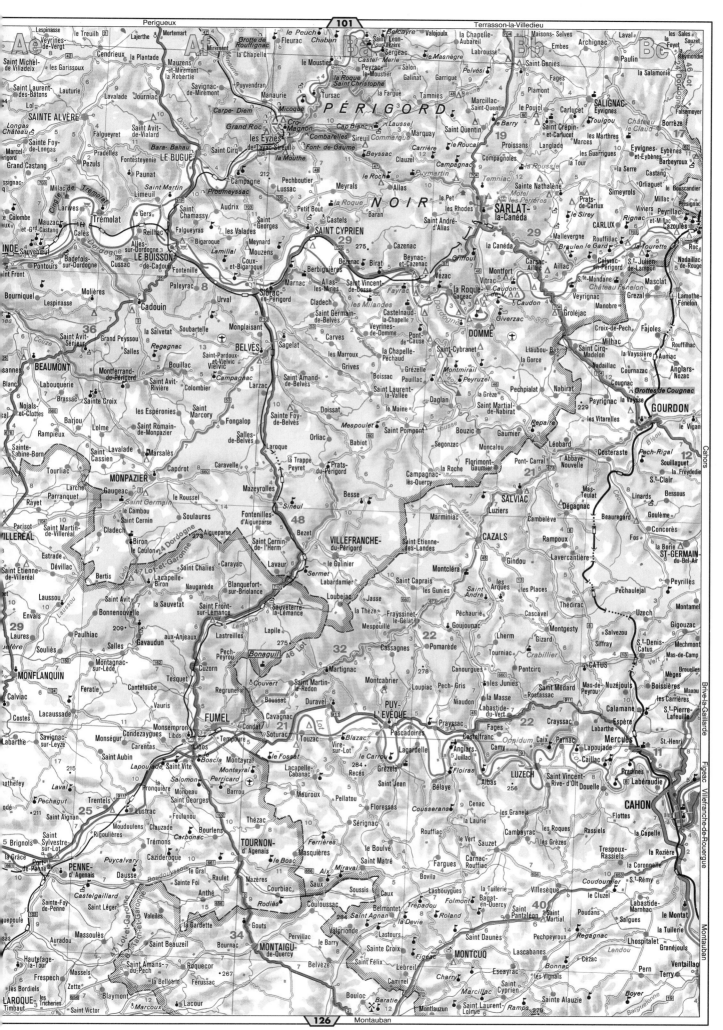
Perigueux
101
Terrasson-la-Villedieu
Ae
Af
Ba
Bb
Bc
PÉRIGORD
NOIR
Les Eyzies-de-Tayac-Sireuil
LE BUGUE
SAINTE ALVÈRE
Trémolat
LE BUISSON-de-Cadouin
SAINT CYPRIEN
SARLAT-la-Canéda
Siorac-en-Périgord
Cadouin
BELVÈS
DOMME
BEAUMONT
MONPAZIER
GOURDON
SALVIAC
CAZALS
VILLEFRANCHE-du-Périgord
VILLERÉAL
MONFLANQUIN
FUMEL
PUY-L'ÉVÊQUE
LUZECH
CATUS
CAHORS
PENNE-d'Agenais
TOURNON-d'Agenais
MONTAIGU-de-Quercy
MONTCUQ
LAROQUE-Timbaut
ST-GERMAIN-du-Bel-Air
SALIGNAC-Eyvignes
CARLUX
Bonaguil
Dordogne
Lot
Lot-et-Garonne
Tarn-et-Garonne
Cahors
Brive-la-Gaillarde
Figeac
Villefranche-de-Rouergue
Montauban
126
Montauban

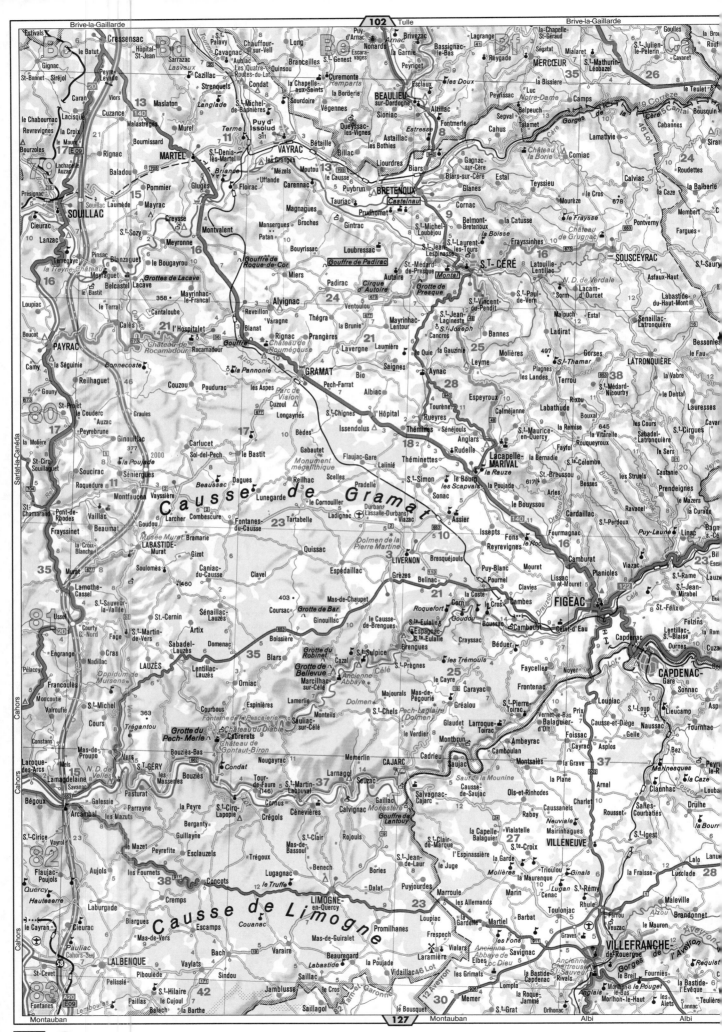

Brive-la-Gaillarde
102
Tulle
Brive-la-Gaillarde
Bc
Bd
Be
Bf
Ca
Cressensac
Martel
Souillac
Vayrac
Beaulieu-sur-Dordogne
Bretenoux
Castelnau
Mercœur
Sousceyrac
St-Céré
Montal
Gouffre de Padirac
Gouffre de Roque-de-Cor
Grottes de Lacave
Rocamadour
Château de Rocamadour
Gramat
Payrac
Causse de Gramat
Labastide-Murat
Latronquière
Lacapelle-Marival
Figeac
Livernon
Capdenac
Cajarc
Lauzès
St-Géry
Cabrerets
Grotte du Pech-Merle
Grotte de Bellevue
Grotte du Robinet
Grotte de Bar
Marcilhac-sur-Célé
St-Cirq-Lapopie
Limogne-en-Quercy
Causse de Limogne
Villefranche-de-Rouergue
Villeneuve
Lalbenque
Gorges de l'Aveyron
Gorges de la Cère
Sarlat-la-Canéda
Cahors
79
80
81
82
83
Montauban
127
Montauban
Albi
Albi

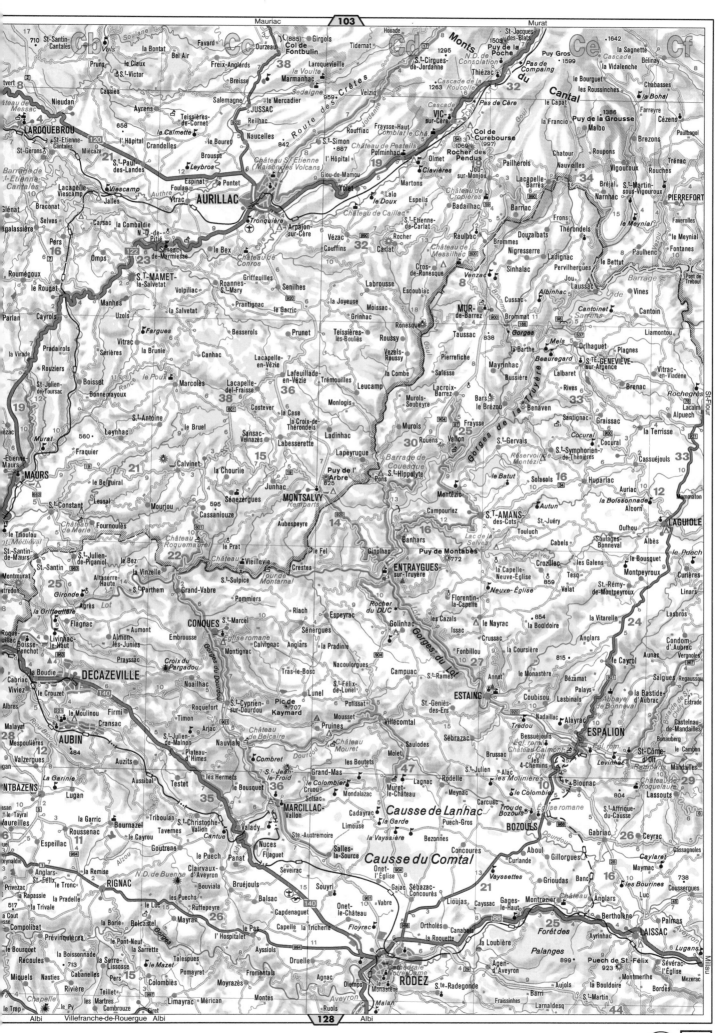

Mauriac
103
Murat
Cb
Cc
Cd
Ce
Cf
Vals
Soulane
la Bontat
Favard
Ourzeau
Col de Fontbulin
Girgols
Tidernat
Monts du Cantal
St-Jacques-des-Blats
Puy de la Poche
1599
Puy Gros
la Sagnette
Bélinay
la Vidalenche
Prunst
le Claux
St-Victor
Bel Air
Freix-Anglards
38
Laroquevieille
la Voulte
Marmanhac
St-Cirgues-de-Jordanne
N.D. de Consolation
Thiézac
Pas de Compaing
32
le Bourguet
les Roussinches
Chabasses
la Bohal
Cassiès
Nieudan
Breisse
Sedaigne
Velzic
Route des Crêtes
Cascade de la Roucolle
le Capat
Ayrens
Salemagne
le Mercadier
JUSSAC
Reilhac
Teissières-de-Cornet
VIC-sur-Cère
Pas de Cère
la Francio
Puy de la Grousse
Farreyre
Cézens
Malbo
LAROQUEBROU
St-Etienne-Cantalès
la Calmette
le Bouret
Naucelles
Rouffiac
Fraysse-Haut
Comblat le Châ
Col de Curebourse
Brezons
Paulhagol
St-Gérons
Miécaze
l'Hôpital
Crandelles
Brousse
St-Simon
Château de Pesteils
Polminhac
Rocher des Pendus
Chatour
Roupons
Trénac
21
St-Paul-des-Landes
Leybros
Château St Etienne (Maison des Volcans)
l'Hôpital
19
Olmet
Clavières
Jou-sur-Monjou
Pailherols
Nauvialles
Vigouroux
Rouches
Barrage de St-Etienne-Cantalès
Lacapelle-Viescamp
Viescamp
Espinat
le Pontet
Giou-de-Mamou
Yolet
Martons
Lacapelle-Barrès
34
Bréjal
St-Martin-sous-Vigouroux
PIERREFORT
Jalles
Foulan
Ytrac
AURILLAC
Lalo
le Doux
Espeils
Château de Cropières
Badailhac
Barriac
Narnhac
Glénat
Braconat
Château de Caillac
Frons
le Meynial
Favérolles
Selves
Carsac
la Combaldie
Tronquière
Arpajon-sur-Cère
St-Etienne-de-Carlat
Thérondels
N.-D.-de-Pitié
Vézac
Rocher
Raulhac
Douzalbats
le Meynial
Pers
16
Sansac-de-Marmiesse
le Bex
Couffins
32
Carlat
Château de Messilhac
Brommes
Nigresserre
Paulhenc
Fontanes
Omps
Château de Conros
Cros-de-Ronesque
Sinhalac
Ladignac
Pervilhergues
le Bettut
23
Griffeuilles
Venzac
Roumégoux
St-MAMET-la-Salvetat
Roannes-St-Mary
Senilhes
Labrousse
8
Jou
Lausac
Barrage
Pont de Trébouil
le Rouget
Volpiliac
Escoubiac
Albinhac
Vines
Manhes
Prantignac
le Garric
la Joyeuse
Moissac
Cussac
Cantoinet
Cantoin
Parlan
Cayrols
Uzols
la Salvetat
Grinhac
MUR-de-Barrez
Brommat
Sarrans
Ronesque
Taussac
Gorges
Liamontou
Fargues
Besserols
Prunet
Teissières-lès-Bouliès
Roussy
838
Mels
Orlhaguet
Plagnes
Pradairols
Vitrac
Vezels-Roussy
la Barthe
la Virade
Serières
la Brunie
Canhac
Lacapelle-en-Vézie
Pierrefiche
Beauregard
Ste-GENEVIÈVE-sur-Argence
Rouziers
Mayrinhac
Lalbaret
Vitrac-en-Viadène
St-Julien-de-Toursac
Boisset
le Poux
Marcolès
Lacapelle-del-Fraisse
Lafeuillade-en-Vézie
Trémouilles
la Combe
Salesse
Bussière
Leucamp
Rives
Brenac
Bonnemayoux
38
36
Lacroix-Barrez
Rochegrès
Murols-Soubeyre
Bars
le Brézou
33
Monlogis
Benaven
Lacalm
Alpuech
19
St-Antoine
Costevez
la Case
Santignac
Graissac
la Croix-de-Thérondels
Fraysse
Gorges de la Truyère
le Bruel
Leynhac
Sansac-Veinazès
Ladinhac
Murols
Vellon
25
la Terrisse
560
Labesserette
Cocural
Cocural
Murat
Fraquier
Lapeyrugue
30
Rouens
St-Gervais
St-Symphorien-de-Thénières
Cassuéjouls
33
15
Réservoir de Montézic
Barrage de Couesque
21
Calvinet
la Chourlie
Puy de l'Arbre
825
St-Hippolyte
Pons
le Batut
Solasols
16
Huparlac
St-Etienne-Maurs
MAURS
le Belguiral
Junhac
Montézic
Auriac
12
Lessal
Sénezergues
MONTSALVY
Remparts
la Boissonnade
Mourjou
595
Campourlez
Autun
Alcorn
St-Constant
Cassaniouze
St-AMANS-des-Cots
St-Juéry
Oulhou
LAGUIOLE
Château de Merle
Fournoulès
Aubespeyre
14
16
Touluch
le Trioulou
Château Roquemaurel
le Prat
Banhars
Lac de la Selves
Cabels
Soulages-Bonneval
Albès
St-Santin-de-Maurs
St-Julien-de-Piganiol
22
le Fel
Ginolhac
Puy de Montabès
772
le Puech
St-Santin
le Bez
Château
Vieillevie
Crestes
ENTRAYGUES-sur-Truyère
la Capelle-Neuve-Église
Crozillac
les Galens
le Bousquet
Montmurat
Altaserre-Haute
la Vinzelle
St-Sulpice
Tour de Montarnal
859
Tesq
Montpeyroux
Curières
25
St-Parthem
Grand-Vabre
Florentin-la-Capelle
Neuve-Église
Valat
St-Rémy-de-Montpeyroux
Gironde
Linars
Agrès
Lot
Pommiers
Rocher du DUC
la Griffoulière
Riach
Espeyrac
les Cazals
854
la Vitarelle
Lasbros
Flagnac
CONQUES
St-Marcel
Golinhac
le Nayrac
la Bouldoire
24
Aumont
Sénergues
Issac
Livinhac-le-Haut
Almon-les-Junies
Embrousse
Église romane
Calvignac
Anglars
Gorges du Lot
Crussac
Anglars
Condom-d'Aubrac
Boisse-Penchot
Gorges du Dourdou
la Pradinie
Fonbillou
la Coursière
815
Aunac
Montignac
le Cayrol
Vergnoles
Prayssac
Croix du Pargadou
Nacoulorgues
27
Cabriac
la Boudie
DECAZEVILLE
Tras-le-Bosc
Campuac
St-Rames
Annat
le Monastère
Bézamat
Salgues
Viviez
le Crouzet
Noailhac
St-Félix-de-Lunel
Palays
la Bastide-d'Aubrac
Firmi
Lunel
ESTAING
Coubisou
Lasbinals
Abbaye de Bonneval
Albres
Roquefort
St-Cyprien-sur-Dourdou
Pic de Kaymard
707
Polissat
St-Geniès-des-Ers
le Moulinou
Timon
Mousset
Nadaillac
Alayrac
Castelnau-de-Mandailles
Malayal
Cransac
Pruines
Villecomtal
Tredou
28
Arjac
ESPALION
Mespoulières
AUBIN
St-Julien-de-Malnon
Château de Belcaire
Bessuéjouls
484
Nauviale
Château Mouret
Saulodes
Sébrazac
Égl. rom.
Château Calmont d'Olt
Bonaubérg
12
Plateau d'Himes
Combret
Molet
Brussac
St-Côme-d'Olt
le Cambon
Valzergues
Auzits
Dourdou
les Boutets
les 4-Chemins
Levinhac
Remparts
Mandailles
St-Jean-le-Froid
47
St-Julien
Alac
la Garinie
Aussibal
Testet
les Hermets
Grand-Mas
Rodelle
les Molinières
Biounac
29
NTBAZENS
le Bousquet
36
le Colombier
Lagnac
Château de Roquelaure
Lugan
35
Cruou
Muret-le-Château
10
le Colombier
804
Lassouts
Solsac
Mondalazac
Meynac
Carcuac
MARCILLAC-Vallon
Cadayrac
Causse de Lanhac
Trou de Bozouls
Église romane
St-Affrique-du-Causse
le Tayral
la Garric
Bournazel
Triboulan
St-Christophe-Vallon
Valady
la Garde
Puech-Gros
BOZOULS
Roussenac
Tavernes
Limouse
Gabriac
26
Ceyrac
11
le Cayrou
Cantue
Ste-Austremoire
la Vayssière
Bezonnes
Espeillac
Goutrens
Nuces
Dourdou
Cassagnoles
le Puech
Panat
Fijaguet
Salles-la-Source
Causse du Comtal
Concourès
Aboul
Gillorgues
Caylaret
Anglars-St-Félix
la Remise
N.D. de Buenne
Clairvaux-d'Aveyron
Seveirac
Onet-l'Église
Curlande
Maymac
738
Vayssettes
Grioudas
Banc
16
Privezac
le Tronc
RIGNAC
Bouviala
Bruéjouls
Souyri
Gajac
Sébazac-Concourès
21
les Bourines
Coussergues
la Rapassie
la Pradelle
les Puechs
Balsac
Onet-le-Château
Vabre
Lioujas
Cayssac
Gages-le-Haut
Montrozier
Château
Anglars
Luc
517
la Trivale
le Luc
Ruffepeyre
Capdenaguet
la Cout
Compolibat
la Borie
Belcastel
Mayran
26
Gorges
le Pas
Capelle
la Tricherie
Floyrac
Ortholès
Canabols
25
Forêt des
Bertholène
Palmas
Prévinquières
le Pont-Neuf
l'Hospitalet
la Roquette
la Loubière
Ayrinhac
LAISSAC
le Bousquet
la Boissonnade
la Sarrette
Ayssiols
Palanges
Lugans
Recoules
713
la Serre-Lissosse
le Mazet
Talespues
Druelle
Cathédrale Notre-Dame
Agen-d'Aveyron
899
Puech de St-Félix
923
Sévérac-l'Église
Miquels
Nasties
Cabanelles
Pers
15
Pomayret
Fromentals
Agnac
RODEZ
Montmerlhe
Mezerac
Rivière
Colombiès
Moyrazès
Olemps
le Monastère
Ste-Radegonde
Aujols
la Bouldoire
Bordes
Teillet
Aveyron
Barri
St-Martin
le Trap
le Py
les Martres
Combrouze
Limayrac
Mérican
Montes
Ruols
Malan
Fraissinhes
Larnaldesq
44
St-Flour
Millau
Albi
Villefranche-de-Rouergue
Albi
128
Albi
F

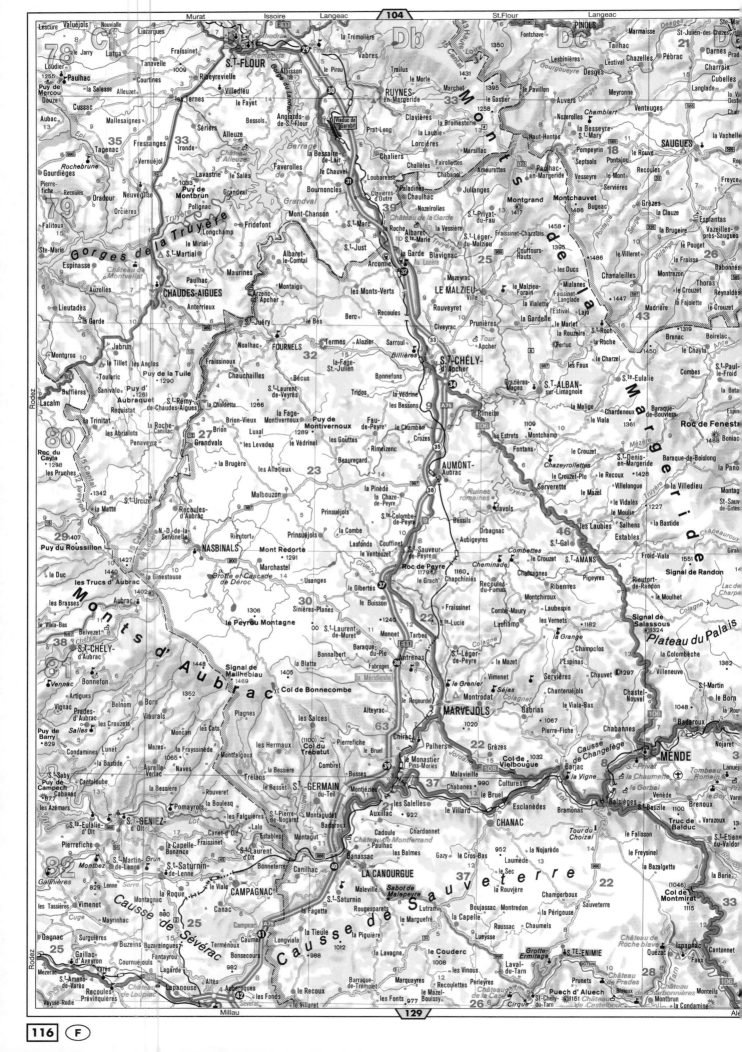
Murat
Issoire
Langeac
104
St.Flour
Langeac
Cf
Db
Dc
78
79
80
81
82
S.T-FLOUR
Gorge du Lander
Viaduc de Garabit
Gorges de la Truyère
CHAUDES-AIGUES
Monts de la Margeride
RUYNES-en-Margeride
LE MALZIEU-Ville
S.T-CHÉLY-d'Apcher
S.T-ALBAN-sur-Limagnole
SAUGUES
AUMONT-Aubrac
FOURNELS
NASBINALS
Monts d'Aubrac
S.T-CHÉLY-d'Aubrac
MARVEJOLS
MENDE
Plateau du Palais
Signal de Randon
Roc de Peyre
Mont Redorte
Signal de Mailhebiau
Col de Bonnecombe
S.T-GERMAIN du-Teil
S.T-GENIEZ-d'Olt
CHANAC
LA CANOURGUE
CAMPAGNAC
Causse de Sévérac
Causse de Sauveterre
S.TE-ENIMIE
Puech d'Aluech
Col de Montmirat
Truc de Balduc
Col de Vielbougue
Causse de Changefège
Montgrand
Montchauvet
Puy de Montivernoux
Puy de la Tuile
Puy d'Aubraquet
Roc du Cayla
Puy du Roussillon
les Trucs d'Aubrac
le Peyrou Montagne
Col du Trébatut
Sabot de Malepeyre
Grotte-Ermitage
Rodez
Millau
129
Alès

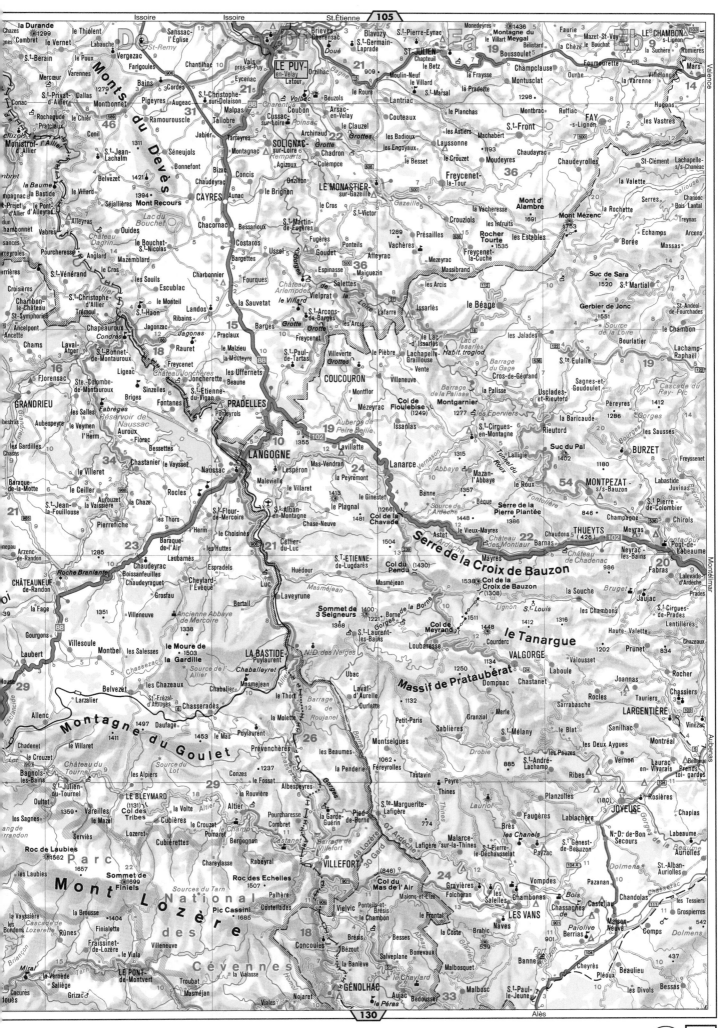
Issoire
Issoire
St.Étienne
105
Valence
Montélimar
Aubenas
130
Alès
la Durande
Combret
le Vernet
le Thiolent
Sanssac-l'Église
St-Rémy
St.-Berain
Vergezac
Monts du Devès
Chantilhac
Vals-près-le-Puy
LE PUY-en-Velay
Brives-Charensac
Blavozy
St.-Germain-Laprade
Doué
St.-Pierre-Eynac
ST-JULIEN-Chapteuil
Montagne du Meygal
Boussoulet
Faurie
Mazet-St-Voy
LE CHAMBON-s-Lignon
Mars
Eycenac
Bains
Cordès
St.-Christophe-sur-Dolaison
Bouzols
Coubon
Arsac-en-Velay
Lantriac
Champclause
Montusclat
Fourmourette
Villelonge
Montbonnet
Pigeyres
Augeac
Malpas
Tallobre
Cussac-sur-Loire
le Clauzel
Couteaux
le Planchas
Montbrac
Roffiac
FAY-s-Lignon
Hugons
les Vastres
Monistrol-d'Allier
Ramourouscle
Jabier
Tarreyres
SOLIGNAC-sur-Loire
Archinaud
Grottes
Chadron
les Badioux
les Astiers
Laussonne
Machabert
St.-Front
Chaudeyrac
Chaudeyrolles
St-Clément
Lachapelle-s/s-Chanéac
St.-Jean-Lachalm
Séneujols
Bonnefont
Montagnac
Agizoux
Colempce
le Besset
le Crouzet
Moudeyres
Freycenet-la-Tour
la Valette
Concis
Bizac
Chaudeyrac
Orzilhon
LE MONASTIER-sur-Gazeille
le Brignon
Mont Recours
CAYRES
Aunac
Séjallières
Alleyras
la Bastide
le Pont-d'Alleyras
le Cros
St.-Victor
la Vacheresse
Mont d'Alambre
Mont Mézenc
la Rochette
Serres
Chanéac
Bois Lantal
Lac du Bouchet
Ouides
le Bouchet-St.-Nicolas
Chacornac
Bessarioux
St.-Martin-de-Fugères
Fugères
Crouziols
les Infruits
Rocher Tourte
les Estables
Treynas
Arcens
Échamps
Borée
Massas
Présailles
Vachères
Freycenet-la-Cuche
Costaros
Ussel
Goudet
Ponteils
Alleyrac
Mezeyrac
Massibrand
Pourcheresse
Anglard
Mazemblard
le Cros
St.-Vénérand
Bargettes
Espinasse
Maiguezin
Suc de Sara
St. Martial
Charbonnier
les Souils
Escublac
Fourques
Château Arlempdes
Salettes
Vielprat
les Arcis
Gorges de la Loire
Issarlès
le Béage
Gerbier de Jonc
St-Andéol-de-Fourchades
Croisières
Chambon-le-Château
St-Symphorien
St.-Christophe-d'Allier
Tremoul
le Monteil
St.-Haon
Landos
Ribains
la Sauvetat
le Villard
St.-Arcons-de-Barges
Lafarre
Source de la Loire
le Chambon
Ancelpont
Chapeauroux
Condres
Jagonzac
Jagonas
Praclaux
Barges
Grotte
Freycenet
le Lac d'Issarlès
Lac d'Issarlès
Habit. troglod
les Jalades
Bourlatier
Lachamp-Raphaël
Chams
Laval-Atger
St.-Bonnet-de-Montauroux
Rauret
le Malzieu
la Mouteyre
St.-Paul-de-Tartas
Villeverte
Grottes
le Piébre
Lachapelle-Graillouse
Vente
Barrage du Gage
Cros-de-Géorand
Ste. Eulalie
Florensac
Ligeac
Freycenet
Château Jonchères
Joncherette
les Uffernets
Beaune
COUCOURON
Villeneuve
Sagnes-et-Goudoulet
Cascade du Ray-Pic
Ste.-Colombe-de-Montauroux
Sinzelles
St.-Étienne-du-Vigan
Montflor
Barrage de la Palisse
la Palisse
Usclades-et-Rieutord
GRANDRIEU
Briges
Fontanes
PRADELLES
Mézeyrac
Col de Fouleblse
Montgarnier
les Eperviers
Péreyres
Aubespeyre
les Salles
Fabrèges
Réservoir de Naussac
Pomeyrols
Issanlas
St.-Cirgues-en-Montagne
la Baricaude
Gorges
le Veymen
l'Herm
Auroux
Auberge de Peyre Beille
Rieutord
les Sausses
les Gardilles
Florac
Bessettes
LANGOGNE
Lavillatte
Lanarce
Vernason
Tunnel du Roux
Lalligie
Suc du Pal
BURZET
Freyssenet
Chastanier
le Vayssel
Naussac
Lespéron
Mas-Vendran
la Peyremont
Abbaye
Mazan-l'Abbaye
le Roux
MONTPEZAT-s/s-Bauzon
Labastide-Juvinas
le Villeret
Baraque-de-la-Motte
le Ceiller
Auzouzet
la Vaissière
Rocles
Malevielle
le Villaret
le Plagnal
le Ginestet
Banne
Bèque
Fontolière
Serre de la Pierre Plantée
St. Pierre-de-Colombier
St.-Jean-la-Fouillouse
la Chaze
les Thors
St.-Flour-de-Mercoire
St.-Alban-en-Montagne
Chase-Neuve
Col de la Chavade
Source de l'Ardèche
le Vieux-Mayres
Champagne
Chirols
Pierrefiche
l'Herm
le Choisinès
Cellier-du-Luc
Astet
Château des Montlaur
Barnas
Chaudons
THUEYTS
Meyras
Ventadour
Pont-de-Labeaume
Arzenc-de-Randon
Baraque-de-l'Air
les Huttes
Laubarnès
Serre de la Croix de Bauzon
Mayres
Château de Chadenac
Neyrac-les-Bains
Fabras
Lalevade-d'Ardèche
Roche Branlante
Chaudeyrac
Boissanfeuilles
Chaudeyraguet
Espradels
Huédour
St.-ÉTIENNE-de-Lugdarès
Col du Pendu
Col de la Croix de Bauzon
CHÂTEAUNEUF-de-Randon
Cheylard-l'Évêque
Luc
Masméjean
la Souche
Bruget
Jaujac
Prades
la Fage
Grosfau
Laveyrune
Bertail
Sommet de 3 Seigneurs
Borne
la Borne
Col de Meyrand
St. Louis
Lignon
les Chambons
St. Cirgues-de-Prades
Lentillères
Villeneuve
Ancienne Abbaye de Mercoire
St.-Laurent-les-Bains
le Tanargue
Haute-Valette
Chazeaux
Gourgons
Villesoule
le Moure de la Gardille
LA BASTIDE-Puylaurent
N.D. des Neiges
Loubaresse
Courderc
VALGORGE
Prunet
Laubert
Montbel
les Salesses
Chaseezac
Source de l'Allier
Chaballeyret
Ubac
Massif de Prataubérat
Valousset
Laboule
Rocher
Chastanet
Dompnac
Joannas
Chassiers
les Chazeaux
Belvezet
Masmejean
Chabalier
Laval-d'Aurelle
Ourlette
Tauriers
Larzalier
St.-Frézal-d'Albuges
Chasseradès
le Thort
Barrage de Roujanel
Sarrabasche
Rocles
LARGENTIÈRE
Allenc
Montagne du Goulet
Daufage
le Mas
Puylaurent
la Molette
Petit-Paris
Granzial
Merle
Sablières
St.-Mélany
le Blat
Sanilhac
Vinezac
Chadenet
le Villaret
Prévenchères
les Beaumes
Montselgues
les Deux Aygues
Montréal
le Crouzet
Château du Tournel
Source du Lot
la Penderie
Féreyrolles
Drobie
St.-André-Lachamp
les Pauzes
Vernon
Laurac-en-Vivarais
Prends-toi-garde
Bellevue
Bagnols-les-Bains
les Alpiers
Conzes
le Fossat
Tastavin
Peyre
Ribes
St.-Julien-du-Tournel
LE BLEYMARD
la Rouvière
Albespeyres
Gorges
Thines
Planzolles
Rosières
Oultet
Col des Tribes
la Volte
Altier
Pied-de-Borne
Ste.-Marguerite-Lafigère
Lauriol
JOYEUSE
les Sagnes
Vareilles
le Mazel
Cubières
Pourcharesse
la Garde-Guérin
Faugères
Lablachère
Chapias
le Crouzet
Pomaret
le Champ
Combret
Lozeret
Servies
Bergognon
Castanet
Barrage de Villefort
Lafigère
Malarce-sur-la-Thines
Brès
les Chanels
St.-Pierre-le-Déchausselat
Payzac
St. Genest-de-Beauzon
N.-D.-de-Bon Secours
Labeaume
Gorges de la Beaume
Cubièrettes
Roc de Laubies
Chareylasse
Rabeyral
48 Lozère
30 Gard
07 Ardèche
Auriolles
Parc
National
des
Cévennes
Mont Lozère
les Laubies
Sommet de Finiels
Roc des Échelles
VILLEFORT
Col du Mas de l'Air
Malons-et-Elze
Gravières
Dolmens
St.-Alban-Auriolles
Vompdes
Pazanan
Sources du Tarn
Palhère
Costelades
Pic Cassini
Vielvic
Ponteils-et-Brésis
le Chambon
le Frontal
les Salelles
Chambonas
LES VANS
Bois
Chassagnes
Paiolive
Casteljau
Chandolas
Chassezac
les Tessiers
Grospierres
la Vayssière
Cascade de Lozerette
les Bondons
Finialette
la Brousse
Rûnes
Brésis
Besses
la Coste
Brahic
Naves
Berrias
Maison-Neuve
Comps
Dolmens
Briançon
Fraissinet-de-Lozère
le Viala
Villeneuve
Concoules
Bézout
Bonevaux
Granière
Fort
Banne
Mirai
la Vernède
Saliège
LE PONT-de-Montvert
la Vialasse
la Banlève
Salveplane
le Chaylard
Malbosquet
Chéyres
Beaulieu
Pléoux
Tarn
Cocurès
Grizac
Troubat
Masméjan
Vialas
Nojaret
GÉNOLHAC
Aujac
le Péras
Bedousse
Malbosc
St.-Paul-le-Jeune
les Divols
Bessas

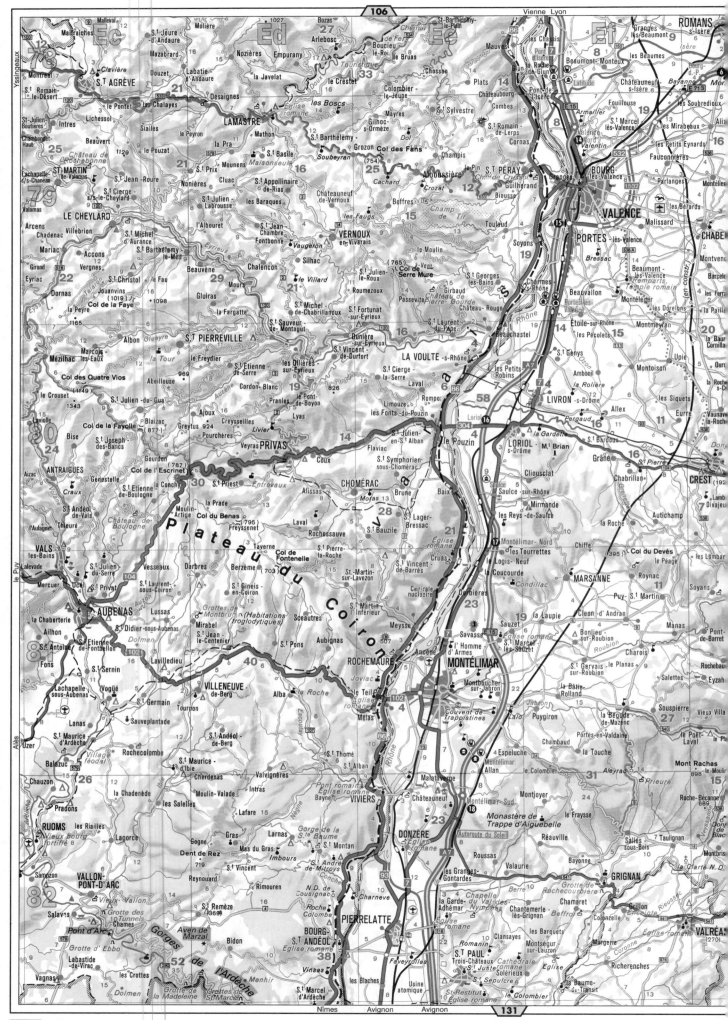
106
Vienne Lyon
Ec
Ed
Ee
Ef
Malleval
Maltraiches
S.t Jeure - d'Andaure
Molière
Bozas
27
Arlebosc
St-Barthélemy-le-Plain
Boucieu le-Roi
le Bruas
Mauves
les Chassis
ROMANS s-Isère
Granges - lès-Beaumont
Mazabrard
Nozières
Empurany
Tournon
Glun
la Roche de-Glun
Beaumont-Monteux
les Beaumes
Clavière
Montreal
S.T AGRÈVE
Douzet
Labatie - d'Andaure
la Javelat
le Crestet
33
Chosson
Plats
14
Pont-de-l'Isère
Châteauneuf-s-Isère
Bayanne
Yssingeaux
S.t Romain-le-Désert
le Pontet
les Chalayes
Désaignes
les Boscs
Colombier-le-Jeune
Châteaubourg
Fouillouse
19
les Soubredioux
St-Julien-Boutières
Intres
Lichessol
LAMASTRE
Mayres
S.t Sylvestre
Combes
Armailler
Chambonnet-Haut
Sialles
le Peyron
Mathon
Gilhoc-s-Ormèze
S.t Romain-de-Lerps
S.t Marcel lès-Valence
les Mirabeaux
Beauvert
S.t Barthélemy-
Dol
Cornas
Valentin
25
Château de Rochebonne
le Pouzat
la Pra
Grozon
Col des Fans
Champis
les Petits Eynards
16
S.T MARTIN de-Valamas
S.t Basile
Maisonseule
Soubeyran
(754)
Fauconnières
Lachapelle-s/s-Chanéac
21
S.t Prix
Mounens
16
25
Cachard
Alboussière
le Pin
S.T PÉRAY
Chau de Crussol
Guilherand
Granges
BOURG-lès-Valence
Parlanges
S.t Jean-Roure
Nonières
Cluac
S.t Appollinaire-de-Rias
Crozat
12
Biousse
S.t Cierge-s/s-le-Cheylard
S.t Julien-Labrousse
les Baraques
Châteauneuf-de-Vernoux
Boffres
Champ de Tir
les Bérards
79
Valamas
LE CHEYLARD
VALENCE
Malissard
les Faugs
15
Toulaud
Arcens
Chadenac
Villebrion
S.t Michel d'Aurance
l'Albouret
S.t Jean-Chambre
Fontbonne
VERNOUX en-Vivarais
Vaugeron
PORTES-lès-Valence
Soyons
Mariac
Accons
S.t Barthélemy-le-Meil
Le Moulin
19
Bressac
Gironde
Vergnes
Chalencon
Silhac
(765) Col de Serre Mure
S.t Julien-le-Roux
Beaumont-lès-Valence
Remparts, Temple romain
22
Beauvène
29
le Villard
S.t Georges-les-Bains
Eyriac
S.t Christol
le Fau
Mours
21
Roumezoux
Charmes-s-Rhône
Girbaud
Château de Pierre-Gourde
Beauvallon
Dornas
Jouanvins (1019)
Col de la Faye
Gluiras
S.t Michel-de-Chabrillanoux
S.t Fortunat-sur-Eyrieux
Passevite
Château-Rouge
Portes-lès-Valence
Montéléger
la Peyre
la Fargatte
les Dorelons
1165
S.t Sauveur-de-Montagut
S.t Laurent-du-Pape
Étoile-sur-Rhône
Montmeyran
Beauchastel
les Pécolets
14
15
Albon
S.t PIERREVILLE
Dunière-sur-Eyrieux
16
Marcols-les-Eaux
S.t Vincent-de-Durfort
LA VOULTE-s-Rhône
S.t Genys
Upie
Mézilhac
la Tour
le Freydier
S.t Etienne-de-Serre
les Ollières-sur-Eyrieux
les Petits-Robins
Montoison
Ambonil
Col des Quatre Vios
Abeillouse
969
Cordon-Blanc
S.t Cierge-la-Serre
Laval
la Rolière
le Crouset
(1149)
S.t Julien-du-Gua
Pranles
le Pont-de-Boyon
826
Rompon
58
LIVRON-s-Drôme
les Siquets
1343
Ajoux
Creysseilles
Lyas
Limouze
les Fonts-du-Pouzin
Loriol
Allex
Eurre
Laviolle
Col de la Fayolle
Blaizac (877)
Greytus 924
Pourchères
Livier
S.t Julien-en-S.t Alban
le Pouzin
LORIOL-s-Drôme
la Gardette
M.t Brian
Pergaud
S.t Bardoux
80
Bise
S.t Joseph-des-Bancs
Veyras
PRIVAS
14
Flaviac
4
11
24
Gourdon
Coux
S.t Symphorien-sous-Chomérac
Grâne
16
S.t Pierre
Drôme
CREST
Aizac
ANTRAIGUES
Col de l'Escrinet (787)
Genestelle
30
S.t Priest
Entrevaux
CHOMÉRAC
Cliousclat
Chabrillan
Craux
S.t Etienne-de-Boulogne
la Conchy
Alissas
Brune
Baix
Saulce-sur-Rhône
Mirmande
Divajeu
S.t Andéol-de-Vals
Moulin-Artige
la Prade
Col du Benas (795)
Freyssenet
Mortas
28
S.t Lager-Bressac
les Reys-de-Saulce
Autichamp
l'Aulagnet
Thieuré
Château-de-Boulogne
Plateau du Coiron
Laval
Rochessauve
S.t Bauzile
21
la Roche
Église romane
VALS-les-Bains
Taverne
Col de Fontenelle
S.t Pierre-la-Roche
Montélimar-Nord
les Tourrettes
Chiffe
(395)
Col du Devès
Lalevade
S.t Julien-du-Serre
Vesseaux
Darbres
Berzème
(703)
S.t Vincent-de-Barrès
Cruas
le Logis-Neuf
le Péage
le Puy
Mercuer
Ucel
S.t Privat
S.t Laurent-sous-Coiron
S.t Gineis-en-Coiron
St.-Martin-sur-Lavezon
la Coucourde
Condillac
MARSANNE
Roynac
Soyans
AUBENAS
Lussas
Grottes de Montbrun
(Habitations troglodytiques)
Sceautres
S.t Martin-l'Inférieur
Centrale nucléaire
Derbières
23
Puy-S.t Martin
la Chaberterie
S.t Didier-sous-Aubenas
Mirabel
S.t Jean-le-Centenier
Meysse
507
Savasse
Sauzet
19
la Laupie
Cleon-d'Andran
Manas
Ailhon
Dolmen
S.t Pons
Aubignas
l'Homme-d'Armes
S.t Marcel-lès-Sauzet
Bonlieu-sur-Roubion
Pont-de-Barret
81
S.t Antoine
S.t Etienne-de-Fontbellon
Lavilledieu
40
ROCHEMAURE
Ancone
MONTÉLIMAR
Charols
Fons
S.t Sernin
Joviac
S.t Gervais-sur-Roubion
le Planas
Salettes
Lachapelle-sous-Aubenas
Vogüé
VILLENEUVE-de-Berg
Alba
la Roche
le Teil
Église romane
Montboucher-sur-Jabron
22
la Bâtie-Rolland
Eyzahut
S.t Germain
Tournon
Mélas
Couvent de Trappistines
Lalo
Puygiron
la Bégude-de-Mazenc
Souspierre
Vieux Villa
Lanas
Sauveplantade
4
27
S.t Maurice-d'Ardèche
S.t Andéol-de-Berg
Portes-en-Valdaine
le Poët-Laval
Uzer
Alès
Village féodal
Rochecolombe
Escoutay
S.t Thomé
Espeluche
Chambaud
la Touche
Balazuc
S.t Maurice-d'Ibie
S.t Alban
Montélimar
Allan
Mont Rachas
Chauzon
26
Cherdenas
Valvignères
Malataverne
le Colombier
31
Aleyrac
898
Prieuré
15
la Chadenède
Moulin-Valade
Intras
Pont romain
Église romane
Bayne
VIVIERS
Châteauneuf
Montjoyer
Roche-Béconne
Pradons
les Salelles
Lafare
Montélimar-Sud
689
RUOMS
les Riailles
Gorge de la S.te Baume
23
Monastère de Trappe d'Aiguebelle
le Fraysse
Vieux Bourg fortifié
Lagorce
Larnas
Gras
S.t Montan
DONZÈRE
Église romane
Autoroute du Soleil
Réauville
Sallès-sous-Bois
Taulignan
Gogne
Dent de Rez
719
Mas du Gras
Imbours
S.t Andéol-de-Mitroys
Roussas
Montbris
Samozon
VALLON-PONT-D'ARC
S.t Vincent
Reynouard
Conche
les Granges-Gontardes
Valaurie
Bayonne
GRIGNAN
la Clarté N.D.
Rimouren
N.D. de Cousignac
Grotte de Rochecourbière
Berre
82
Vieux-Vallon
S.t Remèze
(369)
Roche Colombe
Charneve
la Garde-Adhémar
Chapelle du Val-des-Nymphes
Chantemerle-lès-Grignan
Beffroi
Chamaret
Grillon
Enceinte
Rieussec
Salavas
Grotte des Tunnels
Chames
PIERRELATTE
Colonzelle
VALRÉAS
(270)
Pont d'Arc
Aven de Marzal
Gorges de l'Ardèche
Église romane
Grotte d'Ebbo
Bidon
BOURG-S.T ANDÉOL
Église romane
38
Clansayes
les Barquets
Margerie
Coronne
Labastide-de-Virac
52
Romanin
S.T PAUL-Trois-Châteaux
Montségur-sur-Lauzon
Faveyrolles
Cathédrale romane
S.t Juste
Solérieux
Eglise
Richerenches
Vagnas
les Crottes
Menhir
Vinsas
Dolmen
Grotte de la Madeleine
Grottes de S.t Marcel
S.t Marcel-d'Ardèche
les Blaches
Usine atomique
S.t Sépulcre
St-Restitut
Église romane
le Colombier
la Baume-de-Transit
Nîmes
Avignon
Avignon
131

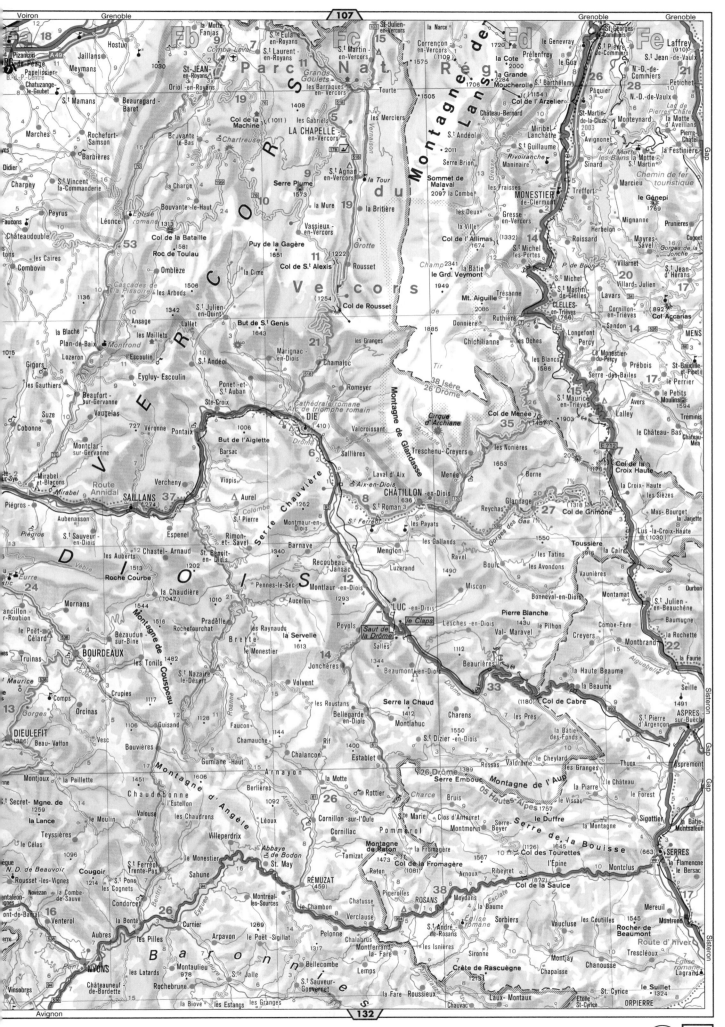
107
132
Voiron
Grenoble
Gap
Sisteron
Avignon
Fa
Fb
Fc
Fd
Fe
Parc Nat Rég du Vercors
VERCORS
DIOIS
Baronnies
Montagne de Lans
Montagne de Glandasse
Serre Chauvière
Montagne de Couspeau
Montagne d'Angèle
Montagne de l'Aup
Serre de la Bouisse
Vercors
St-JEAN-en-Royans
LA CHAPELLE-en-Vercors
St Agnan-en-Vercors
Vassieux-en-Vercors
Col de Rousset
But de St Genis
Col de la Machine
Col de la Bataille
Roc de Toulau
Col de St Alexis
Puy de la Gagère
Serre Plume
Léoncel
Chamaloc
Romeyer
DIE
CHÂTILLON-en-Diois
SAILLANS
Route Annidal
Vercheny
Pontaix
Ste-Croix
Aurel
Barsac
Luc-en-Diois
le Claps
Saut de la Drôme
Beaurières
Col de Cabre
Col de Grimone
Glandage
Col de Menée
Cirque d'Archiane
Lus-la-Croix-Haute
Col de la Croix Haute
Mt. Aiguille
Chichilianne
CLELLES-en-Trièves
Col de l'Allimas
Le Grd. Veymont
Sommet de Malaval
MONESTIER-de-Clermont
Gresse-en-Vercors
Col de l'Arzelier
Moucherolle
la Grande Moucherolle
la Cote
Laffrey
le Génepi
MENS
Col Accarias
St Maurice-en-Trièves
Lalley
Prébois
Tréminis
Toussière
Pierre Blanche
Serre la Chaud
Montlahuc
Valdrôme
ASPRES-sur-Buëch
SERRES
Col des Tourettes
Col de la Fromagère
Col de la Saulce
RÉMUZAT
ROSANS
Montagne de Raton
Crête de Rascuègne
ORPIERRE
Rocher de Beaumont
NYONS
DIEULEFIT
BOURDEAUX
Roche Courbe
la Chaudière
Crupies
Chaudebonne
Sahune
Villeperdrix
Abbaye de Bodon
Cornillon-sur-l'Oule
la Motte-Chalancon
Cougoir
Montaulieu
Vinsobres
Châteauneuf-de-Bordette
Venterol
Crest
Beaufort-sur-Gervanne
Plan-de-Baix
Gigors
Eygluy-Escoulin
Cobonne
Suze
Mirabel-et-Blacons
Piégros
Espenel
Rimon-et-Savel
Barnave
Recoubeau-Jansac
Menglon
Montmaur-en-Diois
Laval d'Aix
Treschenu-Creyers
Menée
Bouvante-le-Haut
Bouvante-le-Bas
Oriol-en-Royans
Rochefort-Samson
Barbières
Charpey
Peyrus
Châteaudouble
Combovin
Omblèze
Pizançon
Bourg-de-Péage
Chatuzange-le-Goubet
Hostun
Jaillans
Meymans
Beauregard-Baret
Marches
St Mamans

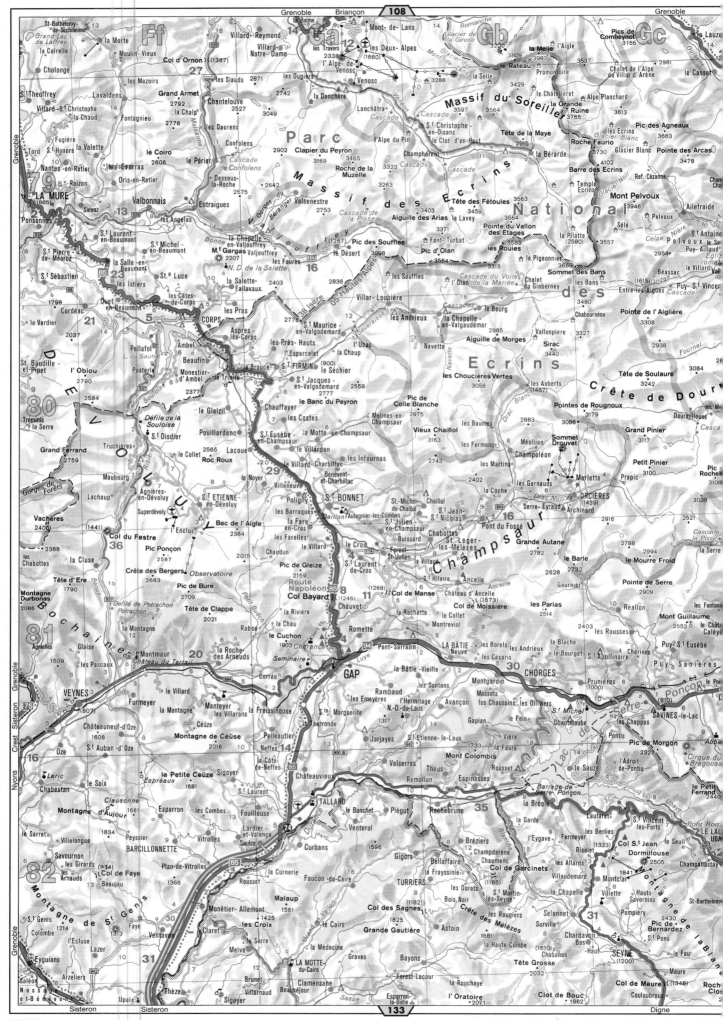
Grenoble
Briançon
108
Grenoble
Ff
Ga
Gb
Gc
St-Bathélemy-de-Séchilienne
Grand Lac de Laffrey
la Morte
la Coirelle
Moulin-Vieux
Cholonge
Col d'Ornon
Villard-Reymond
Villard-Notre-Dame
la Balme
Mont-de-Lans
les Travers
les Deux-Alpes
l'Alpe-de-Venosc
Venosc
Romanche
Glacier de la Girose
Glacier du Mont-de-Lans
la Meije
l'Aigle
le Rateau
Promontoire
Pics de Combeynot
la Selle
le Casset
Chalet de l'Alpe du Villar d'Arène
S.t Theoffrey
Villard-S.t Christophe
la Chaud
Lavaldens
Grand Armet
la Chalp
Fontagnieu
les Mazoirs
les Siauds
les Ougiers
Chantelouve
la Danchère
Lanchâtra
Massif du Soreiller
le Châtelleret
la Grande Ruine
Alpe Planchard
Pic des Agneaux
les Ecrins
Glacier Blanc
Fugière
la Valette
Tord
S.t Honoré
Nantes-en-Ratier
le Coiro
le Périer
Oris-en-Ratier
les Daurens
Confolens
Cascade de Confolens
Parc
Clapier du Peyron
Roche de la Muzelle
l'Alpe du Pin
Champhorent
S.t Christophe-en-Oisans
le Clot-d'en-Haut
Tête de la Maye
la Bérarde
Roche Faurio
Pointe des Arcas
Barre des Ecrins
Ref. Cézanne
Temple-Ecrins
Mont Pelvoux
Ailefroide
Pelvoux
LA MURE
Roizon
Siévoz
Valbonnais
Entraigues
Dessous-la-Roche
Massif des Ecrins
Valsenestre
Tête des Fétoules
Aiguille des Arias
la Lavey
National
Ponsonnas
les Angelas
S.t Laurent-en-Beaumont
S.t Michel-en-Beaumont
S.t Pierre-de-Méaroz
M.t Gargas
Valjouffrey
la Chapelle-en-Valjouffrey
Pic des Souffles
Font-Turbat
Pic d'Olan
Pointe du Vallon des Etages
les Rouies
le Pigeonnier
la Pilatte
Sommet des Bans
Sélé
S.t Antoine
Pelvoux
Puy-Aillaud
le Villard
Béassac
la Salle-en-Beaumont
les Faures
le Désert
N.D. de la Salette
S.t Sébastien
les Istiers
S.te Luce
la Salette-Fallavaux
les Souffles
l'Olan
Cascade du Voile de la Mariée
Chalet du Gioberney
les Bans
des
Entre-les-Aigues
Puy-S.t Vincent
Cordéac
Quet-en-Beaumont
les Côtes-de-Corps
CORPS
les Pras
Villar-Loubière
les Andrieux
la Chapelle-en-Valgaudemar
le Bourg
Chabournéou
Pointe de l'Aiglière
le Verdier
Pellafol
Ambel
Aspres-lès-Corps
S.t Maurice-en-Valgodemard
l'Ubac
Navette
Aiguille de Morges
Vallonpiere
Sirac
Beaufin
les Prés-Hauts
l'Esparcelet
la Chaup
St. Baudille-et-Pipet
l'Obiou
Posterle
Monestier-d'Ambel
la Brouce
S.T FIRMIN
le Séchier
la Trinité
S.t Jacques-en-Valgodemard
Ecrins
Tête de Soulaure
les Choucières Vertes
les Auberts
Crête de Dourmillouse
Chauffayer
le Banc du Peyron
Pic de Colle Blanche
Pointes de Rougnoux
Dourmillouse
Tréminis
la Serre
Défilé de la Souloise
S.t Disdier
le Glaizil
les Costes
Molines-en-Champsaur
les Baumes
Grand Ferrand
Truchières
Pouillardenc
S.t Eusèbe-en-Champsaur
la Motte-en-Champsaur
Vieux Chaillol
Méollion
Sommet Drouvet
Grand Pinier
le Collet
Roc Roux
Lacoue
le Villardon
les Fermons
Champoléon
Gorges de Forêts
DEVOLUY
Maubourg
le Noyer
le Villard
Charbillac
les Infournas
Bénévent-et-Charbillac
les Martins
Petit Pinier
Agnières-en-Dévoluy
Lachaup
Villeneuve
S.T ETIENNE-en-Dévoluy
Poligny
S.T BONNET
St-Michel-de-Chaillol
Chaillol
la Coche
les Garnauds
Merlette
Prapic
ORCIÈRES
Archinard
Superdévoly
les Barraques
Daillon
l'Aulagnier-les-Combes
S.t Jean-S.t Nicolas
Serre-Eyraud
Drac Noir
Vachères
Col du Festre
Bec de l'Aigle
l'Enclus
la Fare-en-Cros
S.t Julien-en-Champsaur
Chabottes
Pont du Fossé
Champsaur
Buissard
St. Leger-les-Mélèzes
Grande Autane
les Chabottes
la Cluse
Pic Ponçon
les Farelles
le Villard
Chaudun
le Cros
Forest-St-Julien
le Villard
le Barle
le Mourre Froid
la Serre
Crête des Bergers
Observatoire
Pic de Gleize
S.t Laurent-du-Cros
S.t Hilaire
Ancelle
Tête d'Ere
Pic de Bure
Route Napoléon
Col Bayard
Col de Manse
Château d'Ancelle
Gournier
Pointe de Serre
Montagne Durbonas
Bochaine
Défilé de Potrachon
Tête de Clappe
Chauvet
Col de Moissiere
les Parias
Réallon
les Fontaines
la Rivière
la Rochette
le Collet
Mont Guillaume
la Chau
Montreviol
les Rousses
81
la Montagne
Rabou
le Cuchon
Charance
Romette
Agnielles
Glaise
Montmaur
la Roche-des-Arnauds
Pont-Sarrazin
LA BÂTIE-Neuve
les Borels
les Andrieux
la Blache
le Bourget
S.t Apollinaire
Chérines
Puy-S.t Eusèbe
Château du Terrail
les Pascaux
Séminaire
GAP
Luye
les Césaris
la Bâtie-Vieille
CHORGES
Puy Sanières
Correo
les Santons
Montgardin
Prunières
VEYNES
le Villard
Furmeyer
Rambaud
l'Hermitage
les Emeyères
Massots
Avançon
les Chaussins
les Olliviers
Serre-Ponçon
la Montagne
Manteyer
les Villarons
la Freissinouse
S.te Marguerite
N.-D.-du-Laus
S.t Michel
Chanteloube
SAVINES-le-Lac
Châteauneuf-d'Oze
la Tourronde
Céüze
Gapian
le Fein
les Chappas
Montagne de Céüse
Pelleautier
Jarjayes
S.t Etienne-le-Laus
Vière
Pontis
S.t Auban-d'Oze
Neffes
la Faure
Pic de Morgon
Oze
la Côte-de-Neffes
Valserres
Mont Colombis
Théus
Rousset
le Sauze
l'Adroit-de-Pontis
Cirque du Bragousse
Laric
la Petite Ceüze
Sigoyer
Espréaux
Châteauvieux
Remollon
Espinasses
Lac de Serre-Ponçon
Chabestan
le Saix
S.t Laurent
TALLARD
Barrage de Serre-Ponçon
le Petit Ferrand
Clausonne
Montagne d'Aujour
Esparron
les Combes
Fouillouse
le Banchet
Piégut
Rochebrune
la Bréole
Lautaret
Ubaye
le Sarret
Villelongue
Peyssier
Vitrolles
Lardier-et-Valença
Venterol
la Garde
S.t Vincent-les-Forts
Pont Roman
BARCILLONNETTE
Saulce
Durance
Curbans
Gigors
Bréziers
Champdarène
Chaumenc
l'Eygave
Fermeyer
les Berlies
Risolet
Col S.t Jean
Dormillouse
le Seuil
LE LAUZET-UBAYE
Savournon
les Girards
Plan-de-Vitrolles
Bellaffaire
Col de Garcinets
les Allards
Champanastay
les Arnauds
Col de Faye
Beaujeu
la Curnerie
Faucon-du-Caire
la Frayssinie
TURRIERS
Villaudemard
Montclar
Villette
Hauts-Savornins
Montagne de la Blanche
Rousset
les Dorats
S.t Martin-lès-Seyne
la Chapelle
St-Barthélemy
Montagne de S.t Genis
Malaup
Col des Sagnes
Bois Noir
Crête des Mélèzes
les Rougiers
Selonnet
Pompiéry
Pic de Bernardez
S.t Genis
Colombe
Monêtier-Allemont
les Croix
Faye
Claret
le Caire
Grande Gautière
Astoin
Surville
Chardavon-Bas
-Haut
S.t Pons
l'Ecluse
Ventavon
Lazer
la Serre
Melve
la Médecine
la Haute Combe
Chabanon
SEYNE
le Fau
Eyguians
LA MOTTE-du-Caire
Graves
Bayons
Tête Grosse
Maure
Arzeliers
Brunet
Clamensane
Forest-Lacour
la Rouchaye
Col de Maure
Saléon
Nossage-et-Bénévent
Upaix
Thèze
Sigoyer
Villarnaud
Beauséjour
Sasse
Esparron-la-Bâtie
l'Oratoire
Clot de Bouc
Couloubroux
Sisteron
Sisteron
133
Digne
Grenoble
Grenoble
Nyons
Crest
Sisteron
Grenoble

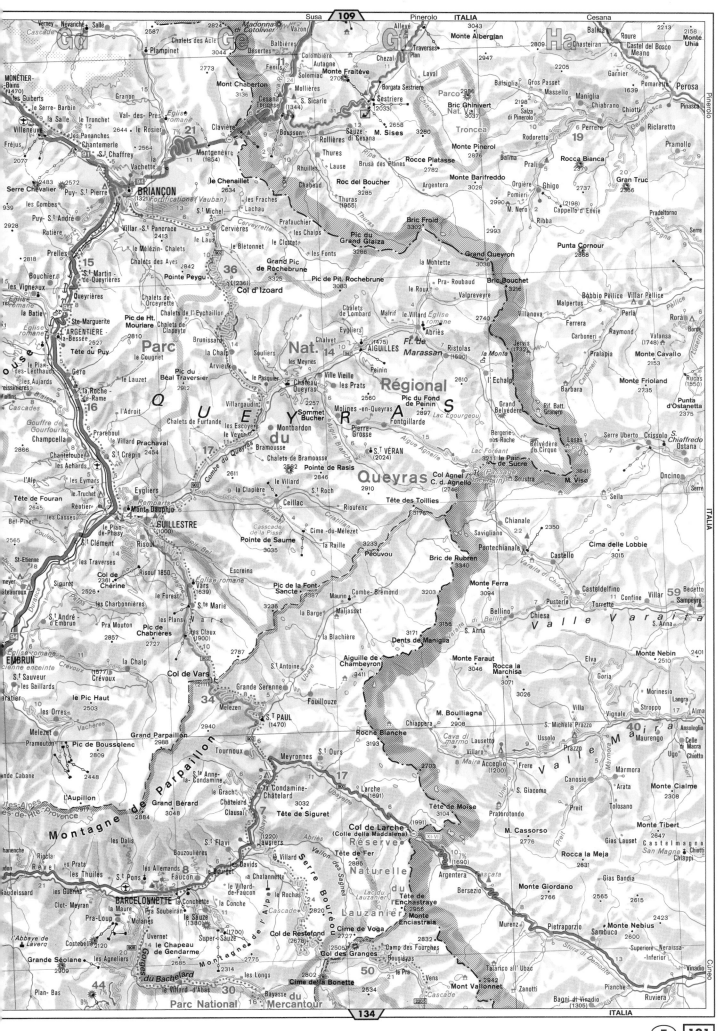

Susa
109
Pinerolo
ITALIA
Cesana
Gd
Ge
Gf
Ha
Madonna di Cotolivier
Monte Albergian
Balma
Roure
Castel del Bosco
Meano
Monte Uhia
Plampinet
Chalets des Acle
Mont Chaberton
Monte Fraitève
Sestriere
Cesana Torinese
Clavière
Montgenèvre
S. Sicario
Bousson
Rollières
Sauze di Cesana
M. Sises
Bric Ghinivert
Parco Nat. Val Troncea
Perosa
Pinasca
Pinerolo
Maniglia
Chiabrano
Perrero
Riclaretto
Pramollo
MONÊTIER-les-Bains
les Guiberts
le Serre-Barbin
la Salle
le Tronchet
Val-des-Près
le Rosier
Villeneuve
les Pananches
Chantemerle
St. Chaffrey
Vachette
BRIANÇON
Fortifications (Vauban)
Serre Chevalier
Puy-St. Pierre
Puy-St. André
Villar-St. Pancrace
Cervières
le Chenaillet
les Fraches
Lachau
St. Michel
Thures
Rhuilles
Lause
Chabaud
Roc del Boucher
Thuras
Rocce Platasse
Monte Pinerol
Monte Barifreddo
Argentera
Prali
Rocca Bianca
Gran Truc
Ghigo
Cappello d'Envie
Bric Froid
Pic du Grand Glaiza
Grand Queyron
Punta Cornour
Prelles
St. Martin-de-Queyrières
le Laus
le Blétonnet
le Clot
les Chalps
les Fonts
Grand Pic de Rochebrune
Pic de Pit. Rochebrune
Pointe Peygu
Col d'Izoard
la Montette
Bric Bouchet
Pra-Roubaud
Valpreveyre
le Roux
Bobbio Pellice
Villar Pellice
Queyrières
la Batie
Ste-Marguerite
L'ARGENTIÈRE-la-Bessée
Tête du Puy
Pic de Ht. Mouriare
Chalets de Clapeyto
Brunissard
Parc
Nat.
Régional
du
Queyras
Q U E Y R A S
la Chalp
Arvieux
Souliers
Chalvet
AIGUILLES
Abriès
Ft. de Marassan
Ristolas
la Monta
Villanova
Jervis
l'Echalp
Ville Vieille
les Prats
Château Queyras
Pic du Béal Traversier
Molines-en-Queyras
Pic du Fond de Peinin
Lac Egourgeou
Fontgillarde
Grand Belvédère
Rif. Batt. Granero
Monte Cavallo
Monte Frioland
Punta d'Ostanetta
Gero
la Roche-de-Rame
Gouffre de Gourfouran
Champcella
Prareboul
le Villard
Prachaval
Villargaudin
Sommet Bucher
Montbardon
Pierre-Grosse
St. VÉRAN
Aigue Agnelle
Bergerie-nos-Roche
Belvédère du Cirque
Serre Uberto
Crissolo
S. Chiaffredo
Ostana
St. Crépin
Bramousse
Chalets de Bramousse
Pointe de Rasis
le Pain de Sucre
Col Agnel / C. d. Agnello
Soustra
M. Viso
Oncino
Eygliers
Mont Dauphin
GUILLESTRE
la Clapière
Ceillac
St. Roch
Tête des Toillies
Chianale
Risoul
St. Clément
Pointe de Saume
Cime-du-Mélezet
la Raille
Péouvou
Bric de Rubren
Pontechianale
Castello
Cima delle Lobbie
Risoul 1850
Col de Chérine
Vars
Escreins
Pic de la Font Sancte
Maurin
Combe-Brémond
Maljasset
Monte Ferra
Casteldelfino
Villar
Sampeyre
Pusterle
Torrette
Bellino
Chiesa
Valle Varaita
St. André d'Embrun
Pra Mouton
Pic de Chabrières
St. Marie
les Claux
la Blachière
Dents de Maniglia
S. Anna
EMBRUN
la Chalp
Crévoux
St. Sauveur
St. Antoine
Aiguille de Chambeyron
Monte Faraut
Rocca la Marchisa
Monte Nebin
Elva
Col de Vars
Grande Serenne
Fouillouze
le Pic Haut
les Orres
Melezen
St. PAUL
M. Bouliagna
Chiappera
S. Michele Prazzo
Stroppo
Grand Parpaillon
Pic de Boussolenc
Tournoux
Roche Blanche
Lausetto
Villaro
Acceglio
Ussolo
Prazzo
Valle Maira
Marmora
Monte Cialme
Meyronnes
St. Ours
Montagne de Parpaillon
Ste Anne-la-Condamine
la Condamine-Châtelard
Larche
Frere
S. Giacomo
Canosio
l'Aupillon
Grand Bérard
Tête de Siguret
Tête de Moïse
Pratorotondo
Montagne
Col de Larche (Colle della Maddalena)
M. Cassorso
Monte Tibert
Castelmagno
San Magno
Jausiers
St. Flavi
Réserve Naturelle du Lauzanier
Tête de Fer
Rocca la Meja
Serre Bouréou
Vallon des Sagnes
Faucon
St. Pons
les Thuiles
Revel
BARCELONNETTE
le Sauze
Super Sauze
Pra-Loup
Argentera
Bersezio
Monte Giordano
Tête de l'Enchastraye
Monte Enciastraia
Cime de Voga
Col de Restefond
Col des Granges
Pietraporzio
Monte Nebius
Sambuco
Murenz
Grande Séolane
le Chapeau de Gendarme
Gorges du Bachelard
Montagne de l'Alpe
Cime de la Bonette
Talarico all'Ubac
Mont Vallonnet
Zanotti
Vinadio
Cuneo
le Villard-d'Abas
Parc National du Mercantour
Bagni di Vinadio
Ruviera
134
ITALIA

Xf　　Ya　　Yb　　Yc　　Yd

84

85

86

87

Golfe de

Gascogne

88

Arnaoutc

Huchet
Pichele

Moliets- Plage
Étang
de Mol

Étang del
Laprade

Messanges-
Plage
Messanges

Vieux-Boucau-
les-Bains

Arènes　Qua
Cah

652
Coud

C. de V.-Boucau

79

8

Etg de
Hardy　Guin
Gaillou- de-
Pountaout

Plage
des Casernes

62

Lac
Bland

le Penon

89

Etg
No

les Estagnots

Seignosse

56

337

Hossegor

Soorts
Hossegor

Hossegor

Saubion

Angresse

33

Capbreton

E 05　44

3　22

Bénesse-M.

Bénesse-
Maremne

36　7

10

Labenne

Orx

8

10

Labenne-
Océan

Labenne

Villena

Ondres-
Plage　Beyres

Lalanne

Ug

Larroque

85

Monchoisi
Lac d Irieu

St-Andr
de-Seign

Ondres
Nord

Ondres
Tarnos

61　St-Martin-
de-Seignanx

2

le Pa

la Barre
Chiberta

5

Castillon

Vincennes

117

Quartier- Neuf

BOUCAU

8

10

Saint Barthéle

Plage Miramar
Grand Plage

ANGLET

Bayonne-
Nord

BAYONNE

Aduor

261

BIARRITZ

Hendaye　Hendaye

136

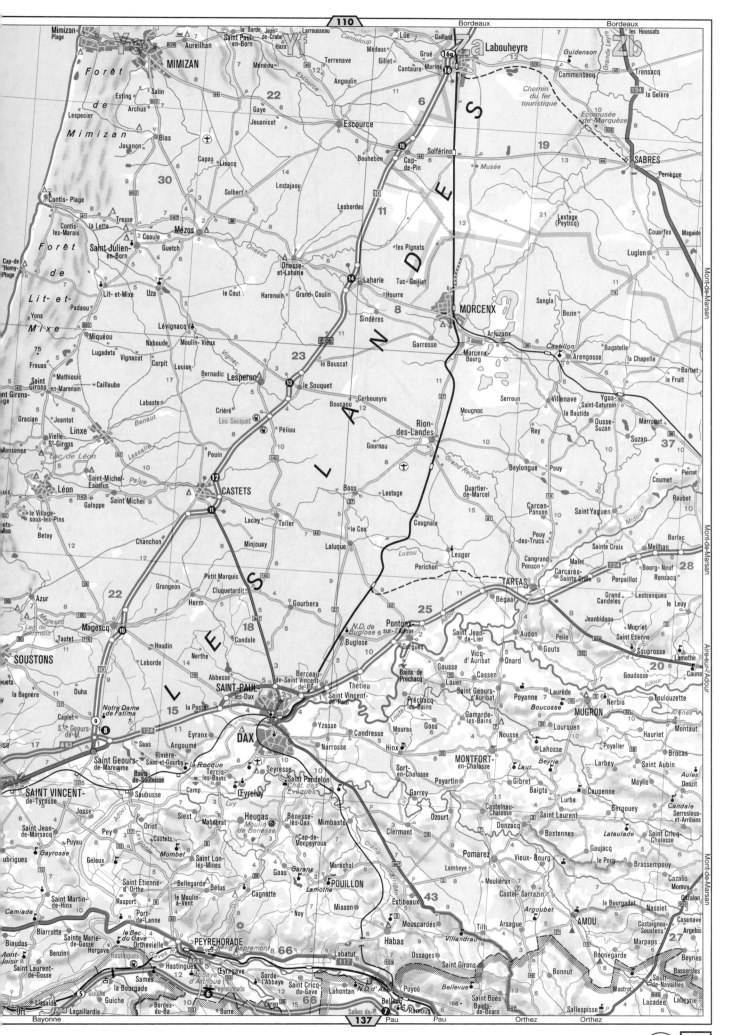
110
Bordeaux
Bordeaux
Mimizan-Plage
Aureilhan
MIMIZAN
Saint Paul-en-Born
Larrousseau
Canteloup
Lüe
Gaillard
Labouheyre
les Houssats
Guidenson
Terrenave
Ménéou
Médous
Gillet
Grué
Cantaure
Mariné
Commensacq
Trensacq
Forêt de Mimizan
Salin
Esting
Archus
Lespecier
Gaye
Jouanicot
Angoulin
Escource
Chemin du fer touristique
Ecomusée de Marquèze
La Gelère
Bias
Jouanon
Capas
Lisacq
Bouheben
Cap-de-Pin
Solférino
Musée
SABRES
Perrègue
Contis-Plage
Salbert
Lestajaou
Lesbordes
Tresse
Contis-les-Marais
la Lette
Caoule
Mézos
Guetch
Saint Julien-en-Born
Lestage (Peyticq)
Couartes
Maguide
Forêt de Lit-et-Mixe
Cap-de-l'Homy-Plage
Onesse-et-Laharie
les Pignats
Laharie
Tuc-Gaillat
Luglon
Lit-et-Mixe
Uza
le Cout
Harenoin
Grand-Coulin
Hourre
Sangla
MORCENX
Bezin
Padaou
Yons
Sindères
Miquéou
Lévignacq
Naboude
Moulin-Vieux
Garrosse
Arjuzanx
Castillon
Bagatelle
Lugadets
Vignacot
Carpit
Louise
le Bouscat
Morcenx-Bourg
Arengosse
la Chapelle
Frouas
Mathiouic
Caillaube
Bernadic
Lesperon
le Souquet
Barbet
le Fruit
Saint-Girons-en-Marensin
Labaste
Cerbouyere
Serroun
Villenave
Ygos-Saint-Saturnin
Boucaou
Mougnoc
Gracian
Jeantot
Criéré
Les Souquet
Péliou
la Bastide
Ousse-Suzan
Marrouat
Linxe
Vielle-St-Girons
Rion-des-Landes
Rey
Suzan
Mansenes
Lac de Léon
Gournau
Pouin
Saint-Michel-Escalus
Grand Retjon
Beylongue
Pouy
Pierrot
Coumet
Léon
Galoppe
Saint Michel
CASTETS
Boos
Lestage
Quartier-de-Marcel
Raubet
le Village-sous-les-Pins
Betoy
Lacay
Taller
le Cos
Cougnala
Carcen-Ponson
Saint Yaguen
Midouze
Pouy-des-Trucs
Barlac
Chanchon
Minjouay
Laluque
Luzou
Lesgor
Perichon
Sainte Croix
Meilhan
Cangrand Ponson
Malet
Carcarès-Sainte Croix
Parpaillot
Bourg-Neuf
Ronsacq
Grangeon
Petit Marquis
Cluquetardit
TARTAS
Bégaar
Azur
Herm
Gourbera
Grand Candeles
Lestronques
le Leuy
Magescq
Lac de Soustons
Tastet
Candale
N.D. de Buglose
Buglose
Pontonx-sur-l'Adour
Gurgues
Saint Jean-de-Lier
Audon
Jeanbidaou
Mugriet
Saint Etienne
Souprosse
Lamothe
Cauna
SOUSTONS
Houdin
Leborde
Nerthe
Abbesse
Vicq-d'Auribat
Onard
Gouts
Pelin
Goudosse
Adour
Bains de Préchacq
Gousse
Louer
Cassen
la Bagnère
Duha
SAINT-PAUL-lès-Dax
Berceau-de-Saint Vincent-de-Paul
Thétieu
Saint Vincent-de-Paul
Saint Geours-d'Auribat
Poyanne
Laurède
Nerbis
Toulouzette
Notre Dame de Fatima
la Poste
Préchacq-les-Bains
Boucosse
MUGRON
Caplet
St Geours-de-M.
Eyranx
DAX
Yzosse
Gamarde-les-Bains
Goos
Mouras
Lourquen
Nousse
Montaut
Hauriet
Saas
Angoumé
Candresse
Narrosse
Hinx
Lahosse
Poyaller
Brocas
Saint Geours-de-Maremne
Rivière-Saas-et-Gourby
la Rocque
Tercis-les-Bains
Seyresse
MONTFORT-en-Chalosse
Laur
Beyrie
Larbey
Saint Aubin
Aules
Bains-de-Saubusse
Saint Pandelon
Chât. des Evêques
Sort-en-Chalosse
Poyartin
Gibret
Baigts
Maylis
Doazit
SAINT VINCENT-de-Tyrosse
Saubusse
Camp
Œyreluy
Garrey
Caupenne
Lurbe
Candale
Serreslous-et-Arribans
Josse
Luy
Castelnau-Chalosse
Saint Laurent
Bergouey
Saint Jean-de-Marsacq
Siest
Mahourat
Heugas
Moulin de Benesse
Bénesse-lès-Dax
Mimbaste
Ozourt
Donzacq
Puyau
Pey
Orist
Castets
Cap-de-Monpeyroux
Clermont
Bastennes
Lataulade
Saint Cricq-Chalosse
Gayrosse
Mombet
Gaujacq
Subrigues
Géloux
Saint Lon-les-Mines
Pomarez
Vieux-Bourg
le Pouy
Brassempouy
Maréchal
Gaas
Garanx
Lembeye
Cazalis
Saint Etienne-d'Orthe
Bellegarde
Bélus
Cagnotte
POUILLON
Lamothe
Mouliéron
Momuy
Saint Martin-de-Hinx
Rasport
le Moulin-à-Vent
Castel-Sarrazin
Nassiet
Camiade
Port-de-Lanne
Noy
Misson
Estibeaux
Arrigan
le Bourgadot
Argoubet
Casenave
Biarrotte
Mouscardès
Tilh
Arsague
AMOU
Argelos
Castaignos-Souslens
Biaudos
Sainte Marie-de-Gosse
le Bec du Gave
Orthevielle
Horgave
PEYREHORADE
Chât d'Aspremont
Habas
Villandrau
Marpaps
Mont-laisir
Benzin
Hastingues
Gaves Réunis
Labatut
Ossages
Bonnegarde
Beyries
Saint Laurent-de-Gosse
Œyregave
Sorde-l'Abbaye
Saint Girons
Bonnut
Bassercles
Sames
Abbaye d'Arthous
Saint Cricq-du-Gave
N.D. d'Abet
Puyoô
Bellevue
Mastrot
Sault-de-Navailles
la Bourgade
Guiche
Lahontan
Lissalde
Lagaillardie
Bordes-du-Ba
Burre
Caren
Bellocq
Ramous
Saint Boès
Baigts-de-Béarn
Sallespisse
Lacadée
Labeyrie
Bayonne
Salies-de-B.
137
Pau
Pau
Orthez
Orthez
Mont-de-Marsan
Mont-de-Marsan
Aire-sur-l'Adour
Mont-de-Marsan
LANDES
LES LANDES

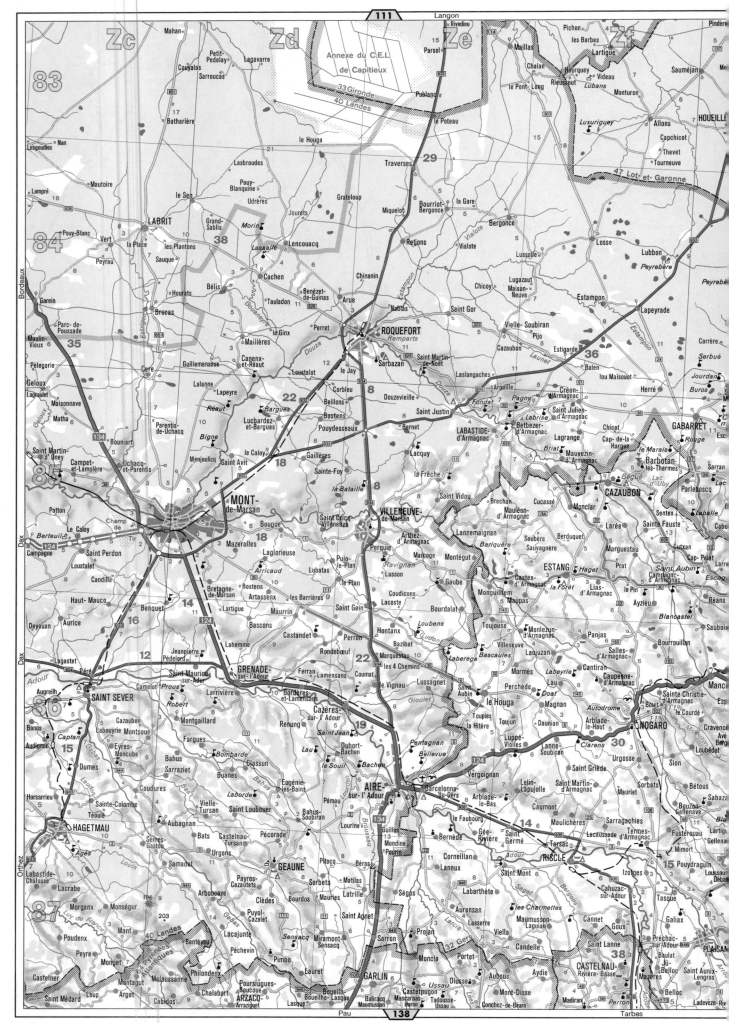

111
Langon
Zc
Zd
Ze
Zf
83
84
85
86
87
Annexe du C.E.L. de Capitieux
33 Gironde
40 Landes
47 Lot-et-Garonne
32 Gers
64 Pyrénées Atlantiques
Mahan
Petit-Pedelay
Lagavarre
Couyalas
Sarroucas
Batharière
Rivedieu
Parsol
Publanc
le Poteau
Maillas
Chalan
le Pont-Long
Hourquey
Rieussout
Videau
Lubans
Pichon
les Barbes
Lartigue
Pinder
Sauméjan
Monturon
Luxuriguey
Allons
HOUEILLÈS
Capchicot
Thevet
Tourneuve
Lesgoudies
Nan
le Houga
Lasbroudes
Traverses
Mautoire
Lompré
Pouy-Blanquine
Udrères
le Sen
Grateloup
Miquelot
Bourriot-Bergonce
la Gare
Bergonce
LABRIT
Grand-Sablis
Morin
Jourets
Pouy-Blanc
Vert
la Place
les Plantons
Sauque
Peyrau
Lassalle
Lencouacq
Retjons
Vialote
Losse
Lubbon
Peyrebère
Cachen
Chinanin
Lussolle
Bélis
Hourats
Tauladon
Benézet-de-Guinas
Arue
Chicoy
Lugazaut
Maison-Neuve
Estampon
Lapeyrade
Garein
Brocas
Nabias
Saint Gor
Parc-de-Poussade
Moulin-Vieux
Maillères
le Ginx
Perret
ROQUEFORT
Remparts
Vielle-Soubiran
Pijo
Cazaubon
Estigarde
Carrère
Pelegarie
Canenx-et-Réaut
Sarbazan
Saint Martin-de-Noët
Balen
lou Maisouot
Serbué
Cere
Guillemensous
Loustalot
le Jay
Laslangaches
Jourdan
Geloux
Lagraulet
Lalanne
Lapeyre
Corbleu
Arouille
Créon-d'Armagnac
Herré
Buros
Maisonnave
Réaut
Beillons
Douzevieille
Fondat
Pagny
Matha
Lucbardez-et-Bargues
Bostens
Saint Justin
Labrise
Saint Julien-d'Armagnac
Parentis-de-Uchacq
Bigne
Pouydesseaux
Bernet
LABASTIDE-d'Armagnac
Betbezer-d'Armagnac
Chicot
GABARRET
Bouniart
Rouge
Saint Martin-d'Oney
Campet-et-Lamolère
Uchacq-et-Parentis
Menjoulicq
le Caloy
Gaillères
Lacquy
Lagrange
Briat
Mauvezin-d'Armagnac
Cap-de-la-Hargue
le Marais
Barbotan-les-Thermes
Sarran
Saint Avit
Sainte-Foy
la Frêche
Lac d'Uby
Parleboscq
la Bataille
MONT-de-Marsan
Saint Vidou
Brechan
Mauléon-d'Armagnac
Cucassé
Monclar
CAZAUBON
Patton
VILLENEUVE-de-Marsan
Saint Cricq-Villeneuve
Sentex
Laballe
Berteuil
Le Caloy
Champ de Tir
Bougue
Lannemaignan
Larée
Sainte Fauste
Campagne
Saint Perdon
Mazerolles
Arthez-d'Armagnac
Soubère
Berduquet
Bariquère
Sauvagnère
Marguestau
Cutxan
Loustalet
Laglorieuse
Perquie
Marcoge
Montégut
Cap-Pelat
Arricaud
Lubatas
Pujo-le-Plan
Ravignan
ESTANG
Haget
Prat
Saint Aubin
Campagne-d'Armagnac
Candille
Bostens
Lusson
Castex-d'Armagnac
Bretagne-de-Marsan
Artassenx
les Barrières
le Plan
Gaube
la Forêt
Lias-d'Armagnac
le Pin
Ayzieu
Réans
Haut-Mauco
Benquet
Coudicons
Lacoste
Monguilhem
Maupas
Lartigue
Saint Gein
Bourdalat
Blancastel
Deyouan
Aurice
Mauvrin
Bascons
Loubens
Toujouse
Monlezun-d'Armagnac
Sauboi
Castandet
Perron
Hontanx
Ludon
Panjas
Bourrouillan
Lahemme
Rondebœuf
Bazibat
Villeneuve
Laujuzan
Salles-d'Armagnac
Jeanpierre
Pédelord
Laberege
Bascaules
Lagastet
GRENADE-sur-l'Adour
Marquestau
les 4 Chemins
Mormès
Cantiran
Caupenne-d'Armagnac
Péré
Ferran
Lamensans
Coumat
Labeyrie
Adour
Saint Maurice-sur-Adur
le Vignau
Lussagnet
Lau
Augreilh
Camelot
Prous
Larrivière
Bordères-et-Lamensans
Saint Aubin
Perchède
Doat
Saint Christie-d'Armagnac
Bouit
SAINT SEVER
Robert
Gioulet
le Houga
Magnan
Autodrome
le Courdé
Cazaubon
Labouyrie
Montsoué
Montgaillard
Cazères-sur-l'Adour
Toupies
la Hitère
Toujun
Daunian
Arblade-le-Haut
NOGARO
Crayencères
Banos
Captan
Renung
Saint Jean
Lupé-Violles
Lanne-Soubiran
Clarens
Aubedat
Audignon
Fargues
Eyres-Moncube
Bombarde
Lau
Duhort-Bachen
Pentagnan
Bellevue
Urgosse
Sion
Dumes
Bahus
Sarraziet
Classun
le Souil
Bachen
Vergoignan
Saint Griède
Sorbets
Bétous
Buanes
Eugénie-les-Bains
AIRE-sur-l'Adour
Barcelonne-du-Gers
Arblade-le-Bas
Lelin-Lapujolle
Saint Martin-d'Armagnac
Mauriet
Sabazan
Horsarrieu
Coudures
Laborde
Pémau
Caumont
Bouzon-Gellenave
Sainte-Colombe
Vielle-Tursan
Saint Loubouer
Bahus-Soubiran
Lourine
le Faubourg
Maulichères
Sarragachies
Termes-d'Armagnac
Fustérouau
Téoulé
HAGETMAU
Aubagnan
Bats
Castelnau-Tursan
Pécorade
Guillon
Mondine
Pourin
Bernède
Gée-Rivière
Saint Germé
Tarsac
Lacaussade
Mimort
Gellenave
Serres-Gaston
Agès
Urgons
Corneillan
RISCLE
Pouydraguin
Samadet
GEAUNE
Pitocq
Béros
Lannux
Saint Mont
Izotges
Loussous-Debat
Labastide-Chalosse
Payros-Cazautets
Sorbets
Matilas
Cahuzac-sur-Adour
Lacrabe
Arboucave
Clèdes
Bourdos
Mauries
Latrille
Ségos
Labarthète
Tasque
Morganx
Monségur
Puyol-Cazalet
Saint Agnet
Aurensan
les Charmettes
Cannet
Galiax
Luy de France
Lacajunte
Lasserre
Maumusson-Laguian
Viella
Goux
Mant
Sensacq
Miramont-Sensacq
Sarron
Projan
Préchac-sur-Adour
Poudenx
Bentéyou
Péchevin
Candelle
Saint Lanne
PLAISANCE
Peyre
Monget
Pimbo
Moncla
Portet
Baulat
Jû-Belloc
Philondenx
Lauret
GARLIN
CASTELNAU-Rivière-Basse
Castelner
Montagut
Malaussanne
Poursiugues-Boucoue
Ussau
Aubous
Aydie
Mazères
Saint Aunix-Lengros
Saint Médard
Loup
Arget
Cabidos
Chalabart
ARZACQ-Arraziguet
Boueilh
Boueilho-Lasque
Lasque
Castetpugon
Diusse
Mont-Disse
Madiran
Perron
Belloc
Baliracq-Maumusson
Mascaraas-Haron
Tadousse-Ussau
Conchez-de-Béarn
Ladevèze-Rivière
Pau
138
Tarbes
Bordeaux
Dax
Orthez

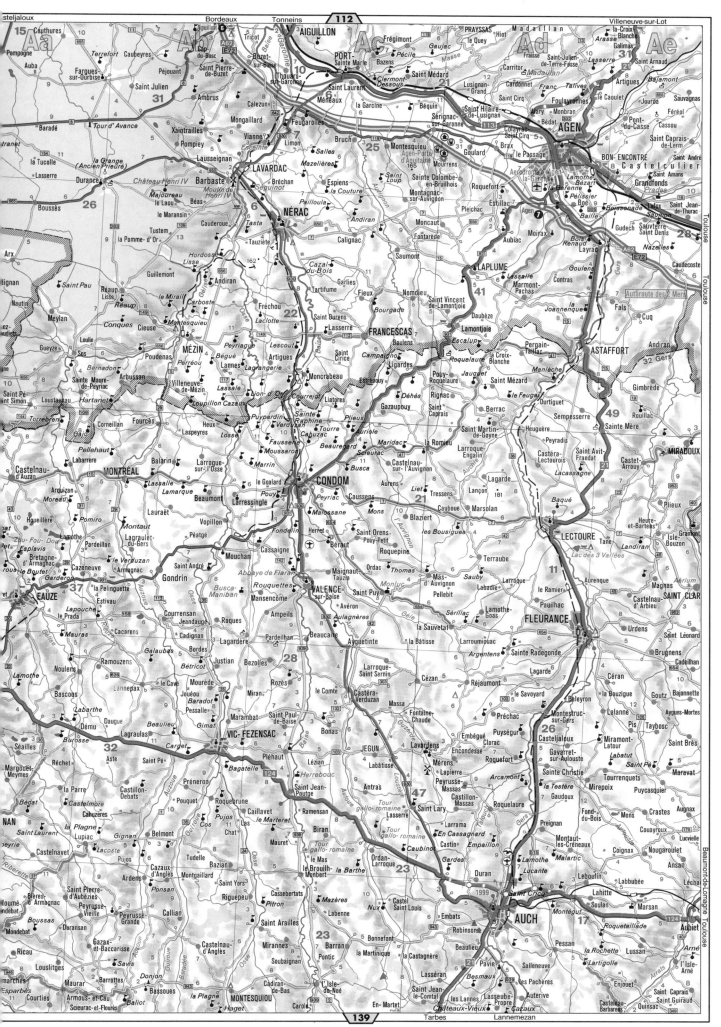
Casteljaloux
Bordeaux
Tonneins
112
Villeneuve-sur-Lot
Aa
Ab
Ac
Ad
Ae
Couthures
Pompogne
Auba
Terrefort
Caubeyres
Fargues-sur-Ourbise
Pujouant
Saint Julien
Aiguillon
Cap-du-Bosc
Saint Pierre-de-Buzet
Tricot
Buzet-sur-Baïse
AIGUILLON
PORT-Sainte Marie
Thouars-sur-Garonne
Bazens
Frégimont
Pécile
Clermont-Dessous
Saint Médard
Gaujac
Masse
PRAYSSAS
le Quey
Hiot
Madaillan
Fraisse
Saint-Julien-de-Terre-Fosse
Lasserre
Arasse
la-Croix-Blanche
Galimas
Saint Arnaud
Artigues
Bajamont
Carritor
Cardonnet
Lusignan-Grand
Franc
Talives
le Caoulet
Sauvagnas
Jourda
Féréol
Saint Cirq
Foulayronnes
Alary
Monbran
Bédat
Pont-du-Casse
Cassou
Saint Caprais-de-Lerm
Saint Hilaire-de-Lusignan
Sérignac-sur-Garonne
Colayrac-Saint Cirq
AGEN
Brax
le Passage
BON-ENCONTRE
Castelculier
Saint André
Saint Amans
Grandfonds
Prades
Ambrus
Calezun
Mongaillard
Saint Laurent
Méneaux
la Garcine
Béquin
Feugarolles
Vianne
Enceinte
Limon
Bruch
Salles
Montesquieu
Agen-Porte d'Aquitaine
Mourrens
Goulard
Sainte Colombe-en-Bruilhois
Roquefort
Estillac
Aérodrome d'Agen-la-Garenne
la Garenne
Lamothe-Bézart
Pélissier
Boé
Baille
Boissonade
Saumon
Lafox
Saint Jean-de-Thurac
Sauvterre-Saint Denis
Gudech
Nazelles
Toulouse
Baradé
Tour d'Avance
Xaintrailles
Pompiey
la Tucolle
Lasserre
la Grange (Ancien Prieuré)
Lausseignan
Durance
Château Henri IV
Barbaste
Moulin de Henri IV
Majoureau
le Laou
Béas
LAVARDAC
Bréchan
Séguinot
Mazelières
Espiens
la Couture
Saint Loup
Montagnac-sur-Auvignon
Pleichac
Agen
Moirax
Aubiac
Bois Renaud
Layrac
Boussès
le Maransin
Pailloula
NÉRAC
Andiran
Moncaut
Fontarède
Tustem
Cauderoue
Tasta
Tauziète
Calignac
la Pomme-d'Or
Hordosse
Lisse
Guillemont
Arx
Saumont
LAPLUME
Lassalle
Marmont-Pachas
Goulens
Contras
Caudecoste
Autoroute des 2 Mers
Cazal-du-Bois
Garlies
Tartifume
Fieux
Nomdieu
Saint Vincent de-Lamontjoie
Saint Pau
Réaup-Lisse
Réaup
le Mirail
Carboste
Andiran
Fréchou
Laclotte
Saint Burens
Bourgade
Daubèze
la Joannenque
Fals
Cuq
Meylan
Conques
Cieuse
Montesquieu
Lasserre
FRANCESCAS
Baulens
Lamontjoie
Loulie
Gueyze
Sos
Poudenas
MÉZIN
Peyriague
Lescout
Artigues
Saint Cirice
Campagno
Escalup
Pergain-Taillac
ASTAFFORT
Andiran
Bernadon
Perréou
Bégué
Lannes
Lagrangerie
Ligardes
Roquelaure
la Croix-Blanche
Manlèche
Sainte Maure-de-Peyriac
Arbussan
Villeneuve-de-Mézin
Lassale
Moncrabeau
Estrépouy
Pouy-Roquelaure
Jauguet
Saint Mézard
Gimbrède
Saint Pé-Saint Simon
Loustaunau
Hartanet
Loupillon
Cazaux
Lion-d'Or
Courrejot
Liatores
Déhés
Rignac
le Feugas
Ourtiguet
Torrebren
Corneillan
Fourcès
Heux
Puypardin
Sainte Raphine
Verduzan
Plieux
Gazaupouy
Saint Caprais
Berrac
Sempesserre
Rouillac
Gajo
Laspeyres
Losse
Cabuzac
Tourre
Auriole
Saint Martin-de-Goyne
Heuguère
Sainte Mère
Pellehaut
Labarrere
Fausserie
Moussaron
Beauregard
Maridac
Scieurac
la Romieu
Peyradis
Larroque-Engalin
Castéra-Lectourois
Saint Avit-Frandat
MIRADOUX
Balarin
Larroque-sur-l'Osse
Marrin
Busca
Castelnau-sur-l'Auvignon
Lacassagne
Castet-Arrouy
Castelnau-d'Auzan
MONTRÉAL
Lassalle
le Goalard
CONDOM
Aurens
Liet
Tressens
Lagarde
Arquizan
Moreau
Lamarque
Beaumont
Larressingle
Pouy
Peyriac
Caussens
Lançon
Mons
Marsolan
Cauboue
Baqué
Plieux
Houeillère
Pomiro
Lauraët
Malossane
Blaziert
Heure-et-Bartens
Montaut
Vopillon
Fondelin
Herret
Saint Orens-Pouy-Petit
les Bousigues
LECTOURE
Tane
Landiran
Gramont
l'Isle-Bouzon
Zou-Fou-Dou
Lamothe
Lagraulet-du-Gers
Péatgé
Béraut
Roquepine
Esplavis
Pardeillan
Cassaigne
Mouchan
Lac des 3 Vallées
Bretagne-d'Armagnac
le Verduzan
Terraube
le Boutet
Cazeneuve
Garderon
Armagnac
Saint André
Abbaye de Flaran
Maignaut-Tauzia
Ordac
Thomas
Mas-d'Auvignon
Sauby
Larroque
Labadie
Aurenque
Magnas
Aérium
EAUZE
la Pelinguette
Gondrin
Rouquettes
VALENCE-sur-Baïse
Busca-Maniban
Mansencôme
Saint Puy
Monluc
Pellebit
le Ramier
Pauilhac
Castelnau-d'Arbieu
SAINT CLAR
Estivau
Lapouche
le Prada
Courrensan
Jeandaugé
Aveiron
Ampeils
Aulagnères
Sérillac
Lamothe-Goas
FLEURANCE
Urdens
Mauras
Cacarens
Cadignan
Roques
Beaucaire
la Sauvetat
Larroumiouac
Saint Léonard
Galaubas
Bordes
Lagardère
Pardeilhan
Ayguetinte
la Bâtisse
Argentens
Sainte Radegonde
Brugnens
Noulens
Ramouzens
Bétricot
Justian
Bezolles
Larroque-Saint Sernin
Cadeilhan
Lamothe
Le Cavé
Mourède
Lannepax
Rozès
Cézan
Réjaumont
Lagarde
Céran
Bascous
Jouéou
Baradot
Miran
le Comte
Castéra-Verduzan
Massa
le Savoyard
Baleyron
la Bouzigue
Goutz
Bajonnette
Labarthe
Pessalle
Marambat
Saint Paul-de-Baïse
Fontaine-Chaude
Préchac
Montestruc-sur-Gers
Lalanne
Aygues-Mortes
Dému
Daugue
Beaulieu
Gimat
Bonas
Puységur
Pis
Taybosc
Burosse
Lagraulas
VIC-FEZENSAC
JEGUN
Lavardens
Embégué
Clarac
Castéjaloux
Miramont-Latour
Saint Brès
Séailles
Carget
Aste
Saint Pé
Encondesse
Roquefort
Gavarret-sur-Aulouste
Labatut
Saint Pé
Maravat
Réchet
Pléhaut
Lézian
Labâtisse
Mérens
Lapierre
Sainte Christie
Margouët-Meymes
Bagatelle
Herrebouc
Peyrusse-Massas
Arcamont
Tourrenquets
la Parre
Préneron
Castillon-Debats
Saint Jean-Poutge
Antras
Castillon-Massas
la Testère
Mirepoix
Puycasquier
Bédat
Castelmore
Pouquet
Roquebrune
Tour gallo-romaine
Saint Lary
Roquelaure
Gaudoux
Cahuzères
Caillavet
Ramensan
Lasserre
Fond-du-Bois
Crastes
Augnax
NAN
la Plagne
Pujos
le Marteret
Larrama
Preignan
Mons
Saint Laurent
Lupiac
Gignan
Belmont
Cos
Chat
Biran
En Cassagnard
Empaillon
Montaut-les-Créneaux
Couayroux
Lucvielle
Castelnavet
Lacoste
Mauret
Castin
Coignax
Nougaroulet
Pujos
Tudelle
Bazian
le Mas
Caubinol
Gardes
Lamothe
Malartic
Ansan
Cazaux-d'Anglès
le Brouilh-Monbert
la Barthe
Ordan-Larroque
Lucante
Ardens
Montgaillard
Duran
Leboulin
Labbubée
Léchat
Saint Pierre-d'Aubézies
Ponsan
Saint Yors
Saint Cricq
Lahitte
Bières-d'Armagnac
Peyrusse-Vieille
Cassebertats
Mazères
Castel Saint Louis
Soulan
Marsan
Peyrusse-Grande
Riguepeu
Pitron
Nux
Embats
AUCH
Montégut
Aubiet
Boussas
Callian
Labenne
Robinson
Roquetaillade
Duransan
Saint Arailles
Pessan
Mondebat
Gazax-et-Baccarisse
Castelnau-d'Anglès
Mirannes
Bonnefont
Barran
la Martinique
la Castagnère
Beaulieu
la Rochette
Lussan
Arné
Ricau
Savis
Soubaignan
Pontic
Pavie
Salleneuve
Lartigolle
l'Isle-Arné
Louslitges
Donjon
Lasséran
Besmaux
les Pachères
Enjouet
Maurar
Barrottes
Cadiran-de-Bas
l'Isle-de-Noé
Saint Jean-le-Comtal
Auterive
Saint Caprais
Esparbès
Courties
Armous-et-Cau
Bassoues
la Plagne
MONTESQUIOU
les Lannes
Lasseube-Propre
Saint Guiraud
Scieurac-et-Flourès
Baliot
Haget
Carole
En-Martet
Châteaux-Vieux
Cazaux
Castelnau-Barbarens
Quinsac
139
Tarbes
Lannemezan
Beaumont-de-Lomagne Toulouse

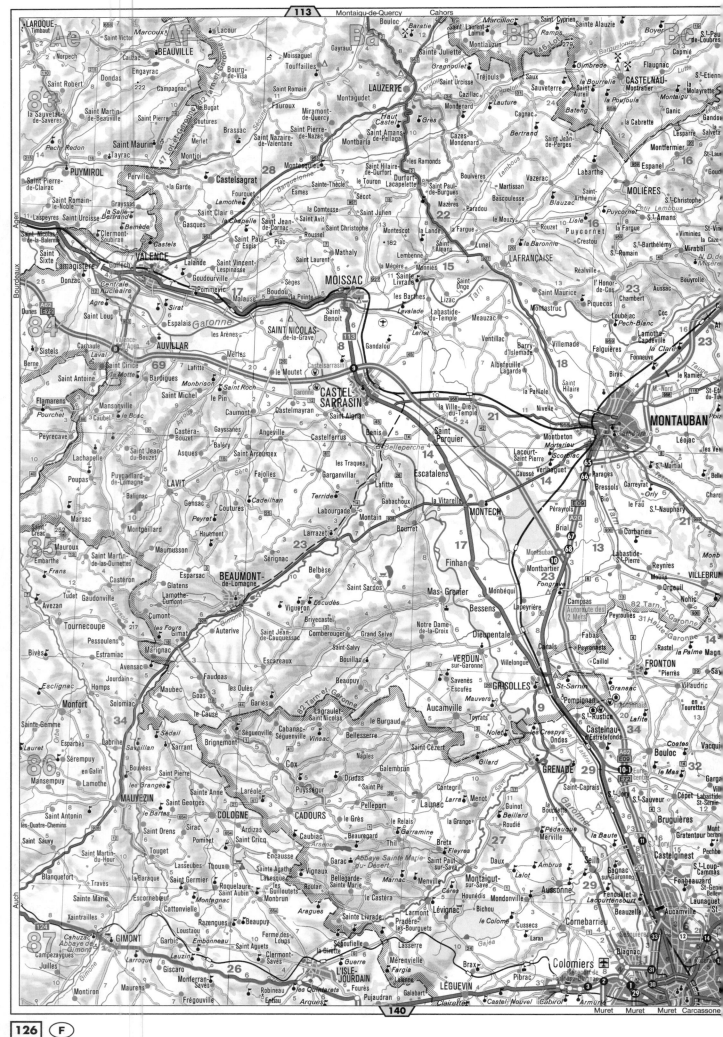
113
Montaigu-de-Quercy
Cahors
Ae
Af
Ba
Bb
Bc
83
84
85
86
87
LAROQUE-Timbaut
Saint Victor
Marcoux
Lacour
BEAUVILLE
Cauzac
Norpech
Dondas
Engayrac
Saint Robert
Campagnac
82 Tarn-et-Garonne
47 Lot-et-Garonne
la Sauvetat-de-Savères
Saint Martin-de-Beauville
Saint Pierre
de Bugat
Coutures
Merlet
Pech Redon
Saint Maurin
Tayrac
Montjoi
PUYMIROL
Saint Pierre-de-Clairac
Perville
Castelsagrat
Saint Romain-le-Noble
la Garde
Grayssas
Laspeyres
Saint Urcisse
la Salle-Bertrand
Bemède
Clermont-Soubiran
Castels
Agen
Saint Nicolas-de-la-Balerme
Saint Sixte
Lamagistère
Golfech
VALENCE
Donzac
Centrale nucléaire
Dunes
Bourdeaux
Agre
Saint Loup
Espalais
Garonne
Sirat
Sistels
Carhaule
Laval
Valence-d'Agen
AUVILLAR
Berne
Saint Cirice
la Motte
Saint Antoine
Bardigues
Flamarens
Pourchet
Mansonville
Caubel
le Bosc
Saint Michel
Peyrecave
Castéra-Bouzet
Saint Jean-du-Bouzet
Lachapelle
Poupas
Puygaillard-de-Lomagne
LAVIT
Balignac
Gensac
Marsac
Montgaillard
Saint Créac
Mauroux
Embarthe
Saint Martin-de-las-Oumettes
Frans
Castéron
Tudet
Gaudonville
Avezan
Tournecoupe
Bivès
Pessoulens
Estramiac
Avensac
Jourdain
Homps
Esclignac
Monfort
Solomiac
Sainte-Gemme
Lauret
Esparbès
Sérempuy
en Galin
Mansempuy
Lamothe
MAUVEZIN
Saint Antonin
les-Quatre-Chemins
Saint Sauvy
Saint Martin-du-Hour
Blanquefort
Travès
Sainte Marie
Xaintrailles
Cahuzac
Abbaye de Gimont
GIMONT
Campezayques
Juilles
Montiron
Maurens
Frégouville
Bouloc
Baratie
Saint Laurent-Lolmie
Marcillac
Saint Cyprien
Sainte Alauzie
Ramps
Montlauzun
Boyer
Gayraud
Sainte Juliette
Moissaguel
Touffailles
Bourg-de-Visa
Gragnoulet
Tréjouls
Saint Urcisse
Saux
Sauveterre
Gimbrede
la Bourrelie
CASTELNAU-Montratier
Flaugnac
Saint Aureil
Lauture
Cazillac
Saint Romain
LAUZERTE
Montagudet
Fauroux
Miramont-de-Quercy
Mondenard
Cagnac
Bateng
la Pourjoula
Montaigu
Ganic
la Cabrette
Haut Castel
Grès
Brassac
Saint Nazaire-de-Valentane
Saint Pierre-de-Nazac
Montbarla
Saint Amans-de-Pellagal
Cazes-Mondenard
Bertrand
Saint Jean-de-Perges
Montfermier
Lesparre
Montesquieu
Saint Hilaire-de-Durfort
Durfort-Lacapelette
les Ramonds
Boulvères
Vazerac
Labarthe
Espanel
MOLIÈRES
Fourquet
Esmes
Sainte-Thècle
le Touron
Saint Paul-de-Burgues
Martissan
Bascoulesse
Blauzac
Saint-Arthémie
Lamothe
Sécot
Mazères
Paradou
la Comtesse
Saint Avit
Saint Julien
Saint Clair
la Chapelle
Saint Jean-de-Cornac
Gasques
Saint Christophe
Montescot
la Lande
la Fargue
le Mouzy
Lisle
Puycornet
Rouzet
Crestou
la Fargue
Roussel
Saint Paul-d'Espis
Piac
Mathaly
Saint Amans
Lunel
la Baronnie
LAFRANÇAISE
Saint-Romain
Mirabel
Saint Laurent
Lalande
Saint Vincent-Lespinasse
Goudourville
Lembenne
la Mégère
Monniés
Sainte Livrade
Saint Onge
Réalville
Sèges
MOISSAC
Pommevic
Malause
Boudou
la Pointe
les Barthes
Lizac
Tarn
Saint Maurice
l'Honor-de-Cos
Chambert
Aussac
Bouyrolle
Piquecos
Saint Benoit
Lavalade
Labastide-du-Temple
Meauzac
Montastruc
Loubéjac
Pech-Blanc
Cos
les Arènes
SAINT NICOLAS-de-la-Grave
Lerlet
Ventillac
Gandalou
Barry-d'Islemade
Villemade
Falguières
Lamothe-Capdeville
la Clare
Merles
Lafitte
le Moutet
Castelsarrasin
Albefeuille-Lagarde
Birac
Fonneuve
le Ramier
Monbrison
Saint Roch
CASTEL-SARRASIN
Saint Hilaire
la Paillole
Nivelle
le Pin
Caumont
Castelmayran
Saint Aignan
la Ville-Dieu-du-Temple
MONTAUBAN
Cathédrale
Léojac
Gayssanès
Angeville
Castelferrus
Benis
Saint Porquier
Montbeton
Mortarieu
Baléry
Asques
Saint Arroumex
Belleperche
Lacourt-Saint Pierre
Scorbiac
Saint-Martial
Sère
Fajolles
les Traques
Garganvillar
Escatalens
Caussé
Verlhaguet
Parages
Bressols
Carreyrat
Orly
Cadeilhan
Terride
Lafitte
Gabachoux
la Vitarelle
MONTECH
Pérayrols
le Fau
Saint-Nauphary
Coutures
Peyret
Labourgade
Montain
Bourret
Brial
Corbarieu
Hautmont
Larrazet
Sérignac
Finhan
Montbartier
Labastide-Saint-Pierre
Reynies
Maumusson
Esparsac
Glatens
BEAUMONT-de-Lomagne
Belbèse
Saint Sardos
Mas-Grenier
Monbéqui
Fongrave
Orgueil
Nohic
Lamothe-Cumont
Cumont
Vigueron
Escudès
Bessens
Lapeyrière
Campsas
Autoroute des 2 Mers
Peyroulies
31 Haute-Garonne
Gimone
Brivecastel
Comberouger
Grand Selve
Notre Dame-de-la-Croix
Dieupentale
Fabas
les Fours
Gimat
Auterive
Saint Jean-de-Cauquessac
Saint-Salvy
Canals
Rastel
la Palme
Marignac
Escazeaux
Bouillac
VERDUN-sur-Garonne
Villelongue
Caillol
FRONTON
Pierres
Faudoas
Beaupuy
Savenès
Escufès
GRISOLLES
St-Sarnin
Gransac
Villaudric
Maubec
Goas
les Oulès
Gariès
Mauvers
Pompignan
Frontonnais
le Causé
Lagraulet-Saint Nicolas
le Burgaud
Aucamville
Toyrats
St-Rustice
Lafite
Sédail
Séguenville
Cabanac-Séguenville
Vinsac
Bellesserre
Nolet
les Crespys
Castelnau-d'Estrétefonds
Ondes
Savaillan
Sarrant
Brignemont
Saint Cézert
Costes
Bouloc
Naples
Gilard
Cox
Galembrun
GRENADE
Bouvées
Saint Pierre
Drudas
Saint Pé
Cantegril
Saint-Caprais
le Mas
les Granges
Sainte Anne
Laréole
Puysségur
Pelleport
Launac
Larra
Menot
St-Jory
St-Sauveur
Cépet
Saint Georges
le Bartas
COLOGNE
CADOURS
Guinot
Beillard
la Bourdette
Bruguières
Sirac
Ardizas
le Grès
le Relais
la Grange
Roudié
Saint Orens
Pominet
Saint Cricq
Caubiac
Beauregard
Thil
Garramine
Pédauque
Merville
la Baute
Gratentour
Touget
Arsène
Encausse
Abbaye Sainte Marie-du-Désert
Bretx
Fleyres
Castelginest
Lasseubes
Thoux
Sainte Agathe
Labesque
Vignaux
Garac
Saint Paul-sur-Save
Daux
Ambrus
Seilh
Gagnac-sur-Garonne
Saint Germier
Roquelaure-Saint Aubin
les Guilloutets
Roulan
Bellegarde-Sainte Marie
Marnac
Menville
Montaigut-sur-Save
Lalot
Fonbeauzard
Escornebœuf
Montagnac
Monbrun
le Castéra
Cères
Hounédis
Mondonville
Aussonne
Fenouillet
Lacourtensourt
Cattonvielle
Aragues
Larmont
Lévignac
Bichou
Beauzelle
Aucamville
Loustau
Razengues
Beaupuy
Sainte Livrade
Pradère-les-Bourguets
le Colomé
Cornebarrieu
Garbic
Embonneau
Ferme des Loups
Saint Aguets
Ségoufielle
Lasserre
Cussecs
Laran
Lauzin
Larroque
la Girette
Guerre
Mérenville
Gajéa
Blagnac
Giscaro
Clermont-Savès
L'ISLE-JOURDAIN
Fargia
Brax
Pibrac
Colomiers
Monferran-Savès
Labenne
Robineau
Enfau
les Quintarets
Fourès
Pujaudran
Galabart
LÉGUEVIN
Castel-Nouvel
Cabirol
Armurie
Arques
Clairette
140
Muret
Muret
Muret
Carcassonne

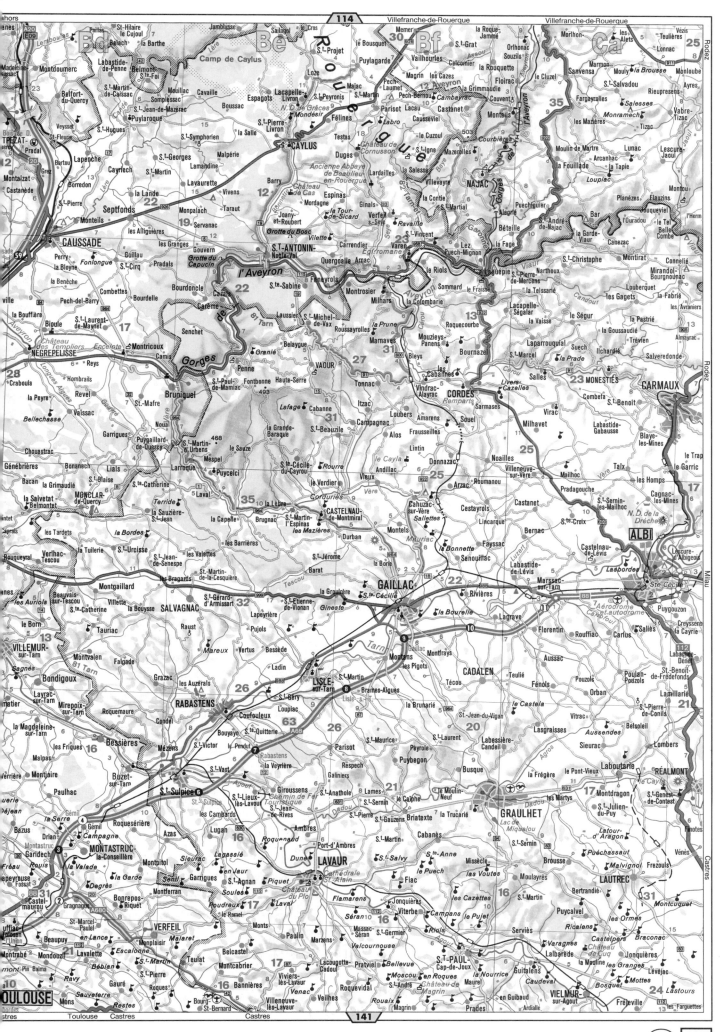

114
Villefranche-de-Rouergue
Villefranche-de-Rouergue
Rouergue
Camp de Caylus
CAYLUS
CAUSSADE
Septfonds
Caylus
Parisot
Féneyrols
NAJAC
Gorges de l'Aveyron
l'Aveyron
S.t-ANTONIN-Noble-Val
Laguépie
NEGREPELISSE
Montricoux
Bruniquel
Penne
VAOUR
CORDES
Cordes Remparts
CARMAUX
MONESTIÉS
Monclar-de-Quercy
Puycelci
CASTELNAU-de-Montmiral
GAILLAC
ALBI
Ste-Cécile
SALVAGNAC
VILLEMUR-sur-Tarn
RABASTENS
LISLE-sur-Tarn
Couffouleux
Bessières
CADALEN
Rodez
Rodez
Milhau
Castres
S.t-Sulpice
MONTASTRUC-la-Conseillère
LAVAUR
Cathédrale St-Alain
GRAULHET
RÉALMONT
LAUTREC
VERFEIL
S.t-PAUL-Cap-de-Joux
VIELMUR-sur-Agout
TOULOUSE
Toulouse
Castres
Castres
141

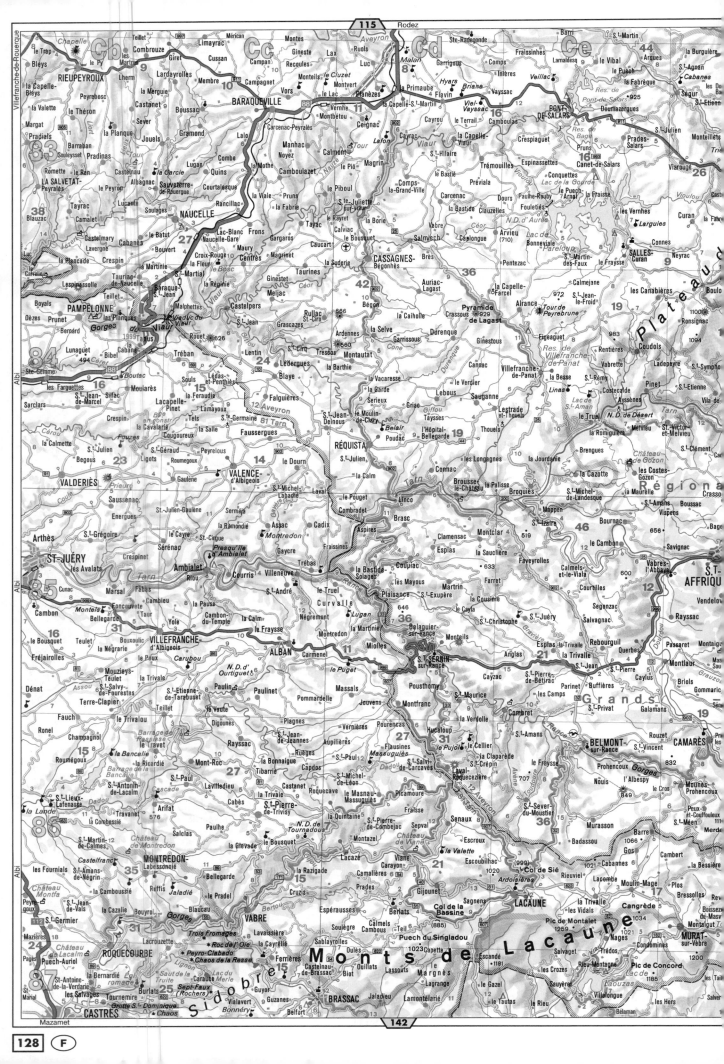
115
Rodez
142
Cb
Cc
Cd
Ce
Villefranche-de-Rouergue
Albi
Mazamet
RIEUPEYROUX
BARAQUEVILLE
NAUCELLE
PAMPELONNE
CASSAGNES-Bégonhès
RÉQUISTA
VALENCE-d'Albigeois
VALDERIÈS
ST-JUÉRY
VILLEFRANCHE-d'Albigeois
ALBAN
ST-SERNIN-sur-Rance
BELMONT-sur-Rance
CAMARÈS
LACAUNE
MURAT-sur-Vèbre
VABRE
BRASSAC
ROQUECOURBE
CASTRES
MONTREDON-Labessonnié
PONT-DE-SALARS
SALLES-Curan
ST-AFFRIQUE
LA SALVETAT-Peyralès
Monts de Lacaune
Sidobre
Plateau
Régiona
Grands
Pyramide de Lagast
Tour de Peyrebrune
Viaduc du Viaur
Presqu'île d'Ambialet
Col de Sié
Col de la Bassine
Puech du Singladou
Pic de Montalet
Pic de Concord
Lac de Pareloup
Res. de Villefranche-de-Panat
Res. de Pont-de-Salars
Aveyron
Viaur
Tarn
Rance
Dadou
Gorges du Viaur
Trois Fromages
Roc de l'Oie
Peyro-Clabado
Chaos de la Resse
Sept-Faux (Rochers)
Grotte St-Dominique
Chaos
Château de Montredon
Château de Lacalm
Château de Gozon
N.D. de Tournadous
N.D. d'Ourtiguet
N.D. de Désert
Ardoisières
Carmenel
Curvalle
Ambialet
Montclar
Coupiac
Plaisance
Broquiès
Brousse-le-Château
Arvieu
Salmiech
Lédergues
Ledas-et-Penthiès
Crespin
Tanus
Trébas
Courris
Paulinet
Arifat
Lacaze
Viane
Gijounet
Berlats
Espérausses
Burlats
Ferrières
Castelnau-de-Brassac
Belmont
Rayssac
Combret
Laval-Roquecezière
Senaux
Montfranc
Martrin
Faveyrolles
Vabres-l'Abbaye
Curan
Prades-Salars
Canet-de-Salars
Flavin
Trémouilles
Calmont
Sauveterre-de-Rouergue
Castanet
Tayrac
Camalet
Boussac
Gramond
Quins
Lescure
Le Truel
Lestrade-et-Thouels
Villefranche-de-Panat
Durenque
Auriac-Lagast
Salvagnac
Rebourguil
Nages
Cambert
Bressolles
Moulin-Mage
Cabannes
Gos
Barre
Murasson
St-Sever-du-Moustier
Mounes-Prohencoux
Nouis
Rayssac
Vabre
Cruzis
Prades
Camalières
Montazel
Lamontélarié
Lassouts
Margnès
Escandé
Le Gazel
Le Tautas
Le Rieu
Viane
Guyor
Vialavert
Bonnéry
Belfort
Guzanes
Jaladieu
Sablayrolles
Lavaissière
La Cayrelié

116

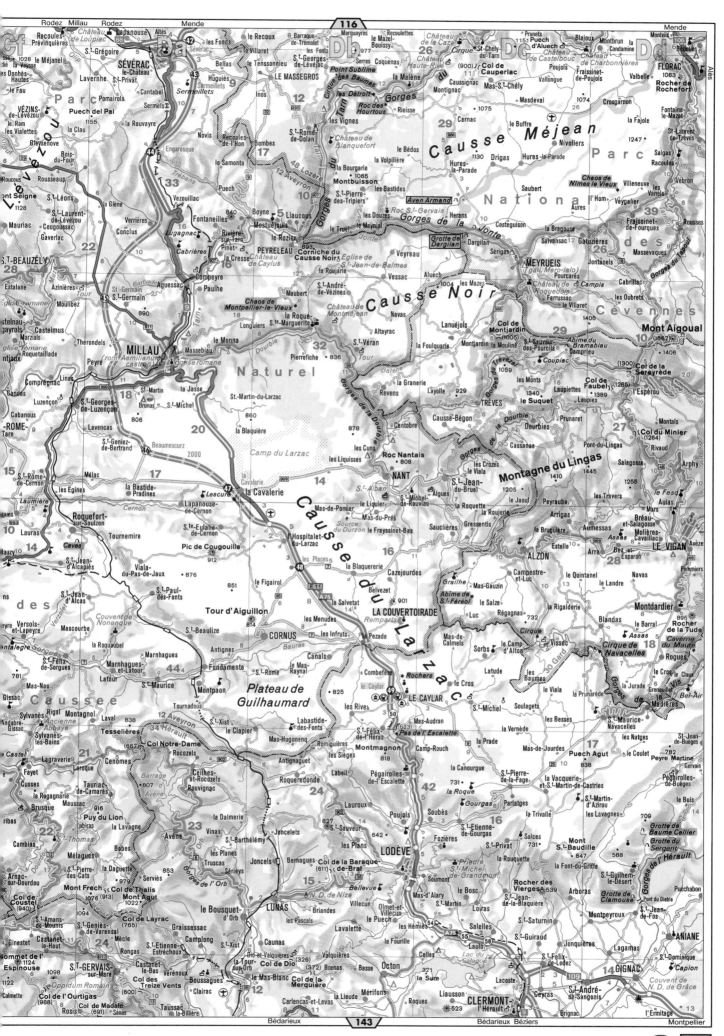
Rodez
Millau
Rodez
Mende
Mende
Cf
Da
Db
Dc
Dd
Recoules-Prévinquières
Château de Loupiac
Lapanouse
Altès
les Fonds
S.t-Grégoire
Sévérac
SÉVÉRAC le-Château
le Méjanel
la Vayssе
Lavernhe
S.t-Privat
Cantabel
Huguiès
Sermeillets
Bellas
le Recoux
le Villaret
le Tenssonnieu
LE MASSEGROS
Barraque-de-Trémolet
les Fonts
S.t-Georges-de-Lévéjac
Marquayres
le Mazel-Bouissy
Recoulettes
Serres
Coquenas
Point Sublime
les Baumes
les Détroits
Roc des Hourtous
Rieisse
la Malène
Château de la Caze
Château Haute-Rive
Cirque
S.t-Chély-du-Tarn
Col de Cauperlac
Caussignac
Mas-S.t-Chély
Montignac
Prunets
Puech d'Aluech
Château de Castelbouc
Blajoux
Montbrun
la Condamine
Château de Charbonnières
Poujols
Vallongue
Fraissinet-de-Poujols
Valbelle
FLORAC
Rocher de Rochefort
Bédouès
Alès
Parc
Pomairols
Puech del Pal
VÉZINS-de-Lévézou
le Ram
les Vialettes
la Clau
la Rouvayre
Sermels
Novis
Recoules-de-l'Hon
Bombes
S.t-Rome-de-Dolan
Château de Blanquefort
les Vignes
Inos
Masdeval
Carnac
le Buffre
Crosgarnon
la Fajole
Fontaine-le-Mazet
St-Laurent-de-Trèves
Causse Méjean
Nivoliers
Drigas
Hures-la-Parade
Parc
Salgas
Racoules
Le Lévézou
Gleysenove
Bois-du-Four
Engaresque
le Samonta
48 Lozère
12 Aveyron
la Bourgarie
Montbuisson
le Bédos
la Volpilière
Roucous
Rousseaup
S.t-Léons
S.t Seigne
Trébans
Vezouillac
Puech
S.t-Pierre-des-Tripiers
les Bastides
Aven Armand
Saubert
Chaos de Nîmes le Vieux
Villeneuve
les Vanels
Vébron
National
l'Hom
Veygalier
S.t-Laurent-de-Lévézou
Cougoussac
Mauriac
Gaverlac
la Glène
Verrières
Conclus
Fontaneilles
Lugagnac
Cabrières
Boyne
Liaucous
Mostuéjouls
Rivière-sur-Tarn
Pinet
le Rozier
PEYRELEAU
la Cresse
Château de Caylus
Corniche du Causse Noir
les Douzes
Roc S.t-Gervais
Gorges de la Jonte
Herans
le Truel
le Maynial
Costeguison
Aures
la Bragouse
Fraissinet-de-Fourques
Rousses
Grotte de Dargilan
Dargilan
Sérigas
Salvensac
Gatuzières
Massevaques
Église de S.t-Jean-de-Balmes
Veyreau
S.T-BEAUZÉLY
Estalane
Azinières
Tour
Moulibez
Aguessac
Compeyre
Paulhe
St-Germain
S.t-Germain
la Roujarie
Vessac
Aluech
les Mazes
MEYRUEIS
Château de Roquedols
Campis
Jontanels
Cabrillac
Pourcarès
Ferrussac
le Villaret
les Oubrets
Gorges du Tapoul
Cévennes
Chaos de Montpellier-le-Vieux
Maubert
S.t-André-de-Vézines
Château de Montméjean
Causse Noir
Navas
Lanuéjols
Col de Montjardin
Castelmus
Marzials
Église romane
Roquetaillade
Thérondels
MILLAU
rom. Aemilianum castrum
Massebiau
le Monna
Longuiers
la Roque-S.te-Marguerite
Dourbie
Pierrefiche
Altayrac
S.t-Véran
Tour
la Foulquarie
Montjardin
la Mouline
S.t-Sauveur-des-Pourcils
Abîme du Bramabiau
Camprieu
Mont Aigoual
Coupiac
Col de la Serreyrède
Peyre
Compregnac
Linas
Candas
Luzençon
S.t-Georges-de-Luzençon
S.t-Martin
Brunas
S.t-Michel
la Jasse
S.t-Martin-du-Larzac
Naturel
Gorges de la Dourbie
Garène
la Granerie
Revens
Layolle
Gorges du Trévezel
les Monts
le Suquet
TRÈVES
Laupiettes
Col de Faubel
Laupies
l'Espérou
Cabanous
Lavencas
860
la Blaquière
Causse-Bégon
Cantobre
Dourbies
Prunaret
Montals
Col du Minier
Rivaud
S.t-Geniez-de-Bertrand
Beaumescurz
Camp du Larzac
les Cuns
Roc Nantais
les Liquisses
Gorges de la Dourbie
Cassanas
Pont-du-Lingas
Montagne du Lingas
Salagosse
Arphy
S.t-Rome-de-Cernon
Mélac
la Bastide-Pradines
les Egines
Lescure
la Cavalerie
NANT
S.t-Alban
S.t-Michel-de-Rouviac
Algues
S.t-Jean-du-Bruel
les Crozes
le Viala
le Jaoul
les Travers
le Fesq
Aulas
Laumière
Roquefort-sur-Soulzon
Lapanouse-de-Cernon
Cernon
Mas-de-Pomier
le Liquier
Mas-du-Prés
la Roquette
la Roujerie
Peyraube
Arrigas
Mars
Bréau-et-Salagosse
Molières-Cavaillac
Lauras
Tournemire
S.te-Eulalie-de-Cernon
Pic de Cougouille
l'Hospitalet-du-Larzac
Source du Durzon
le Frayssinet-Bas
Sauclières
Gressentis
la Bruguière
Aumessas
Assas
Avèze
LE VIGAN
Caves
S.t-Jean-d'Alcapiès
Viala-du-Pas-de-Jaux
les Places
la Blaquererie
Cazejourdes
Causse du Larzac
ALZON
Estelle
Arre
Bez-et-Esparon
Pommiers
le Figairol
Belvezet
Campestre-et-Luc
le Quintanel
le Landre
Navas
Grailhe
Mas-Gauzin
Abîme de S.t-Ferréol
le Salze
S.t-Jean-d'Alcas
S.t-Paul-des-Fonts
Tour d'Aiguillon
la Salvetat
LA COUVERTOIRADE
Remparts
Régagnas
la Rigalderie
Montdardier
Blandas
le Barral
Rocher de la Tude
Versols-et-Lapeyre
Couvent de Nonenque
Mascourbe
S.t-Beaulize
CORNUS
les Menudes
les Infruts
la Pezade
Luc
Mas-de-Calmels
Cirque
Vissec
Assas
Cirque de Navacelles
Caverne du Maure
la Roquaubel
Marnhagues
Antignes
Bauras
Canals
Sorbs
le Camp-d'Alton
30 Gard
Rogues
S.t-Félix-de-Sorgues
Marnhagues-et-Latour
Fondamente
S.t-Rome
le Mas-Raynal
Combefère
Rochers
Latude
les Baumes
le Cros
le Claux
Latour
S.t-Maurice
Montpaon
Plateau de Guilhaumard
le Caylar
LE CAYLAR
le Cros
le Viala
la Jurade
Grenouillet
Bel-Air
Mas-Nau
Gissac
Sylvanès
Rigal
Montagnol
Tournadous
Laval
S.t-Xist
les Rives
S.t-Michel
Soulagets
la Prunarède
Gorges de la Vis
Madières
Andabre-Gissac
Ancienne Abbaye
Sylvanès-les-Bains
Tesselières
12 Aveyron
34 Hérault
le Clapier
Labastide-des-Fonts
Mas-Hugonenq
Mas-Audran
S.t-Félix-de-l'Héras
Pas de l'Escalette
la Vernède
les Besses
S.t-Maurice-Navacelles
les Natges
St-Jean-de-Buèges
Castel
Lagraverie
Col Notre-Dame
Rocozels
Cenomes
Romiguières
les Sièges
Antignaguet
Montmagnon
Camp-Rouch
la Prade
Mas-de-Jourdes
Puech Agut
le Coulet
Peyre Martine
Fayet
Laroque
Barrage d'Avène
Ceilhes-et-Rocozels
Rouvignac
Roqueredonde
Labeil
Pégairolles-de-l'Escalette
la Canourgue
S.t-Pierre-de-la-Fage
la Vacquerie-et-S.t-Martin-de-Castries
Pégairolles-de-Buèges
Gervais
Cusses
Tauriac-de-Camarès
le Regagnarie
Maussac
Brusque
Puy du Lion
la Roque
Gourgas
Parlatges
S.t-Martin-d'Azirou
les Lavagnes
le Buis
Labiras
la Lavagne
la Dalmerie
Lauroux
Poujols
Soubès
la Trivalle
Vinas
S.t-Sauveur
S.t-Étienne-de-Gourgas
Grotte de Baume Cellier
Grotte du Sergent
Cambias
Avène
S.t-Thomas
S.t-Barthélémy
Joncelets
les Plans
LODÈVE
Fozières
S.t-Privat
Salces
Mont S.t-Baudille
Bobes
les Planes
Truscas
Sérieys
Prieuré S.t-Michel-de-Grandmont
la Rouquette
la Font-du-Griffe
Gorges de l'Hérault
Mélagues
S.t-Pierre-des-Cats
la Daguette
Serviès
Gorges de l'Orb
Joncels
Bernagues
Col de la Baraque-de-Bral
Soumont
S.t-Guilhem-le-Désert
Arnac-sur-Dourdou
Mont Frech
Col de Thalis
Mont Agut
Bellevue
N. D. de Nize
Mas-d'Alary
le Bosc
Rocher des Vierges
Arboras
Puéchabon
Col de Coustel
S.t-Amans-de-Mounis
Col de Layrac
le Bousquet-d'Orb
LUNAS
Briandes
Villecun
Olmet-et-Villecun
S.t-Martin
S.t-Jean-de-la-Blaquière
Loiras
Grotte de Clamouse
Pont du Diable
S.t-Jean-de-Fos
S.t-Geniès-de-Varensal
Graissessac
les Pascals
le Puech
Montpeyroux
S.t-Saturnin
Mècle
Lavalette
les Hémies
Salelles
Ginestet
Castanet-le-Haut
Camplong
Rongas
S.t-Étienne-Estréchoux
S.t-Xist
Caunas
la Fourille
Laulo
S.t-Guiraud
ANIANE
Jonquières
Lagamas
Sommet de l'Espinouse
Dio-et-Valquières
Valquières
Celles
Lac du Salagou
S.t-Félix-de-Lodez
S.t-Dominique
Caption
S.T-GERVAIS-sur-Mare
Castanet-le-Bas
Vérénoux
Col de Dio
Brenas
Basse
Octon
GIGNAC
Oppidum Romain
Col des Treize Vents
Boussagues
la Tour-sur-Orb
le Mas-Blanc
Col de la Merquière
la Sure
Lacoste
S.t-André-de-Sangonis
Couvent de N. D. de Grâce
Calmette
Col de l'Ourtigas
Clairac
la Lieude
Mérifons
Liausson
Ceyras
Col de Madale
Rosis
Taussac-la-Billière
Carlencas-et-Levas
Roques
CLERMONT-l'Hérault
Brignac
l'Ermitage
Bédarieux
Bédarieux
Béziers
Montpellier

143

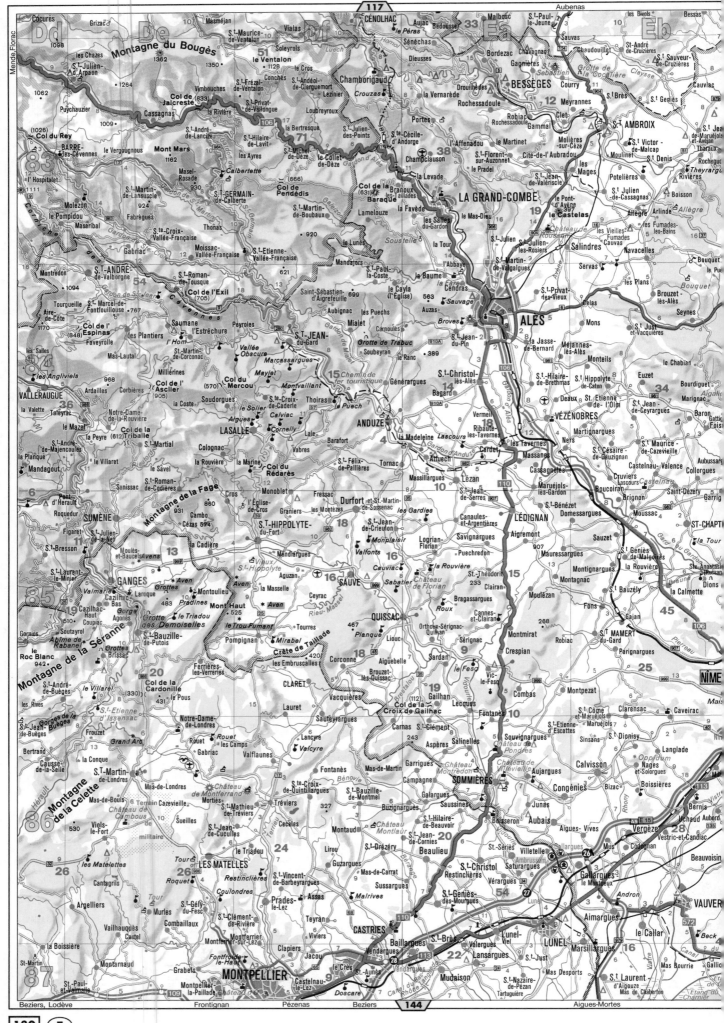

117
Aubenas
Cocurès
Grizac
Masméjan
Vialas
CÉNOLHAC
Aujac
Bedousse
Malbosc
S.t-Paul-le-Jeune
Bessas
Dd
De
Df
Ea
Eb
1098
S.t-Maurice-de-Ventalon
Soleyrols
le Péras
Sénéchas
Sauvas
Chaudouillet
St-André de-Cruzières
Mende, Florac
Montagne du Bougès
les Chazes
1362
51
le Ventalon
1128
Dieusses
Bordezac
Chavagnac
S.t Sauveur-de-Cruzières
S.t-Julien-d'Arpaon
1350
le Cros
Gagnières
Grotte de la Cocalière
Conchès
S.t-Frézal-de-Ventalon
S.t-Andéol-de-Clerguemort
Chamborigaud
Drouilhèdes
BESSÈGES
Courry
1264
Vimbouches
Lezinier
Crouzas
la Vernarède
Cauviac
1062
Col de Jalcreste
(833)
S.t-Privat-de-Vallongue
Rochessadoule
12
Meyrannes
S.t Brès
S.t Geniès
Puychauzier
Cassagnas
la Rivière
Loubreyroux
Robiac-Rochessadoule
Clet
1009
106
Portes
Gammal
S.t AMBROIX
(1026)
Col du Rey
S.t-André-de-Lancize
la Bertresque
S.t-Julien-des-Points
S.te-Cécile-d'Andorge
l'Affenadou
le Martinet
Molières-sur-Cèze
S.t Victor-de-Malcap
S.t-Hilaire-de-Lavit
71
BARRE-des-Cévennes
le Vergougnous
Mont Mars
S.t-Michel-de-Dèze
le Collet-de-Dèze
Champclauson
38
S.t-Florent-sur-Auzonnet
Cité-de-l'Aubradou
Moulinet
S.t Denis
les Ayres
1162
le Pradel
Rochegude
83
Masel-Rosade
Calbertette
la Levade
les Mages
Potelières
Theyrargues
Rivières
l'Hospitalet
(666)
Col de la Baraque
(631)
Branoux-les-Taillades
S.t-Jean-de-Valériscle
1111
S.t-Martin-de-Lansuscle
930
S.t-GERMAIN-de-Calberte
Col de Pendédis
LA GRAND-COMBE
S.t Julien-de-Cassagnas
Boisson
Molezon
924
S.t-Martin-de-Boubaux
le Pont-d'Avène
19
le Castelas
397
Allègre
Arlinde
Allègre
le Pompidou
Fabrègues
Lamelouze
la Favède
les Salles du-Gardon
le Mas-Dieu
Masaribal
Thonas
S.te-Croix-Vallée-Française
920
Soustelle
S.t-Julien
S.t-Julien-les-Rosiers
Château de Rousson
les Vieilles-Fumades
Cauvas
les Fumades-les-Bains
Gabriac
Moissac-Vallée-Française
S.t-Etienne-Vallée-Française
le Lunès
la Tour
Salindres
Navacelles
Corniche des Cévennes
Mandajors
l'Abbaye
S.t-Martin-de-Valgalgues
Servas
Bouquet
Montredon
S.t-ANDRÉ-de-Valborgne
S.t-Roman-de-Tousque
621
S.t-Paul-la-Coste
la Baume
Cendras
les Plans
1094
54
Col de l'Exil
(705)
Saint-Sébastien-d'Aigrefeuille
699
le Cayla (l'Eglise)
S.t-Privat-des-Vieux
Brouzet-lès-Alès
Tourgueille
S.t-Marcel-de-Fontfouillouse
767
563
Sauvage
Celas
Seynes
Aire-de-Côte
Aubignac
les Puechs
Auzas
1170
Col de l'Espinas
(848)
Saumane
l'Estréchure
Peyroles
Mialet
Carnoulès
Broves
ALÈS
Mons
S.t Just et-Vacquières
Faveyrolle
les Plantiers
l'Hom
S.T-JEAN-du-Gard
Grotte de Trabuc
S.t-Jean-du-Pin
la Jasse-de-Bernard
Méjannes-lès-Alès
les Salles
Mas-Lautal
St-Martin-de-Corconac
Vallée Obscure
Soubeyran
le Ranc
389
Monteils
84
Marcassargues
15
Chemin de fer touristique
S.t-Christol-lès-Alès
S.t-Hilaire-de-Brethmas
S.t Hippolyte-de-Caton
le Chabian
les Angliviels
Millièrines
Maylet
Euzet
968
Col de l'Asclier
(905)
Col du Mercou
(570)
Montvaillant
Générargues
14
Bagard
Deaux
St. Etienne-de-l'Olm
34
Bourdiguet
VALLERAUGUE
Ardailles
Corbières
Soudorgues
S.te-Croix-de-Caderle
Thoiras
le Puech
Marignac
36
la Valette
Tafeyrac
Notre-Dame-de-la-Rouvière
la Coste
le Solier
Calviac
Vermeil
VÉZENOBRES
S.t Jean-de-Ceyrargues
Baron
le Mazel
Col de la Triballe
(612)
Aigues
LASALLE
Cornelly
Lale
ANDUZE
18
Ribaute-les-Tavernes
Martignargues
S.t-André-de-Majencoules
la Peyre
S.t-Martial
Colognac
Vabres
Barafort
4
la Madeleine
Lascours
les Tavernes
Cardet
Ners
S.t Césaire-de-Gauzignan
S.t Maurice-de-Cazevieille
la Planque
le Villaret
la Rouvière
la Marine
Col du Rédarès
S.t-Félix-de-Pallières
Tornac
Attuech
Massanes
Aubussargues
Mandagout
le Savel
Gardon d'Anduze
Castelnau-Valence
Collorgues
Cassagnoles
Sanissac
S.t-Roman-de-Codières
Monoblet
Massillargues
10
Lézan
Cruviers-Lascours
6
Pont-d'Hérault
Montagne de la Fage
Cros
Fressac
Durfort-et-St.-Martin-de-Sossenac
S.t-Jean-de-Serres
Maruéjols-lès-Gardon
Boucoiran
Saint-Dézéry
Roquedur
860
l'Eglise-de-Cros
Graniers
les Montèzes
les Gardies
Canaules-et-Argentières
Brignon
Garrigues
SUMÈNE
931
Cambo
S.T-HIPPOLYTE-du-Fort
S.t-Jean-de-Crieulon
LÉDIGNAN
S.t-Bénézet
Domessargues
Moussac
Figaret
Cézas
574
Logrian-Florian
Aigremont
ST-CHAPTES
S.t-Julien-de-la-Nef
Monplaisir
Savignargues
Sauzet
la Tour
S.t-Bresson
11
la Cadière
Valfons
Puechredon
907
S.t Geniès-de-Malgoirès
Moulès-et-Baucels
Avens
13
Mandiargues
16
Mauressargues
S.t-Laurent-le-Minier
Vieux S.t-Hippolyte
Cauviac
la Rouvière
la Rouvière
Montignargues
Ste-Anastasie
GANGES
Aven
Grottes
Aguzan
SAUVE
Sabatier
Château de Florian
St.-Théodorit
233
Montagnac
Dions
85
Valmarie
Laroque
Montoulieu
la Masselle
Clairan
S.t Bauzély
la Calmette
Cazilhac-Bas
483
Pradines
Mont Haut
Ceyrac
Bragassargues
Moulézan
Cazilhac-Haut
Gorge
Agonès
525
Rieu-Massel
Roux
Fons
19
Grotte des Demoiselles
le Triadou
QUISSAC
Cannes-et-Clairan
Gajan
45
510
Coupiac
le Trou Fumant
Tourres
467
Orthoux-Sérignac-Quilhan
268
S.t MAMERT du-Gard
Gorniès
Soutayrol
Abîme de Rabanel
S.t-Bauzille-de-Putois
Pompignan
Mirabel
Planque
Liouc
Montmirat
Robiac
Parignargues
Grottes
Brissac
Crête de Taillade
420
Sérignac
le Roc Blanc
942
Montagne de la Séranne
Ferrières-les-Verrerie
les Embruscalles
Corconne
Aiguebelle
Sardan
Crespian
Montagne de la Séranne
20
Col de la Cardonille
(330)
Brouzet-lès-Quissac
le Fesq
Vic-le-Fesq
25
S.t-André-de-Buèges
le Villaret
431
la Pous
CLARET
19
Gailhan
Combas
Montpezat
NÎMES
les Rives
Vacquières
Col de la Croix de Gailhac
(112)
Lecques
S.t Côme et-Maruéjols
Clarensac
Caveirac
S.t-Etienne-d'Issensac
Lauret
Fontanès
Gorges de la Buèges
S.t-Jean-de-Buèges
Notre-Dame-de-Londres
Sauteyrargues
Carnas
S.t-Clément
S.t-Etienne-d'Escattes
Maruéjols
S.t Dionisy
Frouzet
Rouet
les Camps
Lancyre
Valcyre
243
Aspères
Salinelles
Souvignargues
Château de Pondres
Sinsans
Langlade
Bertrand
Grand Arc
Gabriac
Valflaunes
Oppidum
Causse-de-la-Selle
la Conque
S.t-Martin-de-Londres
Fontanès
Mas-de-Martin
Garrigues
Château Montredon
Château de Villevieille
Aujargues
Calvisson
Nages et-Solorgues
Montagne de la Celette
Château de Montferrand
S.te-Croix-de-Quintillargues
S.t-Bauzille-de-Montmel
Campagne
SOMMIÈRES
Congénies
Boissières
Mas-de-Londres
Galargues
Bizac
Mas-de-Bouis
Terrain Cazevieille
Mortiès
S.t-Mathieu-de-Tréviers
Tréviers
327
Buzignargues
Saussines
Junas
Bernis
86
Château de Cambous
S.t-Hilaire-de-Beauvoir
Boisseron
Aubais
Uchaud
Aubord
Viols-le-Fort
Sueilles
S.t-Jean-de-Cuculles
Cecelès
Montaud
Château Montlaur
S.t-Jean-de-Cornies
20
Aigues-Vives
Vergèze
28
Vestric-et-Candiac
530
militaire
Beaulieu
E 15
le Triadou
24
Lirou
S.t-Drézéry
St.-Sériès
Villetelle
Gallargues
Mus
Codognan
Tour
LES MATELLES
Guzargues
Ambrussum
26
Beauvoisin
les Matelettes
26
Restinclières
Mas-de-Carrat
S.t-Christol
Saturargues
Gallargues le Montueux
Cantagrils
Roquet
S.t-Vincent-de-Barbeyrargues
Sussargues
Restinclières
Vérargues
54
Coulondres
Malrives
S.t-Geniès-des-Mourgues
Andron
Argelliers
S.t-Gély-du-Fesc
Prades-le-Lez
Assas
27
Lunel
Aimargues
VAUVERT
Murles
S.t-Clément-de-Rivière
Teyran
110
572
Vailhauquès
Combaillaux
Castel
Montferrier-sur-Lez
Montferrier
Viviers
CASTRIES
S.t-Brès
Lunel-Viel
LUNEL
le Cailar
Beck
la Boissière
Baillargues
Valergues
Lansargues
Marsillargues
16
St-Martin
Montarnaud
Fontfroide-le-Haut
Clapiers
Jacou
Vendargues
22
S.t-Just
Mas Bourrie
Gallician
87
Grabels
MONTPELLIER
Castelnau-le-Lez
le Crès
S.t-Aunès
Mas Desports
S.t Laurent-d'Aigouze
St-Paul-et-Valmalle
Montpellier-la-Paillade
Château d'O
Doscare
9
Mudaison
S.t-Nazaire-de-Pézan
Tartuguière
Mas de Chaberton
Etang du Charnier
Beziers, Lodève
Frontignan
Pézenas
Beziers
144
Aigues-Mortes

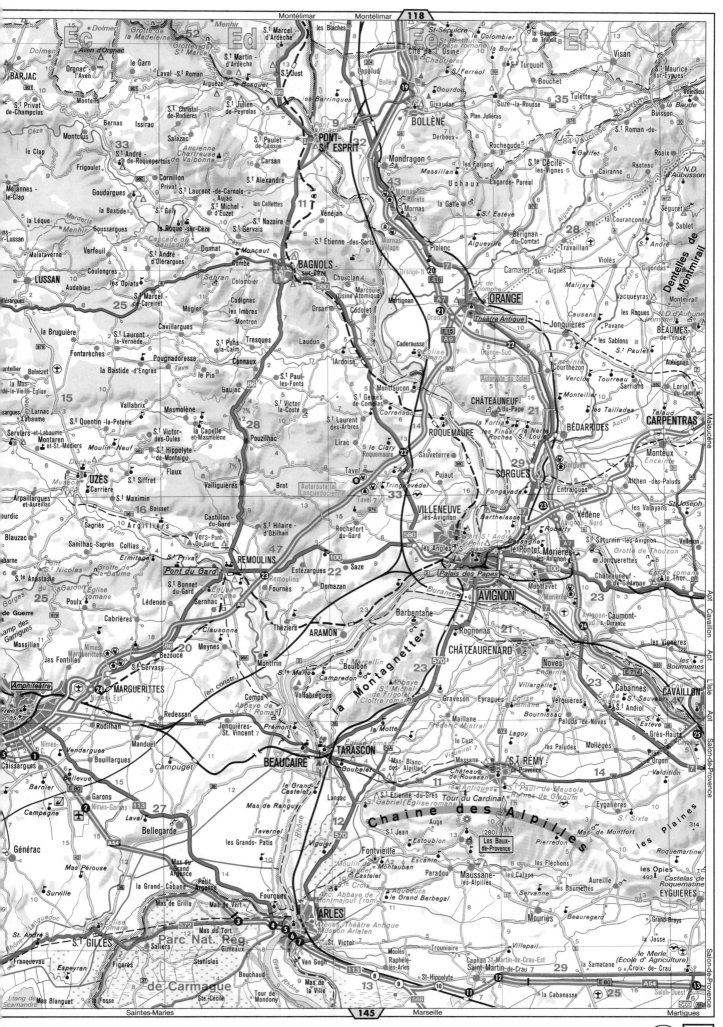

Montélimar
Montélimar
118
Ec
Ed
Ee
Ef
52
Aven d'Orgnac
BARJAC
Orgnac-l'Aven
le Garn
Laval-St Roman
Aiguèze
le Bosquet
St Martin-d'Ardèche
St Marcel-d'Ardèche
les Blaches
St Just
Lapalud
St-Sépulcre
le Colombier
la Baume-de Transit
Visan
la Borie
St Turquoit
Bouchet
St Maurice-sur-Eygues
Villedieu
St Privat-de-Champclos
Montclus
Issirac
Bernas
St Christol-de-Rodières
St Julien-de-Peyrolas
Bollène
BOLLÈNE
Gourdon
Givaudan
Suze-la-Rousse
Tulette
35
la Baude
Buisson
Plan Julieras
Derboux
Rochegude
St Roman-de-
Cèze
le Clap
33
St André-de-Roquepertuis
Salazac
Ancienne Chartreuse de Valbonne
St Paulet-de-Caisson
PONT-ST ESPRIT
32
9
Mondragon
Ste Cécile-les-Vignes
Galifet
Roaix
Frigoulet
Carsan
Massillan
les Farjons
Cairanne
Rasteau
N.D. d'Aubusson
Méjannes-le-Clap
Goudargues
Cornillon
Privat
St Laurent-de-Carnols
St Alexandre
43
Mornas
Uchaux
Lagarde-Paréol
Aujac
St Michel-d'Euzet
les Cellettes
11
la Gaffe
Séguret
la Bastide
St Gély
la Léque
Menhir
Merderis
Goussargues
la Roque-sur-Cèze
St Nazaire
St Gervais
Vénéjan
St Estève
Sablet
la Couranconne
28
Aiguevile
Sérignan-du-Comtat
Travaillan
Violès
St André
Dentelles de Montmirail
Malataverne
Verfeuil
Cascade du Sautadet
Donnat
Moncaut
St André-d'Olérargues
St Etienne-des-Sorts
Piolenc
Camaret-sur-Aigues
Gigondas
Coulongres
LUSSAN
Audabiac
les Opiats
Combe
BAGNOLS-sur-Cèze
Sabran
Colombier
Chusclan
Marcoule (Usine Atomique)
Orange-N
20
E15
Arc de Triomphe
ORANGE
Malijay
Vacqueyras
Montmirail
25
St Marcel-de-Careiret
Mégier
Cadignac
les Imbres
Montron
Orsan
Codolet
Martignan
A7
21
Théâtre Antique
Causans
Jonquières
les Roques
N.D. d'Aubune
Pavane
BEAUMES-de-Venise
la Bruguière
St Laurent-la-Vernède
Cavillargues
St Pons-la-Calm
Tresques
Laudun
Caderousse
Eglise romane
A9
22
Orange-Sud
les Sablons
St Paulet
Fontarèches
Pougnadoresse
Connaux
l'Ardoise
Enceinte
Courthézon
Aubignan
Belvézet
la Bastide-d'Engras
Tave
le Pin
St Paul-les-Fonts
Autoroute du Soleil
Verclos
Tourreau
Sarrians
Loriol-du-Comtat
15
Vallabrix
Gaujac
Montfaucon
St Geniès-de-Comolas
CHÂTEAUNEUF-du-Pape
Monteiller
Masmolène
St Victor-la-Coste
Correnson
21
les Taillades
Talaud
Larnac
Labaume
St Quentin-la-Poterie
28
St Laurent-des-Arbres
ROQUEMAURE
la Fortia
les Fines Roches
la Nerte
St Louis
BÉDARRIDES
Auzon
CARPENTRAS
Serviers-et-Labaume
Montaren-et-St-Médiers
St Victor-des-Oules
la Capelle-et-Masmolène
Pouzilhac
Lirac
le Clary
Roquemaure
Sauveterre
Moulin-Neuf
St Hippolyte-de-Montaigu
Monteux
Enceinte
Malaucène
Duché
UZÈS
St Siffret
Flaux
Tavel
Aqueria
Pujaut
SORGUES
29
Sorgues
Musée d'Pons
Carrière
St Maximin
Valliguières
Brot
Autoroute la Languedocienne
Tringuevédel
33
Fongavade
Entraigues
Althen-des-Paluds
Arpaillargues-et-Aureillac
16
Boisset
13
VILLENEUVE-lès-Avignon
Barthelasse
23
les Valayans
St Joseph
Argilliers
Castillon-du-Gard
St Hilaire-d'Ozilhan
Rochefort-du-Gard
Vedène
Avignon-Nord
Sagriès
Alzon
Blauzac
Sanilhac-Sagriès
Collias
Vers-Pont-du-Gard
47
les Angles
Pont St Bénézet
Cassagne
le Pontet
Morières-lès-Avignon
Roberty
St Saturnin-lès-Avignon
Velleron
Grotte de Thouzon
Jonquerettes
Ermitage
St Privat
REMOULINS
100
Saze
Pont du Gard
Estézargues
22
Palais des Papes
Châteauneuf-de-Gadagne
le Thor
Pont St Nicolas
Grotte de la Baume
Ste Anastasie
St Bonnet-du-Gard
Remoulins
Fournès
Domazan
Montfavet
AVIGNON
Apt
Gorges du Gardon
25
Poulx
Eglise romane
Lédenon
Sernhac
Durance
Morières
Avignon-Caumont-Sud
Caumont-s.-Durance
de Guerre
Camp des Garrigues
Cabrières
Clausonne
Théziers
ARAMON
145
Barbentane
Rognonas
21
Cavaillon
Massillan
18
Nîmes Marguerittes
20
Meynes
Montfrin
la Montagnette
CHÂTEAURENARD
les Vignères
les Fontilles
Bezouce
St Gervasy
St Marcellin
Boulbon
Ste Marie
Campredon
23
Noves
Enceinte
les Bournianes
Amphithéâtre
24
MARGUERITTES
Nîmes-Est
(en constr.)
Abbaye St Michel-de-Frigolet (Cloître roman)
Villargelle
23
Cabannes
CAVAILLON
47
L'Isle
Comps
Abbaye de St Roman
Vallabrègues
Graveson
Eyragues
Eglise romane
Verquières
St Sauveur
St Andiol
Redessan
Maillane
Frédéric Mistral
Bournissac
Paluds-de-Noves
St Estève
Grès-Hauts
Rodilhan
Jonquières-St. Vincent
Prémont
la Motte
Lagoy
Mollégès
Cavaillon
Manduel
Nîmes-C.
Vendargues
TARASCON
Eglise romane
le Cast
Vigueirat
les Paludes
Plan-d'Orgon
Salon-de-Provence
Caissargues
Bouillargues
Campuget
BEAUCAIRE
Goubelet
Mas-Blanc-des-Alpilles
Massane
ST RÉMY-de-Provence
Château de Roussan
11
14
Valdition
Bellevue
Barnier
E 80
Garons
Nîmes-Garons
27
Laval
Bellegarde
le Grand Castelet
Lansac
Mas de Ranguy
St Etienne-du-Grès
St Gabriel (Eglise romane)
Tour du Cardinal
les Antiques
St Paul-de-Mausole
Ruines de Glanum
Eygalières
Campagne
12
Chaîne des Alpilles
Auge
St Sixte
les Plaines
Générac
A54
Tavernel
les Grands-Patis
Rhône
Viguier
570
St Jean
Estoublon
(280)
Les Baux-de-Provence
Mas de Montfort
Pierredon
Roquemartine
Fontvieille
Moulin de Daudet
Montauban
Escanin
Paradou
les Fléchons
Mas Pérouse
Mas du Grand Argence
Castelet
Maussane-les-Alpilles
les Calans
les Opies
493
Castelas de Roquemartine
Surville
la Grand-Cabane
Petit Argence
Ste Croix
Anci Abbaye de Montmajour (rom.)
Aqueducs
le Grand Barbegal
Aureille
Servanne
les Baumettes
EYGUIÈRES
Fourques
Mas de Grille
Mas de Vert
ARLES
Mouriès
Beauregard
Grand-Brays
Arènes Théâtre Antique
Muséon Arlaten
St. André
Eglise romane
Mas du Tort
ST GILLES
Parc. Nat. Rég.
Saliers
Gimeaux
St. Victor
Trouiniaire
Villepail
la Jasse
Franquevau
Figarès
Stanislas
Van Gogh
Moulès
Raphèle-lès-Arles
Caphan
St-Martin-de-Crau-Est
Saint-Martin-de-Crau
le Merle (Ecole d' Agriculture)
la Samatane
Croix-de-Crau
Espeyran
29
de Carmague
Bouchaud
Grand Rhône
Mas de la Ville
13
St-Hippolyte
E 80
A54
Etang de Scamandre
Mas Blanguet
la Fosse
Ste. Cécile
Tour de Mondony
la Cabanasse
25
Salon-Ouest
Saintes-Maries
145
Marseille
Martigues

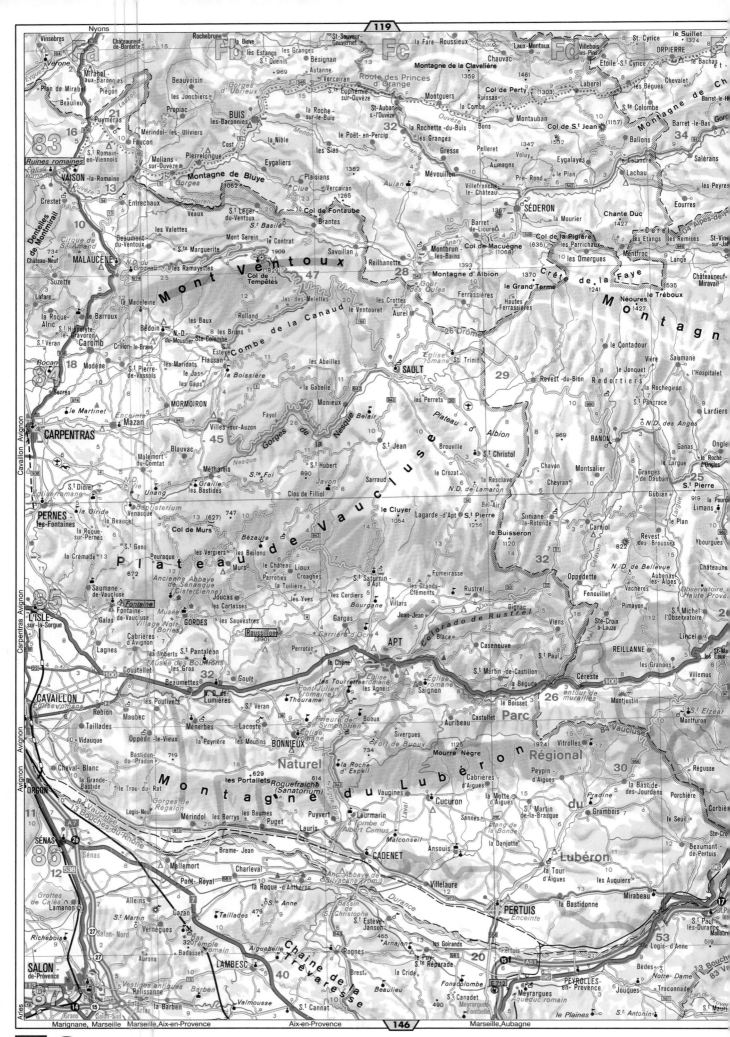

119
146
Nyons
Vinsobres
Fa
Fb
Fc
Fd
Châteauneuf-de-Bordette
Rochebrune
St-Sauveur-Gouvernet
la Fare
Rousssieux
Laux-Montaux
Villebois-les-Pins
St. Cyrice
ORPIERRE
le Suillet
Vérone
Mirabel-aux-Baronnies
Piégon
Plan de Mirabel
Beaulieu
Beauvoisin
les Jonchiers
Propiac
Bésignan
Autanne
Vercoiran
Route des Princes d'Orange
Gorges d'Ubrieux
Ste Euphémie-sur-Ouvèze
St-Auban-s.-l'Ouvèze
Montagne de la Clavelière
Chauvac
Col de Perty
Montguers
Ruissas
la Combe
Laborel
Etoile-St. Cyrice
les Bègues
Chevalet
Ste Colombe
Montagne de Chabre
Montauban
Col de St. Jean
Barret-le-Bas
Ballons
Salérans
BUIS-les-Baronnies
la Roche-sur-le-Buis
le Poët-en-Percip
la Rochette-du-Buis
les Granges
Bons
Puyméras
Mérindol-les-Oliviers
Faucon
St. Romain-en-Viennois
Ruines romaines
VAISON-la-Romaine
Cost
la Nible
les Sias
Gresse
Pelleret
Voluy
Eygalayes
le Calandre
Lachau
Mollans-sur-Ouvèze
Pierrelongue
Eygaliers
Plaisians
Aumagne
Mévouillon
Pre-Rond
le Plan
Montagne de Bluye
Vercoiran
Aulan
Villefranche-le-Château
les Peyres
Crestet
Entrechaux
Veaux
St. Léger-du-Ventoux
Col de Fontaube
Brantes
SÉDERON
Eourres
Dentelles de Montmirail
les Valettes
St. Basile
Barret-de-Lioure
la Mourier
Chante Duc
Beaumont-du-Ventoux
Mont Serein
le Contrat
Col de la Pigière
les Parrichaux
les Etangs
les Remises
Cirque de St. Amand
Ste Marguerite
Savoillan
Montbrun-les-Bains
Col de Macuègne
les Omergues
Montfroc
Lange
MALAUCÈNE
Château-Neuf
N.D. du Groseau
les Ramayettes
Mont Ventoux
Col de Tempêtes
Reilhanette
Montagne d'Albion
Crête de la Faye
Châteauneuf-Miravail
le Grand Terme
le Tréboux
Suzette
Lafare
Jas-des-Melettes
les Crottes
Ferrassières
Hautes Ferrassières
Néoures
Montagne
la Madeleine
Rolland
le Ventouret
Aurel
la Roque-Alric
le Barroux
les Baux
Combe de la Canaud
St. Hippolyte-le-Graveron
Bédoin
N.-D.-du-Moustier
les Bruns
Ste-Colombe
Drôme
le Contadour
St. Véran
Caromb
Crillon-le-Brave
St. Estève
Eglise romane
St. Trinit
Rocan
Modène
les Maridats
Flassan
les Abeilles
SAULT
Vière
Saumane
St. Pierre-de-Vassols
le Jas
la Boissière
Revest-du-Bion
le Jonquet
Redortiers
l'Hospitalet
les Gaps
la Gabelle
la Rochegiron
Serres
MORMOIRON
Monieux
les Perrets
Plateau d'Albion
St. Pancrace
Lardiers
le Martinet
Enceinte
Mazan
Fayol
Belair
N.D. des Anges
CARPENTRAS
Villes-sur-Auzon
Gorges de la Nesque
Albion
BANON
Ongles
Blauvac
St. Jean
Brouville
St. Christol
Ganas
le Largue
Malemort-du-Comtat
Méthamis
St. Hubert
Nesque
Chavon
Montsalier
Granges de Dauban
St. Didier
Unang
Graille
les Bastides
Ste Foi
Javon
Sarraud
le Crozat
la Resclave
N.D. de Lamaron
Cheyran
St. Pierre
Gubian
Eglise romane
Clos de Filliol
Bel-Air
Limans
PERNES-les-Fontaines
la Giride
Venasque
Baptisterium
le Beaucet
le Cluyer
Lagarde-d'Apt
St. Pierre
Simiane-la-Rotonde
Carniol
le Plan
la Roque-sur-Pernes
Col de Murs
Bézaure
le Buisseron
Revest-des-Brousses
Ybourgues
St. Gens
la Crémade
Plateau de Vaucluse
les Vergiers
les Beilons
Pouraque
Murs
le Château
Lioux
Croagnes
Oppedette
N.D. de Bellevue
Châteauneuf
Parroties
la Tuilière
St. Saturnin-d'Apt
Fumeirasse
Aubenas-les-Alpes
Ancienne Abbaye de Sénanque Cistercienne
Joucas
les Cortasses
les Cordiers
les Grands-Cléments
Rustrel
Fenouillet
Vachères
Observatoire de Haute Provence
Saumane-de-Vaucluse
Fontaine
Fontaine-de-Vaucluse
les Yves
Bourgane
Villars
Gignac
Pimayon
St. Michel-l'Observatoire
L'ISLE-sur-la-Sorgue
Galas
Musée
GORDES
Village Noir Bories
les Sauvestres
Gargas
Jean-Jean
Colorado de Rustrel
Viens
Ste-Croix-à-Lauze
Roussillon
Carrière d'Ocre
Cabrières-d'Avignon
Lagnes
Perrotet
APT
Blace
Caseneuve
Lincel
St. Pantaléon
les Imberts
Musée des Bouillons
les Gros
St. Paul
REILLANNE
Coustellet
le Chêne
St. Martin-de-Castillon
les Granons
Beaumettes
Goult
les Tourrettes
Eglise romane
Saignon
Céreste
la Bégude
Villemus
CAVAILLON
N.D. de Lumières
Pont Julien (romain)
les Agnels
le Boisset
entour de murailles
Montjustin
Robion
les Poulivets
Thourame
Maubec
St. Véran
Ménerbes
Lacoste
Buoux
Auribeau
Castellet
Parc
St. Elzéar
Montfuron
Taillades
Vidauque
Oppède-le-Vieux
la Peyrière
les Moutins
BONNIEUX
Prieuré de St. Symphorien
Sivergues
Fort de Buoux
Mourre Nègre
Vitrolles
Bastidon-du-Pradon
Naturel
la Roche-d'Espeil
Régional
Cheval-Blanc
les Portalles
Roquefraîche (Sanatorium)
Montagne du Lubéron
Peypin-d'Aigues
Régusse
la Grande-Bastide
le Trou-du-Rat
Cabrières-d'Aigues
la Bastide-des-Jourdans
ORGON
Gorges de Régalon
Vaugines
Cucuron
la Motte-d'Aigues
Pradine
Porchière
Logis-Neuf
Mérindol
les Borrys
les Baumes
Puyvert
Lourmarin
Sannes
St. Martin-de-la-Brasque
du
Grambois
Corbière
Puget
Lauris
Tombe d'Albert Camus
Etang de la Bonde
le Seuil
SÉNAS
Bouches-du-Rhône
Malconseil
Ansouis
la Danjotte
Brame-Jean
CADENET
Lubéron
Beaumont-de-Pertuis
Mallemort
Charleval
Anc. Abbaye de Silvacane (rom.)
la Tour d'Aigues
les Auquiers
Pont-Royal
la Roque-d'Anthéron
Villelaure
Grottes de Calès
Lamanon
Alleins
Ste Anne
Bassin de St. Christophe
Durance
PERTUIS
Enceinte
la Bastidonne
Mirabeau
St. Martin
Cazan
Taillades
St. Estève-Janson
St. Paul-lès-Durance
Vernègues
Salon-Nord
Richebois
Bas Temple romain
Arnajon
les Goirands
le Logis-d'Anne
Badasset
Alguebelle
Chaîne de la Trévaresse
Rognes
le Puy-Ste Réparade
Aurons
LAMBESC
Brest
la Cride
Bèdes
Notre-Dame
SALON-de-Provence
Vestiges antiques
Pélissanne
Barben
Beaulieu
Fonscolombe
PEYROLLES-en-Provence
Meyrargues
Aqueduc romain
Traconnade
Salon-Sud
la Barben
Valmousse
St. Cannat
St. Canadet
Meyrargues-Fontbelle
Jouques
le Plaines
St. Antonin
St. Maurice
Grans
Arles
Cavaillon
Avignon
Carpentras
Marignane, Marseille
Marseille,Aix-en-Provence
Aix-en-Provence
Marseille,Aubagne

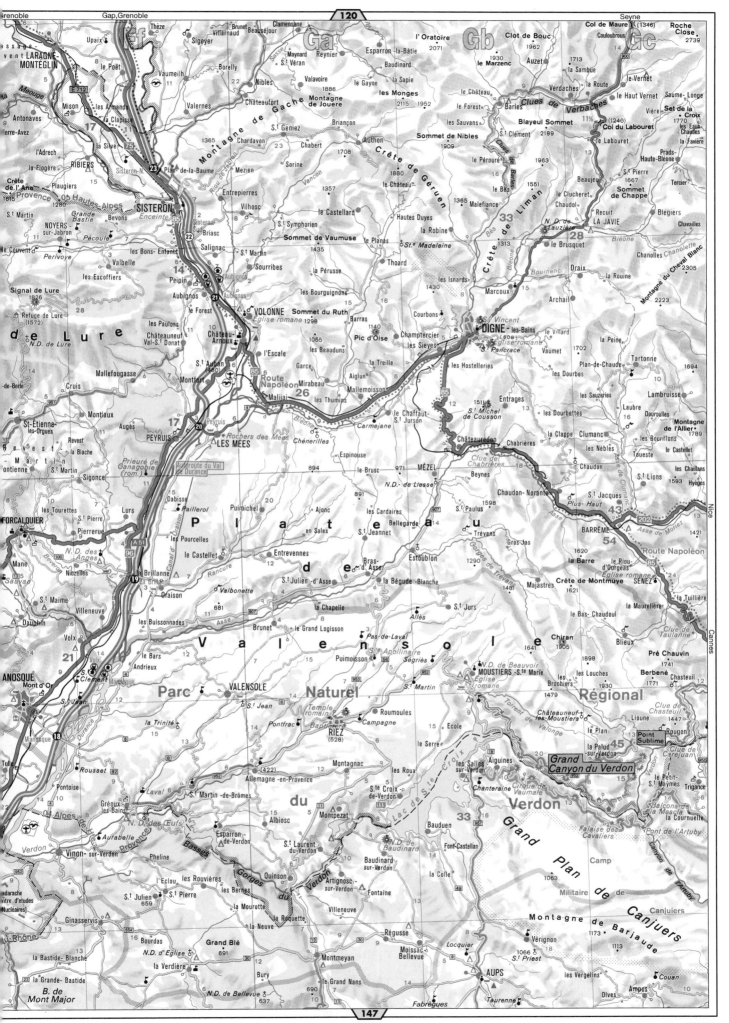

120
147
Grenoble
Gap, Grenoble
Seyne
Nice
Cannes
Ga
Gb
Gc
Ff
LARAGNE-MONTÉGLIN
Upaix
Thèze
Sigoyer
Brunet
Villarnaud
Beauséjour
Clamensane
Reynier
Maynard
S.t Véran
Esparron-la-Bâtie
l' Oratoire
2071
Clot de Bouc
1962
Col de Maure
(1346)
Couloubroux
Roche Close
2739
le Poët
Vaumeilh
Borelly
Nibles
Valavoire
Montagne de Jouere
1886
Baudinard
la Sapie
le Gayne
les Monges
2115
1952
1930
le Marzenc
Auzet
1713
la Sambue
la Route
le Vernet
Verdaches
le Haut Vernet
Saume-Longe
Mison
les Armands
la Clapisse
Antonaves
Valernes
Châteaufort
Montagne de Gache
le Château
le Forest
Barles
Clues de Verbaches
Vière
Set de la Croix
1770
les Eaux-Chaudes
la Favière
Blayeul Sommet
2189
(1240)
Col du Labouret
le Labouret
S.t Clément
les Sauvans
Sommet de Nibles
1909
Briançon
S.t Geniez
Chardavon
Authon
Chabert
1365
1708
Crête de Géruen
la Silve
l'Adrech
la Flogère
RIBIERS
Sisteron-N.
Plan-de-la-Baume
Mezien
Sorine
1880
le Château
le Pérouré
Clues de Barles
1963
Prads-Haute-Bléone
S.t Pierre
1667
Sommet de Chappe
Tercier
Crête de l'Âne
Plaugiers
Provence
05 Hautes-Alpes
1260
1615
Entrepierres
Vilhosc
1357
le Castellard
Hautes Duyes
la Robine
1365
Malefiance
le Bès
1551
Crête de Liman
le Clucheret
Chaudol
Beaujeu
Recuit
LA JAVIE
Blegiers
Chavailles
S.t Martin
NOYERS-sur-Jabron
Grande Bastie
Bevons
SISTERON
Enceinte
Briasc
Pécoule
S.t Symphorien
Sommet de Vaumuse
1435
le Planas
S.te Madeleine
N. D. de Lauzière
le Brusquet
Bléone
1313
le Couvent
Perivoye
les Bons-Enfants
Salignac
S.t Martin
Sourribes
Valbelle
Thoard
Chanolles
Chanolette
Montagne du Cheval Blanc
2305
Draix
la Rouine
les Escoffiers
Peipin
Aubignos
la Pérusse
les Isnards
1430
Marcoux
Bouinenc
Signal de Lure
1826
Refuge de Lure
(1572)
les Bourguignons
Archail
2223
le Forest
VOLONNE
Sommet du Ruth
1298
Barras
Courbons
S.t Vincent
DIGNE-les-Bains
(608)
Église romane
le Villard
les Paulons
de Lure
N.D. de Lure
Châteauneuf Val-S.t Donat
Château-Arnoux
1055
les Beaudons
1140
Pic d'Oise
Champtercier
les Sieyes
S.t Pancrace
Vaumet
1702
la Peine
Tartonne
l'Escale
S.t Auban
(460)
Garce
la Treille
les Hostelleries
Plan-de-Chaude
les Dourbes
1694
Mallefougasse
Montfort
Route Napoléon
Mirabeau
Aiglun
Mallemoisson
Cruis
Malijai
les Thumins
Lambruisse
les Sauzeries
Laubre
Douroulles
Montagne de l'Allier
1789
Montlaux
Entrages
1511
S.t Michel de Cousson
les Dourbettes
le Chaffaut-S.t Jurson
Carmejane
St-Étienne-les-Orgues
Augès
Peyruis
PEYRUIS
LES MÉES
Rochers des Mées
Chénerilles
Bléone
Châteauredon
Chabrières
la Clappe
Clumanc
les Bourillons
Revest
la Blache
S.t Martin
Revest-Martin
Espinouse
les Nèbles
Toueste
le Castellet
Prieuré de Ganagobie (rom.)
Autoroute du Val de Durance
894
le Brusc
971
MÉZEL
Clue de Chabrières
Chaudon
les Chaillans
Sigonce
N.D.-de Liesse
Beynes
S.t Lions
1593
Hyèges
Chaudon-Norante
S.t Jacques
Plus-Haut
Dabisse
Paillerol
891
Puimichel
Ajonc
les Cardaires
S.t Paulus
1598
les Tourettes
Lurs
S.t Pierre
FORCALQUIER
Pierrerue
Plateau de Valensole
Bellegarde
en Sales
S.t Jeannet
Trévans
BARRÊME
Asse de Moriez
1421
les Pourcelles
Gros-Jas
Mane
N.D. des Anges
le Castellet
Entrevennes
Estoublon
Gorges de Trévans
1620
la Barre
le Riou-d'Ourgeas
Église romane
Route Napoléon
Niozelles
Rancure
Bras-d'Asse
1290
Crête de Montmuye
SENEZ
la Brillanne
Canal d'Oraison
S.t Julien-d'Asse
la Bégude-Blanche
1481
Majastres
1621
Oraison
Valbonette
la Tuillière
S.t Maime
la Chapelle
S.t Jurs
la Maurelière
Villeneuve
681
Allès
les Bas-Chaudoul
Dauphin
les Buissonnades
Brunet
le Grand Logisson
Pas-de-Laval
Clue de Taulanne
Volx
Chiran
1905
Blieux
Pré Chauvin
1641
S.te Apollinaire
le Bars
Andrieux
Puimoisson
Ségriès
1898
1741
N.D. de Beauvoir
MOUSTIERS-S.te Marie
les Louches
Berbené
Chasteuil
MANOSQUE
Mont d'Or
S.t Clément
Manosque
Parc Naturel Régional du Verdon
VALENSOLE
S.t Martin
Église romane
les Brochiers
1930
1771
1479
S.t Jean
S.t Jean
Temple romain
Roumoules
Baptistère
Campagne
Châteauneuf-les-Moustiers
Clue de Chasteuil
1447
Lioune
Rougon
Point Sublime
la Trinité
Pontfrac
RIEZ
(528)
Ecole
Torrent de Valonge
le Plan
le Serre
la Palud-sur-Verdon
Clue de Carejuan
Grand Canyon du Verdon
Rousset
(422)
Allemagne-en-Provence
Montagnac
les Roux
Lac de S.te Croix
les Salles-sur-Verdon
Aiguines
Cirque de Vaumale
Chanteraine
le Petit-S.t Maymes
Trigance
Pontoise
Laval
S.t Martin-de-Brômes
S.te Croix-de-Verdon
Balcons de la Mescla
la Cournuelle
Gréoux-les-Bains
N.D. des Œufs
Albiosc
Montpezat
Falaise des Cavaliers
Pont de l'Artuby
Aurabelle
Esparron-de-Verdon
S.t Laurent-du-Verdon
N.D. de Baudinard
Bauduen
Font-Castellan
Grand Plan de Canjuers
Camp Militaire de Canjuers
Canyon de l'Artuby
Vinon-sur-Verdon
04 Alpes-de-Haute-Provence
Basses Gorges du Verdon
Pheline
Quinson
Baudinard-sur-Verdon
la Colle
1063
l'Eclou
les Rouvières
les Bernes
Artignosc-sur-Verdon
Fontaine
Cadarache
Centre d'etudes Nucléaires
S.t Julien
659
S.t Pierre
la Mourotte
la Roquette
Villeneuve
Canjuers
Ginasservis
la Neuve
Montagne de Barjaude
1173
Bourdas
Grand Blé
691
Régusse
Vérignon
1113
N.D. d'Église
Locquier
Moissac-Bellevue
1066
S.t Priest
la Bastide-Blanche
Montmeyan
la Verdière
AUPS
les Vergelins
Couan
la Grande-Bastide
Bury
le Grand Nans
B. de Mont Major
690
N.D. de Bellevue
637
Taurenne
Fabregues
Ampus
Olves
Verdon
Durance
E 712

121

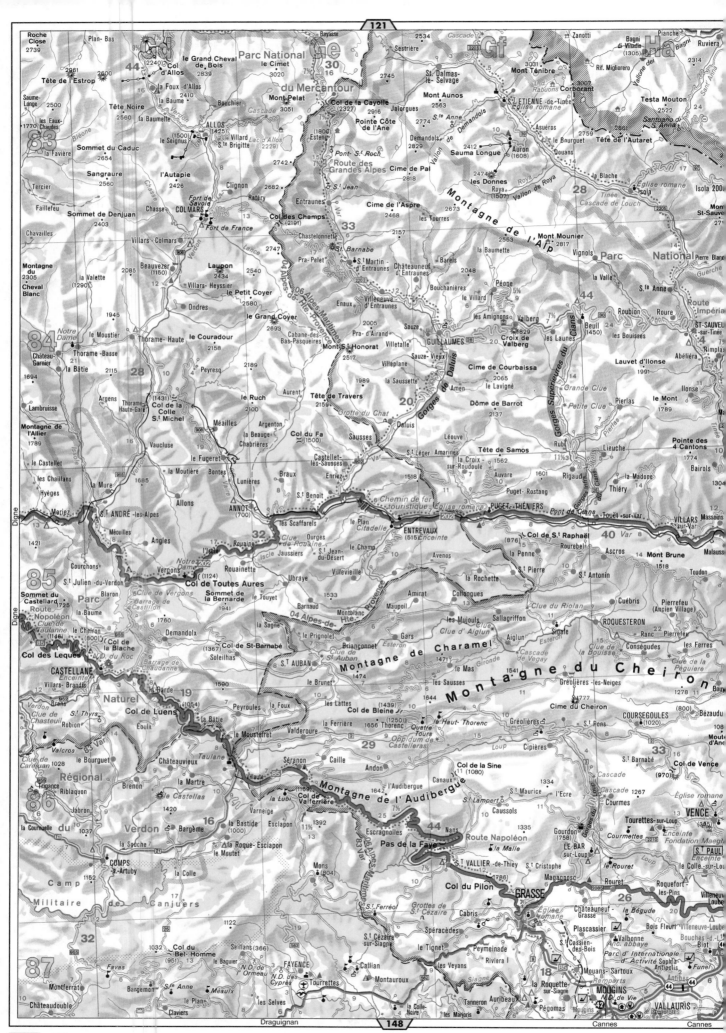

Roche Close
Plan-Bas
Col d'Allos
le Grand Cheval de Bois
Parc National du Mercantour
le Cimet
Bayasse
Sestrière
St. Dalmas-le-Selvage
Mont Ténibre
Corborant
Bagni di Vinadio
Ruviera
Tête de l'Estrop
la Foux-d'Allos
la Baume
Bouchier
Mont Pelat
Col de la Cayolle
Jalorgues
Mont Aunos
S.T ETIENNE -de-Tinée
Église romane
Testa Mouton
Saume-Longe
Tête Noire
la Baumelle
ALLOS
Pointe Côte de l'Ane
Lac d'Allos
le Seignus
Villard
S.te Brigitte
Estenc
Demandols
Vallon de Demandols
Sauma Longue
Auron
le Bourguet
Douans
Tête de l'Autaret
les Eaux-Chaudes
la Favière
Sommet du Caduc
Pont-S.t Roch
Route des Grandes Alpes
Cime de Pal
les Donnes
Roya
Vallon de Roya
la Blache
Église romane
Isola
Sangraure
l'Autapie
Clignon
S.t Jean
Tercier
Faillefeu
Sommet de Denjuan
Fort de Savoie
Chasse
COLMARS
Fort de France
Ratéry
Entraunes
Cime de l'Aspre
les Tourres
Montagne de l'Alp
Col des Champs
Cascade de Louch
Chavailles
Villars-Colmars
Chastelonnette
S.t Barnabe
Mont Mounier
Montagne du Cheval Blanc
Beauvezer
la Valette
Laupon
Pra-Pelet
S.t Martin-d'Entraunes
Châteauneuf d'Entraunes
Barels
la Baumette
Vignols
Parc National
Pierre Blanc
Villars-Heyssier
le Petit Coyer
04 Alpes-de-Hte-Provence
06 Alpes-Maritimes
la Valle
Péone
S.te Anne
Ondres
Enaux
Villeneuve-d'Entraunes
Bouchanières
le Villard
Roubion
Roure
Route Impériale
le Grand Coyer
les Amignons
Valberg
Beuil
ST-SAUVEUR-sur-Tinée
Notre Dame
le Moustier
Thorame-Haute
le Couradour
Cabane-des-Bas-Pasqueires
Pra-d'Airand
Sauze
GUILLAUMES
Croix de Valberg
les Launes
les Bouisses
Rimplas
Thorame-Basse
Château-Garnier
la Bâtie
Peyresq
Mont S.t Honorat
Villetalle
Sauze-Vieux
Gorges Supérieures du Cians
Lauvet d'Ilonse
Abéliéra
Villeplane
Cime de Courbaissa
le Lavigné
la Saussette
Gorges de Daluis
Amen
Grande Clue
Ilonse
Argens
Thorame-Haute-Gare
Col de la Colle S.t Michel
le Ruch
Aurent
Tête de Travers
Grotte du Chat
Dôme de Barrot
Petite Clue
Pierlas
le Mont
Lambruisse
Montagne de l'Allier
Méailles
Argenton
Col du Fa
Daluis
Sausses
la Beauge
Chabrières
Léouve
Castellet-les-Sausses
S.t Léger
Amarines
Tête de Samos
Rubi
Lieuche
Pointe des 4 Cantons
Vaucluse
le Fugeret
le Castellet
la Croix-sur-Roudoule
Bairols
les Chaillans
la Moutière
Bontes
Braux
Enriez
Auvare
Rigaud
la-Madone
Hyèges
la Mure
Allons
Lunières
Puget-Rostang
Thiéry
Gorges Inférieures du Cians
Digne
Moriez
S.T ANDRÉ-les-Alpes
ANNOT
S.t Benoit
Chemin de fer touristique
Église romane
PUGET-THÉNIERS
Pont de Cians
Touët-sur-Var
VILLARS-sur-Var
Massoins
Méouilles
les Scaffarels
le Plan
Citadelle
ENTREVAUX
Enceinte
Col de S.t Raphaël
Malaussène
Angles
Ourges
Clue de Rouaine
Rouaine
l'Iscle
Jaussiers
S.t Jean-du-Désert
le Champ
Avenos
la Penne
Rourebel
Ascros
Mont Brune
Courchons
Vergons
Notre Dame
Rouainette
Villevieille
S.t Pierre
S.t Antonin
Toudon
S.t Julien-du-Verdon
Col de Toutes Aures
Ubraye
la Rochette
Sommet du Castellard
Blaron
Clue de Vergons
Barrage de Castillon
Sommet de la Bernarde
le Touyet
Amirat
Collongues
Parc
Route Napoléon
la Baume
Barnaud
Montblanc
Maupoil
Clue du Riolan
Cuébris
Pierrefeu (Ancien Village)
Clue de Taulanne
le Chevron
Demandolx
la Sagne
le Prignolet
les Mujouls
Sallagriffon
Clue d'Aiglun
ROQUESTERON
Col de la Blache
N.D. du Roc
Col de St-Barnabé
Soleilhas
Briançonnet
Esteron
Gars
Aiglun
Sigale
Ranc
Pierrefeu
Col des Lequès
CASTELLANE
Enceinte
Barrage de Chaudanne
S.T AUBAN
Clue de S.t Auban
Montagne de Charamel
Cascade de Vegay
Clue de la Bouisse
Conségudes
les Ferres
Clue de la Péguière
Villars-Brandis
la Barde
le Brunet
Gironde
le Mas
Montagne du Cheiron
Gréolières-les-Neiges
Naturel
Brans
Verdon
S.t Thyrs
Col de Luens
Peyroules
la Foux
les Lattes
Col de Bleine
les Sausses
Cime du Cheiron
COURSEGOULES
Bézaudun
Clue de Chasteuil
Robion
Eoulx
la Bâtie
le Mousteiret
la Ferrière
Thorenc
le Haut-Thorenc
Quatre Tours
Oppidum de Castelleras
Gréolières
S.t Pons
Valderoure
Valcros
Loup
Cipières
Clue de Carejuan
le Bourguet
Châteauvieux
Taulane
Séranon
Caille
Andon
Col de la Sine
S.t Barnabé
Col de Vence
Régional
Trigance
Riblaquon
Brenon
Villaute
la Martre
Canaux
l'Audibergue
Cascade
Montagne de l'Audibergue
la Lubi
Col de Valferrière
S.t Maurice
S.t Lampert
l'Ecre
Cascade
Courmes
Église romane
Jabron
le Castellas
Caussols
VENCE
la Cournuelle
du
Verdon
Bargème
Varneige
la Bastide
Esclapon
Escragnolles
Nans
Tourettes-sur-Loup
Gourdon
Courmettes
Enceinte Fondation Maeght
la Roque-Esclapon
le Moutet
Pas de la Faye
Route Napoléon
la Malle
Gorges du Loup
LE BAR sur-Loup
S.T PAUL
la Soche
COMPS-s-Artuby
Mons
83 Var
06 Alpes-Maritimes
S.T VALLIER-de-Thiey
S.t Cristophe
le Rouret
le Colle-sur-Loup
Camp
la Colle
Col du Pilon
Magagnosc
Rouret
Roquefort-les-Pins
Villeneuve-Loubet
Militaire de Canjuers
S.t Ferréol
Grottes de S.t Cézaire
GRASSE
Cabris
Église romane
Châteauneuf-Grasse
la Bégude
Spéracèdes
Plascassier
Valbonne
Anc. abbaye
Bois Fleuri
Villeneuve-Loubet
Col du Bel-Homme
Seillans
S.t Cézaire-sur-Siagne
le Tignet
Peymeinade
S.t Cassien-des-Bois
Parc d'Internationale d'Activité Sophia-Antipolis
Biot
Bouches-d.-L.
le Baguier
FAYENCE
N.D. de l'Ormeau
N.D. des Cyprès
Callian
Riviera I
Favas
Montauroux
les Veyans
Siagne
Mouans-Sartoux
Remparts
Funel
Antibes
Montferrat
Bargemon
S.te Anne
Méaulx
Tourrettes
la Roquette-sur-Siagne
MOUGINS
N.D. de Vie
le Plan
Tanneron
Auribeau
Châteaudouble
Claviers
les Selves
la Colle-Noire
les Marjoris
Pégomas
Mougins
VALLAURIS
Draguignan
Cannes
Cannes

148

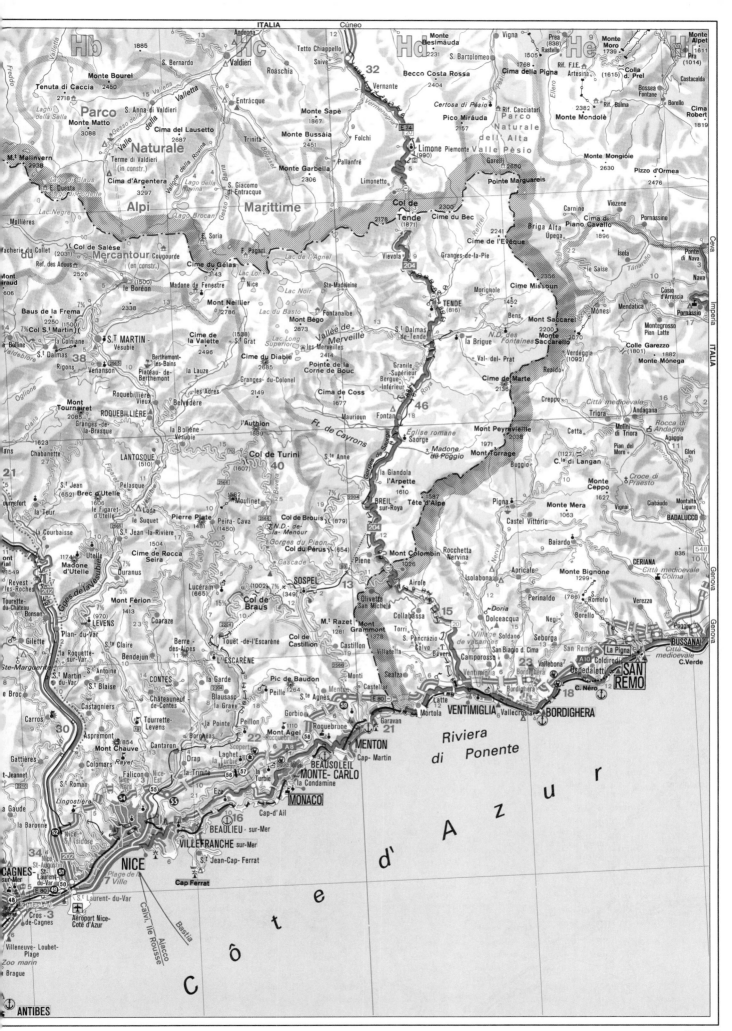

ITALIA
Cúneo
Hb
Hc
Hd
He
Hf
Andonna
Valdieri
S. Bernardo
Monte Bourel
Tenuta di Caccia
Parco
Naturale
Alpi
Marittime
Monte Matto
S. Anna di Valdieri
Valletta
della
Valle
Gesso della Valletta
Cima del Lausetto
Entrácque
Tetto Chiappello
Snive
Roáschia
Monte Sapè
Monte Bussáia
Monte Garbella
Trinità
Pallanfré
Folchi
Vernante
Limone Piemonte
Limonetto
Monte Besimáuda
S. Bartolomeo
Becco Costa Rossa
Certosa di Pésio
Rif. Cacciatori
Pico Miráuda
Parco Naturale dell' Alta Valle Pèsio
Vigna
Prea
Rastello
Rif. F.I.E.
Artesina
Cima della Pigna
Colla d. Prel
Monte Moro
Monte Alpet
Pra
Costacalda
Bossea Fontane
Rif. Balma
Monte Mondolè
Borello
Cima Robert
Monte Mongióie
Pizzo d'Ormea
Pointe Marguareis
Garelli
M.t Malinvern
Terme di Valdieri (in constr.)
Cima d'Argentera
Lago di Claus
Lago della Rovina
Vallone della Rovina
S. Giacomo di Entracque
Lac Nègre
Lago Brocan
Gesso di Barra
Mollières
Col de Tende
Cime du Bec
Carnino
Viozene
Cima di Piano Cavallo
Pornassino
Briga Alta
Úpega
Cime de l'Evêque
Granges-de-la-Pie
Vievola
E. Soria
F. Pagari
Lac de l'Agnel
Col de Salèse
Mercantour
Cougourde
Vacherie du Collet
Ref. des Adous
Cime du Gélas
Lac Long
Nice
le Boréon
Madone de Fenestre
Ste-Madeleine
Lac Noir
Mont Neillier
Lac du Basto
Fontanalbe
Mont Bégo
Baus de la Frema
Col S.t Martin
S.T MARTIN - Vésubie
la Colmiane
S.t Dalmas
la Bolline
Valdeblore
Rigons
Venanson
Berthemont-les-Bains
Plateau-de-Berthemont
Cime de la Valette
S.t Grat
Lac Long Supérieur
les Merveilles
Vallée de Merveille
Cime du Diable
Pointe de la Corne de Bouc
la Lauze
Granges-du-Colonel
les Adres
Roquebillière Vieux
Belvédère
ROQUEBILLIÈRE
Mont Tournairet
Granges-de-la-Brasque
Cima de Coss
Maurioun
Fontan
l'Authion
Ft. de Cayrons
la Bollène-Vésubie
LANTOSQUE
Chabanette
Col de Turini
S.te Anne
Gorges de Saorge
Saorge
Église romane
Madone de Poggio
TENDE
Morignole
Cime Missoun
Bens
Mont Saccarel
Monte Saccarello
S.t Dalmas-de-Tende
la Brigue
N.D. des Fontaines
Val-del-Prat
Granile-Supérieur
Bergue-Supérieur
Bergue-Inférieur
Roya
Cime de Marte
Realdo
Verdéggia
Creppo
Città medioevale
Triora
Andagana
Molini di Triora
Rocca di Andagna
Agággio
Cetta
Mont Peyrevieille
Mont Torrage
Buggio
C.la di Langan
Glori
Pian del Moro
Argentina
Monesi
Mendática
Montegrosso Pian Latte
Colle Garezzo
Monte Mónega
Pornassio
Ísola
le Salse
Tánaro
Ponte di Nava
Nava
Cósio d'Arróscia
Ceva
Imperia
S.t Jean
Brec d'Utelle
Pélasque
le Figaret-d'Utelle
la Tour
Loda
le Suquet
S.t Jean-la-Rivière
la Courbaisse
Utelle
Madone d'Utelle
Cime de Rocca Seira
Duranus
Revest-les-Roches
Tourette-du-Château
Bonson
Gges de la Vésubie
Pierre Plate
Peira-Cava
Moulinet
Col de Brouis
N.D.-de-la-Menour
Gorges du Piaon
Col du Pérus
Cascade
la Giandola
l'Arpette
BREIL-sur-Roya
Tête d'Alpe
Piene
Mont Colombin
Rocchetta Nervina
Nervia
Pigna
Monte Mera
Castel Vittório
Monte Ceppo
Croce di Praesto
Vignai
Ciabáudo
Montalto Ligure
BADALUCCO
Baiardo
CERIANA
Monte Bignone
Colma
Apricale
Isolabona
Perinaldo
S. Romolo
Verezzo
Borello
Poggio
Genova
Lucéram
SOSPEL
Col de Braus
Mont Férion
LEVENS
Coaraze
Plan-du-Var
Gilette
la Roquette-sur-Var
S.te Claire
Bendejun
Berre-des-Alpes
Touët-de-l'Escarène
L'ESCARÈNE
M.t Razet
Mont Grammont
Col de Castillion
Castillon
Airole
Olivetta San Michele
Collabassa
Torri
S. Pancrázio
Calvo
Bevera
Dolceacqua
Doria
Village de vacances
Soldano
Negi
Seborga
San Biagio d. Cima
Vallebona
San Remo
La Pigna
Coldirodi
Ospedaletti
BUSSANA
Città medioevale
C.Verde
SAN REMO
C. Nero
Camporosso
Ventimiglia
Bordighera
VENTIMIGLIA
Vallecrosia
BORDIGHERA
Latte
Mortola
Garavan
Sealza
Castellar
Monti
Villatella
Ste-Marguerite
S.t Martin-du-Var
S.t Antoine
S.t Blaise
CONTES
la Garde
Blausasc
Châteauneuf-de-Contes
la Grave
Pic de Baudon
Peille
S.te Agnès
Menton
Gorbio
Roquebrune
Mont Agel
Peillon
la Pointe
Castagniers
Carros
Tourrette-Levens
Aspremont
Mont Chauve
Cantaron
Borghéas
Scoperta
Laghet
la Turbie
Drap
Gattières
Colomars
Rayet
Falicon
Nice-Est
Nice-Nord
la Trinité
Monaco
MENTON
Cap-Martin
BEAUSOLEIL
MONTE-CARLO
la Condamine
MONACO
Eze
Cap-d'Ail
S.t Roman
Lingostière
la Gaude
la Baronne
Nice-S.t Isidore
BEAULIEU-sur-Mer
VILLEFRANCHE sur-Mer
S.t Jean-Cap-Ferrat
Cap Ferrat
NICE
Plage de la Ville
CAGNES-sur-Mer
Nice-St-Augustin
St-Laurent-du-Var
S.t Laurent-du-Var
Cros-de-Cagnes
Aéroport Nice-Coté d'Azur
Calvi, Île Rousse
Ajaccio
Bastia
Villeneuve-Loubet-Plage
Zoo marin
Brague
ANTIBES
Riviera di Ponente
Côte d'Azur

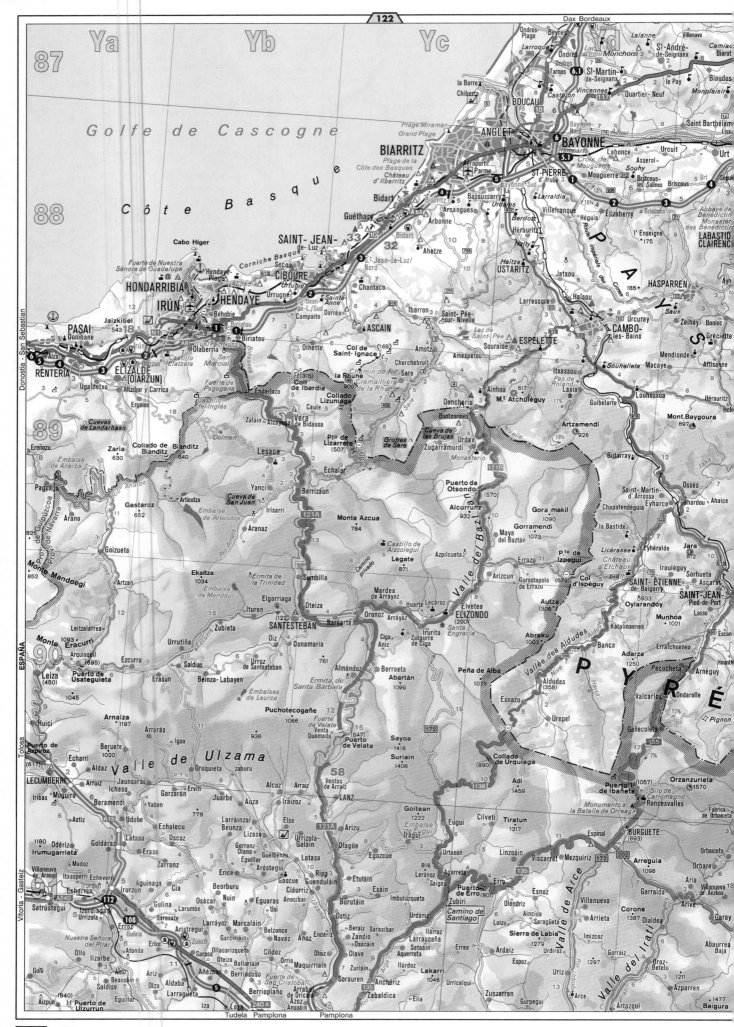

Dax Bordeaux
Ya
Yb
Yc
Yd
87
88
89
90
91
Golfe de Cascogne
Côte Basque
BIARRITZ
Plage de la Côte des Basques
Château d' Ilbarritz
Plage Miramar
Grand Plage
ANGLET
BAYONNE
BOUCAU
Tarnos
Ondres
Ondres-Plage
Larroque
Beyres
Labenne
Lalanne
St-André-de-Seignanx
St-Martin-de-Seignanx
Monchoisi
Vincennes
Quartier-Neuf
le Pay
Biaudos
Monplaisir
Saint Barthélemy
la Barre
Chiberta
Castillon
Aéroport Parme
ST-PIERRE-d' Irube
Lahonce
Urcuit
Urt
Mouguerre
Asserol
Souhy
Briscous-les Salines
Briscous
Croix de Mouguerre
Bidart
Bassussarry
Arcangues
Arbonne
Urdains
Villefranque
Héguia
Élizaberry
Abbaye de Bénédictins
Guéthary
Bidart
Ahetze
Hérauritz
Halty
Haïtze
USTARITZ
Jatxou
l' Enseigne
175
LABASTIDE-CLAIRENCE
Route impériale des Cimes
SAINT-JEAN-de-Luz
Socoa
CIBOURE
Corniche Basque
Urrugne
Urtubie
Abbadia
St-Jean-de-L/Sud
St-Jean-de-Luz/Nord
Sainte-Anne
Chantaco
Campoito
Dorréa
Béhobie
HENDAYE
Hendaye-Plage
Cabo Higer
Fuerte de Nuestra Sènora de Guadalupe
HONDARRIBIA
IRÚN
Jaizkibel
543
PASAI
Donibane
Alza
RENTERIA
ELIZALDE (OIARZUN)
Ugaldetxo
Altzibar y Carrica
Ergoien
Olaberria
Castillo Elatzeta
San Marcial
Irún/Pamplona
Biriatou
Bidassoa
Olhette
ASCAIN
Ibarron
Saint-Pée-sur-Nivelle
Lac de Saint-Pée
Col de Saint-Ignace
(169)
Amotz
Souraïde
ESPELETTE
Amespétou
Larressore
Halsou
CAMBO-les-Bains
Urcuray
HASPARREN
185
Saux
Zelhay
Bonloc
Gréciette
Mendionde
Souhelleta
Macaye
Attisanne
Chemin de fer
Crémaillière de la Rhune
la Rhune
900
Sare
Cherchebruit
Col de Ibardia
(315)
Collado Lizuniaga
Fuerte de Pagogana
Endarlaza
Castillo del Inglés
Caule
Zaláin
Alcayaga
Vera de Bidasoa
Pto de Lizarrete
(507)
Grottes de Sare
Dancharia
Dantxarinea
Cueva de las Brujas
Urdax
Zugarramurdi
Monasterio
Ainhoa
617
M.t Atchuléguy
Itxassou
Pas de Roland
Laxia
Guibelarte
Louhossoa
Hérauritz
Mont Baygoura
897
Artzamendi
926
Bidarray
Cuevas de Landarbaso
Ereñozu
Zaria
630
Collado de Bianditz
Bianditz
840
Embalse de Anarbe
Dolmen
Lesaca
Echalar
Pagoaga
Río Añarbe
Articutza
Gastaroz
652
Embalse de Articutza
Cueva de San Juan
Yanci
Irisarri
Aranaz
Berrizáun
Monte Azcua
784
Puerto de Otsondo
(570)
Alcurrunz
932
Gora makil
1090
Gorramendi
1073
Maya del Baztán
Saint-Martin-d' Arrossa
Eyharce
Chapatendéguia
Ossès
Gahardou
Ahaice
la Bastide
Arano
825
Prov. de Guipúzcoa
Prov. de Navarra
Goizueta
Río Urumea
Río Arrata
Castillo de Aizcolegui
Legate
871
Camino privado
Azpilcueta
Valle del Baztán
Errazu
P.to de Izpegui
Lícérasse
Eyhéralde
Château d'Etchaux
Irouléguy
Jara
812
Sorhueta
Ascarat
Monte Mandoegi
852
Artzan
Ekaitza
1034
Ermita de la Trinidad
Embalse de Mendaur
Sumbilla
Arizcun
Gorostapolo de Errazu
(672)
Col d'Ispéguy
SAINT-ÉTIENNE-de-Baïgorry
933
Oylarandoy
SAINT-JEAN-Pied-de-Port
Lasse
Elgorriaga
Ituren
(122)
Oteiza
Mardea de Arráyoz
Huarte
Lecároz
Elvetea
ELIZONDO
(200)
Autza
1306
Munhoa
1021
Leitzalarrea
Zubieta
SANTESTEBAN
Narvarte
Oronoz
Arráyoz
Irurita
Santa Engracia
Katalinaenea
Monte Eracurri
1093
Arquisguil
(695)
Puerto de Usateguieta
Leiza
(450)
Urrutiña
Ezcurra
Saldías
Oiz
Donamaría
Urroz de Santesteban
761
Ciga
Aniz
Zuraurre de Ciga
Abraku
1003
Vallée des Aldudes
Banca
Adarza
1250
Errathuenea
Escan
Erasun
Beinza-Labayen
Almándoz
Berroeta
Abartán
1099
Peña de Alba
1075
Aldudes
(358)
Pecocheta
Arnéguy
Hountto
1045
Embalses de Leurza
Ermita de Santa Bárbara
Esnazu
Valcarlos
Ondarolle
PYRÉ
Arnaiza
1197
Huici
Arrarás
Puchotecogañe
1066
Fuerte de Velate
Venta Quemada
(847)
Puerto de Velate
Urepel
13%
Gañecoleta
Pignon
Puerto de Azpiroz
(617)
938
Igoa
Beruete
1020
Sayoa
1418
Suriain
1408
Collado de Urquiaga
(890)
7%
Echarri
Aldaz
Valle de Ulzama
Oroquieta
zaburu
LECUMBERRI
Jaunsarás
Ichaso
Arruiz
Iribas
Muguiro
58
Ventas de Arraiz
Alcoz
Arraiz
Adi
1459
Puerto de Ibañeta
(1057)
Silo de Carlomagno
Roncesvalles
Orzanzurieta
1570
Beramendi
Garzarón
Erviti
Yaben
Juarbe
Auza
Iráizoz
LANZ
Goitean
1222
Embalse de Eugui
Eugui
Cilveti
Tiratun
1217
Monumento a la Batalla de Orreaga
Fábrica de Orbaiceta
Astiz
Udabe
Echalecu
778
Larráinzar
Beunza
Elso
Arizu
Iragui
Espinal
BURGUETE
(893)
1180
Odériz
Irumugarrieta
Goldáraz
Latasa
Oscoz
Lizaso
Urrizola-Galáin
Olagüe
Urtasun
Linzoáin
Viscarret
Mezquíriz
Orbaiceta
Madoz
Eraso
Zarranz
Gorronz-Olano
Guelbenzu
Latasa
Egozcue
Arreguia
1098
Orbara
Villanueva de Araquil
Itxasperri
Echeverri
Irurzun
Aguinaga
Erice
Arósteguí
Ripa
Etulain
816
Leránoz
Agorreta
Aria
Villanueva de Aezkoa
Echarren
Beorburu
Nuin
Gascue
Ciáurriz
Guendulain
Esáin
Saigós
Puerto de Erro
(801)
Erro
Esnoz
Villanueva
Garralda
Arive
Satrústegui
Izurdiaga
Urrizola
Gulina
Larumbe
Osácar
Eguaras
Usi
Anocibar
Burutáin
Imbuluzqueta
Zubiri
Camino de Santiago
Olondriz
Aincioa
Saragüeta
Arrieta
Corona
1387
Oladea
Garay
Erroz
Sarasate
Arístregui
Larráyoz
Marcaláin
Belzunce
Navaz
Anoz
Endériz
Ostiz
Beraiz
Sarasibar
Zandio
Osacain
Urdániz
Ilárraz
Larrasoaña
Loizu
Sierra de Labia
1279
Imízcoz
Abaurrea Baja
Nuestra Señora del Pilar
Garciriáin
Zuasti
Atondo
Ollo
Ilzarbe
Sarasa
Ollacarizqueta
Oteiza
Cildoz
Orrio
Oláiz
Olave
Setoáin
Aquerreta
Errea
Ardaiz
Urdiroz
Valle de Arce
Garráiz
1297
Goñi
Anoz
Beasoáin
Saldise
Ariz
Aldaba
Olza
Ballariáin
Berriosuso
Añézcar
Maquirriain
Zuriáin
Ilúrdoz
Espoz
Oroz-Betelu
1211
Valle del Irati
(840)
Aizpún
Puerto de Ulzurrun
Eguillor
Larragueta
Iza
Loza
Fuerte de San Cristóbal
Berrioplano
Arrabal de Oricain
Azoz
Ansoáin
Sorauren
Anchóriz
Zabaldica
Lakarri
1046
Urricelqui
Elía
Zunzarren
Gurpegui
Uriz
Arce
Artozqui
Azparren
1477
Baigura
Tudela Pamplona
Pamplona
Donostia - San Sebastian
ESPAÑA
Tolosa
Vitoria - Gasteiz

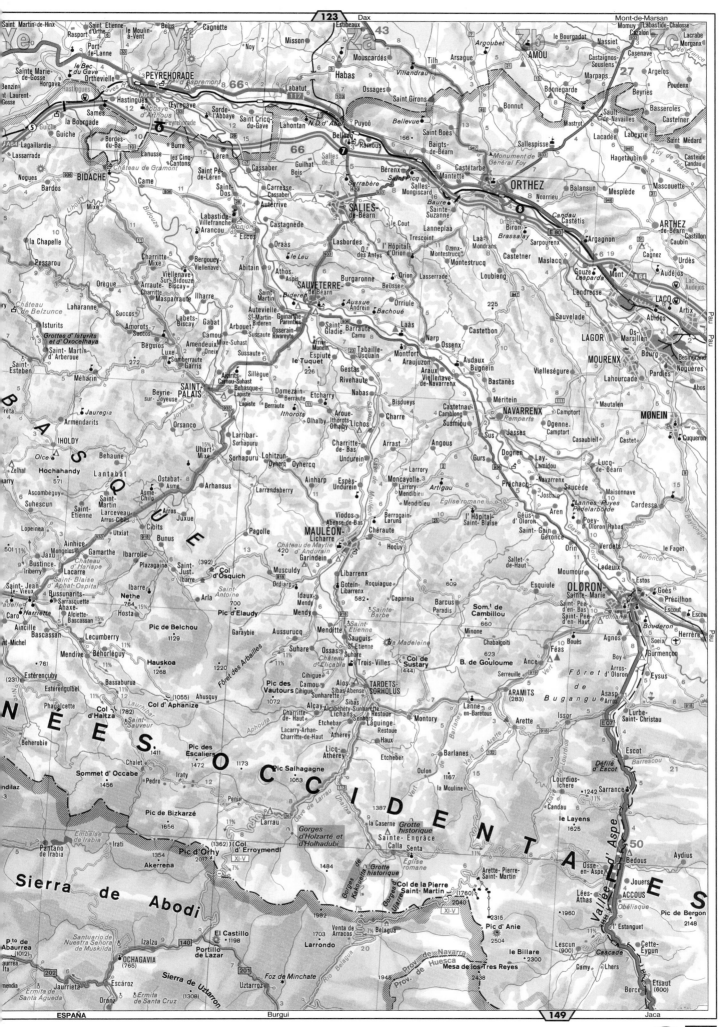

123
Dax
Mont-de-Marsan
Saint Martin-de-Hinx
Saint Etienne-d'Orthe
le Moulin-à-Vent
Bélus
Cagnotte
Estibeaux
Momuy
Labastide-Chalosse
Cazalon
Lacrabe
Morganx
Rasport
Port-de-Lanne
Noy
Misson
Argoubet
le Bourgadot
Nassiet
Casenave
Ye
Yf
Za
Zb
Zc
43
Mouscardès
Tilh
Arsague
AMOU
Castaignos-Souslens
Argelos
Sainte Marie-de-Gosse
le Bec du Gave
Orthevielle
Horgave
PEYREHORADE
Château d'Aspremont
66
Habas
Villandraut
Marpaps
27
Poudenx
Benzin
Saint Laurent-de-Gosse
Hastingues
Labatut
Ossages
Bonnegarde
Beyries
Gaves Réunis
Sames
Œyregave
Sorde-l'Abbaye
Abbaye d'Arthous
Saint Girons
Bonnut
Bassercles
la Bourgade
Guiche
Peyrehorade
Saint Cricq-du-Gave
Lahontan
N.D. d'Abet
Puyoô
Bellevue
Sault-de-Navailles
Mastrot
Castelner
Lagaillardie
Bordes-du-Ba
Burre
Bellocq
Ramous
Saint Boès
Lacadée
Labeyrie
Saint Médard
Lassarrade
Lanusse
les Cinq-Cantons
Léren
Guilhat
Salies-de-B.
Baigts-de-Béarn
Sallespisse
Hagetaubin
Luy de Béarn
Casteide-Candau
Nogues
BIDACHE
Château de Gramont
Cassaber
Bois
Bérenx
Castétarbe
Monument de Général Foy
Bardos
Came
Saint Pé-de-Léren
Saint-Dos
Sarrabère
Saint Picq
Mantette
ORTHEZ
Balansun
Mesplède
Mascouette
Carresse-Cassaber
Salles-Mongiscard
Noarrieu
Mixe
Lihoury
Bidouze
Auterrive
SALIES-de-Béarn
Baure
Sainte-Suzanne
Candau
Castétis
ARTHEZ-de-Béarn
Castillon
Caubin
Labastide-Villefranche
Castagnède
le Cout
Lanneplaà
Orthez-Biron
Brassalay
Arancou
Escos
Trescoint
Sarpourenx
Argagnon
la Chapelle
Oraàs
Lasbordes
l'Hôpital-d'Orion
Laà-Mondrans
Ozenx-Montestrucq
Castetner
Maslacq
Cagnez
Urdès
Pessarou
Charritte-Mixe
le Leu
des Antys
Montestrucq
Gouze
Lesparda
Mont
A 64
Audéjos
Lac Audejos
Bergouey-Viellenave
Abitain
Athos-Aspis
Burgaronne
Orion
Lasserrade
Loubieng
Viellenave-Sur-Bidouze
Orègue
Arraute-Charritte
Biscay
SAUVETERRE-de-Béarn
Beùsse
Lendresse
LACQ
Château de Belzunce
Laharanne
Masparraute
Ilharre
Saint-Martin
Bideren
Aussue
Andrein
Orriule
225
Artix
Succos
Labets-Biscay
Gabat
Autevielle-St-Martin-Bideren
Guinarthe-Parenties
Bachoué
Sauvelade
Abidos
Pau
Isturits
Amorots-Succos
Arbouet
Osserain-Rivareyte
Saint-Gladie
Barraute-Camu
Laàs
Castetbon
Os-Marsillon
Grottes d'Isturits et d'Oxocelhaya
Béguios
Camou-Mixe-Suhast
Sussaute
Narp
LAGOR
Saint-Martin-d'Arberoue
Amendeuix-Oneix
Luxe-Sumberraute
Arrive-Munein
Espiute
Tabaille-Usquain
Montfort
Ossenx
Bourg
MOURENX
Besingrand
Noguères
272
Garris
le Tuquet
Araujuzon
Audaux
Bugnein
Saint-Esteben
Méharin
226
Gestas
Araux
Viellenave-de-Navarrenx
Vielleségure
Pardies
Aïcirits-Camou-Suhast
Sillègue
Rivehaute
Bastanès
Lahourcade
SAINT-PALAIS
Behasque-Lapiste
Domezain-Berraute
Etcharry
Nabas
Abos
Beyrie-sur-Joyeuse
Meritein
Lapiste
Berraute
Bisdueys
Jauregia
Ithorots
Aroue-Ithorots-Olhaiby
Charre
Castetnau-Camblong
NAVARRENX
Remparts
Camptort
Mautalen
Armendarits
Joyeuse
Orsanco
Olhaiby
Lichos
Susmiou
Ogenne-Camptort
MONEIN
Larribar-Sorhapuru
Sus
Jasses
Casaubieil
Castet
Cuqueron
IHOLDY
Uhart-Mixe
Charritte-de-Bas
Arrast
Angous
Olce
Behaune
Undurein
Dognen
Lay-Lamidou
Lucq-de-Béarn
Zelhal
Hochahandy
Lantabat
Sorhapuru
Lohitzun-Oyhercq
Gurs
571
Larrory
Ostabat-Asme
Ainharp
Espès-Undurein
Moncayolle-Larrory-Mendibieu
Artigau
Préchacq-Navarrenx
Saucède
Ascombéguy
Arhansus
Larrandaberry
Mendibieu
Maisonnave
Suhescun
Saint-Martin
Larceveau-Arros-Cibits
Asme-Chilo
Arros
Église romane
Préchacq-Josbaig
Lannes-Puyes
Pedelarborde
Cardesse
Saint-Etienne
Juxue
Viodos-Abense-de-Bas
Berrogain-Laruns
l'Hôpital-Saint-Blaise
Géus-d'Oloron
Aren
Poey-d'Oloron
Lopeinea
Cibits
Utxiat
Bunus
Pagolle
MAULÉON-Licharre
Chéraute
Saint-Goin
Géronce
Gave d'Oloron
Verdets
le Faget
Ainhice-Mongelos
Gamarthe
Château de Maytie d'Andurain
Hoquy
Orin
Jaxu
Ibarrolle
Garindein
Sallet-de-Haut
Ledeux
Bustince-Iriberry
Lacarre
Château d'Harispe
Plazagaina
Saint-Just-Ibarre
(392)
Col d'Osquich
Musculdy
Libarrenx
Moumour
Saint-Blaise
Saint-Jean-le-Vieux
d'Aphat-Ospital
Ibarre
Ordiarp
Gotein-Libarrenx
Roquiague
609
Esquiule
OLORON-Sainte-Marie
Estos
Goès
Bussunarits-Sarrasquette
Nethe 764
Arla
Saint-Antoine
Idaux-Mendy
582
Caparnia
Barcus
Paradis
Som.t de Cambillou
660
Saint-Pée-d'en-Bas
Saint-Pée-d'en-Haut
Précilhon
Escout
Escou
Caro
Harriette
Ahaxe-Alciette-Bascassan
Hosta
700
Pic d'Elaudy
Mendy
Sainte-Barbe
Aincille
Bascassan
Pic de Belchou
1129
Garaybie
Aussurucq
Menditte
Saint-Etienne
Sauguis-St-Etienne
la Madeleine
Minone
Chabalgoïti
Bouderon
Herrère
Saint-Michel
Lecumberry
Mendive
Béhorléguy
Suhare
Ossas-Suhare
Château d'Elicabia
Trois-Villes
Col de Sustary
(444)
623
B. de Gouloume
Ance
Féas
Boués
Agnos
Soeix
Gurmençon
761
Hauskoa
1268
1220
Forêt des Arbailles
Cihigue
Alos-Sibas-Abense
TARDETS-SORHOLUS
Serreuille
Boy
Arros-d'Oloron
Eysus
Estérençuby
(231)
Estérenguibel
Bassaburua
Pic des Vautours
Camou-Cihigue
Sunharette
Forêt de Bugangue
Phagalcette
Col d'Haltza
(782)
(1055)
Col d'Aphanize
Ahusquy
1072
Alçay-Alçabéhéty-Sunharette
Sibas
ARAMITS (283)
Asasp-Arros
Lurbe-Saint-Christau
Saint-Sauveur
Laurhibar
Aphoura
Charritte-de-Haut
Lichans-Sunhar
Restoue
Laguinge-Restoue
Montory
Lanne-en-Barétous
Arette
Issor
Lacarry-Arhan-Charritte-de-Haut
Etchebar
Athérey
Haux
Behorobie
1411
Pic des Escaliers
1472
1173
Licq-Athérey
Etchebar
Barlanes
Escot
Défilé d'Escot
Chalet
Sommet d'Occabe
1456
Iraty
Pedro
Pic Salhagagne
1053
Oulon
1167
la Mouline
Lourdios-Ichère
1242
Sarrance
Barrescou
Vert d'Arette
Penin
Larrau
Gave de Larrau
Uhaïtxa
1387
Candau
le Layens
1625
Pic de Bizkarzé
1656
Embalse de Irabia
Gorges d'Holzarté et d'Holhadubi
la Caserne
Grotte historique
Sainte-Engrâce
Calla
Senta
Vallée d'Aspe
50
Aydius
Bedous
Pantano de Irabia
Irati
1354
Akerrena
Pic d'Orhy 2017
(1362)
Col d'Erroymendi
1484
Église romane
Osse-en-Aspe
Arette-Pierre-Saint-Martin
Jouers
ACCOUS
Lées-Athas
Sierra de Abodi
Gorges de Kakouetta
Grotte historique
Gorges d'Ujarre
Col de la Pierre Saint-Martin
(1760)
2040
1982
2315
Pic d'Anie
2504
1960
Obélisque
Pic de Bergon
2148
l'Estanguet
P.to de Abaurrea (1012)
Santuario de Nuestra Señora de Muskilda
Izalzu
El Castillo
1198
1703
Venta de Arracos
Belagua
Larrondo
le Billare
2300
Lescun (900)
Cette-Eygun
Cascade
OCHAGAVIA (765)
Portillo de Lazar
Prov. de Navarra
Prov. de Huesca
Mesa de los Tres Reyes
2438
Camy
Lhers
Jaurrieta
Escároz
Sierra de Uztarron
Foz de Minchate
Río Belagua
1945
Uztarroz
Ermita de Santa Agueda
Oronz
Ermita de Santa Cruz
(1308)
Borce
Etsaut (600)
BASQUE
PYRENEES OCCIDENTALES
ESPAÑA
Burgui
149
Jaca

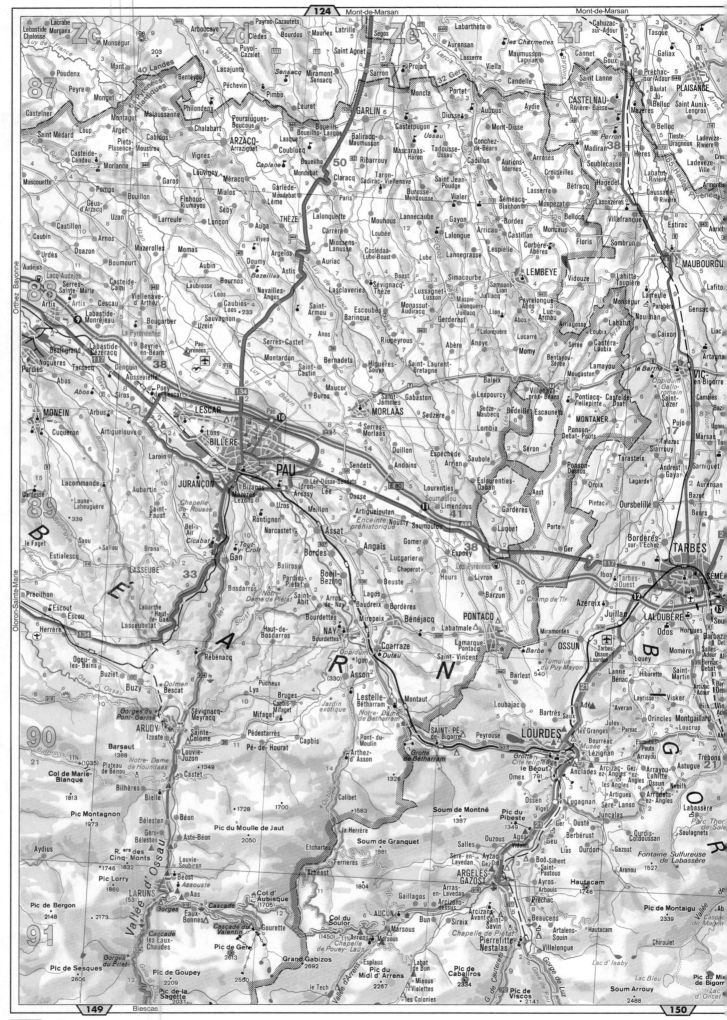
124 Mont-de-Marsan
Mont-de-Marsan
Zc
Zd
Ze
Zf
87
88
89
90
91
GARLIN
ARZACQ-Arraziguet
THÈZE
LEMBEYE
CASTELNAU-Rivière-Basse
PLAISANCE
MAUBOURGUET
MONEIN
LESCAR
BILLÈRE
PAU
JURANÇON
MORLAAS
MONTANER
VIC-en-Bigorre
TARBES
LASSEUBE
PONTACQ
NAY
OSSUN
LALOUBÈRE
ARUDY
LOURDES
ARGELÈS-GAZOST
LARUNS
AUCUN
Pierrefitte-Nestalas
BÉARN
BIGORRE
Orthez Bayonne
Oloron-Sainte-Marie
Vallée d'Ossau
Col d'Aubisque (1705)
Col du Soulor (1450)
Pic de Ger 2613
Grand Gabizos 2692
Pic de Sesques 2606
Pic de Bergon 2148
Pic Lorry 1869
Pic Montagnon 1973
Pic du Moulle de Jaut 2050
Soum de Granquet 1881
Soum de Montné 1387
Pic du Pibeste 1349
Hautacam 1746
Pic de Montaigu 2339
Soum Arrouy 2488
Pic de Viscos 2141
Pic de Cabaliros 2334
Pic du Midi d'Arrens 2267
Pic de Goupey 2209
Pic de la Sagette 2031
Col de Marie-Blanque
Biescas
149
150

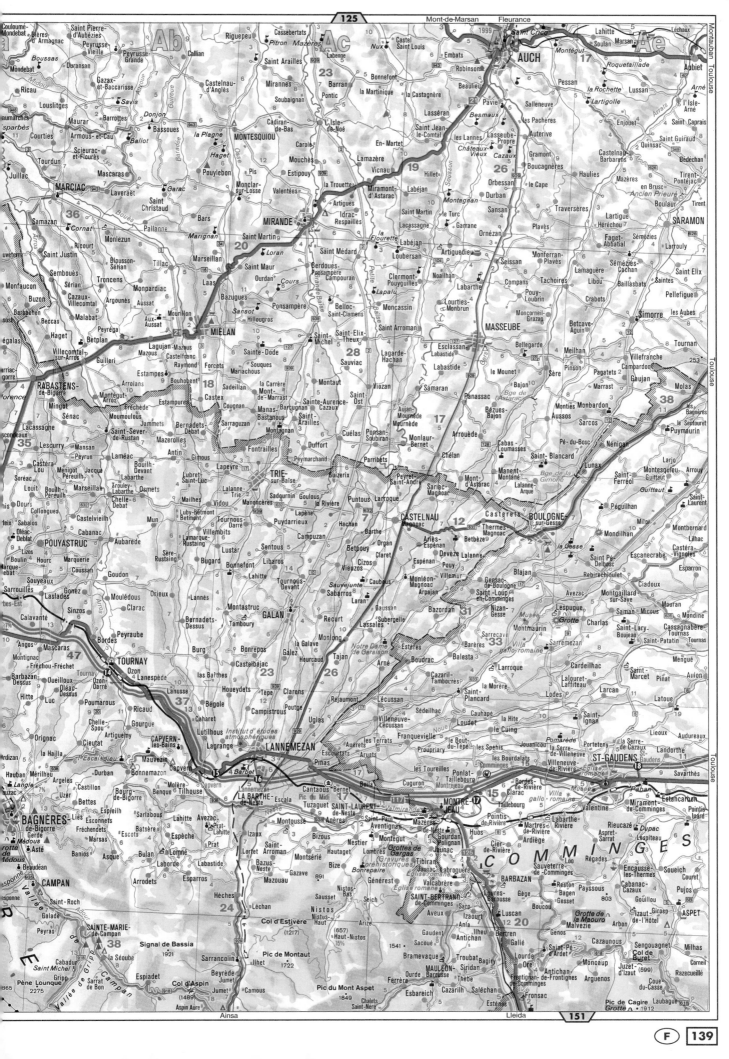
125
Mont-de-Marsan
Fleurance
Montauban Toulouse
Toulouse
Ainsa
Lleida
151
Ab
Ac
Ae
AUCH
Saint Pierre-d'Aubézies
Riguepeu
Cassebertats
Pitron
Mazères
Labenne
Castel
Saint Louis
Nux
Embats
Robinson
Beaulieu
Lahitte
Soulan
Marsan
Léchaux
Montégut
Roquetaillade
Aubiet
Pessan
la Rochette
Lussan
Lartigolle
Saint Araille
Mirannes
Barran
Bonnefont
la Martinique
la Castagnère
Lasséran
Pavie
Salleneuve
Peyrusse-Vieille
Peyrusse-Grande
Callian
Duransan
Boussas
Mondebat
Gazax-et-Baccarisse
Castelnau-d'Anglès
Soubaignan
Pontic
Ricau
Louslitges
Savis
Donjon
Barrottes
Bassoues
Maurar
Armous-et-Cau
Courties
Baliot
la Plagne
MONTESQUIOU
Cadiran-de-Bas
L'Isle-de-Noé
Saint Jean-le-Comtal
les Lannes
Lasseube-Propre
Besmaux
les Pachères
Auterive
Enjouet
Saint Caprais
Saint Guiraud
Quinsac
Scieurac-et-Flourès
Haget
Tourdun
Juillac
Pouylebon
Carolé
Mouchès
Estipouy
Lamazère
Vicnau
En-Martet
Châteaux-Vieux
Cazaux
Gramont
Bucagnères
Castelnau-Barbarens
Bédechan
Mascaras
Pis
MARCIAC
Laveraët
Garac
Monclar-sur-Losse
Valentées
la Trouette
Miramont-d'Astarac
Hillet
Labéjan
Orbessan
le Cape
Haulies
Mazères
en Brusc
Ancien Prieuré
Tirent-Pontéjac
Saint Christaud
Artigues
Idrac-Respaillès
Montagnan
Durban
Sansan
Traversères
Boulaur
Tirent
Samazan
Cornat
Bars
MIRANDE
Saint Martin
le Turc
Garrane
Plavès
Lartigue
Héréchou
SARAMON
Monlezun
Pallanne
Marignan
Saint Martin
Lacassagne
Ornézan
Faget-Abbatial
Sémézies
Larrouly
Ricourt
Saint Justin
Loran
Saint Médard
la Flourette
Labéjan
Loubersan
Artiguedieu
Seissan
Monferran-Plavès
Sémézies-Cachan
Saint Elix
Blousson-Sérian
Tillac
Marseillan
Saint Maur
Berdoues-Ponsampère
Campouran
Clermont-Pouyguillès
Noailhan
Compans
Tachoires
Lamaguère
Libou
Baillasbats
Saintes
Sembouès
Troncens
Ourdan
Cours
Lapalu
Labarthe
Pouy-Loubrin
Crabots
Pellefigue
Monfaucon
Sérian
Monpardiac
Laas
Bazugues
Ponsampère
Belloc-Saint-Clamens
Moncassin
Lourties-Monbrun
Moncorneil-Grazan
Simorre
les Aubes
Buzon
Cazaux-Villecomtal
Argounès
Aussat
Sansot
Hillougros
Saint Arroman
MASSEUBE
Betcave-Aguin
Barbachen
Beccas
Malabat
Aux-Aussat
Mouillon
MIÉLAN
Peyréga
Saint-Michel
Saint-Elix-Theux
Esclassan
Labastide
Bellegarde
Meilhan
Tournan
Haget
Betplan
Laguian-Mazous
Sainte-Dode
Lagarde-Hachan
Villefranche
Villecomtal-sur-Arros
Guilleri
Castelfranc
Raymond
Forcets
Souques
Mariachous
Sauviac
Labastide
Pinson
Pagatets
Campardon
Molas
RABASTENS-de-Bigorre
Estampes
Bouhobent
Arrolans
la Carrère
Mont-de-Marrast
Montaut
le Mounet
Bajon
Sère
Marrast
Gaujan
Montégut-Arros
Fréchède
Sadeillan
Castex
Sainte-Aurence-Cazaux
Saint-Ost
Viozan
Samaran
Panassac
Bge de l'Astarac
Montiès
Monbardon
Mingot
Sénac
Estampures
Cougnan
Manas-Bastanous
Barcugnan
Saint-Arailles
Aujan-Mournède
Mournède
Bézues-Bajon
Aussos
Sarcos
les Bagnères
le Sentouret
Puymaurin
Lacassagne
Moumoulous
Jammets
Bernadets-Debat
Sarraguzan
Montagnan
Cuélas
Ponsan-Soubiran
Monlaur-Bernet
Arrouède
Cabas-Loumassès
Pé-du-Bosc
Nénigan
Saint-Sever-de-Rustan
Mazerolles
Lescurry
Mansan
Peyrun
Antin
Fontrailles
Duffort
Parribets
Chélan
Saint-Blancard
Larjo
Castéra-Lou
Menigot
Lameac
Gimous
Bouilh-Devant
Peymarchand
Peyret-Saint-André
Lunax
Montesquieu-Guittaut
Arrouy
Soréac
Jacque
Pereuilh
Labarthe
Lubret-Saint-Luc
Lapeyre
TRIE-sur-Baïse
Guizerix
Sariac-Magnoac
Mont-d'Astarac
Manent-Montané
Bge de la Gimone
Saint-Ferréol
Guittaut
Louit
Bouilh-Péreuilh
Marseillan
Trouley-Labarthe
Osmets
Lalanne-Trie
Sadournin
Goulous
Puntous
Larroque
Lalanne-Arqué
Dours
Chelle-Debat
Mailhes
Vidou
Manoncères
la Rivière
Saint-Laurent
Collongues
Luby-Betmont
Betmont
Lapène
CASTELNAU Magnoac
Casterets
BOULOGNE-sur-Gesse
Péguilhan
Sabalos
Castelvieilh
Mun
Tournous-Darré
Puydarrieux
Hachan
Thermes-Magnoac
Milor
Montbernard
Oléac-Debat
Cabanac
Villembits
Barthe
Mondilhan
Lilhac
POUYASTRUC
Aubarède
Lamarque-Rustaing
Campuzan
Arièes-Espénan
Betbèze
la Gesse
Castéra-Vignoles
Lizos
Hourc
Marquerie
Sère-Rustaing
Lustar
Sentous
Betpouy
Organ
Claret
Lalanne
Saint Pé-Delbosc
Escanecrabe
Boulin
Coussan
Bugard
Bonnefont
Libaros
Cizos
Espénan
Devèze
Pouy
Esparron
Goudon
Lahitte
Vieuzos
Villemur
Blajan
Rebirechioulet
Souyeaux
Tournous-Devant
Sauvejunte
Caubous
Monléon-Magnoac
Gensac-de-Boulogne
Ciadoux
Sarrouilles
Gonez
Laslades
Mouledous
Orieux
Sabarros
Arpajan
Saint-Loup-en-Comminges
Avezac
Montgaillard-sur-Save
Clarac
Lannes
Montastruc
Laran
Gaussan
Bazordan
Nizan-Gesse
Lespugue
Grotte
Mouran
Saman
Micous
Mondine
Sinzos
Calavanté
Bernadets-Dessus
Tamboury
GALAN
Recurt
Lassales
Subergelle
Montmaurin
Charlas
Saint-Lary-Boujean
Cassagnabère-Tournas
Saint-Patatin
Tournas
Angos
Peyraube
Monlong
Notre Dame de Garaison
Sarrecave
Musée
Villa gallo-romaine
Sarremezan
Mascaras
Bordes
Burg
Bonrepos
la Galave
Gâlez
Esterès
Barères
Montignac
Fréchou-Fréchet
TOURNAY
Hourcaud
Tajan
Boudrac
Balesta
Cardeilhac
Mengué
Barbazan-Dessus
Oueilloux
Ozon-Darré
Ozon
Lanespède
las Bathes
Castelbajac
Arné
Cazaril-Tambourès
Larroque
Lalouret-Laffiteau
Saint-Marcet
Pinat
Aulon
Oléac-Dessus
Houeydets
Tèpe
Clarens
la Morère
Larcan
Hitte
Luc
Lanusse
Saint-Plancard
Lodes
Latoue
Poumarous
Ricaud
Bégole
Campistrous
Poutge
Réjaumont
Lécussan
Sédeilhac
Cauhapé
la Hite
Saint-Ignan
Chelle-Spou
Gourgue
Caharet
Uglas
Villeneuve-Lécussan
Loudet
le Cuing
Lieoux
Audureaux
Orignac
Artiguemy
CAPVERN-les-Bains
Lutilhous
Institut d'études atmosphériques
les Terrats
Franquevielle
le Bout-du-Tèpe
les Spéhis
Jouanicou
Pomarède
Porteteny
la Serre-de-Cazaux
Landorthe
Cieutat
Lagrange
LANNEMEZAN
Auerets
Aruats
Prouprary
les Bourdalats
la Serre-de-Villeneuve
ST-GAUDENS
la Hailla
Escaladieu
Mauvezin
Capvern
Escourtats
Pinas
Comminges
Villeneuve-de-Rivière
Savarthès
Hauban
Mérilhau
Durban
Bonnemazon
Barbet
les Toureilles
Ponlat-Taillebourg
Eglise romane
Langle
Argelès
Molère
Cantaous
Bernet
Cuguron
Montréjeau
Bordes-de-Rivière
Castillon
Tilhouse
Bourg-de-Bigorre
Benque
LA BARTHE-de-Neste
Escala
Pic du Midi
Bolla
Clarac
Villa gallo-romaine
Musée
Paban
Estancarbon
Uzer
Bettes
Tuzaguet
SAINT-LAURENT-de-Neste
MONTRÉ-JEAU
Taillebourg
Valentine
Miramont-de-Comminges
Pointis-Inard
BAGNÈRES-de-Bigorre
Lies
Espieilh
Esconnets
Sarlabous
Lahitte
Avezac-Prat-Lahitte
Montgousse
Anères
Saint-Paul
Aventignan
Mazères
Pointis-de-Rivière
Martres-de-Rivière
Labarthe-Rivière
Rieucazé
Dupac
Gerde
Médous
Fréchendets
Escots
Batsère
Espèche
Izaux
Bizous
Montégut
Gourdan-Polignan
Huos
Aspret-Sarrat
Lespiteau
Asté
Marsas
Prat
Lorfet
Saint-Arroman
Nestier
Lombrès
Grottes de Gargas
Jaunac
Cier-de-Rivière
Ardiège
Banios
Asque
Bulan
Lomné
Hautaget
Gravures préhistoriques
Tibiran-Jaunac
COMMINGES
Régades
Beaudéan
Laborde
Labastide
Montsérié
Bize
Bonrepaire
Labroquère
Loo
Sauveterre-de-Comminges
Encausse-les-Thermes
Soueich
Couret
CAMPAN
Arrodets
Esparros
Bazus-Neste
Gazave
Mazouau
891
Génerest
Eglise romane
Valcabrère
BARBAZAN
Reston
Bagen
Gesset
Payssous
803
Cabanac-Cazaux
Pujos
Saint-Roch
Héches
Sausset
Nistos-Bas
Seich
SAINT-BERTRAND-de-Comminges
Laures-Barousse
Gège
Boucou
Gouillou
Galade
Léchan
Nistos
Nistos-Haut
Arize
Aveux
Sarp
Izaourt
Luscan
Grotte de la Maouro
Izaut-de-l'Hôtel
Girosp
ASPET
Peyras
Col d'Estivère
(1217)
(657)
Haut-Nistos
Gaudent
Anla
Antichan
Ilheu
Bertren
Malvezie
Arbon
SAINTE-MARIE-de-Campan
Signal de Bassia
1921
Sarrancolin
Pic de Montaut
1722
1541
Sacoué
Bramevaque
Troubat
Bagiry
Galié
Saint-Pé-d'Ardet
Genos
Cazaunous
Sengouagnet
Col de Buret
Milhas
la Séoube
Cabadur
Saint Michel
Ilhet
Siridan
Ourde
Lourde
Ore
Antichan-de-Frontignes
Moncaup
Juzet-d'Izaut
(599)
Corneil
Razecueillé
Gripp
Pène Lounque
2275
Espiadet
Sarrat de Bon
Col d'Aspin
(1489)
Beyrède-Jumet
Jumet
Camous
Pic du Mont Aspet
1849
Chalets Saint-Néré
Ferrère
MAULÉON-Barousse
Thèbe
Frontignan-de-Comminges
Arguenos
Coue-du-Casse
Esbareich
Cazarilh
Saléchan
Fronsac
Estènos
Pic de Cagire
1912
Laubague
Grotte
Aspin Aure
Vallée de Campan
Vallée de Gripp
Adour
Neste
Valmirande
Gimone
Save
Noue
Gers
Arros
Osse
Baïse
Petite Baïse
Grande Baïse
Sousson
Arrats
Boués
Midou
Lys

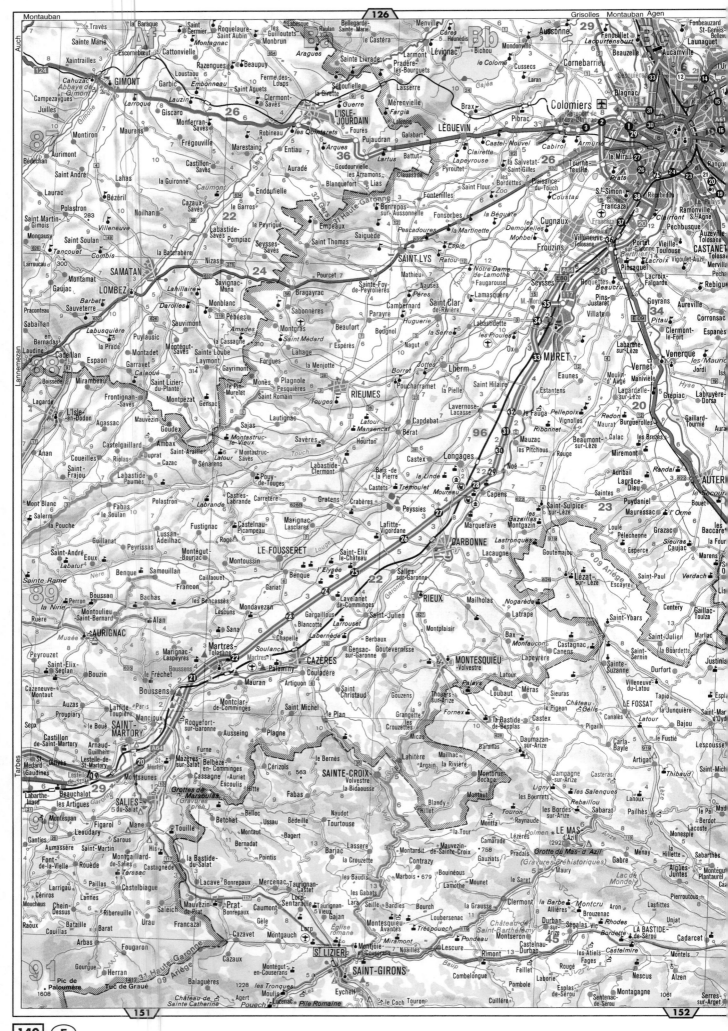
126
Montauban
Grisolles Montauban Agen
Auch
Lannemezan
Tarbes
GIMONT
L'ISLE-JOURDAIN
LÉGUEVIN
Colomiers
Blagnac
Tournefeuille
Cugnaux
Frouzins
Villeneuve-Tolosane
Portet-sur-Garonne
CASTANET-Tolosan
SAMATAN
LOMBEZ
SAINT LYS
Seysses
Roquettes
Pins-Justaret
MURET
RIEUMES
L'Isle-en-Dodon
Longages
Noé
Carbonne
LE FOUSSERET
CAZÈRES
RIEUX
AURIGNAC
Martres-Tolosane
Boussens
SAINT-MARTORY
MONTESQUIEU-Volvestre
LE FOSSAT
SAINTE-CROIX-Volvestre
SALIES-du-Salat
LE MAS-d'Azil
Grotte du Mas-d'Azil
LA BASTIDE-de-Sérou
ST LIZIER
SAINT-GIRONS
31 Haute-Garonne
32 Gers
09 Ariège
A64
A61
E80
E09
Pic de Paloumère
Tuc de Graué
Grottes de Marsoulas
Château de Sainte Catherine
Pile Romaine
151
152

127

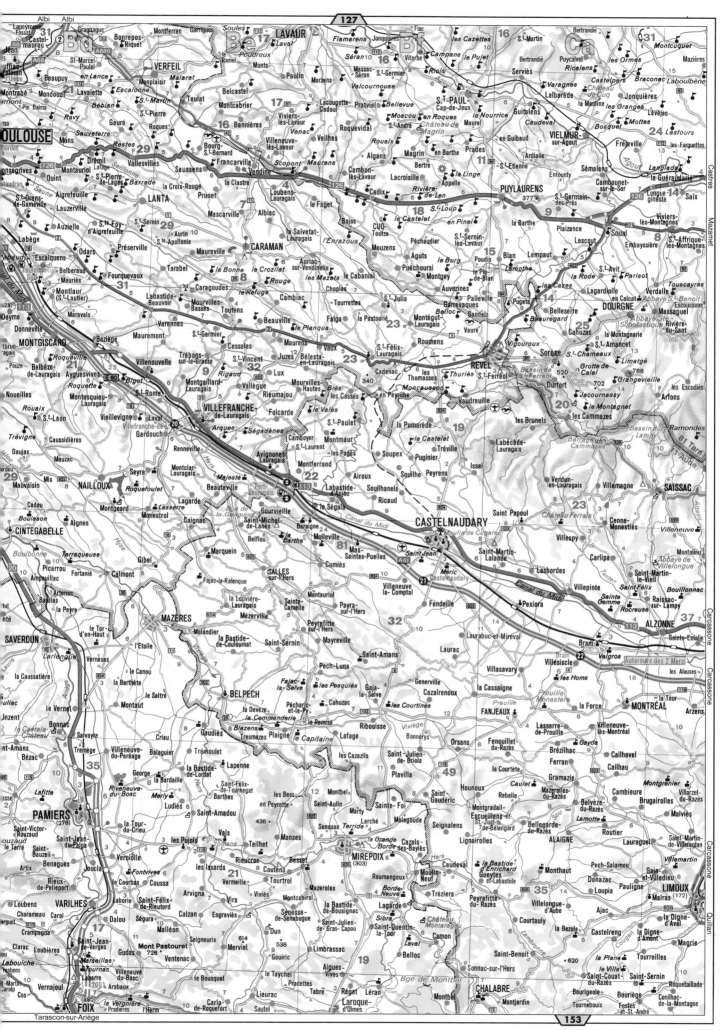
Albi
Albi
Lapeyrouse-Fossat
Castelmaurou
Gragnague
Bonrepos-Riquet
Montferran
Garrigues
Soules
LAVAUR
Fiac
Flamarens
Jonquières
les Cazettes
St-Martin
Bertrandié
Montcuquet
Mazières
St-Marcel-Paulel
VERFEIL
Poudreux
Monts
Séran
Viterbe
Campans
le Pujet
Puycalvel
les Ormes
Ricalens
Beaupuy
en Lance
Malaret
Massac-Séran
St-Germier
Riols
Serviès
Braconac
Laboulbène
Montrabé
Mondouzil
Lavalette
Escalonne
Monplaisir
Paulin
Marzens
Valcournouse
Varagnes
Castelpers
Lalbarède
Jonquières
Pin Balma
Béblan
St-Martin
Teulat
Belcastel
Montcabrier
Lacougotte-Cadoul
Pratviel
Bellevue
ST-PAUL-Cap-de-Joux
la Nourrice
Guitalens
la Mouline
les Granges
Lévéjac
Ravy
St-Pierre
Viviers-lès-Lavaur
Moscou
en Roques
Maurel
Caudeval
Mottes
Gauré
Roques
Bannières
Venac
Roquevidal
St-André
Château de Magrin
Bosquet
Lastours
TOULOUSE
Sauveterre
Mons
Villeneuve-lès-Lavaur
Veilhes
Rouaix
en Guibaud
VIELMUR-sur-Agout
Fréjeville
les Farguettes
Restes
Bourg-St-Bernard
Magrin
en Barthe
Prades
Ardialle
Drémil Lafage
Vallesvilles
Francarville
Scopont
Maurens
Algans
Bertre
St-Étienne
Entounty
Sémalens
Langlade
Castres
Quint
Montauriol
Saussens
Vendine
Cambon-lès-Lavaur
Lacroisille
la Linge
Appelle
Cambounet-sur-le-Sor
la Guérandarié
St-Pierre-de-Lages
Barrade
la Croix-Rouge
la Clastre
Loubens-Lauragais
Cadix
Rivière-de-Len
PUYLAURENS
St-Germain-des-Prés
Longue gineste
Saïx
St-Orens-de-Gameville
Aigrefeuille
LANTA
Pruet
le Faget
18
St-Loup
Lauzerville
Mascarville
Albiac
Bajos
le Castelet
en Pinel
la Barthe
Plaizance
Viviers-lès-Montagnes
Mazamet
Auzielle
Ste-Foy-d'Aigrefeuille
St-Sernin
Aurin
la Salvetat-Lauragais
CUQ-Toulza
Péchaudier
St-Sernin-lès-Lavaur
Lescout
Soual
Embayssière
St-Affrique-les-Montagnes
Labège
St-Apollonie
Préserville
CARAMAN
l'Enrazous
Mouzens
Aguts
Poudis
Blan
Lempaut
Escalquens
Odars
Maureville
Auriac-sur-Vendinelle
le Burg
la Bonne
le Crozillat
Puéchoursi
Montgey
le Pio-de-Blan
Lamothe
la Rode
St-Avit
Parisot
Belberaud
Mouriès
Fourquevaux
Tarabel
Rouge
les Mazets
le Cabanial
Auvezines
las Cazes
Lagardiolle
Touscayras
Montlaur (St-Lautier)
Caragoudes
le Refuge
Choples
Palleville
Pugets
Verdalle
en Calcat
Abbaye St-Benoît
Escoussens
Labastide-Beauvoir
Mourvilles-Basses
Toutens
Cambiac
Tourrettes
St-Julia
Garrevaques
Belloc
Gandels
Belleserre
DOURGNE
Massaguel
Maravals
Beauville
le Planqua
Falga
la Pastourie
Montégut-Lauragais
Beauregard
Abbaye Ste-Scholastique
Rivière-du-Sant
Deyme
Donneville
Varennes
Vauré
Cahuzac
la Montagnarie
MONTGISCARD
Baziège
Mauremont
St-Germier
Cessales
Maurens
Vaux
St-Félix-Lauragais
Roumens
Vigouroux
St-Amancet
Sorèze
St-Chameaux
Limatgé
Roqueville
Trébons-sur-la-Grasse
St-Vincent
Juzes
Bélesta-en-Lauragais
REVEL
Bassin de St-Ferréol
Grotte de Calel
Pouze
Belbèze-de-Lauragais
Ayguesvives
Villenouvelle
Rigaud
Lux
Cadenac
les Thomasses
Thuriès
St-Ferréol
Durfort
Grangevieille
Montesquieu-Lauragais
Bigot
Montgaillard-Lauragais
Vallègue
Mourvilles-Hautes
Biès
Rieumajou
les Cassés
en Peyrilhe
Moncausson
Jacournassy
les Escudiès
Noueilles
Roquette
St-Rome
Vaudreuille
Arfons
le Montagnet
Rouaix
St-Léon
VILLEFRANCHE-de-Lauragais
Folcarde
le Valès
les Brunels
les Cammazes
Vieillevigne
Laval
St-Paulet
la Pomarède
Ramondes
Trévigne
Gardouch
Arques
Ségadènes
Camboyer
Montmaur
le Castelet
Bassin du Lampy
Caussidières
St-Laurent
Tréville
Labécède-Lauragais
Barrage des Cammazes
Daujas
Renneville
Avignonet-Lauragais
les Pagès
Soupex
Puginier
Mauzac
Seyre
Montclar-Lauragais
Montferrand
Airoux
Issel
Verdun-en-Lauragais
Mauvaisin
Mis
NAILLOUX
Roquefoulet
Majesté
Labastide-d'Anjou
Souilhanels
Souilhe
Peyrens
Villemagne
SAISSAC
Beauteville
Port-Lauragais
Ricaud
Cadau
Montgeard
Lasserre
Lagarde
le Ségala
Saint Papoul
Château Ferrals
Boulsson
Aignes
Monestrol
Caignac
Gourvieille
Saint-Michel-de-Lanès
Baraigne
Canal du Midi
CASTELNAUDARY
Moulin de Cugarel
Cenne-Monestiés
Villeneuve
CINTEGABELLE
Belflou
la Barthe
Molleville
Mas-Saintes-Puelles
Saint-Jean
Saint-Martin-Lalande
Villespy
Montolieu
Abbaye de Villelongue
Boulbonne
Terraqueuse
Marquein
Gibel
Cumiès
Méric
Castelnaudary
Carlipa
Picarrou
Fortanié
Calmont
SALLES-sur-l'Hers
Lasbordes
Saint-Martin-le-Vieil
Ampouillac
Fajac-la-Relenque
Villeneuve-la-Comptal
Villepinte
Saint Félix
Bouillonnac
Artenac
Montauriol
Canal du Midi
Badilas
la Peyre
la Louvière-Lauragais
Sainte-Camelle
Payra-sur-l'Hers
Fendeille
Pexiora
Sainte Gemme
Raissac-sur-Lampy
Rocreuse
MAZÈRES
Mézerville
Peyrefitte-sur-l'Hers
32
Laurabuc-et-Mireval
ALZONNE
Carcassonne
le Tor-d'en-Haut
Molandier
Mayreville
Bram
Sainte-Eulalie
SAVERDUN
l'Étoile
la Bastide-de-Couloumat
Saint-Sernin
Laurac
Valgros
Autoroute des 2 Mers
l'Arlengue
Vernèses
Saint-Amans
Villasavary
Villesiscle
les Alauses
la Caussatière
le Canou
Pech-Luna
les Homs
la Barthète
le Saltré
Fajac-la-Selve
les Pesquiés
Gaja-la-Selve
Generville
Cazalrenoux
la Cassaigne
Prouille Monastère
BELPECH
Montaut
Péchar[c]-et-le-Py
Cahuzac
les Courtines
la Force
MONTRÉAL
la Tour
Arzens
le Vernet
la Devèze
la Commanderie
Preuille
FANJEAUX
Bonnac
la Remise
Ribouisse
Lasserre-de-Prouille
Villeneuve-lès-Montréal
le Castela-Château
Salvayre
Gaudiès
Blazens
Tresmezes
Plaigne
le Capitaine
Lafage
Bonnérys
Orsans
Fenouillet-du-Razès
Gayda
Crieu
Brézilhac
Bézac
Tremège
Villeneuve-du-Paréage
Balaguier
Trémoulet
les Cazizils
Saint-Julien-de-Briola
Ferran
Cailhaval
Cailhau
la Bastide-de-Lordat
Lapenne
la Courtète
Gramazie
Montgrenier
Lafitte
George
la Bardaille
Plavilla
Hounoux
Caulet
Villarzel-du-Razès
Riveneuve-du-Bosc
Saint-Félix-de-Tournegat
les Besses
Montbel
Saint-Gaudéric
Rebelle
Mazerolles-du-Razès
Cambieure
Brugairolles
Merly
Barthes
en Peyrotte
Saint-Aulin
Sainte-Foi
Montgradail
Belvèze-du-Razès
Malviès
PAMIERS
Ludiès
Saint-Amadou
Marty
Larché
Malegoude
Escueillens-et-St-Just-de-Bélengard
Lamotte
Seignalens
Bellegarde-du-Razès
Routier
Saint-Victor-Rouzaud
la Tour-du-Crieu
Senesse
Terride
Saint-Jean-du-Falga
Vals
Manses
la Grande Borde
Cazals-des-Baylès
Lignairolles
ALAIGNE
Lauraguel
Saint-Martin-de-Villereglan
Saint-Bauzeil
les Pujols
Teilhet
MIREPOIX
Villemartin
Benagues
Verniolle
Rieucros
Besset
Caudeval
la Bastide-d'Enrichard
Monthaut
Pech-Salamou
Artix
Joucla
les Issards
Coutens
Roumengoux
Moulin-Neuf
Gueytes-et-Labastide
Gaja-et-Villedieu
Fontvives
Vermeille
Tourtrol
Rieux-de-Pelleport
le Courbas
Coussa
Mazeroles
Borde-Neuve
Tréziers
Peyrefitte-du-Razès
Villelongue-d'Aube
Donazac
Pauligne
LIMOUX
Loubens
VARILHES
Saint-Félix-de-Rieutord
Arvigna
Vira
Viviès
Montcabirol
la Bastide-de-Bousignac
Lagarde
Loupia
Malras
Charameau
Carol
Calzan
Engraviès
Senesse-de-Senabugue
Saint-Julien-de-Gras-Capou
Sibra
Saint-Quentin-la-Tour
Château Montaragou
Courtauly
Ajac
la Digne-d'Aval
Quillan
Dalou
Ségura
Malléon
Dun
Camon
la Bezole
Castelreng
la Digne-d'Amont
Crampagna
Seigneurix
Saint-Jean-de-Verges
Clarac
Loubières
Gudas
Mont Pastouret
Merviel
Limbrassac
Laval
Magrie
Marseillas
Ventenac
Gouirie
19
Belloc
Saint-Benoit
la Plane
Tourreilles
Labouiche
Tournac
Labarre
Villeneuve-du-Bosc
le Bousquet
le Taychel
Aigues-Vives
Sonnac-sur-l'Hers
le Villa
Saint-Couat-du-Razès
Saint-Sernin
Vernajoul
Arabaux
Pradettes
Tabre
Bge de Montbel
CHALABRE
Bourigeole
Roquetaillade
Cos
FOIX
la Vergnière
Pradières
l'Herm
Carla-de-Roquefort
Lieurac
Sautel
Régat
Léran
Laroque-d'Olmes
Montbel
Montjardin
Tourneboulx
Bourièges
Festes-et-St-André
Conilhac-de-la-Montagne
Tarascon-sur-Ariège

153

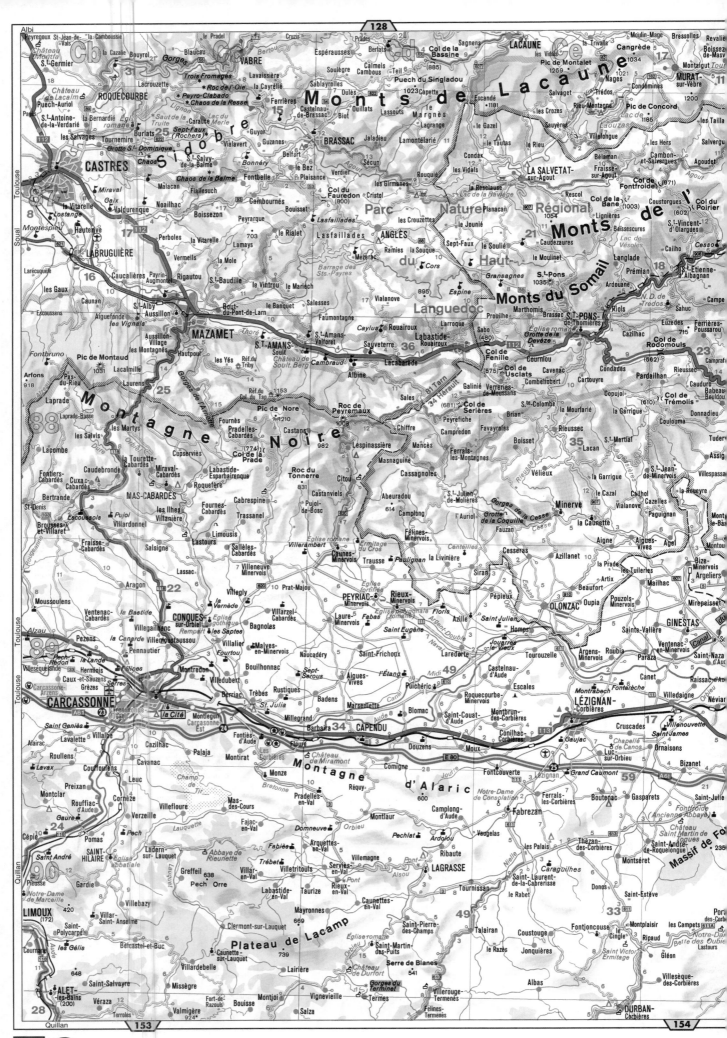
128
153
154
Albi
Peyregoux
St-Jean-de-Vals
la Camboussié
Château Montfa
St-Germier
Cb
Cc
Cd
Ce
la Cazalie
Bouyrol
Gorges
le Pradel
Blaucau
VABRE
Cruzis
Prades
Berlats
Col de la Bassine
Sagnens
LACAUNE
les Vidals
la Trivalle
Moulin-Mage
Bressolles
Cangrède
Pic de Montalet
Montaigut
Espérausses
Calmels
Cambous
Teil
Soulègre
Puech du Singladou
Lavaissière
la Cayrélié
Sablayrolles
Dulès
Trois Fromages
Roc de l'Oie
Peyro-Clabado
Chaos de la Resse
Lacrouzette
Château de Lacalm
ROQUECOURBE
Puech-Auriol
Ferrières
Castelnau-de-Brassac
Ouillats
Biot
Lassouts
Capette
le Margnès
Lagrange
Escandé
Salvaget
Trédos
Rieu-Montagne
Nages
Condomines
MURAT-sur-Vèbre
Pic de Concord
Monts de Lacaune
S.t-Antoine-de-la-Verdarié
la Bernardié
Saut de la Truite
Églis romane
Carauce
Lac du Merle
Sept-Faux (Rochers)
Guyor
les Salvages
Tournemire
Burlats
Grotte S.t-Dominique
Sidobre
Chaos
Vialavert
Guzanes
BRASSAC
Jaladieu
Lamontélarié
le Gazel
le Tautas
les Crozes
Sauyères
Villelongue
le Rieu
Laouzas
les Hers
Salvergue
les Taillades
CASTRES
S.t-Salvy-de-la-Balme
Bonnéry
Belfort
le Bez
Sécun
Condax
les Vidals
LA SALVETAT-sur-Agout
Fraisse-sur-Agout
Bélaman
Cambon-et-Salvergues
Agoudet
Chaos de la Balme
Fontbelle
Plaisance
Verdier
Rouquié
Malacan
Fiallesuch
Miraval
Gaix
Col du Fauredon
Cristol
les Girmanes
la Resclause
Lac de la Raviège
Rescol
Col de Fontfroide
Col de la Bane
Coustorgues
Col du Poirier
Toulouse
la Vitarelle
Valdurenque
Noailhac
Gambournés
Boissezon
Bouisset
Parc
Naturel
Régional
Planacan
Lignières
S.t-Vincent-d'Olargues
Lostange
Hautevie
Montespieu
Peyrarque
Lasfaillades
les Crouzettes
le Jounié
Monts de l'
Beissescures
Soual
Perboles
la Vitarelle
le Rialet
Lamays
ANGLÈS
Sept-Faux
le Soulié
Caudezaures
Cailho
Cesso
LABRUGUIÈRE
Vermeils
la Mole
Mézerac
Ramies
la Souque
Haut-
le Moulinet
Langlade
Prémian
St-Étienne-d'Albagnan
Larécuquelle
Caucalières
Payrin-Augmontel
Rigautou
S.t-Baudille
Barrage des Sts.-Payres
du
Cors
Gransagnes
S.t-Pons
Ardouane
N.D. de Tredos
Sahuc
les Gaux
Caunan
le Vintrou
le Mariech
Vialanove
Espine
Monts du Somail
Riols
Campels
S.t-Alby
Aussillon
Bout-du-Pont-de-Larn
le Banquet
Salesses
Languedoc
Marthomis
Brassac
S.T-PONS-de-Thomières
Euzèdes
Ferrières-Poussarou
Escoussens
Aiguefonde
les Vignals
Faumontagne
Caylus
Rouairoux
Larroque
Prouilhe
Église romane
Grotte de la Devèze
Cazilhac
Col de Rodomouls
Aussillon-Village
MAZAMET
S.t-Amans-Valtoret
S.T-AMANS-Soult
Labastide-Rouairoux
Sabo
Fontbruno
les Montagnès
Hautpoul
les Yès
Réf. du Triby
Château de Soult. Berg
Cambraud
Sauveterre
Lacabarède
Col de Fenille
Cournlou
Condades
Pardailhan
Rieussec
Pic de Montaud
Lacalmille
Albine
Col de Usclats
Cavenac
Combeliobert
Cartouyre
Arfons
Pas-du-Rieu
Laurens
Gorges de l'Arnette
Réf. du Col du Tap
Galinié
Verreries-de-Moussans
Copujol
Col de Trémolis
Laprade
Montagne Noire
Pic de Nore
Roc de Peyremaux
Sales
Tarn
Hérault
Col de Serières
S.te-Colombe
la Mourlarié
la Garrigue
Donnadieu
Laprade-Basse
les Martys
Fournès
Pradelles-Cabardès
Castans
Chiffre
Peyrefiche
Brian
Coulouma
les Salvis
Orbiel
Col de la Prade
Lespinassière
Campredon
Favayroles
Boisset
Rieussec
Lacan
S.t-Martial
Lacombe
Cupserviès
Mancès
Ferrals-les-Montagnes
Assignan
la Tourette-Cabardès
Caudebronde
Miraval-Cabardès
Labastide-Esparbairenque
Roc du Tonnerre
Citou
Masnaguine
Cassagnoles
Vélieux
la Garrigue
S.t-Jean-de-Minervois
Villespassans
Fontiers-Cabardès
Cuxac-Cabardès
Roquefère
Castanviels
Abeuradou
S.t-Julien-de-Molières
le Cazal
Cailhol
la Roueyre
Bertrande
MAS-CABARDÈS
Cabrespine
Pujol-de-Bosc
Gorges de la Cesse
Minerve
Vialanove
Cazelles
St-Denis
les Ilhes
Villanière
Fournes-Cabardès
Trassanel
Camplong
l'Auriol
Grotte de la Coquille
Paguignan
Brousses-et-Villaret
Escoussols
Pujol
Villardonnel
Limousis
Félines-Minervois
Fauzan
la Caunette
Fraisse-Cabardès
Salsigne
Lastours
Sallèles-Cabardès
Villerambert
Caunes-Minervois
Ermitage du Cros
Centeilles
Aigne
Aigues-Vives
Agel
Église romane
Trausse
Paulignan
la Livinière
Cesseras
Azillanet
Lassac
Villeneuve-Minervois
la Prade
les Tuileries
Bize-Minervois
Argeliers
Aragon
Prat-Majou
Siran
Artix
Mailhac
Moussoulens
Villegly
la Vernède
PEYRIAC-Minervois
Église fortifiée
Rieux-Minervois
Pépieux
Beaufort
Ventenac-Cabardès
la Bastide
Villarzel-Cabardès
OLONZAC
Oupia
Pouzols-Minervois
Mirepeisset
CONQUES-sur-Orbiel
Église gothique
Rempart
les Saptes
Laure-Minervois
Fabas
Église polygonale (romane)
Floris
Azille
Saint Julien
Homps
Sainte-Valière
GINESTAS
Alzau
Pezens
la Canarde
Villegailhenc
Villemoustaussou
Bagnoles
Saint Eugène
Argent-Double
Jouarres le Vieux
Pennautier
Villalier
Malves-en-Minervois
Naucadéry
Saint-Frichoux
Laredorte
Tourouzelle
Argens-Minervois
Roubia
Paraza
Ventenac-en-Minervois
Canal
Saint-Nazaire-d'Aude
Pech Redon
la Lande
Fourtou
Villesèquelande
Herminis
Félines
Montredon
Bouilhonnac
Sept-Serous
l'Étang
Midi
Castelnau-d'Aude
Caux-et-Sauzens
Serres
Villedubert
Aigues-Vives
Puichéric
Escales
Montrabech
Fontarèche
Canet
Raissac-d'Aude
Carcassonne-Arzens
Grèzes
Rustiques
Berriac
Trèbes
Badens
Canal du
Roquecourbe-Minervois
LÉZIGNAN-Corbières
Villedaigne
Névian
CARCASSONNE
A61
Carcassonne-Ouest
la Cité
Montlegun
St. Julia
Marseillette
Blomac
Saint-Couat-d'Aude
Montbrun-des-Corbières
Carcassonne-Est
Millegrand
Aude
Saint Geniès
Lavalette
Villalbe
Fontiès-d'Aude
Barbaira
CAPENDU
Conilhac-Corbières
Gaujac
Cruscades
Villenouvette
Saint James
Alairac
Cazilhac
Floure
Les Corbières
Douzens
Moux
Chapelle de Canos
Ornaisons
Roullens
Palaja
Montirat
Château de Miramont
E 80
Luc-sur-Orbieu
Lavax
Cavanac
Montagne
Comigne
Fontcouverte
Lézignan
Grand Caumont
Bizanet
Couffoulens
Leuc
Monze
Jourre
d'Alaric
Bretonne
Réquy
Champ de Tir
Pradelles-en-Val
Notre-Dame de Consolation
Ferrals-les-Corbières
Boutenac
Gasparets
Saint-Julien
Preixan
Montclar
Rouffiac-d'Aude
Cornèze
Villefloure
Mas-des-Cours
Camplong-d'Aude
Fabrezan
Fontfroide (Ancienne Abbaye)
Gaure
Verzeille
Lauquette
Fajac-en-Val
Montlaur
Château Saint Martin de Toques
Domneuve
Orbieu
Vaugelas
Pechlat
Ardolou
Saint-André-de-Roquelongue
Massif de Fo
Cépie
Pomas
Pech
Arquettes-en-Val
Les Palais
Thézan-des-Corbières
Saint André
SAINT-HILAIRE
Église abbatiale
Ladern-sur-Lauquet
Abbaye de Rieunette
Fabiès
Villemagne
Pont
Ribaute
Lauquet
Trébet
Villetritouls
Serviès-en-Val
LAGRASSE
Caraguilhes
Montséret
Pieusse
Greffeil
Pech Orre
Villar-en-Val
Rieux-en-Val
Alsou
Saint-Laurent-de-la-Cabrerisse
Nielle
Notre-Dame de Marceille
Gardie
Labastide-en-Val
Taurize
Tournissan
le Rabet
Donos
Saint-Estève
Villebazy
Caunettes-en-Val
LIMOUX
Villar-Saint-Anselme
Mayronnes
Saint-Pierre-des-Champs
Saint-Polycarpe
Clermont-sur-Lauquet
Plateau de Lacamp
Église romane
Talairan
Coustouge
Fontjoncouse
le Cingle
Montplaisir
Ripaud
les Campets
Notre-Dame des Oubiels
Saint-Martin-des-Puits
Saint Victor Ermitage
les Gélis
Belcastel-et-Buc
Caunette-sur-Lauquet
le Razès
Jonquières
Gléon
Cournanel
Villardebelle
Lairière
Château de Durfort
Serre de Blanes
Villesèque-des-Corbières
Saint-Salvayre
Missègre
Gorges du Terminet
ALET-les-Bains
Véraza
Fort-de-Razouls
Bouisse
Montjoi
Vignevieille
Termes
Villerouge-Termenès
Albas
Valmigère
Terroles
Salza
Félines-Termenès
DURBAN-Corbières
Quillan

129

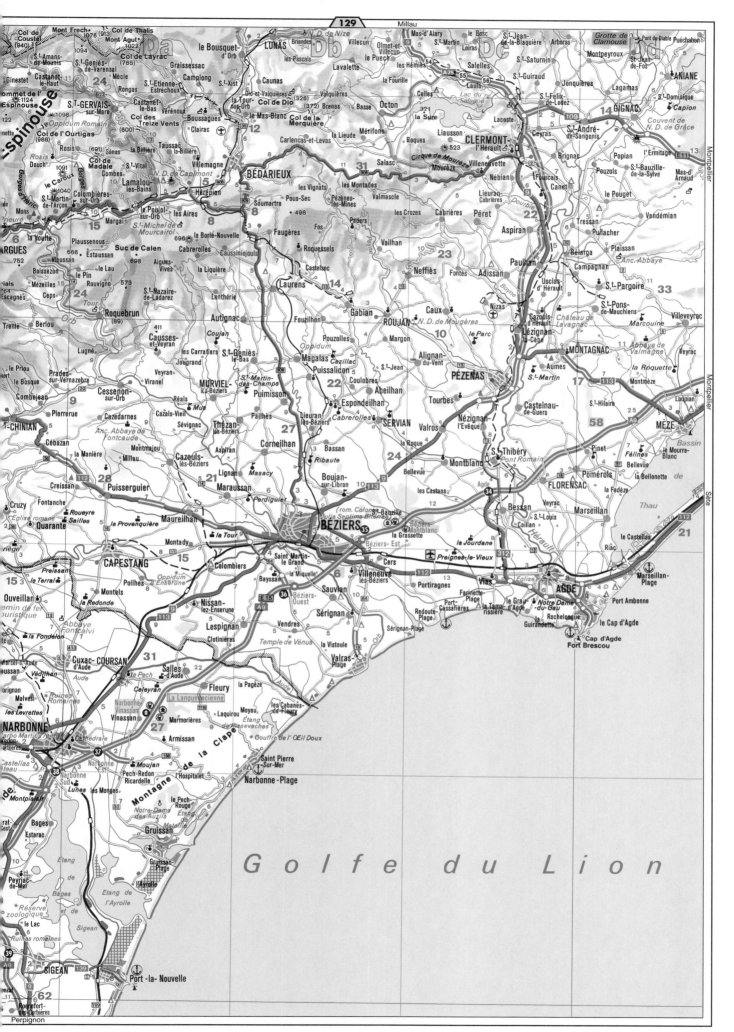
Millau
Mont Frech
Col de Thalis
Col de Coustel
Mont Agut
Col de Layrac
S.t-Amans-de-Mounis
S.t-Geniès-de-Varensal
Graissessac
le Bousquet-d'Orb
LUNAS
N. D. de Nize
Villecun
Olmet-et-Villecun
Mas-d'Alary
S.t-Martin
le Bosc
Loiras
S.t-Jean-de-la-Blaquière
Arboras
Grotte de Clamouse
Pont du Diable
Puéchabon
Montpeyroux
S.t-Saturnin
St-Jean-de-Fos
ANIANE
Castanet-le-Haut
Mècle
Rongas
Camplong
S.t-Etienne-Estréchoux
S.t-Xist
Caunas
Lavalette
le Puech
les Hémies
Salelles
S.t-Guiraud
Jonquières
Lagamas
S.t-Dominique
Capion
Ginestet
Espinouse
S.T-GERVAIS-sur-Mare
Castanet-le-Bas
Vérénoux
Col des Treize Vents
Boussagues
Dio-et-Valquières
la Tour-sur-Orb
Col de Dio
Valquières
Brenas
Basse
Octon
la Fourille
Celles
Lac du Salagou
Laulo
S.t-Félix-de-Lodez
GIGNAC
Couvent de N. D. de Grâce
Oppidum Romain
Col de l'Ourtigas
Clairac
le Mas-Blanc
Col de la Merquière
la Sure
Lacoste
Mérifons
la Lieude
Carlencas-et-Levas
Roques
Liausson
CLERMONT-l'Hérault
Ceyras
S.t-André-de-Sangonis
Rosis
Douch
Rosis
Sénas
la Billière
Taussac-la-Billière
Col de Madale
Combes
S.t-Vital
Villemagne
le Caroux
Lamalou-les-Bains
N. D. de Capimont
Hérépian
BÉDARIEUX
Salasc
Cirque de Mourèze
Mourèze
Villeneuvette
Brignac
Popian
l'Ermitage
Pouzols
S.t-Bauzille-de-la-Sylve
Mas-d'Arnaud
Montpellier
Gorges d'Héric
S.t-Martin-de-l'Arçon
Colombières-sur-Orb
Mons
le Poujol-sur-Orb
les Aires
S.t-Michel de Mourcairol
Margal
les Vignals
Pous-Sec
Soumartre
les Montades
Pézènes-les-Mines
Valmascle
Nébian
Fouscais
Canet
Lieuran-Cabrières
Péret
le Pouget
Vendémian
Tressan
Puilacher
Prieuré
la Voulte
Plaussenous
Suc de Calen
la Borie-Nouvelle
Faugères
Fos
Paders
les Crozes
Cabrières
Aspiran
Vailhan
Plaissan
Bélarga
Campagnan
Anc. Abbaye
ARGUES
Estaussan
Vieussan
Cabrerolles
Caussiniojouls
Roquessels
Aigues-Vives
Castelsec
Neffiès
Fontès
Adissan
Paulhan
Usclas-d'Hérault
S.t-Pargoire
Boissezon
le Lau
le Pin
Rouvigno
Mézeilles
Ceps
la Liquière
Laurens
Tour
Gabian
Boyne
Nizas
S.t-Pons-de-Mauchiens
Villeveyrac
Escagnès
S.t-Nazaire-de-Ladarez
Lenthéric
Roquebrun
Caux
Cazouls-d'Hérault
Château de Lavagnac
Marcouine
Orb
Treille
Berlou
Autignac
Fouzilhon
ROUJAN
N. D. de Mougères
Lézignan-la-Cèbe
Coujan
Pouzolles
Margon
le Parc
Causses-et-Veyran
Lugné
les Carratiers
S.t-Geniès-le-Bas
Oppidum
Alignan-du-Vent
MONTAGNAC
Abbaye de Valmagne
Veyrac
Jougrand
Magalas
Cazillac
Puissalicon
S.t-Jean
Aumes
la Roquette
le Priou
le Bosque
Prades-sur-Vernazobre
Veyran
Viranel
MURVIEL-lès-Béziers
S.t-Martin-des-Champs
Coulobres
PÉZENAS
S.t-Martin
Montmèze
Combejean
Cessenon-sur-Orb
Puimisson
Abeilhan
Réals
Mus
Espondeilhan
Tourbes
Castelnau-de-Guers
S.t-Hilaire
Loupian
Pierrerue
Cazedarnes
Cazals-Vieil
Pailhès
Lieuran-lès-Béziers
Cabrerolles
SERVIAN
Valros
Nézignan-l'Évêque
MÈZE
CHINIAN
Sévignac
Thézan-lès-Béziers
Corneilhan
Anc. Abbaye de Fontcaude
Cébazan
Montmajou
Millau
Cazouls-lès-Béziers
Aspiran
Bassan
Ribaute
la Roque
S.t-Thibéry
Pont Romain
Pinet
Félines
le Mourre-Blanc
Bassin
la Manière
Bellevue
Montblanc
Pomérols
la Bellonette
Lignan
Masacy
Boujan-sur-Libron
Creissan
Puisserguier
Maraussan
les Castans
Agde
FLORENSAC
la Fadèze
Cruzy
Fontanche
Perdiguier
Bessan
Veyrac
Thau
Sète
Eglise romane
Roueyre
Sailles
Quarante
la Provenquière
Maureilhan
(rom. Colon. Julia Septima Baterræ)
BÉZIERS
S.t-Bauzille
Béziers-Montblanc
la Grassette
S.t-Louis
Caillan
Marseillan
le Castellas
Riac
Hérault
la Tour
Montady
la Jourdane
Béziers-Est
Preignes-le-Vieux
CAPESTANG
Colombiers
Saint Martin-le Grand
Cers
Preissan
le Terral
Poilhes
Oppidum d'Ensérune
Bayssan
la Miquelle
Villeneuve-lès-Béziers
Portiragnes
Vias
Eglise romane
AGDE
Marseillan-Plage
Ouveillan
Montels
la Redonde
Nissan-lez-Enserune
Béziers-Ouest
Sauvian
Farinette-Plage
Port-Cassafières
Redoute-Plage
la Tamarissière
le Grau-d'Agde
Notre Dame du Grau
Port Ambonne
Chemin de fer touristique
Abbaye Fontcalvi
Lespignan
Vendres
Sérignan
Sérignan-Plage
Rochelongue
la Guirandette
le Cap d'Agde
Cap d'Agde
Fort Brescou
la Fondelon
Clotinières
Temple de Vénus
la Vistoule
Valras-Plage
Cuxac-d'Aude
COURSAN
le Pech
Salles-d'Aude
Védilhan
Aude
Celeyran
Fleury
la Pagèze
Malvesi
Ruines Romaines
La Languedocienne
les Levrettes
Narbonne-Vinassan
Vinassan
Laquirou
Moyau
les Cabanes-de-Fleury
NARBONNE
Narbo Martius
Cathédrale
Marmorières
Étang de Pissevaches
Armissan
Gouffre de l'Œil Doux
Narbonne-Est
Moujan
Saint Pierre-sur-Mer
Narbonne-Sud
Pech-Redon
Ricardelle
l'Hospitalet
Narbonne-Plage
Montagne de la Clape
Lunes
les Monges
Montplaisir
le Pech-Rouge
Notre-Dame des Auzils
Étang de Mateille
Bages
Estarac
Gruissan
Étang de Bages
Gruissan-Plage
Peyriac-de-Mer
l'Ayrolle
Étang de l'Ayrolle
Réserve zoologique
Étang de Sigean
le Lac
Ruines romaines
SIGEAN
Port-la-Nouvelle
Roquefort-des-Corbières
Perpignon
Golfe du Lion

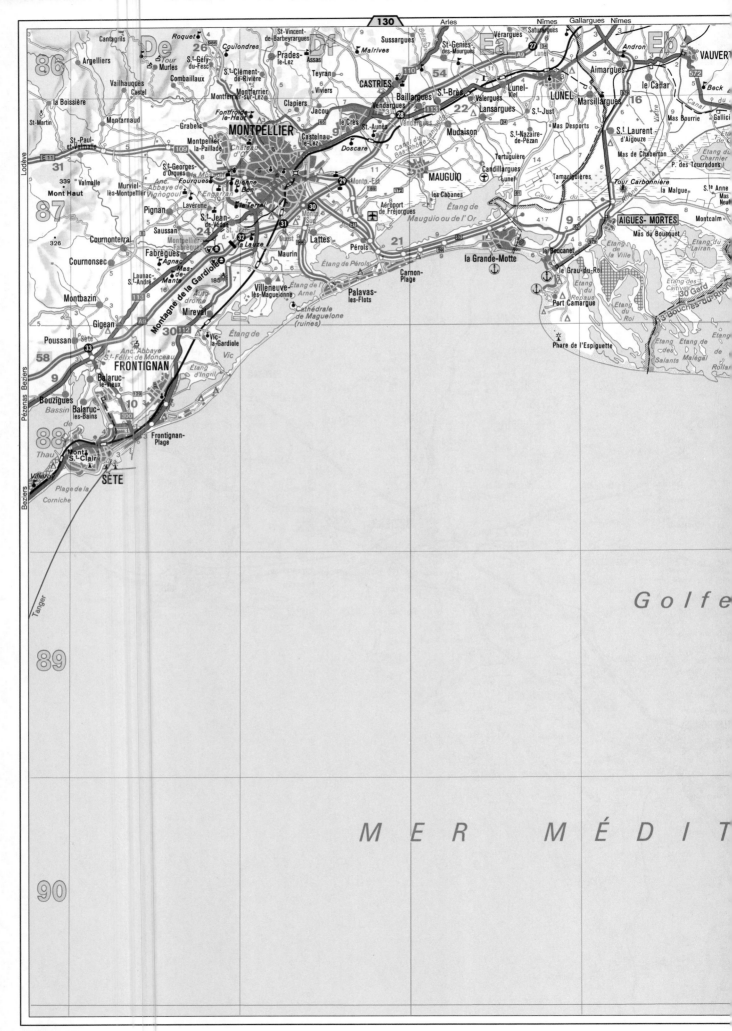
130
Arles
Nîmes
Gallargues
Nîmes
De
Df
Ea
Eb
86
87
88
89
90
Cantagrils
Roquet
Coulondres
St-Vincent-de-Barbeyrargues
Sussargues
Vérargues
Saturargues
Andron
VAUVERT
Argelliers
Tour
Murles
S.t-Gély-du-Fesc
Prades-le-Lez
Assas
Malrives
St-Geniès-des-Mourgues
Lunel
Aimargues
Beck
Vailhauquès
Castel
Combaillaux
S.t-Clément-de-Rivière
Teyran
CASTRIES
Baillargues
S.t-Brès
Lunel-Viel
LUNEL
le Cailar
la Boissière
St-Martin
Montferrier
Montferrier-sur-Lez
Viviers
Clapiers
Jacou
Vendargues
Valergues
Lansargues
S.t-Just
Marsillargues
Mas Bourrie
Montarnaud
Fontfroide-le-Haut
Grabels
MONTPELLIER
le Crès
S.t-Aunès
Mudaison
S.t-Nazaire-de-Pézan
Mas Desports
S.t Laurent-d'Aigouze
St-Paul-et-Valmalle
Montpellier-la-Paillade
Château d'O
Castelnau-le-Lez
Doscare
Canal du Bas-Rhône-Languedoc
Mas de Chaberton
Étang du Charnier
P. des Tourradons
Lodève
31
St-Georges-d'Orques
Mosson
Fourgues
Bionne
Bon
MAUGUIO
Candillargues
Tartuguière
Tamariguières
Tour Carbonnière
la Malgue
S.te Anne
Valmalle
339
Mont Haut
Murviel-lès-Montpellier
Anc. Abbaye de Vignogoul
l'Engarran
Montp.-Est
les Cabanes
Lunel
Pignan
Lavérune
le Terral
S.t-Jean-de-Védas
Montp.-Sud
Aéroport de Fréjorgues
Étang de Mauguio ou de l'Or
Canal du Rhône
AIGUES-MORTES
Montcalm
Mas du Bousquet
Saussan
326
Cournonterral
Montpellier-Fabrègues
la Lauze
Lattes
Pérols
Maurin
21
la Grande-Motte
le Boucanet
Étang de la Ville
Étang du Lairan
Fabrègues
Agnac
Cournonsec
Launac-S.t-André
Mas-de-Mante
Montagne de la Gardiole
Étang de Pérols
Carnon-Plage
le Grau-du-Roi
Étang du Repaus
Port Camargue
Étang des Caitives
30 Gard
13 Bouches-du-Rhône
Montbazin
Villeneuve-lès-Maguelonne
Étang de l'Arnel
Palavas-les-Flots
Étang du Roi
Mireval
Cathédrale de Maguelone (ruines)
Gigean
Poussan
Sète
Étang de Vic
Vic-la-Gardiole
Phare de l'Espiguette
Étang des Salants
Étang de Malégal
Étang de Rollan
Anc. Abbaye S.t-Félix-de Monceau
FRONTIGNAN
58
Étang d'Ingril
Pézenas
Beziers
Balaruc-le-Vieux
Bouzigues
Bassin de Thau
Balaruc-les-Bains
Frontignan-Plage
Mont S.t-Clair
SÈTE
Villeroy
Plage de la Corniche
Beziers
Tanger
Golfe
M E R M É D I T

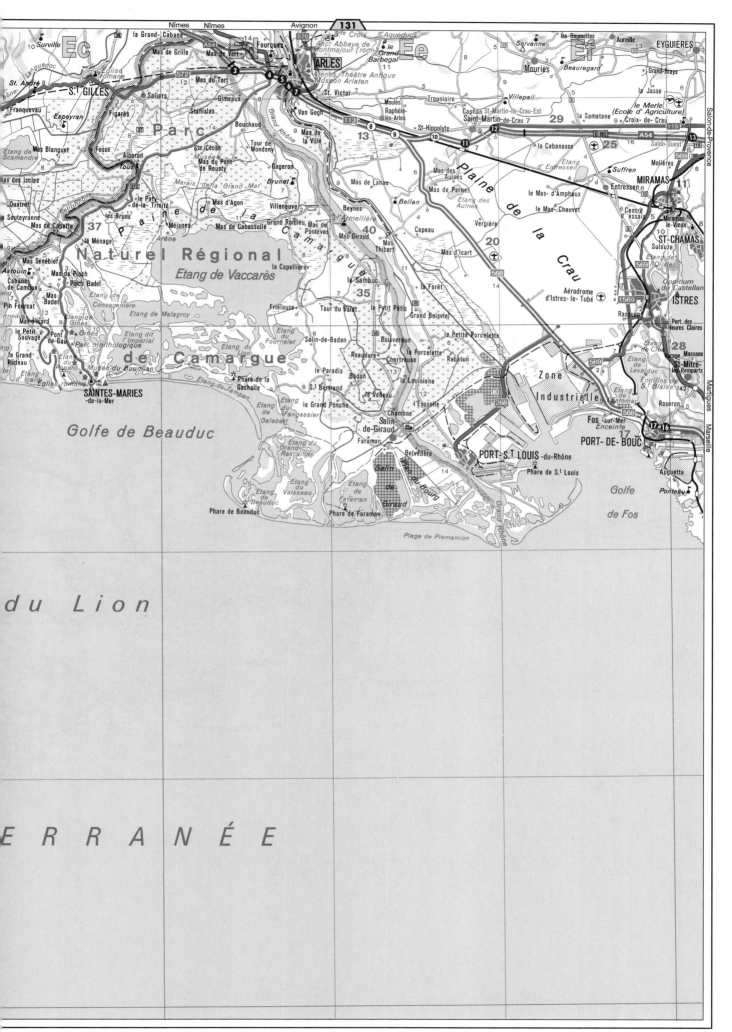

131
Nîmes
Nîmes
Avignon
Ec
Ed
Ee
Ef
Surville
la Grand-Cabane
Mas de Grille
Mas de Vert
Fourques
ARLES
Anc. Abbaye de Montmajour (rom.)
le Grand Barbegal
Aqueducs
Arènes, Théâtre Antique
Muséon Arlaten
St. Victor
Servanne
Mouriès
Beauregard
les Baumettes
Aureille
EYGUIÈRES
Grand-Brays
la Jasse
Villepail
Trouniaire
Moulès
Raphèle-lès-Arles
Caphan
St-Martin-de-Crau-Est
Saint-Martin-de-Crau
St-Hippolyte
la Samatane
le Merle (Ecole d' Agriculture)
Croix- de- Crau
Salon-de-Provence
Salon-Ouest
la Cabanasse
Etang d' Entressen
Suffren
Molières
MIRAMAS
Entressen
le Mas- d' Amphoux
le Mas- Chauvet
Centre d' essais
Miramas-le-Vieux
ST-CHAMAS
Sulauze
Etang de l' Olivier
Oppidum du Castellan
ISTRES
Rassuen
Aérodrome d'Istres- le- Tubé
Plaine de la Crau
Mas des Aulnes
Mas de Pernes
Etang des Aulnes
Vergière
Bellan
Capeau
Mas d'Icart
la Forêt
Port des Heures Claires
Massane
St-Mitre-les-Remparts
Fouilles de St. Blaise
Zone Industrielle
Roseron
Fos -sur-Mer
Enceinte
PORT- DE- BOUC
Martigues
Marseille
Auguette
Ponteau
Golfe de Fos
St. André
Eglise romane
ST GILLES
Languedoc
Saliers
Mas du Tort
Gimeaux
Franquevaux
Espeyran
Figarès
Stanislas
Bouchaud
P. Van Gogh
Grand Rhône
Mas de la Ville
Tour de Mondony
Ste-Cécile
Musée du Pont de Rousty
Gageron
Brunet
Etang de Scamandre
Mas Blanquet
la Fosse
Albaron
Tour
Mas des Isicles
Marais de la Grand Mar
Mas de Lanau
Beynes
l'Armellière
Mas Giraud
Mas Thibert
Quatret
Souteyranne
Mas de Capette
le Paty-de-la- Trinité
les Bruns
Méjanes
Arène
Mas d'Agon
Villeneuve
Mas de Cabassolle
Grand Romieu
Mas de Pontèves
le Ménage
Parc Naturel Régional de Camargue
Plaine de la Camargue
Etang de Vaccarès
Mas Sénébier
Astouin
Mas de Pioch
Pioch Badet
Cabanes de Cambon
Mas Badet
Etang de Consecanière
Pin Fourcat
Mas d'Icard
la Capellière
le Sambuc
Friélouse
Tour du Valat
le Petit Pâtis
Grand Boisviel
Etang de Malagroy
Etang de Gines
Gines
le Petit Sauvage
Pont de Gau
Parc ornithologique
Etang dit l' Impérial
Etang du Lion
Etang du Fournelet
Salin-de-Badon
Boisvergun
la Petite Porcelette
la Porcelette
Chartrouse
Rebatun
Reaudure
le Grand Radeau
Etang du Ponant
Musée du Boumian
Eglise romane
SAINTES-MARIES -de-la-Mer
Etang-du-Tampan
Phare de la Gacholle
le Paradis
Badon
St Bertrand
la Louisiana
le Vedeau
l'Eyssette
le Grand Ponche
Etang du Fangassier
Etang de Galabert
Chamone
Salin-de-Giraud
Faraman
Belvédère
PORT- ST LOUIS -du-Rhône
Phare de St Louis
Golfe de Beauduc
Etang du Grand Rascaillan
Etang du Vaisseau
Etang de Beauduc
Phare de Beauduc
Etang de Faraman
Phare de Faraman
Salin de Giraud
Plan du Bourg
Plage de Piemancon
du Lion
ERRANÉE

Avignon
Avignon
Manosque
Fa
Fb
Fc
Fd
86
87
88
89
90
Grottes de Calès
Lamanon
Alleins
Cazan
Taillades
S.te Anne
Vernègues
Richebois
Salon-Nord
Bas Temple romain
Badasset
Aurons
Aiguebelle
SALON-de-Provence
LAMBESC
Rognes
Chaîne de la Trévaresse
Vestiges antiques
Pélissanne
Barben
la Barben
Valmousse
S.t Cannat
Grans
Autoroute du Soleil
Enceinte
le Pont-du-Raud
Confoux
Cornillon-Confoux
Lançon-Provence
Lançon P.ce
Caseneuve
les Quatre-Termes
Camaisse
Coudoux
Vestiges antiques
S.T CHAMAS
Calissanne
la Fare-les-Oliviers
Pont Flavien (Flavius)
les Baisses
les 4 Tours
Ventabren
Velaux
Aqueduc de Roquefavour
Chaîne de Vitrolles
la Bosque
Mauran
S.t Estève
Bouquet
la Suzanne
Raff. SHELL
Rognac
Berre
BERRE-l'Etang
Etang de Vaïne
Etang de Berre
Vitrolles
Marseille-Provence
MARIGNANE
MARTIGUES
la Mède-Ouest
la Mède-Est
la Mède
les Tourels
Gignac-la-Nerthe
Pas-des-Lanciers
S.t Victoret
Châteauneuf-les-Martigues
les Ventrons
la Bastide-Blanche
Carry
le Rove
S.t Julien
Chaîne de l'Estaque
les Rouges
la Couronne-Carro
Ste-Croix
Carro
Tamaris
Sausset-les-Pins
Carry-le-Rouet
le Rouet-Plage
Ensuès-la-Redonne
Madrague-de-Gignac
Niolon
la Vesse
le Douard
Rade de Marseille
MARSEILLE
(Grec: Massilia)
Île Ratonneau
Château d'If
Île Pomègues
la Madrague-de-Montredon
Cap Croisette
Île Tiboulen
Île Maire
les Goudes
Île de Planier
Massif de Marseilleveyre
Île de Jarre
Île Calseraigne
Congloué
Île de Riou
Alger, Oran, Bejaia
Annaba, Tunis, Skikda
Ajaccio, Bastia, Propriano,
Porto Torres, Porto-Vecchio
MER MÉDITERRANÉE
Eguilles
les Gervais
les Figons
Bompard
Gallice
Aix-Ouest
Pioline
les Milles
la Mérindolle
le Petit Arbois
la Tour d'Arbois
Réservoir du Realto
Bouc Bel-Air
Lenfant
Luynes
Calas
la Champouse
Montvallon
les Plaines d'Arbois
Cabriès
Plan de Campagne
les Pinchinades
les Pennes-Mirabeau
Plan de Camp.
les Peyrets
les Cadeneaux
Jas-de-Rhodes
la Gaotte
Septèmes les-Vallons
S.t Antoine
la Nerthe
l'Estaque
les Aygalades
S.t Joseph
le Merlan
les Arnavaux
la Madrague de-la-Ville
S.t Just
la Rose
S.t Julien
S.t Barnabe
la Pomme
S.t Marcel
la Valentine
la Barasse
S.t Giniez
la Chapelette
S.te Marguerite
Valmante
Mazargues
Luminy
Chaîne de S.t Cyr
Vaufrèges
la Gélade
CASSIS
Cap Morgiou
les Calanques
Cap Canaille
Sémaphore
LA CIOTAT
la Ciotat-Plage
Île Verte
les Lecques
Port d'Alon
Ceyreste
Grand Caunet
Mauregard
Roquefort la-Bédoule
Carnoux-en-Provence
la Penne sur-Huveaune
AUBAGNE
GÉMENOS
Massif de
Cuges-les-Pins
Col de l'Ange
Julhans
Coulin
Petit Rouvière
Col de l'Espigoulier
S.t Jean-de-Garguier
Pont de l'Étoile
Tête de Roussargue
Plan-d'Aups
Daurengue
les Bosq
le Pujol
Auriol
Pas-de-Trets
Moulin de-Redon
S.t Zacharie
ROQUEVAIRE
Lascours
Croix de Garlaban
Napollon
Camoins-les-Bains
les Camoins
les Trois-Lucs
les Olives
ALLAUCH
la Treille
Plan-de-Cuques
Croix-Rouge
Château-Gombert
la Montade
le Logis-Neuf
Chaîne de l'Étoile
Pilon du Roi
Grande Etoile
Tête du Grd Puech
Mimet
S.t Savournin
la Valentine
Cadolive
Valdonne
les Termes
les Pégoulières
la Destrousse
Peypin
la Bouilladisse
le Regage
Simiane-Collongue
les Putis
les Marres
Cité Biver
Bas
GARDANNE
la Diote
Gréasque
Fuveau
Belcodène
le Pigeonnier
Baume de Marron
Peynier
TRETS
Kirbon
Pas de la Coue
St-Jean-du-Puy
la Grande Boisière
Meyreuil
la Malouesse
Honorat
Bouc-Bel-Air
Châteauneuf-le-Rouge
la Barque
les Bannettes
la Bégude
Rousset
l'Arc
Roquefeuille
Beaurecueil
S.t Antonin-sur-Bayon
le Tholonet
Lac du Bimont
Lac Zola
Montagne S.te Victoire
S.te Victoire
la Croix de Provence
S.t Ser
Puyloubier
l'Etang
Logis-de-la-Colle
Piconin
la Petite Beauquière
AIX-en-Provence
Église romane
Aix-Est
S.t Marc-Jaumegarde
la Tête du Marquis
Vauvenargues
Château de Picasso
le Puits-d'Auzon
Oppidum
le Puits-de-Rians
Celony
Beaufort
les Platanes
Puyricard
la Calade
Pontès
Lignane
Grand S.t Jean
Couteran
Venelles
S.t Canadet
Meyrargues
Fontbelle
Brest
Beaulieu
la Cride
Fonscolombe
S.t Estève-Janson
Arnajon
les Goirands
le Puy-S.te Réparade
Durance
PERTUIS
Enceinte
la Bastidonne
Pertuis
Meyrargues
Aqueduc romain
Autoroute du Val de Durance
Forêt de le Plaines Peyrolles
PEYROLLES-en-Provence
Jouques
la Campane
Grand Sambuc
le Taulisson
Gerle
S.t Antonin
Bèdes
Notre-Dame
Traconnade
S.t Maurin
le Logis-d'Anne
S.t Paul lès-Durance
Canal
Bassin de S.t Christophe

133

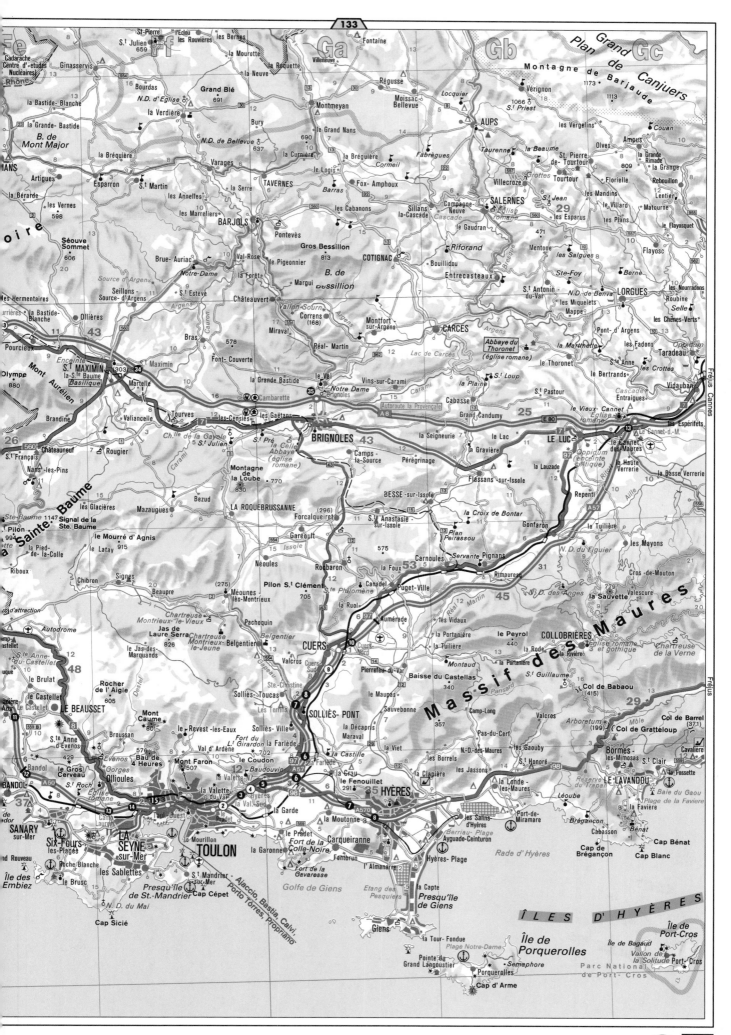

Fe
Ff
Ga
Gb
Gc
St. Julien
St-Pierre
l'Eclou
les Rouvières
les Bernes
Fontaine
Cadarache Centre d'études Nucléaires
Ginasservis
la Mourotte
la Roquette
Villeneuve
Plan de Canjuers
Grand
Montagne de Barjaude
la Neuve
Régusse
Vérignon
1173
Bourdas
Grand Blé
N.D. d'Eglise
Moissac-Bellevue
Locquier
1066
St. Priest
1113
la Bastide-Blanche
Montmeyan
la Verdière
Bury
AUPS
la Grande-Bastide
les Vergelins
Couan
B. de Mont Major
le Grand Nans
N.D. de Bellevue
Ampus
la Bréquière
la Curnière
la Bréguière
Cormeil
Fabrègues
Taurenne
la Beaume
St. Pierre-de-Tourtour
Olves
la Grande Rimade
la Grange
Varages
Artigues
le Logis
Villecroze
Tourtour
Florielle
Rebouillon
Esparron
St. Martin
TAVERNES
Fox-Amphoux
la Serre
Barras
les Mandins
Lentier
la Bérarde
les Annelles
Campagne-Neuve
SALERNES
St. Jean
le Villard
Matourne
les Vernes
les Cabanons
Sillans-la-Cascade
les Esparus
les Plans
les Marreliers
BARJOLS
le Gaudran
le Flayosquet
Pontevès
Mentone
Séouve Sommet
Gros Bessillon
COTIGNAC
Riforand
les Salgues
Flayosc
Brue-Auriac
Val-Rose
le Pigeonnier
Bouillidou
Notre-Dame
la Forêt
B. de Bessillon
Entrecasteaux
Ste-Foy
Berne
Source d'Argens
Margui
Seillons-Source-d'Argens
St. Estève
Châteauvert
St. Antonin-du-Var
N.D. de Benva
LORGUES
les Nourradons
Roubine
les Hermentaires
Vallon Sourn
les Miquelets
Selle
la Bastide-Blanche
Correns
Mappe
Ollières
Montfort-sur-Argens
les Chênes-Verts
Miraval
CARCES
Pont-d'Argens
Bras
Abbaye du Thoronet (église romane)
Pourcieux
Réal-Martin
la Marthette
les Fadons
Font-Couverte
Lac de Carcès
Taradeau
le Thoronet
Ste. Anne
les Crottes
Mont Aurélien
St. MAXIMIN-la-Ste. Baume Basilique
Olympe
le Val
le Bertrands
Martelle
la Grande Bastide
Vins-sur-Caramì
St. Loup
Vidauban
Notre Dame Brignoles
la Plaine
St. Pastour
Entraigues
Cambarette
Cabasse
Autoroute la Provençale
Brandine
Valiancelle
Tourves
les Censiès
les Gaëtans
Grand Candumy
le Vieux-Cannet
Fréjus
Cannes
les Espérifets
Ch. de la Gayole
St. Julien
St. Pré
BRIGNOLES
la Seigneurie
le Lac
LE LUC
le Cannet-d.-M.
Châteauneuf
Rougier
la Celle Abbaye (église romane)
Camps-la-Source
Pérégrinage
la Gravière
le Cannet des Maures
St. François
Oppidum (enceinte celtique)
la Haute Verrerie
Nans-les-Pins
Montagne de la Loube
la Lauzade
la Basse Verrerie
Flassans-sur-Issole
Ste. Baume
Bezud
BESSE-sur-Issole
Repenti
Signal de la Ste. Baume
les Glacières
Mazaugues
LA ROQUEBRUSSANNE
Forcalqueiret
la Croix de Bontar
Pilon
St. Anastasie-sur-Issole
Gonfaron
la Tuilière
Sainte Baume
le Mourré d'Agnis
Plan Peirassou
Garéoult
le Latay
la Pied-de-la-Colle
Issole
les Mayons
N.D. du Figuier
Riboux
Carnoules
Servante
Pignans
Néoules
Rocbaron
la Foux
Rimauresq
Cros-de-Mouton
Chibron
Signes
Pilon St. Clément
Canadel
Puget-Ville
N.D. des Anges
la Sauvette
Valescure
Beaupre
Méounes-lès-Montrieux
Ste. Philomène
Réal Martin
Massif des Maures
Chartreuse Montrieux-le-Vieux
la Ruol
les Vidaux
Autodrome
Pachoquin
Aumérade
la Portanière
le Peyrol
COLLOBRIÈRES
Jas de Laure Serra
Chartreuse Montrieux-le-Jeune
Belgentier
CUERS
la Tuilière
la Rode
Eglise romane et gothique
Chartreuse de la Verne
le Jas-des-Marquands
la Rivière
Valcros
Cuers-Sud
Pierrefeu-du-Var
Montaud
la Portanière
S.te Anne-du-Castellet
Gapeau
St. Guillaume
Baisse du Castellas
Col de Babaou
le Brulat
Rocher de l'Aigle
Ste-Christine
Solliès-Toucas
le Maupas
le Castellet
les Terrins
Sauvebonne
Camp-Long
LE BEAUSSET
SOLLIÈS-PONT
Valcros
Col de Barrel
Mont Caume
Mole
Arboretum
Col de Gratteloup
le Revest-les-Eaux
Solliès-Ville
la Décapris
Maraval
Pas-du-Cerf
Broussan
Fort du L.t Girardon
la Farlède
le Viet
N.-D.-des-Maures
les Gaouby
Bormes-les-Mimosas
Cavalière
S.te Anne d'Evenos
Val d'Ardène
Bau de 4 Heures
la Castille
les Borrels
St. Honoré
St. Clair
Evenos
Mont Faron
le Coudon
la Crau
les Jassons
la Clapière
Reserve du Trapan
la Fossette
Gorges d'Ollioules
le Gros Cerveau
Baudouvin
le Fenouillet
HYÈRES
la Londe-les-Maures
LE LAVANDOU
Ollioules
la Valette
la Valette-du-Var
Baie du Gaou
BANDOL
St. Roch
Hyères
Plage de la Faviere
la Favière
Léoube
la Val-Sud
la Garde
les Salins d'Hyères
Port-de-Miramare
SANARY sur-Mer
le Pradet
la Moutonne
Brégançon
Bénat
Cabasson
Six-Fours-les-Plages
LA SEYNE sur-Mer
le Mourillon
TOULON
Carqueiranne
Berriau-Plage
Ayguade-Ceinturon
Cap Bénat
Fort de la Colle-Noire
la Garonne
Rade d'Hyères
Cap de Brégançon
Cap Blanc
Roche Blanche
Fontbrun
Hyères-Plage
l'Almanarre
Île des Embiez
les Sablettes
Fort de la Gavaresse
le Brusc
St. Mandrier-sur-Mer
Golfe de Giens
Etang des Pesquiers
la Capte
Presqu'île de St-Mandrier
Cap Cépet
Presqu'île de Giens
Ajaccio, Bastia, Calvi, Porto Torres, Propriano
N.D. du Mai
ÎLES D'HYÈRES
Cap Sicié
Giens
Île de Port-Cros
la Tour-Fondue
Île de Porquerolles
Île de Bagaud
Plage Notre-Dame
Vallon de la Solitude
Port-Cros
Pointe du Grand Langoustier
Semaphore
Parc National de Port-Cros
Porquerolles
Cap d'Arme

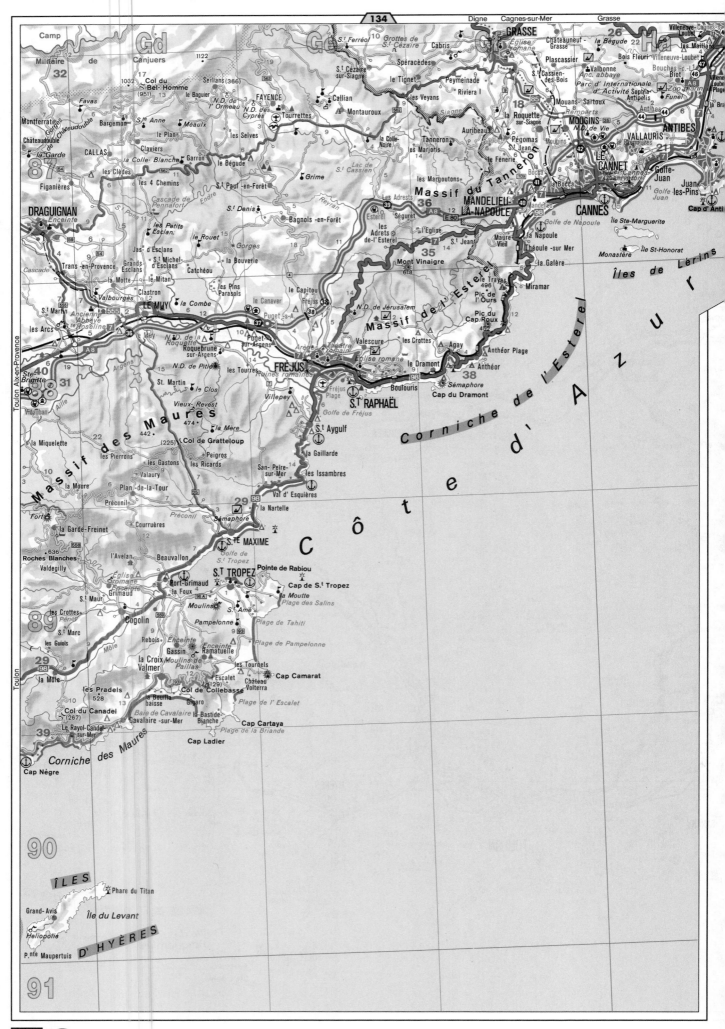
134
Digne
Cagnes-sur-Mer
Grasse
Camp
Militaire
de
Canjuers
Gd
Ge
Ha
32
Col du Bel-Homme
Seillans
FAYENCE
Callian
Montauroux
Tourrettes
Favas
Bargemon
Montferrat
Châteaudouble
la Garde
CALLAS
Claviers
Figanières
les Clèdes
les 4 Chemins
le Bégude
Grime
S.t Paul -en-Forêt
S.t Denis
Bagnols -en-Forêt
DRAGUIGNAN
Trans -en-Provence
la Motte
le Mitan
Catchéou
la Bouverie
les Pins Parasols
le Capitou
LE MUY
la Combe
les Arcs
S.t Martin
Roquebrune sur-Argens
Puget-sur-Argens
FRÉJUS
S.T RAPHAËL
Boulouris
le Dramont
Cap du Dramont
Agay
Anthéor Plage
Anthéor
Valescure
Mont Vinaigre
Massif de l'Esterel
Massif du Tanneron
MANDELIEU-LA-NAPOULE
CANNES
Golfe de Napoule
la Napoule
Théoule -sur Mer
la Galère
Miramar
le Trayas
Pic de l'Ours
Pic du Cap Roux
Île Ste-Marguerite
Île St-Honorat
Monastère
Îles de Lérins
GRASSE
Cabris
Spéracèdes
Peymeinade
le Tignet
S.t Cézaire-sur-Siagne
S.t Ferréol
Grottes de S.t Cézaire
Châteauneuf-Grasse
Plascassier
Valbonne
Biot
S.t Cassien-des-Bois
Mouans-Sartoux
MOUGINS
la Roquette-sur-Siagne
Pégomas
Auribeau
Tanneron
les Marjoris
LE CANNET
VALLAURIS
ANTIBES
Golfe-Juan
Juan-les-Pins
Cap d'Anti
Bois Fleuri
Villeneuve-Loubet
Côte d'Azur
Corniche de l'Esterel
S.t Aygulf
la Gaillarde
les Issambres
San-Peïre-sur-Mer
Val d'Esquières
la Nartelle
Sémaphore
S.TE MAXIME
Golfe de S.t Tropez
S.T TROPEZ
Pointe de Rabiou
Cap de S.t Tropez
la Moutte
Plage des Salins
Port-Grimaud
Grimaud
la Foux
Moulins
S.t Amé
Pampelonne
Plage de Tahiti
Plage de Pampelonne
Gassin
Ramatuelle
la Croix Valmer
les Tournels
Cap Camarat
l'Escalet
Château Volterra
Col de Collebasse
Plage de l'Escalet
Gigaro
la Bastide-Blanche
Cap Cartaya
Plage de la Briande
Cap Ladier
Cavalaire -sur-Mer
Baie de Cavalaire
le Rayol-Canadel sur-Mer
Col du Canadel
les Pradels
la Mole
Cogolin
Massif des Maures
Corniche des Maures
Cap Nègre
la Garde-Freinet
Roches Blanches
Valdegilly
Plan -de-la-Tour
Vidauban
Col de Gratteloup
la Miquelette
les Pierrons
les Gastons
les Ricards
Peigros
Toulon Aix-en-Provence
Toulon
87
88
89
90
91
Îles d'Hyères
Phare du Titan
Grand-Avis
Île du Levant
Héliopolis
P.nte Maupertuis

137
138

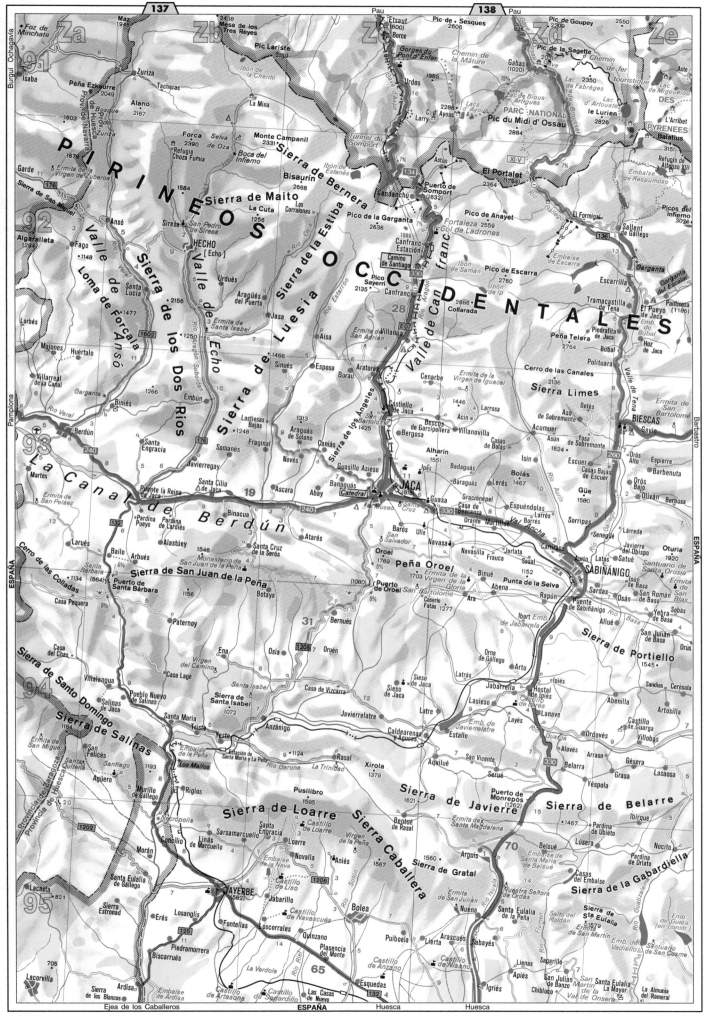
Pau
Pau
Barbastro
Pamplona
Burgui Ochagavia
Ejea de los Caballeros
ESPAÑA
Huesca
Huesca
ESPAÑA
ESPAÑA
Za
Zb
Zc
Zd
Ze
91
92
93
94
95
PIRINEOS OCCIDENTALES
Foz de Minchate
Maz 1945
Mesa de los Tres Reyes
2438
Pic Lariste 2189
Etsaut (600)
Borce
Pic de Sesques 2606
Pic de Goupey 2209
2550
Pic de la Sagette 2031
Gabas (1020)
Chemin de fer touristique
Aste
Lac de Migouélou
Lac de Fabrèges
Lac d'Artouste
le Lurien 2826
L'Arribet
PARC NATIONAL DES PYRENEES
Balaïtus 3151
Refugio de Alfonso XIII
Embalse de Respumoso
Picos del Infierno 3076
Gorges du Pont d'Enfer
Chemin de la Mâture
Urdos
Lacs d'Ayous
C. d'Ayous 2288
Larry
Lac de Bious-Artigues
Pic du Midi d'Ossau 2884
Tunnel du Somport
Astún
El Portalet (1794)
2364
XI-V
Isaba
Zuriza
Tacheras
Peña Ezkaurre 2049
Alano 2167
Bosque de Zuriza
Prov. de Huesca
Prov. de Navarra
1603
Ibón de la Cherito
La Mina
Forca 2390
Selva de Oza
Refugio Choza Fumia
Monte Campanil 2331
Boca del Infierno
Sierra de Bernera
Ibón de Estanés
Bisaurín 2668
Candanchú
Puerto de Somport (1632)
Pico de Anayet 2559
El Formigal
Sallent de Gállego
1679
Garde
Ermita de la Virgen de Zuberoa
176
Sierra de San Miguel
1584
Sierra de Maito
La Cuta 1256
Los Corralones
Sierra de la Estiba
Pico de la Garganta 2636
Fortaleza Col de Ladrones
Embalse de Escarra
Garganta
Garganta del Escalar
Algaralleta 1264
Ansó
Siresa
San Pedro de Siresa
HECHO [Echo]
Fago 1148
Valle de Ansó
Loma de Forcala
Sierra de los Dos Ríos
Valle de Echo
Sierra de Luesia
Canfranc-Estación 1999
Camino de Santiago
330
Ibón de Samán
Pico de Escarra 2760
Ibón de Ip
Escarrilla
Tramacastilla de Tena
El Pueyo de Jaca
Panticosa (1186)
Santa Lucía
2156
1477
Urdués
Aragüés del Puerto
Pico Sayerri 2135
Canfranc
28
Collarada 2886
Valle de Canfranc
Emb. de Búbal
Piedrafita de Jaca
Peña Telera 2764
Búbal
Hoz de Jaca
Lorbés
1602
1250
Río Aragón Subordán
Ermita de Santa Isabel
Jasa
Río Estarrón
Aísa
Ermita de San Adrián
Villanúa
E07
Majones
Huértalo
1466
Sinués
Esposa
Borau
Aratorés
Cenarbe
Ermita de la Virgen de Iguacel
Politúara
Cerro de las Canales 2136
Valle de Tena
Villarreal de la Canal
Garganta
1266
Embún
Sierra Limes
Biniés
Río Veral
Castiello de Jaca
1446
Larrosa
Acín
Betés
Ermita de San Bartolomé
BIESCAS
Gavín
Berdún
Lastiesas Bajas
1248
1313
Aragüés de Solano
Sierra de los Ángeles
San Bartolomé 1425
Bescós de Garcipollera
Bergosa
Villanovilla
Aso de Sobremonte
Acumuer
Asún
Yosa de Sobremonte
1624
Santa Engracia
240
Fraginal
Somanés
Caniás
Casas de Bolás
Alharín 1551
Orós Alto
Espierre
La Canal de Berdún
Martés
Javierregay
Novés
Guasillo
Asieso
Badaguás
Ipás
Isín
Escuer
Casas Bajas de Escuer
Barbenuta
260
Puente la Reina de Jaca
Santa Cilia de Jaca
19
Ascara
Banaguás
Abay
Catedral
JACA (818)
11
Baraguás
Lerés
Bolás 1467
Río Aurín
Güe 1580
Orós Bajo
Oliván
Berbusa
Ermita de San Pelaez
Binacua
Museo
Santa Cruz
Guasa
Gracionépel
Casa de Bescansa
Espuéndolas
Larrés
Borrés
Sorripas
132
Pardina Pueyo
Pardina de Lardiés
Atarés
Barós
Ulle
Orante
Martillué
Val Ancha
Lárrede
Senegüé
Alastúey
Santa Cruz de la Serós
San Salvador
Navasa
Navasilla
Frauca
Jarlata
Sasal
Cartirana
Javierre del Obispo
Oturia 1920
Larués
Bailo
Arbués
1546
Monasterio de San Juan de la Peña
Oroel 1769
Peña Oroel
Binué
Aurín
Latas
Satué
Santuario de Santa Orosia
Cerro de las Colladas
Santa Bárbara
1134
(864)
Puerto de Santa Bárbara
Sierra de San Juan de la Peña
Botaya
1156
(1080)
Puerto de Oroel
Ermita de la Virgen de la Gloria
1703
San Bartolomé
Abena
Punta de la Selva 1152
SABIÑÁNIGO
Isún de Basa
Ermita de San Blas
Casa Pequera
Caserío Fatás 1277
Ara
Rapún
Puente de Sabiñánigo
Sardas
Osán
San Román de Basa
Sobás
Yebra de Basa
Paternoy
31
Bernués
Ibort
Emb. de Jabarrela
Allué
Río Basa
San Julián de Basa
Sierra de Portiello
Orús
1545
Casa del Chas
Ena
1205
Oruén
Osia
Orna de Gállego
Arto
Sierra de Santo Domingo
Virgen del Camino
Casa Lagé
Villalangua
Santa Isabel
Sieso de Jaca
Latrás
Ipiés
Sandías
Cerésola
Salinas de Jaca
Pueblo Nuevo de Salinas
Sierra de Santa Isabel 1072
Casa de Vizcarra
Jabarrella
Hostal de Ipiés
Lasieso
Castillo de Lerés
Abenilla
Artosilla
Sierra de Salinas
1164
Santa María
Triste
Anzánigo
Javierrelatre
Latre
Layés
Lanave
Castillo de Guarga
Villobas
Ermita de San Miguel
Yeste
Embalse de la Peña
Estación de Santa María y La Peña
Caldearenas y Aguces
Emb. de Javierrelatre
Estallo
Ordovés
San Felices
Santa Quiteria
Santiago
Agüero
1193
Los Mallos
1124
Río Garona
Rasal
La Trinidad
Xirola 1379
Aquilué
San Vicente
Serué
Alavés
Arraso
Gésera
Belarra
Grasa
Lasaosa
Yéspola
Provincia de Zaragoza
Provincia de Huesca
Murillo de Gállego
Riglos
Pusilibro 1595
Sierra de Javierre
1621
Puerto de Monrepós (1262)
Sierra de Belarre
Ibirque
Necrópolis
Sierra de Loarre
Sierra Caballera
Bentué de Rasal
Ermita de Santa Magdalena
1467
Pardina de Ubieto
1202
Sarsamarcuello
Santa Engracia
Castillo de Loarre
Loarre
Virgen de la Peña
Lúsera
Concilio
Linás de Marcuello
Morán
Novalla
Aniés
1567
1560
Sierra de Gratal
Arguis
70
Belsué
Embalse de Santa María de Belsué
Nocito
Pardina de Orlato
Embalse de la Nava
Castillo de Liso
1206
Santa Eulalia de Gállego
Lacasta
821
AYERBE (562)
Jabarillo
Río Sotón
Ermita de San Julián
Río Isuela
Nuestra Señora de Ordás
Casas del Embalse
Sierra de la Gabardiella
Sierra Estronad
Erés
Losanglis
Castillo de Navascués
Bolea
Nueno
Santa Eulalia de la Peña
Salto del Roldán
Flumen
Sierra de Sta Eulalia 1579
Ermita de San Martín
Río Guatizalema
Emb. de Guara (en constr.)
Emb. de Vadiello
Santuario de San Cosme
Fontellas
Loscorrales
125
Piedramorrera
Quinzano
Puibolea
Liérta
Arascués
Sabayés
Plasencia del Monte
Biscarrués
705
Lacorvilla
La Verdola
Río Riel
65
Castillo de Anzano
Castillo de Nisano
Lienas
Apiés
Sagarillo
San Julián de Banzo
San Martín de la Val de Onsera
Santa Eulalia La Mayor
La Almunia del Romeral
Sierra de los Blancos
Ardisa
Embalse de Ardisa
Castillo de Artasona
Castillo de Sabardillo
Las Casas de Nuevo
Esquedas
132
Igriés
Chibluco

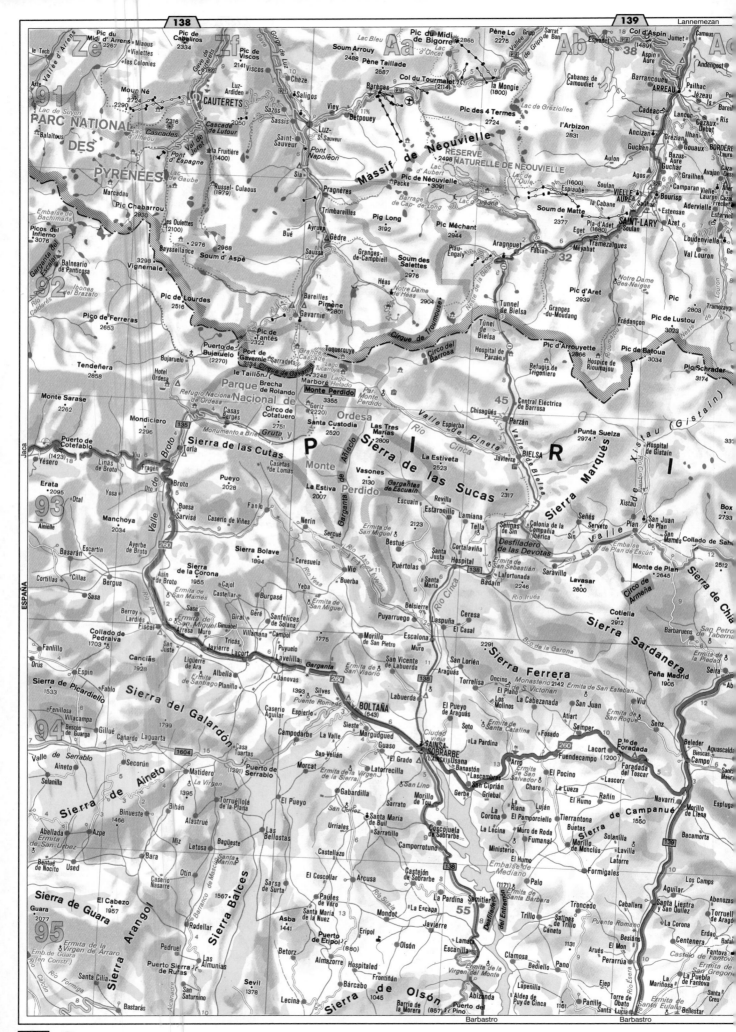
Lannemezan
Pic du Midi d' Arrens
2267
Miaous
Vielettes
les Colonies
Pic de Cabaliros
2334
Pic de Viscos
2141
Viscos
Gorge de Luz
Lac Bleu
Soum Arrouy
2488
Pène Taillade
2587
Pic du Midi de Bigorre
2865
Lac d'Oncet
Pène Lo
2275
Vallée de Gripp
Col d'Aspin
(1489)
Jumet
Camous
Aspin Aure
Andengost
le Tech
Vallée d' Arrens
Aste
Moun Né
2724
2290
CAUTERETS
Luz-Ardiden
Chèze
Saligos
Barèges
Col du Tourmalet
(2114)
la Mongie
(1800)
Cabanes de Camoudiet
Barrancoueu
ARREAU
Pailhac
Jézeau
Lac de Suyen
PARC NATIONAL
DES
PYRÉNÉES
Balaïtous
2316
Cascade de Lutour
Cascades
Lac d'Ilhéou
Val de Jéret
Pont d'Espagne
2050
Sazos
Sassis
Viey
Betpouey
Luz-St. Sauveur
Saint-Sauveur
Pont Napoléon
la Fruitière
(1400)
Lac de Grézioles
Pic des 4 Termes
2724
l'Arbizon
2831
Cadéac
Lançon
Ris
Cazaux-Debat
Ilhan
Grézian
Gouaux
BORDÈRES
Ancizan
Guchen
Massif de Néouvielle
RÉSERVE NATURELLE DE NÉOUVIELLE
2498
Lac d'Aubert
Pic de Néouvielle
3091
Packe
Lac de l'Oule
Aulon
Bazus-Aure
Guchar
Grailhen
Avajan
Agos
Camparan
Vielle-Louron
Marcadau
Lac de Gaube
Russel- Culaous
(1979)
Sia
Pragnères
Barrage de Cap-de-Long
Lac d'Orédon
(1600)
Espiaube
Soulan
VIELLE-AURE
Bourisp
Sailhan
Adervielle
la Cabane
Soum de Matte
2377
Pla-d'Adet
(1680)
SAINT-LARY
Soulan
Estensan
Azet
Eget
Pic Chabarrou
2930
Embalse de Bachimaña
Picos del Infierno
3076
les Oulettes
(2100)
2976
Trimbareilles
Pic Long
3192
Pic Méchant
2944
Loudenvielle
Ayrues
Bué
Gèdre
Aragnouet
Fabian
Tramezaïgues
Méyabat
Garganta del Escalar
Balneario de Panticosa
Bayssellance
2968
Soum d' Aspé
3298
Vignemale
Saussa
Granges-de-Campbiell
Soum des Salettes
2976
Piau-Engaly
Val Louron
Ibones del Brazato
Río Caldarés
Pic de Lourdes
2516
Héas
Notre Dame de Héas
Bareilles
Pimène
2801
Gavarnie
2904
Cirque de Troumouse
Tunnel de Bielsa
Granges -du-Moudang
Notre Dame des-Neiges
Pic d'Aret
2939
Pic
2803
Pico de Ferreras
2653
Pic de Tantes
2322
Túnel de Bielsa
Frédançon
Pic de Lustou
3023
Puerto de Bujaruelo
(2270)
Port de Gavarnie
Sarradets
Grande Cascade
Tuquerouye
Circo del Barrosa
Hospital de Parzán
Refugio de Trigoniero
Pic d'Arrouyette
2866
Hospice de Rioumajou
Pic de Batoua
3034
Tendeñera
2858
Bujaruelo
Hotel Ordesa
le Taillon
3144
Cirque de Gavarnie
Lago Tucarroya
3248
Brecha de Rolando
Marboré
Lago Helado
Pic Schrader
3174
Parque Nacional de Ordesa
Refugio Nacional de Ordesa
Monte Perdido
3355
Par. Monte Perdido
Central Eléctrica de Barrosa
Monte Sarase
2262
Casas Bergés
Circo de Cotatuero
2751
Goriz
(2220)
Chisagüés
Mondiciero
2296
Monumento a Brie
Gruta
Santa Custodia
2520
Las Tres Marías
2809
Valle Espierba
Valle de Pineta
Parzán
Punta Suelza
2974
Xistau (Gistaín)
Hospital de Gistaín
Puerto de Cotefablo
(1423)
Yésero
Linás de Broto
Fragén
Viu
Torla
Sierra de las Cutas
Casetas de Lomas
P I R I
Monte Perdido
Sierra de las Sucas
Río Cinca
Javierre
BIELSA
Valle de Bielsa
Sierra Marqués
La Estiveta
2523
Vasones
2130
Gargantas de Escuaín
Erata
2095
Otal
Yosa
Oto
Broto
Pueyo
2028
La Estiva
2007
Garganta de Añisclo
2317
Revilla
Escuaín
Estaronillo
Lamiana
Tella
Valle de Xistau
Río Cinqueta
Xistau
Señes
Serveto
Plan
San Juan de Plan
Manchoya
2034
Buesa
Sarvisé
Caserío de Viñes
Fanlo
Nerín
Sercué
2123
Ermita de San Miguel
Bestué
Salinas de Sin
Colonia de la Compañía Ibérica
Sin
Desfiladero de las Devotas
Embalse de Plan de Escún
San Mamés
Collado de Sahún
Box
2733
Valle de Broto
Ainielle
Basarán
Escartín
Ayerbe de Broto
Sierra Bolave
1894
Río Aso
Vió
Cortalaviña
Santa Justa
Hospital
Ermita de San Sebastián
Lafortunada
Badaín
2246
Saravillo
Lavasar
2600
Monte de Plan
2645
2512
Cortillas
Cillas
Bergua
Asín de Broto
Sierra de la Corona
1955
Cajol
Ceresuela
Río Yesa
Buerba
Puértolas
Santa María
Circo de Armeña
Sierra de Chía
Sasa
Ermita de San Mamés
Castellar
Burgasé
Yeba
Ermita de San Miguel
Belsierre
Río Irués
ESPAÑA
Jaca
Berroy
Lardiés
Sasé
Ermita de San Miguel
Giral
Géré
Sanfelices de Solana
Puyarruego
Laspuña
Ceresa
Cotiella
2912
Sierra Sardanera
Collado de Pedralva
1703
Fiscal
Arresa
Muro
Ginuabel
Villamana
Campol
1775
Morillo de San Pietro
Escalona
El Casal
Barbaruens
San Pedro de Tabernas
Fanlillo
Orús
San Juste
Canciás
1928
Ligüerre de Ara
Javierre
Tricás
Lacort
Puyuelo
Lavelilla
Muro
2291
Sierra Ferrera
Bco. de la Garona
Ermita de la Piedad
Seira
Espín
Albella
Ermita de Santiago
Planillo
Garganta
Jánovas
Ermita de San Visorio
San Vicente de Labuerda
San Lorién
Araguás
Torrelisa
Oncins
Monasterio de S. Victorián
2142
Ermita de San Esteban
Peña Madrid
1905
Sierra de Picardiello
1533
Fablo
Sierra del Galardón
1393
Silves
Puente Romano
Labuerda
El Plano
Los Molinos
La Cabezanada
San Juan
Viu
Fenillosa
Villacampa
Bescós de Guarga
Gillué
1799
Caserío Aguilar
Espierlo
BOLTAÑA
(643)
El Pueyo de Araguás
Atiart
Ermita de San Roque
Senz
Cañardo
Laguarta
Campodarbe
La Valle
Sieste
Margudgued
Ciudad vieja
Soto
Ermita de Santa Catalina
Fosado
Samper
Valle de Serrablo
Casa Tuartas
Guaso
AÍNSA-SOBRARBE
(L'AINSA)
La Pardina
Lacort
P.to de Foradada
(1200)
Beleder
Aguascaldas
Biescas
Campo
Secorún
Aineto
Matidero
(1291)
Puerto de Serrablo
Morcat
San Velián
El Grado
Usana
Banastón
Lascambras
Arro
Ermita de San Salvador
Fuendecampo
El Pocino
Foradada del Toscar
Lascorz
Solanilla
Sierra de Aineto
La Virgen
Ermita de la Virgen de la Sierra
Latorrecilla
San Lino
San Ciprián
Charo
La Lueza
El Humo
Rañín
Navarri
Morillo de Liena
Espluga
1395
Torruéllola de la Plana
El Pueyo
Gabardilla
Sarrato
Morillo de Tou
Gerbe
Griebal
La Riana
Luján
Binueste
1466
Bibán
Alastrué
San Quílez
Santa María de Buil
La Corona
El Pamporciello
Tierrantona
Buetas
Sierra de Campanué
1550
Abellada
Azpe
Ermita de San Úrbez
Miz
Las Bellostas
Urriales
Sarratillo
Coscojuela de Sobrarbe
La Lecina
Muro de Roda
Fumanal
Sierra de Solanilla
Morillo de Monclús
Lavilla
Bacamorta
Letosa
Bagüeste
Santa Marina
Camporrotuno
Ministerio
Bara
Castellazo
El Humo
Latorre
Bentué de Nocito
Used
Otín
Barranco de Mascún
Embalse de Mediano
Formigales
Caserío Nasarre
El Coscollar
Arcusa
Castejón de Sobrarbe
Palo
Los Camps
Sierra de Guara
Sarsa de Surta
(1171)
Ermita de Santa Bárbara
Aguilar
Abenozas
El Cabezo
1957
1567
Paúles de Vero
Río Susia
La Pardina
Samitier
Desfiladero del Entremón
Santa Liestra y San Quílez
Torruella de Aragón
Guara
2077
Santa María de la Nuez
La Escapa
Troncedo
Caballera
Sierra Balces
Asba
1441
Mondot
Trillo
Salinas de Trillo
Puente Romano
Sierra Arangol
Rodellar
Eripol
Javierre
Caneto
La Corona
Erdao
Puerto de Eripol
(880)
Olsón
Lamata
Besians
Centenera
Ermita de la Virgen de Arraro
Emb. de Guara (en Constr.)
Pedruel
Betorz
Escanilla
1131
El Mon
Fantova
Castillo de Fantova
Las Almunias
Almazorre
Hospitaled
Clamosa
Bediello
Pano
Arués
Perarrúa
Ermita de San Gregorio
Río Calcón
Santa Cilia
Puerto Sierra de Rufas
Frontiñán
Ermita de la Virgen del Monte
La Mariñosa
La Puebla de Fantova
Río Formiga
Sevil
1378
Lapenilla
Ejep
San Saturnino
Bárcabo
Aldea de Puy de Cinca
Torre de Obato
Santa Creu
Sierra de Olsón
1045
Abizanda
Río Ésera
Bastarás
Alcanadre
Lecina
Barrio de la Morera
(857)
Puerto del Pino
1161
Panillo
Santa Lucía
Ermita de Santa Eulalia
Bellestar
Barbastro
Barbastro
91
92
93
94
95
Ze
Zf
Aa
Ab
Ac
38
32
45
55

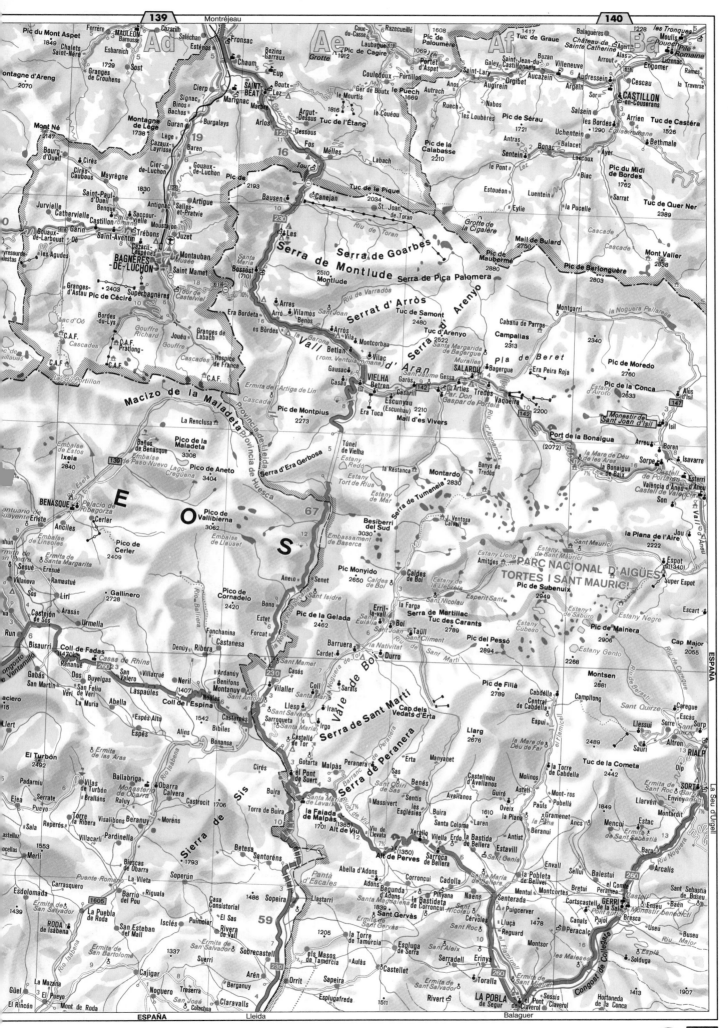
139
140
Montréjeau
Ad
Ae
Af
Ba
Pic du Mont Aspet
Ferrère
MAULÉON-Barousse
Cazarilh
Saléchan
Esténos
Fronsac
Chaum
Eup
Bezins-Garraux
Coue-du-Casse
Razecueillé
Pic de Cagire
1912
Grotte
Laubague
1608
Pic de Paloumère
1069
Portet d'Aspet
1417
Tuc de Graue
Balaguères
Château de Sainte Catherine
Agert
Alas
Arrout
Buzan
Villeneuve
Saint-Jean-du-Castillonnais
Galey
Saint-Lary
Aucazein
Orgibet
Augirein
Argein
Audressein
Cescau
1228
les Tronques
Moulis
Pouech
Pile
Romaine
Luzenac
Engomer
Rames
la Traverse
Chalets Saint-Néré
1849
Esbareich
1729
Sost
Granges de Crouhens
Montagne d'Areng
2070
Cierp
Signac
Binos
Bachos
Marignac
SAINT-BEAT
Lez
Boutx
Col de Boutx
le Mourtis
Couledoux
Portillon
le Puech
1669
Autrech
Anos
Ruech
Nabos
les Loubères
Pic de Sérau
1721
CASTILLON-en-Couserans
Sor
Salsein
les Bordes
Arrien
Tuc de Castéra
1526
1290
Eglise romane
Uchentein
Bethmale
Mont Né
2147
Montagne de Lège
1738
Guran
Burgalays
Marbre
Arlos
Argut-Dessus
Argut-Dessous
1816
Tuc de l'Étang
le Couéou
19
Lège
Cazaux-Layrisse
Baren
Fos
Melles
Pic de la Calabasse
2210
Antras
Sentein
Bonac
Balacet
Ayer
Lascoux
Bourg-d'Oueil
Cirès
Cirès-Caubous
Mayrègne
Cier-de-Luchon
Gouaux-de-Luchon
16
Tour
Labach
le Pont
Biac
Pic du Midi de Bordes
1762
Saint-Paul-d'Oueil
1830
Pic de
2193
Tuc de la Pique
Estouéon
Luentein
Sarrat
Tuc de Quer Ner
2389
Jurvielle
Cathervielle
Benque
Antignac
Salles-et-Pratvie
Artigue
Bausen
Canejan
2034
St. Joan de Toran
Eylie
la Pucelle
Castillon
Saccourvielle
Moustajon
Garin
Gouaux-de-Larboust
Oô
Trébons
Juzet
Saint-Aventin
Riu de Toran
Grotte de la Cigalère
Cascade
Mail de Bulard
2750
Cazaril-Lespènes
Les
les Agudes
BAGNÈRES-DE-LUCHON
Montauban
Musée
Saint Mamet
Santa Maria
Bossòst
(710)
Serra de Goarbes
Serra de Montlude
2510
Montlude
Pic de Maubermé
2880
Mont Valier
2838
Pic de Barlonguère
2803
Serra de Pica Palomera
Granges-d'Astau
Pic de Cécire
2403
Superbagnères
Tour de Castelviel
Riu de Varradòs
Arres
Arró
Vilamòs
Benòs
Sant Joan
Era Bordeta
es Bòrdes
Serrat d'Arròs
Tuc de Samont
2480
Serra d'Arenyo
Montgarri
la Noguera Pallaresa
Cabana de Parros
Lac d'Oô
Bordes-du-Lys
Gouffre Richard
Jouéu
Granges de Labach
C.A.F.
Cascades
C.A.F. Prat long
Gouffre
Hospice de France
Arròs
Vila
Montcorbau
Vall
Garona
Betlan
(rom. Ventula)
Vilac
Tuc d'Arenyo
2522
Santa Margarida de Bagergue
Muralles
Campalias
2313
2340
Pla de Beret
Bagergue
Era Peira Roja
Pic de Moredo
2760
Portillon
Macizo de la Maladeta
Ermita de l'Artiga de Lin
Cascada
Gausac
Casau
VIELHA
Betren
Garòs
Escunyau
Casarill
Sant Jaume
SALARDÚ
Gessa
Arties
Tredòs
Vaquèira
Par. Don Gaspar de Portolà
2200
Pic de la Conca
2633
Estany d'Airoto
Alòs d'Isil
Provincia de Lleida
Pic de Montpius
2273
Era Tuca
(Escunhau)
2210
Mail d'es Vivers
Monestir de Sant Joan d'Isil
Isil
La Renclusa
Baños de Benasque
Pico de la Maladeta
3308
Embalse de Estos
Ixeia
2840
Embalse de Paso Nuevo
Lago Creguena
Pico de Aneto
3404
Serra d'Era Gerbosa
Túnel de Vielha
Estany Redó
Estany Tort de Rius
la Restanca
Montardo
2830
Banys de Tredòs
Riu d'Aiguamòtx
Port de la Bonaigua
(2072)
la Mare de Déu de les Ares
la Bonaigua de Baix
Arreu
Boren
Sorpe
Isavarre
València d'Àneu
Esterri d'Àneu
Castell de València
Son
BENASQUE
Palacio de Ribagorza
Provincia de Huesca
E
O
S
Pico de Vallibierna
3062
Cerler
67
Estany de Mar
Serra de Tumeneia
J. Ventosa Calvell
Besiberri del Sud
3030
Embassament de Baserca
Embalse de Llauset
12
Vall d'Àneu
Jou
La Plana de l'Aire
2222
Eriste
Anciles
Embalse de Linsoles
Pico de Cerler
2409
Ermita de Santa Margarita
Sesué
Eresué
Villanova
Ramastué
Sos
Liri
Gallinero
2728
Arasán
Castejón de Sos
Urmella
Run
Bisaurri
Estany Llong
Estany de Sant Maurici
Sant Maurici
Amitges
PARC NACIONAL D'AIGÜES TORTES I SANT MAURICI
Espot
(1340)
Super Espot
Aneto
Senet
Pic Monyido
2650
Caldes de Boí
Estany de la Llebreta
Pic de Subenuix
2949
Pico de Cornadelo
2420
Bono
Sant Isidre
Sant Nicolau
Esperit Sant
Escart
Estet
Forcat
Fonchanina
Castanesa
Pic de la Gelada
2462
Erill-la-vall
Boí
Santa Eulàlia
Sant Joan
Taüll
Sant Climent
Serra de Martillac
Tuc des Carants
2789
Estany de Saburó
Estany Negre
Estany Cubeso
Pic de Mainera
2906
Pic del Pessó
2894
Estany Gento
2268
Cap Major
2055
Coll de Fadas
(1470)
Casas de Rhins
Renanue
260
Denúy
Ribera
Barruera
Cardet
La Nativitat
Durro
Sant Martí
Sant Mamet
ESPAÑA
Gabás
San Martín
Dos
San Valero
Buyelgas
Villarrué
Neril
(1407)
Laspaúles
Ardanúy
Benifons
Montanuy
Sant Antoni
Casós
Coll
Sarais
Vale de Boí
Pic de Filià
2789
Montsen
2881
Riu de Berasti
Veri
San Feliu de Veri
La Muria
Abella
Coll de l'Espina
Noales
Vilaller
Santa Maria
Llesp
Iran
Sant Salvador
Serra de Sant Martí
Cap dels Vedats d'Erta
Cabdella
Central de Cabdella
Espui
Campllong
Sant Quirze
Caregue
Escàs
Surp
Espés Alto
Espés
Alins
1542
Bibiles
Castarnés
Sarroqueta
Irgo
Castelló de Tor
Bonansa
Llarg
2676
la Mare de Déu de Far
el Flamicell
Llessui
Sorre
2489
Sauri
Altron
RIALP
El Turbón
2492
Ermita de las Aras
Cirés
Gotarta
Malpàs
Peranera
Serra de Peranera
Erta
Manyanet
la Torre de Cabdella
Molinos
Tuc de la Cometa
2442
Olp
Padarniu
Vilas de Turbón
Ballabriga
Obarra
Monasterio de Obarra
Calvera
Serrate
Bralláns
Raluy
Ejea
Pueyo
Castrocit
1706
Buira
Sierra de Sis
el Pont de Suert
Santa Maria de Lavaix
Sas
Sant Quirc de Sas
Benés
Castellnou d'Avellanos
Guiró
Astell
Mont-ros
Pobellà
Ermita de Sant Roc
SORT
Enviny
Llarvén
Montardit
La Seu d'Urgell
Torre de Buira
la Faiada de Malpàs
(1385)
1701
Alt de Viu
Viu de Llevata
Massivert
Sentís
les Esglésies
Avellanos
Buira
Oveix
la Plana
Paüls
Gramenet
1849
Ancs
Mencui
Estac
Ermita de Sant Sebastià
Torre la Ribera
Visalibons
Beranuy
Moréns
Sala
Reperós
Villacarli
Pardinella
Santa Coloma
Laren
1610
Xerallo
Vilella
Erdo
La Bastida de Bellera
Antist
Beranui
Estavill
Sant Genis
Baro
Riu Noguera
1553
Merli
Biescas de Obarra
1793
Betesa
Santoréns
(1350)
Alt de Perves
Sarroca de Bellera
Envall
Sellui
Balestui
Arcalís
La Vileta
Soperún
Pantà d'Escales
Abella d'Adons
Adons
Corronçui
Cadolla
Santa Maria de Bellera
la Pobleta de Bellvei
Mentui
Montcortès
Bretui
el Comte
Peramea
Sant Sebastià de Buseu
Esdolomada
Carrasquero
Puente Romano
Barrio del Pou
Riguala
Casa Consistorial
1486
Sopeira
Llastarri
Begunda d'Adons
Pinyana
Naens
Senterada
Cortscastell
GERRI de la Sal
Castell
Enseu
Baén
Monestir benedictí
Ermita de San Salvador
1439
La Puebla de Roda
1605
El Sas
Isclés
Puimolar
Rivera de Vall
59
Santa Magdalena
la Bastideta de Corronçui
1839
Sant Gervàs
Ermita de Sant Gervàs
Sant Nicolau
Cérvoles
Sant Roc
Puigcerver
Lluçà
Reguard
1478
Canals
Pujol
Peracalç
Bresca
Useu
Buseu
Riu Major
RODA de Isábena
San Esteban del Mall
Ermita de San Bartolomé
1337
Sobrecastell
1205
la Torre de Tamúrcia
Espluga de Serra
Sant Aleix
10
Montsor
les Maleses
Esplà
Solduga
Congost de Collegats
Suerri
els Masos de Tamúrcia
Aulàs
Castellet
Serradell
Erinyà
Cajigar
Arén
Orrit
Sapeira
Ermita de Sant Salvador
Toralla
Ermita de Sant Miquel
1413
1907
La Mazana
Güel
El Pueyo
El Rincón
Mont de Roda
Noguero
Treserra
San José
Colachoa
Berganuy
Claravalls
Esplugafreda
1511
Rivert
LA POBLA de Segur
el Pont de Claverol
Sossís
Claverol
Hortoneda de la Conca
Lleida
Balaguer

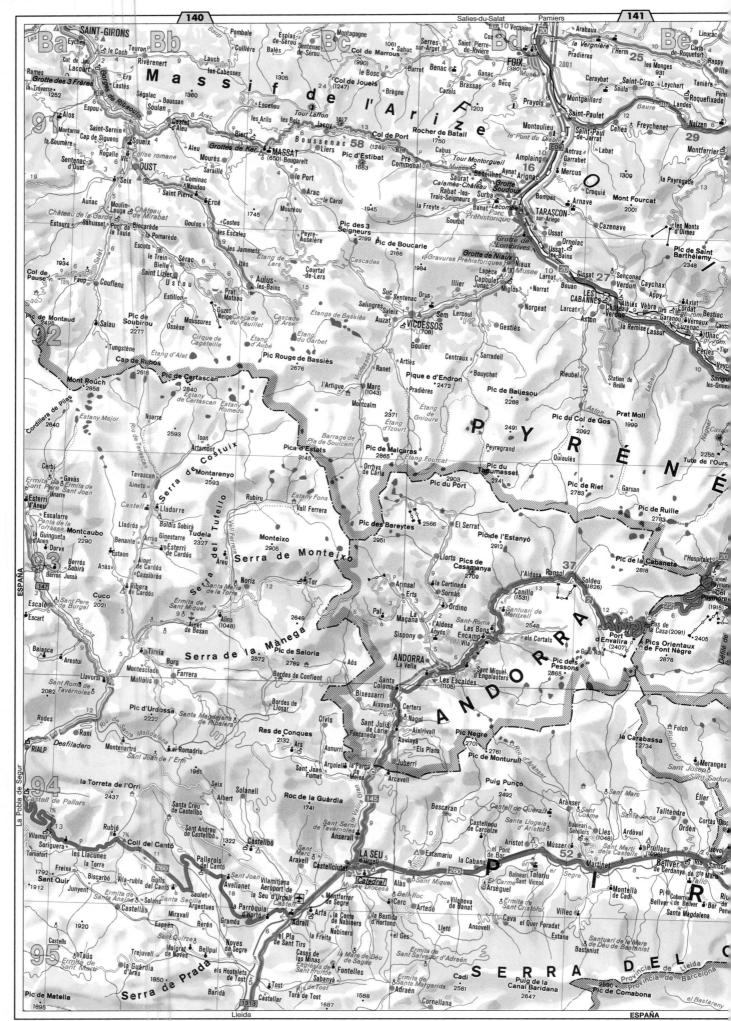
140
141
Salies-du-Salat
Pamiers
Ba
Bb
Bc
Bd
Be
SAINT-GIRONS
Massif de l'Arize
Pombole
Esplas-de-Sérou
Montagagne
Cuillère
Balès
Sentenac-de-Sérou
Col de Marrous
Sahuc
Serres-sur-Arget
Saint Pierre-de-Rivière
Vernajoul
Arabaux
la Vergnière
l'Herm
Pradières
Lieurac
Carla-de-Roquefort
Rappy
Eycheil
Touron
le Coch
Rivèrenert
Lauch
las Cabesses
le Bosc
Burret
Benac
Ganac
FOIX
Musée
Brassac
Becq
Caraybat
Saint-Cirac
Les Monges
Leychert
Tanière
Rames
Lacourt
Erp
Lastes
Grotte des 3 Frères
la Traverse
Gorges de Ribaouto
Ségalac
Boussan
Soulan
Col de Jouels
Brègne
Cazals
Prayols
Montgaillard
Soula
Roquefixade
Landes
Espou
Alos
Encenou
Tour Laffon
les Arils
les Bels
Jacoy
Saint-Paulet
Celles
Freychenet
Nalzen
Montarna
Saint-Sernin
Cap de Siguens
la Soumère
Castet d'Aleu
Soueix
Biert
Boussenac
Col de Port
Rocher de Batail
Montoulieu
le Pont du Diable
Saint-Paul de-Jarrat
Labat
Montferrier
Sentenac-d'Oust
Rogalle
Vic
Église romane
OUST
Aleu
Mourès
Saraillé
Grottes de Ker
MASSAT
Bougarelt
Liers
Pic d'Estibat
Cabus
Pré Communal
Tour Montorgueil
Amplaing
Antras
Garrabet
Mercus
Seix
Cominac
Naudou
Saint Pierre
Ercé
le Port
Arac
le Carol
Saurat
Calamès-Château
Rabat-les-Trois-Seigneurs
Bédeilhac
Aynat
Arignac
Grotte Soudour
Surba
Croquié
la Payregade
Aunac
Moulin-Lauga
Château de la Garde
Château de Mirabat
Moureou
la Freyte
Banat
Lacombe
Parc Préhistorique
Bompas
Arnave
TARASCON-sur-Ariège
Mont Fourcat
Estours
Sahusset
Pont de la Taule
Bincarède
la Pomarède
Goulos
Costes
les Escales
Peyre-Auselère
Pic des 3 Seigneurs
Gourbit
Grotte de Lombrives
Ussat
Cazenave
les Monts d'Olmes
Escots
le Trein
Bielle
Saint Lizier
Sérac
Ustou
les Jammets
Ites
Étang de Lers
Pic de Boucarle
Cascades
Grotte de Niaux
Gravures Préhistoriques
Niaux
Musée
Ornolac
Ussat-les-Bains
Pic de Saint Barthélemy
Col de Pause
Faup
Couflens
Aulus-les-Bains
Courtal-de-Lers
Lapège
Capoulet-Junac
Illier
Miglos
Norrat
Larnat
Sinsat
Bouan
Senconac
Verdun
Caychax
Appy
Estillon
Prat Mataou
Guzet Neige
Suc
Sentenac
Orus
Salingres
Saleix
LES CABANNES
Château-Verdun
Albiès
Vèbre
Axiat
Lordat
Garanou
Vernaux
Bestiac
Luzenac
Unac
Pic de Montaud
Salau
Pic de Soubirou
Ossèse
Moussures
Cascade du Fouillet
Cascade d'Arse
Étangs de Bassiès
Étang du Garbet
Auzat
VICDESSOS
Sem
Lercoul
Gestiès
Norgeat
Larcat
Aston
la Remise
Lassur
Perles
Tungstène
Cirque de Cagateille
Étang d'Aubé
Étang d'Alet
Goulier
Pic Rouge de Bassiès
Centraux
Sarradeil
Artiès
Ranet
Bouychet
Rieubel
Station de Beille
Cap de Ruhos
Mont Rouch
Pic de Certascan
Estany de Certascan
Estany Romedo
Marc
l'Artigue
Pique e d'Endron
Pradières
Pic de Baljesou
Savignac-les-Ormeaux
Cordillera de Pilas
Estany Major
Noarre
Montcalm
Étang de Gnioure
Étang d'Izourt
Pic du Col de Gos
Prat Moll
PYRÉNÉES
Riu de Tavascan
Ison
Artamont
Serra de Costuix
Pica d'Estats
Barrage de Pla de Soulcem
Pic de Malcaras
Étang Fourcat
Peyregrand
Quioulès
Tute de l'Ours
Cerbi
Gavàs
Ermita de Sant Pere
Ermita de Sant Joan
Unarre
Tavascan
Aineto
Montarenyo
Orrhys de Carla
Pic du Thoumasset
Pic du Port
Pic de Riet
Garsan
Esterri d'Àneu
Escalarre
Pantà de la Torrassa
Serra del Tufeiło
Castell
Lladorre
Rubiru
Estany Fons
Vall Ferrera
Pic de Ruille
la Guingueta d'Àneu
Montcaubo
Lladrós
Boldís Sobirà
Benante
Arròs
Ginestarre
Esterri de Cardós
Tudela
Monteixo
Pic des Bareytes
El Serrat
Pic de l'Estanyó
Dorve
Berròs Sobirà
Berròs Jussà
Estaon
Ainet de Cardós
Cassibròs
Serra de Monteixo
Areu
Llorts
Pics de Casamanya
l'Aldosa
Ransol
Soldeu
Pic de la Cabaneta
l'Hospitalet
ESPAÑA
Escaló
Escart
Ribera de Cardós
Sant Pere de Burgal
Cuco
Ermita de Sant Miquel
Santa Maria de la Torre
Noris
Tor
Arinsal
la Cortinada
Erts
Sornàs
Canillo
Ordino
Santuari de Meritxell
Pas de la Casa
Pics Orientaux de Font Nègre
Ainet de Besan
Alins
Pal
La Massana
l'Aldosa
Anyós
Sant Romà
Les Bons
Encamp
Vila
els Cortals
Port d'Envalira
Grau Roig
Baiasca
Arestui
Tírvia
Serra de la Mànega
Pic de Saloria
Àós
ANDORRA la Vella
Sant Miquel d'Engolasters
Pic dels Pessons
Montesclado
Burg
Farrera
Mallolís
Llavorsí
Bordes de Conflent
Santa Coloma
Les Escaldes
ANDORRA
Sant Romà de Tavèrnoles
Bixessarri
Aixovall
Bordes de Llosar
Pic d'Urdossa
Santa Magdalena de Ribalera
Certers
Nagol
Rodes
Roní
Civís
Sant Julià de Lòria
Fontaneda
Aixirivall
Auvinyà
Pic Negre
Folch
la Carabassa
RIALP
Desfiladero
Montenartró
el Romadriu
Ras de Conques
Ars
Asnurri
Els Plans
Juberri
Pic de Monturull
Sant Joan de l'Erm
Argolell
la Farga de Moles
Arcavell
Sant Josep
Meranges
La Pobla de Segur
la Torreta de l'Orri
Seix
Albert
Solanell
Sant Joan Fumat
Roc de la Guàrdia
Puig Punçó
Castell de Pallars
Santa Creu de Castellbò
Sant Andreu de Castellbò
Castellbò
la Valira Gran
Bescaran
Castell de Querol
Aransèr
Sant Marc
Sant Cosme
Santa Anna
Talltendre
Éller
Vilamur
Soriguera
Coll del Cantó
Sant Serni de Tavèrnoles
Anserall
Castellnou de Carcolze
Santa Llogaia d'Aristot
Balneari Sehillers
Lles
Ardòvol
Ordèn
Tornafort
les Llacunes
la Torre
Pallerols del Cantó
Sant Marc
Aravell
LA SEU d'Urgell
Estamariu
Aristot
el Pont de Bar
Músser
Sant Martí dels Castells
Prullans
Isòvol
Freixe
Biscarbó
Vila-rubla
Guils del Cantó
Sant Joan
Vilamitjana
Aeroport de la Seu d'Urgell
Castellciutat
Catedral
Museu Diocesà
la Cabana
Balneari Toloriu
Martinet
Bellver de Cerdanya
Sant Quir
Junyent
Ermita de Santa Ansina
Solans
Santa Sicília
Saulet
Avellanet
Argestues
Montferrer de Segre
Alàs
Sant Miquel
Arsèguel
El Carme
Sant Vicenç
Montellà de Cadí
Coborriu de Bellver
Santa Magdalena
Castellàs
Miravall
la Parròquia d'Hortó
Arfa
la Coma de Nabiners
la Bastida d'Hortons
Cerc
Artedó
Vilanova de Banat
Ermita de Sant Cristòfol
Villec
Espenèn
Berén
Gramós
Adrall
Nabiners
Lletó
Cava
el Quer Foradat
Ansovell
Castells
Sant Quirze
Noves de Segre
el Pla de Sant Tirs
la Freita
el Ges
Estana
Santuari de la Mare de Déu de Bastanist
Bastanist
Taús
Ermita de Sant Martí
Trejuvell
Malgrat de Noves
Bellpui
la Guàrdia d'Ares
Serra de Prada
Casas de las Minas
Església de Sant Fruitós
la Mare de Déu de Sagàs
Ermita de Sant Salvador d'Adraén
Cadí
SERRA DEL CADÍ
Provincia de Lleida
Provincia de Barcelona
els Hostalets de Tost
Fontelles
Sabanyà
Tost
Riu de Tost
Ermita de Santa Margarida
Adraén
Puig de la Canal Baridana
Pic de Comabona
Pic de Matella
Baridà
Castellar
Torà de Tost
Cornellana
el Bastareny
Lleida
ESPAÑA

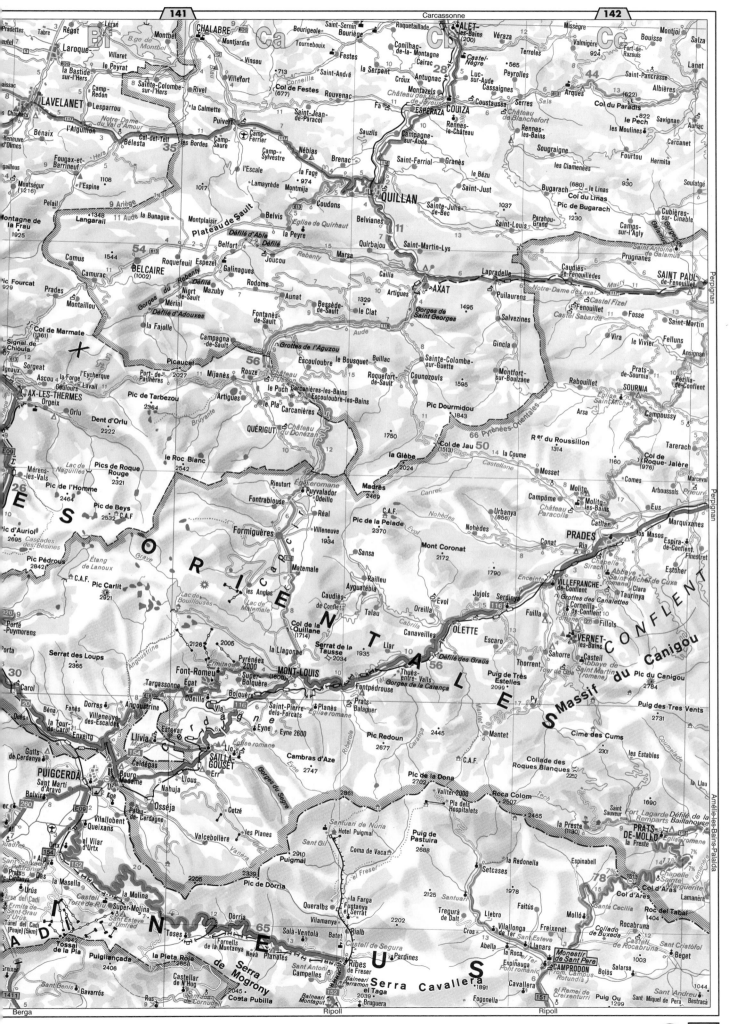
Bf
Ca
Cb
Cc
Carcassonne
Perpignan
Amélie-les-Bains-Palalda
Berga
Ripoll
Régat
Léran
Laroque-
Montbel
CHALABRE
Montjardin
Vinsou
Villaret
le Peyrat
La Bastide-sur-l'Hers
Sainte-Colombe-sur-l'Hers
Rivel
Villefort
Camp-Redon
Lesparrou
LAVELANET
la Calmette
Puivert
Bénaix
l'Aiguillon
Col-del-Teil
Bélesta
les Bordes
Camp-Saure
Camp-Ferrier
Fougax-et-Barrineuf
l'Espine
Montségur
Pelail
Langarail
la Bunague
Montplaisir
Plateau de Sault
Montagne de la Frau
Comus
Camurac
BELCAIRE
Roquefeuil
Espezel
Belfort
Galinagues
Joucou
Prades
Montaillou
Niort-de-Sault
Mérial
Mazuby
Rodome
Gorges du Rebenty
Défilé d'Adouxes
la Fajolle
Col de Marmate
Signal de Chioula
Sorgeat
Ascou
la Forge
l'Eycherque
Picaucel
Port-de-Pailhères
Mijanès
Rouze
AX-LES-THERMES
Orgeix
Orlu
Pic de Tarbezou
Dent d'Orlu
Artigues
le Puch
le Pla
Carcanières
Carcanières-les-Bains
Escouloubre-les-Bains
QUÉRIGUT
Château du Donezan
le Roc Blanc
Mérens-les-Vals
Pics de Roque Rouge
Pic de l'Homme
Pic de Beys
Pic d'Auriol
Cascades des Bésines
Pic Pédrous
Étang de Lanoux
Pic Carlit
Porté-Puymorens
Porta
Serrat des Loups
Carol
Lac des Bouillouses
Lac de Matemale
Rieutort
Puyvalador
Odeillo
Fontrabiouse
Réal
Formiguères
Villeneuve
Matemale
les Angles
Caudiès-de-Conflent
Col de la Quillane
la Llagonne
Serrat de la Tausse
MONT-LOUIS
Pyrénées 2000
Font-Romeu
Super Bolquère
Targassonne
Egat
Bolquère
Odeillo
Via
Angoustrine
Dorres
Béna
Fanès
Villeneuve-des-Escaldes
la Tour-de-Carol
Enveitg
Llívia
Estevar
Eyne
SAILLAGOUSE
Llo
Err
Caldégas
Bourg-Madame
Ur
Llous
Nahuja
Osséja
PUIGCERDÀ
Guils de Cerdanya
Sant Martí d'Aravó
Bolvir
Age
Palau-de-Cerdagne
Vilallobent
Queixans
el Vilar d'Urtx
Urtx
Alp
Das
Urús
la Masella
la Molina
Super-Molina
Valcebollère
les Planes
Puigmal
Pic de Dorria
Dòrria
Toses
Tossal de la Pia
Puiglançada
la Pleta Roja
Castellar de N'Hug
Gavarròs
Rus
Serra de Mogrony
Costa Pubilla
Fornells de la Muntanya
Nevà
Planoles
Campelles
Ribes de Freser
Serra Cavallera
el Taga
Bruguera
Pardines
Rialb
Batet
Solà-Ventolà
Vilamanya
Queralbs
la Farga
Fustanya
el Serrat
Coma de Vaca
Hotel Puigmal
Santuari de Núria
Puig de Pastuira
Pla dels Hospitalets
Valltèr 2000
Roca Colom
Pic de la Dona
Setcases
la Redonella
Tregurà de Dalt
Llebro
Vilallonga de Ter
Faitús
Abella
la Roca
Espinauga
Llanars
Monestir de Sant Pere
CAMPRODON
Cavallera
Fogonella
Freixenet
Mollò
Col d'Ares
Col d'Aras
Espinabell
la Preste
PRATS-DE-MOLLO
Fort Lagarde
Défilé de la Baillanouse
Rocabruna
Roc del Tabal
Lamanère
Beget
Salarsa
Bolòs
Puig Ou
Sant Miquel de Pera
Bestracà
Sant Cristòfol
Sant Andreu
Cambras d'Aze
Pic Redoun
Planès
Saint-Pierre-dels-Forcats
Fontpédrouse
Prats-Balaguer
Thuès-entre-Valls
Gorges de la Carança
Défilé des Graüs
OLETTE
Canaveilles
Oreilla
Evol
Jujols
Serdinya
Talau
Ayguatébia
Railleu
Sansa
Llar
Puig de Très Estelles
Mantet
Collade des Roques Blanques
Cime des Cums
Puig des Tres Vents
Pic du Canigou
Massif du Canigou
CONFLENT
Py
Sahorre
Castell
Thorrent
VERNET-les-Bains
Fillols
Corneilla-de-Conflent
Fuilla
Escaro
VILLEFRANCHE-de-Conflent
Taurinya
Clara
Abbaye Saint Michel de Cuxa
Estoher
Finestret
Espira-de-Conflent
PRADES
Ria
Catllar
Eus
Marquixanes
Los Masos
Conat
Nohèdes
Urbanya
Mont Coronat
Pic de la Pelade
Molitg-les-Bains
Campôme
Château Paracolls
Mosset
Arboussols
Marcevol
Comes
Col de Roque-Jalère
Tarerach
Campoussy
SOURNIA
Rabouillet
Arsa
Prats-de-Sournia
Pézilla-de-Conflent
Felluns
Vira
le Vivier
Ansignan
Saint-Martin
Fosse
Fenouillet
Castel Fizel
SAINT PAUL de-Fenouillet
Caudiès-de-Fenouillèdes
Prugnanes
Gorges de Galamus
Cubières-sur-Cinable
Camps-sur-l'Agly
Pic de Bugarach
Bugarach
Col du Linas
Soulatgé
Parahou-Grand
Saint-Louis
le Bézu
Saint-Just
Rennes-les-Bains
Sougraigne
Fourtou
Hermita
les Clamenèes
Col du Paradis
le Pech
les Moulines
Auriac
Carcanet
Savignan
Albières
Arques
Saint-Pancrasse
Lanet
Fort-de-Razouls
Bouisse
Valmigère
Montjoi
Salza
Missègre
Terroles
Peyrolles
Serres
Château de Blanchefort
Coustaussa
Cassaignes
Luc-sur-Aude
Véraza
ALET-les-Bains
Castel-Nègre
Conilhac-de-la-Montagne
Cairac
Antugnac
Croux
Montazels
la Serpent
COUIZA
ESPÉRAZA
Rennes-le-Château
Campagne-sur-Aude
Saint-Ferriol
Granès
QUILLAN
Sainte-Julia-de-Bec
Belvianes
Quirbajou
Saint-Martin-Lys
Marsa
Cailla
AXAT
Lapradelle
Puilaurens
Artigues
Gorges de Saint Georges
le Clat
Bessède-de-Sault
Aunat
Fontanès-de-Sault
Campagna-de-Sault
Grottes de l'Aguzou
Escouloubre
le Bousquet
Buillac
Roquefort-de-Sault
Counozouls
Sainte-Colombe-sur-Guette
Montfort-sur-Boulzane
Gincla
Salvezines
Pic Dourmidou
Pyrénées-Orientales
Col de Jau
la Glèbe
R er du Roussillon
la Coume
Madrès
Belvis
Coudons
la Peyre
Défilé d'Able
Défilé
Eglise de Quirhaut
Lamayrède
Montmija
la Fage
l'Escale
Camp-Sylvestre
Nébias
Brenac
Sauzils
Fa
Saint-Jean-de-Paracol
Col de Festes
Rouvenac
Festes
Saint-André
Tourneboulx
Bourigeole
Saint-Sernin
Bourièpe
Roquetaillade
PYRÉNÉES ORIENTALES
CADI
NEUS

142
143

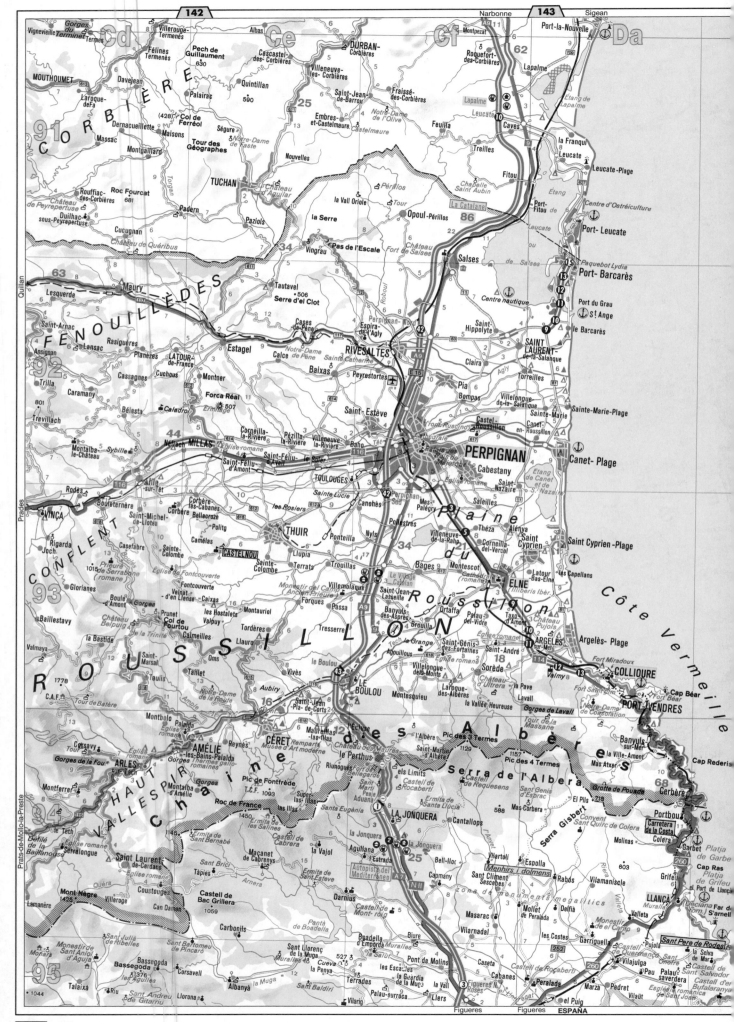
Narbonne
Sigean
Port-la-Nouvelle
Cd
Ce
Cf
Da
Gorges du Terminet
Vignevieille
Termes
Villerouge-Termenès
Albas
DURBAN-Corbières
Montpezat
Félines Termenès
Pech de Guillaument
630
Cascastel-des-Corbières
Villeneuve-les-Corbières
Roquefort-des-Corbières
Lapalme
MOUTHOUMET
Davejean
Quintillan
Saint-Jean-de-Barrou
Fraissé-des-Corbières
Laroque-de-Fa
Palairac
590
Étang de Lapalme
CORBIÈRES
Col de Ferréol
Dernacueillette
Maisons
Ségure
Embres-et-Castelmaure
Notre-Dame de l'Olive
Leucate
Feuilla
Caves
Massac
Tour des Géographes
Notre-Dame de Faste
Castelmaure
La Franqui
Montgaillard
Nouvelles
Treilles
Leucate
Leucate-Plage
TUCHAN
Fitou
Château d'Aguilar
Périllos
Chapelle Saint Aubin
Rouffiac-des-Corbières
Roc Fourcat
681
la Vall Oriole
Tour
Étang
Château de Peyrepertuse
Padern
Opoul-Périllos
La Catalane
Port-Fitou
Centre d'Ostréiculture
Duilhac-sous-Peyrepertuse
la Serre
Paziols
Port-Leucate
Cucugnan
Château de Quéribus
Pas de l'Escale
Vingrau
Fort de Salses
Château
Salses
Paquebot Lydia
Port-Barcarès
Quillan
Maury
Tautavel
Serre d'el Clot
506
Lesquerde
Centre nautique
Port du Grau
St Ange
FENOUILLÈDES
Saint-Arnac
Cases-de-Pène
Espira-de-l'Agly
Perpignan-Nord
Saint-Hippolyte
le Barcarès
Ansignan
Lansac
Rasiguères
Estagel
Notre-Dame de Pène
RIVESALTES
SAINT-LAURENT-de-la-Salanque
Planèzes
LATOUR-de-France
Calce
Sainte-Catherine
Claira
Cassagnes
Cuchous
Montner
Baixas
Peyrestortes
Torreilles
Trilla
Caramany
Force Réal
507
Pia
Villelongue-de-la-Salanque
Bompas
Sainte-Marie
Sainte-Marie-Plage
Trevillach
Bélesta
Caladroi
Ermitage
Saint-Estève
Castel-Roussillon
Canet-en-Roussillon
Montalba-le-Château
Sybille
Néfiach
MILLAS
Corneilla-la-Rivière
Pézilla-la-Rivière
Villeneuve-la-Rivière
Baho
PERPIGNAN
Canet-Plage
Église romane
Saint-Féliu-d'Avall
le Soler
Cabestany
Saint-Féliu-d'Amont
TOULOUGES
Étang de Canet et de St-Nazaire
Ille-sur-Têt
Rodès
Sainte-Lucie
Saint-Nazaire
Bouleternère
Corbère-les-Cabanes
les Rosiers
Canohès
Perpignan-Sud
Mas-Palégry
Saleilles
Prades
VINÇA
Saint-Michel-de-Llotes
Corbère
Belleroze
Pollestres
Plaine du Roussillon
Politg
THUIR
Théza
Alénya
Rigarda
Joch
Casefabre
Camélas
CASTELNOU
Ponteilla
Nyls
Villeneuve-de-la-Raho
Corneilla-del-Vercol
Saint-Cyprien
Saint Cyprien-Plage
CONFLENT
Sainte-Colombe
Llupia
Terrats
Trouillas
Bages
Montescot
Latour-Bas-Elne
les Capellans
Prieuré de Serrabone
Église de Fontcouverte
Le Village Catalan
ELNE
Glorianes
Fontcouverte
Monestir del Camp
Villemolaque
Côte Vermeille
Boule-d'Amont
Gorges
Veinat-d'en Llense
Caixas
Montauriol
Forques
Saint-Jean-Lasseille
Ortaffa
Palau-del-Vidre
Taxo-d'Amont
Baillestavy
Prunet
Col de Fourtou
Château Belpuig
les Hostalets
Valpuy
Passa
Banyuls-dels-Aspres
Brouilla
Château Pujols
Tordères
Tresserre
Saint-Génis-des-Fontaines
Argelès-Plage
la Bastide
Calmeilles
Llauro
la Grange
ARGELÈS-sur-Mer
Valmaya
Saint-Marsal
ROUSSILLON
le Boulou
Saint-André
Oms
Aigouillous
Villelongue-dels-Monts
Fort Miradoux
Taillet
Vivès
LE BOULOU
Sorède
Valmy
COLLIOURE
1778
Taulis
Aubiry
Château d'Ultrera
la Pave
Cap Béar
Tour de Batère
Notre-Dame de la Route
Montesquieu
Laroque-des-Albères
Lavall
Fort Béar
C.A.F.
Saint-Jean-Pla-de-Corts
la Vallée Heureuse
PORT-VENDRES
Gorges de Lavall
Notre-Dame de Consolation
Tour de la Massane
Montbolo
Palalda
Maureillas-las-Illas
l'Écluse
l'Albère
Pic des 3 Termes
Banyuls-sur-Mer
Corsavy
AMÉLIE-les-Bains-Palalda
CÉRET
Musée d'Art moderne
Chaîne des Albères
1129
1157
la Ville-Amont
Gorges de la Fou
ARLES-sur-Tech
Reynès
le Perthus
Saint-Martin-d'Albère
Pic des 4 Termes
Mas Atxer
Cap Rederis
Riunoguès
els Límits
Serra de l'Albera
HAUT VALLESPIR
Gorges
Pic de Fontfrède
Castell de Requesens
68
Montferrer
Montalba-d'Amélie
T.C.F.
1093
Super-las-Illas
Sant Martí
Castell de Rocabertí
Sant Genís d'Esprac
Grotte de Pouade
Cerbère
Roc de France
Aduana
Ermita de Santa Llúcia
Mas Corbera
El Pils
Santa Eugènia
LA JONQUERA
Cantallops
Convent Sant Quirc de Colera
Portbou
1450
las Illas
588
Serra Gisbert
Carretera de la Costa
le Tech
Ermita de les Salines
Colera
Molinas
Défilé de la Baillanouse
Église romane
Ermita de Sant Bernabé
Castell de Cabrera
la Jonquera
Garbet
Platja de Garbet
Serralongue
Agullana
l'Estrada
Bell-lloc
Viartolí
Espolla
Cap Ras
Saint Laurent-de-Cerdans
La Vajol
Autopista del Mediterrani
603
Platja de Grifeu
Maçanet de Cabrenys
Sant Brici
Tàpies
Capmany
Menhirs i dolmens
Sant Climent Sescebes
Rabós
Vilamaniscle
Grifeu
Église romane
Ermita de Sant Esteve
el Port de Llançà
Quéra
Coustouges
Arnera
zona de monuments megalítics
LLANÇÀ
Mont Nègre
1425
Villeroge
Castell de Bac Grillera
1059
Darnius
Mollet de Peralada
Delfià
Muralla
Lamanère
Can Damon
Masarac
Castell de Mont-roig
Valleta
Far de S'arnell
Carbonils
Pantà de Boadella
Vilarnadal
Monestir de el Camp
Sant Julià de Ribelles
Sant Baltomeu de Pincaró
Boadella d'Empordà
Biure
les Costes
Garriguella
Sant Pere de Rodes
Monestir de Sant Aniol d'Aguja
Sant Llorenç de la Muga
Pont de Molins
Castell de Quermançó
Pujola
la Selva de Mar
Moñars
Bassegoda
1376
Cueva la Penya
527
Vilajuïga
Pau
Palau-saverdera
Castell de Sant Salvador
les Agulles
Corsavell
Terrades
les Escaules
la Guàrdia de la Muga
Caseta
Cabanes
Castell de Rocabertí
Marzà
Pedret
Castell de Bufalaranya
Talaixà
Albanyà
la Muga
Sant Baldiri
Palau-surroca
la Vall
Figueres
Peralada
el Puig
Vilaüt
Església romànica de Sant Joan
1044
Riu
Sant Andreu de Gitarriu
Llorona
Vilarig
Llers
Figueres
Figueres
ESPAÑA

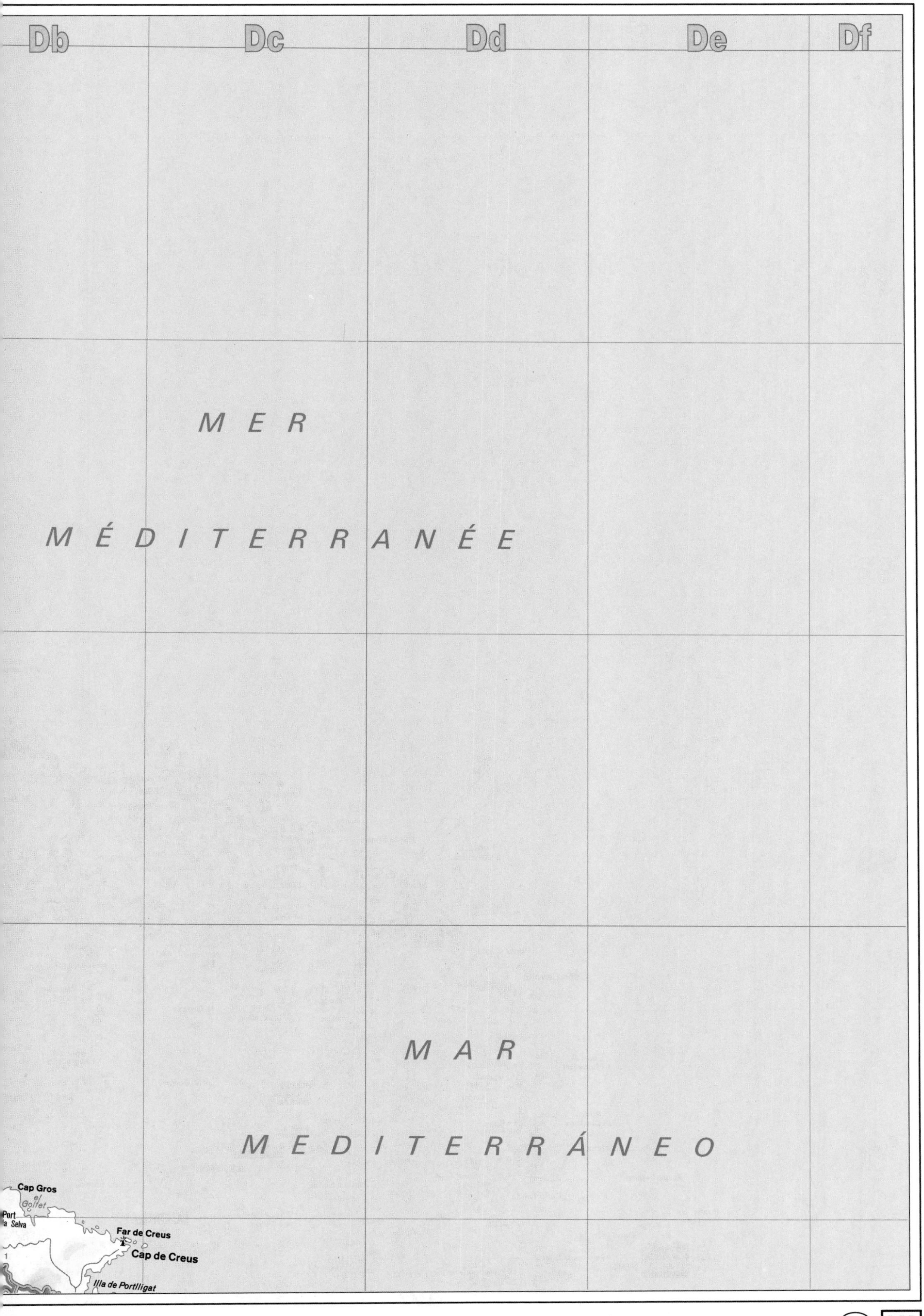

M E R

M É D I T E R R A N É E

M A R

M E D I T E R R Á N E O

Cap Gros

el Golfet

Port

a Selva

Far de Creus

Cap de Creus

Illa de Portlligat

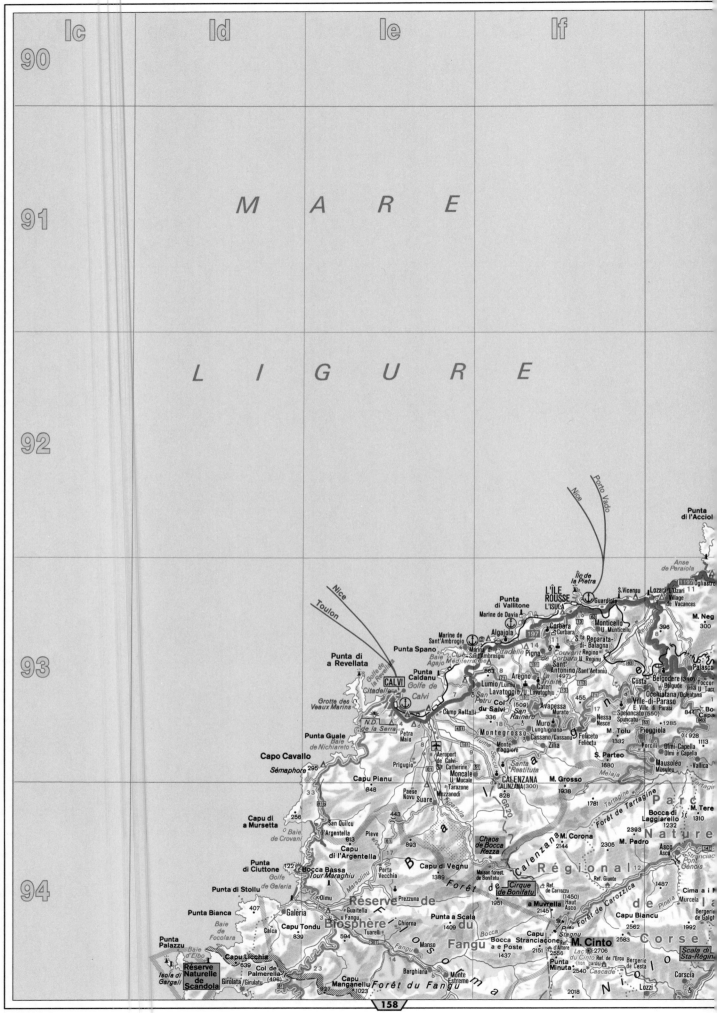

MARE

LIGURE

Nice
Porto Vado

Punta
di l'Acciol

Anse
de Peraiola

L'ÎLE
ROUSSE
L'ISULA

Guardiola

S.Vicensu
Lozari/L'Ozari 11
Village
de Vacances

Ogliastre

M. Neg
300

Punta
di Vallitone

Marine de Davia

Algajola

Corbara
U Curbara

Monticello
U Monticellu

396

Marine de
Sant'Ambrogio

Nice
Toulon

Punta Spano

Punta di
a Revellata

Marina di
Sant'Ambrosgiu
Baie
d'Agajo

Citadelle
Méditerranée

Pigna

S.ta Reparata-
di-Balagna

197

Couvent
de Corbara

Regino
U Reginu

Costa

Belgodere (310)
Belgude
U Regnu

Occhiatana/Ochatana

Palasca

Capa

Punta di
a Revellata

Punta
Caldanu

Golfe
de
la Revellata

Golfe de
Calvi

CALVI

563

Aregno

Sant'
Antonino/Sant'Antoniu

151

151

Sant'
Antonino
(497)

113

Pioble

Caten

U Reginu

455

U Tuor

Belgude
U Regnu

1

842

Bo

963

Grotte des
Veaux Marins

Citadelle

7

San
Petru

Col
du Salvi

Lumio/Lumi

Lavatoggio/U
Lavatoghju

151

509

Avapessa

Speloncato (550)
Spuncatu

E. Ville di Parasi

Ville-di-Paraso

Costa

1285

Punta Guale

N.D.
de la Serra

Baie
de Nichiareto

Petra
Maio

Camp Raffalli

San
Rainero

336

18

Muro
Muru

Lunghignano
Lunghignanu

451

Montegrosso

Cassano/Cassanu

Feliceto
Felicetu

Nessa
Nesce

M. Tolu
1332

Pioggiola
928

Forcili

Olmi-Capella
Olmi e Capella

Capo Cavallo

Sémaphore

295

Priguiou

Aéroport
de Calvi
Ste-Catherine
U Mucale

151

Moncale

Fiume Seccu

Monte
maggiore

Zilia

Santa
Restituta

S. Parteo
1680

Mausoléo
Mosuleu

Vallica

1113

Capu Pianu

848

Paese
Novu

Suare

Mezzanodi

Tarazone

81

Figarella

828

CALENZANA
CALINZANA(300)

M. Grosso
1938

1781

Tartagine

Parc

M. Tere
1310

Capu di
a Mursetta

256

San Quilcu
l'Argentella
613

Pieve

443

893

17

Chaos
de Bocca
Rezza

Forêt de Tartagine

Calenzana

M. Corona
2144

2393

2305

M. Padro

Régional

Nature

Asco
Ascu

147

Punta
di Ciuttone

122

Bocca Bassa
Tour Maraghiu

Capu
di l'Argentella

Golfe
de Galéria

Marsolinu

Porta
Vecchia

B
Capu di Vegnu
1389

Maison forest.
de Bonifatu

Cirque
de Bonifatu
(1450)

Réf. de Carrozzu
Haut
Asco

Forêt de Carozzica

Ref. Giunte

Stranciac

Pont
Génois

de

12

Punta
di Stollu

Olmu

Réserve

Prezzuna

de

Fi

Punta a Scala
1409

du

a Muvrella
2145

de

1487

Cima a i M
Murcela

la

Punta Bianca

407

Galéria

Baie
de
Focolara

Capu Tondu
839

u Fangu

Biosphère

Chiorna

Tuarelli

Fangu

594

Punta
Palazzu

Baie
d'Elbo

Isola di
Gargali

Réserve
Naturelle
de
Scandola

Capu Licchia

639

Col de
Palmerella
(408)

81

Calca

81

Manso

M. Cinto
Lac 2706

14

Punta
Minuta
2540

Capu
Stranciacone
a e Poste
1437

Bocca
a e Poste

2151

Capu
Stagnu

M. Cinto
2556
Ref. de l'Ercu
(non gardé)

Cascade

Bocca
d'Altore
2583

Corse

2562

Capu Biancu

Bergerie
de Galgh

1992

Niolo

Scala di
Sta-Régina

Girolata/Girulatu

Capu
Manganellu
1023

927

Forêt du Fangu

2 3

Barghiaria

Monte
Estremo

Fang

a Scala

2018

Corscia

Lozzi

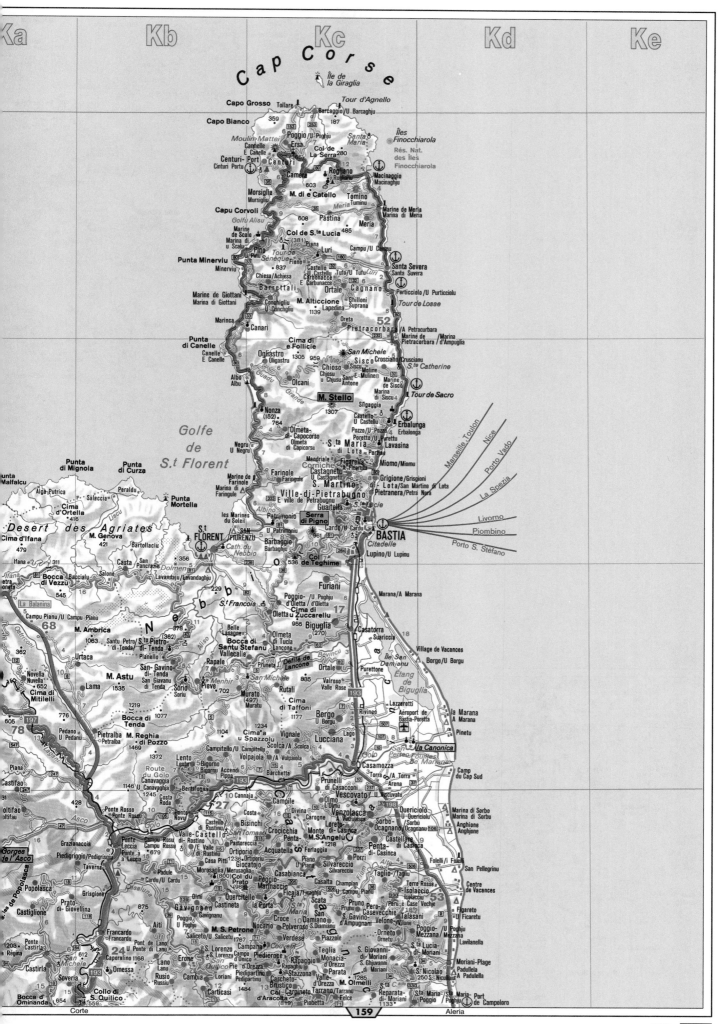

Cap Corse

Île de la Giraglia

Capo Grosso　Tollare　Tour d'Agnello
Barcaggio/U Barcaghju
Capo Bianco　359　187
153　253
Moulin Mattei　Santa
Cannelle　Poggio/U Poghju　Maria
E Canelle　Ersa　7　Îles
Centuri-　Col de　Finocchiarola
Port　La Serra　280　Rés. Nat.
Cinturi Portu　Centuri　des Îles
85　Rogliano　Finocchiarola
35　Camera　Rughjanu　12
603　Macinaggio
Morsiglia　Macinaghju
Mursigliu　M. di e Catello　Tomino
Capu Corvoli　Tumino
35　Meria
608　Pastina　Marine de Meria
Golfu Alisu　Marina di Meria
Marine　485　Meria　7
de Scalo　Col de S.ta Lucia
Marina di　(381)　Piana
u Scalu　Pino　Luri　Campu/U Campu
Punta Minerviu　80　Tour de　Fieno　180　Santa Severa
33　Sénèque　Castello　Santa Suvera
Minerviu　837　U Castellu　Tufo/U Tufu　2
Chiesa/Achjesa　Carbonacce　132
Barrettali　E Carbunacce　Ortale　Cagnano
Marine de Giottani　33　Conchigliu　M. Alticcione　Ghilloni　Porticciolo/U Purticciolu
Marina di Giottani　U Conchigliu　1139　Lapedina　Suprana　6　Tour de Losse
Marinca　33　Oreta
Canari　6　52
Punta　Cima di　Pietracorbara/A Petracurbara
di Canelle　e Follicie　232　Marine de /Marina
Canelle　Ogliastro　1305　959　San Michele　Pietracorbara /d'Ampuglia
E Canelle　Oligastru　Chioso　Sisco　S.te Catherine
6　Chjosu　Crosciano/Crusciani　34
Albo　u Chjusu　Moline　E Mulines
Albu　Olcani　Sant' Antone　Marine
de Sisco
M. Stello　Marina　Tour de Sacro
di Siscu　4
Sgaggia
Nonza　1307　Castello/
(152)　U Castellu
764　Pozzo/U Pozzu　Erbalunga
Olmeta-　Poretto/U Purettu　Erbalonga
di-Capocorso　Lavasina
Golfe　Olmeta　S.ta Maria　Miomo/Miomu
de　di Capicorsu　di Lota/Pachja
S.t Florent　Negru　Mandriale　Figarella
U Negru　7　Corniche　A Ficarella　Grigione/Grisgioni
Farinole　Castagnetu　di Lota/San Martino di Lota
Punta　Faringule　E Castagnetu　S. Martino　Pietranera/Petra Nera
di Mignola　Punta　Marine de　333　Ville-di-Pietrabugno
di Curza　Farinole　E ville de Petrabugnu　S.te Lucie
Punta　Marina di　Guaitella
Malfalcu　Peraldu　Faringule　Patrimonio　Serra
Alga Putrica　Saleccia　les Marines　361　di Pigno
Cima　du Soleil　Cardo/U Cardu
Punta　d'Ortella　Punta　St　U Patrimoniu　BASTIA
Mortella　416　Mortella　FLORENT　SAN　Citadelle
Discu　S.FIURENZU　Barbaggio　10　Lupino/U Lupinu
Desert des Agriates　M. Genova　Cath. du　Barbaghju
Cima d'Ifana　421　Bartollacciu　Nebbio　536　Col
Ifana　311　Casta　San　356　Dolmen　de Teghime
81　Bocca　Pancraziu　238　264
di Vezzu　Baccialu　Salona　Lavandaju/Lavandaghju
La Balanina　545　Furiani
16　Nebbio　229
Campu Pianu/U Campu Pianu　82　Marana/A Marana
68　St François　Poggio　/U Poghju
M. Ambrica　978　d'Oletta　/d'Oletta　17
362　1063　Belle　956　Cima di　Casatorra
Santu Petru/S.te Pietro　Lasagne　62　Oletta/u Zuccarellu　Suaricciu
Urtaca　di-Tenda/ di- Tenda　Olmeta　18
Pianello　Biguglia　di Tucla　Village de Vacances
M. Astu　San-Gavino-　Bocca di　(270)　Lancone　Île San　Borgo/U Borgu
Lama　1535　di-Tenda　Santu Stefanu　Damianu
San Giavanu　Vallecalle　Pruneta　Défilé de　Étang de
di Tenda　Rapale　San Michele　Lancone　Ortale　Biguglia
Cima di　Sorio　Menhir　935　Vairoso/　Purettone
Mitilelli　1219　Soriu　Pieve　Valle Rose　193
652　Murato　702　Lazzarotti
605　776　1077　Bocca di　(497)　Cima　Rivinco　Aéroport de
78　197　Pedano　Tenda　Muratu　di Taffoni　7　Bastia-Poretta　la Marana
U Pedanu　1104　1177　Bergo　507　A Marana
Pietralba　M. Reghia　1234　U Borgu　Pinetu
Piana　547　Petralba　di Pozzo　Cima'a　Vignale　Lago
1372　1469　u Spazzolu　Scolca/A Scolca　107　la Canonica
Castifao　247　Campitello/U Campitellu　Lucciana
ìltifau　428　Lento　Volpajola　/A Vulpaiola　San Pietro　Fouilles
Route　Lentu　Barchetta　Casamozza　de Mariana
Piana　du Golo　Bigorno　Accendi　193　Golo　Camp
605　Canavaggia　Bigornu　Pippa　Torra　/A Torra　du Cap Sud
197　1146 /U Canavaghja　1245　10 Cannaja　Prunelli　198
Costa　27　Campile　di Casacconi　Arena　37
31　Roda　Costa　16　Divina　Olmi　Vescovato　/U Vescuvatu
247　Bertalone　115　Carogne　U Olmi　Marina di Sorbo
oltifao　Ponte Rosso　Ponte　Venzolasca　Marina di Sorbo
oltifau　Ponte Rossu　Novu　Bisinchi　/Vuzzulasca　Anghione
47　Castello/　Crocicchia　Loreto　Sorbo-　Anghjone
Grazianaccia　di Rustinu　Penta-　Monte　Ocagnano　Castellare-
16　Piedigriggio/Pedigrisgiu　E Valle　/Pastoreccia　M.S'Angelu　/U Sorbu　di Casinca　9
Ponte Leccia　di Rustinu　1218　Ocagnano　108
Gorges　Taverna　Ponte　Campu Rossu　679　Ortiporio　Porri　Folelli/i Folelli
te l'Asco　a Leccia　Padule　Ortipoiu　Penta-　506
Casa Pitti　Piano　/di-Casinca　San Pellegrino
Piedigrisgiu　1238　Giocatojo　/U Pianu　Silvareccio　Taglio-/Tagliu
les Iles　Cardu/U Cardu　Morosaglia/Merusaglia　Casabianca　Silvareccio　Terre Rosse　Centre
de Popolasca　(800)　Casalta　Champlan　Isolaccio　de Vacances
Prato-　Olmi　Poggio-　205　Ficaja/Ficaghja　/U Campu Pianu　Isolacciu
Popolasca　di-Giovellina　Grisgione　Marinaccio　La Porta　530
Castiglione　875　Gavignano　Castineta　Scata　Pruno　Figareto
1203　Aiti　/Gavignanu　Quercitello　Maria　Pero-　/I Ficaretu　250
Ponte　Francardu　Poggio/　M. S. Petrone　Nocario　Polveroso　Casevecchie　53
Castirla　Pont de Lano　/U Poghju　1767　S.Damianu　S. Gavino-　Vefone-/Vone　Poggio-/Poghju
Régina　Francardu　U Ponte di Lanu　Saliceto /U Salicetu　Campana　Piazzole　/d'Ampugnani　Mezzana /A Mezzana
Omessa　Caporalino 1168　24　Verdese　Ornetu/Ornetu
S. Lorenzo　Piedicroce　S. Giovanni-　S.ta Maria-
612　Lano　/D'Orezza　/di-Moriani　Lavilanella
Castirla　Lanu　Campo　Rapaghju　S. Ghjuvanni　di-Moriani
San　Rusio　d'Orezza　Stazzona　di Moriani　S.ta Maria
Michele　193　Cambia　Rusiu　Piedipartino　Valle　1285　S. Nicolao　Moriani-Plage
Soveria　Loriani　Pedipartinu　d'Orezza　M. Olmeti　S.Nicolau　Padulella
Collo di　Carticasi　Carcheto　34　A Padulella
Bocca d'　654　S. Quilico　1484　Brustico　Tartano/Tartanu　250
Ominanda　559　d'Aracolta　Valle　Reparata-/S.ta Maria-　Port
Piobetta　Col- Carpineto　Felce　(819)　1133　di-Moriani　de Campoloro
Carpineto
Tarrano/Tarranu　S.ta Maria-
/Poghju

Marseille, Toulon　Nice
Porto, Vado
La Spezia
Livorno
Piombino
Porto S. Stefano

156
lb
lc
ld
94
95
96
97
98
99
160
Punta Bianca
Galéria
Capu Tondu
Réserve de Biosphère
Filosorma
Punta a Scala
Punta Palazzu
Capu Licchia
Col de Palmerella
Réserve Naturelle de Scandola
Isola di Gargali
Girolata / Girulatu
Golfe de Girolata
Forêt du Fangu
Fangu
Manso
Barghiana
Monte Estremo
Capu Manganellu
Bocca Stranciacone
Capu Tafunatu
Paglia Orba
Punta Muchillina
Bocca a Croce
Curzu
Capu Seninu
Osani
Gratelle
Vetriccia
Partinello
Caspiu
Serriera
Capu a u Celu
Bocca di Capronale
Capu à Cuccula
Col de Cuccavera
Col de Vergliu
Salto
Parc
Golfe de Porto
Bussaglia
Porto Marina
Traghino
Ota
Pont Génois
Gorges de Spelunca
Evisa
Village Vacance
Forêt d' Aitone
Punta di Ficajola
e Calanche
Tour de Turghiu
Route de Ficajola
Capu Rossu
Les Roches Bleues
Porto
Capu d'Ortu
Piana / A Piana
Bocca a Lavu
Capu a e Macennule
Chidazzu
Tombale
Marignana
Capu di Melu
Cristinacce
Capizzolu
M. Ravu
San Martinu
Punta à i Tuselli
Cariu
Plage d'Arone
Col de Sevi
Renno / Rennu
Letia
Revinda
Capu di Calazzu
Balogna
S. Roch
Tour d' Orchinu
Punta d'Orchinu
Village de Vacances
Golfe de Chiuni
Chiuni
Lozzi
Vico / Vicu
S. Francois
Chigliani
Murzo
Guagno les Bains
Punta di a Spusata
Nesa / Nesce
Appriciani
Arbori / Arburi
Marchese
Punta d'Omigna
Golfe de Peru
Rondulinu
Cargèse
Carghjese
Punta di Cargèse
Portu Monachi
Menhir
Cruciate
Cerasa
Parapoggio
Coggia
Vedolaccia
M. Cervellu
Rosazia / Rusazia
Salice / U Salice
Sagone
Anse de Sagone
Esigna
Punta di Trio
Rodone
Lopigna
Golfe de Sagone
Plage du Liamone
Liamone
Ambiegna
Arro
Taggia
Tour de Capigliolo
Tiuccia
Casaglione
Cinarca
Golfu di a Liscia
La Liscia / Aliscia
Sari-d'Orcino
Punta Sant'Eliseo
Tour d' Ancone
Ancone
Cannelle
Sant'Andrea-d'Orcino
Tavaco
Marina di Pevani
Calcatoggio
Valle-di-Mezzana
Sarrola-Carcopino
Pévani
Bocca S. Bastiano
Appietto / Appiettu
Piscia Rossa
Mandriolo
San Petru
Punta Pelusella
Carbinica
Pichio / Pichju
a Vulpaja
Golfu di Lava
S. Benedettu
Alata
Tuscia
Afa
Cuttoli-Corticchiato
Scaglioli
Capo di Feno
Saliccia
Villanova
Ranuchiettu
Baleone
Pianiccia
Colombina
M. Aragnascu
Punta Pozzo di Borgo
Bottacina
Mezzavia
Anse de Minaccia
Pisinale
Capigliolo
Col de S.-Antoine
M. Salario
Les Cannes
Le Finosello
Gravona
Bastelicaccia
Route des Sanguinaires
Scudo
Chapelle des Grecs
Citadelle
Aéroport Ajaccio-campo dell'oro
Prunelli
Pointe de la Parata
Plage de Vignola
Plage de l'Ariadne
AJACCIO
AJACCIU
Tour de Capitello
Pisciatella
Passe des Sanguinaires
Grande Sanguinaire
Îles Sanguinaires
Golfe d' Ajaccio
Marina Viva
Punta di Porticcio
Porticcio / Purtichju
Monte Rosso
Nice
Toulon
Marseille
Plage d'Agosta
Molini / I Mulini
Bocca di Belle Valle
Punta Cozzanicciu
Isolella
Punta di Sette Nave
Agnarellu
Cruciata
le Ruppione
Pietrosella
Plage de Ruppione
Acelasca
Bocca di Chenova
Isola Piana
Forêt de Chiavari
Punta di a Castagna
la Castagna
Verghia
Portigliolo
Gradello
Mattiolo
Col de Cortonu
Pratavone
Saparella Sottana
Ariezza
Coti-Chiavari
Acqua Doria
Tassinca
Vill. Préhist. de Filitosa
Filitosa
Sollacaro
Capu di Muru
Monte Biancu
Figoni
Pilusella
Baie de Cupabia
Pietra Rossa
Favalella
Capu Neru
Cala di Cigliu
Tour de Capannella
Serra-di-Ferro
Tour de Micalona
Olmeto
Golfe de Valinco
Porto / Portu Pollo / Polu
Punta di Porto Pollo
PROPRIANO
PRUPIA
Capu Lauroscu
Plage de Capu Lauroscu
Plage de Portigliolo
Ajaccio
Punta di Porto Pollo
Toulon, Marseille
Bains de Baraci
Arbellara
Viggianello
Golfe de Valinco
Pont Génois
Rizzanese
Punta di Campomoro
Portigliolo
S.ta Margarita
Belvédère-Campomoro
Tivolaggio
Punta di Muro
Bilia
Foce di Bilia
SARTÈNE
SARTÈ
Cala d'Agulia
Punta d'Eccica
Grossa
Site Préhist.
Cacciabello
Aga Suttanu
Mola
Saparale
Cala di Conca
Tarabu
Bonifazinca
Alignements de Paglia
Acciola
Saparella
Capu di Senetosa
Punta Capannaccia
Punta di Patania
Pastina
Golfe de Tizzano
Tizzano
Tralicetu
u Chiusu di a Casa
Pero Longo
Navara
Ortolo
Mégalithes de Cauria
Serragia
Capu di Zivia
Golfe de Murtoli
Punta di Valanincu
Punta di Murtoli
Rocher du Lion
Roccapina
Golfe de Roccapina
Capu di Roccapina
Tour de Olmeto
Bonifacio

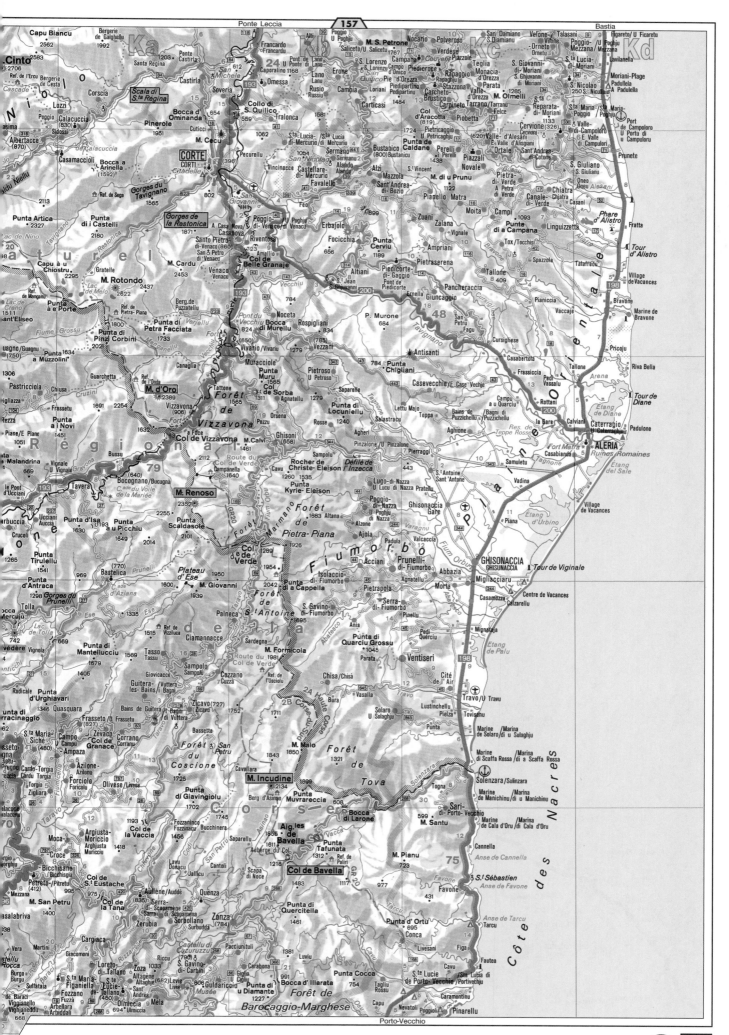
Ka
Kb
Kc
Kd
Capu Biancu
2562
Bergerie de Galghellu
1992
Cinto
2706
Ref. de l'Ercu
Bergerie de Cesta
Santa Regina
Ponte Castirla
Castirla
Corscia
Scala di S.ta Regina
Lozzi
Calacuccia
Albertacce
Casamaccioli
Bocca a Arinella
Bocca d' Ominanda
Pinerole
M. Cecu
CORTE
CORTI
Citadelle
Ref. de Sega
Gorges du Tavignano
Gorges de la Restonica
Punta Artica
2327
Punta di i Castelli
2180
Lac de Nino
Capu a u Chiostru
2295
M. Rotondo
2622
Lac de Melo
Ref. de Manganu
Punta à e Porte
Lac de Creno
Punta di Petra Facciata
1733
Punta di Pinzi Corbini
2021
Punta a Muzzolini
Ref. de l'Onda
M. d'Oro
2389
Vizzavona
Forêt de Vizzavona
Col de Vizzavona
Pastricciola
Chiusa
Guarchetta
Punta a i Novi
1451
Bussu
Vignale
Bocognano
Tavera
C.ade du Voile de la Mariée
M. Renoso
2352
Ucciani
Punta d'Isa
Punta a u Picchiu
Punta Scaldasole
Bastelica
Plateau d'Ese
M. Giovanni
Gorges du Prunelli
Tolla
Punta d'Antraca
Punta Tirulellu
Ciamannacce
Punta di Mantellucciu
Tasso
Sampolo
Cozzano
Guitera-les-Bains
Zicavo
Bains de Guitera
Punta d'Urghiavari
Quasquara
Frasseto
Campo
Zevaco
Corrano
Col de Granace
Ampaza
Azilone-Azilonu
Forciolo
Olivese
Punta di Giavingiolu
Argiusta-Moriccio
Col de la Vaccia
Moca-Croce
Bicchisano
Petreto-Bicchisano
Col de S.t Eustache
Aullène
Col de la Tana
Serra-di-Scopamène
Sorbollano
Zerubia
Zonza
Quenza
M. San Petru
Cargiaca
Loreto-di-Tallano
Zoza
Altagène
Levie
Sta Maria-Figaniella
Ste Lucie-de-Tallano
Fozzano
Olmiccia
Mela
Guldariccio
Punta di u Diamante
Bocca d' Illarata
Forêt de Barocaggio-Marghese
Punta Cocca
Carabona
Col de Bavella
Aig.les de Bavella
Punta Tafunata
Scapa di Noce
Cantoli
M. Incudine
2134
Punta Muvrareccia
Bocca di Larone
Forêt de Tova
M. Malo
Forêt du Coscione
Forêt de S.t Antoine
Punta di a Cappella
Palneca
M. Formicola
Col de Verde
Forêt de Pietra-Piana
Fiumorbo
Ghisoni
Rocher de Christe-Eleison
Défilé de l'Inzecca
Punta Kyrie-Eleison
Col de Sorba
Forêt de Vizzavona
Punta Muru
Tattone
Vivario
Vezzani
Muracciole
Noceta
Rospigliani
Bocca di Murellu
Pietroso
Punta di Locuniellu
Antisanti
Punta Chigliani
Casevecchie
Giuncaggio
Pancheraccia
P. Murone
Piedicorte-di-Gaggio
Pietraserena
Altiani
Erbajolo
Focicchia
Punta Cerviu
Zuani
Zalana
Ampriani
Tallone
Venaco
Col de Belle Granaje
Riventosa
Poggio-di-Venaco
Santo Pietro-di-Venaco
Casanova
Soveria
Collo di S. Quilico
Tralonca
Omessa
Francardo
Caporalino
Lano
Rusio
Erone
Cambia
Carticasi
Sermano
Bustanico
Alando
Castellare-di-Mercurio
Favalello
Sant'Andrea-di-Bozio
Mazzola
Alzi
M. S. Petrone
Piedicroce
Rapaggio
Stazzona
Carcheto-Brustico
Col d'Aracotta
Piobetta
Nocario
Polveroso
Verdese
Campana
Valle-d'Orezza
Monacia-d'Orezza
Parata
Teglia
M. Olmelli
Felce
Tarrano
Punta de Caldane
Perelli
Piazzali
Novale
Pietra-di-Verde
Valle-d'Alesani
Ortale
Sant'Andrea-di-Cotone
Cervione
Canale-di-Verde
Chiatra
Linguizzetta
Punta di a Campana
Phare d'Alistro
Tour d'Alistro
Fratta
Talafredu
Village de Vacances
Bravone
Marine de Bravone
Pianiccia
Vaccaje
Pricoju
Riva Bella
Tallone
Arena
Tour de Diane
Etang de Diane
Padulone
Caterragio
Calviani
ALERIA
Ruines Romaines
Etang del Sale
Fort Matra
Casabianda
Samuletu
Vadina
Piana
Etang d'Urbino
Village de Vacances
Ghisonaccia Gare
Prunelli-di-Fiumorbo
GHISONACCIA
Tour de Viginale
Abbazia
Migliacciaru
Casamozza
Calzarellu
Centre de Vacances
Morta
Pietrapola
Serra-di-Fiumorbo
Isolaccio-di-Fiumorbo
S. Gavino-di-Fiumorbo
Punta di Quarciu Grossu
Ventiseri
Mignataja
Etang de Palu
Cité de l'Air
Travo
Chisa
Vasalla
Solaro
Lustinchellu
Tovisanu
Marine de Solaro
Marine de Scaffa Rossa
Solenzara
Marine de Manichinu
Sari-di-Porto-Vecchio
M. Santu
Marine de Cala d'Oru
Cannella
Anse de Cannella
M. Pianu
S.t Sébastien
Anse de Favone
Favone
Anse de Tarcu
Tarcu
Punta d'Ortu
Conca
Figa
Fautea
Cavu
S.te Lucie de Porto-Vecchio
Caramontinu
Pinarellu
Nevatoli
Côte des Nacres
Plaine Orientale
Parc Naturel Régional de Corse
Poggio-Mezzana
Talasani
Velone-Orneto
Orneto
S.ta Lucia-di-Moriani
Moriani-Plage
S. Nicolao
S.ta Maria-Poggio
Valle-di-Campoloro
Port de Campoloro
Prunete
S. Giuliano
Sta Reparata-di-Moriani
S. Giovanni-di-Moriani
Porto-Vecchio

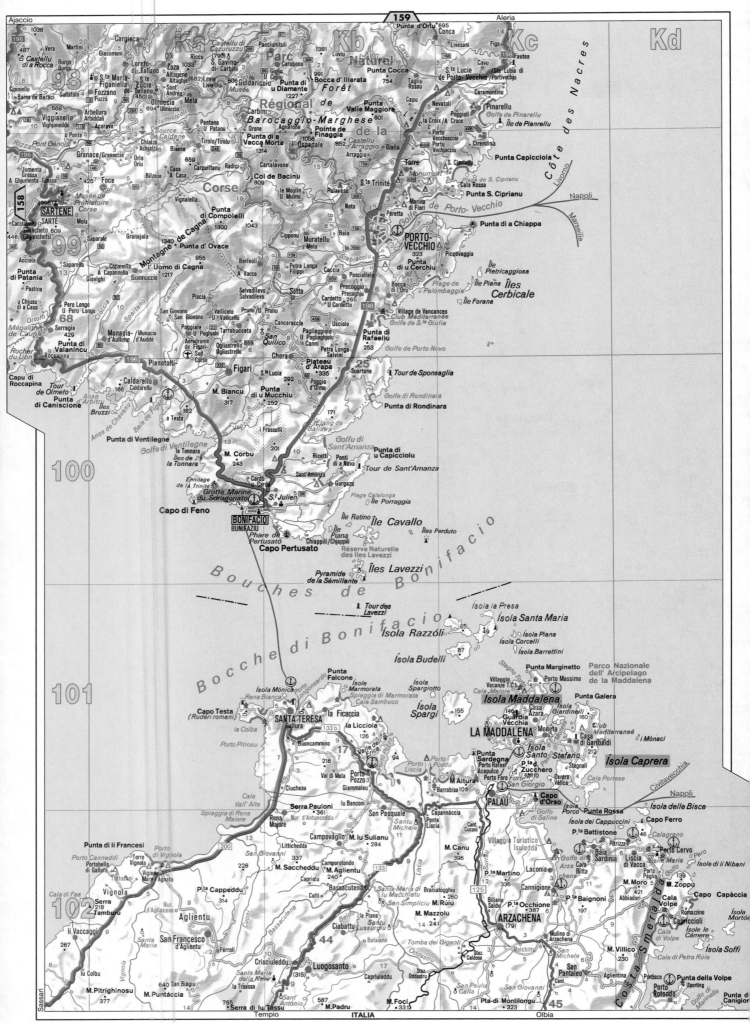

Ajaccio
159
Aleria
Ka
Kb
Kc
Kd
Punta d'Ortu 695
Conca
Parc Naturel Régional de la Corse
Forêt de Barocaggio-Marghese
Côte des Nacres
Castellu di Cucuruzzu
Paccianitull
Cargiaca
Vera
Martini
Giacomoni
Loreto-di-Tallano
Zoza
Riccu
S. Gavino-di-Carbini
Carabona
Luviu
Livesani
Figa
Fautea
Castellu di a Rocca
Burgo
S.ta Maria-Figaniella
Fozzano
Altagène
Levie
Guldaricciu
Giglio
Bocca d' Illarata
Punta Cocca
Tagliu Rossu
S.te Lucie de Porto-Vecchio
Ste Lucia di Portivechju
Cavu
Punta di u Diamante
Caramontinu
Bains de Baraci
Sullataia
Olmiccia
Mela
Punta Valle Maggiore
Capu
Nevatoli
Pinarellu
Golfe de Pinarellu
Île de Pianrellu
Viggianello
Arbellara
Acoravo
Pantano
Carbini
Orone
Pointe de Finaggia
La Croix
Poggioli
Porto Vecchiaccio
Cirendinu
Pont Génois
Chialza
Tirolo
Punta di a Vacca Morta
l'Ospedale
Castellu d'Arraggio
Arraggio
Giaffa
Granace
Orio
Bisene
Punta Capicciola
Jumenta Grossa
Foce
Casa
Radici
Cartalavone
Torre
S. Ciprianu
Col de Bacinu
Monument
Plage de S. Ciprianu
Livorno
Cala Rossa
Punta S. Ciprianu
Sartène
Sartè
Musée de Préhistoire Corse
Vignalella
Corse
le Moulin
Palavese
S.te Trinité
Napoli
158
Nota
Marina di Fiori
Golfe de Porto-Vecchio
Marseille
Punta di Compolelli
Peretta
Punta di a Chiappa
Cacciabello
Giuncheto
Mola
1300
1043
Cipponu
Bala
Porto-Vecchio
Saparale
Granajola
Montagne de Cagna
Punta d' Ovace
Muratellu
Piccovaggia
Acciola
Saparella
Capanella
l' Uomo di Cagna
Borivoli
Petra Longa
Ceccia
Pasciallellu
Punta di u Cerchiu
Île Pietricaggiosa
Punta di Patania
Giovighi
Giannuccio
A Vacca
Precoggio
Plage de Palombaggia
Île Piana
Îles Cerbicale
Pastina
Piscia
Salvadilevo
Sotta
Bocca di l'Oru
Île Forana
u Chiusu di a Casa
Pero Longo
Cardetto
San Giovano
Vallicelo
Pruno
Village de Vacances Club Méditerranée
Golfe de S.ta Giulia
Mégalithes de Cauria
Serragia
Poggiale
Cancaraccia
Usciolo
Monacia-d'Aullène
Tarrabucceta
San Quilico
Pagliaggiolo
Punta di Rafaellu
Rocher du Lion
Punta di Valanincu
Roccapina
Aérodrome de Figari-Sud Corse
Ogliastrello
Canni
Petra Longa Salvini
Golfe de Porto Novo
Chera
Pianotolli-Caldarello
Figari
Plateau d'Arapa
Suartone
Tour de Sponsaglia
Capu di Roccapina
S.ta Lucia
Poggio d'Olmo
Tour de Olmeto
Golfe di Rondinara
Punta di Rondinara
Punta di Caniscione
Anse d'Arbitru
Îles Bruzzi
M. Biancu
Punta di u Mucchiu
Anse de Chevanu
Baie de Figari
a Testa
Étang de Balistra
Punta di Ventilegne
i Frasselli
Golfu di Sant'Amanza
Golfe di Ventilegne
la Tonnara
Îles de la Tonnara
M. Corbu
Ricetti
Ponti di a Nava
Punta di u Capicciolu
Tour de Sant'Amanza
100
Ermitage de la Trinité
Cardu
Sant'Amanza
Gurgazu
Grotte Marine du Sdragonato
S.t Julien
Plage Calalonga
Île Porraggia
Capo di Feno
Bonifacio
Bunifaziu
Île Ratino
Île Cavallo
Île Piana
Îles Perduto
Phare de Pertusato
Chiappili
Capo Pertusato
Réserve Naturelle des Iles Lavezzi
Îles Lavezzi
Pyramide de la Sémillante
Bouches de Bonifacio
Tour des Lavezzi
Ísola la Presa
Ísola Santa Maria
Bocche di Bonifacio
Ísola Razzóli
Ísola Piana
Ísola Corcelli
Ísola Barrettini
Ísola Budelli
Punta Marginetto
Parco Nazionale dell' Arcipelago de la Maddalena
Punta Falcone
Ísola Mónica
Ísole Marmorata
Spiaggia di Marmorata
Cala Sambuco
Ísola Spargiotto
Villaggio Vacanze T.C.I.
Porto Massimo
101
Rena Bianca
Ísola Spargi
Ísola Maddalena
Punta Galera
Capo Testa
(Ruderi romani)
Santa Teresa Gallura
la Ficaccia
Casa Azara
Guardia Vecchia
Ísola Giardinelli
la Colba
la Licciola
La Maddalena
Club Mediterraneé
i Mónaci
Porto Pitrosu
Buoncammino
Valle dell'Erica
Punta Sardegna
Porto Rafael
Ísola Santo Stefano
Casa di Garibaldi
Ísola Caprera
Porto Liscia
Porto Puddu
P.ta d. Zucchero
Stagnali
Val di Mela
Porto Pozzo
M. Altura
Porto Faro
Forte San Giorgio
Centro Velico
Cala Portese
Civitavecchia
Ciuchesu
Giammaleu
Barrabisa
Palau
Capo d'Orso
Napoli
Cala Vall' Alta
Serra Pauloni
lu Banconi
Ísola Porco
Punta Rossa
Ísola delle Bisce
Spiaggia di Rena Maiore
Rena Majore
Nur. d'Antunceddu
San Pasquale
Capannáccia
Golfo di Saline
Ísola dei Cappuccini
Capo Ferro
Santu Michele
Ponte Liscia
Cant. Cuconi
P.ta Battistone
Campovaglio
M. lu Sulianu
Villaggio Turistico Isuledda
Punta di li Francesi
Porto di Vignola
San Giovanni
Litticchedda
M. Canu
Porto Cervo
Porto Canneddi
Torre Vignola
Portobello di Gallura
Camporotondo
Baia Sardinia
Liscia di Vacca
Pero
M. Saccheddu
M. Aglientu
Laconia
Golfo di Arza
Cala Bitta
Ísole di li Nibani
Vignola Mare
Capriolu
P.ta Martino
M. Moro
M. Zoppu
Cala di Faa
Vignola
P.ta Cappeddu
Colti
Bassacutena
Santa Maria di lu Macchietu
Braciatóghiu
Cannigione
Abbiadori
Cala Volpe
Capo Capáccia
102
Serra Tamburu
Aglientu
San Simpliciu
M. Rúiu
Bilianu Saldu
P.ta Occhione
P.ta Baignoni
Romazzino
Ísola Mortorio
M. Mazzolu
Arzachena
Capriccioli
li Vaccaggi
San Francesco d'Aglientu
Santu Lussurgiu
Ciabattu
Tomba dei Giganti
Mulino di Arzachena
Ísole le Cámere
Cala di Volpe
Santa Maria
Férroli
Balaiana
Oddastru
Staz. Caldosa
Malchittu
San Michele
M. Villico
Ísola Soffi
Cala di Petra Rúia
Costa Smeralda
Crisciuleddu
Luogosanto
San Pantaleo
Aglientina
lu Colbu
Santa Maria di la Neve
Capriuleddu
Staz. Oddastru
Portisco
Punta della Volpe
Sporting
San Paulu
San Giovanni
Porto Rotondo
Golfo di Marinella
M. Pitrighinosu
San Biágiu
M. Puntáccia
la Traessa
Sant' Antonio
Calta
Pta-di-Montilongu
Punta di Canigione
Sassari
Serra di lu Tassu
M. Padru
M. Foci
Tempio
Italia
Olbia

Index des localités · Plaatsnamenregister
Elenco dei nomi di località · Índice de poblaciones
Ortsnamenverzeichnis · Index of place names
Ortnamnsförteckning · Skorowidz miejscowości

Arles **13** 131 Ed 86
① ② ③ ④

	①	②	③	④
(F)	Localité	Département	N° de page	Coordonnées
(NL)	Plaatsnaam	Bestuursdistrict („Département")	Paginanummer	Zoekveld-gegevens
(I)	Località	Circondario amministrativo («Département»)	N° di pagina	Riquardo nel quale si trova il nome
(E)	Topónimo	Distrito («Département»)	Nro. de página	Coordenadas de la casilla de localización
(D)	Ortsname	Verwaltungseinheit („Département")	Seitenzahl	Suchfeldangabe
(GB)	Place name	Administrative district ("Département")	Page number	Grid search reference
(S)	Ortnamn	Förvaltningsområde («Département»)	Sidnummer	Kartrutangivelse
(PL)	Nazwa miejscowości	Jednostka administracyjna („Département")	Numer strony	Wspóyrzňdne skorowidzowe

Les communes que vous trouvez dans l'index des localités sont normalement autonomes.

De in het register van plaatsnamen vermelde plaatsen zijn in de regel zelfstandig.

Le località indicate nel relativo elenco dei nomi di località sono di regola autonome.

Las poblaciones del indice de topónimos son por lo general independientes.

Die im Ortsnamenverzeichnis enthaltenen Orte sind in der Regel selbständig.

Due to space constraints the index is selective (only autonomous places).

Ortena som är upptagna i ortnamsförteckningen är vanligen autonoma.

Miejscowości zawarte w zkorowidzu sąz reguły samodzielnymi gminami.

②

01	Ain	33	Gironde	66	Pyrénées-Orientales
02	Aisne	34	Hérault	67	Bas-Rhin
03	Allier	35	Ille-et-Vilaine	68	Haut-Rhin
04	Alpes-de-Haute-Provence	36	Indre	69	Rhône
05	Hautes-Alpes	37	Indre-et-Loire	70	Haute-Saône
06	Alpes-Maritimes	38	Isère	71	Saône-et-Loire
07	Ardèche	39	Jura	72	Sarthe
08	Ardennes	40	Landes	73	Savoie
09	Ariège	41	Loir-et-Cher	74	Haute-Savoie
10	Aube	42	Loire	75	Paris
11	Aude	43	Haute-Loire	76	Seine-Maritime
12	Aveyron	44	Loire-Atlantique	77	Seine-et-Marne
13	Bouches-du-Rhône	45	Loiret	78	Yvelines
14	Calvados	46	Lot	79	Deux-Sèvres
15	Cantal	47	Lot-et-Garonne	80	Somme
16	Charente	48	Lozère	81	Tarn
17	Charente-Maritime	49	Maine-et-Loire	82	Tarn-et-Garonne
18	Cher	50	Manche	83	Var
19	Corrèze	51	Marne	84	Vaucluse
2A	Corse-du-Sud	52	Haute-Marne	85	Vendée
2B	Haute-Corse	53	Mayenne	86	Vienne
21	Côte-d'Or	54	Meurthe-et-Moselle	87	Haute-Vienne
22	Côtes-d'Armor	55	Meuse	88	Vosges
23	Creuse	56	Morbihan	89	Yonne
24	Dordogne	57	Moselle	90	Territoire-de-Belfort
25	Doubs	58	Nièvre	91	Essonne
26	Drôme	59	Nord	92	Hauts-de-Seine
27	Eure	60	Oise	93	Seine-St-Denis
28	Eure-et-Loir	61	Orne	94	Val-de-Marne
29	Finistère	62	Pas-de-Calais	95	Val-d'Oise
30	Gard	63	Puy-de-Dôme		
31	Haute-Garonne	64	Pyrénées-Atlantiques	(AND)	Andorra
32	Gers	65	Hautes-Pyrénées	(MC)	Monaco

Aast 64 138 Zf 89
Abainville 55 37 Fd 57
Abancourt 59 8 Db 47
Abancourt 60 16 Be 50
Abaucourt 54 38 Gb 55
Abaucourt-Hautecourt 55
37 Fd 53
Abbans-Dessous 25 70 Ff 66
Abbans-Dessus 25 70 Ff 66
Abbaretz 44 60 Yc 63
Abbécourt 02 18 Db 51
Abbecourt 60 17 Ca 52
Abbenans 25 70 Ga 64
Abbéville 80 7 Bf 48
Abbéville-la-Rivière 91 51 Ca 58
Abbéville-lès-Conflans 54 37 Ff 53
Abbéville 25 71 Gf 64
Abbeville-Saint-Lucien 60
17 Cb 51
Abeilhan 34 143 Db 88
Abelcourt 70 70 Gb 62
Abère 64 138 Ze 88
Abergement-Clémenciat, L' 01
94 Ef 72
Abergement-de-Varey, L' 01
95 Fc 73
Abergement-la-Ronce 39
83 Fc 66
Abergement-le-Grand 39
83 Fe 67
Abergement-le-Petit 39 83 Fe 67
Abergement-lès-Thésy 39
84 Ff 67
Abergement-Sainte-Colombe, L' 71
83 Fa 68
Abidos 64 137 Zc 88
Abilly 37 77 Ae 67
Abitain 64 137 Za 88
Abjat-sur-Bandiat 24 101 Ae 75
Ablain-Saint-Nazaire 62 8 Ce 46
Ablaincourt-Pressoir 80 18 Ce 49
Ablainzevelle 62 8 Ce 48
Ablancourt 51 36 Ed 56
Ableiges 95 32 Bf 54
Ableuvenettes, Les 88 55 Gb 59
Ablis 78 32 Be 57
Ablon 14 14 Ab 52
Aboncourt 54 55 Ff 58
Aboncourt 57 22 Gc 53
Aboncourt-sur-Seille 57 38 Gc 56
Abondance 74 97 Ge 71
Abondant 28 32 Bc 56
Abos 09 140 Bc 91
Abos 64 138 Zf 88
Abreschviller 57 39 Ha 57
Abrest 03 92 Dc 72
Abrets, Les 38 107 Fd 75
Abriès 05 121 Gf 80
Abscon 59 9 Db 46
Absie, L' 79 75 Zc 69
Abzac 16 89 Ae 72
Abzac 33 99 Ze 79
Accolans 25 71 Gd 64
Accolay 89 67 De 63
Accons 07 118 Ec 79
Accous 64 137 Zc 91
Achain 57 38 Gd 55
Achen 57 39 Hb 54
Achenheim 67 40 Hd 57
Achères 18 65 Cc 65
Achères 78 32 Bc 57
Achères-la-Forêt 77 50 Cd 58
Achery 02 18 Dc 50
Acheux-en-Amiénois 80 8 Cd 48
Acheux-en-Vimeu 80 7 Be 48
Acheville 62 8 Cf 46
Achey 70 25 Fd 63
Achicourt 62 8 Ce 47
Achiet-le-Grand 62 8 Ce 48
Achiet-le-Petit 62 8 Ce 48
Achun 58 81 De 66
Achy 60 16 Bf 51
Acigné 35 45 Yc 60
Aclou 27 31 Ae 53
Acon 27 31 Ba 56
Acq 62 8 Cd 46
Acqueville 14 29 Zd 55
Acqueville 50 12 Yb 51
Acquigny 27 31 Bb 53
Acquin 62 3 Ca 44
Acy 02 18 Dc 52
Acy-en-Multien 60 34 Cf 54
Acy-Romance 08 19 Ec 51
Adaincourt 57 38 Gc 54
Adainville 78 32 Bd 56
Adam-lès-Passavant 25 70 Gc 65
Adam-lès-Vercel 25 70 Gc 65
Adamswiller 67 39 Hb 55
Adelange 57 38 Gd 54
Adelans 70 70 Gc 62
Aderville 65 150 Ac 92
Adinfer 62 8 Ce 47
Adissan 34 143 Dc 87
Adjots, Les 16 88 Ab 72
Adon 45 66 Ce 62
Adrets, Les 83
148 Ge 87
Adriers 86 89 Ae 71
Afa 2A 158 Ie 97
Affieux 19 102 Bc 75
Afféville 54 21 Fe 53
Affoux 69 94 Ec 74
Affracourt 54 55 Gb 58
Affringues 62 3 Ca 43
Agassac 31 140 Af 88
Agde 34 143 Dc 89
Agel 34 142 Cf 89
Agen 47 125 Ad 83
Agencourt 21 68 Ef 66
Agen-d'Aveyron 12 115 Ce 82
Agenville 80 7 Ca 47
Agenvillers 80 7 Bf 47
Ageux, Les 60 17 Cd 53
Ageville 52 54 Fc 60
Agey 21 68 Ee 65
Aghione 2B 159 Kc 96
Agincourt 54 38 Gb 56
Agmé 47 112 Ac 82
Agnat 43 104 Dc 76
Agneaux 50 29 Yf 54
Agnetz 60 17 Cc 52
Agnez-lès-Duisans 62 8 Cd 47
Agnicourt-et-Séchelles 02
19 Df 50
Agnières 62 8 Cd 46
Agnières-en-Dévoluy 05 120 Ff 80

Agnin 38 106 Ef 76
Agnos 64 137 Zc 90
Agny 62 8 Cd 47
Agonac 24 101 Ae 77
Agonès 34 130 De 85
Agon-Coutainville 50 28 Yc 54
Agonges 03 80 Da 69
Agos 65 150 Ac 91
Agos-Vidalos 65 138 Zf 90
Agris 16 88 Ab 74
Agudelle 17 99 Zd 76
Aguessac 12 129 Da 84
Aguilcourt 02 19 Df 52
Aguts 81 141 Bf 88
Agy 14 13 Zb 53
Ahaxe-Alciette-Bascassan 64
137 Yf 90
Ahetze 64 136 Yc 88
Ahéville 88 55 Gb 59
Ahuillé 53 46 Za 60
Ahun 23 90 Ca 72
Ahuy 21 69 Fa 64
Aibes 59 10 Ea 47
Aibre 67 56 Hb 58
Aïcirts-Camou-Suhast 64
137 Yf 88
Aiffres 79 87 Zd 71
Aigle, L' 61 31 Ad 56
Aiglemont 08 20 Ee 50
Aiglepierre 15 103 Ce 78
Aigleville 27 32 Bc 54
Aiglun 06 134 Gf 85
Aigne 34 142 Ce 89
Aigné 72 47 Aa 60
Aigneville 14 13 Za 53
Aignes 31 141 Bd 89
Aignes-et-Puypéroux 16
100 Aa 76
Aigneville 80 6 Bd 48
Aigny 51 35 Eb 54
Aigonnay 79 87 Ze 71
Aigre 16 88 Aa 73
Aigrefeuille 31 141 Bd 87
Aigrefeuille-d'Aunis 17 86 Za 72
Aigrefeuille-sur-Maine 44
60 Yd 66
Aigremont 30 130 Ea 85
Aigremont 52 54 Fe 60
Aigremont 78 33 Ca 55
Aigremont 89 67 De 63
Aiguebelette-le-Lac 73 108 Fe 75
Aiguebelle 73 108 Gb 75
Aigueblanche 73 108 Gb 75
Aiguefonde 81 142 Cb 88
Aigueperse 63 92 Db 72
Aigueperse 71 93 Eb 70
Aigues-Juntes 09 140 Bc 90
Aigues-Mortes 30 144 Eb 87
Aigues-Vives 09 141 Bf 91
Aigues-Vives 11 142 Cd 89
Aigues-Vives 30 130 Eb 86
Aigues-Vives 34 142 Ce 88
Aigueze 30 131 Ed 83
Aiguilhe 43 117 Ac 83
Aiguillon 47 112 Ac 83
Aiguillon, l' 09 153 Bf 91
Aiguillon-sur-Mer, L' 85 74 Ye 71
Aiguillon-sur-Vie, L' 85 73 Yb 68
Aiguines 83 133 Gb 86
Aigurande 36 78 Be 70
Ailhon 07 118 Ec 81
Aillant-sur-Milleron 45 66 Cf 62
Aillant-sur-Tholon 89 51 Dc 61
Aillas 33 111 Zf 82
Ailleux 42 93 Df 74
Aillevans 70 70 Gc 63
Ailleville 10 53 Ee 59
Aillevillers-et-Lyaumont 70
55 Gc 61
Aillianville 52 54 Fc 58
Ailloncourt 70 70 Gc 62
Aillon-le-Vieux 73 108 Ga 75
Ailly 27 32 Bb 54
Ailly-le-Haut-Clocher 80 7 Bf 48
Ailly-sur-Noye 80 17 Cc 50
Ailly-sur-Somme 80 7 Cb 49
Aimargues 30 130 Eb 86
Aime 73 109 Gd 75
Ainay-le-Château 03 79 Ce 68
Ainay-le-Vieil 18 79 Cd 68
Aincille 64 137 Ye 90
Aincourt 95 32 Be 54
Aincreville 55 20 Fa 52
Aingeray 54 38 Ga 56
Aingeville 88 54 Fe 59
Aingoulaincourt 52 54 Fb 58
Ainharp 64 137 Za 89
Ainhice-Mongelos 64 137 Yf 89
Ainhoa 64 136 Yc 89
Airvelle 70 55 Gb 61
Airvelle 88 54 Fd 59
Airaines 80 7 Bf 49
Airan 14 30 Zf 54
Airel 50 13 Yf 53
Aire, Les 34 143 Da 87
Aire-sur-l'Adour 40 124 Ze 86
Aire-sur-la-Lys 62 3 Cc 45
Airion 60 17 Cc 52
Airon-Notre-Dame 62 6 Bd 46
Airon-Saint-Vaast 62 7 Bd 46
Airoux 11 141 Bf 88
Airvault 79 76 Ze 68
Aiserey 21 69 Fa 65
Aisey-sur-Seine 21 68 Ed 62
Aisonville-et-Bernoville 02
18 Dd 49
Aïssey 25 70 Gc 65
Aisy-sous-Thil 21 68 Eb 64
Aisy-sur-Armançon 89 67 Eb 63
Aiti 2B 157 Kb 94
Aiton 73 108 Gb 75
Aix 19 102 Bf 75
Aix-d'Angillon, les 18 65 Cd 65
Aix-en-Ergny 62 7 Bf 45
Aix-en-Issart 62 7 Be 46
Aix-en-Othe 10 52 De 59
Aix-en-Provence 13 146 Fc 87
Aix-en-sur-Vienne 87 89 Ba 74
Aix-les-Bains 73 108 Ff 74
Aix-Noulette 62 8 Ce 46
Aizac 07 118 Ec 80
Aizanville 52 53 Ef 60
Aize 38 78 Be 66
Aizecourt-le-Bas 80 8 Da 49
Aizecourt-le-Haut 80 8 Cf 49
Aizelles 02 19 De 52
Aizenay 85 74 Yc 68
Aizier 27 15 Ad 52
Aizy-Jouy 02 18 Dd 52

Ajac 11 141 Ca 90
Ajaccio 2A 158 Ie 97
Ajacciu = Ajaccio 2A 158 Ie 97
Ajain 23 90 Bf 71
Ajat 24 101 Ba 78
Ajou 27 31 Ae 55
Ajoux 07 118 Ed 80
Alaer = Alllaire 56 59 Xf 63
Alaigne 11 141 Ca 90
Alaincourt 02 18 Dc 50
Alaincourt-la-Côte 57 38 Gc 55
Alairac 11 142 Cb 89
Alan 31 140 Af 89
Alando 2B 159 Kb 95
Alandu = Alando 2B 159 Kb 95
Alata 2A 158 Ie 97
Alba-la-Romaine 07 118 Ed 81
Alban 81 128 Cc 85
Albaret-le-Comtal 48 116 Da 79
Albaret-Sainte-Marie 48
116 Da 79
Albas 11 142 Ce 91
Albas 46 113 Bb 82
Albé 67 56 Hb 58
Albefeuille-Lagarde 82 126 Bb 84
Albenc, L' 38 107 Fc 77
Albens 73 96 Ff 74
Albepierre 15 103 Ce 78
Albert 80 8 Cd 48
Albertacce 2B 159 If 95
Albertville 73 108 Gc 74
Albestroff 57 39 Gf 55
Albi 81 127 Ca 85
Albiac 31 141 Be 87
Albiac 46 114 Be 80
Albias 82 126 Bc 84
Albières 11 153 Cc 91
Albiès 09 152 Be 92
Albiez-le-Jeune 73 108 Gc 77
Albighy 69 94 Ec 74
Albignac 19 102 Bf 78
Albigny-sur-Saône 69 94 Ee 73
Albine 81 142 Cd 89
Albitreccia 2A 159 If 97
Albon 07 118 Ec 80
Albon 26 106 Ef 77
Aboussières 07 118 Ee 79
Albussac 19 102 Bf 78
Alby-sur-Chéran 74 96 Ga 74
Alçay-Alçabéhéty-Sunharette 64
137 Za 90
Aldudes 64 136 Yd 90
Alembon 62 3 Bf 44
Alençon 61 47 Aa 58
Alénya 66 154 Cf 93
Aléria 2B 159 Kd 96
Alès 30 130 Ea 84
Alette 62 7 Be 46
Aleu 09 152 Bb 91
Alex 74 96 Gb 73
Alexain 53 46 Zb 59
Algajola 2B 156 If 93
Algans 81 141 Bf 87
Algolsheim 68 57 Hd 60
Algrange 57 22 Ga 52
Alièze 39 83 Fd 69
Alignan-du-Vent 34 143 Dc 88
Alincourt 08 19 Ec 52
Alincthun 62 3 Be 44
Alise-Sainte-Reine 21 68 Ec 63
Alissas 07 118 Ed 80
Alix 69 94 Ed 73
Alixan 26 118 Fa 79
Alizay 27 15 Bb 53
Allain 54 37 Ff 57
Allaines 80 8 Cf 49
Allaines-Mervilliers 28 49 Be 59
Allainville 28 32 Bb 56
Allainville 78 49 Bf 58
Allaire 56 59 Xf 63
Allamont 54 37 Fe 54
Allan 26 118 Ef 81
Allanche 15 104 Cf 77
Alland'Huy-et-Sausseuil 08
20 Ed 51
Allarmont 88 56 Ha 58
Allas-Bocage 17 99 Zd 76
Allas-Champagne 17 99 Zd 76
Allas-les-Mines 24 113 Ba 80
Allassac 19 102 Bc 77
Allauch 13 146 Fc 88
Allègre 30 130 Ea 83
Allègre 43 105 De 77
Alleins 13 145 Fa 87
Allemagne-en-Provence 04
133 Ga 86
Allemanche-Launay-et-Soyer 51
35 De 57
Allemans 24 100 Ab 77
Allemans-du-Dropt 47 112 Ab 81
Allemant 02 18 Dc 52
Allemant 51 35 De 56
Allemond 38 108 Ga 78
Allenay 80 6 Bc 48
Allenc 48 117 Dd 81
Allenjoie 25 71 Gf 63
Allennes-les-Marais 59 8 Cf 45
Allenwiller 67 39 Hc 57
Allerey 21 68 Ec 64
Allerey 21 68 Ec 65
Allerey-sur-Saône 71 83 Ef 67
Allériot 71 82 Ef 68
Allery 80 7 Bf 49
Alles-sur-Dordogne 24 113 Af 79
Alleuds, Les 49 61 Zd 65
Alleuds, Les 79 88 Zf 72
Alleux, Les 08 20 Ee 52
Alleuze 15 104 Cf 79
Allevard 38 108 Ga 76
Allèves 74 96 Ga 74
Allex 26 118 Ef 80
Alleyrac 43 117 Df 79
Alleyras 43 117 De 79
Alleyrat 19 103 Cb 75
Alleyrat 23 91 Ca 73
Allez-et-Cazeneuve 47 112 Ad 82
Alliancelles 51 36 Ef 56
Allibaudières 10 35 Ea 57
Allichamps 52 36 Ef 57
Allier 65 139 Ab 90
Allières 09 140 Bc 90
Alliés, Les 25 84 Gc 67
Alligny-Cosne 58 66 Da 64
Allineuc 22 43 Xa 59
Allinges 74 96 Gc 71
Allogny 18 65 Cb 65
Allondans 25 71 Gd 63
Allondaz 73 96 Gc 74

Allondrelle-la-Malmaison 54
21 Fd 51
Allonne 60 17 Ca 52
Allonne 79 75 Zd 69
Allonnes 28 49 Bd 59
Allonnes 49 62 Ab 65
Allonnes 72 47 Aa 61
Allons 04 134 Gd 85
Allons 47 124 Zf 83
Allonville 80 7 Cb 49
Allonzier-la-Caille 74 96 Ga 73
Allos 04 134 Gd 83
Allouagne 62 8 Cd 45
Alloue 16 88 Ad 72
Allouis 18 65 Cb 65
Allouville-Bellefosse 76 15 Ae 51
Alloues, Les 73 109 Gd 76
Alluets-le-Roi, Les 78 32 Bf 55
Alluy 58 81 Dd 66
Alluyes 28 49 Bc 59
Ally 15 103 Cb 77
Ally 43 104 Da 78
Almayrac 81 127 Cb 84
Almenêches 61 30 Aa 56
Almon-les-Junies 12 115 Cb 80
Alos 09 152 Ba 91
Alos 81 127 Bf 84
Alos-Sibas-Abense 64 137 Za 90
Alouette, L' 33 111 Zb 80
Aloxe-Corton 21 82 Ef 66
Alpuech 12 115 Cf 80
Alquines 62 3 Bf 44
Alrance 12 128 Ce 84
Alsting 57 39 Ha 53
Altagène 2A 159 Ka 98
Altaghjè = Altagène 2A 159 Ka 98
Alteckendorf 67 40 Hd 56
Altenach 68 71 Ha 63
Altenbach, Goldbach- 68
56 Ha 61
Altenheim 67 40 Hc 56
Altheim 67 40 Hd 56
Althen-des-Paludes 84 131 Ef 84
Altiani 2B 159 Kb 95
Altier 48 117 Df 82
Altillac 19 114 Bf 79
Altkirch 68 71 Hb 63
Altrippe 57 39 Ge 54
Altviller 57 39 Ge 54
Altwiller 67 39 Gf 55
Aluze 71 82 Ef 67
Alvignac 46 114 Be 80
Alvimare 76 15 Ad 51
Alzen 09 140 Bc 91
Alzi 2B 159 Kb 95
Alzing 57 22 Gc 53
Alzon 30 129 Dd 85
Alzonne 11 141 Cb 89
Amage 70 55 Gc 61
Amagne 08 20 Ed 51
Amagney 25 70 Ga 65
Amailloux 79 75 Ze 68
Amance 10 53 Ee 59
Amance 54 38 Gb 56
Amance 70 70 Ga 62
Amancey 25 84 Ga 66
Amancy 74 96 Gb 72
Amange 39 69 Fd 66
Amanlis 35 45 Yd 61
Amanty 55 54 Fd 57
Amanvillers 57 38 Ga 53
Amanzé 71 93 Eb 71
Amarens-Francoleins-Cesseins 01
94 Ee 72
Amarens 81 127 Bf 84
Amathay-Vésigneux 25 84 Gb 66
Amayé-sur-Orne 14 29 Zd 54
Amayé-sur-Seulles 14 29 Zb 54
Amazy 58 67 Dd 64
Ambacourt 88 55 Ga 58
Ambarès-et-Lagrave 33
111 Zd 79
Ambax 31 140 Af 88
Ambazac 87 90 Bc 73
Ambel 38 120 Ff 80
Ambenay 27 31 Ae 56
Ambérac 16 88 Aa 73
Ambérieu-en-Bugey 01 95 Fc 73
Ambérieux-en-Dombes 01
94 Ef 73
Ambernac 16 88 Ad 73
Amberre 86 76 Aa 68
Ambert 63 105 De 75
Ambès 33 99 Zd 78
Ambeyrac 12 114 Bf 81
Ambialet 81 128 Cc 85
Ambiegna 2A 158 Ie 96
Ambierle 42 93 Df 72
Ambiévillers 70 55 Ga 61
Ambillou 37 62 Ab 64
Ambillou-Château 49 61 Zd 65
Amblagnieu, Porcieu- 38
95 Fc 74
Amblainville 60 17 Ca 53
Amblans-et-Velotte 70 70 Gc 62
Ambleny 02 18 Db 52
Ambléon 01 95 Fd 74
Ambleteuse 62 2 Bd 44
Ambleville 16 99 Ze 75
Ambleville 95 32 Be 54
Amblie 14 13 Zd 53
Amblimont 08 20 Fa 51
Ambloy 41 63 Af 62
Ambly-Fleury 08 20 Ec 52
Ambly-sur-Meuse 55 37 Fc 54
Amboise 37 63 Ae 64
Amboily 37 63 Ae 64
Ambon 56 59 Xc 63
Amboniel 26 118 Ef 80
Ambonnay 51 35 Eb 54
Ambonville 52 54 Fa 58
Ambrault 36 78 Bf 68
Ambres 81 127 Be 86
Ambricourt 62 7 Cb 46
Ambrief 02 18 Dc 52
Ambrières 51 36 Fa 57
Ambrières-les-Vallées 53 46 Zc 58
Ambrines 62 8 Cd 47
Ambronay 01 95 Fc 73
Ambrugeat 19 102 Ca 75
Ambrumesnil 76 15 Af 49
Ambrus 47 125 Ab 83
Ambutrix 01 95 Fc 73
Amécourt 27 16 Be 52
Amélécourt 57 38 Gd 55
Amélie-les-Bains-Palalda 66
154 Ce 94
Amendeuix-Oneix 64 137 Yf 88
Amenoncourt 54 39 Ge 57
Amenucourt 95 32 Bd 54
Ames 62 7 Cc 45
Amettes 62 7 Cc 45
Ameugny 71 82 Ee 69
Ameuvelle 88 55 Ff 61

Amfreville 14 14 Ze 53
Amfreville 50 12 Yd 52
Amfreville-la-Campagne 27
15 Af 53
Amfreville-la-Mi-Voie 76 15 Ba 52
Amfreville-les-Champs 27
16 Bb 53
Amfreville-les-Champs 76
15 Ae 50
Amfreville-sous-les-Monts 27
16 Bb 53
Amfreville-sur-Iton 27 31 Ba 54
Amfroipret 59 9 De 47
Amiens 80 17 Cb 49
Amifontaine 02 19 Df 52
Amigny 50 12 Ye 54
Amigny-Rouy 02 18 Db 51
Amillis 77 34 Da 56
Amilly 28 49 Bc 58
Amilly 45 50 Ce 61
Amions 42 93 Ea 73
Amirat 06 134 Ge 85
Ammerschwihr 68 56 Hb 60
Ammerzwiller 68 71 Ha 62
Amné 72 47 Zf 60
Amnéville 57 22 Gb 53
Amoncourt 70 70 Ga 62
Amondans 25 84 Ga 66
Amorots-Succos 64 137 Yf 88
Amou 40 123 Zb 87
Ampilly-les-Bodes 21 68 Ed 63
Ampilly-le-Sec 21 68 Ec 62
Amplepuis 69 93 Eb 73
Amplier 62 7 Cc 48
Ampoigné 53 46 Zb 62
Amponville 77 50 Cd 59
Ampriani 2B 159 Kc 95
Ampuis 69 106 Ee 76
Ampus 83 147 Gc 87
Amuré 79 87 Zc 71
Amy 60 18 Ce 51
Anais 16 88 Ab 74
Anais 17 86 Za 71
Anan 31 140 Ae 88
Anast = Maure-de-Bretagne 35
44 Ya 61
Ance 64 137 Zb 90
Anceaumeville 76 15 Ba 51
Anceins 61 31 Ad 55
Ancelle 05 120 Bb 81
Ancemont 55 37 Fc 54
Ancenis 44 60 Ye 64
Ancerville 55 36 Fa 57
Ancerville 57 38 Gc 54
Ancerviller 54 39 Gf 57
Ancey 21 68 Ee 65
Anchamps 08 20 Ee 49
Anché 37 62 Ab 66
Anché 86 Ab 70
Anchenoncourt-et-Chazel 70
55 Ga 61
Ancienville 02 34 Db 53
Ancier 70 69 Fd 64
Ancinnes 72 47 Ab 58
Ancizan 65 139 Ab 91
Ancizes-Comps, Les 63 91 Ce 73
Ancône 26 118 Ee 81
Ancourt 76 6 Bb 49
Ancourteville-sur-Héricourt 76
15 Ad 50
Ancretteville-sur-Mer 76 15 Ad 50
Ancteville 14 29 Zc 54
Anctoville 14 29 Zd 54
Ancy 69 94 Ed 74
Ancy-le-Franc 89 67 Eb 62
Ancy-le-Libre 89 67 Eb 62
Ancy-sur-Moselle 57 38 Ga 54
Andainville 80 16 Be 49
Andance 07 106 Ee 77
Andancette 26 106 Ee 77
Andard 49 61 Zd 64
Andé 27 16 Bb 53
Andechy 80 17 Ce 50
Andelain 02 18 Dc 51
Andelaroche 03 93 De 71
Andelare 70 70 Ga 63
Andelarrot 70 70 Ga 63
Andelat 15 104 Cf 78
Andelnans 90 71 Ge 63
Andelot-Blancheville 52 54 Fb 59
Andelot-en-Montagne 39 84 Ff 67
Andelot-Morval 39 83 Fc 70
Andelu 38 82 Be 55
Andelys, Les 27 16 Bc 53
Andernay 55 36 Fa 56
Andernos-les-Bains 33 110 Yf 80
Anderny 54 21 Ff 53
Andert-et-Condon 01 95 Fd 74
Andeville 60 17 Ca 53
Andigné 49 61 Zc 63
Andillac 81 127 Bf 85
Andilly 17 86 Yf 71
Andilly 54 37 Ff 56
Andilly 74 96 Ga 72
Andilly 95 33 Cb 55
Andilly-en-Bassigny 52 54 Fd 61
Andiran 47 125 Ab 83
Andlau 67 56 Hc 58
Andoins 64 138 Zd 89
Andolsheim 68 57 Hc 60
Andon 06 134 Ge 86
Andonville 45 49 Ca 59
Andornay 70 71 Gd 63
Andouillé 53 46 Zb 59
Andouque 81 128 Cc 85
Andouville-Neuville 35 45 Yc 59
Andrein 64 137 Za 88
Andres 62 3 Bf 42
Andrest 65 138 Aa 89
Andrésy 78 33 Ca 55
Andrezé 49 61 Za 66
Andrézel 77 34 Ce 57
Andrézieux-Bouthéon 42
105 Eb 75
Andryes 89 67 Dc 63
Anduze 30 130 Ea 84
An Eleven = Elven 56 43 Xc 62
Anères 65 139 Ab 90
Anet 28 32 Bc 56
Angaïs 64 138 Zd 89
Angé 41 63 Ba 64
Angeac-Champagne 16 99 Ze 75
Angeac-Charente 16 99 Zf 75
Angecourt 08 20 Ef 51
Angeduc 16 99 Zf 76
Angeot 90 71 Ha 62
Angers 49 61 Zc 64
Angerville 76 15 Ac 50
Angerville-Bailleul 76 15 Ac 50
Angerville-la-Campagne 27
31 Ba 55
Angerville-la-Martel 76 15 Ad 50
Angerville-l'Orcher 76 14 Ab 51
Angervilliers 91 33 Ca 57
Angeville 82 126 Ba 84
Angevillers 57 22 Ga 52
Angey 50 28 Yd 56
Angicourt 60 17 Cd 53
Angiens 76 15 Ae 49
Angirey 70 70 Fe 64
Angivillers 60 17 Cd 52
Anglade 33 99 Zc 77
Anglards-de-Saint-Flour 15
116 Da 79
Anglards-de-Salers 15 103 Cc 77
Anglars 12 115 Cc 81
Anglars 12 115 Ce 81
Anglars 12 115 Ce 82
Anglars 46 114 Bf 80
Anglars-Juillac 46 113 Bb 82
Anglars-Nozac 46 113 Bc 80
Anglars-Saint-Félix 12 115 Cb 82
Anglefort 01 95 Fe 73
Anglemont 88 56 Ge 58
Angles 04 134 Gd 85
Angles 81 142 Cd 87
Anglès 85 74 Yf 70
Angles, Les 65 138 Aa 90
Angles, les 66 153 Ca 93
Anglesqueville-la-Bras-Long 76
15 Ae 50
Anglesqueville-l'Esneval 76
14 Ab 51
Angles-sur-Corrèze, Les 19
102 Be 77
Angles-sur-l'Anglin 86 77 Af 68
Anglet 64 122 Yc 88
Angliers 17 86 Za 71
Angliers 86 76 Aa 67
Anglure 51 35 De 57
Anglure-sous-Dun 71 94 Ec 71
Angluzelles 51 35 Df 57
Angoisse 24 101 Ba 76
Angomont 54 39 Gf 57
Angos 65 139 Aa 89
Angoulême 16 100 Aa 75
Angoulins 17 86 Yf 72
Angoumé 40 123 Yf 86
Angous 84 101 Ha 90
Angoustrine-Villeneuve-des-
Escaldes 66 153 Bf 94
Angoville 14 29 Zd 55
Angoville-au-Plain 50 12 Ye 52
Angoville-sur-Ay 50 12 Yc 53
Angresse 40 122 Yd 87
Angrie 49 61 Zd 63
Anguerny 14 13 Zd 53
Anguilcourt-le-Sart 02 18 Dc 50
Angy 60 17 Cb 53
Anhiers 59 8 Da 46
Aniane 34 129 Dd 86
Aniche 59 9 Db 46
Anisy 14 13 Zd 53
Anizy-le-Château 02 18 Dc 51
Anjeux 70 55 Gb 61
Anjou 38 106 Ef 76
Anjouin 36 64 Be 65
Anjoutey 90 71 Gf 62
Anla 65 139 Ad 90
Anlezy 58 81 Dd 67
Anlhiac 24 101 Ba 77
Annay 62 8 Ce 46
Annay 58 66 Cf 63
Annay-la-Côte 89 67 Df 63
Annay-sur-Serein 89 67 Df 62
Annebault 14 14 Aa 53
Annecy 74 96 Ga 73
Annelles 08 20 Ec 52
Annemasse 74 96 Gb 71
Annéot 89 67 Df 63
Annepont 17 87 Zc 73
Annequin 62 8 Ce 45
Annesse-et-Beaulieu 24
100 Ad 78
Annet-sur-Marne 77 33 Ce 55
Anneux 59 8 Da 48
Anneville-Ambourville 76 15 Af 52
Anneville-la-Prairie 52 53 Fa 59
Anneville-sur-Mer 50 12 Yc 54
Anneville-sur-Scie 76 15 Ba 49
Anneyron 26 106 Ef 77
Annezay 17 87 Zb 72
Annezin 62 8 Cd 45
Annœulin 59 8 Cf 45
Annois 03 93 Fb 67
Annois 02 18 Dc 50
Annoisin-Chatelans 38 95 Fb 74
Annoix 18 79 Cd 67
Annonay 07 106 Ed 77
Annonville-Vilmesnil 76 15 Ac 50
Annoux 89 67 Ea 63
Annoville 50 28 Yc 55
Anor 59 9 Ea 49
An Oriant = Lorient 56 42 Wd 62
Anos 64 138 Zd 88
Anost 71 81 Ea 66
Anould 88 56 Ge 58
Anoux 54 21 Ff 53
Anoye 64 138 Zf 88
Anquetierville 76 15 Ad 51
Anrosey 52 54 Fe 61
Ansac 60 17 Cc 52
Ansac-sur-Vienne 16 88 Ad 73
Ansan 32 125 Ae 86
Ansauville 54 37 Fe 56
Ansauvillers 60 17 Cc 51
Anse 69 94 Ee 73
Anserville 60 17 Cb 53
Ansignan 66 153 Cd 92
Ansouis 84 132 Fc 86
Anstaing 59 8 Db 45
Antagnac 47 111 Aa 82
Anterrieux 15 116 Da 79
Anteuil 25 71 Gd 64
Antezant-la-Chapelle 17 87 Zd 73
Anthé 47 113 Af 82
Anthelupt 54 38 Gc 57
Anthenay 51 35 De 54
Anthéor 08 19 Eb 49
Anthéor 83 148 Gf 88
Antheuil 21 68 Ee 65

Antheuil-Portes **60** 17 Ce 52
Anthien **58** 67 De 65
Anthon **38** 95 Fb 74
Antibes **06** 134 Ha 87
Antichan **65** 139 Ad 91
Antichan-de-Frontignes **31** 139 Ae 91
Antignac **15** 103 Cd 76
Antignac **17** 99 Zc 75
Antignac **31** 151 Ad 92
Antigny **85** 75 Zb 69
Antigny **86** 77 Af 69
Antilly **57** 38 Gb 53
Antilly **60** 34 Cf 54
Antin **65** 139 Ab 89
Antisanti **2B** 159 Kc 95
Antist **65** 138 Aa 90
Antogny **37** 77 Ad 67
Antoigné **49** 62 Zf 66
Antoigny **61** 29 Zd 57
Antoingt **63** 104 Db 75
Antonaves **05** 133 Fe 83
Antonne-et-Trigonant **24** 101 Ae 77
Antony **92** 33 Cb 56
Antorpe **25** 70 Fe 65
Antraigues-sur-Volane **07** 118 Ec 80
Antrain **35** 28 Yd 58
Antran **86** 77 Ad 67
Antras **09** 151 Af 91
Antras **09** 152 Bd 91
Antras **32** 125 Ac 86
Antrenas **48** 116 Db 81
Antugnac **11** 153 Cb 91
Antully **71** 82 Ec 67
An Uhelgoad = Huelgoat **29** 25 Wb 58
Anvéville **76** 15 Ae 50
Anville **16** 87 Zf 74
Anvin **62** 7 Cb 46
Any-Martin-Rieux **02** 19 Eb 49
Anzat-le-Luguet **63** 104 Da 77
Anzeling **57** 22 Gc 53
Anzème **23** 90 Bf 71
Anzex **47** 112 Aa 83
Anzin **59** 9 Dd 46
Anzin **62** 8 Cd 47
Anzy-le-Duc **71** 93 Ea 71
Aoste **38** 107 Fd 75
Aougny **51** 35 De 53
Aoury **57** 38 Gc 54
Aouste **08** 19 Eb 50
Aouste-sur-Sye **26** 118 Fa 80
Aouze **88** 54 Ff 58
Apach **57** 22 Gc 52
Apchat **63** 104 Da 76
Apchon **15** 103 Ce 77
Appelle **81** 141 Bf 87
Appenai-sous-Bellême **61** 48 Ad 58
Appenans **25** 71 Gd 64
Appenwihr **68** 57 Hc 60
Appeville **50** 12 Yd 53
Appeville-Annebault **27** 15 Ad 53
Appietto **2A** 158 Ie 96
Appiettu = Appietto **2A** 158 Ie 96
Appilly **60** 18 Da 51
Appoigny **89** 51 Dd 61
Apprieu **38** 107 Fd 76
Appy **09** 152 Be 92
Apremont **01** 95 Fe 71
Apremont **08** 21 Ef 53
Apremont **60** 17 Cd 53
Apremont **70** 69 Fd 64
Apremont **85** 74 Yb 68
Apremont-la-Forêt **55** 37 Fd 55
Apremont-sur-Allier **18** 80 Da 67
Aprey **52** 68 Fb 61
Apt **84** 132 Fc 85
Arabaux **09** 141 Bd 91
Arâches **74** 97 Gd 72
Aragnouet **65** 150 Ab 92
Aragon **11** 142 Cb 89
Aramits **64** 137 Zb 90
Aramon **30** 131 Ee 85
Aranc **01** 95 Fd 73
Arandon **38** 107 Fc 74
Araujuzon **64** 137 Zb 88
Araules **43** 105 Eb 78
Araux **64** 137 Zb 88
Arbanats **33** 111 Zd 80
Arbas **31** 140 Af 91
Arbellara **2A** 159 If 98
Arbent **01** 95 Fe 71
Arbéost **65** 138 Ze 91
Arbiddali = Arbellara **2A** 159 Ka 98
Arbigneiu **01** 95 Fd 74
Arbigny-sous-Varennes **52** 54 Fd 61
Arbin **73** 108 Ga 75
Arbis **33** 111 Ze 80
Arblade-le-Bas **32** 124 Ze 86
Arblade-le-Haut **32** 124 Zf 86
Arbois **39** 84 Fe 67
Arbon **31** 139 Ae 91
Arbonne **64** 136 Yc 88
Arbonne-la-Forêt **77** 50 Cd 58
Arboras **34** 129 Dc 86
Arbori **2A** 158 Ie 96
Arbot **52** 53 Fa 61
Arboucave **40** 124 Zd 87
Arbouet-Sussaue **64** 137 Yf 89
Arbourse **58** 66 Db 65
Arboussols **66** 153 Cc 93
Arbresle, L' **69** 94 Ed 74
Arbrissel **35** 45 Ye 61
Arburi = Arbori **2B** 158 Ie 96
Arbus **64** 138 Zc 89
Arbusigny **74** 96 Gb 72
Arcachon **33** 110 Ye 81
Arçais **79** 87 Zb 71
Arcambal **46** 114 Bd 82
Arcangues **64** 136 Yc 88
Arçay **18** 79 Cc 67
Arçay **86** 76 Aa 67
Arceau **21** 69 Fb 64
Arcenant **21** 68 Ef 66
Arc-en-Barrois **52** 53 Fa 61
Arcens **07** 118 Eb 79
Arces **17** 98 Za 75
Arces-Dilo **89** 52 Df 60
Arc-et-Senans **25** 84 Fe 66
Arcey **21** 68 Ee 65
Arcey **25** 71 Gd 63
Archail **04** 133 Gc 84
Archamps **74** 96 Ga 72
Ar C'hastell-Nevez = Châteauneuf-du-Faou **29** 42 Wb 59
Archelange **39** 69 Fd 66

Arches **15** 103 Cb 77
Arches **88** 55 Gd 60
Archettes **88** 55 Gd 60
Archiac **17** 99 Ze 75
Archignac **24** 101 Bb 78
Archignat **03** 91 Cc 70
Archigny **86** 76 Ad 69
Archingeay **17** 87 Zb 73
Archon **02** 19 Ea 50
Arcins **33** 99 Zb 78
Arcis-le-Ponsart **51** 19 De 53
Arcis-sur-Aube **10** 35 Ea 57
Arcizac-Adour **65** 138 Aa 90
Arcizac-ez-Angles **65** 138 Aa 90
Arcizans-Avant **65** 138 Zf 91
Arcizans-Dessus **65** 138 Zf 91
Arc-lès-Gray **70** 69 Fd 64
Arçon **25** 84 Gc 67
Arcon **42** 93 Df 72
Arconcey **21** 68 Ec 65
Arçonnay **72** 47 Aa 58
Arconsat **63** 92 Db 73
Arconville **10** 53 Ee 60
Arcs, Les **83** 148 Gd 88
Arc-sous-Cicon **25** 84 Gc 66
Arc-sous-Montenot **25** 84 Ga 67
Arc-sur-Tille **21** 69 Fb 64
Arcy-Sainte-Restitue **02** 18 Dc 53
Arcy-sur-Cure **89** 67 De 63
Ardelles **28** 31 Bb 57
Ardelu **28** 49 Bf 58
Ardenais **18** 79 Cd 68
Ardenay-sur-Mérize **72** 47 Ac 61
Ardentes **36** 78 Bd 68
Ardes **63** 104 Da 76
Ardeuil-et-Montfauxelles **08** 20 Ee 53
Ardiège **31** 139 Ae 91
Ardilleux **79** 88 Zf 72
Ardillières **17** 86 Za 72
Ardin **79** 75 Zc 70
Ardizas **32** 126 Ba 86
Ardon **39** 84 Ff 68
Ardon **45** 64 Bf 62
Ardouval **76** 16 Bb 50
Ardres **62** 3 Bf 43
Aregno **2B** 156 If 93
Aregnu = Aregno **2B** 156 If 93
Areines **41** 48 Ba 62
Aren **64** 137 Zb 89
Arengosse **40** 123 Zb 84
Arenthon **74** 96 Gb 72
Arès **33** 110 Yf 80
Aresches **39** 84 Ff 67
Aressy **64** 138 Ze 89
Arette **64** 137 Zb 90
Arette-Pierre-Saint-Martin **64** 137 Zb 91
Ar Faou = Faou, Le **29** 24 Ve 59
Ar Faoued = Faouët, Le **56** 42 Wd 60
Arfeuille-Châtain **23** 91 Cc 72
Arfeuilles **03** 92 Db 72
Arfons **81** 141 Cb 88
Argagnon **64** 137 Zb 88
Arganchy **14** 13 Zb 53
Argançon **10** 53 Ee 60
Argancy **57** 38 Gb 53
Argancourt-ar-Genkiz = Argentré-du-Plessis **35** 45 Yf 60
Argein **09** 151 Af 91
Argelès **65** 139 Ab 90
Argelès-Gazost **65** 138 Zf 90
Argelès-sur-Mer **66** 154 Da 93
Argeliers **11** 142 Cf 89
Argelliers **34** 130 De 86
Argelos **40** 123 Zc 87
Argelos **64** 138 Zc 88
Argelouse **40** 111 Zc 82
Ar Gelveneg = Guilvinec **29** 41 Ve 62
Argences **14** 30 Zf 54
Argens-Minervois **11** 142 Ce 89
Argentan **61** 30 Zf 56
Argentat **19** 102 Bf 78
Argentenay **89** 67 Ea 62
Argenteuil **95** 33 Cb 55
Argenteuil-sur-Armançon **89** 67 Ea 62
Argentière-la-Bessée, L' **05** 121 Gd 80
Argentières **77** 34 Cf 57
Argentine **73** 108 Gb 76
Argenton **47** 112 Aa 82
Argenton-Château **79** 75 Zd 67
Argenton-l'Église **79** 76 Ze 66
Argenton-Notre-Dame **53** 46 Zc 62
Argenton-sur-Creuse **36** 78 Bd 69
Argentré **53** 46 Zc 60
Argentré-du-Plessis **35** 45 Yf 60
Argent-sur-Sauldre **18** 65 Cc 63
Argenvières **18** 66 Da 66
Argers **51** 36 Ef 54
Arget **64** 124 Zc 87
Arguenos **31** 139 Ae 91
Argut-Dessous **31** 151 Ae 91
Argy **36** 78 Bc 67
Arhansus **64** 137 Yf 89
Ariès-Espénan **65** 139 Ad 89
Arifat **81** 128 Cc 86
Arignac **09** 151 Bd 91
Arinthod **39** 95 Fd 70
Arith **73** 96 Ga 74
Arjuzanx **40** 123 Za 84
Arlanc **63** 105 De 76
Arlay **39** 83 Fd 68
Arlebosc **07** 106 Ed 78
Arles **13** 131 Ee 86
Arles-sur-Tech **66** 154 Cd 94
Arleuf **58** 81 Ea 66

Arleux **59** 8 Da 47
Arleux-en-Gohelle **62** 8 Cf 46
Arlos **31** 151 Ae 92
Armaillé **49** 60 Yf 62
Armancourt **60** 17 Ce 50
Armaucourt **54** 38 Gb 56
Armbouts-Cappel **59** 3 Cc 43
Armeau **89** 51 Db 60
Armendarits **64** 137 Ye 89
Armentières **59** 4 Cf 44
Armentières-en-Brie **77** 34 Da 55
Armentières-sur-Avre **27** 31 Ae 56
Armentières-sur-Ourcq **02** 34 Dc 53
Armentieux **32** 139 Aa 87
Armes **58** 67 Dd 64
Armillac **47** 112 Ac 81
Armissan **11** 143 Da 89
Armoy **74** 96 Gd 70
Arnac **15** 103 Cb 78
Arnac-la-Poste **87** 90 Bc 71
Arnac-Pompadour **19** 101 Bc 76
Arnac-sur-Dourdou **12** 129 Cf 86
Arnage **72** 47 Ab 61
Arnancourt **52** 53 Ef 58
Arnas **69** 94 Ee 72
Arnas, Les **69** 94 Ed 73
Arnaud-Guilhem **31** 140 Af 90
Arnave **09** 152 Bd 91
Arnaville **54** 38 Ga 54
Arnay-le-Duc **21** 67 Ec 66
Arnayon **26** 119 Fb 82
Arnay-sous-Vitteaux **21** 68 Ec 64
Arné **65** 139 Ad 90
Arnéguy **64** 137 Ye 90
Arnèke **59** 3 Cc 43
Arnicourt **08** 19 Ec 51
Arnières-sur-Iton **27** 31 Ba 55
Arnos **64** 138 Zc 89
Arnouville-lès-Gonesse **95** 33 Cc 55
Arnouville-lès-Mantes **78** 32 Be 55
Aroffe **88** 55 Ff 58
Aromas **39** 95 Fc 71
Aroz **70** 70 Ga 63
Arpaillargues-et-Aureillac **30** 131 Ec 84
Arpajon **91** 33 Cb 57
Arpajon-sur-Cère **15** 115 Cc 79
Arpavon **26** 119 Fb 82
Arpenans **70** 70 Gc 63
Arpheuilles **18** 79 Cd 68
Arpheuilles **36** 78 Bb 67
Arpheuilles-Saint-Priest **03** 91 Ce 71
Arphy **30** 129 Dd 84
Arquenay **53** 46 Zc 61
Arques **11** 153 Cc 91
Arques **12** 115 Ce 83
Arques **62** 3 Cb 44
Arques-la-Bataille **76** 16 Ba 49
Arquettes-en-Val **11** 142 Cd 90
Arquèves **80** 7 Cc 48
Arquian **58** 66 Cf 63
Arracourt **54** 38 Gd 56
Arraincourt **57** 38 Gd 55
Arrancy-sur-Crusne **55** 21 Fd 52
Arrans **21** 68 Eb 62
Arras **62** 8 Cf 47
Arras-en-Lavedan **65** 138 Zf 91
Arrast-Larrebieu **64** 137 Yf 88
Arraute-Charritte **64** 137 Yf 88
Array-et-Han **54** 38 Gb 55
Arrayou-Lahitte **65** 138 Aa 90
Arre **30** 129 Dd 85
Arreau **65** 150 Ac 91
Arrelles **10** 52 Eb 60
Arrembécourt **10** 52 Ed 57
Arrènes **23** 90 Bd 72
Arrens-Marsous **65** 138 Ze 91
Arrentès-de-Corcieux **88** 56 Gf 60
Arrentières **10** 53 Ee 59
Arrest **80** 6 Bd 48
Arreux **08** 10 Ed 49
Arriance **57** 38 Gd 54
Arricau-Bordes **64** 138 Zf 88
Arrien **09** 151 Ba 91
Arrigas **30** 129 Dc 85
Arrigny **51** 36 Ee 57
Arro **2A** 158 Ie 96
Ar Roc'h-Bernez, Roche-Bernard, La **56** 59 Xe 63
Ar Roc'h-Derrien = Roche-Derrien, La **22** 26 We 56
Arrodets **65** 139 Ac 90
Arrodets-ez-Angles **65** 138 Aa 90
Arromanches-les-Bains **14** 13 Zc 52
Arronnes **03** 92 Dd 72
Arronville **95** 33 Ca 53
Arros **64** 137 Yf 89
Arros-de-Nay **64** 138 Ze 89
Arrosès **64** 124 Zf 87
Arrou **28** 48 Ba 60
Arrouède **32** 139 Ad 88
Arrout **09** 151 Ba 91
Arry **57** 38 Ga 54
Arry **80** 7 Bf 47
Ars **16** 99 Zd 75
Ars **23** 90 Ca 72
Arsac **33** 99 Zb 78
Arsac-en-Velay **43** 117 Df 79
Arsague **40** 123 Zb 87
Arsans **70** 69 Fd 64
Ars-en-Ré **17** 86 Yc 71
Ars-Laquenexy **57** 38 Gb 54
Ars-les-Favets **63** 91 Ce 71
Arsonval **10** 53 Ed 59
Ars-sur-Formans **01** 94 Ee 73
Ars-sur-Moselle **57** 38 Ga 54
Artagnan **65** 138 Aa 88
Artaise-le-Vivier **08** 20 Ef 51
Artaix **71** 93 Ea 71
Artalens-Souin **65** 138 Zf 91
Artannes-sur-Indre **37** 63 Ad 65
Artannes-sur-Thouet **49** 62 Zf 65
Artas **38** 107 Fa 75
Artassenx **40** 124 Zd 85
Artemare **01** 95 Fd 73
Artemps **02** 18 Db 50

Artenay **45** 49 Bf 60
Arthaz-Pont-Notre-Dame **74** 96 Gb 72
Arthel **58** 66 Dc 65
Arthenac **17** 99 Ze 75
Arthenas **39** 83 Fd 69
Arthès **81** 128 Cd 85
Arthez-d'Armagnac **40** 124 Zd 85
Arthez-d'Asson **64** 138 Ze 90
Arthez-de-Béarn **64** 138 Zc 88
Arthezé **72** 47 Zf 62
Arthies **95** 32 Be 54
Arthon **36** 78 Bc 68
Arthon-en-Retz **44** 59 Ya 66
Arthonnay **89** 52 Eb 61
Arthun **42** 93 Ea 74
Artigat **09** 151 Bb 90
Artignosc-sur-Verdon **83** 133 Ga 86
Artigue **31** 151 Ad 92
Artigueloutan **64** 138 Zd 89
Artiguelouve **64** 138 Zd 89
Artiguemy **65** 139 Ac 90
Artigues **09** 153 Ca 92
Artigues **11** 153 Cb 92
Artigues **47** 125 Ac 84
Artigues **65** 138 Ze 90
Artigues **83** 147 Fe 87
Artigues-de-Lussac, les **33** 99 Zf 79
Artigues-près-Bordeaux **33** 111 Zd 79
Artins **41** 63 Ae 62
Artix **09** 141 Bd 90
Artix **64** 138 Zc 89
Artolsheim **67** 57 Hd 59
Artonges **02** 34 Dd 55
Artres **59** 9 Dd 47
Art-sur-Meurthe **54** 38 Gd 57
Artzenheim **68** 57 Hd 60
Arudy **64** 138 Zd 90
Arue **40** 124 Zd 84
Arvant **43** 104 Db 76
Arvert **17** 86 Yf 74
Arveyres **33** 111 Ze 79
Arvieu **12** 128 Cd 83
Arvieux **05** 121 Ge 80
Arvigna **09** 141 Be 90
Arvillard **73** 108 Ga 76
Arville **41** 48 Af 60
Arville **77** 50 Cd 59
Arvillers **80** 17 Cd 50
Arx **40** 124 Ze 84
Arzacq-Arraziguet **64** 124 Zd 87
Arzal **56** 59 Xa 63
Arzano **29** 42 Wd 61
Arzay **38** 107 Fa 76
Arzembouy **58** 66 Dc 65
Arzenc-d'Apcher **48** 116 Da 79
Arzenc-de-Randon **48** 117 Dd 81
Arzens **11** 141 Cb 89
Arzillières-Neuville **51** 52 Ed 57
Arzon **56** 58 Xa 63
Arzviller **57** 39 Ha 56
Asasp-Arros **64** 137 Zc 90
Ascain **64** 136 Yc 88
Ascarat **64** 137 Ye 90
Aschères-le-Marché **45** 49 Ca 60
Asco **2B** 156 If 94
Ascou **09** 153 Ca 93
Ascoux **45** 50 Cb 60
Ascros **06** 134 Ha 85
Asco **2B** 156 Ka 94
Asfeld **08** 19 Ea 52
Aslonnes **86** 76 Ac 70
Asnan **58** 67 Dd 65
Asnans-Beauvoisin **39** 83 Fc 67
Asnelles **14** 13 Zc 52
Asnières **27** 14 Ac 53
Asnières-en-Bessin **14** 13 Za 52
Asnières-en-Montagne **21** 68 Eb 62
Asnières-la-Giraud **17** 87 Zc 73
Asnières-lès-Dijon **21** 69 Fa 64
Asnières-sous-Bois **89** 67 Dd 64
Asnières-sur-Blour **86** 89 Ae 72
Asnières-sur-Nouère **16** 88 Aa 74
Asnières-sur-Oise **95** 33 Cc 54
Asnières-sur-Saône **01** 94 Ef 70
Asnières-sur-Seine **92** 33 Cb 55
Asnières-sur-Vègre **72** 47 Ze 61
Asnois **58** 67 Dd 64
Asnois **86** 88 Ac 72
Aspach **57** 39 Gf 57
Aspach **68** 71 Hb 63
Aspach-le-Bas **68** 71 Ha 62
Aspach-le-Haut **68** 71 Ha 62
Aspères **30** 130 Ea 86
Aspet **31** 140 Af 91
Aspin-Aure **65** 139 Ac 91
Aspiran **34** 143 Dc 87
Aspremont **05** 119 Fe 82
Aspremont **06** 135 Hb 86
Aspres, Les **61** 31 Ad 56
Aspres-lès-Corps **05** 120 Ff 80
Aspres-sur-Buech **05** 119 Fe 81
Aspret-Sarrat **31** 139 Ae 90
Asprières **12** 114 Ca 81
Asque **65** 139 Ab 90
Asques **33** 99 Zf 79
Asques **82** 126 Af 85
Asquins **89** 67 De 64
Assac **81** 128 Ce 84
Assainvillers **80** 17 Cd 51
Assais-les-Jumeaux **79** 76 Zf 68
Assas **34** 130 Df 86
Assat **64** 138 Zf 89
Assay **37** 62 Ab 66
Assé-le-Bérenger **53** 46 Ze 60
Assé-le-Boisne **72** 47 Zf 59
Assé-le-Riboul **72** 47 Aa 59
Assenay **10** 52 Ea 59
Assencières **10** 52 Eb 58
Assenoncourt **57** 39 Ge 56
Assérac **44** 59 Xd 64
Assevent **59** 10 Ea 47
Assevillers **80** 8 Ce 49
Assier **46** 114 Bf 80
Assieu **38** 106 Ef 76
Assignan **34** 142 Cf 88
Assigny **18** 66 Cd 64
Assigny **76** 6 Ba 49
Assis-sur-Serre **02** 18 Dc 50
Asson **64** 138 Ze 90
Assouste **24** 123 Za 81
Asswiller **67** 39 Hb 55
Astaffort **47** 125 Ac 85
Astaillac **19** 114 Be 79
Asté **65** 139 Ab 90
Aste-Béon **64** 138 Zd 90
Astillé **53** 46 Za 61
Astis **64** 138 Zf 88

Aston **09** 152 Be 92
Astugue **65** 138 Aa 90
Athée **21** 69 Fc 65
Athée **53** 46 Za 61
Athée-sur-Cher **37** 63 Af 65
Athesans-Étroitefontaine **70** 70 Gd 63
Athie **21** 68 Eb 63
Athie **89** 67 Df 63
Athienville **54** 38 Gc 56
Athies **62** 8 Cf 47
Athies **80** 18 Cf 49
Athies-sous-Laon **02** 19 De 51
Athis **51** 35 Ea 54
Athis-de-l'Orne **61** 29 Zd 56
Athis-Mons **91** 33 Cc 56
Athos-Aspis **64** 137 Za 88
Attainville **95** 33 Cc 54
Attancourt **52** 53 Ef 57
Attaques, Les **62** 3 Bf 43
Attenschwiller **68** 72 Hc 63
Attiches **59** 8 Da 45
Attichy **60** 18 Da 52
Attignat **01** 95 Fa 71
Attignat-Oncin **73** 107 Fe 75
Attignéville **88** 54 Fe 58
Attigny **08** 20 Ed 52
Attigny **88** 54 Fd 59
Attilloncourt **57** 38 Gc 56
Attilly **02** 18 Db 49
Attin **62** 7 Be 46
Atton **54** 38 Ga 55
Attray **45** 50 Ca 60
Attricourt **70** 69 Fc 64
Atur **24** 101 Ae 78
Aubagnan **40** 124 Zd 86
Aubagne **13** 146 Fe 89
Aubaine **21** 68 Ee 66
Aubais **30** 130 Ea 86
Aubarède **65** 139 Ab 89
Aubas **24** 101 Bb 78
Aubazines **19** 102 Be 77
Aube **57** 38 Gc 54
Aube **61** 31 Ad 56
Aubenas **07** 118 Ec 81
Aubenas-les-Alpes **04** 132 Fe 85
Aubencheul-au-Bac **59** 8 Da 47
Aubencheul-aux-Bois **02** 8 Db 48
Aubenton **02** 19 Eb 49
Aubepierre-Ozouer-le-Repos **77** 34 Cf 57
Aubepierre-sur-Aube **52** 53 Ef 61
Aubépin, L' **39** 83 Fc 70
Auberchicourt **59** 8 Db 47
Aubercourt **80** 17 Cd 50
Aubergenville **78** 32 Bf 55
Aubérive **51** 36 Ec 53
Auberive **52** 69 Fa 62
Auberives-sur-Varèze **38** 106 Ee 76
Aubermesnil-Beaumais **76** 15 Ba 49
Aubers **59** 8 Ce 45
Aubertin **64** 138 Zd 89
Auberville **14** 14 Aa 53
Auberville-la-Campagne **76** 15 Ad 51
Auberville-la-Manuel **76** 15 Ad 49
Auberville-la-Renault **76** 14 Ac 50
Aubervilliers **93** 33 Cc 55
Aubeterre **10** 52 Ea 58
Aubeterre-sur-Dronne **16** 100 Ab 77
Aubeville **16** 100 Zf 76
Aubevoye **27** 32 Bb 53
Aubiac **33** 111 Ze 82
Aubiac **47** 125 Ac 84
Aubiat **63** 91 Db 73
Aubie-et-Espessas **33** 99 Zf 78
Aubière **63** 92 Da 74
Aubiers, Les **79** 75 Zc 67
Aubiet **32** 126 Ae 87
Aubignan **84** 131 Fa 84
Aubignas **07** 118 Ed 81
Aubigné **35** 45 Yc 59
Aubigné **49** 61 Zd 64
Aubigné **79** 87 Zf 72
Aubigné-Racan **72** 62 Ab 62
Aubignosc **04** 133 Ff 84
Aubigny **03** 92 Dd 70
Aubigny **14** 30 Ze 55
Aubigny **79** 76 Zf 68
Aubigny **80** 17 Cc 50
Aubigny **85** 74 Yd 69
Aubigny-au-Bac **59** 8 Da 47
Aubigny-aux-Kaisnes **02** 18 Da 50
Aubigny-en-Artois **62** 8 Cd 46
Aubigny-en-Laonnais **02** 19 De 52
Aubigny-en-Plaine **21** 69 Fb 66
Aubigny-les-Pothées **08** 20 Ec 50
Aubigny-lès-Sombernon **21** 68 Ed 64
Aubigny-sur-Nère **18** 65 Cc 64
Aubilly **51** 35 Df 53
Aubin **12** 115 Cb 81
Aubin **64** 138 Zd 88
Aubinges **18** 65 Cd 65
Aubin-Saint-Vaast **62** 7 Bf 46
Auboncourt-Vauzelles **08** 20 Ec 51
Aubonne **25** 84 Gc 66
Aubord **30** 130 Ea 86
Auboué **57** 38 Ga 53
Aubous **64** 124 Zf 87
Aubréville **55** 36 Fa 54
Aubrives **08** 20 Ee 48
Aubrometz **62** 7 Cb 47
Aubry-du-Hainaut **59** 9 Dc 46
Aubry-le-Panthou **61** 30 Ab 55
Auburé **68** 56 Hb 59
Aubussargues **30** 130 Eb 84
Aubusson **23** 90 Cb 73
Aubusson **61** 29 Zc 56
Aubvillers **80** 17 Cc 50
Auby **59** 8 Da 46
Aucaleuc **22** 27 Xf 58
Aucamville **31** 127 Bb 87
Aucamville **82** 126 Ba 85
Aucazein **09** 151 Af 91
Auccia = Ucciani **2A** 159 If 96
Aucelon **26** 119 Fc 81
Aucey-la-Plaine **50** 28 Yd 57
Auch **32** 125 Ad 87
Auchel **62** 8 Cc 45
Auchonvillers **80** 8 Cd 48
Auchy-au-Bois **62** 7 Cc 45
Auchy-la-Montagne **60** 17 Ca 51
Auchy-lès-Hesdin **62** 7 Ca 46
Auchy-lès-Mines **62** 8 Ce 45

Aucun **65** 138 Ze 91
Audaux **64** 137 Zb 88
Auddé = Aullène **2A** 159 Ka 98
Audelange **89** 69 Fd 66
Audeloncourt **52** 54 Fd 60
Audembert **62** 3 Be 43
Auderville **50** 12 Ya 50
Audes **03** 79 Cd 70
Audeux **25** 70 Ff 65
Audeville **45** 50 Cb 59
Audierne **29** 41 Vc 60
Audignicourt **02** 18 Da 52
Audignon **40** 124 Zc 86
Audigny **02** 19 Dd 50
Audincourt **25** 71 Gf 64
Audincthun **62** 7 Ca 45
Audinghen **62** 2 Bd 43
Audin-le-Tiche **57** 22 Ff 52
Audon **40** 123 Zb 86
Audouville-la-Hubert **50** 12 Ye 52
Audrehem **62** 3 Bf 44
Audressein **09** 151 Af 91
Audresselles **62** 2 Bd 44
Audrieu **14** 13 Zc 53
Audrix **24** 113 Af 79
Audruicq **62** 3 Ca 43
Audun-le-Roman **54** 21 Ff 52
Auenheim **67** 40 Ia 56
Auffargis **78** 32 Bf 56
Auffay **76** 15 Ba 50
Auffeville **77** 50 Cd 59
Auffreville-Brasseuil **78** 32 Be 55
Auflance **08** 21 Fb 51
Auga **64** 138 Zd 88
Auge **08** 19 Eb 49
Auge **16** 87 Zf 73
Augé **79** 75 Zd 70
Augé **79** 75 Ze 70
Augea **39** 83 Fc 69
Augerans **39** 83 Fd 66
Augères **23** 90 Be 72
Augerolles **63** 93 Dd 74
Auger-Saint-Vincent **60** 34 Ce 53
Augers-en-Brie **77** 34 Dc 56
Augerville-la-Rivière **45** 50 Cc 59
Augicourt **70** 70 Ff 62
Augignac **24** 101 Ae 75
Augirein **09** 151 Af 91
Augisey **39** 83 Fd 69
Augnat **63** 104 Db 76
Augnax **32** 125 Ae 86
Augne **87** 90 Be 74
Augny **57** 38 Ga 54
Auguaise **61** 31 Ad 56
Augy **02** 18 Dd 52
Augy **89** 67 De 62
Augy-sur-Aubois **18** 80 Cf 68
Aujac **17** 87 Zd 73
Aujac **30** 117 Ea 82
Aujac **31** 131 Ed 83
Aujan-Mournède **32** 139 Ad 88
Aujargues **30** 130 Ea 86
Aujeurres **52** 69 Fb 62
Aujols **46** 114 Bd 82
Aulas **30** 129 Dc 85
Aulhat-Saint-Privat **63** 104 Db 75
Aullène **2A** 159 Ka 98
Aulnat **63** 103 Cd 75
Aulnay **10** 52 Ec 58
Aulnay **17** 87 Zd 73
Aulnay **86** 76 Ac 68
Aulnay-l'Aître **51** 36 Ed 56
Aulnay-la-Rivière **45** 50 Cc 59
Aulnay-sous-Bois **93** 33 Cd 55
Aulnay-sur-Iton **27** 31 Ba 55
Aulnay-sur-Marne **51** 35 Eb 54
Aulnay-sur-Mauldre **78** 32 Bf 55
Aulnois **88** 54 Fe 59
Aulnois-en-Perthois **55** 37 Fa 57
Aulnois-sous-Laon **02** 19 De 51
Aulnois-sur-Seille **57** 38 Gb 55
Aulnoy **77** 34 Da 55
Aulnoye-Aymeries **59** 9 Df 47
Aulnoy-lez-Valenciennes **59** 9 Dd 46
Aulon **23** 90 Bf 72
Aulon **31** 140 Ae 89
Aulon **65** 150 Ac 91
Ault **80** 6 Bc 48
Aulus-les-Bains **09** 152 Bc 92
Aulx-lès-Cromary **70** 70 Ga 64
Aumagne **17** 87 Zd 73
Aumale **76** 16 Be 50
Aumâtre **80** 7 Be 49
Auménancourt **51** 19 Ea 52
Aumerval **62** 7 Cc 45
Aumes **34** 143 Dc 88
Aumessas **30** 129 Dd 85
Aumetz **57** 22 Ff 52
Aumeville-Lestre **50** 12 Ye 51
Aumont **39** 83 Fd 67
Aumont **80** 16 Bf 49
Aumont-Aubrac **48** 116 Db 80
Aumur **39** 83 Fc 66
Aunac **16** 88 Ab 73
Aunat **11** 153 Ca 92
Aunay-en-Bazois **58** 81 De 66
Aunay-les-Bois **61** 31 Ab 57
Aunay-sous-Auneau **28** 49 Be 58
Aunay-sous-Crécy **28** 32 Bb 56
Aunay-sur-Odon **14** 29 Zc 54
Auneau **28** 49 Be 58
Auneuil **60** 17 Bf 52
Aunou-le-Faucon **61** 30 Aa 56
Aunou-sur-Orne **61** 30 Ab 56
Auppegard **76** 15 Ba 49
Aups **83** 147 Gb 87
Auquainville **14** 30 Ab 54
Auquemesnil **76** 6 Bb 49
Auradé **32** 126 Ba 87
Auradou **47** 113 Ae 82
Auray **56** 43 Xa 61
Aure **08** 20 Ed 53
Aurec-sur-Loire **43** 105 Eb 76
Aureil **87** 90 Bc 74
Aureilhan **40** 110 Ye 83
Aureilhan **65** 138 Aa 89
Aureille **13** 131 Ef 86
Aurel **26** 119 Fb 80
Aurel **84** 132 Fc 84
Aurensan **32** 124 Ze 87
Aurensan **65** 138 Aa 89
Aureville **31** 141 Bc 88
Auriac **11** 153 Cc 91
Auriac **19** 103 Ca 77
Auriac **64** 138 Zc 88
Auriac-du-Périgord **24** 101 Ba 78
Auriac-Lagast **12** 128 Cd 84
Auriac-l'Église **15** 104 Da 77

Bastide-Pradines, La **12**
129 Da 84
Bastide-Puylaurent, La **48**
117 Df 81
Bastide-Solages, La **12**
128 Cd 85
Bastide-sur-l'Hers, La **09**
153 Bf 91
Bastidonne, La **84** 132 Fd 86
Bastit, le **46** 114 Bd 79
Basville **23** 91 Cc 73
Bataille, La **79** 87 Zf 72
Bathelémont-lès-Bauzemont **54**
38 Gd 56
Bâthie, La **73** 108 Gc 75
Bâtie-des-Fonds, La **26** 119 Fd 81
Bâtie-Divisins, La **38** 107 Fd 75
Bâtie-Montgascon, La **38**
107 Fd 75
Bâtie-Montsaléon **05** 119 Fe 82
Bâtie-Neuve, La **05** 120 Gb 81
Bâtie-Rolland, la **26** 118 Ef 81
Bâtie-Vielle, La **05** 120 Ga 81
Batilly **54** 38 Ff 53
Batilly **61** 30 Ze 56
Batilly-en-Gâtinais **45** 50 Cc 60
Batilly-en-Puisaye **45** 66 Cf 63
Bats **40** 124 Zd 87
Batsère **65** 139 Ab 90
Battenans-les-Mines **25** 70 Gb 64
Battenans-Varin **25** 71 Ge 65
Battenheim **68** 56 Hc 62
Battexey **88** 55 Gb 58
Battigny **54** 55 Ff 58
Battrans **70** 69 Fd 64
Batzendorf **67** 40 He 56
Batz-sur-Mer **44** 59 Xd 65
Baubigny, La **21** 68 Ee 67
Bauche, La **73** 107 Fe 76
Baud **56** 43 Wf 61
Baudement **71** 35 De 57
Baudement **71** 93 Eb 71
Baudignan **40** 125 Aa 84
Baudignécourt **55** 37 Fc 57
Baudinard-sur-Verdon **83**
133 Ga 86
Baudoncourt **70** 70 Gc 62
Baudonvilliers **55** 36 Fa 56
Baudre **87** 97 Yf 54
Baudrecourt **52** 53 Ef 58
Baudrecourt **57** 38 Gc 55
Baudreix **64** 138 Ze 89
Baudres **36** 78 Bc 66
Baudreville **28** 49 Bf 59
Baudreville **50** 12 Yc 53
Baudricourt **88** 55 Ga 59
Baudrières **71** 83 Fa 68
Bauduen **83** 133 Gb 86
Baugé **49** 62 Zf 63
Baugy **18** 79 Ce 66
Baugy **71** 93 Ea 71
Baulay **70** 70 Ga 62
Baule **45** 49 Bd 62
Baule-Escoublac, La **44** 59 Xd 65
Baulme-la-Roche **21** 68 Ee 64
Baulne-en-Brie **02** 35 Dd 55
Baulny-Chalpentry **55** 20 Fa 53
Baulon **35** 44 Yb 61
Baulou **09** 141 Bd 90
Baume, la **74** 97 Gd 71
Baume-Cornillane, La **26**
118 Fa 80
Baume-de-Transit, La **26**
118 Ef 82
Baume-d'Hostun, La **26**
107 Fb 78
Baume-les-Dames **25** 70 Gc 64
Baume-les-Messieurs **39** 83 Fd 68
Bauné **49** 61 Ze 64
Baupte **50** 12 Yd 53
Baurech **33** 111 Zd 80
Baussaine, La **35** 44 Ya 59
Bauvin **59** 8 Cf 45
Baux-de-Breteuil, Les **27** 31 Ae 55
Baux-de-Provence, Les **13**
131 Ee 86
Baux-Sainte-Croix, Les **27**
31 Ba 55
Bauzemont **54** 38 Gd 56
Bauzy **41** 64 Bd 63
Bavans **25** 71 Ge 64
Bavay **59** 9 De 47
Bavelincourt **80** 7 Cc 49
Bavent **14** 14 Ze 53
Baverans **39** 83 Fd 66
Bavilliers **90** 71 Ge 63
Bavinchove **59** 3 Cc 44
Bavincourt **62** 8 Cd 47
Bax **31** 140 Bb 89
Bay **70** 69 Fe 65
Bayac **24** 113 Ae 80
Bayard-sur-Marne **52** 53 Fa 57
Bayas **33** 99 Ze 78
Baye **29** 42 Wc 61
Baye **51** 35 De 55
Bayecourt **88** 55 Gc 59
Bayel **10** 53 Ee 59
Bayenghem-lès-Eperlecques **62**
3 Ca 44
Bayenghem-lès-Seninghem **62**
3 Ca 44
Bayers **16** 88 Ab 73
Bayet **03** 92 Db 71
Bayeux **14** 13 Zb 53
Bayon **54** 55 Gb 58
Bayonne **64** 136 Yd 88
Bayons **04** 120 Ga 82
Bayon-sur-Gironde **33** 99 Zc 78
Bayonville **08** 20 Fa 52
Bayonvillers **80** 17 Cd 49
Bayonville-sur-Mad **54** 38 Ff 54
Bay-sur-Aube **52** 69 Fa 62
Bazac **16** 100 Aa 77
Bazaiges **36** 78 Bd 70
Bazailles **54** 21 Fe 52
Bazainville **78** 32 Be 56
Bazancourt **51** 19 Eb 52
Bazarnes **89** 67 Dd 63
Bazas **33** 111 Ze 82
Bazauges **17** 87 Ze 73
Bazeilles **08** 20 Ef 50
Bazeilles-sur-Othain **55** 21 Fc 52
Bazelat **23** 90 Bd 70
Bazemont **78** 32 Bf 55
Bazens **47** 112 Ac 83
Bazerville **14** 13 Zc 53
Bazet **65** 138 Aa 89

Bazeuge, La **87** 89 Ba 71
Bazian **32** 125 Aa 86
Bazicourt **60** 17 Cd 52
Baziège **54** 141 Bd 88
Bazillac **65** 139 Aa 88
Bazincourt-sur-Epte **27** 16 Be 53
Bazincourt-sur-Saulx **55** 37 Fa 56
Bazinghen **62** 3 Bd 44
Bazinval **76** 6 Bd 49
Bazoche-Gouët, La **28** 48 Af 60
Bazoches **58** 67 De 64
Bazoches **58** 67 De 64
Bazoches-au-Houlme **61**
30 Ze 56
Bazoches-lès-Bray **77** 51 Db 58
Bazoches-les-Gallérandes **45**
50 Ca 60
Bazoches-les-Hautes **28** 49 Be 60
Bazoches-sur-le-Betz **45** 51 Cf 60
Bazoches-sur-Hoëne **61** 30 Ac 57
Bazoches-sur-Vesle **02** 19 Dd 53
Bazoge, La **53** 29 Aa 88
Bazoge, La **72** 47 Aa 60
Bazoge-des-Alleux, La **53**
46 Zc 59
Bazoge-Montpinçon, La **53**
46 Zc 59
Bazougers **53** 46 Zc 60
Bazouges **53** 46 Zb 62
Bazouges-la-Pérouse **35** 28 Yc 58
Bazouges-sous-le-Loir **72** 62 Zf 62
Bazuel **59** 9 Dd 48
Bazugues **32** 139 Ac 88
Bazus **31** 127 Bd 86
Bazus-Aure **65** 150 Ac 91
Bazus-Neste **65** 139 Ac 90
Béage, Le **07** 117 Ea 79
Béalcourt **80** 7 Ca 48
Béalencourt **62** 7 Ca 46
Bear = Bégard **22** 26 We 57
Béard **58** 80 Db 67
Beaubec-la-Rosière **76** 16 Bd 51
Beaubery **71** 94 Ec 70
Beaubigny **50** 12 Yb 52
Beaubray **27** 31 Af 55
Beaucaire **30** 131 Ed 86
Beaucaire **32** 125 Ac 85
Beaucamps-le-Jeune **80** 16 Be 50
Beaucamps-le-Vieux **80** 16 Be 49
Beaucamps-Ligny **59** 8 Cf 45
Beaucé **35** 45 Yf 58
Beaucens **88** 138 Zf 91
Beaucet, le **84** 132 Fa 85
Beauchalot **31** 140 Af 90
Beauchamp **95** 33 Cb 54
Beauchamps **50** 28 Yd 56
Beauchamps **80** 6 Bd 48
Beauchastel **07** 118 Ee 80
Beauche **28** 31 Af 56
Beauchêne **41** 48 Af 61
Beauchêne **61** 64 Bc 64
Beauchêne **61** 29 Zb 56
Beauchery-Saint-Martin **77**
34 Dc 57
Beauclair **55** 20 Fa 52
Beaucoudray **50** 28 Yf 55
Beaucourt **90** 71 Gf 64
Beaucourt-en-Santerre **80**
17 Cc 50
Beaucourt-sur-l'Ancre **80** 8 Cc 48
Beaucourt-sur-l'Hallue **80** 7 Cc 49
Beaucouzé **49** 61 Zc 64
Beaucroissant **38** 107 Fc 76
Beaudéan **65** 139 Aa 90
Beaudéduit **60** 17 Ca 50
Beaudignies **59** 9 Dd 47
Beaudricourt **62** 7 Cc 47
Beaufai **61** 31 Ad 56
Beaufay **72** 47 Ac 60
Beauficel **50** 29 Za 56
Beauficel-en-Lyons **27** 16 Bd 52
Beaufin **38** 120 Ff 80
Beaufort **31** 140 Ba 88
Beaufort **34** 142 Ce 89
Beaufort **38** 107 Fa 77
Beaufort **39** 83 Fc 69
Beaufort **59** 9 Df 47
Beaufort **73** 97 Gd 74
Beaufort-Blavincourt **62** 8 Cd 47
Beaufort-en-Argonne **55** 20 Fa 52
Beaufort-en-Santerre **80** 17 Ce 50
Beaufort-en-Vallée **49** 62 Ze 64
Beaufort-sur-Gervanne **26**
119 Fa 80
Beaufou **85** 74 Ye 68
Beaufour-Druval **14** 14 Aa 53
Beaufremont **88** 54 Fe 59
Beaugas **47** 112 Ad 81
Beaugeay **17** 86 Za 73
Beaugency **45** 64 Bd 62
Beaugies-sous-Bois **60** 18 Da 51
Beaujeu **04** 120 Gc 83
Beaujeu **69** 94 Ed 72
Beaujeu-Saint-Vallier-Pierrejux-et-
Quitteur **70** 69 Fe 64
Beaulandais **61** 29 Zc 57
Beaulencourt **62** 8 Cf 48
Beaulieu **07** 117 Eb 82
Beaulieu **14** 29 Zb 55
Beaulieu **15** 103 Cd 76
Beaulieu **21** 68 Ee 62
Beaulieu **34** 130 Ea 86
Beaulieu **36** 89 Bb 70
Beaulieu **38** 107 Fc 77
Beaulieu **43** 105 Df 78
Beaulieu **45** 66 Cc 63
Beaulieu **58** 81 Dc 67
Beaulieu **61** 31 Ae 56
Beaulieu **63** 104 Db 76
Beaulieu-en-Argonne **55** 36 Fa 54
Beaulieu-les-Fontaines **60**
18 Cf 51
Beaulieu-lès-Loches **37** 63 Ba 66
Beaulieu-sous-Bressuire **79**
75 Zc 67

Beaulieu-sous-la-Roche **85**
74 Yc 68
Beaulieu-sous-Parthenay **79**
76 Ze 69
Beaulieu-sur-Dordogne **19**
114 Bf 79
Beaulieu-sur-Layon **49** 61 Zc 65
Beaulieu-sur-Mer **06** 135 Hd 86
Beaulieu-sur-Oudon **53** 46 Za 61
Beaulieu-sur-Sonnette **16**
88 Ac 73
Beaulon **03** 81 Dc 69
Beaumais **14** 30 Zf 55
Beaumarchés **32** 125 Aa 87
Beaumat **46** 114 Bd 81
Beaumé **02** 19 Ea 49
Beauménil **88** 56 Ge 59
Beaume, la **05** 119 Fd 81
Beaumerie-Saint-Martin **62**
7 Be 46
Beaumes-de-Venise **84** 131 Fa 84
Beaumesnil **27** 31 Ae 54
Beaumesnil **14** 29 Za 56
Beaumettes **84** 132 Fb 85
Beaumetz **80** 7 Ca 48
Beaumetz-lès-Aire **62** 7 Cb 45
Beaumetz-lès-Cambrai **62** 8 Cf 48
Beaumetz-lès-Loges **62** 8 Cd 47
Beaumont **19** 102 Be 76
Beaumont **24** 113 Ae 80
Beaumont **32** 138 Ab 85
Beaumont **43** 104 Dc 77
Beaumont **54** 37 Fe 55
Beaumont **63** 92 Dc 73
Beaumont **74** 96 Ga 72
Beaumont **86** 76 Ac 68
Beaumont **89** 51 Dc 61
Beaumont-de-Lomagne **82**
126 Af 85
Beaumont-de-Pertuis **84**
132 Fe 86
Beaumont-du-Gâtinais **77**
50 Cc 60
Beaumont-du-Lac **87** 90 Be 74
Beaumont-du-Ventoux **84**
132 Fa 83
Beaumontel **27** 31 Ae 54
Beaumont-en-Argonne **08**
20 Fa 51
Beaumont-en-Auge **14** 14 Aa 53
Beaumont-en-Beine **02** 18 Da 51
Beaumont-en-Diois **26** 119 Fc 81
Beaumont-en-Véron **37** 62 Ab 65
Beaumont-Hague **50** 12 Ya 50
Beaumont-Hamel **80** 8 Cd 48
Beaumont-la-Ferrière **58** 66 Db 65
Beaumont-la-Ronce **37** 63 Ae 63
Beaumont-le-Hareng **76** 16 Bb 50
Beaumont-le-Roger **27** 31 Ae 54
Beaumont-les-Autels **28** 48 Af 59
Beaumont-les-Nonains **60**
17 Ca 53
Beaumont-lès-Valence **26**
118 Ef 79
Beaumont-Monteux **26** 118 Ef 78
Beaumont-Pied-de-Bœuf **53**
46 Zd 61
Beaumont-Pied-de-Bœuf **72**
62 Ac 62
Beaumont-Sardolles **58** 80 Dc 67
Beaumont-sur-Dême **72** 63 Ad 62
Beaumont-sur-Grosne **71**
82 Ef 69
Beaumont-sur-Lèze **31** 140 Bc 88
Beaumont-sur-Oise **95** 33 Cb 54
Beaumont-sur-Sarthe **72** 47 Aa 59
Beaumont-sur-Vesle **51** 35 Eb 53
Beaumont-sur-Vingeanne **21**
69 Fc 64
Beaumont-Village **37** 63 Bb 65
Beaumotte-Aubertrans **70**
70 Gb 64
Beaumotte-lès-Pin **70** 70 Ff 65
Beaunay **51** 35 Df 55
Beaune **21** 82 Ef 66
Beaune-d'Allier **03** 92 Cf 71
Beaune-la-Rolande **45** 50 Cb 60
Beaune-sur-Arzon **43** 105 De 77
Beaunotte **21** 68 Ee 62
Beaupont **01** 95 Fb 71
Beaupouyet **24** 100 Ab 79
Beaupréau **49** 61 Za 65
Beaupuy **32** 126 Ba 87
Beaupuy **47** 112 Aa 81
Beaupuy **82** 126 Ba 86
Beauquesne **80** 7 Cc 48
Beaurain **59** 9 Dd 47
Beaurains **62** 8 Cf 47
Beaurains-lès-Noyon **60** 18 Cf 51
Beaurainville **62** 7 Bf 46
Beaurecueil **13** 146 Fd 87
Beauregard **01** 94 Ee 73
Beauregard **46** 113 Bc 81
Beauregard **46** 114 Be 82
Beauregard-Baret **26** 118 Fb 79
Beauregard-de-Terrasson **24**
101 Bb 78
Beauregard-et-Bassac **24**
100 Ad 79
Beauregard-l'Évêque **63** 92 Dd 74
Beauregard-Vendon **63** 92 Da 73
Beaurepaire **38** 106 Fa 76
Beaurepaire **60** 17 Cc 52
Beaurepaire **76** 15 Ad 50
Beaurepaire **85** 74 Yf 67
Beaurepaire-en-Bresse **71**
83 Fc 68
Beaurepaire-sur-Sambre **59**
9 De 48
Beaurevoir **02** 9 Db 49
Beauronne **26** 119 Fd 81
Beaurieux **02** 19 De 52
Beaurieux **59** 10 Ea 47
Beauronne **24** 100 Ac 78
Beausemblant **26** 106 Ee 77
Beausite **55** 37 Fb 55
Beaussac **24** 100 Ac 76
Beaussais **79** 87 Zf 71
Beaussault **76** 16 Bd 50
Beausse **49** 61 Za 65
Beausset, Le **83** 147 Fe 89
Beauteville **31** 141 Be 88
Beautheil **77** 34 Da 56
Beautiran **33** 111 Zd 80
Beautor **02** 18 Dc 51
Beautot **76** 15 Ba 51
Beauvain **61** 29 Ze 57
Beauvais **60** 17 Ca 52
Beauvais-sur-Matha **17** 87 Ze 73

Beauvais-sur-Tescou **81**
127 Bd 85
Beauval **80** 7 Cb 48
Beauvallon **26** 118 Ef 79
Beauvau **49** 62 Ze 63
Beauvène **07** 118 Ed 79
Beauvernois **71** 83 Fc 67
Beauvezer **04** 134 Gd 84
Beauville **31** 141 Be 88
Beauville **47** 113 Af 83
Beauvilliers **28** 49 Bd 59
Beauvilliers **41** 64 Be 61
Beauvilliers **89** 67 Ea 64
Beauvoir **77** 34 Cf 57
Beauvoir **77** 34 Cf 57
Beauvoir **89** 66 Dc 63
Beauvoir-de-Marc **38** 107 Fa 75
Beauvoir-en-Lyons **76** 16 Bd 51
Beauvoir-en-Royans **38** 107 Fc 78
Beauvoir-sur-Mer **85** 73 Xf 67
Beauvoir-sur-Niort **79** 87 Zf 71
Beauvoir-Wavans **62** 7 Ca 47
Beauvois **62** 7 Cb 46
Beauvois-en-Cambrésis **59**
9 Dc 48
Beauvoir-en-Vermandois **02**
18 Da 49
Beauvoisin **26** 132 Fb 83
Beauvoisin **30** 130 Eb 86
Beaux **43** 105 Ea 77
Beauzac **43** 105 Ea 77
Beauzelle **31** 126 Bc 87
Beauziac **47** 112 Aa 83
Bébing **57** 39 Gf 56
Beblenheim **68** 56 Ha 60
Beccas **32** 139 Aa 88
Bec-de-Mortagne **76** 15 Ac 50
Béceleuf **79** 75 Zc 70
Béchamps **54** 37 Fe 53
Bécherel **35** 44 Ya 59
Bécheresse **16** 100 Aa 75
Bécon-les-Granits **49** 61 Zb 64
Bécordel **80** 8 Bf 48
Bécourt **62** 3 Bf 45
Becquigny **02** 9 Dc 48
Becquigny **80** 17 Cd 50
Bec-Thomas, Le **27** 15 Af 53
Bédarieux **34** 143 Cf 87
Bédarrides **84** 131 Ef 84
Beddes **18** 79 Cb 69
Bédéchan **32** 126 Ae 87
Bédée **35** 44 Ya 59
Bédeilhac **09** 141 Bd 91
Bédeille **09** 140 Ba 90
Bédeille **64** 138 Zf 88
Bédoin **84** 132 Fa 84
Bédouès **48** 116 Dd 82
Bedous **64** 137 Zc 91
Béduer **46** 114 Bf 81
Beffes **18** 80 Da 66
Beffia **39** 83 Fd 69
Beffu-et-le-Morthomme **08**
20 Ef 52
Bégaar **40** 123 Za 86
Bégadan **33** 98 Za 76
Béganne **56** 59 Xa 63
Bégard **22** 26 We 57
Begerel = Bécherel **35** 44 Ya 59
Bègles **33** 111 Zc 80
Bégnécourt **88** 55 Ga 59
Bégole **65** 139 Ab 90
Bègue-de-Mazenac, le **26**
118 Ef 81
Bègues **03** 92 Da 72
Béguios **64** 137 Yf 88
Béhagnies **62** 8 Cf 48
Béhasque-Lapiste **64** 137 Yf 89
Béhen **80** 7 Be 48
Béhencourt **80** 7 Cc 48
Béhéricourt **60** 18 Da 51
Behonne **55** 37 Fb 56
Béhorléguy **64** 137 Yf 90
Béhoust **78** 32 Be 56
Behren-lès-Forbach **57** 39 Gf 53
Beignon **56** 44 Xe 61
Beillé **72** 48 Ad 60
Beine **89** 67 Db 62
Beine-Nauroy **51** 19 Eb 53
Beinheim **67** 40 Ia 56
Beire-le-Châtel **21** 69 Fb 64
Beire-le-Fort **21** 69 Fa 65
Beissat **23** 91 Cb 74
Bélâbre **36** 77 Ba 69
Belan-sur-Ource **21** 53 Ed 61
Bélarga **34** 143 Dc 87
Bélaye **46** 113 Bb 82
Belberaud **31** 141 Bd 87
Belbèse **82** 126 Ba 85
Belbeuf **76** 15 Ba 52
Belbèze-de-Lauragais **31**
141 Bd 88
Belbèze-en-Comminges **31**
140 Ba 90
Belcaire **11** 153 Bf 92
Belcastel **11** 115 Cc 82
Belcastel **81** 127 Be 87
Belcastel-et-Buc **11** 142 Cc 90
Belcodène **13** 146 Fd 88
Bélesta **09** 153 Bf 91
Bélesta **66** 154 Cd 92
Beleymas **24** 100 Ad 79
Belfahy **70** 71 Ge 62
Belfays **25** 71 Gf 65
Belflou **11** 141 Be 89
Belfonds **61** 30 Aa 57
Belfort **90** 71 Gf 63
Belfort-du-Razès **11** 141 Ca 90
Belfort-sur-Rebetenty **11**
153 Ca 92
Belgeard **53** 46 Zc 59
Belgentier **83** 147 Ga 89
Belgodère **2B** 156 Ka 93
Belhade **40** 111 Zb 82
Belhomert-Guéhouville **28**
31 Ba 57
Belieu, le **25** 71 Gd 66
Béligneux **01** 95 Fa 73
Belin-Béliet **33** 110 Zb 82
Bélis **40** 124 Zd 84
Bellac **87** 89 Ba 72
Bellaffaire **04** 120 Gb 82
Bellaing **59** 9 Dc 46
Bellancourt **80** 7 Bf 48
Bellange **57** 38 Gd 55
Bellavilliers **61** 48 Ad 58
Bellay-en-Vexin, Le **95** 32 Bf 54
Belleau **02** 34 Db 54
Belleau **54** 38 Ga 55
Bellebat **33** 111 Ze 80
Bellebrune **62** 3 Be 44

Bellechassagne **19** 103 Cb 75
Bellechaume **89** 52 Dd 60
Belle-Église **60** 33 Cb 53
Belle-et-Houllefort **62** 3 Be 44
Bellefond **21** 69 Fa 64
Bellefond **33** 111 Ze 80
Bellefonds **86** 76 Ad 69
Bellefontaine **39** 84 Ga 69
Bellefontaine **50** 29 Za 56
Bellefontaine **88** 55 Gc 60
Bellefontaine **95** 33 Cc 54
Bellegarde **30** 131 Ed 86
Bellegarde **32** 139 Ad 88
Bellegarde **45** 50 Cc 61
Bellegarde **81** 128 Cb 85
Bellegarde **81** 128 Cc 86
Bellegarde-du-Razès **11**
141 Ca 90
Bellegarde-en-Diois **26** 119 Fc 81
Bellegarde-en-Forez **42**
105 Eb 75
Bellegarde-en-Marche **23**
91 Cb 73
Bellegarde-Poussieu **38** 106 Ef 76
Bellegarde-Sainte Marie **31**
126 Ba 86
Bellegarde-sur-Valserine **01**
95 Fe 72
Belleherbe **25** 71 Gd 65
Belle-Isle-en-Terre **22** 26 Wd 57
Bellême **61** 48 Ad 58
Bellenaves **03** 92 Da 71
Bellenave **89** 52 Dd 61
Bellencombre **76** 16 Bb 50
Belleneuve **21** 69 Fb 64
Bellengreville **14** 30 Ze 54
Bellengreville **76** 6 Bb 49
Bellenod-sur-Seine **21** 68 Ed 62
Bellenot-sous-Pouilly **21** 68 Ed 65
Belleray **55** 37 Fc 54
Bellerive-sur-Allier **03** 92 Dc 72
Belleserre **81** 141 Ca 88
Bellesserre **31** 126 Ba 86
Belleu **02** 18 Dc 52
Belleuse **80** 17 Ca 50
Bellevaux **74** 96 Gd 71
Bellevesvre **71** 83 Fc 67
Belleville **54** 38 Fa 54
Belleville **69** 94 Ee 72
Belleville **79** 87 Zf 71
Belleville-en-Caux **76** 15 Af 50
Belleville-et-Châtillon-sur-Bar **08**
20 Ee 52
Belleville-sur-Loire **18** 66 Cf 63
Belleville-sur-Meuse **55** 37 Fc 53
Belleville-sur-Vie **85** 74 Yd 68
Bellevue-la-Montagne **43**
105 De 77
Belley **01** 95 Fe 74
Belleydoux **01** 95 Fe 71
Bellicourt **02** 8 Db 49
Bellière, La **61** 30 Zf 57
Bellière, La **76** 16 Bd 51
Bellignat **01** 95 Fd 71
Belligné **44** 61 Yf 64
Bellignies **59** 9 De 46
Belliole, La **89** 51 Da 60
Belloc **09** 140 Ba 90
Belloc **09** 141 Bf 90
Bellocq **64** 123 Za 87
Bellonne **62** 8 Da 47
Bellonne **62** 8 Da 47
Bellot **77** 34 Db 55
Bellou **14** 30 Ab 55
Bellou-en-Houlme **61** 29 Zd 56
Bellou-le-Trichard **61** 48 Ad 59
Bellou-sur-Huisne **61** 48 Ae 58
Belloy **60** 17 Cd 51
Belloy-en-France **95** 33 Cc 54
Belloy-Saint-Léonard **80** 16 Bf 49
Belloy-sur-Somme **80** 7 Ca 49
Belluire **17** 99 Zc 75
Belmont **25** 70 Gc 65
Belmont **38** 107 Fc 76
Belmont **39** 83 Fd 66
Belmont **52** 69 Fc 62
Belmont **70** 70 Gc 62
Belmont-Bretenoux **46** 114 Bf 79
Belmont-de-la-Loire **69** 94 Ec 72
Belmont **46** 113 Af 81
Belmont-Luthézieu **01** 95 Fd 73
Belmont-Sainte-Foi **46** 127 Bd 83
Belmont-sur-Buttant **88** 56 Gf 59
Belmont-sur-Rance **12** 128 Ce 86
Belmont-sur-Vair **88** 55 Ff 59
Belonchamp **70** 71 Ge 62
Belpech **11** 141 Be 89
Belrupt **88** 55 Ga 60
Belrupt-en-Verdunois **55** 37 Fc 54
Bélus **40** 123 Yf 87
Belval **08** 20 Ee 51
Belval **50** 28 Yd 54
Belval **88** 56 Gf 58
Belval-en-Argonne **51** 36 Fa 55
Belval-sous-Châtillon **51** 35 Df 54
Belvédère **06** 135 Hb 84
Belvédère-Campomoro **2A**
158 If 99
Belverne **70** 71 Gd 63
Belvès **24** 113 Ba 80
Belvès-de-Castillon **33** 111 Zf 79
Belvèze **82** 113 Ba 83
Belvèze-du-Razès **11** 141 Ca 90
Belvézet **30** 131 Ec 84
Belvianes-et-Cavirac **11**
153 Cb 91
Belvis **11** 153 Ca 91
Belvoir **25** 71 Gd 65
Belz **56** 42 Wc 62
Bémécourt **27** 31 Af 55
Benac **09** 152 Bd 91
Bénac **65** 138 Aa 90
Benac'h = Belle-Isle-en-Terre **22**
26 Wd 57
Benagues **37** 141 Bd 90
Benais **37** 62 Ab 65
Bénaix **09** 153 Bf 91
Bénaménil **54** 39 Ge 57
Bénarville **76** 15 Ac 50
Benassay **86** 76 Aa 69
Benâtre, la **17** 87 Zc 72
Benay **02** 18 Db 50
Benayes **19** 89 Bd 90
Bendejun **06** 135 Hb 85
Bendorf **68** 71 Hb 64

Bénéjacq **64** 138 Ze 89
Bénerville-sur-Mer **14** 14 Aa 52
Bénesse-Maremne **40** 122 Yd 87
Benest **16** 88 Ac 72
Bénestroff **57** 39 Ge 55
Bénesville **76** 15 Ae 50
Benet **85** 75 Zb 70
Beneuvre **21** 68 Ef 62
Bénévent-et-Charbillac **05**
120 Ga 80
Bénévent-l'Abbaye **23** 90 Bd 72
Beney-en-Woëvre **55** 37 Fe 55
Benfeld **67** 57 Hd 58
Bengy-sur-Craon **18** 80 Ce 66
Béning-lès-Saint-Avold **57**
39 Gf 54
Bénisson-Dieu, La **42** 93 Ea 72
Bennecourt **78** 32 Bd 54
Bennetot **76** 15 Ad 50
Benney **54** 38 Gb 57
Bennwihr **68** 56 Hb 60
Bénodet **29** 41 Vf 61
Bénonces **01** 95 Fc 74
Bénouville **76** 14 Ab 50
Benque **31** 140 Af 89
Benque **31** 140 Ba 89
Benque **65** 139 Ab 90
Benque-Dessous-et-Dessus **31**
151 Ad 92
Bentayou-Sérée **64** 138 Zf 88
Bény **01** 95 Fb 71
Béon **01** 95 Fe 73
Béon **89** 51 Db 61
Béost **64** 138 Zf 91
Bérat **31** 140 Bb 88
Berbérust-lès **65** 138 Zf 90
Berbezit **43** 104 Dd 77
Berbiguières **24** 113 Ba 79
Bercenay-en-Othe **10** 52 Df 59
Bercenay-le-Hayer **10** 52 Dd 58
Berchères-les-Pierres **28**
49 Bd 58
Berchères-Saint-Germain **28**
32 Bc 57
Berchères-sur-Vesgre **28**
32 Bd 55
Berck **62** 6 Bd 46
Bercloux **17** 87 Zd 73
Berd'huis **61** 48 Ae 58
Berdoues-Ponsampère **32**
139 Ac 88
Bérelles **59** 10 Ea 47
Berentzwiller **68** 72 Hc 63
Bérenx **64** 137 Za 88
Béréziat **01** 94 Fa 70
Berfay **72** 48 Ae 61
Berg **57** 22 Gb 52
Berg **67** 39 Ha 55
Berganty **46** 114 Bd 82
Bergbieten **67** 40 Hc 57
Bergerac **24** 112 Ac 79
Bergères **10** 53 Ed 59
Bergères-lès-Vertus **51** 35 Ea 55
Bergères-sous-Montmirail **51**
35 Dd 55
Bergesserin **71** 94 Ed 70
Bergheim **68** 56 Hc 59
Bergholtz **68** 56 Hb 61
Bergicourt **80** 17 Ca 50
Bergnicourt **08** 19 Eb 52
Bergonne **63** 104 Db 75
Bergouey **40** 123 Zb 86
Bergouey-Viellenave **64** 137 Yf 88
Bergueneuse **62** 7 Cb 45
Bergues **22** 9 Ce 48
Bergues **59** 3 Cc 43
Berguette **62** 8 Ce 45
Berhet **22** 26 We 56
Bérig-Vintrage **57** 39 Ge 55
Berjou **61** 29 Zd 55
Berlaimont **59** 9 De 47
Berlancourt **02** 19 De 50
Berlancourt **60** 18 Da 50
Berlats **81** 128 Cd 86
Berlencourt-le-Cauroy **62** 8 Cc 47
Berles-au-Bois **62** 8 Cd 47
Berlière, La **08** 20 Ef 51
Berling **57** 39 Hb 56
Berlise **02** 19 Df 51
Berlou **34** 142 Ce 88
Bermerain **59** 9 Dd 47
Berméricourt **51** 19 Df 52
Bermeries **59** 9 De 47
Bermering **57** 39 Ge 55
Bermesnil **80** 16 Be 49
Bermicourt **62** 7 Cb 46
Bermonville **76** 15 Ad 51
Bernac **16** 88 Aa 72
Bernac **81** 127 Ca 85
Bernac-Debat **65** 139 Aa 90
Bernac-Dessus **65** 139 Aa 90
Bernadets **64** 138 Ze 88
Bernadets-Debat **65** 139 Ab 89
Bernadets-Dessus **65** 139 Ab 89
Bernard, Le **85** 74 Yd 70
Bernardière, La **85** 60 Ye 66
Bernardswiller **67** 57 Hc 58
Bernardvillé **67** 56 Hc 58
Bernâtre **80** 7 Be 47
Bernaville **80** 7 Ca 48
Bernay **27** 31 Ad 54
Bernay **72** 47 Zf 60
Bernay-en-Ponthieu **80** 7 Be 47
Bernay-Saint-Martin **17** 87 Zc 72
Bernay-Vilbert **77** 34 Cf 56
Berné **56** 42 Wd 61
Bernécourt **54** 37 Ff 55
Bernède **32** 124 Ze 86
Bernerie-en-Retz, La **44** 59 Xf 66
Bernes **80** 8 Da 49
Bernes-sur-Oise **95** 33 Cb 54
Berneuil **16** 99 Zf 75
Berneuil **17** 87 Cb 48
Berneuil **80** 7 Cb 48
Berneuil **87** 89 Ba 72
Berneuil-en-Bray **60** 17 Ca 52
Berneval-le-Grand **76** 6 Bb 49
Berneville **62** 8 Ce 47
Bernex **74** 97 Ge 70
Bernienville **27** 31 Ba 54
Bernières-d'Ailly **14** 30 Zf 55
Bernières-sur-Mer **14** 13 Zd 52
Bernières-sur-Seine **27** 16 Bc 53
Bernieulles **62** 7 Be 45

Bernin 38 108 Ef 77
Bernis 30 130 Eb 86
Bernolsheim 67 40 He 56
Bernon 02 18 Df 49
Bernos-Beaulac 33 111 Ze 82
Bernot 02 18 De 49
Bernouil 89 52 Df 61
Bernouville 27 16 Be 53
Bernwiller 68 71 Hb 62
Berny-en-Santerre 62 8 Cf 49
Berny-Rivière 02 18 Da 52
Bérou-la-Mulotière 28 31 Ba 56
Berrac 32 125 Ad 84
Berre-des-Alpes 06 135 Hb 85
Berre-l'Étang 13 146 Fa 88
Berrias 07 117 Eb 82
Berric 56 57 Xc 63
Berrie 86 62 Zf 66
Berrien 29 25 Wb 58
Berrieux 02 19 Df 52
Berrogain-Laruns 64 137 Za 89
Berru 51 19 Ea 53
Berrwiller 68 56 Hb 61
Berry-au-Bac 02 19 Df 52
Berry-Bouy 18 79 Cb 66
Bersac-le 05 119 Fe 82
Bersaillin 39 83 Fd 67
Bersée 59 8 Da 46
Bersillies 59 9 Ea 47
Berson 33 99 Zd 78
Berstett 67 40 Hd 56
Berstheim 67 40 He 56
Bert 03 93 De 71
Bertangles 80 7 Cb 49
Bertaucourt-Épourdon 02 18 Dc 51
Berteaucourt 80 17 Cc 50
Berteaucourt-lès-Dames 80 7 Ca 48
Bertheauville 76 15 Ad 50
Berthecourt 60 17 Cb 52
Berthegon 86 76 Ad 66
Berthelange 25 70 Fe 65
Bertheléville, Dainville- 55 54 Fd 58
Berthelming 57 39 Ha 56
Berthen 59 4 Ce 44
Berthenay 37 63 Ad 64
Berthenicourt 02 18 Dc 50
Berthenonville 27 32 Bd 53
Berthenoux, La 36 79 Ca 69
Berthez 33 111 Zf 82
Bertholène 12 115 Ce 82
Berthouville 27 31 Ad 53
Bertignat 63 105 De 75
Bertignolles 10 53 Ed 60
Bertincourt 62 8 Cf 48
Bertoncourt 08 20 Ec 51
Bertrambois 54 39 Gf 57
Bertrancourt 80 8 Cd 48
Bertrange 57 22 Gb 53
Bertre 81 141 Bf 87
Bertren 65 139 Ad 91
Bertreville-Saint-Ouen 76 15 Ba 50
Bertric-Burée 24 100 Ac 77
Bertrichamps 54 56 Ge 58
Bertricourt 02 19 Ea 52
Bertrimont 76 15 Ba 50
Bertrimoutier 88 56 Ha 59
Bertry 59 9 Dc 48
Béru 89 67 Df 62
Bérulle 10 52 De 59
Bérus 72 47 Aa 58
Bérus 72 47 Ab 58
Berville 76 15 Ae 50
Berville 95 33 Ca 53
Berville-en-Roumois 27 15 Ae 53
Berville-la-Campagne 27 31 Af 54
Berviller-en-Moselle 57 22 Gd 53
Berville-sur-Mer 27 14 Ac 52
Berville-sur-Seine 76 15 Af 52
Berzé-la-Ville 71 94 Ee 70
Berzé-le-Châtel 71 94 Ee 70
Berzème 07 118 Ed 81
Berzieux 51 36 Ee 54
Berzy-le-Sec 02 18 Db 52
Besace, La 08 19 Ee 50
Besace, La 08 20 Ef 51
Besain 39 84 Fe 68
Besançon 25 70 Ga 65
Bésayes 26 119 Fa 79
Bescat 64 138 Zd 90
Bésignéand 64 138 Zc 89
Besion 50 28 Yf 55
Besmé 02 18 Db 51
Besmont 02 19 Ea 49
Besné 44 59 Xf 64
Besneville 50 12 Yc 52
Besny-et-Loizy 02 19 Dd 51
Bessac 16 100 Zf 76
Bessais-le-Fromental 18 80 Ce 68
Bessamorel 43 105 Ea 78
Bessan 34 143 Dc 88
Bessancourt 95 33 Cb 54
Bessans 73 109 Gf 77
Bessas 07 117 Eb 82
Bessat, Le 42 106 Ed 76
Bessay 85 74 Yf 69
Bessay-sur-Allier 03 80 Dc 70
Besse 63 103 Cc 78
Bessé 16 88 Aa 73
Besse 38 108 Gb 78
Bessède-de-Sault 11 153 Ca 92
Besse-et-Saint-Anastaise 63 104 Cf 75
Bessèges 30 130 Ea 83
Bessenay 69 94 Ed 74
Bessens 82 126 Bb 85
Besse-sur-Braye 72 48 Ae 62
Besse-sur-Issole 83 147 Gb 88
Besset 09 141 Bf 90
Bessey 42 106 Ee 76
Bessey-en-Chaume 21 82 Ee 66
Bessey-la-Cour 21 82 Ed 66
Bessey-lès-Cîteaux 19 83 Fa 66
Besseyre-Saint-Mary, La 43 116 Dc 79
Bessières 31 127 Bd 86
Bessines 79 87 Zc 71
Bessines-sur-Gartempe 87 89 Bc 72
Bessins 38 107 Fb 77
Besson 03 80 Db 70
Bessoncourt 90 71 Gf 63
Bessonies 46 114 Ca 80
Bessons, Les 48 116 Db 80
Bessoujouls 12 115 Ce 81
Bessy-sur-Cure 89 67 De 63

Bestiac 09 153 Be 92
Bétaille 46 114 Be 79
Betaucourt 70 55 Ff 61
Bétbèze 65 139 Ad 89
Betberder-d'Armagnac 40 124 Ze 85
Betchat 09 140 Ba 90
Bétête 23 90 Ca 70
Béthancourt-en-Valois 60 18 Cf 53
Béthancourt-en-Vaux 02 18 Da 51
Béthelainville 55 37 Fb 53
Béthemont-la-Forêt 95 33 Cb 54
Béthencourt 59 9 Dc 48
Béthencourt-sur-Mer 80 6 Bd 48
Béthencourt-sur-Somme 80 18 Cf 50
Bétheniville 51 20 Ec 53
Bétheny 51 19 Ea 53
Béthincourt 55 21 Fb 53
Béthines 86 77 Af 69
Béthisy-Saint-Martin 60 18 Ce 53
Béthisy-Saint-Pierre 60 18 Ce 53
Bethmale 09 151 Ba 91
Béthon 51 35 Dd 57
Béthon 72 47 Aa 58
Béthonsart 62 8 Cd 46
Béthonvilliers 28 48 Af 59
Béthonvilliers 90 71 Gf 62
Béthune 62 8 Cd 45
Bétignicourt 10 53 Ec 58
Béton-Bazoches 77 34 Db 56
Bétoncourt-les-Ménétries 70 70 Fc 62
Bétoncourt-Saint-Pancras 70 55 Gb 61
Bétoncourt-sur-Mance 70 54 Fe 61
Bétous 32 124 Aa 86
Betpouey 65 150 Aa 91
Betpouy 65 150 Ac 89
Bétracq 64 138 Zf 87
Betschdorf 67 40 Hf 55
Bettainvillers 54 21 Ff 53
Bettancourt-la-Ferrée 52 36 Ef 57
Bettancourt-la-Longue 51 36 Ef 56
Bettange 57 22 Gc 53
Bettborn 57 39 Ha 56
Bettegney-Saint-Brice 88 55 Gb 59
Bettelainville 57 22 Gb 53
Bettembos 80 16 Bf 50
Bettencourt-Rivière 80 7 Bf 48
Bettencourt-Saint-Ouen 80 7 Ca 48
Bettendorf 68 71 Hb 63
Bettes 65 139 Ab 90
Betteville 76 15 Ae 51
Bettignies 59 9 Df 46
Betting-lès-Saint-Avold 57 39 Ge 54
Bettlach 68 72 Hc 63
Betton 35 45 Yc 59
Betton-Bettonet 73 108 Gb 75
Bettoncourt 88 55 Ga 58
Bettrechies 59 9 De 47
Bettviller 57 39 Hb 55
Betz 60 34 Cf 54
Betz-le-Château 37 77 Af 67
Beugnâtre 62 8 Cf 48
Beugneux 02 18 Dc 53
Beugnies 59 9 Ea 47
Beugnon 89 52 De 60
Beugnon, Le 79 75 Zc 69
Beugny 62 8 Cf 48
Beuil 06 134 Gf 84
Beulay, Le 88 56 Ha 59
Beulotte-Saint-Laurent 70 56 Ge 61
Beure 25 70 Ga 65
Beurey 10 53 Ec 59
Beurey-Bauguay 21 68 Ec 65
Beurey-sur-Saulx 55 36 Fa 56
Beurières 63 105 De 76
Beurizot 21 68 Ec 64
Beurlay 17 86 Zb 73
Beurville 52 53 Ef 59
Beussent 62 7 Be 45
Beutin 62 7 Be 46
Beuvardes 02 34 Dc 54
Beuvezin 54 55 Ff 58
Beuvillers 14 30 Aa 54
Beuvillers 54 21 Ff 52
Beuvraignes 80 17 Ce 51
Beuvrequen 62 3 Bd 44
Beuvron-en-Auge 14 14 Zf 53
Beuvry 62 8 Ce 45
Beuvry-la-Forêt 59 9 Db 46
Beux 57 38 Gb 54
Beuxes 86 62 Ab 66
Beuzec-Cap-Sizun 29 41 Vc 60
Beuzeville 76 14 Ac 52
Beuzeville-au-Plain 50 12 Ye 52
Beuzeville-la-Bastille 50 12 Yd 52
Beuzeville-la-Grenier 76 15 Ac 51
Beuzeville-la-Guérard 76 15 Ad 50
Beuzevillette 76 15 Ad 51
Beveuge 70 70 Gb 64
Béville-le-Comte 28 32 Be 58
Bévillers 59 9 Dd 48
Bevons 04 133 Ff 83
Bévy 21 68 Ef 65
Bey 71 83 Fa 68
Bey 01 94 Ef 71
Bey 71 82 Ef 68
Beychac-et-Caillau 33 111 Zd 79
Beylongue 40 123 Zb 85
Beynac 87 89 Bb 74
Beynac-et-Cazenac 24 113 Ba 79
Beynat 19 102 Bf 78
Beynes 04 133 Ga 84
Beynes 78 32 Bf 55
Beynost 01 94 Ef 73
Beyrède-Jumet 65 139 Ac 91
Beyren-lès-Sierck 57 22 Gb 52
Beyrie-en-Béarn 64 138 Zd 88
Beyries 40 123 Zc 87
Beyrie-sur-Joyeuse 64 137 Yf 89
Beyssac 19 101 Bc 76
Beyssac 19 102 Bb 76
Beyssenac 19 101 Bc 76
Bey-sur-Seille 54 38 Gc 56
Bez-et-Esparon 30 129 Dd 85
Bézac 81 142 Cd 87
Bézac 40 123 Ad 90

Bezalles 77 34 Db 56
Bézancourt 76 16 Bd 52
Bezange-la-Petite 57 38 Gd 56
Bezannes 51 35 Df 53
Bézaudun-les-Alpes 06 134 Ha 86
Bézaudun-sur-Bine 26 119 Fb 81
Bezaumont 54 38 Ga 56
Bèze 21 69 Fb 64
Bézenac 24 113 Ba 79
Bézenet 03 91 Cf 70
Bézéril 32 140 Af 87
Béziers 34 143 Db 88
Bezinghem 62 7 Be 45
Bezins-Garraux 31 139 Ae 91
Bezole, La 11 141 Ca 90
Bezolles 32 125 Ac 86
Bezons 95 33 Cb 55
Bezouotte 21 69 Fb 64
Bézouce 30 132 Ec 85
Bézu-le-Guéry 02 34 Db 54
Bézu-Saint-Éloi 27 16 Be 53
Bézu-Saint-Germain 02 34 Dc 54
Biaches 80 18 Cf 49
Biache-Saint-Vaast 62 8 Cf 47
Bians-les-Usiers 25 84 Gb 67
Biard 39 69 Fc 66
Biarne 39 69 Fc 66
Biarre 80 18 Cf 50
Biarritz 64 136 Yc 88
Biarrotte 40 122 Ye 87
Biars-sur-Cère 46 114 Bf 79
Bias 40 123 Ya 84
Bias 47 112 Ae 82
Biaudos 40 123 Ye 87
Bibiche 57 22 Gc 52
Biblisheim 67 40 He 55
Bibost 69 94 Ed 74
Bichancourt 02 18 Db 51
Biches 58 81 Dd 66
Bickenholtz 57 39 Ha 56
Bicqueley 54 38 Ff 57
Bidache 64 137 Yf 88
Bidarray 64 136 Yd 89
Bidart 64 136 Yc 88
Bidestroff 57 39 Ge 55
Biding 57 39 Ge 54
Bidon 07 118 Ed 82
Biécourt 88 55 Ff 59
Biederthal 68 72 Hc 64
Bief-des-Maisons 39 84 Ga 68
Bief-du-Fourg 39 84 Gb 67
Biefmorin 39 83 Fd 67
Biefvillers-lès-Bapaume 62 8 Ce 48
Bielle 64 138 Zd 90
Biencourt 80 16 Bf 50
Biencourt-sur-Orge 55 37 Fc 57
Bienville 60 18 Cf 52
Bienville-la-Petite 54 38 Gd 57
Bienvillers-au-Bois 62 8 Cd 47
Biermes 08 20 Ec 52
Biermont 60 17 Ce 51
Bierné 53 46 Zc 62
Bierne 59 3 Cd 43
Bierre-lès-Semur 21 68 Eb 64
Bierry-les-Belles-Fontaines 89 67 Eb 63
Biert 09 152 Bb 91
Bierville 76 16 Bb 51
Biesheim 68 57 Hd 60
Biesles 52 54 Fb 60
Bietlenheim 67 40 He 56
Bieujac 33 111 Zf 81
Bieuxy 02 18 Db 52
Biéville 50 29 Za 54
Biéville-Beuville 14 14 Ze 53
Biéville-Quétiéville 14 30 Zf 54
Bièvres 02 19 De 51
Bièvres 08 21 Fb 51
Bièvres 91 33 Ca 56
Biffontaine 88 56 Ge 59
Biganos 33 110 Za 81
Bignac 16 88 Aa 74
Bignan 56 43 Xb 61
Bignay 17 87 Zb 73
Bigne, La 14 29 Zc 55
Bignicourt-sur-Marne 51 36 Ed 56
Bignicourt-sur-Saulx 51 36 Ed 56
Bignon, Le 44 60 Yd 66
Bignon-du-Maine, Le 53 46 Zc 61
Bignon-Mirabeau, Le 45 51 Cf 60
Bignoux 86 76 Ac 69
Bignycourt 08 20 Ec 52
Bigorno 2B 157 Kb 93
Bigorre = Bigorno 2B 157 Kb 93
Bigottière, La 53 46 Zb 59
Biguglia 2B 157 Kc 93
Bihorel 76 15 Ba 52
Bihucourt 62 8 Ce 48
Bilhères 64 138 Zd 90
Bilia 2A 158 If 99
Billac 19 114 Be 79
Billancelles 28 48 Bb 58
Billancourt 80 18 Cf 50
Billaux, Les 33 99 Ze 79
Billé 35 45 Ye 59
Billecul 39 84 Ga 68
Billère 64 138 Zd 89
Billey 21 69 Fc 66
Billezois 03 92 Dd 71
Billiat 01 95 Fe 72
Billième 73 96 Fe 74
Billiers 56 58 Xd 63
Billio 56 43 Xc 61
Billom 63 92 Db 74
Billy 03 92 Dc 71
Billy 14 30 Ze 54
Billy 41 64 Bd 65
Billy-Berclau 62 8 Cf 45
Billy-Chevannes 58 80 Dc 66
Billy-le-Grand 51 35 Eb 54
Billy-lès-Chanceaux 21 68 Ee 63
Billy-Montigny 62 8 Cf 46
Billy-sous-Mangiennes 55 21 Fd 52
Billy-sur-Oisy 58 67 Dc 64
Billy-sur-Ourcq 02 34 Db 53
Bilwisheim 67 40 He 56
Bilzheim 68 56 Hc 61
Binarville 51 20 Ef 53
Binas 41 49 Bc 61
Bindernheim 67 57 Hd 59
Binges 21 69 Fb 65
Binic 22 26 Xb 57
Bining 57 39 Hb 54
Biniville 50 12 Yd 52
Binos 31 151 Ad 91
Binson-et-Orquigny 51 35 De 54

Bio 46 114 Be 80
Biol 38 107 Fc 76
Biolle, La 73 96 Ff 74
Bioncourt 57 38 Gc 56
Bionville-sur-Nied 57 38 Gc 54
Biot 06 134 Ha 86
Biot, le 74 97 Gd 71
Bioule 82 127 Bd 84
Bioussac 16 88 Ab 72
Biozat 03 92 Db 72
Birac 16 99 Zf 75
Birac 33 111 Zf 82
Birac-sur-Trec 47 112 Ab 82
Biran 32 125 Ac 86
Biras 24 100 Ad 77
Biriatou 64 136 Yb 88
Birkenwald 67 39 Hc 56
Biron 17 99 Zd 75
Biron 24 113 Af 81
Biron 64 137 Zb 88
Biscarrosse 40 110 Yf 82
Bischheim 67 40 He 57
Bischholtz 67 40 Hd 55
Bischoffsheim 67 40 Hc 58
Bischwihr 68 57 Hc 60
Bischwiller 67 40 Hf 56
Bisel 68 71 Hb 63
Bisinchi 2B 157 Kc 94
Bislée 55 37 Fc 55
Bisping 57 39 Gf 56
Bissert 67 39 Ha 55
Bisseuil 51 35 Ea 54
Bissey-la-Côte 21 53 Ee 61
Bissey-la-Pierre 21 53 Ec 61
Bissey-sous-Cruchaud 71 82 Ed 68
Bisseezeele 59 3 Cc 43
Bissières 14 30 Zf 54
Bissy-la-Mâconnaise 71 82 Ee 70
Bissy-sous-Uxelles 71 82 Ee 69
Bissy-sur-Fley 71 82 Ed 69
Bisten-en-Lorraine 57 38 Gd 53
Bistroff 57 39 Ge 54
Bitche 57 39 Hc 54
Bitry 58 66 Da 64
Bitry 60 18 Da 52
Bitschhoffen 67 40 Hd 55
Bitschwiller-lès-Thann 68 56 Ha 62
Bivès 32 126 Ae 85
Biviers 38 108 Fe 77
Biville 50 12 Yb 51
Biville-la-Baignarde 76 15 Ba 50
Biville-la-Rivière 76 15 Af 50
Biville-sur-Mer 76 6 Bb 49
Bivilliers 61 31 Ad 57
Bizanet 11 142 Cf 90
Bizanos 64 138 Zd 89
Bize 52 54 Fd 61
Bize 65 139 Ac 90
Bize-Minervois 11 142 Cf 89
Bizeneuille 03 91 Ce 70
Biziat 01 94 Ef 71
Bizonnes 38 107 Fc 76
Bizot, Le 25 71 Ge 66
Bizots, les 71 82 Ec 68
Bizou 61 31 Ae 58
Bizous 65 139 Ac 90
Blacé 69 94 Ed 72
Blaceret 69 94 Ed 72
Blaceret 69 94 Ed 72
Blacourt 60 16 Bf 52
Blacqueville 76 15 Af 51
Blacy 51 36 Ed 56
Blacy 89 67 Ea 63
Blaesheim 67 40 Hd 57
Blagnac 31 126 Bc 87
Blagny 08 21 Fa 51
Blagny-sur-Vingeanne 21 69 Fc 64
Blaignac 33 111 Zf 81
Blaignan 33 98 Za 77
Blain 44 60 Yb 64
Blaincourt 60 17 Cc 51
Blaincourt-sur-Aube 10 53 Ec 58
Blainville-Crevon 76 16 Bb 51
Blainville-sur-l'Eau 54 38 Gc 57
Blainville-sur-Mer 50 28 Yc 54
Blainville-sur-Orne 14 14 Ze 53
Blairville 62 8 Ce 47
Blaise-sous-Arzillières 51 36 Ed 56
Blaison-Gohier 49 61 Zd 64
Blaisy 52 53 Fa 59
Blaisy-Bas 21 68 Ee 64
Blaisy-Haut 21 68 Ee 64
Blajan 31 139 Ad 89
Blamont 25 71 Gf 64
Blâmont 54 39 Gf 57
Blan 81 141 Ca 87
Blanc, Le 36 77 Ba 69
Blancafort 18 65 Cd 63
Blancey 21 68 Ec 64
Blancfossé 60 17 Cb 51
Blanchefosse-et-Bay 08 19 Eb 50
Blancherupt 67 56 Hb 58
Blanc-Mesnil, Le 93 33 Cc 55
Blandainville 28 49 Bb 59
Blandas 30 129 Dd 85
Blandin 38 107 Fc 76
Blandouet 53 46 Zc 60
Blandy 77 33 Cd 57
Blandy 91 50 Ca 59
Blangerval-Blangermont 62 7 Cb 47
Blangy-le-Château 14 14 Ab 53
Blangy-sous-Poix 80 17 Ca 50
Blangy-sur-Bresle 76 16 Bd 49
Blangy-Tronville 80 17 Cc 49
Blannay 89 67 De 63
Blanot 21 68 Ed 65
Blanot 71 82 Ee 69
Blanquefort 32 126 Ae 86
Blanquefort 33 111 Zd 79
Blanquefort-sur-Briolance 47 113 Af 81
Blanzac 43 105 Df 78
Blanzac 87 89 Ba 72
Blanzac-Porcheresse 16 100 Aa 76
Blanzaguet-Saint-Cybard 16 100 Ab 76
Blanzat 63 92 Da 74
Blanzay 86 88 Ab 71
Blanzay-sur-Boutonne 17 87 Zd 72
Blanzée 55 37 Fd 54
Blanzy 71 82 Ec 68

Blanzy-la-Salonnaise 08 19 Eb 52
Blanzy-lès-Fismes 02 19 De 52
Blargies 60 16 Be 50
Blarians 25 70 Gb 64
Blaringhem 59 3 Cc 44
Blars 46 114 Be 81
Blaslay 86 76 Ab 68
Blassac 43 104 Dc 77
Blaudeix 23 90 Bf 71
Blausasc 06 135 Hc 86
Blauvac 84 132 Fb 84
Blauzac 30 131 Ec 85
Blavignac 48 116 Db 79
Blavozy 43 105 Df 78
Blay 14 13 Zb 53
Blaye 33 99 Zc 78
Blaye-les-Mines 81 127 Ca 84
Blaymont 47 113 Af 83
Blaziert 32 125 Ac 85
Blécourt 52 53 Fa 58
Blécourt 59 8 Da 47
Bleigny-le-Carreau 89 52 De 61
Blémerey 54 39 Ge 57
Blémerey 88 55 Ga 58
Blendecques 62 3 Cb 44
Bléneau 89 66 Cf 62
Blennes 77 51 Da 59
Blénod-lès-Pont-à-Mousson 54 38 Ga 55
Blénod-lès-Toul 54 37 Fe 57
Bléquin 62 3 Bf 44
Blérancourt 02 18 Da 51
Bléré 37 63 Af 64
Blériais 35 44 Xf 60
Blésignac 33 111 Ze 80
Blesle 43 104 Db 77
Blesme 51 36 Ee 56
Blesmes 02 34 Dc 54
Blessac 23 91 Ca 73
Blessonville 52 53 Fa 60
Blessy 62 7 Cb 45
Blet 18 79 Ce 67
Bletterans 39 83 Fc 68
Bleurville 88 55 Ff 60
Bleury 28 32 Be 57
Blévaincourt 88 54 Fe 60
Blèves 72 47 Ac 58
Bleymard, Le 48 117 De 82
Blicourt 60 17 Ca 51
Blienschwiller 67 56 Hc 58
Bliesbruck 57 39 Hb 54
Blies-Guersviller 57 39 Ha 54
Blieux 04 133 Gc 85
Blignicourt 10 53 Ed 58
Bligny 10 53 Ed 59
Bligny 51 35 Df 53
Bligny-lès-Beaune 21 82 Ee 67
Bligny-le-Sec 21 68 Ee 64
Bligny-sur-Ouche 21 82 Ee 66
Blincourt 60 17 Cd 52
Blingel 62 7 Ca 46
Blis-et-Born 24 101 Af 77
Blismes 58 67 De 66
Blodelsheim 68 57 Hd 61
Blois 41 64 Bb 63
Blois-sur-Seille 39 83 Fe 68
Blomac 11 142 Cd 89
Blomard 03 92 Cf 71
Blombay-Morency 08 20 Ec 50
Blond 87 89 Ba 72
Blondefontaine 70 55 Ff 61
Blonville-sur-Mer 14 14 Aa 52
Blosseville 76 15 Ae 49
Blosville 50 12 Ye 52
Blot-l'Église 63 92 Cf 72
Blotzheim 68 72 Hc 63
Blou 49 62 Zf 64
Blousson-Sérian 32 139 Ab 88
Bloutière, La 50 28 Ye 55
Bloye 74 96 Ff 74
Bluffy 74 96 Gb 73
Blumeray 52 53 Ef 58
Blussans 25 71 Gd 64
Blye 39 83 Fe 68
Blyes 01 95 Fb 73
Bô, Le 14 29 Zd 55
Bobigny 93 33 Cc 55
Bobital 22 27 Xf 58
Bocasse, Le 76 15 Ba 51
Bocé 49 62 Zf 63
Bocognano 2A 159 Ka 96
Bocquegney 88 55 Gb 59
Bocquence 61 31 Ac 56
Bodéo, La 22 43 Xa 59
Bodilis 29 25 Vf 57
Boé 47 125 Ad 84
Boécé 61 30 Ac 57
Boège 74 96 Gc 71
Boeil-Bezing 64 138 Ze 89
Boën 42 93 Df 74
Boersch 67 56 Hc 58
Boeschepe 59 4 Ce 44
Boeseghem 59 3 Cc 44
Boesenbiesen 67 57 Hd 59
Boësse 45 50 Cc 60
Boësse 79 75 Zd 67
Boëssé-le-Sec 72 48 Ad 60
Boffles 62 7 Ca 47
Boffres 07 118 Ee 79
Bogève 74 96 Gc 71
Bogny-sur-Meuse 08 20 Ee 49
Bogy 07 106 Ee 77
Bohain-en-Vermandois 02 9 Dc 49
Bohal 56 44 Xd 62
Bohalle, La 49 61 Zd 64
Bohars 29 24 Vc 58
Bohas-Meyriat-Rignat 01 95 Fc 72
Boigneville 91 50 Cc 58
Boigny-sur-Bionne 45 49 Ca 61
Boinville-en-Mantois 78 32 Be 55
Boinville-en-Woëvre 55 37 Fc 53
Boinville-le-Gaillard 78 49 Bf 58
Boinvilliers 78 32 Be 55
Boiry-Becquerelle 62 8 Ce 47
Boiry-Notre-Dame 62 8 Cf 47
Boiry-Saint-Martin 62 8 Ce 47
Bois 17 99 Zc 76
Bois-Anzeray 27 31 Ae 55
Bois-Arnault 27 31 Ae 55
Boisbergues 80 7 Cb 48
Bois-Bernard 62 8 Cf 46
Boisbreteau 16 99 Zf 77
Boiscommun 45 50 Cb 60
Bois-d'Amont 39 84 Gc 69
Bois-d'Arcy 78 33 Ca 56
Bois-d'Arcy 89 67 De 63
Bois-de-Céné 85 73 Ya 67
Bois-de-Champ 88 56 Ge 59

Bois-de-la-Pierre 31 140 Ba 88
Bois-d'Ennebourg 76 16 Bb 52
Boisdinghem 62 3 Ca 44
Bois-d'Oingt, Le 69 94 Ed 73
Boisdon 77 34 Db 56
Boisemont 27 16 Bc 53
Boisemont 95 32 Bf 54
Boisgasson 28 48 Ba 60
Boisgervilly 35 44 Xf 60
Bois-Grenier 59 4 Ce 45
Bois-Guilbert 76 16 Bc 51
Bois-Héroult 76 16 Bc 51
Bois-Herpin 91 50 Cb 58
Bois-Himont 76 15 Ae 51
Boisjean 82 7 Be 46
Bois-Jérôme-Saint-Ouen 27 32 Bd 54
Boisle, Le 80 7 Bf 47
Bois-le-Roi 27 32 Bc 55
Bois-le-Roi 77 50 Ce 58
Bois-lès-Pargny 02 19 Dd 50
Boisleux-au-Mont 62 8 Ce 47
Boisleux-Saint-Marc 62 8 Ce 47
Boismont 54 21 Fe 52
Boismont 80 7 Be 48
Boismorand 45 66 Ce 62
Boisney 27 31 Ad 54
Bois-Normand-près-Lyre 27 31 Ae 55
Bois-Plage-en-Ré, Le 17 86 Yd 71
Boisredon 17 99 Zc 77
Bois-Robert, Les 76 15 Ba 49
Boisroger 80 28 Yc 54
Bois-Sainte-Marie 71 94 Ec 71
Boissay 76 16 Bc 51
Boisse 24 112 Ad 80
Boisse, La 01 94 Fa 73
Boisseau 41 48 Bb 62
Boisseaux 45 49 Bf 59
Boissède 31 140 Ae 88
Boissei-la-Lande 61 30 Aa 56
Boisse-Penchot 12 115 Cb 81
Boisserolles 79 87 Zd 72
Boisseron 34 130 Ea 86
Boisset 15 115 Cb 80
Boisset 30 131 Ec 85
Boisset 34 142 Ce 88
Boisset 43 105 Df 77
Boisset-lès-Montrond 42 105 Eb 75
Boisset-les-Prévanches 27 32 Bb 55
Boissets 78 32 Bd 55
Boisset-Saint-Priest 42 105 Ea 75
Boissettes 77 50 Cd 57
Boisseuil 87 89 Bb 74
Boisseuilh 24 101 Ba 77
Boissey 01 94 Fa 70
Boissey 14 30 Aa 54
Boissezon 31 142 Cc 87
Boissezon-de-Masviel 81 128 Cf 86
Boissière, la 14 30 Aa 54
Boissière, La 27 32 Bc 55
Boissière, La 34 130 Dd 87
Boissière, La 53 46 Za 62
Boissière-d'Ans, La 24 101 Af 77
Boissière-de-Montaigu, La 85 74 Ye 67
Boissière-des-Landes, La 85 74 Yd 69
Boissière-du-Doré, La 44 60 Ye 65
Boissière-École, La 78 32 Bd 56
Boissière-en-Gâtine, La 79 75 Zd 69
Boissières 30 130 Eb 86
Boissières 46 113 Bc 81
Boissise-la-Bertrand 77 33 Cd 57
Boissise-le-Roi 77 33 Cd 57
Boissy-aux-Cailles 77 50 Cd 59
Boissy-en-Drouais 28 32 Bc 56
Boissy-Fresnoy 60 34 Cf 53
Boissy-l'Aillerie 95 33 Ca 54
Boissy-la-Rivière 91 50 Ca 58
Boissy-le-Bois 60 16 Bf 53
Boissy-le-Châtel 77 34 Da 56
Boissy-le-Cutté 91 50 Cb 58
Boissy-le-Repos 51 35 Dd 55
Boissy-le-Sec 91 50 Ca 58
Boissy-lès-Perche 28 31 Af 56
Boissy-Maugis 61 48 Ae 58
Boissy-Mauvoisin 78 32 Bd 55
Boissy-Saint-Léger 94 33 Cd 56
Boissy-sans-Avoir 78 32 Be 55
Boissy-sous-Saint-Yon 91 33 Cb 57
Boistrudan 35 45 Yd 61
Boisville-la-Saint-Père 28 49 Be 59
Boisyvon 50 28 Yf 56
Boitron 61 30 Ab 57
Boitron 77 34 Db 55
Bolandoz 25 84 Ga 66
Bolazec 29 25 Wc 58
Bolbec 76 15 Ac 51
Bollène 84 131 Ee 83
Bollène-Vesubie, la 06 135 Hb 84
Bolleville 50 12 Yc 53
Bolleville 76 15 Ad 51
Bollezeele 59 3 Cb 43
Bollwiller 68 56 Hb 61
Bologne 52 54 Fa 59
Bolozon 01 95 Fc 71
Bolquère 66 153 Ca 93
Bolsenheim 67 57 Hd 58
Bombon 77 34 Cf 57
Bommes 33 111 Zd 81
Bommiers 36 78 Bf 68
Bompas 09 152 Bd 91
Bompas 66 154 Cf 92
Bomy 62 7 Cb 45
Bona 58 80 Dc 66
Bonac-Irazein 09 151 Af 91
Bonboillon 70 69 Fe 64
Boncé 28 49 Bd 59
Bonchamp-lès-Laval 53 46 Zb 60
Boncourt 02 19 Df 51
Boncourt 28 32 Bb 54
Boncourt 54 37 Fe 53
Boncourt-le-Bois 21 69 Ef 66
Boncourt-sur-Meuse 55 37 Fd 56
Bondaroy 45 50 Cb 59
Bondeval 25 71 Gf 64
Bondigoux 31 127 Bd 85
Bondons, Les 48 117 Dd 82
Bondoufle 91 33 Cc 57
Bondues 59 4 Da 44

Bondy 93 33 Cc 55
Bon-Encontre 47 125 Ad 83
Bongheat 63 92 Dc 74
Bonhomme, Le 68 56 Ha 59
Bonifacio 2A 160 Kb 100
Bonin 58 67 Df 65
Bonlier 60 17 Ca 52
Bonlieu 39 84 Ff 69
Bonlieu-sur-Roubion 26 118 Ef 81
Bonloc 64 137 Ye 88
Bonnac 09 141 Bd 90
Bonnac 15 104 Da 77
Bonnac-la-Côte 87 89 Bb 73
Bonnard 89 51 Dd 61
Bonnat 23 90 Bf 71
Bonnaud 39 83 Fc 69
Bonnay 25 70 Ga 65
Bonnay 71 82 Ed 69
Bonnay 80 8 Cc 49
Bonne 74 96 Gb 72
Bonnebosq 14 14 Aa 53
Bonnecourt 52 54 Fc 61
Bonnée 45 65 Cc 62
Bonnefamille 38 107 Fa 75
Bonnefoi 61 31 Ad 56
Bonnefond 19 102 Bf 75
Bonnefont 65 139 Ac 89
Bonnefontaine 39 84 Fe 68
Bonnegarde 40 123 Zb 87
Bonneil 02 34 Dc 54
Bonnelles 78 33 Ca 57
Bonnemain 35 28 Yb 58
Bonnemaison 14 29 Zc 54
Bonnemazon 65 139 Ab 90
Bonnencontre 21 83 Fa 66
Bonneœil 16 100 Aa 77
Bonnes 16 100 Aa 77
Bonnes 86 77 Ad 68
Bonnesvalyn 02 34 Db 54
Bonnet 55 37 Fc 57
Bonnétable 72 47 Ac 59
Bonnétage 25 71 Ge 65
Bonnetan 33 111 Zd 80
Bonneuil 16 87 Zf 75
Bonneuil 36 89 Bb 70
Bonneuil-en-Valois 60 18 Cf 53
Bonneuil-les-Eaux 60 17 Cb 51
Bonneuil-Matours 86 77 Ae 68
Bonneuil-sur-Marne 94 33 Cd 56
Bonneval 28 46 Be 59
Bonneval 43 105 De 77
Bonneval-sur-Arc 73 109 Ha 76
Bonnevaux 25 84 Gb 68
Bonnevaux 30 117 Ea 82
Bonnevaux 74 97 Ge 71
Bonnevaux-le-Prieuré 25 70 Gb 66
Bonneveau 41 48 Ae 62
Bonnevent-Velloreille 70 70 Ff 64
Bonneville 16 88 Zf 73
Bonneville 74 96 Gc 72
Bonneville 80 7 Cb 48
Bonneville, La 50 12 Yd 52
Bonneville-Aptot 27 15 Ae 53
Bonneville-et-Saint-Avit-de-Fumadières 24 112 Aa 79
Bonneville-la-Louvet 14 14 Ac 53
Bonneville-sur-Iton, la 27 31 Ba 55
Bonnières 60 16 Bf 51
Bonnières 62 7 Cb 47
Bonnières-sur-Seine 78 32 Bd 54
Bonnieux 84 132 Fb 86
Bonningues-lès-Ardres 62 7 Cc 45
Bonningues-lès-Calais 62 3 Be 43
Bonnœuvre 44 60 Ye 63
Bonnut 64 137 Zc 88
Bono 56 43 Xa 63
Bonrepos 65 139 Ac 89
Bonrepos-Riquet 31 127 Bd 86
Bonrepos-sur-Aussonnelle 31 140 Ba 87
Bonsecours 76 15 Ba 52
Bons-en-Chablais 74 96 Gc 71
Bonsmoulins 61 31 Ad 57
Bonson 42 105 Eb 75
Bonsons 06 135 Hb 85
Bons-Tassilly 14 30 Ze 55
Bonvillaret 73 108 Gb 75
Bonville 54 38 Gd 57
Bonviller 54 38 Gc 57
Bonvillers 60 17 Cb 53
Bonvillers 60 17 Cb 51
Bonvillet 88 55 Ga 60
Bony 02 8 Db 49
Bonzac 33 99 Ze 78
Bonzée-en-Woëvre 55 37 Fd 54
Boofzheim 67 57 He 58
Boos 76 15 Bb 52
Boostheim 67 57 Hd 59
Boqueho 22 26 Xa 58
Boran-sur-Oise 60 33 Cc 53
Borce 64 137 Zc 91
Bordeaux 33 111 Zc 79
Bordeaux-en-Gâtinais 45 50 Cd 60
Bordeaux-Saint-Clair 76 14 Ab 50
Bordères 64 138 Zd 89
Bordères-et-Lamensans 40 124 Zd 86
Bordères-Louron 65 150 Ac 91
Bordères-sur-l'Echez 65 138 Aa 89
Bordes 64 138 Ze 89
Bordes 65 139 Ab 89
Bordes, Les 36 78 Bf 67
Bordes, Les 45 65 Cc 62
Bordes, Les 71 83 Fa 67
Bordes, Les 89 51 Cc 60
Bordes-Aumont, Les 10 52 Ea 59
Bordes-de-Rivière 31 139 Ad 90
Bordes-du-Bar 64 123 Yf 87
Bordes-sur-Arize, Les 09 140 Bc 90
Bordes-sur-Lez, les 09 151 Ba 91
Bordezac 30 130 Ea 83
Bords 17 87 Zb 73
Bord-Saint-Georges 23 91 Cb 71
Borée 07 117 Eb 79
Boresse-et-Martron 17 99 Zf 77
Borest 60 33 Ce 53
Borey 70 70 Gc 63
Borgu, U = Borgo 2B 157 Kd 93
Bormes-les-Mimosas 83 147 Gc 90
Born, le 31 127 Bd 85
Born, le 48 116 Dd 81
Bornambusc 76 14 Ac 51
Bornay 39 83 Fd 69
Borne 07 117 Eb 79
Borne 43 105 De 78

Bornel 60 33 Cb 53
Boron 90 71 Ha 63
Borre 59 4 Cd 44
Borrèze 19 101 Bc 79
Bors-de-Baignes 16 99 Ze 77
Bors-de-Montmoreau 16 100 Ab 76
Bort-les-Orgues 19 103 Cc 76
Bort-l'Étang 63 92 Dc 74
Borville 54 55 Gc 58
Bosc, le 09 152 Bc 91
Bosc, Le 34 129 Dc 86
Boscamnant 17 99 Zf 77
Bosc-Bénard-Crescy 27 15 Ae 53
Bosc-Bérenger 76 16 Bb 51
Bosc-Bordel 76 16 Bc 51
Bosc-Edeline 76 16 Bc 51
Bosc-Guérard-Saint-Adrien 76 15 Ba 51
Bosc-Hyons 76 16 Bd 52
Bosc-le-Hard 76 15 Bb 51
Bosc-Mesnil 76 16 Bc 51
Bosc-Renoult, Le 61 30 Ab 55
Bosc-Renoult-en-Ouche 27 31 Ae 55
Bosc-Renoult-en-Roumois 27 15 Ae 53
Bosc-Roger-en-Roumois, Le 27 15 Af 53
Bosc-Roger-sur-Buchy 76 16 Bc 51
Bosdarros 64 138 Zd 89
Bosgouet 27 15 Af 52
Bosguérard-de-Marcouville 27 15 Af 53
Bosjean 71 83 Fc 68
Bosmont-sur-Serre 02 19 Df 50
Bosnormand 27 15 Af 53
Bosquel 80 17 Cb 50
Bosquentin 27 16 Bd 52
Bosrobert 27 15 Ae 53
Bosroger 23 91 Cb 73
Bossay-sur-Claise 37 77 Af 68
Bosse, La 25 71 Gd 66
Bosse, La 72 48 Ad 60
Bosse-de-Bretagne, La 35 45 Yc 61
Bossée 37 63 Ae 66
Bossendorf 67 40 Hd 56
Bosset 24 112 Aa 79
Bosseval-et-Briancourt 08 20 Ef 50
Bossey 74 95 Ga 72
Bossieu 38 107 Fa 76
Bossugan 33 111 Zf 80
Bossus-lès-Rumigny 08 19 Eb 49
Bost 03 92 Cf 70
Bost 03 92 Df 71
Bostens 40 124 Zd 85
Bosville 76 15 Ae 50
Botans 90 71 Gf 63
Botmeur 29 25 Wa 58
Botsorhel 29 25 Wc 57
Bottereaux, Les 27 31 Ae 55
Botz-en-Mauges 49 61 Za 65
Bou 45 49 Ca 61
Bouafle 78 32 Bf 55
Bouafles 27 16 Bc 53
Bouan 09 152 Bd 92
Bouaye 44 60 Yb 66
Boubers-lès-Hesmond 62 7 Be 46
Boubers-sur-Canche 62 7 Cb 47
Boubiers 60 16 Bf 53
Boucagnères 32 139 Ad 87
Boucau 64 122 Yd 87
Boucé 03 92 Db 71
Boucé 61 30 Zf 57
Bouchage, Le 16 88 Ac 72
Bouchage, Le 38 107 Fd 74
Bouchain 59 8 Db 47
Bouchamps-lès-Craon 53 46 Za 62
Bouchaud, Le 03 93 Df 71
Bouchavesnes-Bergen 80 8 Cf 49
Bouchemaine 49 61 Zc 64
Boucheporn 57 38 Gd 54
Bouchet, le 74 96 Gc 74
Bouchet, Le 86 76 Aa 68
Bouchet-Saint-Nicolas, Le 43 117 De 79
Bouchevilliers 27 16 Be 52
Bouchoir 80 17 Ce 50
Bouchon 80 7 Ca 48
Bouchon-sur-Saulx, Le 55 37 Fb 57
Bouchoux, les 39 96 Fe 71
Bouchy-Saint-Genest 51 34 Dd 57
Boucieux-le-Roi 07 106 Ee 78
Bouclans 25 70 Gb 65
Boucoiran 30 130 Eb 84
Bouconville 08 20 Ee 50
Bouconville-sur-Madt 55 37 Fe 56
Bouconville-Vauclair 02 19 De 52
Boudes 63 103 Db 76
Boudeville 76 15 Af 50
Boudou 82 126 Ba 84
Boudrac 31 139 Ad 89
Boudreville 21 53 Ee 61
Boudy-de-Beauregard 47 112 Ae 81
Bouée 44 59 Ya 65
Boueilh-Boueilho-Lasque 64 124 Ze 87
Bouelles 76 16 Bc 50
Bouër 72 48 Ad 60
Bouère 53 46 Zd 61
Bouessay 53 46 Zd 61
Bouesse 36 78 Be 68
Bouëx 16 100 Ab 75
Bouffémont 95 33 Cb 54
Boufféré 85 74 Yd 67
Bouffignereux 02 19 Df 52
Bougainville 80 17 Ca 49
Bougarber 64 138 Zd 88
Bougé-Chambalud 38 106 Ef 77
Bougey 70 70 Ff 62
Bouglainval 28 32 Bd 57
Bougligny 77 50 Cd 59
Bouglon 47 124 Zf 84
Bougneau 17 99 Zb 75
Bougnon 70 70 Ga 63
Bougon 79 76 Zf 70
Bougue 40 124 Zd 85

Bouguenais 44 60 Yc 65
Bougy 14 29 Zc 54
Bougy-lez-Neuville 45 49 Ca 60
Bouhans 71 83 Fd 68
Bouhanset-et-Feurg 70 69 Fd 64
Bouhans-lès-Lure 70 70 Gc 62
Bouhans-lès-Montbozon 70 70 Gb 64
Bouhet 17 86 Za 72
Bouhey 21 68 Ed 65
Bouhy 58 66 Da 64
Bouilh-Devant 65 139 Ab 89
Bouilh-Péreuilh, 65 139 Ab 90
Bouillac 12 114 Ca 81
Bouillac 24 113 Af 80
Bouillac 82 126 Ba 85
Bouilladisse, La 13 146 Fd 88
Bouillancourt-en-Séry 80 6 Bd 49
Bouillancourt-la-Bataille 80 17 Cd 50
Bouillancy 60 34 Cf 54
Bouilland 21 68 Ee 66
Bouillargues 30 131 Ec 86
Bouille, la 76 15 Af 52
Bouillé-Courdault 85 75 Zb 70
Bouillé-Loretz 79 62 Ze 66
Bouillé-Ménard 49 46 Za 62
Bouillé-Saint-Paul 79 75 Zd 66
Bouillie, La 22 27 Xd 57
Bouillon 64 138 Zc 88
Bouillonville 54 37 Ff 55
Bouilly 10 52 Df 59
Bouilly 51 35 Df 54
Bouilly-en-Gâtinais 45 50 Cb 60
Bouin 79 88 Zf 72
Bouin 85 59 Xf 67
Bouin-Plumoison 62 7 Bf 46
Bouisse 11 142 Cc 91
Bouix 21 53 Ec 61
Boujailles 25 84 Ga 67
Boujan-sur-Libron 34 143 Db 88
Boulages 10 35 Df 57
Boulancourt 77 50 Cc 59
Boulange 57 22 Ff 52
Boulaur 32 139 Ae 87
Boulay-les-Barres 45 49 Be 61
Boulay-les-Ifs 53 47 Zf 59
Boulay-Morin, Le 27 31 Bb 54
Boulay-Moselle 57 38 Gc 53
Boulazac 24 101 Ae 77
Boulbon 13 131 Ee 85
Boule-d'Amont 66 154 Cd 93
Bouleternère 66 154 Cd 93
Bouleurs-le-Mont 77 34 Cf 55
Bouleuse 51 35 Df 53
Bouliac 33 111 Zc 80
Boulieu-lès-Annonay 07 106 Ed 77
Bouligneux 01 94 Ef 72
Bouligney 70 55 Gb 61
Bouligny 55 21 Fe 53
Boulin 65 139 Aa 89
Boullarre 60 34 Da 54
Boullay-les-Deux-Églises 28 32 Bb 57
Boullay-les-Troux 91 33 Ca 56
Boullay-Mivoye, le 28 32 Bc 57
Boullay-Thierry, Le 28 32 Bc 57
Boulleret 18 66 Cf 63
Boulleville 27 14 Ac 52
Bouloc 31 126 Bc 86
Bouloc 82 113 Ba 83
Bologne 85 74 Ye 68
Boulogne-Billancourt 92 33 Cb 55
Boulogne-la-Grasse 60 17 Ce 51
Boulogne-sur-Gesse 31 139 Ad 89
Boulogne-sur-Helpe 59 9 Df 48
Boulogne-sur-Mer 62 2 Bd 44
Boulon 14 29 Zd 54
Boulot 70 70 Ff 64
Boulou, Le 66 154 Ce 93
Boult 70 70 Ga 64
Boult-au-Bois 08 20 Ef 52
Boult-sur-Suippe 51 19 Ea 52
Boulvé, Le 46 113 Ba 82
Boulvriag = Bourbriac 22 26 We 58
Boulzicourt 08 20 Ee 50
Boumourt 64 138 Zc 89
Bouniagues 24 112 Ad 80
Boupère, Le 85 75 Za 68
Bouquehault 62 3 Bf 43
Bouquemaison 80 7 Cc 47
Bouquemont 55 37 Fc 55
Bouquet 30 130 Eb 84
Bouquetot 27 15 Ae 52
Bouqueval 95 33 Cc 54
Bouranton 10 52 Eb 59
Bouray-sur-Juine 91 50 Cb 57
Bourbach-le-Bas 68 71 Ha 62
Bourbach-le-Haut 68 56 Ha 62
Bourberain 21 69 Fb 64
Bourbévelle 70 55 Ga 61
Bourbon-Lancy 71 81 De 69
Bourbon-l'Archambault 03 80 Da 69
Bourbonne-les-Bains 52 54 Fe 61
Bourboule, La 63 103 Ce 75
Bourbourg 59 3 Cb 43
Bourbriac 22 26 We 58
Bourcefranc-le-Chapus 17 86 Yf 73
Bourcia 39 95 Fc 70
Bourcq 08 20 Ed 52
Bourdainville 76 15 Af 50
Bourdalat 40 124 Ze 85
Bourdeau 73 108 Ff 74
Bourdeaux 26 119 Fa 81
Bourdeilles 24 100 Ad 77
Bourdeix, Le 24 100 Ad 75
Bourdelles 33 111 Aa 81
Bourdenay 10 51 Dd 59
Bourdet, Le 79 87 Zc 71
Bourdettes 64 138 Ze 89
Bourdic 30 131 Eb 85
Bourdinière-Saint-Loup, La 28 49 Bc 59
Bourdon 80 7 Ca 49
Bourdonnay 57 38 Gd 56
Bourdonné 78 32 Bd 56
Bourdons-sur-Rognon 52 54 Fc 60
Bouresches 02 34 Db 54
Bouresse 86 77 Ae 70
Bouret-sur-Canche 62 7 Cb 47
Boureuilles 55 36 Fa 53

Bourg 33 99 Zc 78
Boursay 44 60 Ye 66
Bourg, Le 46 114 Bf 80
Bourg-Achard 27 15 Ae 52
Bourgaltroff 57 39 Ge 55
Bourganeuf 23 90 Be 73
Bourg-Archambault 86 89 Ba 70
Bourg-Argental 42 106 Ed 77
Bourg-Beaudouin 27 16 Bb 52
Bourg-Blanc 29 24 Vd 57
Bourg-Bruche 67 56 Hb 58
Bourg-Charente 16 87 Ze 74
Bourg-de-Bigorre 65 139 Ab 90
Bourg-de-Péage 26 107 Fa 78
Bourg-de-Sirod 39 84 Ff 68
Bourg-des-Comptes 35 45 Yb 61
Bourg-des-Maisons 24 100 Ac 76
Bourg-de-Thizy 69 93 Eb 72
Bourg-de-Visa 82 126 Af 83
Bourg-d'Hem, Le 23 90 Be 71
Bourg-d'Iré, Le 49 61 Za 63
Bourg-d'Oisans, Le 38 108 Ga 78
Bourg-d'Oueil 31 150 Ad 91
Bourg-Dun 76 15 Af 49
Bourgeauville 14 14 Aa 53
Bourg-en-Bresse 01 95 Fb 71
Bourges 18 79 Cc 66
Bourg-et-Comin 02 19 De 52
Bourget-du-Lac, Le 73 108 Ff 75
Bourget-en-Huile 73 108 Gb 76
Bourg-Fidèle 08 20 Ed 49
Bourgheim 67 57 Hc 58
Bourghelles 59 8 Db 45
Bourg-Lastic 63 103 Cd 75
Bourg-le-Comte 71 93 Df 71
Bourg-le-Roi 72 47 Aa 58
Bourg-lès-Valence 26 118 Ef 79
Bourg-l'Évêque 49 45 Yf 62
Bourg-Madame 66 153 Bf 94
Bourgneuf 17 86 Yf 72
Bourgneuf 73 108 Gb 75
Bourgneuf-en-Mauges 49 61 Za 65
Bourgneuf-en-Retz 44 59 Ya 66
Bourgneuf-la-Forêt, Le 53 46 Za 60
Bourgogne 51 19 Ea 52
Bourgoin-Jallieu 38 107 Fb 75
Bourgon 53 45 Yf 60
Bourgonce, La 88 56 Ge 59
Bourgougnague 47 112 Ac 81
Bourg-Saint-Andéol 07 118 Ed 82
Bourg-Saint-Bernard 31 127 Be 87
Bourg-Saint-Christophe 01 95 Fa 73
Bourg-Sainte-Marie 52 54 Fd 59
Bourg-Saint-Léonard, Le 61 30 Aa 56
Bourg-Saint-Maurice 73 109 Ha 76
Bourgtheroulde-Infreville 27 14 Af 53
Bourguébus 14 30 Ze 54
Bourguenolles 50 28 Ye 56
Bourguet, Le 83 134 Gd 86
Bourguignon 25 71 Ge 64
Bourguignon-lès-Conflans 70 70 Ga 62
Bourguignon-lès-la-Charité 70 70 Ff 64
Bourguignon-lès-Morey 70 69 Fe 62
Bourguignons 10 53 Ec 60
Bourgvilain 71 94 Ed 70
Bouridys 71 94 Ef 70
Bouriège 11 141 Ca 91
Bourigeole 11 141 Ca 91
Bourisp 65 150 Ac 92
Bourlens 47 113 Af 82
Bourlon 62 8 Da 47
Bourmont 52 54 Fd 60
Bournainville-Faverolles 27 31 Ac 54
Bournan 37 77 Ae 66
Bournand 86 62 Aa 66
Bournazel 12 115 Cb 82
Bournazel 81 127 Bf 84
Bourneau 85 75 Zb 69
Bournel 47 112 Ae 81
Bournezeau 85 74 Yf 69
Bourniquel 24 113 Ae 80
Bournois 25 70 Gc 64
Bournoncle-Saint-Pierre 43 104 Dc 76
Bournonville 62 3 Bf 44
Bournos 64 138 Zd 88
Bourogne 90 71 Gf 63
Bourran 47 112 Ac 82
Bourré 41 64 Bd 64
Bourréac 65 138 Aa 90
Bourret 82 126 Ba 85
Bourriot-Bergonce 40 124 Ze 84
Bourron-Marlotte 77 50 Ce 58
Bourrou 24 100 Ad 78
Bourrouillan 32 124 Zf 86
Bours 62 7 Cb 46
Bours 65 138 Aa 89
Boursault 51 35 Df 54
Boursay 41 48 Af 60
Bourscheid 57 39 Hb 56
Bourseul 22 27 Xe 58
Bourseville 80 6 Bd 48
Boursières 70 70 Ga 63
Boursies 59 8 Da 48
Boursin 62 3 Bf 44
Boursonne 60 34 Da 53
Bourth 27 31 Ae 56
Bourthes 62 7 Bf 45
Bourville 76 15 Ae 50
Boury-en-Vexin 60 16 Be 53
Bousbach 57 39 Gf 54
Bousbecque 59 4 Da 44
Bouscat, le 33 111 Zc 79
Bousies 59 9 Dd 48
Bousignies 59 8 Dc 46
Bousignies-sur-Roc 59 10 Eb 47
Bousquet, le 11 153 Ca 92
Bousquet-d'Orb, Le 34 129 Da 86
Boussac 12 128 Cc 83
Boussac 12 128 Cf 85
Boussac 23 90 Cb 71
Boussac 46 114 Bf 81
Boussac, La 35 28 Yc 57
Boussac-Bourg 23 90 Cb 70
Boussais 79 76 Zf 68
Boussan 31 140 Af 89

Braize 03 79 Cd 69
Bralleville 54 55 Gb 58
Bram 11 141 Ca 89
Bramans 73 109 Ge 77
Brametot 76 15 Af 50
Bramevaque 65 139 Ad 91
Bran 17 99 Ze 76
Branceilles 19 102 Be 78
Branches 89 51 Db 61
Brancourt-en-Laonnois 02 18 Dc 51
Brancourt-le-Grand 02 9 Dc 49
Brandérion 56 43 We 62
Brandeville 55 21 Fa 52
Brando 2B 157 Kc 92
Brandon 71 94 Ed 70
Brandonnet 12 114 Ca 82
Brandonvillers 51 52 Ed 57
Brandu = Brando 2B 157 Kc 92
Branges 71 83 Fa 68
Brangues 38 107 Fd 74
Brannay 89 51 Da 59
Branne 25 70 Gc 64
Branne 33 111 Zf 81
Brannens 33 111 Zf 81
Branoux-les-Taillades 30 130 Df 83
Brans 39 69 Fd 65
Bransat 03 92 Db 71
Branscourt 51 19 Dc 52
Bransles 77 51 Cf 60
Brantes 84 132 Fb 83
Brantes 84 132 Fb 83
Brantigny 88 55 Gb 59
Brantôme 24 100 Ad 76
Branville 14 14 Aa 53
Branville-Hague 50 12 Yb 51
Bras 83 147 Ff 88
Brasc 12 128 Cd 85
Bras-d'Asse 04 133 Ga 85
Braslies 03 92 Da 72
Braslou 37 76 Ad 66
Brasparts 29 25 Wa 59
Brassac 09 152 Bd 91
Brassac 81 128 Cb 87
Brassac 82 126 Af 83
Brassac-les-Mines 63 104 Dc 76
Brassempouy 40 123 Zb 87
Brasseuse 60 17 Ce 53
Bras-sur-Meuse 55 37 Fc 53
Brassy 58 67 Df 65
Brassy 80 17 Ca 50
Bratte 54 38 Gb 56
Braud-et-Saint-Louis 33 99 Zc 77
Brauvilliers 55 37 Fa 57
Braux 04 134 Ge 85
Braux 10 53 Ec 58
Braux 21 68 Ea 64
Braux-le-Châtel 52 53 Ef 60
Braux-Saint-Rémy 51 36 Ef 54
Brax 31 126 Bb 87
Brax 47 125 Ad 83
Bray 27 31 Af 54
Bray 71 82 Ed 69
Bray-Dunes 59 4 Cd 42
Braye 02 18 Dc 52
Braye-en-Laonnais 02 19 Dd 52
Braye-en-Thiérache 02 19 Df 50
Braye-en-Val 45 50 Cc 62
Braye-sous-Faye 37 76 Ac 67
Braye-sur-Maulne 37 62 Ab 63
Bray-et-Lû 95 16 Be 53
Bray-lès-Mareuil 80 7 Bf 48
Bray-sur-Seine 77 51 Db 58
Bray-sur-Somme 80 8 Ce 49
Brazey-en-Morvan 21 68 Eb 65
Brazey-en-Plaine 21 69 Fb 66
Bréal-sous-Montfort 35 44 Ya 60
Bréal-sous-Vitré 35 45 Yf 60
Bréançon 95 33 Ca 54
Bréau 77 34 Cf 57
Bréau-et-Salagosse 30 129 Dd 85
Bréauté 76 14 Ac 51
Brebières 62 8 Da 46
Brebotte 90 71 Gf 63
Brécé 35 45 Yd 60
Brecé 53 46 Zb 60
Brécey 50 28 Yf 56
Brech 56 43 Xa 62
Bréchamps 28 32 Bd 56
Bréchaumont 68 71 Ha 62
Brectouville 50 29 Yf 54
Brécy 02 34 Dc 54
Brécy 18 65 Cd 66
Brécy-Brières 08 20 Ee 53
Brède, La 33 111 Zc 80
Brée 53 46 Zc 60
Brée 61 29 Zd 56
Brée-les-Bains, la 17 86 Yd 72
Brégnier-Cordon 01 107 Fd 75
Brégy 80 34 Da 54
Bréhain 57 38 Gd 55
Bréhain-la-Ville 54 21 Ff 52
Bréhal 50 28 Yc 55
Bréhand 22 27 Xc 58
Bréhéville 55 21 Fb 52
Bréhémont 37 63 Ab 64
Bréhéville 55 21 Fb 52
Breidenbach 57 39 Hc 54
Breil 49 62 Aa 64
Breille-les-Pins, La 49 62 Aa 64
Breil-sur-Mérize, La 72 47 Ac 61
Breil-sur-Roya 06 135 Hd 85
Breistroff-la-Grande 57 22 Gb 52
Breitenau 67 56 Hb 59
Breitenbach 67 56 Hb 58
Breitenbach-Haut-Rhin 68 56 Ha 60
Brélidy 22 26 We 57
Brémémil 54 39 Gf 57
Brémoncourt 54 55 Gc 58
Bremondans 25 70 Gc 65
Brémontier-Merval 76 16 Bd 51
Brémoy 14 29 Zb 55
Brem-sur-Mer 85 73 Yb 69
Brémur-et-Vaurois 21 68 Ed 62
Bren 26 106 Ef 78
Brenac 11 153 Ca 91
Brenas 34 129 Db 87
Brenat 63 104 Db 75
Brénaz 01 95 Fe 73
Brenelle 02 18 Dd 52
Brengues 46 114 Be 81
Brennes 52 69 Fb 62
Brennilis 29 25 Wa 58
Brénod 01 95 Fd 72
Brenon 83 134 Gd 86
Brenouille 60 17 Cd 53
Brenoux 48 116 Dd 82
Brens 01 95 Fe 73
Brens 81 127 Be 85
Brenthonne 74 96 Gc 71
Breny 02 34 Dc 53

Bréole, La 04 120 Gb 82
Brères 25 84 Ff 66
Bréry 39 83 Fd 68
Bresdon 17 87 Zf 73
Bréseux, Les 25 71 Ge 65
Bresilley 70 69 Fd 65
Bresle 80 8 Cd 49
Bresles 60 17 Cb 52
Bresnay 03 80 Db 70
Bresolettes 61 31 Ad 57
Bresse, La 88 56 Gf 60
Bresse-sur-Grosne 71 82 Ee 69
Bressey-sur-Tille 21 69 Fb 65
Bressolles 01 95 Fa 73
Bressols 03 80 Db 69
Bressols 82 126 Bc 85
Bresson 38 107 Fe 78
Bressure 79 87 Za 72
Brest 29 24 Vd 58
Brestot 27 15 Ae 52
Bretagne 36 78 Be 67
Bretagne 90 71 Gf 63
Bretagne-d'Armagnac 32 125 Aa 85
Bretagne-de-Marsan 40 124 Zd 85
Bretagnolles 27 32 Bc 55
Breteau 45 66 Cd 62
Bréteil 35 44 Ya 60
Bretenière 21 69 Fa 65
Bretenière, la 25 70 Gb 64
Bretenière, la 39 69 Fd 66
Bretenières 39 83 Fd 67
Bretenoux 46 114 Bf 79
Breteuil 60 17 Cb 51
Breteuil 27 31 Af 56
Bréthel 61 31 Ad 56
Brethenay 52 54 Fb 59
Bretigney-Notre-Dame 25 70 Gb 65
Bretignolles 79 75 Zc 67
Brétignolles-sur-Mer 85 73 Ya 69
Brétigny 21 69 Fa 64
Brétigny 27 15 Ae 53
Brétigny 60 18 Da 51
Brétigny-sur-Orge 91 33 Cb 57
Bretoncelles 61 48 Af 58
Bretonnière, la 85 74 Ye 70
Brette-les-Pins 72 47 Ac 61
Bretten 68 71 Ha 62
Brettes 16 88 Aa 72
Bretteville-du-Grand-Caux 76 14 Ac 50
Bretteville-l'Orgueilleuse 14 13 Zc 53
Bretteville-Saint-Laurent 76 15 Af 50
Bretteville-sur-Ay 50 12 Yc 53
Bretteville-sur-Dives 14 30 Zf 54
Bretteville-sur-Laize 14 30 Ze 54
Bretteville-sur-Odon 14 13 Zd 53
Brettnach 57 22 Gd 53
Bretx 31 126 Bb 86
Breuches 70 70 Gb 62
Breugnon 58 66 Dc 64
Breuil 16 78 De 53
Breuil 80 18 Cf 50
Breuil, Le 03 93 Dd 71
Breuil, Le 51 35 Dd 55
Breuil, Le 69 94 Ed 73
Breuil, Le 71 82 Ec 68
Breuilaufa 87 89 Ba 72
Breuil-Barret 85 75 Zb 69
Breuil-Bernard, Le 79 75 Zc 68
Breuil-Bois-Robert 78 32 Be 55
Breuil-Coiffaud, Le 79 88 Aa 72
Breuil-en-Auge, Le 14 14 Ab 53
Breuil-en-Bessin, Le 14 13 Za 53
Breuilh 24 101 Ae 78
Breuil-la-Réorte 17 87 Zb 73
Breuil-le-Sec 60 17 Cc 52
Breuillet 17 86 Yf 74
Breuillet 91 33 Ca 57
Breuil-le-Vert 60 17 Cc 52
Breuil-Magné 17 86 Za 73
Breuilpont 27 32 Bc 55
Breuil-sous-Argenton, Le 79 75 Zd 67
Breuil-sur-Couze, le 63 103 Db 76
Breurey-lès-Faverney 70 70 Ga 62
Breuschwickersheim 67 40 Hd 57
Breuvannes-en-Bassigny 52 54 Fd 60
Breuvery-sur-Coole 51 35 Ea 55
Breuville 50 12 Ye 51
Breux 55 21 Fc 51
Breux-Jouy 91 33 Cb 57
Breux-sur-Avre 27 31 Ba 56
Brévainville 41 49 Bb 61
Bréval 78 32 Bd 55
Brévands 50 12 Ye 53
Brevans 39 83 Fd 66
Brévedent, Le 14 14 Ab 53
Bréviaires, Les 78 32 Be 56
Brévière, La 14 30 Ab 55
Bréville 14 13 Zd 53
Bréville 16 87 Ze 74
Brévillers 62 7 Ca 46
Brévillers 80 7 Cc 47
Bréville-sur-Mer 50 28 Yc 55
Brévilliers 70 71 Ge 63
Brévilly 08 20 Ef 52
Bréxent-Enocq 62 7 Be 45
Brey-et-Maison-du-Bois 25 84 Gb 68
Brézé 49 76 Zf 65
Brézilhac 11 141 Ca 90
Brézins 38 107 Fb 76
Brézolles 28 31 Ba 56
Brezons 15 115 Ce 79
Briançon 05 121 Gd 79
Briançonnet 06 134 Ge 85
Brianny 21 68 Ec 64
Briant 71 81 Ea 71
Briare 45 66 Ce 63
Briarres-sur-Essonne 45 50 Cc 59
Briastre 59 9 Dc 47
Briatexte 81 127 Bf 86
Briaucourt 52 54 Fb 59
Briaucourt 70 55 Gb 62
Bricon 52 53 Ef 60
Bricquebec 50 12 Yc 52
Bricqueboscq 50 12 Yb 51
Bricqueville-sur-Mer 50 28 Yc 55
Bricy 45 49 Be 61
Brides-les-Bains 73 109 Gd 76
Bridoire, La 73 107 Fe 75
Bridoré 37 77 Ba 66

Brie 02 18 Dc 51
Brie 09 140 Bd 90
Brie 16 88 Ad 74
Brie 35 45 Yc 61
Brie 79 76 Ze 67
Brie 80 18 Cf 49
Briec 29 42 Vf 60
Brie-Comte-Robert 77 33 Cd 56
Brie-et-Angonnes 38 108 Fe 78
Brielles 35 45 Yf 60
Briel-sur-Barse 10 53 Ec 59
Brienne 10 53 Ed 58
Brienne-la-Vieille 10 53 Ed 58
Brienne-sur-Aisne 08 19 Ea 52
Briennon 42 93 Ea 72
Brienon-sur-Armançon 89 52 Dd 61
Brères-les-Scellés 91 50 Ca 58
Brie-sous-Archiac 17 99 Ze 76
Brie-sous-Barbezieux 16 100 Zf 76
Brie-sous-Matha 17 87 Ze 74
Brie-sous-Mortagne 17 99 Zb 76
Brieuil-sur-Bar 10 20 Ef 52
Brieulles-sur-Meuse 55 21 Fb 52
Brieux 61 30 Zf 55
Brieves-Charensac 43 105 Df 78
Briey 54 22 Ff 53
Briffons 63 103 Cd 74
Brignac 34 143 Dc 87
Brignac 56 44 Xd 60
Brignac-la-Plaine 19 101 Bc 77
Brignais 69 106 Ee 75
Brignancourt 95 32 Bf 54
Brigné 49 62 Zd 65
Brignemont 31 126 Af 86
Brignogan-Plage 29 24 Ve 56
Brignoles 83 147 Ga 88
Brignon, Le 43 117 Df 79
Brigue, La 06 135 Hd 84
Briguel-le-Chantre 86 77 Ba 70
Brigueuil 16 89 Af 73
Briis-sous-Forges 91 33 Ca 57
Brillac 16 89 Ae 72
Brillanne, La 04 133 Ff 85
Brillecourt 10 53 Ee 58
Brillevast 50 12 Yd 51
Brillon 59 9 Db 46
Brillon-en-Barrois 55 36 Fa 56
Brimeux 62 7 Be 46
Brimont 51 19 Ea 52
Brinay 18 65 Ca 65
Brinay 58 81 Dc 66
Brinckheim 68 72 Hc 63
Brindas 69 94 Ee 74
Brinon-sur-Beuvron 58 67 Dc 65
Brinon-sur-Sauldre 18 65 Cb 63
Brin-sur-Seille 54 38 Gc 56
Briod 39 83 Fd 68
Briollay 49 61 Zc 63
Brion 01 95 Fd 72
Brion 36 78 Be 67
Brion 48 116 Da 80
Brion 71 81 Ea 67
Brion 86 88 Ac 70
Brion 89 62 Zf 64
Brion 63 104 Cf 76
Brion 71 81 Ec 67
Brionne 27 15 Ae 53
Brionne, la 23 90 Be 72
Brion-près-Thouet 79 76 Ze 66
Brion-sur-Ource 21 53 Ed 61
Briord 01 95 Fc 74
Briosne-lès-Sables 72 47 Ac 59
Briot 60 16 Bf 51
Briou 41 49 Bc 62
Brioude 43 104 Dc 77
Brioux-sur-Boutonne 79 87 Zc 72
Brouze 61 29 Zd 56
Briquemesnil-Floxicourt 80 17 Ca 49
Briquenay 08 20 Ef 52
Briscous 64 136 Yd 88
Brison-Saint-Innocent 73 96 Ff 74
Brissac 34 130 Dc 85
Brissarthe 49 61 Zd 62
Brissac-Quincé 49 61 Zd 64
Brissay-Choigny 02 18 Dc 50
Brissy-Hamégicourt 02 18 Dc 50
Brive-la-Gaillarde 19 102 Bd 78
Brives 23 90 Bf 72
Brives 72 48 Af 62
Brives-sur-Charente 17 87 Zd 74
Brix 50 12 Yc 51
Brixey-aux-Chanoines 55 54 Fe 58
Brizambourg 17 87 Zd 74
Brizay 37 62 Ac 66
Brizeaux 55 36 Fa 54
Brizon 74 96 Gc 72
Broc 49 62 Ze 63
Broc, Le 06 134 Ha 85
Broc, Le 63 104 Db 75
Brocas 40 123 Zb 86
Brochon 21 68 Ef 65
Brocourt 80 16 Be 49
Broglie 27 31 Ad 54
Brognard 25 71 Gf 63
Brognon 08 19 Eb 49
Brognon 21 69 Fb 64
Broin 21 83 Fa 66
Broindon 21 69 Fa 65
Broissia 39 95 Fc 70
Brombos 60 16 Bf 51
Bromeilles 45 50 Cd 59
Brommat 12 115 Ce 80
Bromont-Lamothe 63 91 Ce 73
Bron 69 94 Ef 74
Bronn = Brons 22 44 Xe 59
Bronvaux 57 38 Ga 53
Broons 22 44 Xe 59
Broque, la 67 56 Hb 58
Broquiers 60 16 Be 51
Broquiès 12 128 Ce 84
Brossac 16 99 Zf 77
Brossay 49 62 Ze 66
Brosse-Montceaux, La 77 51 Da 58
Brosses 89 67 De 63
Brosville 27 31 Ba 54
Brotte-lès-Luxeuil 70 70 Gc 62
Brotte-lès-Ray 70 69 Fe 63
Brou 28 48 Ba 59
Brouains 50 29 Za 56

Brouchaud 24 101 Af 77
Brouchy 80 18 Da 50
Brouck 57 38 Gd 54
Brouckerque 59 3 Cd 43
Brouderdorff 57 39 Ha 56
Broué 28 32 Bd 56
Brouennes 55 21 Fb 51
Brouilh-Monbert, Le 32 125 Ac 86
Brouilla 66 154 Cf 93
Brouillet 51 35 De 53
Brouqueyran 33 111 Ze 82
Brousse 23 91 Cc 72
Brousse 63 104 Dc 75
Brousse 81 127 Ca 86
Brousse, La 17 87 Zd 73
Brousse, La 63 104 Db 75
Brousse-le-Château 12 128 Cd 85
Brousses-et-Villaret 11 142 Cb 88
Broussey-en-Blois 55 37 Fd 57
Broussey-en-Woëvre 55 37 Fe 56
Broussy-le-Grand 51 35 Df 56
Broussy-le-Petit 51 35 De 56
Brou-sur-Chantereine 77 33 Cc 55
Broût-Vernet 03 92 Db 71
Brouvelieures 88 56 Ge 59
Brouville 54 56 Ge 57
Brouviller 57 39 Ha 56
Brouy 91 50 Cb 59
Brouzet-lès-Alès 30 130 Eb 84
Brouzet-lès-Quissac 30 130 Df 85
Brouzils, Les 85 74 Ye 67
Broxeele 59 3 Cb 43
Broye 71 82 Ed 68
Broye-Aubigney-Montseugny 70 69 Fd 65
Broye-les-Loups-et-Verfontaine 70 69 Fc 64
Broyes 51 35 De 56
Broyes 60 17 Cc 51
Brû 88 56 Ge 58
Bruailles 71 83 Fb 69
Bruay-la-Buissière 62 8 Cd 46
Bruay-sur-l'Escaut 59 9 Dd 46
Brucamps 80 7 Ca 48
Bruch 47 125 Ac 83
Brucheville 50 12 Ye 52
Brucourt 14 14 Zf 53
Bruc-sur-Aff 35 44 Xf 62
Brue-Auriac 83 147 Ff 87
Bruebach 68 72 Hc 62
Brueil-en-Vexin 78 32 Be 54
Bruère-Allichamps 18 79 Cc 68
Bruère-sur-Loir, La 72 62 Ac 63
Bruffière, La 85 60 Yf 66
Brugairolles 11 141 Ca 89
Brugeron, le 63 105 De 74
Bruges-Capbis-Mifaget 64 138 Ze 90
Brugheas 03 92 Dc 72
Brugnac 47 112 Ac 82
Brugny-Vaudancourt 51 35 Df 55
Bruguière, la 30 129 Dc 85
Bruguière, La 30 131 Ec 84
Bruguières 31 126 Bc 86
Bruille-lez-Marchiennes 59 8 Dd 46
Bruille-Saint-Amand 59 9 Dd 46
Bruis 05 119 Fd 82
Brûlain 79 87 Zc 71
Brulais, Les 35 44 Xf 61
Brulange 57 38 Gd 54
Brûlatte-Saint-Isle, La 53 46 Za 60
Bruley 54 37 Ff 56
Brullemail 61 31 Ad 57
Brulliolles 69 94 Ec 74
Brûlon 72 47 Zf 61
Brumath 67 40 Hc 56
Brumetz 02 34 Da 54
Brunehamel 02 19 Eb 50
Brunelles 28 48 Af 59
Brunembert 62 3 Bf 44
Brunémont 59 8 Da 47
Brunet 04 133 Ga 85
Bruniquel 82 127 Bd 84
Brunoy 91 33 Cc 56
Brunstatt 68 72 Hb 62
Brunville 76 6 Bb 49
Brunvillers-la-Motte 60 17 Cc 51
Brusc, le 83 147 Fe 90
Brusque 12 129 Cf 86
Brussey 70 70 Fe 65
Brussieu 69 94 Ec 74
Brusson 51 36 Ef 56
Brusvily 22 27 Xf 58
Brutelles 80 6 Bd 48
Bruville 54 37 Ff 54
Brux 86 88 Ab 71
Bruxerolles 86 88 Ab 69
Bruxières-sous-les-Côtes 55 37 Fe 55
Bruyères 88 56 Ge 59
Bruyères-et-Montberault 02 19 De 51
Bruyères-le-Châtel 91 33 Cb 57
Bruyères-sur-Fère 02 34 Dc 53
Bruyères-sur-Oise 95 33 Cb 54
Bruz 35 45 Yb 60
Bry 59 9 De 47
Bryas 62 7 Cb 46
Bû 28 32 Bc 56
Buais 50 29 Za 57
Buanes 40 124 Zd 86
Bubertré 61 31 Ad 57
Bubry 56 43 We 61
Buc 78 33 Ca 56
Buc 90 71 Ge 63
Bucamps 60 17 Cb 51
Bucey-en-Othe 10 52 Df 59
Bucey-lès-Gy 70 70 Ff 64
Bucey-lès-Traves 70 70 Ff 63
Buchelay 78 32 Bd 55
Buchères 10 52 Ea 59
Buchy 57 38 Gb 55
Buchy 76 16 Bb 51
Bucilly 02 19 Ea 49
Bucquoy 62 8 Ce 48
Bucy-le-Long 02 18 Dc 52
Bucy-le-Roy 45 49 Bf 60
Bucy-lès-Cerny 02 18 Dd 51
Bucy-lès-Pierrepont 02 19 Df 51
Bucy-Saint-Liphard 45 49 Be 61
Budelière 23 91 Cc 71
Buding 57 22 Gc 53
Budos 33 111 Zd 82
Bué 18 66 Cd 64
Bueil 27 32 Bd 55
Bueil-en-Touraine 37 63 Ad 63
Buellas 01 95 Fa 71

Buethwiller 68 71 Ha 63
Buffard 25 70 Ff 66
Buffières 71 94 Ed 70
Buffignécourt 70 70 Ga 62
Buffon 21 68 Eb 63
Bugarach 11 153 Cc 91
Bugard 65 139 Ab 89
Bugeat 19 102 Bf 75
Bugnein 64 137 Zb 88
Bugnicourt 59 8 Da 47
Bugnières 52 53 Fa 61
Bugny 25 84 Gc 66
Bugue, Le 24 113 Af 79
Buhl 67 40 Hf 55
Buhl 68 56 Hb 61
Buhl-Lorraine 57 39 Ha 56
Buhy 95 32 Be 53
Buicourt 60 16 Be 51
Buigny-l'Abbé 80 7 Bf 48
Buigny-lès-Gamaches 80 6 Bd 48
Buigny-Saint-Maclou 80 7 Be 48
Buire 02 19 Ea 49
Buire-au-Bois 62 7 Ca 47
Buire-Courcelles 80 18 Da 49
Buire-le-Sec 62 7 Be 46
Buire-sur-l'Ancre 80 8 Cf 48
Buironfosse 02 9 Df 49
Buis, Le 87 89 Ba 72
Buis-les-Baronnies 26 132 Fb 83
Buissard 05 120 Ga 81
Buisse, La 38 107 Fd 77
Buisson, Le 48 116 Db 81
Buisson, Le 51 36 Ee 56
Buisson-de-Cadouin, Le 24 113 Af 79
Buissoncourt 54 38 Gc 56
Buissière, la 38 108 Ff 77
Buis-sur-Damville 27 31 Ba 56
Buissy 62 8 Da 47
Bujaleuf 87 90 Bd 74
Bulainville 55 21 Fc 53
Bulan 65 139 Ab 90
Bulat-Pestivien 22 26 We 58
Bulcy 58 66 Da 64
Buléon 56 43 Xb 61
Bulgnéville 88 54 Ff 59
Bulhon 63 92 Dc 73
Bulle 25 84 Gb 67
Bullecourt 62 8 Cf 47
Bulles 60 17 Cc 52
Bulligny 54 37 Ff 57
Bullion 78 32 Bf 57
Bulliou 28 48 Bb 59
Bully 42 93 Ea 73
Bully 76 16 Bc 50
Bully-les-Mines 62 8 Ce 46
Bulson 08 20 Ef 51
Bult 88 55 Gd 59
Buncey 21 68 Ee 62
Buneville 62 7 Cc 47
Bunifaziu = Bonifacio 2A 160 Kb 100
Buno-Bonnevaux 91 50 Cc 58
Bunus 64 137 Yf 89
Bunzac 16 88 Ac 74
Buoux 84 132 Fc 85
Burbach 67 39 Ha 55
Burbure 62 8 Cc 45
Burcin 38 107 Fc 77
Burcy 14 29 Zb 55
Burcy 77 50 Cd 59
Burdignes 42 106 Ed 77
Burdignin 74 96 Gc 71
Bure 55 54 Fc 57
Buré 61 30 Ac 57
Bure-les-Templiers 21 68 Ef 62
Burelles 02 19 Df 50
Bures 54 38 Gd 56
Bures 61 30 Ac 57
Bures-en-Bray 76 16 Bb 50
Bures-sur-Yvette 91 33 Ca 56
Buret, le 53 46 Zc 61
Burey 27 31 Af 55
Burey-en-Vaux 55 37 Fe 57
Burey-la-Côte 55 54 Fe 57
Burg 65 139 Ab 89
Burgalays 31 151 Ad 91
Burgaronne 64 137 Za 88
Burgaud, Le 31 126 Ba 86
Burgille 25 70 Fe 65
Burgnac 87 89 Ba 74
Burgy 71 82 Ee 70
Burie 17 87 Zd 74
Buriville 54 38 Ge 56
Burlats 81 128 Cb 87
Burlioncourt 57 38 Gd 56
Burnand 71 82 Ed 69
Burnevillers 25 71 Ha 64
Burnhaupt-le-Bas 68 71 Ha 62
Burnhaupt-le-Haut 68 71 Ha 62
Buros 64 138 Zd 88
Burosse-Mendousse 64 138 Zd 88
Burret 09 152 Bc 91
Bursard 61 30 Ab 57
Burthecourt-aux-Chênes 54 38 Gc 56
Burtoncourt 57 22 Gc 53
Bury 60 17 Cc 53
Burzet 07 117 Eb 80
Burzy 71 82 Ed 69
Bus 62 8 Cf 48
Buschwiller 68 72 Hd 63
Busigny 59 9 Dc 48
Bus-la-Mésière 80 17 Ce 51
Bus-lès-Artois 80 8 Cd 48
Busloup 41 48 Ba 61
Busnes 62 8 Cc 45
Busque 81 127 Bf 86
Bussac 24 100 Ad 77
Bussac-Forêt 17 99 Zd 77
Bussac-sur-Charente 17 87 Zc 74
Bus-Saint-Rémy 27 32 Bd 54
Bussang 88 56 Gf 61
Busseau, le 79 75 Zc 69
Busseaut 21 68 Ed 62
Busséol 63 104 Db 74
Busserotte-et-Montenaille 21 68 Ef 63
Busset 03 92 Dd 72
Bussiares 02 34 Db 54
Bussière, La 23 91 Cd 72
Bussière, La 45 66 Ce 62
Bussière, La 86 77 Ba 70
Bussière-Badil 24 100 Ad 75
Bussière-Boffy 87 89 Af 72
Bussière-Dunoise 23 90 Bf 71
Bussière-Galant 87 101 Ba 75
Bussière-Poitevine 87 89 Af 71
Bussières 21 68 Ef 63

Bussières 42 93 Eb 74
Bussières 63 91 Cf 72
Bussières 70 70 Ff 64
Bussières 71 94 Ee 71
Bussières 77 34 Db 55
Bussières 89 67 Dd 63
Bussières-et-Pruns 63 92 Db 72
Bussière-Saint-Georges 23 91 Ca 70
Bussières-lès-Belmont 70 69 Fd 64
Busson 52 54 Fc 59
Bussu 80 8 Cf 49
Bussunarits-Sarrasquette 64 137 Yd 90
Bussus-Bussuel 80 7 Bf 48
Bussy 18 79 Cd 67
Bussy 60 18 Cf 51
Bussy-Albieux 42 93 Ea 74
Bussy-en-Othe 89 51 Dd 60
Bussy-la-Pesle 21 68 Ee 64
Bussy-la-Pesle 58 66 Dc 65
Bussy-le-Château 51 36 Ea 54
Bussy-le-Grand 21 68 Ed 63
Bussy-le-Repos 51 36 Ee 55
Bussy-le-Repos 89 51 Db 60
Bussy-lès-Daours 80 17 Cc 49
Bussy-lès-Poix 80 17 Ca 50
Bussy-Lettrée 51 35 Ea 55
Bussy-Saint-Georges 77 33 Cc 55
Bust 67 39 Hb 55
Bustanico 2B 159 Kb 95
Bustanicu = Bustanico 2B 159 Kb 95
Bustince-Iriberry 64 137 Ye 89
Bû-sur-Rouvres, Le 14 30 Ze 54
Buswiller 67 40 Hd 56
Busy 70 70 Ff 65
Butgnéville 55 37 Fe 54
Buthiers 70 70 Ga 64
Buthiers 77 50 Cc 58
Butot 76 15 Ba 51
Butot-Vénesville 76 15 Ad 50
Butry-sur-Oise 95 33 Cb 54
Butteaux 89 52 Dd 61
Butten 67 39 Hb 55
Buverchy 80 18 Da 49
Buvilly 39 83 Fe 67
Buvin 38 107 Fd 75
Buxerette, La 36 78 Be 70
Buxerolles 21 68 Ef 62
Buxerolles 86 76 Ac 69
Buxeuil 10 53 Ec 60
Buxeuil 36 64 Bb 66
Buxeuil 86 77 Ba 67
Buxières-d'Aillac 36 78 Be 69
Buxières-lès-Clefmont 52 54 Fc 60
Buxières-les-Mines 03 80 Cf 70
Buxières-lès-Villiers 52 53 Fa 60
Buxières-sous-Montaigut 63 91 Cf 71
Buxières-sur-Arce 10 53 Ec 60
Buxy 71 82 Ee 68
Buysscheure 59 3 Cc 44
Buzan 09 151 Af 91
Buzançais 36 78 Bc 67
Buzancy 02 18 Dd 52
Buzancy 08 20 Ef 52
Buzeins 12 116 Cf 82
Buzet-sur-Baïse 47 112 Ab 83
Buzet-sur-Tarn 31 127 Bd 86
Buziet 64 138 Zd 90
Buzignargues 34 130 Ea 86
Buzon 65 139 Aa 88
Buzy 55 37 Fe 53
Buzy 64 138 Zd 90
By 25 84 Ff 66
Byans-sur-Doubs 25 70 Ff 66

C

Cabanac 65 139 Ab 89
Cabanac-et-Villagrains 33 111 Zc 81
Cabanac-Séguenville 31 126 Ba 86
Cabanès 12 128 Cb 83
Cabanès 81 127 Bf 86
Cabanes-de-Fleury, Les 11 143 Db 89
Cabanial, Le 31 141 Bf 87
Cabannes 13 131 Ef 85
Cabannes 81 128 Ce 86
Cabannes, les 09 152 Be 92
Cabannes, les 81 127 Bf 84
Cabara 33 111 Zf 80
Cabariot 17 86 Za 73
Cabas-Loumasses 32 139 Ad 88
Cabasse 83 147 Ga 88
Cabestany 66 154 Cf 92
Cabidos 64 124 Zd 87
Cabourg 14 14 Zf 53
Cabrerets 46 114 Bf 80
Cabrerolles 34 143 Da 87
Cabrespine 11 142 Cc 88
Cabrières 30 130 Ec 85
Cabrières 34 143 Dc 87
Cabrières-d'Aigues 84 132 Fc 86
Cabrières-d'Avignon 84 132 Fc 86
Cabriès 13 146 Fc 88
Cabris 06 134 Gf 86
Cachan 94 33 Cb 56
Cachen 40 124 Zd 85
Cachy 80 17 Cc 49
Cadalen 81 127 Bf 85
Cadarcet 09 140 Bd 90
Cadarsac 33 111 Ze 80
Cadaujac 33 111 Zc 80
Cadéac 65 150 Ac 91
Cadeilhan 32 125 Ae 86
Cadeilhan-Trachère 65 ...
Caden 56 59 Xe 63
Cadenet 84 132 Fc 86
Caderousse 84 131 Ee 84
Cadière, La 30 130 De 85
Cadière-d'Azur, La 83 147 Fe 89
Cadillac 33 111 Zf 81
Cadillac-en-Fronsadais 33 99 Zf 79
Cadillon 64 138 Zf 87
Cadix 81 128 Cc 85
Cadolive 13 146 Fd 88
Cadours 31 126 Ba 86
Cadrieu 46 114 Bf 81

Cagnac-les-Mines 81 127 Ca 85
Cagnano 2B 157 Kc 91
Cagnanu = Cagnano 2B 157 Kc 91
Cagnes-sur-Mer 06 134 Ha 86
Cagnicourt 62 8 Cf 47
Cagnoncles 59 9 Db 47
Cagnotte 40 123 Yf 87
Cagny 14 30 Ze 54
Cagny 80 17 Cc 49
Cahagnes 14 29 Zb 54
Cahagnolles 14 13 Za 54
Cahaignes 27 32 Bd 53
Cahan 61 29 Zd 55
Caharet 65 139 Ab 90
Cahon 80 7 Be 48
Cahors 46 113 Bc 82
Cahus 46 114 Bf 79
Cahuzac 11 141 Bf 89
Cahuzac 47 112 Ad 81
Cahuzac 81 141 Ca 88
Cahuzac-sur-Adour 32 124 Zf 87
Cahuzac-sur-Vère 81 127 Bf 85
Caignac 31 141 Be 89
Cailhau 11 141 Bf 89
Cailhavel 11 141 Ca 90
Caillac 46 113 Bc 82
Caillavet 32 125 Ac 86
Caille 06 134 Ge 86
Caillère-Saint-Hilaire, La 85 75 Za 69
Cailleville 76 15 Ae 49
Caillouël-Crépigny 02 18 Da 51
Caillouet-Orgeville 27 32 Bb 54
Cailly 76 16 Bb 51
Cailly-sur-Eure 27 31 Bb 54
Cairanne 84 118 Ee 83
Cairon 14 13 Zd 53
Caisargues 30 131 Ec 86
Caisnes 60 18 Da 51
Caix 80 17 Cd 50
Caixas 66 154 Ce 93
Caixon 65 138 Aa 88
Cajarc 46 114 Bf 81
Calacuccia 2B 159 Ka 94
Calais 62 3 Bf 43
Calamane 46 113 Bc 81
Calan 56 42 We 61
Calanhel 22 25 Wd 58
Calavanté 65 139 Ab 89
Calcatoggio 2A 158 If 96
Calcatoghju = Calcatoggio 2A 158 If 96
Calce 66 154 Ce 92
Calenzana 2B 156 If 93
Calès 46 114 Bd 80
Calignac 47 125 Ac 84
Caligny 61 29 Zc 56
Calinzana = Calenzana 2B 156 If 93
Callac 22 25 Wd 58
Callas 83 134 Ge 87
Callen 40 111 Zd 83
Callengeville 76 16 Bd 49
Calleville 27 15 Ae 53
Calleville-les-Deux-Églises 76 15 Ba 50
Callian 32 125 Ab 87
Callian 83 134 Ge 87
Calmeilles 66 154 Ce 93
Calmels-et-le-Viala 12 128 Ce 85
Calmette, La 30 130 Eb 85
Calmont 12 128 Cd 83
Calmont 31 141 Bd 88
Calmoutier 70 70 Gb 63
Caloire 42 105 Eb 76
Calonges 47 112 Ab 82
Calonne-Ricouart 62 8 Cd 46
Calonne-sur-la-Lys 62 8 Cd 45
Calorguen 22 27 Xf 58
Caloterie, La 62 7 Be 46
Caluire-et-Cuire 69 94 Ef 74
Calvi 2B 156 Ie 93
Calviac 46 114 Ca 79
Calviac-en-Périgord 24 113 Bb 79
Calvignac 46 114 Be 82
Calvinet 15 115 Cc 80
Calvisson 30 130 Eb 86
Calzan 09 141 Be 90
Camalès 65 138 Aa 88
Camarade 09 140 Bb 90
Camaret-sur-Aigues 84 118 Ee 83
Camaret-sur-Mer 29 24 Vc 59
Camarsac 33 111 Zd 80
Cambayrac 46 113 Bb 82
Cambe, la 14 13 Yf 52
Cambernard 31 140 Bb 88
Cambernon 50 28 Yd 54
Cambes 33 111 Zd 80
Cambes 46 114 Bf 81
Cambes 47 112 Ab 81
Cambes-en-Plaine 14 13 Zd 53
Cambia 2B 157 Kb 94
Cambiac 31 141 Bf 88
Cambieure 11 141 Ca 90
Camblain-Châtelain 62 7 Cc 46
Camblain-l'Abbé 62 8 Cd 46
Camblanes-et-Meynac 33 111 Zd 80
Cambligneul 62 8 Cd 46
Cambo-les-Bains 64 136 Yd 88
Cambon 81 128 Cb 85
Cambon-du-Temple 81 128 Cb 85
Cambon-lès-Lavaur 81 141 Bf 87
Camboulazet 12 128 Cc 83
Camboulit 46 114 Ca 81
Cambounès 81 142 Cc 87
Cambounet-sur-le-Sor 81 141 Ca 87
Cambout, Le 22 43 Xc 60
Cambrai 59 8 Da 47
Cambremer 14 30 Aa 54
Cambrin 62 8 Cd 46
Cambron 80 7 Be 48
Cambronne-lès-Clermont 60 17 Cc 52
Cambronne-lès-Ribécourt 60 18 Cf 51
Camburat 46 114 Bf 81
Came 64 137 Yf 88
Camelas 66 154 Ce 93
Camélin 02 18 Da 51
Camembert 61 30 Ab 55
Cametours 50 28 Ye 54
Camiac-et-Saint-Denis 33 111 Ze 80
Camiers 62 6 Bd 45
Camiran 33 111 Zf 81
Camlez 22 26 We 56
Cammazes, Les 81 141 Ca 88
Camoël 56 59 Xd 64
Camon 09 141 Bf 90

Camon 80 17 Cc 49
Camors 56 43 Xa 61
Camou-Cihigue 64 137 Za 90
Camou-Mixe-Suhast 64 137 Yf 88
Camous 65 139 Az 91
Campagnac 12 116 Da 82
Campagnac-lès-Quercy 24 113 Bb 80
Campagnac 34 143 Dc 87
Campagne 24 113 Af 79
Campagne 34 130 Ea 86
Campagne 60 18 Cf 51
Campagne-de-Sault 11 153 Ca 92
Campagne-lès-Boulonnais 62 7 Bf 45
Campagne-lès-Guînes 62 3 Bf 45
Campagne-lès-Hesdin 62 7 Bf 46
Campagne-sur-Arize 09 140 Bc 90
Campagne-sur-Aude 11 153 Cb 91
Campagnolles 14 29 Za 55
Campan 65 139 Ab 90
Campana 2B 157 Kc 94
Campandré-Valcongrain 14 29 Zc 55
Camparan 65 150 Ac 91
Campeaux 14 29 Za 55
Campeaux 60 16 Be 51
Campénéac 56 44 Xe 61
Campestre-et-Luc 30 129 Dc 85
Campet-et-Lamolère 40 124 Zc 85
Camphin-en-Carembault 59 8 Cf 45
Camphin-en-Pévèle 59 8 Db 45
Campi 2B 159 Kc 95
Campigneulles-les-Grandes 62 7 Be 46
Campigneulles-les-Petites 62 7 Be 46
Campigny 27 15 Ad 53
Campile 2B 157 Kc 94
Campistrous 65 139 Ac 90
Campitello 2B 157 Kb 93
Campitellu, U = Campitello 2B 157 Kb 93
Camplong 34 129 Da 86
Camplong-d'Aude 11 142 Cd 90
Campneuseville 76 16 Bd 49
Campo 2A 159 Ka 97
Campôme 66 153 Cc 93
Campouriez 12 115 Cd 80
Campoussy 66 153 Cc 92
Camprond 50 28 Yd 54
Camprémy 60 17 Cf 51
Campsas 82 126 Bb 85
Campsegret 24 112 Ad 79
Camps-en-Amiénois 80 16 Bf 49
Camps-la-Source 83 147 Ga 88
Camps-sur-l'Agly 11 153 Cc 91
Camps-sur-l'Isle 33 99 Zf 79
Campu, U = Campo 2A 159 Ka 97
Campuac 12 115 Cd 81
Campugnan 33 99 Zc 77
Campuzan 65 139 Ac 89
Camurac 11 153 Bf 92
Canale-di-Verde 2B 159 Kc 95
Canals 82 126 Bb 85
Canaples 80 7 Cb 48
Canappeville 27 31 Ba 54
Canapville 14 14 Aa 53
Canapville 61 30 Ab 55
Canari 2B 157 Kc 91
Canaules-et-Argentières 30 130 Ea 85
Canavaggia 2B 157 Kb 93
Canavaghja, U = Canavaggia 2B 157 Kb 93
Canaveilles 66 153 Cb 93
Cancale 35 28 Ya 56
Canchy 14 13 Za 53
Canchy 80 7 Bf 47
Cancon 47 112 Ad 81
Candas 80 7 Cb 48
Candé 49 61 Yf 63
Candé-Saint-Martin 37 62 Aa 65
Candé-sur-Beuvron 41 64 Bb 64
Candillargues 34 144 Ea 87
Candor 60 18 Cf 51
Candresse 40 123 Za 86
Canehan 76 6 Bc 49
Canéjean 33 111 Zc 80
Canens 31 140 Bb 89
Canenx-et-Réaut 40 124 Zd 84
Canet 11 143 Cf 89
Canet 34 143 Dc 87
Canet-de-Salars 12 128 Ce 83
Canet-en-Roussillon 66 154 Da 92
Canettemont 62 7 Cc 47
Cangey 37 63 Ba 64
Caniac-du-Causse 46 114 Bd 81
Canihuel 22 26 Wf 58
Canilhac 48 116 Da 82
Canillo (AND) 152 Bd 93
Canisy 50 28 Yf 54
Canlers 62 7 Ca 46
Canly 60 17 Ce 52
Cannectancourt 60 18 Cf 51
Cannelle 2A 158 Ie 96
Cannelle, E = Cannelle 2B 158 Ie 96
Cannes 06 148 Ha 87
Cannes-Écluse 77 51 Cf 58
Cannes-et-Clairan 30 130 Ea 85
Cannessières 80 7 Be 49
Cannet 32 124 Zf 87
Cannet, Le 06 148 Ha 87
Cannet-des-Maures, le 83 147 Gc 88
Canny-sur-Matz 60 18 Cf 51
Canny-sur-Thérain 60 16 Be 51
Canohès 66 154 Cf 93
Canon, Le 33 110 Ye 80
Canon, Mézidon-14 30 Zf 54
Canourgue, La 48 116 Db 82
Canouville 76 15 Ad 50
Cantaing-sur-Escaut 59 8 Da 48
Cantaous 65 139 Ac 90
Cantaron 06 135 Hb 86
Canté 09 141 Bd 89
Cantelcu 76 15 Ba 52
Canteleux 62 7 Cb 47
Canteloup 14 30 Zf 54
Canteloup 50 12 Yd 52
Cantenac 33 99 Zc 78
Cantenay-Épinard 49 61 Yf 63
Cantiers 27 16 Bd 53

Cantigny 80 17 Cc 50
Cantillac 24 100 Ad 76
Cantin 59 8 Da 47
Cantoin 12 115 Ce 79
Cantois 33 111 Ze 80
Canville-la-Rocque 50 12 Yc 52
Canville-les-Deux-Églises 76 15 Af 50
Cany-Barville 76 15 Ad 50
Caorches-Saint-Nicolas 27 31 Ad 54
Caouënnec-Lanvézéac 22 26 Wd 56
Caours 80 7 Bf 48
Capbreton 40 122 Yd 87
Capdenac 46 114 Ca 81
Capdenac-Gare 12 114 Ca 81
Capdrot 24 113 Af 80
Capelle 59 9 Dd 47
Capelle, La 02 9 Df 49
Capelle-Balaguier, La 12 114 Bf 82
Capelle-Bonnance, La 12 116 Da 82
Capelle-Bleys, La 12 128 Cb 83
Capelle-Fermont 62 8 Cd 46
Capelle-Boulogne, La 12 3 Be 44
Capelle-les-Grands 27 31 Ac 54
Capelle-lès-Hesdin 62 7 Be 46
Capendu 11 142 Cc 90
Capens 31 140 Bb 89
Capestang 34 143 Cf 89
Cap-Ferret 33 110 Ye 81
Capian 33 111 Zd 80
Caplong 33 112 Aa 80
Capoulet 09 152 Be 92
Cappel 57 39 Gf 54
Cappelle-Brouck 59 3 Cb 43
Cappelle-en-Pévèle 59 8 Db 45
Cappelle-la-Grande 59 3 Cc 43
Cappy 80 7 Ce 49
Captieux 33 111 Ze 83
Capvern 65 139 Ab 90
Caragoudes 31 141 Be 88
Caramany 46 154 Cd 92
Caraman 31 141 Be 87
Carantilly 50 28 Ye 54
Carayac 46 114 Bf 81
Carbay 49 45 Ye 62
Carbini 2A 159 Ka 98
Carbon-Blanc 33 111 Zc 79
Carbonne 31 140 Bb 89
Carbuccia 2A 159 If 96
Carcagny 14 13 Zc 53
Carcanières 09 153 Ca 92
Carcans 33 98 Yf 78
Carcarès-Sainte-Croix 40 123 Zb 85
Carcassonne 11 142 Cc 89
Carcen-Ponson 40 123 Zb 85
Carcès 83 147 Gb 88
Carcheto-Brustico 2B 157 Kc 94
Carchetu Brusticu = Carcheto-Brustico 2B 157 Kc 94
Cardaillac 46 114 Bf 80
Cardan 33 111 Zd 80
Cardeilhac 31 139 Ae 89
Cardesse 64 138 Zc 89
Cardet 30 130 Ea 84
Cardonette 80 7 Cc 49
Cardonnet 47 125 Ad 83
Cardonnois, Le 80 17 Cc 51
Cardo-Torgia 2A 159 If 97
Cardu Torgia = Cardo-Torgia 2A 159 If 97
Cardroc 35 44 Ya 59
Carelles 53 46 Za 58
Carency 62 8 Ce 46
Carennac 46 114 Be 79
Carentan 50 12 Ye 53
Carentoir 56 44 Xf 62
Cargèse 2A 158 Id 96
Carghjese = Cargèse 2A 158 Id 96
Carhaix-Plouguer 29 42 Wc 59
Carignan 08 21 Fb 51
Carignan-de-Bordeaux 33 111 Zd 80
Carisey 89 52 Df 61
Carla-Bayle 09 140 Bc 90
Carla-de-Roquefort 09 141 Be 91
Carlat 15 115 Ce 80
Carlencas-et-Levas 34 129 Db 86
Carlepont 60 18 Da 51
Carling 57 39 Ge 53
Carlipa 11 141 Ca 89
Carlucet 46 114 Bd 80
Carlus 81 127 Ca 85
Carlux 24 113 Bc 79
Carly 62 3 Be 45
Carmaux 81 128 Cb 84
Carnac 56 58 Wf 63
Carnac-Rouffiac 46 113 Bb 82
Carnas 30 130 Df 86
Carneille, la 61 29 Zd 56
Carnet 50 28 Yf 57
Carneville 50 12 Yd 50
Carnières 59 9 Dc 47
Carnin 59 8 Cf 45
Carnoët 22 25 Wc 58
Carnoules 83 147 Gb 89
Carnoux-en-Provence 13 146 Fd 89
Carnoy 80 8 Ce 49
Caro 56 44 Xe 61
Caro 64 137 Ye 90
Carolles 50 28 Yc 56
Caromb 84 132 Fa 84
Carpentras 84 132 Fa 84
Carpineto 2B 157 Kc 94
Carpinetu = Carpineto 2B 157 Kc 94
Carpiquet 14 13 Zd 53
Carquebut 50 12 Ye 52
Carquefou 44 60 Yd 65
Carqueiranne 83 147 Ga 90
Carrépuis 80 18 Cd 50
Carrère 64 138 Ze 88
Carrières-sous-Poissy 78 33 Ca 55
Carros 06 135 Hb 86
Carrouges 61 30 Zf 57
Carry-le-Rouet 13 146 Fa 88
Cars 33 99 Zc 78
Cars, les 87 101 Ba 74
Carsac-Aillac 24 113 Bb 79
Carsac-de-Gurson 24 112 Aa 79
Carsan 30 131 Ed 84

Carsix 27 31 Ae 54
Carspach 68 71 Hb 63
Cartelègue 33 99 Zc 77
Carteret, Barneville- 50 12 Yb 52
Cartignies 59 9 Df 48
Cartigny 80 18 Da 49
Cartigny-l'Épinay 14 13 Yf 53
Carves 24 113 Ba 80
Carville-la-Folletière 76 15 Ae 51
Carville-Pot-de-Fer 76 15 Ae 50
Carvin 62 8 Cf 46
Casabianca 2B 157 Kc 94
Casa Bianca, A = Casabianca 2B 157 Kc 94
Casaglio = Casaglione 2A 158 Ie 96
Casaglione 2A 158 Ie 96
Casalabriva 2A 158 If 98
Casalta 2B 157 Kc 94
Casamaccioli 2B 159 Ka 95
Casanova 2B 159 Kb 95
Casa Nova, A = Casanova 2B 159 Kb 95
Cascastel-des-Corbières 11 154 Ce 91
Casefabre 66 154 Cd 93
Caseneuve 84 132 Fc 85
Cases-de-Pène 66 154 Ce 92
Casevecchie 2B 159 Kc 96
Case Vechje, E = Casevecchie 2B 159 Kc 96
Cassagnabère-Tournas 31 139 Ae 89
Cassagnas 48 130 De 83
Cassagne 24 101 Bb 78
Cassagne, la 24 101 Bb 78
Cassagnes 46 113 Ba 81
Cassagnes 66 154 Cd 92
Cassagnes-Bégonhès 12 128 Cc 83
Cassagnoles 34 142 Cd 88
Cassagnoles 30 130 Ea 84
Cassaigne 32 125 Ab 85
Cassaigne, La 11 141 Bf 89
Cassaignes 11 153 Cb 91
Cassaniouze 15 115 Cc 80
Cassel 59 4 Cc 44
Cassen 40 123 Za 86
Casseneuil 47 113 Af 81
Cassignas 47 112 Ad 82
Cassis 13 146 Fd 89
Cassuéjouls 12 115 Ce 80
Cast 29 41 Vf 60
Castagnac 31 140 Bc 89
Castagnède 31 140 Af 90
Castagnède 64 137 Za 88
Castagniers 06 135 Hb 86
Castaignos-Souslens 40 123 Zc 87
Castandet 40 124 Zd 86
Castanet 12 128 Cb 83
Castanet 81 127 Ca 85
Castanet 82 127 Bf 83
Castanet-le-Bas 34 129 Da 87
Castanet-le-Haut 34 129 Cf 87
Castanet-Tolosan 31 141 Bd 87
Castans 11 142 Cc 88
Casteide-Cami 64 138 Zc 88
Casteide-Candau 64 138 Zc 87
Casteide-Doat 64 138 Zf 88
Casteil 66 153 Cc 93
Castelbajac 65 139 Ac 89
Castelbiague 31 140 Af 90
Castelculier 47 125 Ae 83
Castelferrus 82 126 Ba 84
Castelfranc 46 113 Bb 81
Castelgaillard 31 140 Af 88
Castelginest 31 126 Bc 86
Casteljaloux 47 112 Aa 83
Casteljau 07 117 Eb 82
Castella 47 112 Ae 83
Castellane 04 134 Gd 85
Castellar 06 135 Hc 86
Castellare di Casinca 2B 157 Kc 94
Castellare-di-Mercurio 2B 159 Kb 95
Castellare di Mercuriu = Castellare-di-Mercurio 2B 159 Kb 95
Castellet 84 132 Fc 85
Castellet, Le 04 133 Ff 85
Castellet, Le 83 147 Fe 89
Castello-di-Rostino 2B 157 Kb 94
Castellu di Rustinu = Castello-di-Rostino 2B 157 Kb 94
Castelmary 12 128 Cb 83
Castelmaurou 31 127 Bd 86
Castelmayran 82 126 Ba 84
Castelmoron-d'Albret 33 111 Zf 80
Castelmoron-sur-Lot 47 112 Ac 82
Castelnau-Barbarens 32 125 Ae 87
Castelnau-Chalosse 40 123 Za 87
Castelnau-d'Anglès 32 125 Ab 87
Castelnau-d'Arbieu 32 125 Ae 85
Castelnau-d'Aude 11 141 Bf 89
Castelnau-d'Auzan 32 125 Aa 85
Castelnau-de-Brassac 81 128 Cd 86
Castelnau-de-Guers 34 143 Dc 88
Castelnau-de-Lévis 81 127 Ca 85
Castelnau-de-Mandailles 12 115 Cf 81
Castelnau-de-Médoc 33 98 Zb 78
Castelnau-de-Montmiral 81 127 Be 85
Castelnau-d'Estrétefonds 31 126 Bc 86
Castelnaud-la-Chapelle 24 113 Ba 80
Castelnau-Durban 09 140 Bc 90
Castelnau-le-Lez 34 130 Df 87
Castelnau-Magnoac 65 139 Ad 89
Castelnau-Montratier 46 126 Bc 83
Castelnau-Pégayrols 12 129 Cf 84
Castelnau-Picampeau 31 140 Ba 89
Castelnau-Rivière-Basse 65 124 Zf 87
Castelnau-sur-Gupie 47 112 Aa 81

Castelnau-sur-l'Auvignon 32 125 Ac 85
Castelnau-Tursan 40 124 Zd 87
Castelnau-Valence 30 130 Eb 84
Castelnavet 32 125 Aa 86
Castelner 40 124 Zc 87
Castelnou 66 154 Ce 93
Castelreng 11 141 Ca 90
Castels 24 113 Ba 79
Castelsagrat 82 126 Af 83
Castelsarrasin 82 126 Ba 84
Castelvieilh 65 139 Ab 89
Castelviel 33 111 Zf 80
Castéra, Le 31 126 Bb 86
Castéra-Bouzet 82 126 Af 84
Castéra-Lectourois 32 125 Ad 85
Castéra-Loubix 64 138 Ze 88
Castéras 09 140 Bc 90
Castéra-Verduzan 32 125 Ac 86
Castéra-Vignoles 31 139 Ae 89
Casterets 65 139 Ad 89
Castéron 32 125 Ae 85
Castet 64 138 Zc 90
Castet-Arrouy 32 125 Ae 85
Castetbon 64 137 Zb 88
Castétis 64 137 Zb 88
Castetnau-Camblong 64 137 Zb 89
Castetpugon 64 124 Ze 87
Castets 40 123 Ye 87
Castets 40 123 Yf 85
Castex 09 140 Bb 90
Castex 32 139 Ab 88
Castex-d'Armagnac 32 124 Zf 85
Casties-Labrande 31 140 Ba 89
Castifao 2B 157 Ka 94
Castifau = Castifao 2B 157 Ka 94
Castiglione 2B 157 Ka 94
Castillon 06 135 Hc 85
Castillon 64 138 Zc 89
Castillon 64 138 Zf 88
Castillon-Debats 32 125 Ab 86
Castillon-de-Castets 33 111 Zf 81
Castillon-de-Larboust 31 151 Ad 92
Castillon-du-Gard 30 131 Ed 85
Castillon-en-Auge 14 30 Aa 54
Castillon-en-Couserans 09 151 Ba 91
Castillon-la-Bataille 33 111 Zf 79
Castillon-Massas 32 125 Ad 86
Castillonnès 47 112 Ad 81
Castillon-Savès 32 140 Af 87
Castilly 14 13 Yf 53
Castin 32 125 Ad 86
Castineta 2B 157 Kb 94
Castirla 2B 157 Ka 94
Castres 02 18 Db 50
Castres 81 128 Cb 86
Castres-Gironde 33 111 Zd 80
Castries 34 130 Ea 87
Cateau-Cambrésis, Le 59 9 Dd 48
Catelet, le 02 8 Db 48
Catenay 76 16 Bb 51
Catenoy 60 17 Cd 52
Cateri 2B 156 If 93
Cateri, I = Cateri 2B 156 If 93
Cathervielle 31 151 Ad 92
Catheux 60 17 Ca 51
Catigny 60 18 Cf 51
Catillon-Fumechon 60 17 Cc 51
Catillon-sur-Sambre 59 9 Dd 48
Catllar 66 153 Cc 93
Cattenières 59 9 Db 48
Cattenom 57 22 Gc 52
Catteville 50 12 Yc 52
Catus 46 113 Bb 81
Catz 50 12 Ye 53
Caubeyres 47 112 Aa 83
Caubiac 31 126 Ba 86
Caubios-Loos 64 138 Zd 88
Caubon-Saint-Sauveur 47 112 Ab 81
Caucalières 81 142 Cb 87
Cauchie 62 8 Cd 47
Cauchie, La 62 8 Cd 47
Cauchy-à-la-Tour 62 7 Cc 45
Caucourt 62 8 Ce 46
Caudan 56 42 Wd 62
Caudebec-en-Caux 76 15 Ae 51
Caudebec-lès-Elbeuf 76 15 Ba 53
Caudebronde 11 142 Cb 88
Caudecoste 47 125 Ae 84
Caudeval 11 141 Bf 90
Caudiès-de-Conflent 66 153 Ca 93
Caudiès-de-Fenouillèdes 66 153 Cc 92
Caudrot 33 111 Zf 81
Caudry 59 9 Dc 48
Cauffry 60 17 Cc 52
Caugé 37 31 Ba 54
Caujac 31 140 Bc 89
Caulaincourt 02 18 Da 49
Caulières 80 16 Bf 50
Caullery 59 9 Dc 48
Caulnes 22 44 Xf 59
Caumont 02 18 Db 50
Caumont 09 140 Ba 90
Caumont 27 15 Af 52
Caumont 32 124 Zf 86
Caumont 33 111 Zf 80
Caumont 62 7 Ca 47
Caumont 82 126 Ba 84
Caumont-l'Éventé 14 29 Zb 54
Caumont-sur-Durance 84 131 Ef 85
Caumont-sur-Garonne 47 112 Ab 82
Caumont-sur-Orne 14 29 Zd 55
Cauna 40 123 Zc 86
Caunay 79 88 Aa 71
Caunes-Minervois 11 142 Cd 89
Caunette, La 34 142 Cd 89
Caunette-sur-Lauquet 11 142 Cc 90
Caunettes-en-Val 11 142 Cd 90
Caupenne 40 123 Zb 86
Caupenne-d'Armagnac 32 124 Zf 86
Caure, La 51 35 De 55
Caurel 22 43 Wf 59

Cauro 2A 158 If 97
Cauroir 59 9 Db 48
Cauroy 08 20 Ec 52
Cauroy-lès-Hermonville 51 19 Df 52
Causé, Le 82 126 Af 86
Cause-de-Clérans 24 112 Ae 79
Caussade 82 127 Bd 84
Caussade-Rivière 65 138 Aa 87
Causse-Bégon 30 129 Dc 84
Causse-de-la-Selle 34 130 Dd 86
Causse-de-Saujac 12 114 Bf 82
Caussens 32 125 Ac 85
Causses-et-Veyron 34 143 Da 88
Caussol 06 134 Gf 86
Caussou 09 152 Be 92
Cauterets 65 150 Zf 91
Cauverville-en-Roumois 27 15 Ad 52
Cauvicourt 14 30 Ze 54
Cauvignac 33 111 Zf 82
Cauvigny 60 17 Cb 53
Cauville 76 14 Aa 51
Caux 34 143 Dc 87
Caux-et-Sauzens 11 142 Cb 89
Cauzac 47 113 Af 83
Cavagnac 46 102 Bd 78
Cavaillon 84 132 Fa 85
Cavalaire-sur-Mer 83 148 Gd 89
Cavalerie, La 12 129 Da 84
Cavan 22 26 Wd 57
Cavanac 11 142 Cb 90
Cavarc 47 112 Ad 80
Caveirac 30 130 Eb 86
Caves 11 154 Cf 91
Cavignac 33 99 Zd 78
Cavillargues 30 131 Ed 84
Cavillon 80 17 Ca 49
Cavron-Saint-Martin 62 7 Bf 46
Cavru = Cauro 2A 158 If 97
Caychax 09 153 Bf 92
Cayeux-en-Santerre 80 17 Cd 50
Cayeux-sur-Mer 80 6 Bc 47
Caylar, Le 34 129 Db 85
Caylus 82 127 Be 83
Cayrac 82 126 Bc 84
Cayres 43 117 De 79
Cayriech 82 127 Bd 83
Cayrol, Le 12 115 Cf 81
Cayrols 15 115 Cb 80
Cazac 31 140 Af 88
Cazalis 33 111 Zd 82
Cazalis 40 123 Zc 87
Cazalrenoux 11 141 Bf 89
Cazals 46 113 Bb 81
Cazals 82 127 Bf 84
Cazals-des-Baylès 09 141 Bf 90
Cazarilh 65 139 Ad 90
Cazaril-Laspènes 31 151 Ad 92
Cazaril-Tambourès 31 139 Ad 89
Cazats 33 111 Ze 82
Cazaubon 32 124 Zf 85
Cazaugitat 33 112 Aa 80
Cazaunous 31 139 Ae 91
Cazaux 09 141 Bd 90
Cazaux-d'Anglès 32 125 Ab 87
Cazaux-Debat 65 150 Ac 91
Cazaux-Layrisse 31 151 Ad 91
Cazaux-Savès 32 140 Af 87
Cazaux-Villecomtal 32 139 Ab 88
Cazavet 09 140 Ba 90
Cazenave 32 125 Ab 86
Cazeneuve-Montaut 31 140 Af 89
Cazères 31 140 Ba 89
Cazères-sur-l'Adour 40 124 Ze 86
Cazes-Mondenard 82 126 Bb 83
Cazevieille 34 130 De 86
Cazideroque 47 113 Af 82
Cazilhac 11 142 Cb 90
Cazilhac 34 130 De 86
Cazillac 46 114 Bd 79
Cazoulès 24 113 Bc 79
Cazouls-d'Hérault 34 143 Dc 87
Cazouls-lès-Béziers 34 143 Da 88
Céaucé 61 29 Zc 58
Céaulmont 36 78 Bd 69
Céaux 50 28 Yd 57
Céaux-d'Allègre 43 105 De 77
Céaux-en-Couhé 86 88 Ab 71
Ceaux-en-Loudun 86 76 Ab 66
Cébazan 34 143 Cf 88
Cébazat 63 92 Da 73
Ceffonds 52 53 Ee 58
Ceilhes-et-Rocozels 34 129 Da 86
Ceillac 05 121 Ge 80
Ceilloux 63 104 Dd 75
Ceintrey 54 38 Gd 57
Celette, la 18 79 Cd 69
Cellé 41 48 Ae 62
Celle, La 03 91 Ce 71
Celle, La 18 79 Cb 68
Celle, La 63 91 Ce 73

Celon 36 78 Bc 69
Celoux 15 104 Db 78
Celsoy 52 54 Fc 61
Cély 77 50 Cd 58
Cembong 70 54 Ff 61
Cempuis 60 17 Ca 51
Cénac 33 111 Zd 80
Cenans 70 70 Gb 64
Cendre, Le 63 104 Db 74
Cendrecourt 70 55 Ff 61
Cendrey 25 70 Gb 64
Cendrieux 24 101 Ae 79
Cénevières 46 114 Be 82
Cenne-Monestiès 11 141 Ca 89
Cenon 33 111 Zc 79
Cenon-sur-Vienne 86 77 Ad 68
Censerey 21 68 Ec 65
Censy 89 67 Ea 62
Cent-Acres, Les 76 15 Ba 50
Centrès 12 128 Cc 84
Centuri 2B 157 Kc 91
Cenves 69 94 Ed 71
Cépet 31 126 Bc 86
Cépie 11 142 Cb 90
Cepoy 45 50 Ce 60
Céran 32 125 Ae 86
Cérans-Foulletourte 72 47 Ab 62
Cerbère 66 154 Da 94
Cerbois 18 79 Ca 66
Cercier 74 96 Ga 72
Cerclé 69 94 Ee 72
Cercles 24 100 Ac 76
Cercottes 45 49 Bf 61
Cercoux 17 99 Ze 78
Cercueil, Le 61 30 Aa 57
Cercy-la-Tour 58 81 Dd 67
Cerdon 01 95 Fc 72
Cerdon 45 65 Cc 63
Cere 40 124 Zc 85
Céré-la-Ronde 37 63 Bb 65
Cérelles 37 63 Ae 64
Cérences 50 28 Yd 55
Céreste 04 132 Fd 85
Céret 66 154 Ce 94
Cerfontaine 59 9 Ea 47
Cergne, La 42 93 Eb 72
Cergy 95 33 Ca 54
Cergy-Pontoise (ville nouvelle) 95 33 Ca 54
Cérilly 03 80 Ce 69
Cérilly 21 67 Eb 62
Cérilly 89 52 Dd 59
Cerisé 61 47 Aa 58
Cerisières 52 53 Fa 59
Cerisy 80 17 Cd 49
Cerisy-Belle-Étoile 61 29 Zc 56
Cérisy-Buleux 80 7 Be 49
Cerisy-la-Forêt 50 13 Za 53
Cerisy-la-Salle 50 28 Ye 54
Cerizay 79 75 Zc 68
Cérizols 09 140 Ba 90
Cerizy 02 18 Db 50
Cerlangue, La 76 14 Ac 51
Cernans 39 84 Ga 68
Cernay 14 30 Ab 54
Cernay 21 68 Eb 64
Cernay 68 56 Hb 62
Cernay 86 76 Ab 66
Cernay-en-Dormois 51 36 Ee 53
Cernay-la-Ville 78 32 Bf 56
Cernay-l'Église 25 71 Gf 65
Cernay-lès-Reims 51 19 Ea 53
Cernex 77 34 Dc 56
Cerniébaud 39 84 Ga 68
Cernion 08 20 Ec 50
Cernon 39 95 Fd 70
Cernon 51 35 Ec 55
Cernoy 60 17 Cd 52
Cernoy-en-Berry 45 65 Cd 63
Cernusson 49 61 Zd 65
Cerny 91 50 Cb 58
Cerny-en-Laonnois 02 19 Dd 52
Cerny-lès-Bucy 02 18 Dd 51
Céron 71 93 Df 71
Cérons 33 111 Zd 80
Cerqueux-de-Maulevrier, Les 49 75 Zc 66
Cerqueux-sous-Passavant 49 61 Zd 66
Cerre-lès-Nordy 70 70 Gb 63
Cersay 79 75 Zf 66
Cers 34 143 Da 89
Cersot 71 82 Ed 68
Certilleux 88 54 Fe 59
Certines 01 95 Fb 72
Cervens 74 96 Gc 71
Cervières 05 120 Ge 79
Cervières 42 93 De 73
Cerville 54 38 Gb 56
Cervione 2B 159 Kc 95
Cervioni = Cervione 2B 159 Kc 95
Cervon 58 81 De 65
Cerzat 43 104 Dc 78
Césarches 73 108 Gc 74
Césarville-Dossainville 45 50 Cb 59
Cescau 09 151 Ba 91
Cescau 64 138 Zc 88
Cesny-aux-Vignes-Ouezy 14 30 Zf 54
Cesny-Bois-Halbout 14 29 Zd 55
Cessac 33 111 Ze 80
Cessales 31 141 Be 88
Cesse 55 21 Fa 51
Cessenon-sur-Orb 34 143 Da 88
Cessens 73 96 Ff 74
Cesseras 34 142 Ce 89
Cesset 03 92 Db 71
Cesseville 27 31 Af 53
Cessey 25 84 Ga 66
Cessey-sur-Tille 21 69 Fb 65
Cessières 02 18 Dc 52
Cessieu 38 107 Fc 75
Cesson 22 26 Xb 57
Cesson 77 51 Ce 57
Cesson-Sévigné 35 45 Yc 60
Cessoy-en-Montois 77 51 Da 57
Cessy 01 96 Ga 71
Cessy-les-Bois 58 66 Db 65
Cestas 33 111 Zb 80
Cestayrols 81 127 Bf 85
Ceton 61 48 Ac 59
Cette-Eygun 64 137 Zc 91
Cevins 73 108 Gc 75
Ceyras 34 129 Dc 87
Ceyreste 13 146 Fd 89
Ceyroux 23 90 Bd 72
Ceyssac 43 105 De 78
Ceyssat 63 92 Cf 74

Ceyssat 63 104 Db 74
Ceyzériat 01 95 Fb 72
Ceyzérieu 01 95 Fe 74
Cézac 33 99 Zd 78
Cézac 46 113 Bc 82
Cezais 85 75 Zb 69
Cezay 42 93 Df 74
Cézens 15 115 Cf 79
Cézia 39 95 Fd 71
Cézy 89 51 Dc 61
Chabanais 16 89 Ae 73
Chabanne 63 104 Da 75
Chabanne, La 03 93 De 72
Chabanne, La 63 103 Ce 75
Chabanne, La 63 105 Df 75
Chabestan 05 120 Fe 82
Chabeuil 26 118 Fa 79
Chablis 89 67 De 62
Chabottes 05 120 Gb 81
Chabournay 86 76 Ab 68
Chabrac 16 89 Ae 73
Chabreloche 63 93 De 73
Chabrignac 19 101 Bc 77
Chabrillan 26 118 Ef 80
Chabris 36 64 Bd 65
Chacé 49 62 Zf 65
Chacenay 10 53 Ed 60
Chacrise 02 18 Dc 53
Chadeleuf 63 104 Db 75
Chadenac 17 99 Zd 75
Chadron 43 117 Df 79
Chaffois 25 84 Gb 67
Chagey 70 71 Ge 63
Chagnolet 17 86 Yf 71
Chagny 08 20 Ee 51
Chagny 71 82 Ee 67
Chahaignes 72 63 Ad 62
Chahains 61 30 Zf 57
Chaignay 21 69 Fa 64
Chaignes 27 32 Bc 54
Chaillac 36 78 Bb 70
Chaillac-sur-Vienne 87 89 Af 73
Chailland 53 46 Za 59
Chaillé-les-Marais 85 74 Yf 70
Chailles 41 64 Bd 63
Chaillé-sous-les-Ormeaux 85 74 Yd 69
Chaillevette 17 86 Yf 74
Chaillevois 02 18 Dc 53
Chailley 89 52 De 60
Chaillon 55 37 Fd 55
Chailloué 61 30 Ab 57
Chailly-en-Bière 77 50 Cd 58
Chailly-en-Brie 77 34 Da 56
Chailly-en-Gâtinais 45 50 Cd 61
Chailly-lès-Ennery 57 38 Gb 53
Chailly-sur-Armançon 21 68 Ec 65
Chaînée-des-Coupis 39 83 Fc 67
Chaingy 45 49 Be 61
Chaintré 71 94 Ee 70
Chaintreaux 77 51 Ce 59
Chaintrix-Bierges 51 35 Ea 55
Chaise, La 10 53 Ed 58
Chaise-Baudouin, la 50 28 Ye 56
Chaise-Dieu, La 43 105 De 77
Chaise-Dieu-du-Theil 27 31 Ae 56
Chaises, Les 28 31 Ba 57
Chaix 85 75 Za 70
Chaize-Giraud, La 85 73 Yb 69
Chaize-le-Vicomte, La 85 74 Ye 68
Chalabre 11 141 Ca 91
Chalagnac 24 100 Ae 78
Chalain-d'Uzore 42 105 Ea 74
Chalaines 55 37 Fe 57
Chalain-le-Comtal 42 105 Eb 75
Chalais 16 100 Aa 77
Chalais 36 77 Bb 69
Chalais 86 74 Ac 67
Chalamont 01 95 Fb 73
Chalampé 68 57 Hd 62
Chalancey 52 69 Fa 62
Chalancon 26 119 Fc 81
Chalandray 86 76 Zf 69
Chalandry 02 19 Dd 50
Chalandry-Elaire 08 20 Ee 50
Chalange, Le 61 31 Ab 57
Chalard, Le 87 101 Ba 75
Chalautre-la-Grande 77 34 Dc 57
Chalautre-la-Reposte 77 51 Da 58
Chalaux 58 67 Df 65
Chaleins 01 94 Ee 72
Chaleix 24 101 Af 75
Chalencon 07 118 Ed 79
Chalesmes-Grand, les 39 84 Ga 68
Chalesmes-Petit, les 39 84 Ga 68
Châlette-sur-Loing 45 50 Ce 60
Chalette-sur-Voire 10 53 Ec 58
Chaley 01 95 Fd 73
Chalèze 25 70 Ga 65
Chalezeule 25 70 Ga 65
Chaliers 15 116 Db 79
Chaligny 54 38 Ga 57
Chalinargues 15 104 Cf 78
Chalivoy-Milon 18 79 Ce 67
Challain-la-Potherie 49 61 Yf 63
Challans 85 73 Ya 67
Challement 58 67 Dd 65
Challerange 08 20 Ee 53
Challes 01 95 Fc 72
Challes 72 47 Ac 61
Challes-les-Eaux 73 108 Ff 75
Challet 28 32 Bc 57
Challex 01 96 Ff 71
Challignac 16 100 Aa 76
Challonges 74 96 Ff 72
Challuy 58 80 Dc 66
Chalmaison 77 51 Db 58
Chalmazel 42 105 Df 74
Chalmoux 71 81 Df 69
Chalon, le 26 107 Fa 78
Chalonnes-sous-le-Lude 49 62 Ab 63
Chalonnes-sur-Loire 49 61 Zb 64
Chalonnes-en-Champagne 51 36 Ec 55
Châlons-sur-Marne = Châlons-en-Champagne 51 36 Ec 55
Châlons-sur-Vesle 51 19 Df 53
Chalon-sur-Saône 71 82 Ef 68
Châlonvillars-Mandrevillars 70 71 Ge 63
Chalo-Saint-Mars 91 50 Ca 58
Chalou-Moulineux 91 49 Ca 58
Chalus 63 103 Db 76
Chalvignac 15 103 Cb 77
Chalvraines 52 54 Fc 59

Chamadelle 33 99 Zf 78
Chamagne 88 55 Gb 58
Chamagnieu 38 107 Fa 74
Chamalières 63 92 Da 74
Chamalières-sur-Loire 43 105 Df 77
Chamaloc 26 119 Fc 80
Chamant 26 119 Fc 80
Chamarande 91 50 Cb 57
Chamarandes-Choignes 52 54 Fb 60
Chamaret 26 118 Ef 82
Chamba, la 42 93 De 74
Chambain 21 68 Ef 62
Chambeire 21 69 Fb 65
Chambellay 49 61 Zb 62
Chambeon 42 105 Eb 74
Chambérat 03 79 Cc 70
Chambéry 73 108 Ff 75
Chambeugle 89 51 Da 61
Chamblac 27 31 Ad 55
Chamblanc 21 83 Fa 66
Chambles 42 105 Eb 76
Chamblet 03 91 Ce 70
Chambley-Bussières 54 37 Ff 54
Chambly 60 33 Cb 53
Chambœuf 21 68 Ef 65
Chambœuf 42 105 Eb 75
Chambois 61 30 Aa 56
Chambolle-Musigny 21 68 Ef 65
Chambon 17 86 Za 72
Chambon 18 79 Cb 68
Chambon 37 77 Ae 67
Chambon, le 07 117 Eb 80
Chambon, le 30 117 Df 82
Chambonas 07 117 Ea 82
Chambon-Feugerolles, le 42 105 Eb 76
Chambon-la-Forêt 45 50 Cb 60
Chambon-le-Château 48 117 Dd 79
Chambon-Sainte-Croix 23 90 Be 70
Chambon-sur-Cisse 41 64 Bb 63
Chambon-sur-Dolore 63 105 Dd 76
Chambon-sur-Lac 63 104 Cf 75
Chambon-sur-Lignon, Le 43 105 Eb 78
Chambon-sur-Voueize 23 91 Cc 71
Chamborand 23 90 Bd 72
Chambord 21 53 Ad 55
Chambord 41 64 Bd 63
Chamborêt 87 89 Af 73
Chamborigaud 30 130 Df 83
Chambornay-lès-Bellevaux 70 70 Ga 64
Chambornay-lès-Pins 70 70 Ff 64
Chambors 60 16 Be 53
Chambost-Allières 69 94 Ec 72
Chambost-Longessaigne 69 94 Ec 74
Chamboulive 19 102 Be 76
Chambourcy 78 33 Ca 55
Chambourg-sur-Indre 37 63 Af 65
Chambray 27 32 Bb 54
Chambray-lès-Tours 37 63 Ae 64
Chambrecy 51 35 De 53
Chambres, Les 50 28 Yd 56
Chambretaud 85 73 Za 67
Chambroncourt 52 54 Fc 58
Chambry 02 19 Dd 51
Chambry 77 34 Cf 54
Chameane 63 104 Dc 75
Chamelet 69 94 Ed 73
Chamery 51 35 Df 53
Chamesey 25 71 Gd 65
Chamesol 25 71 Gf 64
Chamesson 21 68 Ed 62
Chameyrat 19 102 Be 78
Chamigny 77 34 Da 55
Chamilly 71 82 Ee 67
Chammes 53 46 Zd 60
Chamole 39 84 Fe 67
Chamonix-Mont-Blanc 74 97 Gf 73
Chamouillac 17 99 Zd 77
Chamouille 02 19 De 52
Chamouilley 52 36 Fa 57
Chamousset 73 108 Gb 75
Chamoux 89 67 Dd 64
Chamoy 10 52 Df 60
Champagnac 15 103 Cc 76
Champagnac 17 99 Zd 76
Champagnac-de-Belair 24 101 Ae 76
Champagnac-la-Noaille 19 102 Ca 77
Champagnac-la-Prune 19 102 Bf 77
Champagnac-la-Rivière 87 89 Af 74
Champagnac-le-Vieux 43 104 Dc 76
Champagnat 23 91 Cb 72
Champagnat 71 83 Fc 70
Champagnat-le-Jeune 63 104 Dc 76
Champagne 07 106 Ee 77
Champagne 17 117 Eb 80
Champagne 28 32 Bd 56
Champagné 72 47 Ac 60
Champagne-au-Mont-d'Or 69 94 Ee 74
Champagne-en-Valromey 01 95 Fe 73
Champagné-le-Sec 86 88 Ab 71
Champagné-les-Marais 85 74 Yf 70
Champagne-Mouton 16 88 Ac 73
Champagné-Saint-Hilaire 86 88 Ab 71
Champagne-sur-Oise 95 33 Cb 53
Champagne-sur-Seine 77 51 Ce 58
Champagne-sur-Vingeanne 21 69 Fc 64
Champagne-Vigny 16 100 Aa 75
Champagney 25 70 Ff 65
Champagney 39 69 Fd 65
Champagney 70 71 Ge 62
Champagnier 38 107 Fe 78
Champagnole 39 84 Ff 68

Champagnolles 17 99 Zc 75
Champagny 21 68 Ee 64
Champagny-en-Vanoise 73 109 Ge 76
Champagny-sous-Uxelles 71 82 Ee 69
Champallement 58 67 Dc 65
Champanges 74 96 Gd 70
Champaubert 51 35 De 55
Champcella 05 121 Gd 80
Champcenest 77 34 Db 56
Champcerie 61 30 Ze 56
Champcervon 50 28 Yd 56
Champcevinel 24 101 Ae 77
Champcevrais 89 66 Cf 62
Champcey 50 28 Yd 56
Champclause 43 105 Eb 78
Champcueil 91 50 Cc 57
Champ-de-la-Pierre, le 61 30 Ze 57
Champdeniers-Saint-Denis 79 75 Zd 70
Champdeuil 77 33 Ce 57
Champdieu 42 105 Ea 75
Champdivers 39 83 Fc 66
Champ-d'Oiseau 21 68 Ec 63
Champdolent 17 87 Zb 73
Champdor 01 95 Fd 72
Champdôtre 21 69 Fa 65
Champdray 88 56 Ge 60
Champ-du-Boult 14 29 Yf 56
Champeau 21 67 Ea 65
Champeaux 35 45 Ye 60
Champeaux 77 34 Ce 57
Champeaux, Les 61 30 Aa 55
Champeaux-et-la-Chapelle-Pommier 24 100 Ad 76
Champeaux-sur-Sarthe 61 30 Ac 57
Champeix 63 104 Da 75
Champenard 27 32 Bc 54
Champenoise, la 36 78 Be 67
Champenoux 54 38 Gc 56
Champéon 53 46 Zc 58
Champétières 63 105 Dd 75
Champey 70 71 Ge 63
Champey-sur-Moselle 54 38 Ga 55
Champfleur 72 47 Aa 58
Champfleury 10 53 Ea 58
Champfleury 51 35 Ea 53
Champfrémont 53 47 Zf 58
Champfromier 01 95 Fe 71
Champgenéteux 53 46 Zd 59
Champguyon 51 34 Dd 56
Champ-Haut 61 30 Ab 56
Champhol 28 32 Bd 58
Champien 80 18 Cf 51
Champier 38 107 Fb 76
Champigné 49 61 Zc 63
Champigneul-Champagne 51 35 Eb 55
Champigneulles 54 38 Ga 56
Champigneulles-en-Bassigny 52 54 Fd 60
Champigneul-sur-Vence 08 20 Ed 50
Champignol-lez-Mondeville 10 53 Ee 60
Champignolles 21 82 Ed 66
Champignolles 27 31 Ae 55
Champigny 89 51 Da 59
Champigny-en-Beauce 41 64 Bb 62
Champigny-la-Futelaye 27 32 Bb 55
Champigny-le-Sec 86 76 Aa 68
Champigny-lès-Langres 52 54 Fc 61
Champigny-sous-Varennes 52 54 Fd 61
Champigny-sur-Aube 10 35 Ea 57
Champigny-sur-Marne 94 33 Cd 56
Champigny-sur-Veude 37 76 Ab 66
Champillet 36 79 Ca 69
Champillon 51 35 Df 54
Champis 07 118 Ee 79
Champlan 91 33 Cb 56
Champlat-et-Boujacourt 51 35 Df 54
Champlay 89 51 Dc 61
Champlecy 71 82 Eb 70
Champ-le-Duc 88 56 Ge 59
Champlemy 58 66 Dc 65
Champlin 08 19 Ec 49
Champlin 58 66 Dc 65
Champlitte 70 69 Fd 63
Champlive 25 70 Gb 65
Champlost 89 52 De 61
Champmillon 16 100 Aa 75
Champmotteux 91 50 Cc 58
Champnétery 87 90 Bd 74
Champneuville 55 21 Fb 53
Champniers 16 88 Ab 74
Champniers 86 88 Ab 72
Champoléon 05 120 Gb 80
Champoly 42 93 Df 73
Champosoult 61 30 Ab 55
Champougny 55 37 Fe 57
Champoux 25 70 Ga 64
Champrenault 21 68 Ee 64
Champrepus 50 28 Ye 56
Champrond-en-Gâtine 28 48 Ba 58
Champrond-en-Perchet 28 48 Af 59
Champrougier 39 83 Fd 67
Champs 02 18 Db 51
Champs 61 31 Ad 57
Champs 63 92 Da 72
Champsac 87 89 Af 74
Champ-Saint-Père, Le 85 74 Ye 69
Champsanglard 23 90 Bf 71
Champs-de-Losque, Les 50 12 Ye 53
Champsecret 61 29 Zc 57
Champseru 28 49 Bd 58
Champsevraine 52 69 Fd 62
Champs-Géraux, les 22 27 Ya 58
Champs-Romain 24 101 Af 76
Champs-sur-Tarentaine-Marchal 15 103 Cd 76
Champs-sur-Yonne 89 67 Dd 62
Champ-sur-Barse 10 53 Ec 59

Champ-sur-Drac 38 107 Fe 78
Champ-sur-Layon, la 49 61 Zc 65
Champtercier 04 133 Ga 84
Champteussé-sur-Baconne 49 61 Zc 62
Champtoceaux 49 60 Ye 65
Champtocé-sur-Loire 49 61 Za 64
Champtonnay 70 69 Fd 64
Champvallon 89 51 Dc 61
Champvans 70 69 Fd 64
Champvans-les-Moulins 25 70 Ff 65
Champvert 58 81 Dd 67
Champvoisy 51 35 Dd 54
Champvoux 58 66 Da 66
Chamrousse 38 108 Fe 78
Chamvres 89 51 Dc 61
Chanac-les-Mines 19 102 Be 78
Chanaleilles 43 116 Dc 79
Chanas 38 106 Ef 77
Chanat-la-Mouteyre 63 92 Da 74
Chanay 01 95 Fe 73
Chanaz 73 95 Fe 74
Chancé 35 45 Yd 60
Chanceaux 21 68 Ee 63
Chanceaux-près-Loches 37 63 Af 66
Chanceaux-sur-Choisille 37 63 Ae 64
Chancelade 24 100 Ad 77
Chancenay 52 36 Ef 56
Chancey 70 69 Fd 64
Chancia 39 95 Fd 70
Chandai 61 31 Ae 56
Chandolas 07 117 Eb 82
Chandon 42 93 Ea 72
Chanéac 07 117 Eb 79
Chaneins 01 94 Ee 72
Changé 53 46 Zb 60
Change 71 82 Ee 67
Changé 72 47 Ab 61
Change, Le 24 101 Af 77
Changey 52 54 Fc 61
Changis-sur-Marne 77 34 Da 55
Changy 42 93 Df 72
Changy 51 36 Ee 56
Changy 71 93 Eb 70
Chaniat 43 104 Dc 77
Chaniers 17 87 Zc 74
Channay 21 52 Eb 61
Channay-sur-Lathan 37 62 Ab 64
Channes 10 52 Eb 61
Chanonat 63 104 Da 74
Chanos-Curson 26 106 Ef 78
Chanousse 05 119 Fd 82
Chanoy 52 54 Fc 61
Chanoz-Châtenay 01 94 Fa 71
Chanteau 45 49 Bf 61
Chantecoq 45 51 Cf 60
Chantecorps 79 76 Zf 70
Chanteheux 54 38 Gd 57
Chantelle 03 92 Cf 71
Chanteloup 27 31 Ba 55
Chanteloup 35 45 Yc 61
Chanteloup 50 28 Yd 55
Chanteloup 77 33 Cc 55
Chanteloup 79 75 Zc 68
Chanteloup-les-Bois 49 61 Zb 66
Chanteloup-les-Vignes 78 33 Ca 55
Chantelouve 38 120 Ff 79
Chantemerle 51 35 Dd 57
Chantemerle-les-Blés 26 106 Ef 78
Chantemerle-lès-Grignan 26 118 Ee 82
Chantenay-Saint-Imbert 58 80 Db 68
Chantenay-Villedieu 72 47 Zf 61
Chantepie 35 45 Yc 60
Chanteraine 55 37 Fc 56
Chantes 70 70 Ff 63
Chantesse 38 107 Fc 77
Chanteuges 43 104 Dd 78
Chantillac 16 99 Zf 77
Chantilly 60 33 Cc 53
Chantonnay 85 74 Yf 68
Chantraine 88 55 Gc 59
Chantraines 52 54 Fb 59
Chantrans 25 84 Ga 66
Chantrigné 53 46 Zc 58
Chanu 61 29 Zb 56
Chanville 57 38 Gd 55
Chanzeaux 49 61 Zc 65
Chaon 41 65 Ca 63
Chaouilley 54 55 Ga 58
Chaource 10 52 Ea 60
Chaourse 02 19 Ea 51
Chapaize 71 82 Ee 68
Chapdes-Beaufort 63 92 Cf 73
Chapdeuil, Le 24 100 Ad 77
Chapeau 03 81 Dd 70
Chapelaine 51 35 Ea 56
Chapelaude, La 03 79 Cd 70
Chapelle, La 03 92 Dd 72
Chapelle, La 08 20 Fa 50
Chapelle, La 27 15 Ac 53
Chapelle, La 36 78 Be 70
Chapelle, La 56 44 Xd 61
Chapelle, La 73 108 Gb 76
Chapelle-Achard, La 85 74 Yc 69
Chapelle-Agnon, La 63 105 Dd 75
Chapelle-Anthenaise, La 53 46 Zb 60
Chapelle-Aubareil, La 24 101 Bb 78
Chapelle-au-Mans, La 71 81 Df 69
Chapelle-au-Moine, La 61 29 Zc 56
Chapelle-au-Riboul, La 53 46 Zd 59
Chapelle-aux-Bois, La 88 55 Gc 60
Chapelle-aux-Brocs, La 19 102 Bd 78
Chapelle-aux-Chasses, La 03 81 Dd 68
Chapelle-aux-Choux, La 72 62 Ab 63
Chapelle-aux-Filtzméens, La 35 45 Yb 58
Chapelle-aux-Naux, La 37 62 Ac 65
Chapelle-Baloue, La 23 90 Bd 70
Chapelle-Basse-Mer, La 44 60 Yd 65
Chapelle-Bâton, La 79 75 Zd 70
Chapelle-Bâton, La 86 88 Ac 71
Chapelle-Bertin, La 43 105 Dd 77

Chapelle-Bertrand, La 79 76 Ze 69
Chapelle-Biche, La 61 29 Zc 56
Chapelle-Blanche 73 108 Ga 76
Chapelle-Blanche, La 22 44 Xf 59
Chapelle-Blanche-Saint-Martin, La 37 63 Ae 66
Chapelle-Bouëxic, La 35 44 Ya 62
Chapelle-Cécelin, La 50 28 Yf 56
Chapelle-Chaussée, La 35 44 Ya 59
Chapelle-Craonnaise, La 53 46 Za 61
Chapelle-d'Abondance 74 97 Ge 71
Chapelle-d'Alagnon, La 15 104 Cf 78
Chapelle-d'Aligné, La 72 62 Ze 62
Chapelle-d'Andaine, La 61 29 Zd 57
Chapelle-d'Angillon, La 18 65 Cc 64
Chapelle-d'Armentières, La 59 4 Cf 44
Chapelle-d'Aunainville, La 28 49 Be 58
Chapelle-d'Aurec, La 43 105 Eb 77
Chapelle-de-Bragny, La 71 82 Ee 69
Chapelle-de-Guinchay, La 71 94 Ee 71
Chapelle-de-la-Tour, La 38 107 Fc 75
Chapelle-de-Mardore, La 69 94 Ec 72
Chapelle-des-Bois 25 84 Ga 69
Chapelle-des-Fougeretz, La 35 45 Yb 59
Chapelle-des-Marais, La 44 59 Xe 64
Chapelle-des-Pots, La 17 87 Zc 74
Chapelle-de-Surieu, La 38 106 Ef 76
Chapelle-devant-Bruyères, La 88 56 Ge 59
Chapelle-d'Huin 25 84 Gb 67
Chapelle-du-Bard, La 38 108 Ga 76
Chapelle-du-Bois, la 72 48 Ad 59
Chapelle-du-Bois-des-Faulx, la 27 31 Ba 54
Chapelle-du-Bourgay, La 76 15 Ba 50
Chapelle-du-Châtelard, La 01 94 Fa 72
Chapelle-du-Fest, la 50 29 Za 54
Chapelle-du-Genêt, la 49 61 Yf 65
Chapelle-du-Lou, La 35 44 Ya 59
Chapelle-du-Mont-de-France, La 71 94 Ed 70
Chapelle-du-Mont-du-Chat, La 73 96 Ff 74
Chapelle-du-Noyer, La 28 49 Bb 60
Chapelle-Enchérie, La 41 48 Bb 62
Chapelle-Engerbold, La 14 29 Zc 55
Chapelle-en-Lafaye, La 42 105 Df 76
Chapelle-en-Serval, La 60 33 Cc 54
Chapelle-en-Valgaudémar, la 05 120 Gb 80
Chapelle-en-Vercors, La 26 119 Fc 79
Chapelle-en-Vexin, La 95 32 Be 53
Chapelle-Erbrée, La 35 45 Yf 60
Chapelle-Faucher, La 24 101 Ae 76
Chapelle-Felcourt, La 51 36 Ee 54
Chapelle-Forainvilliers, La 28 32 Bc 56
Chapelle-Fortin, La 28 31 Af 57
Chapelle-Gaceline, La 56 44 Xf 62
Chapelle-Gaudin, La 79 75 Zd 67
Chapelle-Gauguin, La 72 48 Ae 62
Chapelle-Gauthier, La 27 31 Ac 55
Chapelle-Gauthier, La 77 34 Cf 57
Chapelle-Geneste, La 43 105 De 77
Chapelle-Glain, La 44 60 Yd 63
Chapelle-Gonaguet, La 24 100 Ad 77
Chapelle-Grésignac, La 24 100 Ac 76
Chapelle-Guillaume, La 28 48 Af 60
Chapelle-Hareng, La 27 30 Ac 54
Chapelle-Haute-Grue, La 14 30 Aa 55
Chapelle-Hermier, La 85 74 Yb 68
Chapelle-Heulin, La 44 60 Yd 65
Chapelle-Hugon, La 18 80 Cf 67
Chapelle-Hullin, La 49 45 Yf 62
Chapelle-Hurlay, La 51 35 Dd 54
Chapelle-Iger, La 77 34 Cf 57
Chapelle-Janson, La 35 45 Yf 58
Chapelle-la-Reine, La 77 50 Cd 59
Chapelle-Lasson, La 51 35 Df 57
Chapelle-Launay, La 44 59 Ya 64
Chapelle-Laurent, La 15 104 Db 77
Chapelle-lès-Luxeuil, La 70 70 Gc 62
Chapelle-Marcousse, La 63 104 Da 76
Chapelle-Montabourlet, La 24 100 Ac 76
Chapelle-Montbrandeix, La 87 101 Af 75
Chapelle-Monthodon, La 02 35 Dd 54
Chapelle-Montligeon, La 61 31 Ad 58
Chapelle-Montlinard, La 18 66 Cf 66
Chapelle-Montmartin, La 41 64 Be 65
Chapelle-Montmoreau, La 24 100 Ad 76
Chapelle-Moulière, La 86 76 Ad 69

Chapelle-Moutils, La 77 34 Dc 56
Chapelle-Naude, La 71 83 Fb 69
Chapelle-Neuve, La 22 25 Wd 58
Chapelle-Neuve, La 56 43 Xa 61
Chapelle-Onzerain, La 45 49 Bd 60
Chapelle-Orthemale, La 36 78 Bc 67
Chapelle-Pouilloux, La 79 88 Aa 72
Chapelle-près-Sées, La 61 30 Aa 57
Chapelle-Rablais, La 77 51 Cf 57
Chapelle-Rainsouin, La 53 46 Zc 60
Chapelle-Rambaud, La 74 96 Gb 72
Chapelle-Réanville, La 27 32 Bc 54
Chapelle-Rousselin, La 49 61 Zb 65
Chapelle-Royale 28 48 Ba 60
Chapelle-Saint-André, La 58 66 Dc 64
Chapelle-Saint-Aubert, La 35 45 Ye 59
Chapelle-Saint-Aubin, La 72 47 Aa 60
Chapelle-Saint-Étienne, La 79 75 Zc 68
Chapelle-Saint-Florent, La 49 60 Yf 65
Chapelle-Saint-Fray, La 72 47 Aa 60
Chapelle-Saint-Géraud, La 19 102 Bf 78
Chapelle-Saint-Jean, La 24 101 Ba 77
Chapelle-Saint-Laurent, La 79 75 Zd 68
Chapelle-Saint-Luc, La 10 52 Ea 59
Chapelle-Saint-Martial, La 23 90 Bf 72
Chapelle-Saint-Martin-en-Plaine, La 41 64 Bc 62
Chapelle-Saint-Maurice 74 96 Ga 74
Chapelle-Saint-Mesmin, La 45 49 Be 61
Chapelle-Saint-Quillain, La 70 70 Fe 64
Chapelle-Saint-Rémy, La 72 47 Ab 70
Chapelle-Saint-Sauveur, La 44 61 Zb 64
Chapelle-Saint-Sauveur, La 71 83 Fb 67
Chapelle-Saint-Sépulcre, La 45 51 Cf 60
Chapelle-Saint-Sulpice, La 77 34 Db 57
Chapelle-Saint-Ursin, La 18 79 Cb 66
Chapelles-Bourbon, Les 77 34 Cf 56
Chapelle-Souëf, La 61 48 Ad 59
Chapelle-sous-Brancion, La 71 82 Ee 69
Chapelle-sous-Orbais, La 51 35 De 55
Chapelle-sous-Uchon, La 71 82 Eb 68
Chapelle-Spinasse 19 102 Ca 77
Chapelle-sur-Aveyron, La 45 51 Cf 61
Chapelle-sur-Chézy, La 02 34 Dc 55
Chapelle-sur-Coise, La 69 106 Ec 75
Chapelle-sur-Dun, La 71 93 Eb 71
Chapelle-sur-Dun, La 76 15 Af 49
Chapelle-sur-Erdre, La 44 60 Yc 65
Chapelle-sur-Loire, La 37 62 Ab 65
Chapelle-sur-Oreuse, La 89 51 Db 59
Chapelle-sur-Oudon, La 49 61 Zb 62
Chapelle-sur-Usson, La 63 104 Dc 76
Chapelle-Taillefert, La 23 90 Be 72
Chapelle-Thècle, La 71 83 Fa 69
Chapelle-Thémer, La 85 75 Za 69
Chapelle-Thireuil, La 79 75 Zc 69
Chapelle-Thouarault, La 35 44 Ya 60
Chapelle-Urée, La 50 28 Yf 57
Chapelle-Vallon 10 52 Ea 58
Chapelle-Vaupelteigne, La 89 52 De 61
Chapelle-Vendômoise, La 41 64 Bb 63
Chapelle-Vicomtesse, La 41 48 Ba 61
Chapelle-Viel, La 61 31 Ad 56
Chapelle-Villars, La 42 106 Ee 76
Chapelle-Viviers 86 77 Ae 68
Chapelle-Voland 39 84 Fc 68
Chapelle-Yvon, La 14 30 Ac 54
Chapelon 45 50 Cd 60
Chapelotte, La 18 65 Cd 64
Chapet 78 32 Bf 55
Chapois 39 84 Ff 67
Chaponnay 69 94 Ee 74
Chaponost 69 94 Ed 74
Chappes 03 92 Cf 70
Chappes 08 19 Eb 51
Chappes 10 52 Eb 59
Chappes 63 92 Db 72
Chaptelat 87 89 Bb 73
Chaptuzat 63 92 Db 72
Charancieu 38 107 Fd 75
Charancin 01 95 Fd 73
Charantonnay 38 107 Fa 76
Charavines 38 107 Fc 76
Charbillac, Bénévent-et- 05 120 Ga 80
Charbonnat 71 81 Ea 68
Charbonnières 28 48 Af 59
Charbonnières 71 94 Ef 70
Charbonnières-les-Bains 69 94 Ee 74
Charbonnières-les-Sapins 25 70 Gb 66
Charbonnières-les-Varennes 63 92 Da 73

Charbonnières-les-Vieilles **63** 92 Da 73
Charbonnier-les-Mines **63** 104 Db 76
Charbuy **89** 66 Dc 62
Charcenne **70** 70 Fe 64
Charcé-Saint-Ellier-sur-Aubance **49** 61 Zd 64
Charchigné **53** 46 Zd 58
Charchilla **39** 83 Fe 70
Charcier **39** 84 Fe 69
Chard **23** 91 Cc 73
Chardeny **08** 20 Ed 52
Chardogne **55** 36 Fa 55
Chardonnay **71** 82 Ef 69
Chareil **03** 92 Db 71
Charencey **21** 68 Ee 64
Charency **39** 84 Ga 68
Charens **26** 119 Fd 81
Charensat **63** 103 Cd 73
Charentay **69** 94 Ee 72
Charentenay **89** 67 Dd 63
Charentilly **37** 63 Ad 64
Charenton-du-Cher **18** 79 Cd 68
Charenton-le-Pont **94** 33 Cc 56
Charentonnay **18** 66 Cf 66
Charette **38** 95 Fc 74
Charette **71** 83 Fb 67
Charey **54** 37 Ff 54
Charézier **39** 84 Fe 69
Chargé **37** 63 Ba 64
Chargey-lès-Grey **70** 69 Fd 64
Chargey-lès-Port **70** 70 Ga 62
Chariez **70** 70 Ga 63
Charigny **21** 68 Ec 64
Charité-sur-Loire, La **58** 66 Da 65
Charix **01** 95 Fe 71
Charlas **31** 139 Ae 89
Charleval **13** 132 Fb 86
Charleval **27** 16 Bc 52
Charleville **51** 35 De 56
Charleville-Mézières **08** 20 Ee 50
Charleville-sous-Bois **57** 38 Gc 53
Charlieu **42** 93 Ea 72
Charly **02** 34 Db 55
Charly **18** 80 Ce 67
Charly **69** 106 Ee 75
Charmant **16** 100 Ab 76
Charmé **16** 88 Aa 73
Charme, Le **45** 66 Cf 62
Charmeil **03** 92 Db 72
Charmel, Le **02** 34 Dd 54
Charmensac **15** 104 Da 77
Charmentray **77** 33 Ce 55
Charmes **02** 18 De 51
Charmes **03** 92 Db 72
Charmes **21** 69 Fc 64
Charmes **52** 54 Fc 61
Charmes **88** 55 Ga 58
Charmes-en-l'Angle **52** 53 Fa 58
Charmes-la-Côte **54** 37 Fe 57
Charmes-la-Grande **52** 53 Ef 58
Charmes-Saint-Valbert **70** 69 Fd 62
Charmes-sur-l'Herbasse **26** 106 Fa 78
Charmoille **25** 71 Ge 65
Charmoille **70** 70 Ga 63
Charmois **54** 38 Gc 57
Charmois **90** 71 Gf 63
Charmois-devant-Bruyères **88** 55 Gf 59
Charmois-l'Orgueilleux **88** 55 Gb 60
Charmont **51** 36 Ef 55
Charmont **95** 32 Be 54
Charmont-en-Beauce **45** 50 Ca 59
Charmontois, Les **51** 36 Fa 55
Charmont-sous-Barbuise **10** 52 Eb 58
Charmoy **10** 52 Dd 58
Charmoy **71** 82 Eb 68
Charmoy **89** 51 Dc 61
Charnas **07** 106 Ee 77
Charnat **63** 92 Dc 73
Charnay **25** 70 Ff 66
Charnay **69** 94 Ed 73
Charnay-lès-Chalon **71** 83 Fa 67
Charnay-lès-Mâcon **71** 94 Ee 71
Charnècles **38** 107 Fd 76
Charnizay **37** 77 Af 67
Charnod **39** 95 Fb 73
Charny **21** 68 Ec 65
Charny **77** 33 Ce 55
Charny **89** 51 Da 61
Charny-le-Bachot **10** 35 Df 57
Charny-sur-Meuse **55** 37 Fc 53
Charols **26** 118 Ef 81
Charonville **28** 49 Bb 59
Chârost **18** 79 Ca 67
Charpey **26** 119 Fa 79
Charpont **28** 32 Bc 56
Charquemont **25** 71 Ge 65
Charrais **86** 76 Ab 68
Charraix **43** 116 Dd 78
Charras **16** 100 Ac 75
Charray **28** 49 Bb 61
Charre **64** 137 Zd 89
Charrecey **71** 82 Ee 67
Charrey-sur-Saône **21** 83 Fb 66
Charrey-sur-Seine **21** 53 Ed 61
Charrin **58** 81 Dd 68
Charritte-de-Bas **64** 137 Zb 89
Charron **17** 86 Yf 71
Charron **23** 91 Cd 72
Charroux **03** 92 Da 71
Charroux **86** 88 Ac 72
Chars **95** 32 Bf 54
Charsonville **45** 49 Bd 61
Chartainvilliers **28** 32 Bd 57
Chartèves **02** 34 Dd 54
Chartrené **49** 62 Zf 64
Chartres **28** 49 Bc 58
Chartres-de-Bretagne **35** 45 Yb 60
Chartre-sur-le-Loir, La **72** 63 Ad 62
Chartrettes **77** 50 Ce 58
Chartrier-Ferrière **19** 102 Bc 78
Chartronges **77** 34 Db 56
Chartuzac **17** 99 Zd 76
Charvieu-Chavagneux **38** 95 Fa 74

Chasnay **58** 66 Db 65
Chasné-sur-Illet **35** 45 Yc 59
Chaspinhac **43** 105 Df 78
Chaspuzac **43** 105 De 78
Chassagne **63** 104 Da 76
Chassagne, La **39** 83 Fc 67
Chassagne **43** 104 Dd 77
Chassagne-Montrachet **21** 82 Ae 67
Chassagnes **07** 117 Eb 82
Chassagnes **43** 104 Dd 77
Chassagne-Saint-Denis **25** 84 Ga 66
Chassagny **69** 106 Ee 75
Chassaignes **24** 100 Ab 77
Chassal **39** 95 Fe 70
Chasseguey **50** 29 Yf 57
Chasselas **71** 94 Ee 71
Chasselay **38** 107 Fb 77
Chasselay **69** 94 Ee 73
Chassemy **02** 18 Dd 52
Chassenard **03** 81 Df 70
Chasseneuil **36** 78 Be 69
Chasseneuil-du-Poitou **86** 76 Ac 69
Chasseneuil-sur-Bonnieure **16** 88 Ac 74
Chassenon **16** 89 Ae 73
Chasseradès **48** 117 De 81
Chasse-sur-Rhône **38** 106 Ee 75
Chassey **21** 68 Ec 64
Chassey-Beaupré **55** 54 Fc 58
Chassey-le-Camp **71** 82 Ee 67
Chassey-lès-Montbozon **70** 70 Gc 63
Chassey-lès-Scey **70** 70 Ff 63
Chassiecq **16** 89 Ae 73
Chassiers **07** 117 Eb 81
Chassieu **69** 94 Ef 74
Chassignelles **89** 67 Eb 62
Chassignieu **38** 107 Fc 76
Chassignolles **36** 78 Bf 69
Chassignolles **43** 104 Dc 76
Chassigny-Aisey **52** 69 Fc 62
Chassigny-sous-Dun **71** 93 Eb 71
Chassillé **72** 47 Zf 60
Chassy **18** 80 Cf 66
Chassy **71** 81 Ea 69
Chassy **89** 51 Dc 61
Chastang, Le **19** 102 Be 78
Chastanier **48** 117 De 80
Chasteaux **19** 102 Bc 78
Chastel **43** 104 Db 78
Chastel-Arnaud **26** 119 Fb 81
Chastellet-lès-Sausses **04** 134 Ge 84
Chastellux-sur-Cure **89** 67 Df 64
Chastel-Merlhac **15** 103 Cd 77
Chastel-Nouvel **48** 116 Dc 81
Chastreix **63** 103 Ce 75
Châtaigneraie, La **85** 75 Zb 69
Chatain **86** 88 Ac 72
Châtaincourt **28** 31 Bb 56
Châtas **88** 56 Ha 58
Château **71** 94 Ed 70
Châteaubernard **16** 87 Ze 74
Châteaubleau **77** 34 Da 57
Châteaubourg **07** 106 Ee 78
Châteaubourg **35** 45 Yd 60
Château-Bréhain **57** 38 Gd 55
Châteaubriant **44** 45 Yd 62
Château-Chalon **39** 83 Fd 68
Château-Chervix **87** 101 Bc 75
Château-Chinon **58** 81 Df 66
Château-d'Almenêches, Le **61** 30 Aa 56
Château-des-Prés **39** 84 Ff 69
Château-d'Oléron, Le **17** 86 Ye 73
Château-d'Olonne **85** 73 Yb 69
Châteaudouble **26** 119 Fa 79
Châteaudouble **83** 148 Gc 87
Château-du-Loir **72** 62 Ac 62
Châteaudun **28** 49 Bc 60
Châteaufort **04** 133 Ga 83
Châteaufort **78** 33 Ca 56
Château-Gaillard **01** 95 Fb 73
Château-Garnier **86** 88 Ac 71
Châteaugay **63** 92 Db 73
Châteaugiron **35** 45 Yd 60
Château-Guibert **85** 74 Ye 69
Château-l'Abbaye **59** 9 Dc 46
Château-Landon **45** 50 Ce 60
Château-Larcher **86** 76 Ab 70
Château-la-Vallière **37** 62 Ab 63
Château-l'Evêque **24** 100 Ae 77
Château-l'Hermitage **72** 47 Ab 62
Châteaulin **29** 47 Vf 59
Château-Malo **35** 27 Ya 57
Châteaumeillant **18** 79 Cb 69
Châteauneuf **21** 68 Ed 65
Châteauneuf **42** 93 Eb 71
Châteauneuf **73** 108 Gb 75
Châteauneuf **85** 73 Ya 67
Châteauneuf-de-Bordette **26** 119 Fa 82
Châteauneuf-de-Contes **06** 135 Hb 86
Châteauneuf-de-Gadagne **84** 131 Ef 85
Châteauneuf-de-Galaure **26** 106 Ef 77
Châteauneuf-d'Entraunes **06** 134 Ge 84
Châteauneuf-de-Vernoux **07** 118 Ed 79
Châteauneuf-d'Ille-et-Vilaine **35** 27 Ya 57
Châteauneuf-d'Oze **05** 120 Ff 81
Châteauneuf-du-Faou **29** 42 Wb 59
Châteauneuf-du-Pape **84** 131 Ee 84
Châteauneuf-en-Thymerais **28** 31 Bb 57
Châteauneuf-Grasse **06** 134 Gf 86
Châteauneuf-la-Forêt **87** 90 Bd 74
Châteauneuf-le-Rouge **13** 146 Fd 87
Châteauneuf-les-Bains **63** 92 Cf 72
Châteauneuf-les-Martigues **13** 146 Fa 88
Châteauneuf-Miravail **04** 132 Fe 84
Châteauneuf-sur-Charente **16** 100 Zf 75
Châteauneuf-sur-Cher **18** 79 Cb 67

Châteauneuf-sur-Isère **26** 118 Ef 78
Châteauneuf-sur-Loire **45** 50 Cb 61
Châteauneuf-sur-Sarthe **49** 61 Zd 62
Châteauneuf-Val-de-Bargis **58** 66 Db 65
Châteauneuf-Val-Saint-Donnat **04** 133 Ff 84
Châteauponsac **87** 89 Bb 72
Châteauredon **04** 133 Gb 84
Châteaurenard **13** 131 Ef 85
Châteaurenard **45** 51 Cf 61
Château-Renault **37** 63 Af 63
Château-Rouge **57** 22 Gd 53
Châteauroux **05** 120 Ga 81
Châteauroux **36** 78 Be 68
Châteauroux-Salins **57** 38 Gd 55
Château-sur-Allier **03** 80 Da 68
Château-sur-Cher **63** 91 Cd 72
Château-sur-Epte **27** 32 Bd 53
Châteauthébaud **44** 60 Ye 66
Château-Thierry **02** 34 Dc 54
Château-Verdun **09** 152 Be 92
Châteauvert **83** 147 Ga 87
Châteauvieux **41** 63 Ba 65
Châteauvieux **83** 134 Gd 86
Châteauvilain **38** 107 Fb 75
Châteauvillain **52** 53 Ef 60
Château-Voué **57** 38 Gd 55
Châtel, Le **73** 108 Gc 77
Châtellaillon-Plage **17** 86 Yf 72
Châtelain **53** 46 Zc 61
Châtelaine, La **39** 84 Fe 67
Châtelais **49** 61 Za 62
Châtelard **23** 91 Cc 72
Châtelard **23** 91 Cc 72
Châtelaudren **22** 26 Xa 57
Châtelblanc **25** 84 Ga 68
Châtel-Censoir **89** 67 Dd 63
Châtel-Chéhéry **08** 20 Ef 53
Châtel-de-Joux **39** 84 Fe 69
Châtel-de-Neuvre **03** 92 Db 70
Châteldon **63** 92 Dc 73
Châtelet, Le **18** 79 Cb 69
Châtelet, Le **58** 66 Db 65
Châtelet-en-Brie, Le **77** 50 Ce 57
Châtelets, Les **28** 31 Ba 57
Châtelets, Les **28** 48 Bb 58
Châtelet-sur-Meuse **52** 54 Fd 61
Châtelet-sur-Retourne, Le **08** 19 Eb 52
Châtelet-sur-Sormonne, Le **08** 20 Ed 49
Châtel-Gérard **89** 67 Ea 63
Châtelguyon **63** 92 Da 73
Châtelier, Le **35** 45 Ye 58
Châtelier, Le **51** 36 Ef 55
Châtelier, Le **61** 30 Zf 56
Châteliers-Notre-Dame, Les **28** 48 Bb 58
Châtellenot **21** 68 Ec 65
Châtellerault **86** 77 Ad 68
Châtelliers-Châteaumur, Les **85** 75 Zr 67
Châtel-Montagne **03** 93 De 72
Châtel-Moron **71** 82 Ed 68
Châtelneuf **39** 84 Ff 68
Châtelneuf **42** 105 Df 75
Châtelperron **03** 93 Dd 70
Châtelraould-Saint-Louvent **51** 36 Ef 56
Châtel-Saint-Germain **57** 38 Ga 54
Châtel-sur-Moselle **88** 55 Gc 59
Châtelus **03** 93 De 71
Chatelus **23** 90 Be 70
Châtelus **38** 107 Fc 77
Châtelus-Malvaleix **23** 90 Ca 71
Châtenay **01** 95 Fb 72
Châtenay **28** 49 Bf 58
Châtenay **38** 107 Fb 77
Châtenay **71** 94 Ec 71
Châtenay-Mâcheron **52** 54 Fc 61
Châtenay-sur-Seine **77** 51 Da 58
Châtenay-Vaudin **52** 54 Fc 61
Chatenet **17** 99 Ze 77
Chatenet **87** 90 Bd 74
Chatenet, Le **87** 90 Bd 74
Châtenois **39** 84 Fe 69
Châtenois **67** 56 Hc 59
Châtenois **70** 70 Gb 62
Châtenois **88** 54 Ff 59
Châtenois-les-Forges **90** 71 Gf 63
Châtenoy **45** 50 Cc 60
Châtenoy **77** 50 Ce 59
Châtenoy-en-Bresse **71** 82 Ef 68
Châtignac **16** 100 Zf 76
Châtillon **03** 92 Da 71
Châtillon **69** 94 Ed 73
Châtillon-Coligny **45** 66 Cf 62
Châtillon-de-Michaille **01** 95 Fe 72
Châtillon-en-Bazois **58** 81 Dd 66
Châtillon-en-Diois **26** 119 Fc 80
Châtillon-en-Dunois **28** 48 Bb 60
Châtillon-en-Vendelais **35** 45 Ye 59
Châtillon-Guyotte **25** 70 Gb 65
Châtillon-la-Borde **77** 51 Ce 47
Châtillon-la-Palud **01** 95 Fb 73
Châtillon-le-Duc **25** 70 Ga 65
Châtillon-le-Roi **45** 50 Ca 60
Châtillon-lès-Sons **02** 19 Dd 50
Châtillon-Saint-Jean **26** 107 Fa 78
Châtillon-sous-les-Côtes **55** 37 Fd 54
Châtillon-sur-Broué **51** 36 Ee 57
Châtillon-sur-Chalaronne **01** 94 Ef 72
Châtillon-sur-Cher **41** 64 Bc 65
Châtillon-sur-Colmont **53** 46 Zb 58
Châtillon-sur-Indre **36** 77 Bb 67
Châtillon-sur-Lison **25** 84 Ff 66
Châtillon-sur-Loire **45** 66 Ce 63
Châtillon-sur-Marne **51** 35 De 54
Châtillon-sur-Morin **51** 35 Dd 56
Châtillon-sur-Oise **02** 18 Dc 50
Châtillon-sur-Saône **88** 55 Ff 61
Châtillon-sur-Seiche **35** 45 Yb 60
Châtillon-sur-Thouet **79** 76 Ze 69
Châtin **58** 81 De 66
Châtonnay **38** 107 Fb 76
Chatonrupt-Sommermont **52** 54 Fa 58
Chatou **78** 33 Ca 55
Châtre, La **36** 78 Bf 69

Châtre-Langlin, La **36** 78 Bc 70
Châtres **10** 52 Df 57
Châtres **24** 101 Bb 77
Châtres **77** 33 Ce 56
Châtres-la-Forêt **53** 46 Zd 60
Châtres-sur-Cher **41** 64 Bf 65
Châtrices **51** 36 Ef 55
Chattancourt **55** 37 Fb 53
Chaucenne **25** 70 Ff 65
Chauchailles **48** 116 Da 80
Chauché **85** 74 Ye 68
Chauchigny **10** 52 Df 58
Chauconin-Neufmontiers **77** 34 Cf 55
Chaudardes **02** 19 De 52
Chaudebonne **26** 119 Fb 82
Chaudefonds-sur-Layon **49** 61 Zb 65
Chaudefontaine **25** 70 Ga 64
Chaudenay **52** 54 Fd 62
Chaudenay **71** 82 Ee 67
Chaudenay-le-Château **21** 68 Ec 65
Chaudenay-sur-Moselle **54** 38 Ff 57
Chaudes-Aigues **15** 116 Da 79
Chaudeyrac **48** 117 De 81
Chaudeyrolles **43** 117 Eb 79
Chaudière, La **26** 119 Fb 81
Chaudon **28** 32 Bc 57
Chaudon-Norante **04** 133 Gb 85
Chaudrey **10** 52 Eb 57
Chaudron-en-Mauges **49** 61 Za 65
Chaudun **02** 18 Db 53
Chauffailles **71** 94 Ec 71
Chauffayer **05** 120 Ga 80
Chauffecourt **88** 55 Ga 58
Chauffour **16** 88 Ab 72
Chauffour-lès-Bailly **10** 52 Eb 59
Chauffour-lès-Étréchy **91** 50 Cb 57
Chauffours **28** 49 Bc 58
Chauffours-sur-Vell **19** 102 Bd 78
Chauffourt **52** 54 Fc 61
Chauffry **77** 34 Db 56
Chaufour-lès-Bonnières **78** 32 Bc 54
Chaufour-Notre-Dame **72** 47 Aa 60
Chaugey **21** 69 Ef 62
Chaugey **21** 83 Fb 66
Chaulgnes **58** 66 Da 66
Chaulhac **48** 116 Db 79
Chaulme, La **63** 105 Df 76
Chaulnes **80** 18 Ce 50
Chaum **31** 151 Ad 91
Chaumard **58** 81 De 66
Chaume, La **21** 53 Ed 61
Chaume-et-Courchamp **21** 69 Fc 63
Chaumeil **19** 102 Bf 75
Chaumeil **19** 102 Bf 75
Chaume-les-Baigneux **21** 68 Ec 63
Chaumercenne **70** 69 Fd 65
Chaumeré **35** 45 Yd 60
Chaumergy **39** 83 Fc 67
Chaumes-en-Brie **77** 34 Cf 56
Chaumesnil **10** 53 Ed 58
Chaumont **18** 80 Ce 67
Chaumont **52** 53 Fa 60
Chaumont **61** 30 Ab 56
Chaumont **74** 96 Ff 72
Chaumont **89** 51 Db 60
Chaumont-d'Anjou **49** 62 Ze 63
Chaumont-devant-Damvillers **55** 21 Fc 53
Chaumontel **95** 33 Cc 54
Chaumont-en-Vexin **60** 16 Bf 53
Chaumont-la-Ville **52** 54 Fd 60
Chaumont-le-Bois **21** 53 Ed 61
Chaumont-le-Bourg **63** 105 De 76
Chaumont-Porcien **08** 19 Eb 51
Chaumont-sur-Aire **55** 37 Fb 55
Chaumont-sur-Loire **41** 63 Ba 64
Chaumont-sur-Tharonne **41** 64 Bf 63
Chaumot **58** 67 Dd 65
Chaumot **89** 51 Da 61
Chaumousey **88** 55 Gc 59
Chaumoux-Marcilly **18** 66 Ce 66
Chaumussay **37** 77 Af 67
Chaumusse, La **39** 84 Ff 69
Chaunac **17** 99 Zd 76
Chaunay **86** 88 Aa 71
Chauny **02** 18 Db 51
Chauriat **63** 92 Dc 74
Chaussade, La **23** 91 Cb 73
Chaussaire, La **49** 60 Yf 65
Chaussée, La **76** 15 Ba 49
Chaussée, La **86** 76 Aa 67
Chaussée-d'Ivry, La **28** 32 Bc 55
Chaussée-Saint-Victor, La **41** 64 Bc 63
Chaussée-sur-Marne, La **51** 36 Ec 55
Chaussée-Tirancourt, La **80** 7 Ca 49
Chaussenac **15** 103 Cb 77
Chaussenans **39** 84 Fe 68
Chausseterre **42** 93 De 73
Chaussin **39** 83 Fc 67
Chausson **69** 106 Ed 75
Chaussy-Epagny **80** 17 Cb 50
Chaussy **45** 49 Bf 60
Chaussy **95** 32 Be 54
Chauvac **26** 119 Fd 83
Chauvé **44** 59 Ya 66
Chauvigné **35** 45 Yd 58
Chauvigny **86** 77 Ad 69
Chauvigny-du-Perche **41** 48 Ba 61
Chauvincourt-Provemont **27** 32 Bd 53
Chauvirey-le-Châtel **70** 69 Fe 62
Chauvirey-le-Vieil **70** 69 Fe 62
Chauvoncourt **55** 37 Fd 55
Chauvry **95** 33 Cb 54
Chaux **21** 68 Ed 66
Chaux **70** 70 Ff 64
Chaux **90** 71 Ge 62
Chaux, La **25** 84 Ga 66
Chaux, La **25** 84 Gb 66
Chaux, La **61** 30 Ze 57
Chaux, La **71** 83 Fb 68
Chaux-Champagny **39** 84 Ff 67
Chaux-des-Prés **39** 84 Ff 69

Chaux-des-Crotenay **39** 84 Ff 69
Chaux-du-Dombief, La **39** 84 Ff 69
Chaux-en-Bresse, La **39** 83 Fc 68
Chaux-lès-Clerval **25** 71 Gd 64
Chaux-lès-Passavant **25** 70 Gc 65
Chaux-lès-Port **70** 70 Ga 62
Chaux-Neuve **25** 84 Ga 68
Chavagnac **24** 101 Cf 78
Chavagnac **24** 101 Bc 78
Chavagne **35** 45 Yb 60
Chavagnes **49** 61 Zd 65
Chavagnes-en-Paillers **85** 74 Ye 67
Chavagnes-les-Redoux **85** 75 Za 68
Chavaignes **49** 63 Aa 63
Chavanac **19** 102 Ca 75
Chavanat **23** 90 Bf 73
Chavanatte **90** 71 Ha 63
Chavanay **42** 106 Ee 76
Chavanges **10** 53 Ed 57
Chavaniac-Lafayette **43** 104 Dd 78
Chavannes **18** 79 Cb 67
Chavannes **26** 107 Fa 78
Chavannes, Les **70** 55 Gc 61
Chavannes-en-Maurienne, Les **73** 108 Gb 76
Chavannes-les-Grandes **90** 71 Ha 63
Chavannes-sur-l'Étang **68** 71 Ha 63
Chavannes-sur-Reyssouze **01** 83 Fe 70
Chavannes-sur-Suran **01** 95 Fc 71
Chavanod **74** 96 Ff 72
Chavanoz **01** 95 Fa 74
Chavaroux **63** 92 Db 73
Chavelot **88** 55 Gc 59
Chavenay **78** 32 Bf 55
Chavençon **60** 32 Bf 53
Chavenon **03** 92 Cf 70
Chavéria **39** 83 Fd 69
Chaveroche **19** 103 Cb 75
Chaveyriat **01** 94 Fa 71
Chavignon **02** 18 Dc 52
Chavigny **02** 18 Db 52
Chavigny **54** 38 Ga 57
Chavigny-Bailleul **27** 31 Bb 55
Chavin **36** 78 Bd 69
Chavonne **02** 19 Dd 52
Chavornay **01** 95 Fe 72
Chavot-Courcourt **51** 35 Df 55
Chavoy **50** 28 Ye 56
Chavroches **03** 93 Dd 70
Chay **21** 82 Ae 67
Chay, La **17** 86 Za 75
Chazay-d'Azergues **69** 94 Ee 73
Chazeaux **07** 117 Eb 81
Chaze-de-Peyre, La **48** 116 Db 80
Chazé-Henry **49** 45 Yf 62
Chazelet **36** 78 Bc 69
Chazelles **15** 104 Db 78
Chazelles **16** 100 Ac 75
Chazelles **39** 95 Fc 70
Chazelles **43** 117 Ea 79
Chazelles **43** 116 Dc 78
Chazelles-sur-Albe **54** 39 Ge 57
Chazelles-sur-Lyon **42** 106 Ec 75
Chazemais **03** 79 Cd 70
Chazé-sur-Argos **49** 61 Za 63
Chazeuil **21** 69 Fb 63
Chazeuil **58** 66 Db 66
Chazey-Bons **01** 95 Fe 74
Chazey-sur-Ain **01** 95 Fb 73
Chazilly **21** 68 Ed 65
Chazot **25** 71 Gd 65
Chécy **45** 50 Ca 61
Chef-Boutonne **79** 88 Zf 72
Chef-du-Pont **50** 12 Yd 52
Cheffes **49** 61 Zc 63
Cheffois **85** 75 Zb 69
Chef-Haut **88** 55 Ga 58
Chéhéry **08** 20 Ef 51
Cheignieu-la-Balme **01** 95 Fd 74
Cheillé **37** 62 Ac 64
Cheilly-lès-Maranges **71** 82 Ee 67
Chein-Dessus **31** 140 Af 90
Cheissoux **87** 90 Bd 74
Cheix, Le **63** 91 Cd 74
Cheix, Le **63** 91 Ce 72
Cheix, Le **63** 92 Db 73
Cheix, Le **63** 104 Da 75
Cheix-en-Retz **44** 59 Yb 65
Chélers **8** 8 Cc 46
Chélieu **38** 107 Fc 76
Chelle-Debat **65** 139 Ab 89
Chelles **60** 18 Da 52
Chelles **77** 33 Cd 55
Chelle-Spou **65** 139 Ab 90
Chelun **35** 45 Ye 61
Chemault **45** 50 Cc 60
Chemaudin **25** 70 Ff 65
Chemazé **53** 46 Zb 62
Chemellier **49** 61 Zd 64
Chemenot **39** 83 Fd 67
Chéméré **44** 59 Ya 66
Chéméré-le-Roi **53** 46 Zd 61
Chémery **41** 64 Bc 64
Chémery-les-Deux **57** 22 Gc 53
Chémery-sur-Bar **08** 20 Ef 51
Chemilla **39** 95 Fd 70
Chemillé **49** 61 Zb 65
Chemillé-sur-Dême **37** 63 Ad 63
Chemillé-sur-Indrois **37** 63 Bb 66
Chemilli **61** 47 Ac 58
Chemilly **03** 80 Db 70
Chemilly **70** 70 Ga 63
Chemilly-sur-Serein **89** 67 Df 62
Chemilly-sur-Yonne **89** 51 Dd 61
Chemin **39** 83 Fb 67
Chemin, Le **51** 36 Ef 54
Cheminas **07** 106 Ee 78
Cheminon **51** 36 Ef 56
Cheminot **57** 38 Ga 55
Chemiré-en-Charnie **72** 47 Zf 60
Chemiré-le-Gaudin **72** 47 Zf 61
Chemiré-sur-Sarthe **49** 46 Zd 62
Chemy **59** 8 Cf 45
Chenac-Saint-Seurin-d'Uzet **17** 98 Zb 75
Chenailler-Mascheix **19** 102 Bf 78

Chenalotte, La **25** 71 Ge 66
Chénas **69** 94 Ee 71
Chenaud **24** 100 Aa 77
Chenay **51** 19 Df 53
Chenay **72** 47 Aa 59
Chenay **79** 88 Zf 72
Chenay-le-Châtel **71** 93 Df 71
Chêne, Le **10** 52 Eb 57
Chêne-Arnoult **89** 51 Da 61
Chêne-Bernard **39** 83 Fc 67
Chenebier **70** 71 Ge 63
Chenecey-Buillon **25** 70 Ff 66
Cheneché **86** 76 Ab 68
Chêne-Chenu **28** 32 Bb 57
Chênedollé **61** 29 Zd 56
Chêne-en-Semine **74** 96 Ff 72
Chênehutte-Trèves-Cunault **49** 62 Zf 65
Chénelette **69** 94 Ec 72
Chénérailles **23** 91 Cb 72
Chenereilles **42** 105 Ea 76
Chenereilles **42** 105 Eb 76
Chêne-Sec **39** 83 Fc 67
Chenevelles **86** 77 Ad 68
Chenevières **54** 38 Gd 57
Chenevrey-et-Morogne **70** 69 Fe 65
Chênex **74** 96 Ff 72
Cheney **89** 52 Df 61
Chenicourt **54** 38 Gb 55
Chenières **54** 21 Fe 52
Chéniers **23** 90 Be 70
Chéniers **51** 35 De 55
Chenillé-Changé **49** 61 Zc 62
Cheniménil **88** 55 Gd 59
Chennebrun **27** 31 Ae 56
Chennegy **10** 52 Df 59
Chennevières-lès-Louvres **95** 33 Cd 54
Chennevières-sur-Marne **94** 33 Cd 56
Chenois **57** 38 Gd 55
Chenoise **77** 34 Db 57
Chenommet **16** 88 Ab 73
Chenon **16** 88 Ab 73
Chenonceaux **37** 63 Ba 65
Chenou **77** 50 Cd 60
Chenôve **21** 69 Fa 65
Chenôves **71** 82 Ee 68
Chens-sur-Léman **74** 96 Ga 71
Chenu **72** 62 Ac 63
Cheny **89** 51 Dd 61
Chepniers **17** 99 Ze 77
Chepoix **60** 17 Ca 51
Cheppe, La **51** 36 Ec 54
Cheppes-la-Prairie **51** 36 Ec 56
Cheppy **55** 20 Fa 53
Cheptainville **91** 33 Cb 57
Chepy **51** 36 Ec 55
Chépy **80** 6 Bd 48
Chérac **17** 87 Zf 74
Chérancé **53** 46 Zb 60
Chérancé **72** 47 Zf 59
Chéraute **64** 137 Za 89
Cherbonnières **17** 87 Zd 73
Cherbourg **50** 12 Yc 51
Chérence **95** 32 Be 54
Chérence-le-Héron **50** 28 Ye 56
Chérences-le-Roussel **50** 29 Yf 56
Chéreng **59** 8 Db 45
Chères, Les **69** 94 Ee 73
Chérêt **02** 19 De 51
Chériennes **62** 7 Ca 47
Chérier **42** 93 De 73
Chérigné **79** 87 Ze 72
Chéris, Les **50** 28 Ye 57
Chérisay **72** 47 Aa 58
Chérisey **57** 38 Gb 54
Chérisy **28** 32 Bc 56
Chérisy **62** 8 Cf 47
Chérizet **71** 82 Ed 69
Chermignac **17** 87 Zf 74
Chermisey **88** 54 Ff 58
Chermizy-Ailles **02** 19 De 52
Chéronnac **87** 89 Ae 74
Chéronvilliers **27** 31 Ae 56
Chéroy **89** 51 Da 59
Cherré **49** 61 Zc 62
Cherré **72** 48 Ad 60
Cherreau **72** 48 Ae 59
Cherval **24** 100 Ac 76
Cherveix-Cubas **24** 101 Ba 77
Cherves **86** 76 Aa 68
Cherves-Richemont **16** 87 Zd 74
Chervettes **17** 87 Zb 72
Cherveux **79** 87 Zd 72
Cherville **51** 35 Eb 54
Chéry **18** 65 Ca 66
Chéry-Chartreuve **02** 19 Dd 53
Chéry-lès-Pouilly **02** 19 Dd 51
Chéry-lès-Rozoy **02** 19 Ea 50
Chesley **10** 52 Ea 61
Chesnay, Le **78** 33 Ca 56
Chesne, Le **08** 20 Ee 51
Chesne, Le **27** 31 Af 55
Chesnois-Auboncourt **08** 20 Ed 51
Chesny **57** 38 Gb 54
Chessenaz **74** 96 Ff 72
Chessy **69** 94 Ed 73
Chessy **77** 33 Ce 55
Chéu **89** 52 De 61
Cheuge **21** 69 Fc 64
Cheux **14** 13 Zc 54
Chevagnes **03** 81 Dd 69
Chevagny-les-Chevrières **71** 94 Fe 71
Chevagny-sur-Guye **71** 82 Ed 69
Chevaigné **35** 45 Yc 59
Chevaigné-du-Maine **53** 46 Zd 58
Chevain, Le **72** 47 Aa 58
Cheval-Blanc **84** 132 Fa 86
Chevaline **74** 96 Ga 73
Chevallerais, La **44** 60 Yb 64
Chevanceaux **17** 99 Ze 77
Chevannay **21** 68 Ed 64
Chevannes **21** 68 Ed 65
Chevannes **45** 51 Da 60
Chevannes **89** 67 Dc 62
Chevannes **91** 33 Cb 57
Chevannes-Changy **58** 66 Dc 65
Chevennes **02** 19 Ea 50
Chevenon **58** 80 Db 67
Chevenoz **74** 96 Gd 71
Cheverny **41** 64 Bc 64
Cheveuges-Saint-Aignan **08** 20 Ef 50
Chevières **08** 20 Ef 52
Chevigney **25** 70 Fe 65
Chevigney-sur-l'Ognon **25** 70 Ff 65
Chevigny **21** 69 Fa 65

Corbeil-Essonnes 91 33 Cc 57
Corbeilles 45 50 Cd 60
Corbelin 38 107 Fd 75
Corbeny 02 19 Df 52
Corbère 66 154 Cd 93
Corbère-Abères 64 138 Zf 88
Corbère-les-Cabanes 66 154 Ce 93
Corberon 21 83 Ef 66
Corbie 80 17 Cd 49
Corbière, La 70 70 Gc 62
Corbières 04 133 Fe 86
Corbigny 58 67 De 65
Corbon 14 30 Zf 54
Corbonod 01 96 Fe 73
Corcelle-Mieslot 25 70 Gb 64
Corcelles 01 94 Yf 71
Corcelles 01 95 Fb 70
Corcelles 01 95 Fb 72
Corcelles-en-Beaujolais 69 94 Ee 72
Corcelles-Ferrières 25 70 Fe 65
Corcelles-les-Arts 21 82 Ee 67
Corcelles-lès-Cîteaux 21 69 Fa 65
Corcelles-les-Monts 21 68 Ef 65
Corcieux 88 56 Gf 59
Corcondray 25 70 Fe 65
Corconne 30 130 Df 85
Corcoué-sur-Logne 44 74 Yc 67
Corcy 02 18 Db 53
Cordéac 38 120 Ff 80
Cordebugle 14 30 Ac 54
Cordelle 42 93 Eb 74
Cordemais 44 59 Ya 65
Cordes 81 127 Bf 84
Cordesse 71 82 Ec 66
Cordey 14 30 Ze 55
Cordon 74 97 Gd 73
Cordonnet 70 70 Ff 64
Coren 15 104 Da 78
Corent 63 104 Db 75
Corfélix 51 35 De 55
Corgengoux 21 83 Ef 67
Corgnac-surl'Isle 24 101 Af 76
Corgoloin 21 83 Ef 66
Corignac 17 99 Zd 77
Corlay 22 43 Wf 59
Corlier 01 95 Fc 72
Cormainville 28 49 Bd 60
Cormaranche-en-Bugey 01 95 Fd 73
Cormatin 71 82 Ee 69
Corme-Écluse 17 86 Za 75
Cormeilles 27 14 Ac 53
Cormeilles 60 17 Cb 50
Cormeilles-en-Parisis 95 33 Cb 56
Cormeilles-en-Vexin 95 33 Ca 54
Cormenon 41 48 Af 61
Cormeray 41 64 Bc 64
Corme-Royal 17 86 Zb 74
Cormery 37 63 Af 65
Cormes 72 48 Ae 60
Cormicy 51 19 Df 53
Cormier, Le 27 32 Bb 55
Cormolain 14 29 Za 54
Cormont 62 7 Be 45
Cormontreuil 51 35 Ea 53
Cormoranche-sur-Saône 01 94 Ee 71
Cormost 10 52 Ea 59
Cormot-le-Grand 21 82 Ed 67
Cormoyeux 51 35 Df 54
Cormoz 01 83 Fb 70
Corn 46 114 Bf 81
Cornac 46 114 Bf 79
Cornant 89 51 Db 60
Cornas 07 118 Ef 79
Cornay 08 20 Ef 53
Corné 49 62 Zd 64
Cornebarrieu 31 126 Bb 87
Corneilhan 34 143 Db 88
Corneilla-de-Conflent 66 153 Cc 93
Corneilla-del-Vercol 66 154 Cf 93
Corneilla-la-Rivière 66 154 Ce 92
Corneillan 32 124 Ze 87
Corneuil 27 31 Ba 56
Corneville-le-Fouquetière 27 31 Ae 54
Corniéville 26 119 Fc 82
Cornier 74 96 Gb 72
Cornil 19 102 Be 77
Cornille 24 101 Ae 77
Cornillé 35 45 Ye 60
Cornillé-les-Caves 49 62 Ze 64
Cornillon 30 131 Ec 83
Cornillon-Confoux 13 146 Fa 87
Cornillon-en-Trièves 38 119 Fe 79
Cornillon-sur-l'Oule 26 119 Fc 82
Cornimont 88 56 Gf 61
Cornod 39 95 Fd 71
Cornot 70 70 Ff 62
Cornuaille, La 49 61 Za 63
Cornusse 18 80 Ce 67
Corny 27 16 Bc 53
Corny-Machéroménil 08 20 Ec 53
Corny-sur-Moselle 57 38 Ga 54
Coron 49 61 Zc 66
Corpe 85 74 Ye 69
Corpeau 21 82 Ee 67
Corpoyer-la-Chapelle 21 68 Ed 63
Corps 38 120 Ff 80
Corps-Nuds 35 45 Yc 61
Corquilleroy 45 50 Cc 60
Corquoy 18 79 Cb 67
Corrano 2A 159 Ka 97
Corrançon-en-Vercors 38 107 Fd 78
Correns 83 147 Ga 88
Corrèze 19 102 Bf 76
Corribert 51 35 De 55
Corrobert 51 35 Dd 55
Corrombles 21 67 Eb 63
Corronsac 31 140 Bc 88
Corroy 51 35 Df 56
Corsaint 21 67 Eb 63
Corsavy 66 154 Cd 94
Corscia 2B 156 Ka 94
Corsept 44 59 Xf 65
Corseul 22 27 Xf 58
Cortambert 71 82 Ee 70
Corte = Corti 2B 156 Ka 95
Cortevaix 71 82 Ed 69
Corti = Corte 2B 158 Ka 95
Cortrat 45 50 Ce 61
Corvées-les-Yys, Les 28 48 Ba 58

Corveissiat 01 95 Fc 71
Corvol-d'Embernard 58 66 Dc 65
Corvol-l'Orgueilleux 58 66 Dc 64
Corzé 49 61 Zd 63
Cos 09 152 Bd 91
Cosges 39 83 Fc 68
Coslédaà-Lube-Boast 64 138 Ze 88
Cosmes 53 46 Za 61
Cosnac 19 102 Bd 78
Cosne-Cours-sur-Loire 58 66 Cf 64
Cosne-d'Allier 03 80 Cf 70
Cosnes-et-Romain 54 21 Fe 51
Cosqueville 50 12 Yd 50
Cossaye 58 80 Dd 68
Cossé-d'Anjou 49 61 Zb 66
Cossé-en-Champagne 53 46 Ze 61
Cossé-le-Vivien 53 46 Za 61
Cossesseville 14 29 Zd 55
Cosswiller 67 39 Hc 57
Costa 2B 156 Ka 93
Costa 2B 157 Kc 94
Costaros 43 117 Df 79
Costes-Gozon, Les 12 128 Ce 84
Côte, La 70 71 Gd 61
Coteau, Le 42 93 Ea 72
Côte-d'Abroz, La 74 97 Gd 71
Côte-d'Hyot 74 96 Gc 72
Côte-Saint-André, La 38 107 Fb 76
Côtes-d'Arey, Les 38 106 Ef 76
Côtes-de-Corps, les 38 120 Ff 79
Coti-Chiavari 2A 158 Ie 98
Cotignac 83 147 Ga 87
Cottance 42 93 Eb 74
Cottenchy 80 17 Cc 50
Cottévrard 76 16 Bb 51
Couarde, La 79 87 Zf 71
Couarde-sur-Mer, La 17 86 Yd 71
Couargues 18 66 Cf 65
Coubert 77 33 Ce 56
Coubeyrac 33 112 Aa 80
Coubisou 12 115 Ce 81
Coubjours 24 101 Bb 77
Coublanc 71 93 Eb 72
Coublevie 38 107 Fd 76
Coublucq 64 124 Zd 87
Coubon 43 117 Df 79
Coubron 93 33 Cd 56
Couches 71 82 Ed 67
Couchey 21 68 Ef 65
Coucourde, La 26 118 Ee 81
Coucouron 07 117 Df 80
Coucy 08 20 Ec 51
Coucy-la-Ville 02 18 Dc 51
Coucy-le-Château-Auffrique 02 18 Db 52
Couddes 41 64 Bc 64
Coudehard 41 30 Aa 55
Coudekerque 59 3 Cc 43
Coudekerque-Branche 59 3 Cc 42
Coudes 63 104 Db 75
Coudeville-sur-Manche 50 28 Yc 55
Coudons 11 153 Ca 91
Coudoux 13 146 Fb 87
Coudray 27 16 Bd 52
Coudray 45 50 Cc 60
Coudray 53 46 Zc 62
Coudray, Le 27 31 Bb 54
Coudray, Le 28 32 Bd 57
Coudray, Le 28 49 Bc 58
Coudray-au-Perche 28 48 Af 59
Coudray-Macouard, Le 49 62 Zf 65
Coudray-Montceaux, le 91 33 Cd 57
Coudray-Saint-Germer, Le 60 16 Bf 52
Coudray-sur-Thelle, Le 60 17 Ca 53
Coudre, La 79 75 Zd 67
Coudreceau 28 48 Af 58
Coudrecieux 72 48 Ad 61
Coudres 27 32 Bb 55
Coudroy 45 50 Cc 61
Coudun 60 18 Ce 52
Coudures 40 124 Zc 88
Coueilles 31 140 Af 88
Couëron 44 60 Yb 65
Couesmes 37 62 Ac 63
Couesmes-Vaucé 53 29 Zb 58
Couffé 44 60 Ye 64
Couffi 41 64 Bc 65
Couffoulens 11 142 Cb 90
Couffy-sur-Sarsonne 19 103 Cb 75
Couflens 09 152 Bb 92
Coufouleux 81 127 Be 86
Couhé 86 88 Ab 71
Couilly-Pont-aux-Dames 77 34 Cf 55
Couin 62 8 Cd 48
Couiza 11 153 Cb 91
Couladère 31 140 Ba 89
Coulaines 72 47 Ab 60
Coulandon 03 80 Db 69
Coulanges 03 81 Df 70
Coulanges 41 64 Bb 63
Coulanges-la-Vineuse 89 67 Dd 62
Coulanges-lès-Nevers 58 80 Db 66
Coulanges-sur-Yonne 89 67 Dd 63
Coulans-sur-Gée 72 47 Aa 60
Coulaures 24 101 Af 77
Coulevon 03 80 Cf 68
Coulgens 16 88 Ab 74
Coulimer 61 47 Ac 58
Coullemelle 80 17 Cc 50
Coullemont 62 8 Cd 48
Coullons 45 65 Cc 63
Coulmer-le-Sec 21 68 Ec 62
Coulmiers 45 49 Bd 61
Coulobres 34 143 Db 88
Coulogne 62 3 Bf 43
Couloisy 60 18 Da 52
Coulombiers 86 76 Ab 70
Coulombs 14 13 Zc 53
Coulombs 28 32 Bd 57
Coulombs-en-Valois 77 34 Da 54
Coulomby 62 3 Ca 44
Coulommes 77 34 Cf 55

Coulommes-et-Marqueny 08 20 Ed 52
Coulommes-la-Montagne 51 35 Df 54
Coulommiers 77 34 Da 56
Coulommiers-la-Tour 41 63 Ba 62
Coulon 79 87 Zc 71
Coulonces 14 29 Za 55
Coulonces 61 30 Aa 56
Coulonche, La 61 29 Zd 57
Coulonge 17 87 Zb 73
Coulongé 72 62 Ab 62
Coulonges 16 88 Aa 73
Coulonges 17 99 Zd 75
Coulonges 86 77 Ba 70
Coulonges-Cohan 02 35 Dd 53
Coulonges-les-Sablons 61 48 Af 58
Coulonges-sur-l'Autize 79 75 Zc 70
Coulonges-sur-Sarthe 61 47 Ac 58
Coulonges-Thouarsais 79 75 Zf 67
Coulonvillers 80 7 Ca 48
Couloumé-Mondebat 32 125 Aa 87
Coulouvray-Boisbenâtre 50 28 Yf 56
Coulvain 14 29 Zb 54
Coulx 47 112 Ac 82
Counozouls 11 153 Cb 92
Coupelle-Neuve 62 7 Ca 45
Coupelle-Vieille 62 7 Ca 45
Coupesarte 14 30 Aa 54
Coupetz 51 36 Ec 56
Coupéville 51 36 Ed 55
Coupiac 12 128 Cd 85
Coupray 52 53 Ef 61
Coupru 02 34 Db 54
Couptrain 53 29 Ze 58
Coupvray 77 34 Ce 55
Couquèques 33 98 Za 76
Courances 91 50 Cc 58
Courant 17 87 Zc 72
Courbe, La 61 30 Zf 56
Courbehaye 28 49 Bd 60
Courbépine 27 31 Ad 54
Courbesseaux 54 38 Gc 56
Courbette 39 83 Fd 69
Courbeveille 53 46 Za 61
Courbevoie 92 33 Cb 55
Courbiac 33 98 Zb 78
Courbiac 47 113 Ba 82
Courbillac 16 87 Ze 74
Courboin 02 34 Db 55
Courbouzon 39 83 Fd 69
Courbouzon 41 64 Bd 62
Courçais 03 79 Cc 70
Courçay 37 63 Af 64
Courcebœufs 72 47 Ab 70
Courcelette 80 8 Ce 48
Courcelles 17 87 Zd 73
Courcelles 25 84 Ff 66
Courcelles 45 50 Cb 60
Courcelles 51 35 Df 57
Courcelles 54 55 Ga 58
Courcelles 58 66 Dc 64
Courcelles 62 8 Da 46
Courcelles 90 71 Ha 63
Courcelles-au-Bois 80 8 Cd 48
Courcelles-Chaussy 57 38 Gc 54
Courcelles-de-Touraine 37 62 Ab 64
Courcelles-en-Barrois 55 37 Fc 56
Courcelles-en-Bassée 77 51 Da 58
Courcelles-en-Montagne 52 54 Fb 61
Courcelles-Épayelles 60 17 Cd 51
Courcelles-Frémoy 21 67 Eb 64
Courcelles-la-Forêt 72 47 Zf 62
Courcelles-le-Comte 62 8 Ce 48
Courcelles-lès-Montbard 21 68 Ec 63
Courcelles-lès-Semur 21 68 Eb 64
Courcelles-Sapicourt 51 19 Df 54
Courcelles-sous-Châtenois 88 54 Fe 59
Courcelles-sous-Moyencourt 80 17 Ca 50
Courcelles-sous-Thoix 80 17 Ca 50
Courcelles-sur-Aire 55 37 Fb 55
Courcelles-sur-Blaise 52 53 Ef 58
Courcelles-sur-Nied 57 38 Gc 54
Courcelles-sur-Seine 27 32 Bc 53
Courcelles-sur-Vesle 02 19 Dd 52
Courcelles-sur-Viosne 95 32 Ca 54
Courcelles-sur-Voire 10 53 Ed 58
Courcemain 51 35 Df 57
Courcemont 72 47 Ac 59
Courcerac 17 87 Zd 74
Courcerault 61 48 Ad 58
Courceroy 10 51 Da 58
Courchamp 77 34 Db 57
Courchamps 02 34 Da 54
Courchamps 49 62 Zf 65
Courchapon 25 70 Fe 65
Courchaton 70 71 Gd 63
Courchelettes 59 8 Da 46
Cour-Cheverny 41 64 Bc 63
Courcité 53 47 Ze 59
Courcival 72 47 Ac 59
Courçon 17 87 Zc 72
Courcôme 16 88 Aa 73
Courcoué 37 76 Ac 66
Courcouronnes 91 33 Cc 57
Courcoury 17 87 Zc 74
Courcuire 70 70 Fe 64
Courcy 14 30 Zf 55
Courcy 50 29 Yd 54
Courcy 51 19 Ea 53
Courcy-aux-Loges 45 50 Cb 60
Courdemanche 27 32 Bb 56
Courdemanche 72 48 Ad 62
Courdemanges 51 36 Ed 56
Courdimanche-sur-Essonne 91 50 Cc 58

Courgent 78 32 Bd 55
Courgeon 61 48 Ad 58
Courgeoût 61 30 Ac 57
Courgis 89 67 Dd 62
Courgoul 63 104 Da 76
Courjeonnet 51 35 Df 56
Courlac 16 100 Aa 77
Courlandon 51 19 De 53
Courlans 39 83 Fd 68
Courlaoux 39 83 Fc 68
Courlay-sur-Mer 17 86 Yf 75
Courléon 49 62 Aa 64
Cour-l'Évêque 52 53 Ef 61
Courlon 21 69 Fa 63
Courlon-sur-Yonne 89 51 Db 58
Courmangoux 01 95 Fc 71
Courmas 51 35 Df 53
Courmelles 02 18 Db 52
Courmemin 41 64 Bd 64
Courmes 06 134 Ha 86
Courmont 02 35 Dd 54
Courmont 70 71 Gd 63
Cour, l'Évêque ... Cournanel 11 142 Cb 90
Courniou 34 142 Ce 88
Cournols 63 104 Da 75
Cournon-d'Auvergne 63 92 Db 74
Cournonsec 34 144 De 87
Cournonterral 34 144 De 87
Couronne, La 16 100 Aa 75
Courouvre 55 37 Fc 55
Courpalay 77 34 Cf 57
Courpière 63 92 Dd 74
Courpignac 17 99 Zd 77
Courquetaine 77 33 Ce 56
Courrensan 32 125 Ab 85
Courrières 62 8 Cf 46
Courris 81 128 Cc 85
Courry 30 130 Ea 83
Cours 46 114 Bd 81
Cours 47 112 Ab 83
Cours, le 56 44 Xd 62
Cours, les 46 114 Ca 80
Cour-Saint-Maurice 25 71 Ge 65
Coursan 11 143 Da 89
Coursan-en-Othe 10 52 Df 60
Cours-de-Monségur 33 112 Aa 81
Cours-de-Pile 24 112 Ad 79
Coursegoules 06 134 Ha 86
Courseulles-lès-Gisors 60 16 Be 53
Courseulles-sur-Mer 14 13 Zd 53
Cours-la-Véquière 79 75 Zd 70
Cours-la-Ville 69 93 Eb 72
Cours-les-Bains 33 111 Zf 82
Cours-les-Barres 18 80 Da 66
Courson-les-Carrières 89 67 Dd 63
Courson-Monteloup 91 33 Cb 57
Cours-sur-Loire, Cosne- 58 66 Cf 64
Courtacon 77 34 Db 56
Courtagnon 51 35 Df 54
Courtalain 28 48 Ba 60
Courtaoult 10 52 Df 60
Courtauly 11 141 Ca 90
Courtavon 68 71 Hb 64
Courtefontaine 25 71 Gf 65
Courtefontaine 39 70 Fe 66
Courteilles 27 31 Ba 56
Courteix 19 103 Cb 75
Courtelain-et-Salans 25 70 Gc 65
Courtelevant 90 71 Ha 63
Courtemanche 80 17 Cd 50
Courtemaux 45 51 Ce 60
Courtémont 51 36 Ee 54
Courtemont-Varennes 02 34 Dd 54
Courtenay 38 95 Fc 74
Courtenay 45 51 Da 60
Courtenot 10 52 Eb 59
Courteranges 10 52 Eb 59
Courteron 10 53 Ec 60
Courtes 01 83 Fa 70
Courtesoult-et-Gatey 70 69 Fd 63
Courtète, La 11 141 Ca 90
Courteuil 60 33 Cd 53
Courthézon 84 131 Ef 84
Courthiézy 51 35 Dd 54
Courties 32 125 Aa 87
Courtillers 60 18 Da 52
Courtils 50 28 Yd 57
Courtine, La 23 103 Cb 74
Courtisols 51 36 Ed 55
Courtivron 21 68 Ef 63
Courtois-sur-Yonne 89 51 Db 59
Courtomer 61 31 Ac 57
Courtomer 77 34 Cf 57
Courtonne-la-Meurdrac 14 30 Ab 54
Courtonne-les-Deux-Églises 14 30 Ac 54
Courtrizy-et-Fussigny 02 19 De 51
Courtry 77 33 Cd 55
Courvaudon 14 29 Zc 54
Courvières 25 84 Ga 67
Courville 51 19 De 53
Courville-sur-Eure 28 48 Bb 58
Courzieu 69 94 Ed 74
Cousance 39 83 Fc 69
Cousances-aux-Bois 55 37 Fc 56
Cousances-les-Forges 55 36 Fa 57
Cousances-lès-Triconville 55 37 Fc 56
Cousolre 59 10 Ea 47
Coussac-Bonneval 87 101 Bb 75
Coussan 65 139 Ab 89
Coussay 86 76 Ab 67
Coussay-les-Bois 86 77 Ae 68
Coussegrey 10 52 Ea 61
Coussergues 12 115 Cf 82
Coussey 88 54 Fe 59
Coust 18 80 Ce 68
Coustaussa 11 153 Cb 91
Coustouge 11 142 Ce 90
Coustouges 66 154 Cd 94
Coutainville, Agon- 50 28 Yc 54
Coutances 50 28 Yd 54
Coutansouse 03 92 Da 71
Coutençon 77 51 Da 58
Coutens 09 141 Be 90
Couterne 61 29 Ze 58
Couternon 21 69 Fa 65
Couteuges 43 104 Dc 77

Coutevroult 77 34 Cf 55
Couthenans 70 71 Ge 63
Couthures-sur-Garonne 47 112 Aa 81
Coutiches 59 8 Db 46
Coutières 79 76 Zf 69
Coutouvre 42 93 Eb 72
Coutras 33 99 Zf 78
Couture 16 88 Ab 73
Couture, La 62 8 Ce 45
Couture, La 85 74 Ye 69
Couture-Boussey, La 27 32 Bc 55
Couture-d'Argenson 79 88 Zf 73
Couturelle 62 8 Cd 47
Coutures 24 100 Ac 76
Coutures 49 61 Zd 64
Coutures 57 38 Gc 56
Coutures 82 113 Af 83
Coutures 82 128 Ca 85
Couture-sur-Loir 41 63 Ae 62
Couvains 50 13 Yf 54
Couvains 61 31 Ad 55
Couvertoirade, La 12 129 Db 85
Couvertpuis 55 37 Fb 57
Couvignon 10 53 Ed 59
Couville 50 12 Yb 51
Couvonges 55 36 Fa 56
Couvrelles 02 18 Dc 52
Couvron-et-Aumencourt 02 18 Dd 51
Couvrot 51 36 Ed 56
Coux 07 118 Ed 80
Coux 17 99 Zf 77
Coux-et-Bigaroque 24 113 Af 79
Couy 18 80 Ce 66
Couyère, La 35 45 Yc 61
Couze-et-Saint-Front 24 112 Ae 80
Couzeix 87 89 Bb 73
Couziers 37 62 Aa 66
Couzon 03 80 Db 69
Couzon-au-Coulange 52 69 Fb 63
Couzou 46 114 Bd 80
Cox 31 126 Ba 86
Coyecques 62 7 Cb 45
Coye-la-Forêt 60 33 Cc 54
Coyolles 02 18 Da 53
Coyrière 39 96 Ff 70
Coyron 39 83 Fe 69
Coyviller 54 38 Gb 57
Cozes 17 98 Za 75
Cozzano 2A 159 Ka 97
Crac'h 56 58 Wf 63
Craches 78 32 Be 57
Crachier 38 107 Fb 75
Crain 89 67 Dd 63
Craincourt 57 38 Gb 55
Craintilleux 42 105 Eb 75
Crainvilliers 88 54 Ff 60
Cramaille 02 18 Dc 53
Cramans 39 84 Fe 66
Cramant 51 35 Df 55
Cramchaban 17 87 Zb 71
Craménil 61 29 Zd 56
Cramoisy 60 17 Cc 53
Cramont 80 7 Ca 48
Crampagna 09 141 Bd 90
Crancey 10 52 Dd 57
Crançot 39 83 Fd 68
Crandelain 02 19 Dd 52
Crandelles 15 115 Cc 79
Crannes-en-Champagne 72 47 Zf 61
Crans 01 95 Fb 73
Crans 39 84 Ff 68
Cransac 12 115 Cb 81
Cranves-Sales 74 96 Gb 71
Craon 53 46 Za 61
Craon 86 76 Ad 68
Craonne 02 19 De 52
Crapeaumesnil 60 18 Ce 51
Craponne 69 94 Ee 74
Craponne-sur-Arzon 43 105 Df 77
Cras 38 107 Fc 77
Cras 46 114 Bd 81
Cras-sur-Reyssouze 01 95 Fb 71
Crastatt 67 39 Hc 56
Crastes 32 125 Ad 86
Crasville 27 15 Ba 53
Crasville 50 12 Yd 51
Crasville-la-Mallet 76 15 Ae 50
Crasville-la-Rocquefort 76 15 Af 50
Crau, La 83 147 Ga 90
Cravanche 90 71 Ge 63
Cravans 17 99 Zb 75
Cravant 45 49 Bd 62
Cravant 89 67 Dd 62
Cravant-les-Côteaux 37 62 Ac 66
Cravent 78 32 Bd 55
Crayssac 46 113 Bc 82
Crayssas 46 114 Bf 81
Craywick 59 3 Cb 43
Cré 72 62 Zf 62
Créac'h Maout 22 26 Wf 55
Créances 50 12 Yc 53
Créancey 21 68 Ed 65
Créancey 52 53 Ef 60
Crécey-sur-Tille 21 69 Fa 63
Crèche, La 79 75 Zd 70
Crêches-sur-Saône 71 94 Ee 71
Créchy 03 92 Dc 71
Crécy-au-Mont 02 18 Db 52
Crécy-Couvé 28 32 Bb 56
Crécy-en-Ponthieu 80 7 Bf 47
Crécy-la-Chapelle 77 34 Cf 55
Crécy-sur-Serre 02 19 Dd 50
Crédin 56 43 Xb 60
Crégols 46 114 Be 82
Crégy-lès-Meaux 77 34 Cf 55
Créhange 57 38 Gd 54
Créhen 22 27 Xe 57
Creil 60 17 Cc 53
Creissan 34 143 Da 88
Creissels 12 129 Da 84
Crémarest 62 3 Be 44
Crémeaux 42 93 Ea 73
Crémery 80 18 Ce 50
Crémieu 38 95 Fb 74
Crempigny 74 96 Ff 73
Cremps 46 114 Bd 82
Crenans 39 84 Fe 70
Crennes-sur-Fraubée 53 47 Ze 58
Créon 33 111 Zf 80
Créon-d'Armagnac 40 124 Zf 85
Créot 71 82 Ed 67
Crépand 21 68 Ec 63
Crépey 54 37 Ff 57

Crépol 26 107 Fa 77
Crépon 14 13 Zc 53
Crépy 02 18 Dd 51
Crépy 62 7 Ca 46
Crépy-en-Valois 60 18 Cf 53
Créquy 62 7 Ca 46
Cres, Le 34 130 Df 87
Cresancey 70 69 Fd 64
Crésantignes 10 52 Ea 60
Cresnays, Les 50 28 Yf 56
Crespian 30 130 Ea 85
Crespières 78 32 Bf 55
Crespin 12 128 Cb 84
Crespin 59 9 Dd 46
Crespin 81 128 Cb 85
Crespinet 81 128 Cb 85
Crespy-le-Neuf 10 53 Ed 58
Cressac-Saint-Génis 16 100 Aa 75
Cressanges 03 80 Da 70
Cressat 23 90 Ca 72
Cressé 17 87 Ze 73
Cresse, La 12 129 Da 83
Cressensac 46 102 Bd 78
Cresseveille 14 14 Aa 53
Cressia 39 83 Fc 69
Cressin-Rochefort 01 95 Fe 74
Cressonsacq 60 17 Cd 52
Cressy 76 8 Ba 50
Cressy-Omencourt 80 18 Cf 50
Cressy-sur-Somme 71 81 Df 68
Crest 26 118 Fa 80
Crest, Le 63 104 Da 75
Creste 63 104 Da 75
Crestet 84 132 Fa 83
Crestet, Le 07 118 Ed 78
Crestot 27 15 Af 53
Crest-Voland 73 96 Gc 74
Créteil 94 33 Cc 56
Cretteville 50 12 Yd 52
Creully 14 13 Zc 53
Creuse 80 17 Ca 49
Creusot, Le 71 82 Ec 68
Creutzwald 57 39 Ge 53
Creuzier-le-Neuf 03 92 Dc 71
Creuzier-le-Vieux 03 92 Dc 71
Crevans-et-la-Chapelle-lès-Granges 70 71 Gd 63
Crevant 36 78 Bf 70
Crevant-Laveine 63 92 Dc 73
Crévéchamps 54 38 Gb 57
Crèvecœur-en-Auge 14 30 Aa 54
Crèvecœur-en-Brie 77 34 Cf 56
Crèvecœur-le-Grand 60 17 Ca 51
Crèvecœur-le-Petit 60 17 Cd 51
Crèvecœur-sur-l'Escaut 59 8 Db 48
Creveney 70 70 Gb 62
Crévic 54 38 Gc 57
Crévin 35 45 Yc 61
Crévoux 05 121 Gd 81
Creyssac 24 100 Ad 77
Creysse 24 112 Ad 79
Creysse 46 114 Bd 79
Creysseilles 07 118 Ed 80
Creyssensac-et-Pissot 24 100 Ad 78
Crézancay 18 79 Cc 68
Crézancy 02 34 Dd 54
Crézancy-en-Sancerre 18 66 Ce 65
Crézières 79 87 Zf 72
Crézilles 54 37 Ff 57
Cricqueville-en-Auge 14 14 Zf 53
Cricqueville-en-Bessin 14 13 Za 52
Criel-sur-Mer 76 6 Bb 48
Crillat 39 84 Fe 69
Crillon 60 16 Bf 52
Crillon-le-Brave 84 132 Fa 84
Crimolois 21 69 Fa 65
Crique, La 76 16 Bb 50
Criquebeuf-la-Campagne 27 15 Ba 53
Criquebeuf-sur-Seine 27 15 Ba 53
Criquebœuf, La 14 14 Aa 52
Criquetot-le-Mauconduit 76 15 Ad 50
Criquetot-l'Esneval 76 14 Ab 51
Criquetot-sur-Longueville 76 15 Ba 50
Criquetot-sur-Ouville 76 15 Af 50
Criquiers 76 16 Bd 51
Crisenoy 77 33 Ce 57
Crisolles 60 18 Ce 51
Crissay-sur-Manse 37 63 Ac 66
Crissé 72 47 Zf 60
Crissey 39 83 Fc 67
Crissey 71 82 Ef 68
Cristinacce 2A 158 If 95
Cristot 14 13 Zc 53
Criteuil-la-Magdeleine 16 99 Ze 75
Croce 2B 157 Kc 94
Croce, A = Croce 2B 157 Kc 94
Crocq, Le 60 17 Cb 51
Crochte 59 3 Cc 43
Crocicchia 2B 157 Kc 94
Crocq 23 91 Cc 73
Crocy 14 30 Zf 55
Crœttwiller 67 40 Ia 55
Croisances 43 117 Dd 79
Croisette 62 7 Cb 46
Croisette, La 74 96 Gb 72
Croisic, Le 44 59 Xc 65
Croisilles 14 29 Zd 55
Croisilles 28 32 Bc 56
Croisilles 61 30 Ab 56
Croisilles 62 8 Cf 47
Croisille-sur-Briance, La 87 102 Bd 75
Croismare 54 38 Gd 57
Croissanville 14 30 Aa 54
Croissy-Beaubourg 77 33 Cd 56
Croissy-sur-Seine 78 33 Cb 56
Croissy-sur-Selle 60 17 Cb 51
Croisty, Le 56 42 Wd 60
Croisy 18 80 Ce 67
Croisy-sur-Andelle 76 16 Bc 52
Croisy-sur-Eure 27 32 Bc 54
Croix 59 8 Da 45
Croix 90 71 Gf 64
Croix, la 19 103 Ca 76
Croix-au-Bois, La 08 20 Ee 52
Croix-aux-Mines, La 88 56 Ha 59
Croix-Avranchin, La 50 28 Ye 57
Croix-Blanche, La 47 112 Ae 82
Croix-Chapeau 17 86 Yf 72

Croix-Comtesse, La **17** 87 Zd 72
Croixdalle **76** 16 Bc 50
Croix-de-Vie, Saint-Gilles- **85** 73 Ya 68
Croix-du-Perche, La **28** 48 Ba 59
Croix-en-Brie, La **77** 34 Da 57
Croix-en-Champagne, La **51** 36 Ed 54
Croix-en-Ternois **62** 7 Cb 46
Croix-en-Touraine, La **37** 63 Af 64
Croix-Fonsommes **02** 18 Dc 49
Croix-Hélléan, La **56** 44 Xd 61
Croixille, La **53** 45 Yf 59
Croix-Mare **76** 15 Af 51
Croix-Moligneaux **80** 18 Da 50
Croixrault **80** 17 Bf 50
Croix-Saint-Leufroy, la **27** 32 Bb 54
Croix-sur-Gartempe, la **87** 89 Af 72
Croix-sur-Ourcq, la **02** 34 Dc 53
Croix-sur-Roudoule, la **06** 134 Gf 84
Croix-Valmer, La **83** 148 Gd 89
Croizet-sur-Gand **42** 93 Eb 73
Crollon **50** 28 Yd 57
Cromac **87** 89 Bb 70
Cromary **70** 70 Ga 64
Cronat **71** 81 De 68
Cronce **43** 104 Dc 78
Cropte, La **53** 46 Zd 61
Cropus **76** 15 Ba 50
Cros **30** 130 De 85
Cros **63** 103 Cd 76
Cros, le **30** 129 Dd 85
Cros, le **34** 129 Dc 85
Cros, le **63** 103 Ce 75
Cros, le **63** 105 Ce 76
Cros-de-Montvert **15** 103 Ca 78
Cros-de-Ronesque **15** 115 Cd 79
Crosey-le-Grand **25** 71 Gd 64
Crosey-le-Petit **25** 70 Gc 64
Crosmières **72** 62 Zf 62
Crosne **91** 33 Cc 56
Crossac **44** 59 Xe 64
Crosses **18** 79 Cd 66
Crosville-la-Vieille **27** 31 Af 54
Crosville-sur-Douve **50** 12 Yd 52
Crosville-sur-Scie **76** 15 Ba 50
Crotelles **37** 63 Af 63
Crotenay **39** 83 Fe 68
Croth **27** 32 Bc 55
Crotoy, Le **80** 6 Bd 47
Crots **05** 120 Gc 81
Crottes-en-Pithiverais **45** 50 Ca 60
Crottet **01** 94 Ef 71
Crouay **14** 13 Zb 53
Crouseilles **64** 138 Zf 87
Croutelle **86** 76 Ab 69
Croûtes, Les **10** 52 Df 61
Croutoy **60** 18 Da 52
Crouttes **61** 30 Aa 55
Crouttes-sur-Marne **02** 34 Db 55
Crouy **02** 18 Dc 52
Crouy-en-Thelle **60** 33 Cb 53
Crouy-Saint-Pierre **80** 7 Ca 49
Crouy-sur-Cosson **41** 64 Bd 63
Crouy-sur-Ourcq **77** 34 Da 54
Crouzet, Le **25** 84 Ga 68
Crouzet-Migette **25** 84 Ga 67
Crouzille, La **63** 91 Ce 71
Crouzilles **37** 62 Ac 66
Crozant **23** 90 Bd 70
Croze **23** 92 Cb 74
Crozes-Hermitage **26** 106 Ef 78
Crozet **01** 96 Ga 72
Crozet **01** 107 Fd 74
Crozet, le **01** 95 Fb 70
Crozets, Les **39** 84 Fe 70
Crozon **29** 24 Vd 59
Crozon-sur-Vauvre **36** 78 Bf 70
Cruas **07** 118 Ee 81
Crucey **28** 31 Ba 56
Crucheray **41** 63 Ba 62
Cruet **73** 108 Ga 75
Crugey **21** 68 Ee 65
Crugny **51** 19 De 53
Cruguel **56** 43 Xc 61
Cruis **04** 133 Ff 84
Crulai **61** 31 Ae 56
Crupies **26** 119 Fb 81
Crupilly **02** 19 De 49
Cruscades **11** 142 Ce 89
Cruseilles **74** 96 Ga 72
Crusnes **54** 21 Ff 52
Cruviers-Lascours **30** 130 Eb 84
Crux-la-Ville **58** 67 Dc 66
Cruzille **71** 82 Ef 69
Cruzilles-lès-Mépillat **01** 94 Ef 71
Cruzy **34** 143 Cf 88
Cruzy-le-Châtel **89** 52 Eb 61
Cry **89** 68 Eb 62
Cubelles **43** 116 Dd 78
Cubières **48** 117 Eb 82
Cubières-sur-Cinable **11** 153 Cc 91
Cubiérettes **48** 117 De 82
Cubjac **24** 101 Af 77
Cublac **19** 101 Bb 78
Cublize **69** 94 Ec 72
Cubnezais **33** 99 Zd 78
Cubrial **25** 70 Gc 64
Cubry **25** 70 Gd 64
Cubry-lès-Faverney **70** 55 Ga 62
Cubzac-les-Ponts **33** 99 Zd 79
Cucharmoy **77** 34 Db 57
Cuchery **51** 35 De 54
Cucq **62** 6 Bd 46
Cucugnan **11** 154 Cd 91
Cucuron **84** 132 Fc 86
Cudos **33** 111 Ze 82
Cudot **89** 51 Db 61
Cuébris **06** 134 Ha 85
Cuélas **32** 139 Ac 88
Cuers **83** 147 Ga 89
Cuffies **02** 18 Db 52
Cuffy **18** 80 Da 67
Cugand **85** 60 Ye 66
Cuges-les-Pins **13** 146 Fe 89
Cugnaux **31** 140 Bc 87
Cugney **70** 69 Fe 64
Cugnoculu Muntichji = Cognocoli-Monticchi **2A** 158 If 98
Cugny **02** 18 Da 50
Cuguen **35** 28 Yc 58
Cuguron **31** 139 Ad 90
Cuhon **86** 76 Aa 68
Cuignères **60** 17 Cc 52
Cuigy-en-Bray **60** 16 Be 52
Cuillé **53** 45 Yf 61

Cuincy **59** 8 Da 46
Cuing, Le **31** 139 Ad 90
Cuinzier **42** 93 Eb 72
Cuire, Caluire-et-, **69** 94 Ef 74
Cuirieux **02** 19 De 50
Cuiry-Housse **02** 18 Dc 53
Cuiry-lès-Chaudardes **02** 19 De 52
Cuiry-lès-Iviers **02** 19 Ea 50
Cuis **51** 35 Df 55
Cuiseaux **71** 83 Fc 70
Cuise-la-Motte **60** 18 Dc 53
Cuiserey **21** 69 Fb 64
Cuisery **71** 83 Fa 69
Cuisia **39** 83 Fc 69
Cuissai **61** 30 Aa 58
Cuisy **55** 20 Fa 53
Cuisy **77** 33 Ce 54
Cuisy-en-Almont **02** 18 Db 52
Culan **18** 79 Cc 69
Culey-le-Patry **14** 29 Zc 55
Culhat **63** 92 Dc 73
Culin **38** 107 Fb 75
Culles-les-Roches **71** 82 Ed 69
Cully **14** 13 Zc 53
Culmont **52** 54 Fc 62
Culoz **01** 95 Fe 73
Cult **70** 69 Fe 65
Cultures **48** 116 Dc 82
Cumières **51** 35 Df 54
Cumières-le-Mort-Homme **55** 21 Fb 53
Cumiès **11** 141 Bf 89
Cumont **82** 126 Af 85
Cunac **81** 128 Cb 85
Cuncy-lès-Varzy **58** 66 Dc 64
Cunèges **24** 112 Ac 80
Cunel **55** 20 Fa 53
Cunelières **90** 71 Gf 63
Cunfin **10** 53 Ee 60
Cunlhat **63** 104 Dd 75
Cuon **49** 62 Zf 64
Cuperly **51** 36 Ea 54
Cuq **47** 125 Ae 84
Cuq-Toulza **81** 141 Bf 87
Cuqueron **64** 138 Zc 89
Curac **16** 100 Aa 77
Curan **12** 128 Cf 83
Curbans **04** 120 Ga 82
Curbigny **71** 93 Eb 70
Curçay-sur-Dive **86** 76 Zf 66
Curchy **80** 18 Cf 50
Curciat-Dongalon **01** 83 Fa 70
Curdin **71** 81 Ea 69
Curel-Autigny **52** 54 Fa 58
Curemonte **19** 114 Be 79
Cures **72** 47 Aa 60
Curey **50** 28 Yd 57
Curgies **59** 9 Dd 46
Curgy **71** 82 Ec 67
Curienne **73** 108 Ga 75
Curières **12** 115 Cf 81
Curley **21** 68 Ef 65
Curlu **80** 8 Ce 49
Curmont **52** 53 Ef 59
Curtafond **01** 95 Fa 71
Curtil-Saint-Seine **21** 68 Ef 64
Curtil-sous-Buffières **71** 94 Ed 70
Curtil-sous-Burnand **71** 82 Ed 69
Curtil-Vergy **21** 68 Ef 65
Curvalle **81** 128 Cd 85
Curverville **27** 16 Bc 53
Curzay-sur-Vonne **86** 76 Aa 70
Curzon **85** 74 Ye 67
Cusance **25** 70 Gc 65
Cuse-et-Adrisans **25** 70 Gc 64
Cusey **52** 69 Fb 63
Cussac **15** 115 Cf 79
Cussac **33** 99 Zb 78
Cussac **87** 89 Af 74
Cussac-sur-Loire **43** 117 Df 79
Cussangy **10** 52 Ea 60
Cussay **37** 77 Aa 66
Cusset **03** 92 Dc 72
Cussey-les-Forges **21** 69 Fa 63
Cussey-sur-Lison **25** 84 Ff 66
Cussey-sur-l'Ognon **25** 70 Ff 64
Cussy-en-Morvan **71** 81 Ea 66
Cussy-la-Colonne **21** 82 Ed 66
Cussy-le-Châtel **71** 68 Ed 66
Cussy-les-Forges **89** 67 Ea 64
Custines **54** 38 Ga 56
Cutry **02** 18 Db 52
Cutry **54** 21 Fe 52
Cuts **60** 18 Da 51
Cutting **57** 39 Gf 55
Cuttoli-Cortichiato **2A** 158 If 97
Cuttuli Curtichjatu = Cuttoli-Cortichiato **2A** 158 If 97
Cuttura **39** 84 Fe 70
Cuve **70** 55 Gb 61
Cuvergnon **60** 34 Cf 53
Cuverville **14** 14 Ze 53
Cuverville **27** 16 Bc 53
Cuverville **76** 14 Ab 50
Cuverville-sur-Yères **76** 6 Bc 49
Cuves **50** 28 Yf 56
Cuves **52** 54 Fc 60
Cuvier **39** 84 Ga 68
Cuvillers **59** 8 Da 46
Cuvilly **60** 17 Ce 51
Cuvry **57** 38 Ga 54
Cuxac-Cabardès **11** 142 Cb 88
Cuxac-d'Aude **11** 143 Cf 89
Guy **60** 18 Cf 51
Guy **89** 51 Db 59
Guy-Saint-Fiacre **76** 16 Be 51
Cuzac **46** 114 Ca 81
Cuzance **46** 114 Bd 79
Cuzieu **01** 95 Fe 74
Cuzieu **42** 105 Eb 75
Cuzion **36** 78 Bd 70
Cuzorn **47** 113 Af 81
Cuzy **71** 81 Ea 68
Cuzza = Cozzano **2A** 159 Ka 97
Cys-la-Commune **02** 19 Dd 52
Cysoing **59** 8 Db 45

D

Dabo **57** 39 Hb 57
Dachstein **67** 40 Hd 57
Daglan **24** 113 Bb 80
Dagny **77** 34 Db 56
Dagny-Lambercy **02** 19 Ea 50
Dagonville **55** 37 Fc 56
Daguenière, La **49** 61 Zd 64

Dahlenheim **67** 40 Hd 57
Daignac **33** 111 Ze 80
Daigny **08** 20 Ef 50
Daillancourt **52** 53 Ef 59
Daillecourt **52** 54 Fd 60
Dainville **62** 8 Cd 47
Dainville-Bertheléville **55** 54 Fd 58
Daix **21** 69 Fa 64
Dalhain **57** 38 Gd 55
Dalhunden **67** 40 Hf 56
Dallon **02** 18 Db 50
Dalou **09** 141 Bd 90
Dalstein **57** 22 Gc 53
Daluis **06** 134 Ge 84
Damas-aux-Bois **88** 55 Gc 58
Damas-et-Bettegney **88** 55 Gb 59
Damazan **47** 112 Ab 83
Dambach **67** 40 Hd 54
Dambach-la-Ville **67** 56 Hc 59
Dambelin **25** 71 Ge 64
Dambenoît-lès-Colombe **70** 70 Gc 62
Damblain **88** 54 Fd 60
Damblainville **14** 30 Zf 55
Dambron **28** 49 Bf 60
Damelevières **54** 38 Gc 57
Dame-Marie **27** 31 Ba 56
Dame-Marie **61** 48 Ad 58
Dame-Marie-les-Bois **37** 63 Ba 63
Daméraucourt **60** 16 Bf 50
Damerey **71** 83 Ef 67
Damery **51** 35 Df 54
Damery **80** 17 Ce 50
Damgan **56** 59 Xc 63
Damigni **61** 47 Aa 58
Damloup **55** 37 Fc 53
Dammard **02** 34 Db 54
Dammarie **28** 49 Bc 58
Dammarie-en-Puisaye **45** 66 Cf 63
Dammarie-les-Lys **77** 50 Cd 57
Dammarie-sur-Loing **45** 66 Cf 62
Dammarie-sur-Saulx **55** 37 Fe 57
Dammartin-en-Goële **77** 33 Ce 54
Dammartin-en-Serre **78** 32 Bb 55
Dammartin-les-Templiers **25** 70 Gb 65
Dammartin-Marpain **39** 69 Fd 65
Dammartin-sur-Meuse **52** 54 Fd 61
Dammartin-sur-Tigeaux **77** 34 Cf 56
Damousies **59** 9 Ea 47
Damouzy **08** 20 Ee 50
Dampierre **10** 36 Ec 57
Dampierre **14** 29 Za 54
Dampierre **52** 54 Fc 62
Dampierre-au-Temple **51** 36 Ea 54
Dampierre-en-Bray **76** 16 Bd 51
Dampierre-en-Bresse **71** 83 Fb 68
Dampierre-en-Burly **45** 65 Cd 62
Dampierre-en-Crot **18** 65 Cd 64
Dampierre-en-Graçay **18** 64 Bf 65
Dampierre-en-Montagne **21** 68 Ed 64
Dampierre-en-Yvelines **78** 32 Bf 56
Dampierre-et-Flée **21** 69 Fc 64
Dampierre-le-Château **51** 36 Ee 54
Dampierre-les-Bois **25** 71 Gf 64
Dampierre-les-Conflans **70** 55 Gb 61
Dampierre-Saint-Nicolas **76** 16 Bb 49
Dampierre-sous-Bouhy **58** 66 Da 64
Dampierre-sous-Brou **28** 48 Ba 59
Dampierre-sur-Avre **28** 31 Ba 56
Dampierre-sur-Boutonne **17** 87 Zd 72
Dampierre-sur-Linotte **70** 70 Gb 64
Dampierre-sur-Moivre **51** 36 Eb 55
Dampierre-sur-Salon **70** 69 Fe 63
Dampjoux **25** 71 Ge 64
Dampleux **02** 18 Da 53
Dampmart **77** 33 Ce 55
Dampniat **19** 102 Bd 78
Damprichard **25** 71 Gf 65
Damps, les **27** 15 Bb 53
Dampsmesnil **27** 32 Bd 53
Dampvalley-lès-Colombe **70** 70 Gb 64
Dampvalley-Saint-Pancras **70** 55 Gb 61
Dampvitoux **54** 37 Ff 54
Damrécourt **52** 54 Fd 61
Damville **27** 31 Ba 55
Damvillers **55** 21 Fc 52
Damvix **85** 87 Zb 71
Dancé **42** 93 Ea 73
Dancé **61** 48 Ad 58
Dancevoir **52** 53 Ef 61
Dancourt **76** 16 Bd 49
Dancourt-Popincourt **80** 17 Ce 50
Dancy **28** 49 Bc 60
Danestal **14** 14 Aa 53
Dangeau **28** 49 Bb 59
Dangers **28** 32 Bc 57
Dangé-Saint-Romain **86** 77 Ad 67
Dangeul **72** 47 Ab 59
Dangolsheim **67** 40 Hc 57
Dangu **27** 32 Be 53
Dangy **50** 29 Ye 54
Danizy **02** 18 Dc 50
Danjoutin **90** 71 Gf 63
Danne-et-Quatre-Vents **57** 39 Hb 56
Dannelbourg **57** 39 Hb 56
Dannemarie **57** 39 Hb 56
Dannemarie **68** 71 Ha 63
Dannemarie **78** 32 Bd 56
Dannemarie-sur-Crète **25** 70 Ff 65
Dannemoine **89** 52 Df 61
Dannemois **91** 50 Cc 58
Dannes **62** 6 Bc 45
Dannevoux **55** 21 Fb 53
Danvou-la-Ferrière **14** 29 Zb 55
Danzé **41** 48 Ba 61
Daon **53** 46 Zd 62
Daoulas **29** 24 Ve 58
Daours **80** 17 Cc 49
Darazac **19** 102 Ca 77
Darbonnay **39** 83 Fd 68
Darbres **07** 118 Ed 81
Darcey **21** 68 Ed 63

Dardenac **33** 111 Ze 80
Dardez **27** 31 Bb 54
Dardilly **69** 94 Ee 74
Dareizé **69** 94 Ec 73
Dargies **60** 17 Bf 50
Dargnies **80** 6 Bd 48
Dargoire **42** 106 Ed 75
Darmannes **52** 54 Fb 60
Darmont **55** 37 Fe 53
Darnac **87** 89 Af 71
Darnétal **76** 15 Ba 52
Darnets **19** 102 Ca 76
Darney **88** 55 Ga 60
Darney-aux-Chênes **88** 54 Fe 59
Darnieulles **88** 55 Gc 59
Darois **21** 68 Ef 64
Darvault **77** 50 Ce 59
Darvoy **45** 50 Ca 61
Dasle **25** 71 Gf 64
Daubensand **67** 57 He 58
Daubeuf-la-Campagne **27** 31 Ba 53
Daubeuf-près-Vatteville **27** 16 Bb 53
Daubeuf-Serville **76** 15 Ac 50
Daubèze **33** 111 Ze 80
Dauendorf **67** 40 Hd 55
Daufage **48** 117 De 81
Daumazan-sur-Arize **09** 140 Bb 90
Daumeray **49** 61 Zd 62
Dauphin **04** 133 Fe 85
Dausse **47** 113 Af 82
Daux **31** 140 Bc 87
Dauzat-sur-Vodable **63** 104 Da 76
Davayat **63** 92 Da 73
Davayé **71** 94 Ee 71
Davejean **11** 154 Cd 91
Davenescourt **80** 17 Cd 50
Davézieux **07** 106 Ee 77
Davignac **19** 102 Ca 76
Davrey **10** 52 Df 60
Davron **78** 32 Bf 55
Dax **40** 123 Yf 86
Deauville **14** 14 Aa 52
Deaux **30** 130 Ea 84
Débats-Rivière-d'Orpra **42** 93 Df 74
Decazeville **12** 115 Cb 81
Déchy **59** 8 Da 46
Décines-Charpieu **69** 94 Ef 74
Decize **58** 80 Dc 68
Dégagnac **46** 113 Bb 80
Degré **72** 47 Aa 60
Dehault **72** 48 Ad 59
Dehlingen **67** 39 Hb 55
Deinvillers **88** 55 Gd 58
Déjointes **18** 80 Cf 66
Delain **70** 69 Fd 63
Delettes **62** 7 Ca 46
Delincourt **60** 16 Be 53
Delle **90** 71 Gf 64
Delme **57** 38 Gc 55
Delouze-Rosières **55** 37 Fd 57
Déluge, Le **60** 17 Ca 53
Delut **55** 21 Fc 52
Deluz **25** 70 Gb 65
Demandolx **04** 134 Gd 85
Demange-aux-Eaux **55** 37 Fc 57
Demangevelle **70** 55 Ga 61
Demie, La **70** 70 Gb 63
Démigny **71** 82 Ef 67
Démouville **14** 14 Ze 53
Dému **32** 125 Ab 86
Démuin **80** 17 Cd 50
Denain **59** 9 Dc 46
Dénat **81** 128 Cb 85
Denazé **53** 46 Za 61
Deneé **49** 61 Zc 64
Denée **49** 61 Zc 64
Deneuille-les-Mines **03** 91 Ce 70
Deneuille-lès-Chantelle **03** 92 Da 71
Deneuvre **54** 55 Ge 57
Denève **70** 21 Gd 53
Dénezé-sous-Doué **49** 62 Ze 65
Dénezé-sous-le-Lude **49** 63 Aa 63
Denezières **39** 84 Fe 69
Denguin **64** 138 Zc 89
Denice **69** 94 Ed 73
Denier **62** 8 Cc 46
Denipaire **88** 56 Gf 58
Dennebrœucq **62** 7 Ca 45
Denneville **50** 12 Yc 53
Dennevy **71** 82 Ed 67
Denney **90** 71 Gf 63
Denonville **28** 49 Be 58
Denting **57** 38 Gd 53
Déols **36** 78 Be 67
Derbamont **88** 55 Gb 59
Dercé **86** 76 Ab 67
Dercy **02** 19 De 50
Dernacueillette **11** 154 Cd 91
Dernancourt **80** 8 Cd 49
Derval **44** 60 Yb 63
Désaignes **07** 118 Ed 79
Désandans **25** 71 Ge 63
Descartes **37** 77 Ae 67
Deschaux, Le **39** 83 Fd 67
Désert, Le **14** 29 Zb 55
Désertines **03** 91 Cd 70
Désertines **53** 29 Za 58
Déserts, Les **73** 108 Ga 75
Déservillers **25** 84 Ga 66
Desges **43** 116 Dc 78
Designy **74** 96 Ff 73
Desmonts **45** 50 Cd 59
Desnes **39** 83 Fc 68
Dessenheim **68** 57 Hc 61
Dessia **39** 95 Fd 70
Destord **88** 55 Gd 58
Destrousse, La **13** 146 Fd 88
Destry **57** 38 Gd 55
Desvres **62** 3 Be 44
Détain-et-Bruant **21** 68 Ee 65
Détrier **73** 108 Ga 76
Détroit, Le **14** 29 Zd 55
Dettey **71** 81 Eb 68
Dettwiller **67** 40 Hc 56
Deuillet **02** 18 Dc 51
Deûlémont **59** 4 Da 44
Deux-Chaises **03** 92 Da 70
Deux-Evailles **53** 46 Zc 59
Deux-Fays, Les **39** 83 Fc 67
Deux-Jumeaux **14** 13 Za 52
Deuxville **54** 38 Gc 57
Deux-Villes-Basse, Les **08** 21 Fb 51
Deux-Villes-Haute, Les **08** 21 Fb 51
Devay **58** 81 Dd 68

Devecey **25** 70 Ga 65
Devesset **07** 106 Ec 78
Devèze **65** 139 Ad 89
Déviat **16** 100 Aa 76
Deville **08** 20 Ef 50
Déville-lès-Rouen **76** 15 Ba 52
Devise **80** 18 Da 49
Devrouze **71** 83 Fa 68
Deycimont **88** 55 Gd 59
Deyme **31** 141 Bd 88
Deyvillers **88** 55 Gd 59
Dézert, Le **50** 12 Yf 53
Dezize-lès-Maranges **71** 82 Ed 67
Dhuisy **77** 34 Da 54
Dhuizel **02** 19 Dd 52
Dhuizon **41** 64 Bd 63
Diancey **21** 68 Ec 65
Diane-Capelle **57** 39 Gf 56
Diant **77** 51 Cf 59
Diarville **54** 55 Ga 58
Diconne **71** 83 Fa 68
Dicy **89** 51 Da 61
Didenheim **68** 72 Hb 62
Die **26** 119 Fc 80
Diebling **57** 39 Gf 54
Diebolsheim **67** 57 Hd 59
Diedendorf **67** 39 Ha 55
Dieding **57** 39 Ha 54
Dieffenbach-au-Val **67** 56 Hc 59
Dieffenbach-lès-Wœrth **67** 40 Hf 55
Dieffenthal **67** 56 Hc 59
Diefmatten **68** 71 Ha 62
Dième **69** 94 Ec 73
Diemeringen **67** 39 Hb 55
Diémoz **38** 107 Fa 75
Diénay **21** 69 Fa 63
Dienne **15** 103 Ce 78
Dienné **86** 77 Ac 69
Diennes-Aubigny **58** 81 Dd 67
Dienville **10** 53 Ed 59
Dieppe **76** 6 Ba 49
Dierre **37** 63 Af 64
Dierrey-Saint-Julien **10** 52 Df 59
Dierrey-Saint-Pierre **10** 52 De 59
Diesen **57** 38 Ge 53
Dietwiller **68** 72 Hc 63
Dieudonné **60** 17 Cb 53
Dieue-sur-Meuse **55** 37 Fc 54
Dieulefit **26** 119 Fa 81
Dieulivol **33** 112 Aa 80
Dieupentale **82** 126 Bb 85
Dieuze **57** 39 Ge 56
Diéval **62** 7 Cb 46
Diffembach-lès-Hellimer **57** 39 Gf 54
Diges **89** 66 Dc 62
Digna **39** 83 Fc 69
Dignac **16** 100 Ab 75
Digne-d'Aval, La **11** 141 Cb 90
Digne-les-Bains **04** 133 Gb 84
Dignonville **88** 55 Gd 59
Digny **28** 31 Ba 57
Digny-Saint-Clair **74** 96 Gb 73
Digoin **71** 81 Ea 69
Digosville **50** 12 Yc 51
Digulleville **50** 12 Ya 50
Dijon **21** 69 Fa 64
Dimbsthal **67** 39 Hc 56
Dimechaux **59** 9 Ea 47
Dimont **59** 9 Ea 47
Dinan **22** 27 Xf 58
Dinard **35** 27 Xf 57
Dinarzh = Dinard **35** 27 Xf 57
Dinéault **29** 24 Vf 59
Dingé **35** 45 Yb 58
Dingsheim **67** 40 Hd 57
Dinoze **88** 55 Gd 59
Dinsac **87** 89 Ba 71
Dinsheim **67** 39 Hc 57
Dinteville **52** 53 Ee 60
Dio **34** 129 Db 87
Dionay **38** 107 Fb 77
Dions **30** 130 Eb 85
Diors **36** 78 Be 68
Diou **36** 79 Ca 68
Diou **03** 80 Dc 68
Dirac **16** 100 Ab 75
Dirinon **29** 24 Ve 58
Dirol **58** 67 Dd 65
Dissangis **89** 67 Df 63
Dissay **86** 76 Ac 68
Dissay-sous-Courcillon **72** 63 Ac 63
Dissé-sous-Ballon **72** 47 Ab 59
Dissé-sous-le-Lude **72** 63 Aa 63
Distré **49** 62 Zf 65
Distroff **57** 22 Gb 52
Diusse **64** 124 Ze 87
Divajeu **26** 118 Fa 80
Dives **60** 18 Cf 51
Dives-sur-Mer **14** 14 Zf 53
Divion **62** 7 Cb 46
Divonne-les-Bains **01** 96 Ga 70
Dixmont **89** 51 Db 60
Dizimieu **38** 107 Fb 74
Dizy **51** 35 Df 54
Dizy-le-Gros **02** 19 Ea 51
Doazit **40** 123 Zc 86
Doazon **64** 138 Zc 89
Docelles **88** 55 Gd 59
Dodenom **57** 22 Gb 52
Dœuil-sur-le-Mignon **17** 87 Zc 72
Dognen **64** 138 Zc 89
Dogneville **88** 55 Gc 59
Dohem **62** 3 Cb 45
Dohis **02** 19 Ea 50
Doignies **59** 8 Da 48
Doingt **80** 18 Cf 49
Doissat **24** 113 Ba 80
Doissin **38** 107 Fc 76
Doix **85** 75 Zb 70
Doizieux **42** 106 Ed 76
Dol = Dol-de-Bretagne **35** 28 Yb 57
Dolaincourt **88** 54 Fe 58
Dolancourt **10** 53 Ed 59
Dolcourt **54** 55 Ff 58
Dol-de-Bretagne **35** 28 Yb 57
Dole **39** 83 Fd 66
Dolignon **02** 19 Ea 50
Dolleren **68** 56 Gf 62
Dollon **72** 48 Ad 60
Dollot **89** 51 Da 59
Dolmayrac **47** 112 Ad 82
Dolo **22** 27 Xe 58

Dolus-d'Oléron **17** 86 Ye 73
Dolus-le-Sec **37** 63 Af 66
Dolus-le-sec **37** 63 Af 66
Dolving **57** 39 Ha 56
Domagné **35** 45 Yd 60
Domaize **63** 104 Dd 74
Domalain **35** 45 Ye 61
Domancy **74** 97 Gd 73
Domarin **38** 107 Fb 75
Domart-en-Ponthieu **80** 7 Ca 48
Domart-sur-la-Luce **80** 17 Cc 50
Domats **89** 51 Da 60
Domazan **30** 131 Ed 85
Dombasle-devant-Darney **88** 55 Ga 60
Dombasle-en-Argonne **55** 37 Fb 54
Dombasle-en-Xaintois **88** 55 Ff 59
Dombasle-sur-Meurthe **54** 38 Gc 57
Domblain **52** 53 Ef 58
Domblans **39** 83 Fd 68
Dombras **55** 21 Fc 52
Dombrot-le-Sec **88** 55 Ff 60
Dombrot-sur-Vair **88** 55 Ff 59
Domecy-sur-Cure **89** 67 De 64
Doméliers **60** 17 Bf 51
Domène **38** 108 Ff 77
Domérat **03** 91 Cd 70
Domesargues **30** 130 Eb 84
Domesmont **80** 7 Ca 48
Domessin **73** 107 Fe 75
Domèvre-sous-Montfort **88** 55 Ga 59
Domèvre-sur-Avière **88** 55 Gc 59
Domèvre-sur-Durbion **88** 55 Gc 59
Domeyrat **43** 104 Dd 77
Domeyrot **23** 91 Ca 71
Domezain-Berraute **64** 137 Zb 89
Domfaing **88** 56 Ge 59
Domfessel **67** 39 Ha 55
Domfront **60** 17 Cd 51
Domfront **61** 29 Zc 57
Domfront-en-Champagne **72** 47 Aa 60
Domgermain **54** 37 Fe 57
Dominelais, La **35** 44 Yb 62
Dominois **80** 7 Bf 46
Domjean **50** 29 Yf 55
Domjevin **54** 39 Ge 57
Domjulien **88** 55 Ga 59
Domléger-Longvillers **80** 7 Ca 48
Dom-le-Mesnil **08** 20 Ef 50
Domloup **35** 45 Yc 60
Dommarie-Eulmont **54** 55 Ga 58
Dommartemont **54** 38 Gb 56
Dommartin **01** 94 Ef 71
Dommartin **25** 84 Ga 67
Dommartin **58** 81 Dd 67
Dommartin **69** 94 Ee 74
Dommartin **80** 17 Cc 50
Dommartin-aux-Bois **88** 55 Gb 59
Dommartin-Dampierre **51** 36 Ee 54
Dommartin-la-Chaussée **54** 37 Ff 54
Dommartin-la-Montagne **55** 37 Fd 54
Dommartin-le-Coq **10** 53 Ec 57
Dommartin-le-Franc **52** 53 Ef 58
Dommartin-le-Saint-Père **52** 53 Ef 58
Dommartin-lès-Remiremont **88** 56 Gf 61
Dommartin-lès-Toul **54** 38 Ff 56
Dommartin-lès-Vallois **88** 55 Ga 60
Dommartin-Lettrée **51** 35 Eb 56
Dommartin-sous-Amance **54** 38 Gb 56
Dommartin-sous-Hans **51** 36 Ee 54
Dommartin-sur-Vraine **88** 55 Ff 58
Dommartin-Varimont **51** 36 Ee 55
Dommary-Baroncourt **54** 21 Fe 53
Domme **24** 113 Bb 80
Dommery **08** 20 Ec 50
Dommiers **02** 18 Db 52
Domnon-lès-Dieuze **57** 39 Ge 55
Domont **95** 33 Cc 54
Dompaire **88** 55 Gb 59
Dompcevrin **55** 37 Fc 55
Dompierre **60** 17 Cd 51
Dompierre **61** 29 Zc 57
Dompierre **88** 55 Gd 59
Dompierre-aux-Bois **55** 37 Fd 55
Dompierre-Becquincourt **80** 18 Ce 49
Dompierre-du-Chemin **35** 45 Yf 59
Dompierre-en-Morvan **21** 67 Eb 64
Dompierre-les-Églises **87** 89 Bb 71
Dompierre-les-Ormes **71** 94 Ec 70
Dompierre-les-Tilleuls **25** 84 Gb 67
Dompierre-sous-Sanvignes **71** 81 Eb 69
Dompierre-sur-Authie **80** 7 Bf 47
Dompierre-sur-Besbre **03** 81 De 69
Dompierre-sur-Chalaronne **01** 94 Ef 72
Dompierre-sur-Charente **17** 87 Zd 74
Dompierre-sur-Héry **58** 67 Dd 65
Dompierre-sur-Mer **17** 86 Yf 71
Dompierre-sur-Mont **39** 83 Fd 69
Dompierre-sur-Nièvre **58** 66 Db 65
Dompierre-sur-Veyle **01** 95 Fb 72
Dompierre-sur-Yon **85** 74 Yd 68
Dompnac **07** 117 Ea 81
Dompremy **51** 36 Ec 56
Domprel **51** 36 Ee 53
Domprix **54** 21 Fe 53
Domps **87** 102 Be 75
Domptail **88** 55 Gd 58
Domptail-en-l'Air **54** 38 Gb 57
Domptin **02** 34 Db 54
Domqueur **80** 7 Ca 48
Domremy-aux-Bois **55** 37 Fc 56
Domremy-Landéville **52** 54 Fe 58
Domrémy-la-Pucelle **88** 54 Fe 58
Domsure **01** 83 Fb 70
Domvallier **88** 55 Ga 59
Domvast **80** 7 Bf 47

Espèche 65 139 Ab 90
Espéchède 64 138 Ze 89
Espédaillac 46 114 Be 81
Espelette 64 136 Yd 88
Espeluche 26 118 Be 81
Espenel 26 119 Fb 80
Espérausses 81 128 Cd 86
Espéraza 11 153 Cb 91
Esperce 31 140 Bc 89
Espère 46 113 Bc 81
Espès-Undurein 64 137 Zb 89
Espeyrac 12 115 Ca 92
Espeyroux 46 114 Bf 80
Espezel 11 153 Ca 92
Espieilh 65 139 Ab 90
Espiens 47 125 Ac 83
Espinas 82 127 Be 83
Espinasse 15 116 Cf 79
Espinasse 63 104 Cf 75
Espinasses 05 120 Gb 82
Espinasse-Vozelle 03 92 Db 72
Espinchal 63 104 Cf 76
Espins 14 29 Zc 54
Espira-de-Conflent 66 153 Cc 93
Espira-de-l'Agly 66 154 Ce 92
Espirat 09 92 Dc 74
Esplantas 43 116 Da 79
Esplas 09 140 Bc 89
Esplas-de-Sérou 09 140 Bc 91
Espoey 64 138 Zf 89
Espondeilhan 34 143 Db 88
Esprels 70 70 Gc 63
Espuite 64 137 Za 88
Esquay-Notre-Dame 14 29 Zd 54
Esquéhéries 02 9 De 49
Esquelbecq 59 3 Cc 43
Esquennoy 60 17 Cb 51
Esquerdes 62 3 Cb 44
Esquibien 29 41 Vc 60
Esquiule 64 137 Zb 89
Essards, les 16 100 Aa 77
Essards, Les 17 87 Zb 74
Essards, Les 37 62 Ab 64
Essards-Taignevaux, les 39 83 Fc 67
Essarois 21 68 Ee 62
Essars 62 8 Cd 45
Essarts 62 8 Ce 48
Essarts, les 27 31 Af 55
Essarts, les 41 63 Ae 62
Essarts, Les 85 74 Ye 68
Essarts-le-Roi, les 78 32 Bf 56
Essarts-lès-Sézanne, les 51 35 Dd 56
Essarts-le-Vicomte, Les 51 34 Dd 57
Essay 61 30 Ab 57
Essay-et-Maizerais 54 37 Fe 55
Esse 16 89 Ae 72
Essé 35 45 Ye 61
Essegney 88 55 Gb 58
Esseintes, les 33 111 Zf 81
Essert 90 71 Ge 63
Essertaux 80 17 Cb 50
Essertenne 71 82 Ed 68
Essertenne-et-Cecey 70 69 Fc 64
Essertines-en-Châtelneuf 42 105 Df 75
Essertines-en-Donzy 42 94 Ec 74
Essert-Romand 74 97 Ge 71
Esserts-Blay 73 108 Gc 75
Esserval-Combe 39 84 Ga 68
Essey 21 68 Ed 65
Essey-la-Côte 54 55 Gc 58
Essey-les-Eaux 52 54 Fc 60
Essey-lès-Nancy 54 38 Gb 56
Essia 39 83 Fd 69
Essigny-le-Grand 02 18 Db 50
Essigny-le-Petit 02 18 Dc 49
Essises 02 34 Dc 55
Essômes-sur-Marne 02 34 Dc 54
Esson 14 29 Zd 54
Essonnes, Corbeil- 91 33 Cc 57
Essoyes 10 53 Ed 60
Essuiles 60 17 Cb 52
Estables 43 105 De 77
Estables 48 116 Dc 81
Estables, Les 43 117 Ea 79
Establet 26 119 Fc 81
Estagel 66 154 Ce 92
Estaing 12 115 Ce 81
Estaing 65 138 Ze 91
Estaires 59 4 Ce 45
Estal 46 114 Bf 79
Estampes 32 139 Ab 88
Estampures 65 139 Ab 88
Estancarbon 31 139 Ae 90
Estandeuil 63 104 Dc 74
Estang 32 124 Zf 85
Estantens 31 140 Bb 88
Estarvielle 65 151 Ac 92
Estavar 66 153 Bf 94
Esteil 63 104 Dc 76
Esténos 65 139 Ad 91
Estensan 65 150 Ac 92
Estérençuby 64 137 Ye 90
Esternay 51 34 Dd 56
Estevelles 62 8 Cf 46
Esteville 76 16 Bb 51
Estézargues 30 131 Ed 85
Estialescq 64 138 Zc 89
Estibeaux 40 123 Za 87
Estigarde 40 124 Zf 84
Estillac 47 125 Ad 84
Estipouy 32 139 Ac 87
Estirac 65 138 Aa 88
Estissac 10 52 De 59
Estivals 19 102 Bc 78
Estivareilles 03 79 Cd 70
Estivareilles 42 116 Ea 76
Estivaux 19 102 Bc 77
Estoher 66 153 Cc 93
Estos 64 137 Zc 89
Estoublon 04 133 Gb 85
Estouches 91 50 Ca 59
Estourmel 59 9 Db 48
Estouteville-Écalles 76 16 Bb 51
Estouy 45 50 Ca 59
Estrablin 38 106 Ef 75
Estramiac 32 125 Af 86
Estrebay 08 19 Ea 49
Estrébœuf 80 6 Bd 48
Estréchure, L' 30 130 De 84
Estrée 62 7 Bc 45
Estrée-Blanche 62 7 Cb 45
Estrée-Cauchy 62 8 Cd 46
Estréelles 62 7 Be 45
Estrées 02 9 Db 49
Estrées 59 8 Da 47
Estrées 80 18 Ce 49

Estrées-la-Campagne 14 30 Ze 54
Estrées-la-Crécy 80 7 Bf 47
Estrées-Saint-Denis 60 17 Cd 52
Estrées-sur-Noye 80 17 Cb 50
Estrée-Wamin 62 7 Cc 47
Estrennes 88 55 Ga 59
Estreux 59 9 Dd 46
Estry 14 29 Zc 54
Esves-le-Moutier 37 77 Af 66
Esvres 37 63 Ae 65
Eswars 59 8 Da 47
Étable 73 108 Ga 76
Étables 07 106 Ee 78
Étables-sur-Mer 22 26 Xb 57
Étagnac 16 89 Ae 73
Étaimpuis 76 15 Ba 51
Étain 55 37 Fd 53
Étaing 62 8 Cf 47
Étainhus 76 14 Ab 51
Étais 21 68 Ec 63
Étais-la-Sauvin 89 66 Dc 64
Étalans 25 70 Gb 66
Étalante 21 68 Ec 63
Étalle 08 20 Ec 49
Étalleville 76 15 Ae 50
Étalon 80 18 Cf 50
Étalondes 76 6 Bc 48
Étampes 91 33 Cb 58
Étampes-sur-Marne 02 34 Dc 55
Étang-Bertrand, l' 50 12 Yc 52
Étangs, 57 38 Gc 54
Étang-la-Ville, l' 78 ...
Étang-sur-Arroux 71 81 Eb 67
Étang-Vergy, L' 21 68 Ef 65
Étaples 62 6 Bd 45
Étaule 89 67 Df 63
Étaules 17 86 Yf 74
Étaules 21 68 Ef 64
Étauliers 33 99 Zf 77
Étaves-et-Bocquiaux 02 18 Dc 49
Étavigny 60 34 Cf 54
Etcharry 64 137 Zb 89
Etchebar 64 137 Za 90
Éteignières 08 20 Ec 49
Éteimbes 88 71 Ha 62
Étel 56 43 We 63
Ételfay 80 17 Cd 51
Éternoz 25 84 Ga 66
Éterpigny 62 8 Cf 47
Éterpigny 80 18 Cf 49
Éterville 14 29 Zd 54
Étevaux 21 69 Fb 65
Eth 59 9 Dd 47
Étienville 50 12 Yd 52
Étigny 89 51 Db 60
Étilleux, Les 28 48 Ae 59
Étinehem 80 17 Ce 49
Étiolles 91 33 Cc 57
Étival 39 83 Fe 69
Étival-Clairefontaine 88 56 Gf 58
Étival-lès-le-Mans 72 47 Aa 61
Étivey 89 67 Ea 62
Étobon 70 71 Gd 63
Étoges 51 35 Df 55
Étoile, L' 39 83 Fd 68
Étoile, L' 80 7 Ca 48
Étoile-Saint-Cyrice 05 119 Fd 83
Étoile-sur-Rhône 26 118 Ef 79
Éton 55 21 Fe 53
Étormay 21 68 Ed 63
Étourvy 10 52 Ea 61
Étoutteville 76 15 Ae 50
Étouvans 25 71 Ge 64
Étouvelles 02 19 Dd 51
Étouvy 14 29 Zb 55
Étouy 60 17 Cc 52
Étrabonne 25 69 Fe 65
Étrappe 25 71 Ge 64
Étray, L' 42 105 Df 76
Étraye-Wavrille 55 21 Fb 53
Étréaupont 02 19 Df 49
Étrechet 36 78 Bc 68
Étréchy 18 65 Ce 66
Étréchy 51 35 De 56
Étréchy 91 50 Cb 58
Étréham 14 13 Zb 53
Étreillers 02 18 Db 49
Étréjust 80 16 Bf 49
Étrelles 35 45 Ye 60
Étrelleset-la-Mombleuse 70 70 Hf 64
Étrelle-sur-Aube 10 35 Df 57
Étrépagny 27 16 Bd 53
Étrepigney 39 69 Fe 66
Étrépigny 08 20 Ec 50
Étrépilly 02 34 Dc 54
Étrépilly 77 34 Cf 54
Étrepy 51 36 Fa 56
Étretat 76 14 Ab 50
Étreux 02 9 Dd 49
Étréval 54 55 Ga 58
Étréville 27 15 Ad 52
Étrez 01 95 Fb 71
Étriac 16 100 Zf 75
Étriché 49 61 Zd 63
Étricourt-Manancourt 80 8 Cf 48
Étrigny 71 82 Ef 69
Étrochey 21 53 Ed 61
Étrœungt 59 9 Df 48
Étroussat 03 92 Db 71
Étrun 59 8 Da 47
Étsaut 64 138 Zc 91
Ettendorf 67 40 Hd 56
Etting 57 39 Hb 54
Étueffont 90 71 Gf 62
Étueffont 90 71 Gf 62
Étupes 25 71 Gf 63
Éturqueraye 27 15 Ae 52
Étusson 79 75 Ze 67
Étuz 70 70 Ff 64
Eu 76 6 Bc 48
Euffigneix 52 53 Fa 60
Eugénie-les-Bains 40 124 Zd 86
Euilly-et-Lombut 08 20 Fa 51
Eulmont 54 38 Gb 56
Eup 31 151 Ae 91
Eurre 26 118 Ef 80
Eurville-Bienville 52 36 Fa 57
Eus 66 153 Cc 93
Euvezin 54 37 Fd 55
Euville 55 37 Fd 56
Euvy 51 35 De 57
Euzet 30 130 Eb 84
Évaillé 72 48 Ad 61
Évans 39 70 Fe 65
Évaux-et-Ménil 88 55 Gb 59
Évaux-les-Bains 23 91 Cc 71
Ève 60 33 Ce 54
Évergnicourt 02 19 Ea 52
Éverly 77 51 Db 58
Évette-Salbert 90 71 Ge 62
Éveux 69 94 Ed 74

Évian-les-Bains 74 97 Gd 70
Évigny 08 20 Ec 50
Évillers 25 84 Gb 66
Évin-Malmaison 62 8 Da 46
Évisa 2A 158 Ie 95
Évosges 01 95 Fc 73
Évran 22 44 Ya 58
Évrange 57 22 Gb 51
Évrecy 14 29 Zd 54
Évres 55 36 Fa 55
Évreux 27 31 Ba 54
Évricourt 60 18 Cf 51
Évriguet 56 44 Xd 60
Évron 53 46 Zd 60
Évry 91 33 Cc 57
Évry-Grégy-sur-Yerres 77 33 Cc 57
Excenevex 74 96 Gc 70
Excideuil 24 101 Ba 76
Exermont 08 20 Fa 53
Exideuil 16 89 Ae 73
Exincourt 25 71 Gf 64
Exireuil 79 76 Ze 70
Exmes 61 30 Ab 56
Exoudun 79 88 Zf 70
Expiremont 17 99 Zd 77
Eybens 38 107 Fe 78
Eybouleuf 87 90 Bc 74
Eyburie 19 102 Bc 76
Eycheil 09 140 Ba 91
Eydoche 38 107 Fb 76
Eygalayes 26 132 Fd 83
Eygaliers 26 131 Ef 83
Eygaliers 26 132 Fb 83
Eygliers 05 121 Gd 80
Eygluy-Escoulin 26 119 Fb 80
Eyguians 05 120 Fe 82
Eyguières 13 131 Fa 86
Eygurande 19 103 Cd 75
Eygurande-Gardedeuil 24 100 Aa 76
Eyjeaux 87 89 Bc 74
Eyliac 24 101 Af 78
Eymet 24 112 Ac 80
Eymeux 26 107 Fb 78
Eyne 66 153 Ca 94
Eyne 2600 66 153 Ca 94
Eynesse 33 112 Aa 80
Eyragues 13 131 Ef 85
Eyrans 33 111 Zc 80
Eyrein 19 102 Bf 76
Eyres-Moncube 40 124 Zc 86
Eysines 33 111 Zb 79
Eysson 25 70 Gc 65
Eysus 64 137 Zc 90
Eyvirat 24 101 Af 77
Eywiller 67 39 Ha 55
Eyzerac 24 101 Ba 77
Eyzies-de-Tayac-Sireuil, Les 24 113 Ba 79
Eyzin-Pinet 38 106 Ef 76
Ézahart 08 118 Fa 81
Ézanville 95 33 Cc 54
Eze 06 135 Hc 86
Ézy-sur-Eure 27 32 Bc 55

F

Fa 11 153 Cb 91
Fabas 09 140 Ba 90
Fabas 31 140 Af 89
Fabas 82 126 Bc 85
Fabras 07 117 Eb 81
Fabrègues 34 144 De 87
Fabrezan 11 142 Ce 90
Faches-Thumesnil 59 8 Da 45
Fâchin 58 81 Df 66
Fage, la 48 117 Dd 81
Fage-Montivernoux, La 48 116 Da 80
Faget, Le 31 141 Be 87
Faget-Abbatial 32 139 Ae 87
Fagnières 51 35 Eb 55
Fagnon 08 20 Ec 50
Fahy-lès-Autrey 70 25 Fc 64
Failly 57 38 Gb 54
Faimbe 25 71 Gd 64
Fain-lès-Montbard 21 68 Ec 63
Fain-lès-Moutiers 21 67 Eb 63
Fains 27 32 Bc 55
Fains-la-Folie 28 49 Bd 59
Fains-Véel 55 36 Fa 56
Faissault 08 20 Ed 51
Fajac-en-Val 11 142 Cc 90
Fajac-la-Ralenque 11 141 Be 89
Fajoles 46 113 Bc 80
Fajolle, la 11 153 Bf 92
Fajolles 82 126 Ba 85
Falaise 08 20 Ec 52
Falaise 14 30 Ze 55
Falaise, la 78 32 Be 55
Falck 57 39 Gd 53
Faleyras 33 111 Zf 80
Falga 31 141 Bf 88
Falgoux, Le 15 103 Cd 78
Falicon 06 135 Hb 86
Faloise, La 80 17 Cc 50
Fals 47 125 Ae 84
Falvy 80 18 Cf 50
Famars 59 9 Dd 47
Famechon 62 7 Cc 48
Famechon 80 17 Ca 50
Fameck 57 22 Ga 53
Familly 14 30 Ac 55
Fampoux 62 8 Cf 47
Fanjeaux 11 141 Ca 89
Faou, Le 29 24 Ve 59
Faouët, Le 22 26 Wf 56
Faouët, Le 56 42 Wd 60
Faramans 38 107 Fa 76
Faramans 01 95 Fa 72
Farbus 62 8 Ce 46
Farceaux 27 16 Bd 53
Farébersviller 57 39 Gf 54
Fareins 01 94 Ee 72
Fare-les-Oliviers, La 13 146 Fb 87
Faremoutiers 77 34 Da 56
Farges 01 96 Ff 72
Farges, les 24 101 Bb 78

Farges-Allichamps 18 79 Cc 68
Farges-en-Septaine 18 79 Cd 66
Farges-lès-Chalon 71 82 Ee 67
Farges-lès-Mâcon 71 82 Ef 69
Fargues 33 111 Ze 81
Fargues 40 124 Zd 86
Fargues 46 113 Bb 82
Fargues-Saint-Hilaire 33 111 Zd 80
Fargues-sur-Ourbise 47 125 Aa 83
Farinole 2B 157 Kc 92
Farlède, La 83 147 Ga 89
Farnay 42 106 Ed 76
Farschviller 57 39 Gf 54
Fatines 72 47 Ab 60
Fatouville-Grestain 27 14 Ac 52
Fau, le 15 103 Cd 78
Fauch 81 128 Cb 86
Faucogney-et-la-Mer 70 55 Gd 61
Faucompierre 88 56 Ge 60
Faucon 04 120 Ga 82
Faucon 04 121 Ge 82
Faucon 24 132 Fa 83
Fauconcourt 88 55 Ge 58
Faucoucourt 02 18 Dc 51
Fau-de-Peyre 48 116 Db 80
Faudoas 82 126 Af 86
Fauga, Le 31 140 Bb 88
Faugères 07 117 Ea 82
Faugères 34 143 Db 87
Fauguernon 14 14 Ab 53
Fauguerolles 47 112 Ab 82
Faulq, Le 14 14 Ab 53
Faulquemont 57 38 Gd 54
Faulx 54 38 Gb 56
Faumont 59 8 Da 46
Fauquembergues 62 7 Ca 45
Faurie, La 05 119 Fe 81
Fauroux 82 126 Ba 83
Faussergues 81 128 Ce 84
Faute-sur-Mer, la 85 74 Ye 71
Fauverney 21 69 Fa 65
Fauville-en-Caux 76 15 Ad 51
Faux 08 20 Ec 51
Faux 24 112 Ad 80
Faux, le 51 36 Ec 56
Faux-Fresnay 51 35 Df 57
Faux-la-Montagne 23 90 Bf 75
Faux-Vésigneul 51 36 Ec 56
Faux-Villecerf 10 52 De 58
Favalello 2B 159 Kb 95
Favars 19 102 Be 76
Faveraye-Mâchelles 49 61 Zc 65
Faverdines 18 79 Cc 68
Faverelles 45 66 Cf 63
Faverges 74 96 Ga 74
Faverges-de-la-Tour 38 107 Fd 75
Faverney 70 70 Ga 62
Faverois 90 71 Ha 63
Faverolles 02 34 Db 55
Faverolles 15 116 Da 79
Faverolles 28 32 Bc 56
Faverolles 36 78 Bc 65
Faverolles 52 54 Fc 60
Faverolles 61 30 Ze 56
Faverolles 80 17 Cd 50
Faverolles-et-Coëmy 51 19 De 53
Faverolles-la-Campagne 27 31 Af 54
Faverolles-lès-Lucey 21 53 Ef 61
Faverolles-sur-Cher 41 63 Bb 65
Favière, La 83 148 Gc 88
Favières 28 31 Bb 57
Favières 77 33 Ce 56
Favières 80 7 Be 47
Favresse 51 36 Fe 56
Favreuil 62 8 Cf 48
Favrieux 78 32 Bd 55
Favril, Le 27 31 Ac 53
Favril, Le 28 48 Ba 58
Favril, Le 59 9 Dd 48
Fay 61 31 Ac 57
Fay 72 47 Aa 61
Fay 80 18 Ce 49
Fay, la 71 83 Fa 69
Fay, le 80 8 Be 49
Fay-aux-Loges 45 50 Ca 61
Fay-de-Bretagne 44 60 Yb 64
Faye 41 63 Bb 62
Faye, La 16 88 Aa 72
Faye-d'Anjou 49 61 Zc 65
Fayel, 60 17 Cb 51
Faye-la-Vineuse 37 76 Ac 67
Fayence 83 134 Ge 87
Fayet 02 18 Db 49
Fayet 12 129 Cf 86
Fayet, Le 74 97 Ge 73
Fayet-le-Château 63 104 Dc 74
Fayet-Ronaye 63 104 Dc 76
Fay-les-Étangs 60 16 Bf 53
Fay-lès-Marcilly 10 52 Dd 58
Faÿ-lès-Nemours 77 50 Ce 59
Fayl-la-Forêt 52 69 Fd 62
Faymoreau 85 75 Zc 70
Fay-Saint-Quentin, le 60 17 Cb 52
Fays-la-Chapelle 10 52 Ea 60
Fayssac 81 127 Bf 85
Fay-sur-Lignon 43 117 Eb 79
Féas 64 137 Zb 90
Febvin-Palfart 62 7 Cb 45
Fécamp 76 14 Ac 50
Féchain 59 8 Db 47
Fèche-l'Église 90 71 Gf 63
Fécocourt 54 55 Ga 58
Fédry 70 70 Ff 63
Fegersheim 67 40 He 57
Fégréac 44 59 Xf 63
Feigères 74 96 Ga 72
Feigneux 60 17 Cf 53
Feignies 59 9 Df 47
Feillens 01 94 Ef 71
Feings 61 31 Ad 57
Feins 35 45 Ye 58
Feins-en-Gâtinais 45 66 Cf 62
Feissons-sur-Isère 73 108 Gd 75
Feissons-sur-Salins 73 109 Gd 76
Fel 61 30 Aa 56
Felce 2B 157 Kc 94
Feldbach 68 71 Hb 63
Feldkirch 68 56 Hb 61
Feliceto = Felicetu 2B 156 If 93

Feliceto 2B 156 If 93
Felicetu = Feliceto 2B 156 If 93
Félines 07 106 Ee 77
Félines 26 119 Fa 81
Félines 43 105 Ea 76
Félines-Minervois 34 142 Cd 89
Félines-Termenès 11 142 Cd 91
Felleries 59 9 Ea 48
Fellering 68 56 Gf 61
Felluns 66 153 Cc 92
Felon 90 71 Gf 62
Felzins 46 114 Ca 81
Fenain 59 8 Db 46
Fénay 21 69 Fb 65
Fendeille 11 141 Bf 89
Fénery 79 75 Zd 69
Fénétrange 57 39 Ha 55
Feneu 49 61 Zc 63
Féneyrols 82 127 Be 84
Féniers 23 90 Ca 74
Fenioux 17 87 Zc 73
Fenioux 79 75 Zd 69
Fénols 81 127 Ca 85
Fenouillet 31 126 Bc 86
Fenouiller, Le 85 73 Ya 68
Fenouillet 66 153 Cc 92
Fenouillet-du-Razès 11 141 Ca 90
Fépin 08 10 Ee 48
Fercé 44 45 Yd 62
Fercé-sur-Sarthe 72 47 Zf 61
Ferdrupt 88 56 Ge 61
Fère, la 02 18 Dc 51
Fère-Champenoise 51 35 Df 56
Fère-en-Tardenois 02 34 Dd 53
Férée, La 08 19 Eb 50
Férel 56 59 Xd 64
Ferfay 62 7 Cc 45
Féricy 77 51 Ce 58
Fermanville 50 12 Yd 50
Fermeté, La 58 80 Dc 67
Ferney-Voltaire 01 96 Ga 71
Fernoël 63 103 Cb 74
Férolles 45 50 Ca 62
Férolles-Attilly 77 33 Cd 56
Ferques 62 3 Bf 43
Ferran 11 141 Ca 90
Ferrassières 26 132 Fc 84
Ferré, Le 35 28 Ye 58
Ferrensac 47 112 Ad 81
Ferrère 65 139 Ad 91
Ferres, les 06 134 Ha 85
Ferrette 68 72 Hb 63
Ferreux-Quincey 10 52 Dd 58
Ferrière 22 43 Xc 60
Ferrière, La 38 108 Ga 77
Ferrière, La 85 74 Ye 68
Ferrière-Airoux, La 86 88 Ac 71
Ferrière-au-Doyen, La 61 31 Ac 57
Ferrière-Béchet, La 61 30 Aa 57
Ferrière-Bochard, La 61 47 Zf 58
Ferrière-de-Flée, La 49 46 Za 62
Ferrière-en-Parthenay, La 79 76 Zf 69
Ferrière-et-Lafolie 52 53 Fa 58
Ferrière-Harang, La 14 29 Za 55
Ferrière-la-Grande 59 9 Df 47
Ferrière-la-Petite 59 9 Ea 47
Ferrière-Larçon 77 77 Af 67
Ferrières 17 86 Za 71
Ferrières 45 50 Cd 60
Ferrières 50 29 Za 57
Ferrières 54 38 Gb 57
Ferrières 60 17 Cd 51
Ferrières 65 138 Ze 90
Ferrières 74 96 Ga 73
Ferrières 77 33 Ce 56
Ferrières 80 17 Cb 49
Ferrières-en-Bray 76 16 Be 52
Ferrières-Haut-Clocher 27 31 Af 54
Ferrières-la-Verrerie 61 31 Ac 57
Ferrières-le-Lac 25 71 Gf 65
Ferrières-les-Bois 25 69 Fe 65
Ferrières-lès-Ray 70 70 Fe 63
Ferrières-lès-Scey 70 70 Ga 63
Ferrières-les-Verreries 34 130 De 85
Ferrières-Poussarou 34 142 Cf 89
Ferrières-Saint-Hilaire 27 31 Ad 54
Ferrières-Saint-Mary 15 104 Da 77
Ferrières-sur-Sichon 03 93 Dd 72
Ferrière-sur-Beaulieu 37 63 Ba 66
Ferrière-sur-Risle, La 27 31 Ae 55
Ferrussac 43 104 Dc 78
Fertans 25 84 Ga 66
Ferté, La 39 83 Fd 67
Ferté-Alais, La 91 50 Cc 58
Ferté-Beauharnais, La 41 64 Bf 62
Ferté-Bernard, La 72 48 Ad 59
Ferté-Chevresis, La 02 18 Dd 50
Ferté-Frênel, La 61 31 Ad 55
Ferté-Gaucher, La 77 34 Db 56
Ferté-Hauterive, La 03 92 Dc 70
Ferté-Imbault, La 41 64 Bd 64
Ferté-Loupière, La 89 51 Dc 61
Ferté-Macé, La 61 30 Zf 57
Ferté-Milon, La 02 34 Da 53
Ferté-Saint-Aubin, La 45 64 Bf 62
Ferté-Saint-Cyr, La 41 64 Be 63
Ferté-Saint-Samson, La 76 16 Bd 51
Ferté-sous-Jouarre, La 77 34 Da 55
Ferté-sur-Chiers, La 08 21 Fb 51
Ferté-Vidame, La 28 31 Af 57
Ferté-Villeneuil, La 28 49 Bc 61
Fertrève 58 80 Df 67
Fervaches 50 29 Yf 55
Fervaques 14 30 Ab 55
Fescamps 80 17 Ce 51
Fesches-le-Châtel 25 71 Gf 63
Fesmy-le-Sart 02 9 De 48
Fessanvilliers-Mattanvilliers 28 31 Ba 56
Fessenheim 68 57 Hd 60
Fessenheim-le-Bas 67 40 Hd 57
Fessevillers 25 71 Gf 65
Fessy 74 96 Gc 71
Festalemps 24 100 Ab 77

Festes 11 141 Ca 91
Festieux 02 19 De 51
Festigny 51 35 De 54
Festigny 89 67 Dd 63
Festubert 62 8 Ce 45
Fétigny 39 83 Fd 70
Feucherolles 78 32 Bf 55
Feuchy 62 8 Cf 47
Feugarolles 47 125 Ac 83
Feugères 50 12 Ye 54
Feugerolles, Le Chambon- 42 105 Eb 76
Feuges 10 52 Ea 58
Feuguerolles 27 31 Ba 54
Feuguerolles-Bully 14 29 Zd 54
Feuilla 11 154 Cf 91
Feuillade 16 100 Ac 75
Feuillade, la 29 35 Wa 58
Feuillères 80 8 Cf 49
Feuillie, La 50 12 Yd 53
Feuillie, La 76 16 Bd 52
Feuquières 60 16 Bf 51
Feuquières-en-Vimeu 80 6 Bd 48
Feurs 42 93 Eb 74
Feusines 36 78 Ca 69
Feux 18 66 Cf 65
Fèves 57 38 Ga 53
Féy 57 38 Ga 54
Fey-en-Haye 54 38 Ff 55
Feyt 19 103 Cc 74
Feyt, Le 19 102 Bf 77
Feytiat 87 89 Bb 74
Feyzin 69 106 Ef 75
Fiac 81 127 Bf 86
Ficaghja = Ficaja 2A 157 Kc 94
Ficaja 2B 157 Kc 94
Ficheux 62 8 Ce 47
Fichous-Riumayou 64 138 Zd 88
Fidelaire, Le 27 31 Ae 55
Fied, Le 39 83 Fe 68
Fieffes-Montrelet 80 7 Cb 48
Fiefs 62 7 Cb 45
Fief-Sauvin, Le 49 61 Yf 65
Fiennes 62 3 Be 43
Fienvillers 80 7 Cb 48
Fierville-Bray 14 30 Ze 54
Fierville-les-Mines 50 12 Yc 52
Fierville-les-Parcs 14 14 Ab 53
Fieu, le 33 99 Zf 78
Fieulaine 02 18 Dc 49
Fieux 47 125 Ac 84
Figanières 83 148 Gc 87
Figari 2A 160 Ka 100
Figarol 31 140 Af 90
Figeac 46 114 Ca 81
Fignévelle 88 55 Ff 61
Fignières 80 17 Cd 50
Filain 02 18 Dd 52
Filain 70 70 Gb 63
Fillé 72 47 Aa 61
Fillières 54 21 Ff 52
Fillièvres 62 7 Ca 47
Fillinges 74 96 Gc 72
Fillols 66 153 Cc 93
Filstroff 57 22 Gd 53
Fiménil 88 56 Ge 59
Finestret 66 153 Cc 94
Finhan 82 126 Bb 85
Fins 80 8 Cf 48
Fins, les 25 85 Gd 66
Fiquefleur-Equainville 27 14 Ab 52
Firbeix 24 101 Af 75
Firfol 14 30 Ab 54
Firmi 12 115 Cb 81
Firminy 42 105 Eb 76
Fislis 68 72 Hc 63
Fitilieu 38 107 Fd 75
Fitou 11 154 Cf 91
Fitz-James 60 17 Cc 52
Fixem 57 22 Gb 52
Fixin 21 68 Ef 65
Fix-Saint-Geneys 43 105 De 78
Flacey 21 69 Fa 64
Flacey 28 49 Bc 60
Flacey-en-Bresse 71 83 Fc 69
Flachères 38 107 Fb 76
Flacourt 78 32 Bd 55
Flacy 89 52 Dd 59
Flagey 25 84 Ga 66
Flagey 52 69 Fb 62
Flagey-Échézeaux 21 68 Ef 66
Flagey-lès-Auxonne 21 69 Fb 65
Flagnac 12 115 Cb 81
Flagney-Rigney 25 70 Gb 64
Flagy 70 70 Gb 62
Flagy 77 51 Cf 59
Flaignes-Havys 08 20 Ec 50
Flainval 54 38 Gc 57
Flamanville 50 12 Ya 51
Flamanville 76 15 Af 51
Flamengrie, La 02 9 Df 48
Flamengrie, La 59 9 Df 47
Flamets-Frétils 76 16 Bd 50
Flammerans 21 69 Fc 65
Flammerécourt 52 53 Fa 58
Flancourt-Catelon 27 15 Ae 52
Flangebouche 25 70 Gc 66
Flassan 84 132 Fb 84
Flassans-sur-Issole 83 147 Gb 88
Flassigny 55 21 Fb 52
Flastroff 57 22 Gd 52
Flat 63 104 Db 75
Flaucourt 80 18 Cf 49
Flaugeac 24 112 Ac 80
Flaugnac 46 126 Bc 83
Flaujac-Poujols 46 114 Bc 82
Flaujagues 33 112 Aa 80
Flaumont-Waudrechies 59 9 Df 48
Flaux 30 131 Ed 84
Flavacourt 60 16 Be 53
Flaviac 07 118 Ee 80
Flavières 54 55 Ff 58
Flavignac 87 89 Ba 74
Flavignerot 21 68 Ef 65
Flavigny 18 80 Ce 67
Flavigny-le-Grand-et-Beaurain 02 19 Dd 49
Flavigny-sur-Moselle 54 38 Gb 57
Flavigny-sur-Ozerain 21 68 Ed 63
Flavin 12 128 Cd 83
Flavy-le-Martel 02 18 Db 50
Flavy-le-Meldeux 60 18 Da 50
Flaxieu 01 95 Fe 74
Flaxlanden 68 72 Hb 62
Flayat 23 91 Cb 74
Flayosc 83 147 Gc 87
Fléac 16 88 Aa 75

Fléac-sur-Seugne 17 99 Zc 75
Flèche, La 72 62 Zf 62
Fléchin 62 7 Cb 45
Fléchy 60 17 Cb 51
Flee 21 68 Eb 64
Flée 72 63 Ac 62
Fleigneux 08 20 Ef 50
Fleisheim 57 39 Ha 56
Fleix 86 77 Ae 69
Fleix, le 24 112 Ab 79
Fléré-la-Rivière 36 77 Ba 66
Flers 61 29 Zc 56
Flers 62 7 Cb 47
Flers 80 8 Ce 48
Flers-sur-Noye 80 17 Cb 50
Flesquières 59 8 Da 48
Flesselles 80 7 Cd 49
Flétrange 57 38 Gd 54
Flêtre 59 4 Cf 44
Fléty 58 81 Df 68
Fleurac 16 87 Zf 74
Fleurac 24 101 Ba 78
Fleurance 32 125 Ad 85
Fleurat 23 90 Be 71
Fleurbaix 62 4 Cf 45
Fleuré 61 30 Zf 56
Fleuré 86 77 Ac 70
Fleurey-lès-Faverney 70 70 Ga 62
Fleurey-lès-Lavoncourt 70 70 Fe 63
Fleurey-lès-Saint-Loup 70 55 Gb 61
Fleurey-sur-Ouche 21 68 Ef 65
Fleurie 69 94 Ee 71
Fleuriel 03 92 Bb 71
Fleurieux-sur-l'Arbresle 69 94 Ed 74
Fleurtigné 35 45 Yf 58
Fleurville 71 82 Ee 70
Fleury 02 18 Da 53
Fleury 11 143 Da 89
Fleury 50 28 Ye 55
Fleury 57 38 Gd 54
Fleury 60 16 Bf 53
Fleury 62 7 Cb 46
Fleury 80 17 Ca 50
Fleury-en-Bière 77 50 Cd 58
Fleury-la-Forêt 27 16 Bd 52
Fleury-la-Montagne 71 93 Ea 71
Fleury-la-Rivière 51 35 Df 54
Fleury-la-Vallée 89 51 Dc 61
Fleury-les-Aubrais 45 49 Bf 61
Fleury-Mérogis 91 33 Cc 57
Fleury-sur-Andelle 27 16 Bc 52
Fleury-sur-Loire 58 80 Db 68
Fleury-sur-Orne 14 29 Zd 54
Fléville 08 20 Ef 53
Fléville-devant-Nancy 54 38 Gf 57
Fléville-Lixières 54 21 Fe 53
Flévy 57 22 Gb 53
Flexanville 78 32 Be 55
Flexbourg 67 39 Hc 57
Fley 71 82 Ed 68
Fleys 89 67 Df 62
Flez 58 67 Dd 64
Flez-Cuzy 58 67 Dd 64
Fligny 08 19 Eb 49
Flin 54 55 Gd 57
Flines-lez-Raches 59 8 Db 46
Flins-Neuve-Église 78 32 Bd 55
Flins-sur-Seine 78 32 Bf 55
Flipou 27 16 Bb 53
Flirey 54 37 Ff 55
Flixecourt 80 7 Ca 48
Flize 08 20 Ee 50
Flocellière, La 85 73 Yb 67
Flocellière, La 85 75 Za 68
Flocourt 57 38 Gc 55
Flocques 76 6 Bc 48
Flogny-la-Chapelle 89 52 Df 61
Floing 08 20 Ef 50
Floirac 17 99 Zb 76
Floirac 33 111 Zc 79
Floirac 46 114 Bd 79
Florac 48 116 Dd 83
Florac 48 117 De 80
Florange 57 22 Ga 53
Florémont 88 55 Gb 58
Florent-en-Argonne 51 36 Ef 54
Florentia 39 95 Fc 70
Florentin 81 127 Ca 85
Florentin-la-Capelle 12 115 Cd 81
Floressas 46 113 Ba 82
Florimont 90 71 Ha 63
Florimont-Gaumier 24 113 Bb 80
Flotte, La 17 86 Ye 71
Flottemanville 50 12 Yd 52
Flottemanville-Hague 50 12 Yb 53
Floudès 33 111 Zf 81
Floure 11 142 Cc 89
Floursies 59 9 Df 47
Floyon 59 9 Df 48
Flumet 73 96 Gd 74
Fluquières 02 18 Da 50
Fluy 80 17 Ca 49
Foce 2A 160 Ka 99
Focicchia 2B 159 Kb 95
Foisches 08 10 Ee 48
Foissac 12 114 Bf 81
Foissiat 01 95 Fb 70
Foissy-lès-Vézelay 89 67 De 64
Foissy-sur-Vanne 89 51 Dd 59
Foix 09 141 Bd 91
Folcarde 31 141 Be 88
Folembray 02 18 Db 51
Folgensbourg 68 72 Hc 63
Folgoët, Le 29 24 Ve 57
Folie, La 14 13 Za 53
Folies 80 17 Ce 50
Folking 57 39 Gf 54
Follainville-Dennemont 78 32 Be 54
Folles 87 90 Bc 72
Folletière, La 76 15 Ae 51
Folletière-Abenon, La 14 30 Ac 55
Folleville 27 31 Ad 54
Folleville 27 31 Ad 54
Folleville 80 17 Cc 50
Folligny 50 28 Yd 56
Folschviller 57 38 Gd 54
Fomerey 88 55 Gb 59
Fomperron 79 76 Zf 70
Fonbeauzard 31 126 Bc 86
Foncegrive 21 69 Fa 63
Fonches 80 18 Ce 50
Foncine-le-Bas 39 84 Gb 69
Foncine-le-Haut 39 84 Gb 69
Foncquevillers 62 8 Cd 48
Fondet 33 110 Zf 81

Fondettes 37 63 Ad 64
Fondremand 70 70 Ga 64
Fongrave 47 112 Ad 82
Fongueusemare 76 14 Ab 50
Fonroque 24 112 Ac 80
Fons 07 118 Ec 81
Fons 30 130 Eb 85
Fons 46 114 Bf 81
Fonsorbes 31 140 Bb 87
Fons-sur-Lussan 30 131 Eb 83
Fontain 25 70 Ga 65
Fontaine 10 53 Ee 59
Fontaine 27 32 Bb 56
Fontaine 38 107 Fd 77
Fontaine 90 71 Gf 63
Fontaine-au-Bois 59 9 Dd 48
Fontaine-au-Pire 59 9 Dc 48
Fontaine-Bellenger 27 32 Bb 53
Fontainebleau 77 50 Ce 58
Fontaine-Bonneleau 60 17 Ca 50
Fontaine-Chaâlis 60 33 Ce 53
Fontaine-Chalendray 17 87 Ze 73
Fontaine-Couverte 53 61 Yf 61
Fontaine-Denis-Nuisy 51 35 De 57
Fontaine-de-Vaucluse 84 132 Fa 85
Fontaine-en-Bray 76 16 Bc 50
Fontaine-en-Dormois 51 20 Ee 53
Fontaine-Fourches 77 51 Dc 58
Fontaine-Française 21 69 Fc 63
Fontaine-Guérin 49 62 Ze 64
Fontaine-Henry 14 13 Zd 53
Fontaine-Heudebourg 27 31 Bb 53
Fontaine-l'Abbé 27 31 Ae 54
Fontaine-la-Gaillarde 89 51 Dc 59
Fontaine-la-Guyon 28 49 Bb 58
Fontaine-la-Louvet 27 31 Ac 54
Fontaine-la-Mallet 76 14 Aa 51
Fontaine-la-Soret 27 31 Ae 54
Fontaine-Lavaganne 60 16 Bf 51
Fontaine-le-Bourg 76 15 Ba 51
Fontaine-le-Comte 86 76 Ab 69
Fontaine-le-Dun 76 15 Af 50
Fontaine-le-Pin 14 30 Ze 55
Fontaine-le-Port 77 50 Ce 58
Fontaine-le-Puits 73 108 Gc 76
Fontaine-les-Bassets 61 30 Aa 55
Fontaine-les-Boulans 62 7 Cb 45
Fontaine-les-Cappy 80 18 Ce 49
Fontaine-les-Clercs 02 18 Db 50
Fontaine-les-Clerval 25 70 Gc 64
Fontaine-les-Coteaux 41 48 Ae 62
Fontaine-les-Croisilles 62 8 Cf 47
Fontaine-les-Dijon 21 69 Fa 64
Fontaine-le-Sec 80 7 Be 49
Fontaine-les-Grès 10 52 Df 58
Fontaine-les-Hermans 62 7 Cc 45
Fontaine-les-Luxeuil 70 55 Gb 61
Fontaine-les-Ribouts 28 32 Bb 57
Fontaine-les-Vervins 02 19 Df 49
Fontaine-l'Étalon 62 7 Ca 47
Fontaine-Mâcon 10 51 Dd 58
Fontaine-Milon 49 62 Ze 64
Fontaine-Notre-Dame 02 18 Dc 49
Fontaine-Notre-Dame 59 8 Da 47
Fontaine-Raoul 41 48 Ba 61
Fontaines 71 82 Ee 67
Fontaines 85 75 Zb 70
Fontaines 89 66 Db 62
Fontaine-Saint-Lucien 60 17 Ca 51
Fontaine-Saint-Martin, La 72 47 Ab 62
Fontaines-en-Duesmois 21 68 Ed 63
Fontaines-en-Sologne 41 64 Bd 63
Fontaine-Simon 28 31 Ba 57
Fontaines-les-Sèches 21 68 Ec 62
Fontaine-sous-Jouy 27 32 Bb 54
Fontaine-sous-Montdidier 80 17 Cd 51
Fontaine-sous-Préaux 76 15 Ba 52
Fontaines-Saint-Clair 55 21 Fb 52
Fontaines-Saint-Martin 69 94 Ef 73
Fontaine-sur-Marne 52 36 Fa 57
Fontaine-sur-Saône 69 94 Ef 74
Fontaine-sur-Ay 51 35 Ea 54
Fontaine-sur-Maye 80 7 Bf 47
Fontaine-Uterte 02 18 Dc 49
Fontains 77 34 Da 57
Fontan 06 135 Hd 84
Fontanès 30 130 Ea 86
Fontanès 34 130 Df 86
Fontanès 42 106 Ee 75
Fontanes 46 113 Bc 83
Fontanes 48 117 De 80
Fontanès-de-Sault 11 153 Ca 92
Fontanes-du-Causse 46 114 Bd 81
Fontanges 15 103 Cd 78
Fontangy 21 68 Ec 64
Fontanières 23 91 Cd 72
Fontanil-Cornillon 38 107 Fe 77
Fontannes 43 104 Dc 77
Fontans 43 105 De 77
Fontans 43 105 De 78
Fontans 48 116 Dc 80
Fontarèches 30 131 Ec 84
Fontclaireau 16 88 Ab 73
Fontcouverte 11 142 Ce 90
Fontcouverte 17 87 Zc 74
Fontcouverte 73 108 Gb 77
Fontelaye, La 76 15 Ae 51
Fontenai-les-Louvets 61 30 Aa 57
Fontenailles 77 34 Cf 57
Fontenailles 89 66 Dc 63
Fontenai-sur-Orne 61 30 Zf 56
Fontenay 27 32 Bd 53
Fontenay 36 78 Be 66
Fontenay 50 29 Yf 57
Fontenay 71 93 Df 70
Fontenay 76 14 Ab 51
Fontenay 88 55 Gb 59
Fontenay-de-Bossery 10 51 Dc 58
Fontenay-en-Parisis 95 33 Cc 54
Fontenay-le-Comte 85 75 Zb 70
Fontenay-le-Marmion 14 29 Zd 54
Fontenay-le-Pesnel 14 13 Zc 53
Fontenay-lès-Briis 91 33 Ca 57
Fontenay-le-Vicomte 91 33 Cc 57
Fontenay-Mauvoisin 78 32 Bd 55
Fontenay-près-Chablis 89 52 De 61

Fontenay-près-Vézelay 89 67 De 64
Fontenay-Saint-Père 78 32 Be 54
Fontenay-sous-Fouronnes 89 67 Dd 63
Fontenay-sur-Conie 28 49 Bd 60
Fontenay-sur-Eure 28 49 Bc 58
Fontenay-sur-Loing 45 50 Ce 60
Fontenay-sur-Mer 50 12 Ye 51
Fontenay-Trésigny 77 34 Cf 56
Fontenelle 02 9 Df 48
Fontenelle 90 71 Gf 63
Fontenelle, La 41 48 Ba 60
Fontenelle-en-Brie 02 35 Dc 55
Fontenelle-Monby 25 70 Gc 64
Fontenelles, Les 25 71 Ge 65
Fontenet 17 87 Zd 73
Fontenille 79 87 Zf 72
Fontenilles 31 140 Bb 87
Fontenois-la-Ville 70 55 Ga 61
Fontenois-lès-Montbozon 70 70 Gb 64
Fontenotte 25 70 Gb 64
Fontenouilles 89 51 Da 61
Fontenoy 02 18 Db 52
Fontenoy 89 66 Db 63
Fontenoy-la-Joûte 54 55 Gd 58
Fontenoy-le-Château 88 55 Gb 61
Fontenoy-sur-Moselle 54 38 Ff 56
Fontenu 39 84 Fe 68
Fontès 34 143 Dc 87
Fontet 33 111 Zf 81
Fontette 10 53 Ec 60
Fontevraud-l'Abbaye 49 62 Aa 65
Fontgombault 36 77 Af 68
Fontguenand 36 64 Bd 65
Fontiers-Cabardès 11 142 Cb 88
Fontjoncouse 11 142 Ce 90
Fontoy 57 22 Ff 52
Fontpédrouse 66 153 Cb 93
Fontrabiouse 66 153 Ca 93
Fontrailles 65 139 Ac 88
Font-Romeu 66 153 Ca 93
Fontvannes 10 52 Df 59
Fontvieille 13 131 Ee 86
Forbach 57 39 Gf 53
Forcalqueiret 83 147 Ga 88
Forcalquier 04 133 Fe 85
Forcé 53 46 Zb 60
Force, La 11 141 Ca 89
Force, la 24 112 Ac 79
Forcelles-Saint-Gorgon 54 55 Ga 58
Forcelles-sous-Gugney 54 54 Ga 58
Forceville 80 8 Cd 48
Forceville-en-Vimeu 80 7 Be 49
Forcey 52 54 Fc 60
Forciolo 2A 159 Ka 97
Forciolu = Forciolo 2A 159 Ka 97
Forclaz, La 74 97 Gd 71
Foreste 02 18 Da 50
Forest-en-Cambrésis 59 9 Dd 48
Forestière, La 51 35 Dd 57
Forest-l'Abbaye 80 7 Be 47
Forest-Landerneau, La 29 24 Ve 58
Forest-Montiers 80 7 Be 47
Forest-Saint-Julien 05 120 Ga 81
Forest-sur-Marque 59 8 Db 45
Forêt, La 33 100 Aa 78
Forêt-Auvray, La 61 30 Zf 56
Forêt-de-Tessé, La 16 88 Aa 72
Forêt-du-Parc, La 27 32 Bb 55
Forêt-du-Temple, La 23 78 Bf 70
Forêt-Fouesnant, La 29 42 Wa 61
Forêt-la-Folie 27 16 Bd 53
Forêt-le-Roi, La 91 50 Ca 58
Forêt-Sainte-Croix, La 91 50 Cb 58
Forêt-sur-Sèvre, La 79 75 Zc 68
Forfry 77 34 Cf 54
Forge, La 88 56 Ge 60
Forges 19 102 Bf 78
Forges 49 62 Ze 65
Forges, les 49 61 Za 63
Forges, les 56 43 Xd 60
Forges, les 79 76 Zf 69
Forges, Les 88 56 Ge 59
Forges-la-Forêt 35 45 Ye 61
Forges-les-Bains 91 33 Ca 57
Forges-les-Eaux 76 16 Bd 51
Forges-sur-Meuse 55 21 Fb 53
Forie, La 63 105 De 75
Forléans 21 67 Eb 64
Formentin 14 14 Aa 53
Formerie 60 16 Be 51
Formigny 14 13 Za 52
Formiguères 66 153 Ca 93
Fors 79 87 Zf 71
Forstfeld 67 40 Ia 56
Forstheim 67 40 Hf 55
Fortan 41 48 Af 62
Fort-du-Plasne 39 84 Ff 69
Fortel-en-Artois 62 7 Bf 47
Forteresse, la 38 107 Fc 77
Fort-Louis 67 40 Ia 56
Fort-Mahon-Plage 80 6 Bd 46
Fort-Mardyck 59 3 Cb 42
Fort-Moville 27 31 Ac 54
Fort-schwihr 67 57 Hc 60
Fos 31 151 Ae 91
Fos 34 143 Db 87
Fossat, Le 09 140 Bc 89
Fossé 08 20 Ef 52
Fossé 41 64 Bb 63
Fosse 66 153 Cc 92
Fossé-Corduan, La 10 52 Dd 58
Fosse-de-Tigné, La 49 62 Zd 65
Fossemagne 24 101 Af 78
Fosses 95 33 Cd 54
Fossés-et-Baleyssac 33 112 Aa 81
Fosseuse 60 33 Cb 53
Fosseux 62 8 Cd 47
Fossieux 57 38 Gb 55
Fos-sur-Mer 13 145 Ef 88
Foucarmont 76 16 Bd 50
Foucart 76 15 Ad 51
Foucarville 50 12 Ye 52

Foucaucourt-en-Santerre 80 18 Ce 49
Foucaucourt-Hors-Nesle 80 7 Be 49
Foucaucourt-sur-Thabas 55 36 Fa 54
Fouchécourt 88 54 Ff 60
Foucherans 25 70 Ga 66
Foucherans 39 83 Fc 66
Fouchères 10 52 Ec 59
Fouchères 89 51 Da 59
Foucherolles 45 51 Da 60
Fouchy 67 56 Hb 59
Foucrainville 27 32 Bb 55
Fouenant = Fouesnant 29 42 Vf 61
Fouencamps 80 17 Cc 49
Fouesnant 29 42 Vf 61
Foufflin-Ricametz 62 7 Cc 46
Foug 54 37 Fe 56
Fougaron 31 140 Af 91
Fougax-et-Barrineuf 09 153 Bf 91
Fougeré 49 62 Zf 63
Fougeré 85 74 Ye 69
Fougères 35 45 Yf 58
Fougères-sur-Bièvres 41 64 Bc 64
Fougerolles 36 78 Be 66
Fougerolles, Les 56 44 Xe 62
Fougerolles 70 55 Gb 61
Fougerolles-du-Plessis 53 29 Yf 58
Fougueyrolles 24 112 Ab 79
Fouillade, La 12 127 Ca 83
Fouilleuse 60 17 Cc 51
Fouillouse, La 42 105 Eb 75
Fouilloux, Le 17 99 Zf 77
Fouilloy 60 16 Be 50
Fouilloy 80 17 Cd 49
Fouju 77 33 Ce 57
Foulain 52 54 Fb 60
Foulanges 60 17 Cb 53
Foulayronnes 47 125 Ad 83
Foulbec 27 15 Ac 52
Foulcrey 57 39 Gf 57
Foulenay 39 83 Fd 67
Fouligny 57 38 Gd 54
Foulognes 14 13 Zb 54
Fouquebrune 16 100 Ab 75
Fouquenies 60 17 Ca 51
Fouquereuil 62 8 Cd 45
Fouquerolles 60 17 Cb 52
Fouquescourt 80 17 Ce 50
Fouqueure 16 88 Aa 73
Fouqueville 27 15 Af 53
Fouquières-lès-Béthune 62 8 Cd 45
Fouquières-lès-Lens 62 8 Cf 46
Four 38 107 Fb 75
Fouras 17 86 Yf 73
Fourbanne 25 70 Gb 64
Fourchambault 58 80 Da 66
Fourches 14 30 Aa 55
Fourcigny 80 16 Be 50
Fourdrain 02 18 Dc 51
Fourdrinoy 80 17 Ca 49
Fourg 25 70 Ff 66
Fourges 27 32 Bd 54
Fourgs, Les 25 84 Gc 67
Fourilles 03 92 Bb 71
Fourmagnac 46 114 Bf 81
Fourmetot 27 15 Ad 52
Fourmies 59 9 Df 48
Fournaudin 89 52 Dd 60
Fourneaux 42 93 Eb 73
Fourneaux 50 29 Yf 55
Fourneaux 73 109 Gd 77
Fourneaux-le-Val 14 30 Ze 55
Fournels 48 116 Da 80
Fournès 30 131 Ec 85
Fournes-Cabardès 11 142 Cc 88
Fournes-en-Weppes 59 8 Cf 45
Fournet-Blancheroche 25 71 Ge 65
Fournets-Luisans 25 71 Gd 66
Fourneville 14 14 Ab 52
Fournival 60 17 Cc 52
Fournols 63 104 Dd 76
Fournoulès 15 115 Cb 80
Fouronnes 89 67 Dd 63
Fourques 30 131 Ed 86
Fourques 66 154 Ce 93
Fourques-sur-Garonne 47 112 Aa 82
Fourquevaux 31 141 Bd 87
Fours 33 99 Zc 77
Fours 58 81 Dc 67
Fours-en-Vexin 27 32 Bd 53
Fourtou 11 153 Cc 91
Foussais-Payré 85 75 Zb 69
Foussemagne 90 71 Gf 63
Fousseret, Le 31 140 Ba 89
Foussignac 16 87 Zf 74
Fouzilhon 34 143 Db 88
Fox-Amphoux 83 147 Ga 87
Foye-Monjault, La 79 87 Zc 71
Fozières 34 129 Dc 86
Fozzano 2A 159 Ka 98
Fragnes 71 82 Ee 67
Fragny-en-Bresse 71 83 Fc 68
Frahier-et-Chatebier 70 71 Ge 63
Fraignot-et-Vesvrotte 21 68 Ef 63
Fraillicourt 08 19 Eb 50
Fraimbois 54 55 Gd 57
Frain 88 55 Ff 60
Frais 90 71 Gf 63
Fraisans 39 83 Fc 66
Fraisnes-en-Saintois 54 55 Ga 58
Fraisse 24 112 Ab 79
Fraisse-Cabardès 11 142 Cb 89
Fraissé-des-Corbières 11 154 Cf 91
Fraisse-sur-Agout 34 142 Ce 87
Fraissines 48 129 Db 83
Fraissinet-de-Fourques 48 129 Dd 83
Fraissinet-de-Lozère 48 117 De 82
Fraize 88 56 Gf 59
Fralignes 10 53 Ec 60
Framboisière, La 28 31 Ba 57
Frambourg 25 71 Ge 65
Framecourt 62 7 Cb 46
Framerville-Rainecourt 80 17 Ce 49
Framicourt 80 6 Be 49
Frampas 52 53 Ee 57
Francalmont 70 70 Gb 61
Francaltroff 57 39 Ge 55
Francarville 31 141 Be 87
Francastel 60 17 Ca 51
Françay 41 63 Ba 63
Francazal 31 140 Ba 90

Francazal 31 140 Bc 87
Francescas 47 125 Ac 84
Franchesse 03 80 Da 69
Francheval 08 20 Fa 50
Franchevelle 70 70 Gc 62
Francheville 21 68 Ef 64
Francheville 27 31 Af 56
Francheville 39 83 Fe 66
Francheville 51 35 Ea 56
Francheville 54 38 Ff 56
Francheville 61 30 Zf 56
Francheville 69 94 Ee 74
Francheville, La 08 20 Ee 50
Franciens 74 96 Ff 72
Francières 60 17 Cc 51
Francières 80 7 Bf 48
Francillon 36 78 Bd 66
Francillon-sur-Roubion 26 119 Fa 81
Francin 73 108 Ga 76
Francon 31 140 Af 89
Franconville 95 33 Cb 55
Francoulès 46 114 Bc 81
Francourt 70 69 Fe 63
Francourville 28 49 Bd 58
Francs 33 112 Zf 79
Francueil 37 63 Ba 65
Franey 25 70 Fe 65
Frangy 74 96 Ff 72
Franken 68 72 Hc 63
Franleu 80 6 Bd 48
Franois 25 70 Ff 65
Franqueville 02 19 De 50
Franqueville 27 31 Af 53
Franqueville 80 7 Aa 53
Franqueville 80 7 Ca 48
Franqueville-Saint-Pierre 76 15 Ba 52
Frans 01 94 Ee 73
Fransart 80 18 Ce 50
Fransèches 23 90 Ca 72
Fransu 80 7 Ca 48
Fransures 80 17 Cb 50
Franvillers 80 17 Cd 49
Franxault 21 83 Fb 66
Frapelle 88 56 Ha 59
Fraquelfing 57 39 Gf 57
Fraroz 39 84 Ga 68
Frasnay-Reugny 58 81 Dd 67
Frasne 25 84 Gb 67
Frasne 39 67 Fc 65
Frasnée, La 39 84 Fe 69
Frasne-le-Château 70 70 Ff 64
Frasnois, Le 39 84 Ff 69
Frasnoy 59 9 De 47
Frasseto 2A 159 Ka 97
Frassetu = Frasseto 2A 159 Ka 97
Frausseilles 81 127 Bf 84
Fravaux 10 53 Ed 59
Frayssac, Le 81 128 Cc 85
Frayssinet 46 114 Bc 81
Frayssinet-le-Gélat 46 113 Ba 81
Frayssinhes 46 114 Bf 79
Frazé 28 48 Ba 59
Fréauville 76 16 Bd 49
Frébécourt 88 54 Fe 58
Frébuans 39 83 Fc 69
Frèche, Le 40 124 Ze 85
Fréchède 65 139 Ab 88
Fréchencourt 80 7 Cc 49
Fréchendets 65 139 Ab 90
Fréchet, Le 31 140 Af 89
Fréchou 47 125 Ab 84
Fréchou-Fréchet 65 139 Aa 89
Frécourt 52 54 Fc 61
Frédille 36 78 Bc 67
Frégimont 47 112 Ac 83
Frégouville 32 126 Af 87
Fréhel 22 27 Xd 57
Freigné 49 60 Yf 63
Freissinières 05 121 Gd 80
Freissinouse, La 05 120 Ga 81
Freistroff 57 22 Gc 53
Freix-Anglards 15 103 Cd 78
Fréjairolles 81 128 Cb 85
Fréjeville 81 127 Ca 87
Fréjus 83 148 Ge 88
Fréland 68 56 Hb 60
Frelinghien 59 4 Cf 44
Frémainville 95 32 Bf 54
Frémécourt 95 32 Bf 54
Fréméréville 54 37 Fe 56
Frémery 57 38 Gc 55
Frémestroff 57 39 Ge 54
Frémicourt 62 8 Cf 48
Fremifontaine 88 56 Ge 59
Frémontiers 80 17 Ca 50
Frémonville 54 39 Gf 57
Frênaye, La 76 15 Ad 51
Frencq 62 7 Be 45
Frenelle-la-Grande 88 55 Ga 58
Frenelle-la-Petite 88 55 Ga 58
Frênes 61 29 Zb 56
Freneuse 76 15 Ba 53
Freneuse 78 32 Be 54
Freneuse-sur-Risle 27 15 Ae 53
Freney, Le 73 109 Gd 77
Freney-d'Oisans, Le 38 108 Ga 78
Fréniches 60 18 Da 50
Frénois 21 68 Ef 63
Frénouville 14 29 Zd 54
Frépillon 95 33 Cb 54
Fresles 76 16 Bc 50
Fresnaie-Fayel, La 61 30 Ab 56
Fresnais, La 35 28 Ya 57
Fresnay 10 53 Ee 59
Fresnay-au-Sauvage, La 61 30 Ze 56
Fresnay-en-Retz 44 59 Ya 66
Fresnaye-sur-Chédouet, La 72 47 Ab 58
Fresnay-le-Comte 28 49 Bc 59
Fresnay-le-Gilmert 28 32 Bc 57
Fresnay-le-Long 76 15 Ba 51
Fresnay-le-Samson 61 30 Ab 55
Fresnay-l'Évêque 28 49 Be 59
Fresnay-sur-Sarthe 72 47 Aa 59
Fresne, Le 27 31 Af 55
Fresne, Le 51 36 Ed 55
Fresneaux-Montchevreuil 60 17 Ca 53
Fresne-Cauverville 27 15 Ac 53
Fresne-l'Archevêque 27 16 Bc 52
Fresne-Léguillon 60 16 Bf 53
Fresne-le-Plan 76 16 Bb 52
Fresne-Poret, Le 50 29 Zb 56
Fresnes 02 18 Dc 51

Fresnes 21 68 Ec 63
Fresnes 41 64 Bc 64
Fresnes 89 67 Df 62
Fresnes 94 33 Cc 56
Fresne-Saint-Mamès 70 70 Ff 63
Fresnes-au-Mont 55 37 Fc 55
Fresnes-en-Saulnois 57 38 Gc 55
Fresnes-en-Tardenois 02 34 Dd 54
Fresnes-lès-Woëvre 55 37 Fd 54
Fresnes-lès-Montauban 62 8 Cf 46
Fresnes-lès-Reims 51 19 Ea 52
Fresnes-Mazancourt 80 18 Ce 49
Fresnes-sur-Apance 52 54 Ff 61
Fresnes-sur-Escaut 59 9 Dd 46
Fresnes-Tilloloy 80 7 Be 49
Fresneville 80 7 Be 49
Fresney 27 32 Bb 55
Fresney-le-Puceux 14 29 Zd 54
Fresney-le-Vieux 14 29 Zd 54
Fresnicourt 62 8 Cd 46
Fresnières 60 18 Ce 51
Fresnois-la-Montagne 54 21 Fd 52
Fresnoy 62 7 Ca 46
Fresnoy 80 16 Be 49
Fresnoy-au-Val 80 17 Ca 49
Fresnoy-en-Chaussée 80 17 Cd 50
Fresnoy-en-Gohelle 62 8 Cf 46
Fresnoy-en-Thelle 60 33 Cb 53
Fresnoy-Folny 76 16 Bc 49
Fresnoy-le-Château 52 53 Ee 58
Fresnoy-le-Grand 02 9 Dc 49
Fresnoy-le-Luat 60 33 Cd 53
Fresnoy-lès-Roye 80 17 Ce 50
Frespech 47 113 Ae 83
Fresquiennes 76 15 Ba 51
Fressac 30 130 Df 85
Fressain 59 8 Db 47
Fressancourt 02 18 Dc 51
Fresse 70 71 Gd 61
Fresselines 23 90 Be 70
Fressenneville 80 6 Bd 48
Fresse-sur-Moselle 88 56 Ge 61
Fressies 59 8 Db 47
Fressin 62 7 Ca 46
Fressines 79 87 Ze 71
Frestoy, Le 60 17 Cd 51
Fresville 50 12 Yd 52
Fréterive 73 108 Gb 75
Fréteval 41 48 Bb 61
Fréthun 62 3 Bf 43
Frétigney-et-Velloreille 70 70 Ff 64
Frétigny 28 48 Af 58
Fretin 59 8 Cf 45
Frétoy 77 34 Db 56
Frétoy-le-Château 60 18 Cf 51
Frette, La 71 83 Fa 69
Frettecuisse 80 7 Be 49
Frettemeule 80 6 Bd 48
Fretterans 71 83 Fb 67
Frette-sur-Seine, La 95 33 Cb 55
Fréty, Le 08 19 Eb 50
Freulleville 76 16 Bc 49
Frévent 62 7 Cb 47
Fréville 76 15 Ae 51
Fréville-du-Gâtinais 45 50 Cc 60
Frévillers 62 8 Cd 46
Frévin-Capelle 62 8 Cd 46
Freybouse 57 39 Ge 54
Freycenet-la-Cuche 43 117 Ea 79
Freycenet-la-Tour 43 117 Ea 79
Freychenet 09 152 Be 91
Freyming-Merlebach 57 39 Ge 54
Freyssenet 07 117 Eb 80
Freyssenet 07 118 Ed 80
Friaize 28 48 Ba 58
Friardel 14 30 Ac 55
Friaucourt 80 6 Bc 48
Fribourg 57 39 Gf 56
Fricamps 80 17 Bf 50
Frichemesnil 76 15 Ba 51
Fricourt 80 8 Ce 49
Fridefont 15 116 Da 80
Friedolsheim 67 40 Hc 56
Frières-Faillouël 02 18 Db 50
Friesen 68 71 Ha 63
Friesenheim 67 57 Hd 59
Frignicourt 51 36 Ed 56
Frise 80 8 Ce 49
Friville-Escarbotin 80 6 Bd 48
Frizon 88 55 Gc 59
Froberville 76 14 Ab 50
Frocourt 60 17 Ca 52
Frœningen 68 71 Hb 62
Frœschwiller 67 40 Hf 55
Froges 38 108 Ef 77
Frohen-le-Grand 80 7 Cb 47
Frohen-le-Petit 80 7 Cb 47
Frohmuhl 67 39 Hb 55
Froideconche 70 55 Gc 62
Froidefontaine 90 71 Gf 63
Froidestrées 02 9 Df 49
Froideterre 70 71 Gd 61
Froidevaux 25 71 Ge 65
Froideville 39 83 Fc 68
Froidfond 85 74 Yb 67
Froidmont-Cohartille 02 18 De 50
Froidos 55 36 Fa 54
Froissy 60 17 Cb 51
Frôlois 49 61 Zb 63
Fromelennes 08 10 Ee 48
Fromelles 59 8 Cf 45
Fromental 87 90 Bc 72
Fromentières 51 35 De 55
Fromentières 53 46 Zc 61
Fromeréville-les-Vallons 55 37 Fb 54
Fromont 77 50 Cd 59
Fromy 08 21 Fb 51
Froncles 52 54 Fa 59
Fronsac 31 139 Ad 91
Fronsac 33 111 Ze 79
Frontenac 33 111 Zf 80
Frontenard 71 83 Fa 67
Frontenas 69 94 Ed 73
Frontenay-Rohan-Rohan 79 87 Zd 71
Frontenex 73 108 Gb 75
Frontignan 34 130 De 88
Frontignan-de-Comminges 31 139 Ad 91
Frontignan-Savès 31 140 Af 88
Fronton 31 126 Bc 85
Frontonas 38 107 Fb 75
Fronville 52 54 Fa 58
Frossay 44 59 Ya 65
Frotey-lès-Lure 70 71 Gd 62
Frotey-lès-Vesoul 70 70 Gb 63
Frouard 54 38 Ga 56

Haut-Corlay, Le **22** 26 Wf 59
Haut-de-Bosdarros **64** 138 Zd 89
Haut-du-Them-Château-Lambert, Le **70** 56 Ge 61
Haute-Amance **52** 54 Fd 61
Haute-Avesnes **62** 8 Cd 47
Haute-Beaume, La **05** 119 Fd 81
Haute-Chapelle, La **61** 29 Zb 57
Hautecloque **62** 7 Cb 46
Hautecour **39** 84 Fe 69
Hautecour **73** 109 Gd 76
Hautecourt-Romanèche **01** 95 Fc 72
Haute-Duyes **04** 133 Ga 83
Haute-Épine **60** 17 Ca 51
Hautefage **19** 102 Bf 78
Hautefage-la-Tour **47** 113 Ae 83
Hautefaye **24** 100 Ac 75
Hautefond **71** 81 Eb 70
Hautefontaine **60** 18 Da 52
Hautefort **24** 101 Ba 77
Haute-Goulaine **44** 60 Yd 65
Haute-Isle **95** 32 Bd 54
Haute-Kontz **57** 22 Gb 52
Hauteluce **73** 97 Gd 74
Haute-Maison, La **77** 34 Da 55
Hautepierre-le-Châtelet **25** 84 Gb 66
Hauterive **03** 92 Dc 72
Hauterive **61** 30 Ab 58
Hauterive **89** 52 Dd 61
Hauterive-la-Flesse **25** 84 Gc 67
Hauterives **26** 106 Fa 77
Haute-Rivoire **69** 106 Ec 74
Hauteroche **21** 68 Ed 64
Hautes-Rivière, les **08** 20 Ef 49
Hautesvignes **47** 112 Ac 82
Hautevelle **70** 55 Gb 61
Hautevesnes **02** 34 Db 54
Hauteville **01** 18 Dd 49
Hauteville **08** 19 Eb 51
Hauteville **51** 36 Be 57
Hauteville **62** 8 Cd 47
Hauteville, La **78** 32 Bd 56
Hauteville-la-Guichard **50** 12 Ye 54
Hauteville-lès-Dijon **21** 69 Ef 64
Hauteville-Lompnes **01** 95 Fd 73
Hauteville-sur-Fier **74** 96 Ff 73
Hauteville-sur-Mer **50** 28 Yc 55
Haution **02** 19 Df 49
Haut-Mauco **40** 124 Zc 86
Hautmont **59** 9 Df 47
Hautmougey **88** 55 Gb 61
Hautot-l'Auvray **76** 15 Ae 50
Hautot-le-Vatois **76** 15 Ae 51
Hautot-Saint-Sulpice **76** 15 Ae 50
Hautot-sur-Mer **76** 15 Ba 49
Hautot-sur-Seine **76** 15 Af 52
Hauts-de-Chée, les **55** 37 Fa 55
Hauts-de-Vingeanne, les **52** 69 Fb 62
Hauts-Vals-sous-Nauroy **52** 69 Fc 62
Hautteville-Bocage **50** 12 Yd 52
Hautviliers **51** 35 Df 54
Hautvillers-Ouville **80** 7 Be 47
Hauville **27** 15 Ae 52
Hauviné **08** 20 Ec 53
Haux **33** 111 Zd 80
Haux **64** 137 Za 90
Havange **57** 22 Ff 52
Havelu **28** 32 Bd 56
Haveluy **59** 9 Dc 46
Havernas **80** 7 Cb 48
Haverskerque **59** 4 Cd 45
Havre, Le **76** 14 Aa 51
Havrincourt **62** 8 Da 48
Hayange **57** 22 Ga 53
Haybes **08** 20 Ee 48
Haye, La **76** 16 Bc 52
Haye, La **88** 55 Gb 60
Haye-Aubrée, La **27** 15 Ae 52
Haye-Bellefond, La **50** 29 Ye 55
Haye-de-Calleville, La **27** 31 Ae 53
Haye-d'Ectot, La **50** 12 Yc 53
Haye-du-Puits, La **50** 12 Yc 53
Haye-du-Theil, la **27** 15 Af 53
Haye-le-Comte, la **27** 31 Ba 53
Haye-Malherbe, la **27** 15 Af 53
Haye-Pesnel, la **50** 28 Yd 56
Hayes **57** 38 Gc 53
Hayes, les **41** 63 Ae 62
Haye-Saint-Sylvestre, la **27** 31 Ad 55
Hay-les-Roses, L' **94** 33 Cb 56
Haynecourt **59** 8 Da 47
Hays, Les **39** 83 Fc 67
Hazebrouck **59** 4 Cd 44
Hazembourg **57** 39 Gf 55
Haznoù = Hédé **35** 45 Yb 59
Héaulme, le **95** 32 Bf 54
Héauville **50** 12 Yb 51
Hébécourt **27** 16 Be 52
Hébécourt **80** 17 Cb 50
Hébécrevon **50** 12 Yf 54
Héberville **76** 15 Ae 50
Hébuterne **62** 8 Cd 48
Hèches **65** 139 Ac 90
Hecken **68** 71 Ha 62
Hecmanville **27** 31 Ad 53
Hécourt **27** 31 Ad 53
Hécourt **60** 16 Be 51
Hecq **59** 9 Dd 47
Hectomare **27** 31 Af 53
Hédauville **80** 8 Cd 48
Hédé **35** 45 Yb 59
Hédouville **95** 33 Ca 54
Hegeney **67** 40 Hf 55
Hégenheim **68** 72 Hd 63
Heidolsheim **67** 57 Hd 59
Heidwiller **68** 71 Hb 63
Heiligenberg **67** 39 Hc 57
Heiligenstein **67** 57 Hc 58
Heillecourt **54** 38 Gb 57
Heilles **60** 17 Cb 52
Heilly **80** 8 Cd 49
Heiltz-le-Hutier **51** 36 Ee 56
Heiltz-le-Maurupt **51** 36 Ee 56
Heiltz-l'Évêque **51** 35 Ee 56
Heimersdorf **68** 71 Hb 63
Heimsbrunn **68** 71 Hb 62
Heippes **57** 37 Fb 55
Heiteren **68** 57 Hd 60
Heiwiller **68** 72 Hb 63
Hélesmes **59** 9 Dd 46
Hélette **64** 137 Ye 89
Helfaut **62** 3 Cb 44
Helfrantzkirch **68** 71 Hc 63

Helléan **56** 44 Xd 61
Hellemmes **59** 8 Cf 45
Hellenvilliers **27** 31 Ba 56
Hellering-lès-Fénétrange **57** 39 Ha 56
Helleville **50** 12 Yb 51
Hellimer **57** 39 Ge 54
Héloup **61** 47 Aa 58
Helstroff **57** 38 Gc 54
Hem **59** 8 Db 45
Hémevez **50** 12 Yd 52
Hémévillers **60** 17 Ce 52
Hem-Hardinval **80** 7 Cb 48
Hémilly **57** 38 Gd 54
Héming **57** 39 Gf 56
Hem-Lenglet **59** 8 Db 47
Hémonstoir **22** 43 Xb 60
Hénaménil **54** 38 Gd 56
Hénansal **22** 27 Xd 57
Hendaye **64** 136 Yb 88
Hendecourt-lès-Cagnicourt **62** 8 Cf 47
Hendecourt-lès-Ransart **62** 8 Cd 47
Hénencourt **80** 8 Cd 48
Henflingen **68** 72 Hb 63
Hengoat **22** 26 We 56
Hengwiller **67** 39 Hb 56
Hénin-Beaumont **62** 8 Cf 46
Héninel **62** 8 Cf 47
Hénin-sur-Cojeul **62** 8 Cf 47
Hennebont **56** 43 We 62
Hennecourt **88** 55 Gb 59
Hennemont **55** 37 Fd 54
Henneveux **62** 3 Bf 44
Hennezel **88** 55 Ga 60
Hennezis **27** 32 Bc 53
Hénon **22** 27 Xb 58
Hénonville **60** 33 Ca 53
Hénouville **76** 15 Af 52
Henrichemont **18** 65 Cd 65
Henridorff **57** 39 Hb 56
Henriville **57** 39 Gf 54
Hénu **62** 8 Cd 48
Henvic **29** 25 Wa 57
Hérange **57** 39 Hb 56
Herbault **41** 63 Ba 63
Herbécourt **80** 8 Cf 48
Herbelles **53** 3 Cb 45
Herbergement, L' **85** 74 Yd 67
Herbeuval **08** 21 Fc 51
Herbeville **78** 32 Bf 55
Herbéviller **54** 39 Ge 57
Herbeys **38** 108 Fe 78
Herbiers, Les **85** 74 Yf 67
Herbignac **44** 59 Xe 64
Herbignies **59** 9 De 47
Herbinghen **62** 3 Bf 43
Herbitzheim **67** 39 Ha 54
Herblay **95** 33 Ca 55
Hercé **53** 46 Za 58
Herchies **60** 17 Cc 51
Hère, La **60** 17 Cc 51
Hérenguerville **50** 28 Yd 55
Hérépian **34** 143 Da 87
Hères **65** 124 Aa 87
Hergnies **59** 9 Dd 46
Hergugney **88** 55 Gb 58
Héric **44** 60 Yc 64
Héricourt **62** 7 Cb 46
Héricourt **70** 71 Ge 63
Héricourt-en-Caux **76** 15 Ae 50
Héricourt-sur-Thérain **60** 16 Be 51
Héricy **77** 50 Ce 57
Hérie, la **02** 19 Ea 49
Hérie-La-Viéville, la **02** 19 Dd 50
Hériménil **54** 38 Gd 57
Hérimoncourt **25** 71 Gf 64
Hérin **59** 9 Dc 46
Hérissart **80** 7 Cc 48
Hérisson **03** 79 Ce 69
Herleville **80** 17 Cc 48
Herlies **59** 8 Cf 45
Herlincourt **62** 7 Cb 47
Herlin-le-Sec **62** 7 Cb 46
Herly **62** 7 Ca 47
Herly **80** 18 Cf 50
Herm, L' **09** 141 Be 91
Herm, L' **40** 123 Yf 86
Hermanville-sur-Mer **14** 14 Ze 53
Hermaux, Les **48** 116 Da 81
Hermaville **62** 8 Cd 47
Hermé **77** 51 Dc 58
Hermelange **57** 39 Ha 56
Hermenault, L' **85** 73 Za 69
Herment **63** 91 Cf 74
Hermeray **78** 32 Be 57
Hermes **60** 17 Cb 52
Hermeville **76** 14 Aa 51
Hermies **62** 8 Da 48
Hermillon **73** 108 Gc 77
Hermin **62** 8 Cd 46
Hermitage, L' **35** 45 Ya 60
Hermitage-Lorge, L' **22** 43 Xb 59
Hermites, les **37** 63 Ae 63
Hermival-les-Vaux **14** 30 Ab 54
Hermonville **51** 19 Df 52
Hernicourt **62** 7 Cb 46
Herny **57** 38 Gd 54
Héron, Le **76** 16 Bc 52
Héronchelles **76** 16 Bc 51
Hérouville **95** 33 Ca 54
Hérouville-Saint-Clair **14** 14 Zd 53
Hérouvillette **14** 14 Ze 53
Herpelmont **88** 56 Ge 59
Herpont **51** 36 Ee 55
Herpy-l'Arlésienne **08** 19 Eb 51
Herqueville **27** 16 Bb 53
Herqueville **50** 12 Ya 50
Herran **31** 140 Af 91
Herré **40** 124 Zf 84
Herrère **64** 138 Zc 90
Herrin **59** 8 Cf 45
Herrlisheim **67** 40 Hf 56
Herrlisheim-près-Colmar **68** 56 Hc 60
Herry **18** 66 Cf 65
Herserange **54** 21 Fe 51
Hersin-Coupigny **62** 8 Cd 46
Hertzing **57** 39 Ha 56
Hervelinghen **62** 3 Be 43
Héry **58** 67 Dd 65
Héry **89** 52 Dd 61
Héry-sur-Alby **74** 96 Ga 74

Herzeele **59** 4 Cd 43
Hesbécourt **80** 8 Da 48
Hescamps **80** 16 Bf 50
Hesdigneul **62** 3 Bd 44
Hesdigneul-lès-Boulogne **62** 3 Bd 44
Hesdin **62** 7 Ca 46
Hesdin-l'Abbé **62** 3 Bd 44
Hésingue **68** 72 Hd 63
Hesmond **62** 7 Ba 46
Hesse **57** 39 Ha 56
Hessenheim **67** 57 Hd 59
Hestroff **57** 22 Gc 53
Hestrud **59** 10 Ea 47
Hestrus **62** 7 Cb 46
Hétomesnil **60** 17 Ca 51
Hettange-Grande **57** 22 Ga 52
Hettenschlag **68** 57 Hc 60
Heubécourt-Haricourt **27** 32 Bd 54
Heuchin **62** 7 Cb 46
Heucourt-Croquoison **80** 7 Bf 49
Heudebouville **27** 32 Bb 53
Heudicourt **27** 16 Bd 52
Heudicourt **80** 8 Da 48
Heudicourt-sous-les-Côtes **55** 37 Fe 55
Heudreville-en-Lieuvin **27** 15 Ad 53
Heudreville-sur-Eure **27** 31 Bb 53
Heugas **40** 123 Yf 87
Heugleville-sur-Scie **76** 15 Ba 50
Heugnes **36** 78 Bc 66
Heugon **61** 30 Ab 55
Heugueville-sur-Sienne **50** 28 Yc 54
Heuilley-Cotton **52** 69 Fc 62
Heuilley-sur-Saône **21** 69 Fc 65
Heuland **14** 30 Aa 53
Heume-l'Église **63** 91 Ce 74
Heunière, La **27** 32 Bc 54
Heuqueville **27** 16 Bc 53
Heuqueville **76** 14 Aa 51
Heuringhem **62** 3 Cb 44
Heurteauville **76** 15 Af 52
Heurtevent **14** 30 Aa 55
Heussé **50** 29 Yf 57
Heutrégiville **51** 19 Eb 53
Heuzecourt **80** 7 Cb 48
Hévilliers **55** 37 Fb 57
Heyrieux **38** 106 Fa 75
Hézecques **62** 7 Ca 45
Hézo, Le **56** 58 Xb 63
Hibarette **65** 138 Aa 90
Hières-sur-Amby **38** 95 Fb 74
Hiermont **80** 7 Cb 48
Hiersac **16** 88 Ad 72
Hiers-Brouage **17** 86 Yf 73
Hiesse **16** 88 Ad 72
Hiesville **50** 12 Ye 52
Higuères-Souye **64** 138 Zc 88
Hilbesheim **57** 39 Ha 56
Hillion **22** 26 Xc 57
Hils **65** 138 Aa 90
Hilsenheim **67** 57 Hd 58
Hilsprich **57** 39 Gf 54
Hinacourt **02** 18 Db 50
Hinckange **57** 38 Gc 53
Hindisheim **67** 57 Hd 58
Hindlingen **68** 71 Ha 63
Hinges **62** 8 Ce 44
Hinglé, Le **22** 27 Xf 58
Hinsbourg **67** 39 Hb 55
Hinsingen **67** 39 Ha 55
Hinx **40** 123 Za 86
Hipsheim **67** 57 He 58
Hirschland **67** 39 Ha 55
Hirsingue **68** 71 Hb 63
Hirson **02** 19 Ea 49
Hirtzbach **68** 71 Hb 63
Hirtzfelden **68** 57 Hc 61
His **31** 140 Af 90
Hitte **65** 139 Aa 90
Hochfelden **67** 40 Hd 56
Hochstatt **68** 71 Hb 62
Hochstett **67** 40 He 56
Hocquigny **50** 28 Yd 55
Hocquinghen **62** 3 Bf 44
Hodenc-en-Bray **60** 16 Bf 52
Hodenc-l'Évêque **60** 17 Ca 52
Hodeng-au-Bosc **76** 16 Be 49
Hodeng-Hodenger **76** 16 Bd 51
Hodent **95** 32 Bf 54
Hœdic **56** 58 Xa 65
Hœnheim **67** 40 He 57
Hœrdt **67** 40 He 56
Hœville **54** 38 Gc 56
Hoffen **67** 40 Hf 55
Hogues, Les **27** 16 Be 52
Hoguette, La **14** 30 Zf 55
Hohatzenheim **67** 40 Hd 56
Hohfrankenheim **67** 40 Hd 56
Hohrod **68** 56 Ha 60
Hohwald, le **67** 56 Hb 58
Holacourt **57** 38 Gd 55
Holling **57** 22 Gc 53
Holnon **02** 18 Db 49
Holque **59** 3 Cb 43
Holtzheim **67** 40 Hd 57
Holtzwihr **67** 57 Hc 60
Holving **57** 39 Gf 54
Hombleux **80** 18 Cf 50
Homblières **02** 18 Dc 49
Hombourg **68** 72 Hd 62
Hombourg-Budange **57** 22 Gc 53
Hombourg-Haut **57** 39 Ge 54
Hôme-Chamondot, L' **61** 31 Ae 57
Homécourt **54** 22 Ff 53
Hommarting **57** 39 Ha 56
Hommert **57** 39 Hb 56
Hommes **37** 62 Ab 64
Hommet-d'Arthenay, Le **50** 12 Ye 53
Homps **11** 142 Ce 89
Homps **32** 126 Af 86
Hondeghem **59** 4 Cd 44
Hondevilliers **77** 34 Db 55
Hondouville **27** 31 Ba 54
Hondschoote **59** 4 Cd 43
Honfleur **14** 15 Ab 52
Honguemare-Guenouville **27** 15 Ae 52
Hon-Hergies **59** 9 De 46
Honnechy **59** 9 Db 48
Honnecourt-sur-Escaut **59** 8 Db 48
Honor-de-Cos, l' **82** 126 Bc 84
Honskirch **57** 39 Gf 55
Hontanx **40** 124 Ze 86
Hôpital, L' **57** 39 Ge 53
Hôpital-Camfrout **29** 24 Ve 58

Hôpital-d'Orion, L' **64** 137 Za 88
Hôpital-du-Grosbois, l' **25** 70 Gb 65
Hôpital-le-Grand, L' **42** 105 Eb 75
Hôpital-le-Mercier, L' **71** 93 Ea 70
Hôpital-Saint-Blaise, L' **64** 137 Zb 89
Hôpital-sous-Rochefort, L' **42** 93 Df 74
Hôpitaux-Neufs, les **25** 84 Gc 68
Hôpitaux-Vieux, les **25** 84 Gc 68
Horbourg-Wihr **68** 56 Hc 60
Hordain **59** 9 Db 47
Horgne, la **08** 20 Ed 50
Horgues **65** 138 Aa 89
Horme **42** 106 Ed 76
Hornaing **59** 9 Dc 46
Hornoy-le-Bourg **80** 16 Bf 49
Horps, Le **53** 46 Zb 58
Horsarrieu **40** 124 Zc 86
Hosmes, L' **27** 31 Ba 56
Hospital, L' **04** 132 Fe 84
Hospitalet-du-Larzac, L' **12** 129 Db 85
Hospitalet-près-l'Andorre, l' **09** 152 Be 93
Hossegor, Soorts- **40** 122 Yd 86
Hosta **64** 137 Yf 90
Hoste **57** 39 Ge 54
Hostens **33** 111 Zc 82
Hostias **01** 95 Fd 73
Hostun **26** 107 Fb 78
Hôtellerie, L' **14** 30 Ac 54
Hôtellerie-de-Flée, L' **49** 46 Za 62
Hotonnes **01** 95 Fe 73
Hotot-en-Auge **14** 30 Zf 53
Hottviller **57** 39 Hc 54
Houblonnière, La **14** 30 Aa 54
Houches, les **74** 97 Ge 73
Houchin **62** 8 Ce 46
Houdain **59** 8 Ce 46
Houdain-lez-Bavay **59** 9 De 46
Houdan **78** 32 Bd 56
Houdancourt **60** 17 Cd 52
Houdelaincourt **55** 37 Fc 57
Houdelmont **54** 38 Ga 57
Houdemont **54** 38 Gb 57
Houdetot **76** 15 Ae 50
Houdilcourt **08** 19 Ea 52
Houdreville **54** 55 Ga 57
Houécourt **88** 55 Ff 59
Houeillès **47** 124 Aa 83
Houesville **50** 12 Ye 52
Houetteville **27** 31 Ba 54
Houéville **88** 54 Fe 58
Houeydets **65** 139 Ac 90
Houga, Le **32** 124 Zf 86
Houilles **78** 33 Cb 55
Houlbec-Cocherel **27** 32 Bc 54
Houlbec-près-le-Gros-Theil **27** 15 Ae 53
Houldizy **08** 20 Ee 50
Houlette **16** 87 Ze 74
Houlgate **14** 14 Zf 53
Houlle **62** 3 Ca 44
Houlme, Le **76** 15 Ba 51
Houmeau, L' **17** 86 Ye 71
Hounoux **11** 141 Ca 90
Houplin **59** 8 Cf 45
Houppeville **76** 15 Ba 51
Houquetot **76** 14 Ac 51
Hourc **65** 139 Ab 89
Hourges **51** 19 De 53
Hours **64** 138 Zc 89
Hourtin **33** 98 Yf 77
Houry **02** 19 Df 50
Hous **31** 139 Ad 90
Houssay **41** 62 Af 62
Houssay **53** 46 Zb 61
Houssaye, La **27** 31 Ae 55
Houssaye, La **27** 32 Bc 55
Houssaye-Béranger, La **76** 15 Ba 51
Houssaye-en-Brie, La **77** 34 Cf 56
Housseau-Brétignolles, Le **53** 29 Zc 56
Houssen **68** 56 Hc 60
Housseras **88** 56 Ge 59
Housset **02** 19 De 50
Housséville **54** 55 Ga 58
Houssière, La **88** 56 Gc 60
Houssoye, La **60** 16 Bf 52
Houtaud **25** 84 Gb 67
Houtkerque **59** 4 Cd 43
Houtteville **50** 12 Yd 52
Houville-en-Vexin **27** 16 Bc 53
Houville-la-Branche **28** 49 Bd 58
Houvin-Houvigneul **62** 8 Cc 46
Houx **28** 32 Bd 57
Hoymille **59** 4 Cc 43
Huanne-Montmartin **25** 70 Gc 64
Hubersent **62** 7 Be 45
Huberville **50** 12 Yd 52
Huby-Saint-Leu **62** 7 Ca 46
Hucaloup **12** 128 Cd 86
Huchenneville **80** 7 Be 48
Huclier **62** 7 Cb 46
Hucqueliers **62** 7 Bf 45
Hudimesnil **50** 28 Yd 55
Hudiviller **54** 38 Gc 57
Huelgoat **29** 25 Wb 58
Huest **27** 31 Bb 54
Huêtre **45** 49 Be 60
Hugier **70** 69 Fe 65
Hugleville-en-Caux **76** 15 Af 51
Huillé **49** 62 Zd 63
Huilliécourt **52** 54 Fd 60
Huilly-sur-Seille **71** 83 Fa 69
Huiron **51** 36 Ed 56
Huismes **37** 62 Ab 64
Huisnes-sur-Mer **50** 28 Yd 57
Huisseau-en-Beauce **41** 63 Ba 62
Huisseau-sur-Cosson **41** 64 Bc 63
Huisseau-sur-Mauves **45** 49 Be 61
Huisserie, L' **53** 46 Zb 60
Hulluch **62** 8 Ce 46
Hultehouse **57** 39 Hb 56
Humbauville **51** 36 Ec 57
Humbécourt **52** 36 Ee 57
Humbercamps **62** 8 Cd 47
Humbercourt **80** 7 Cc 47
Humbert **62** 7 Bf 45
Humberville **52** 54 Fc 59
Humbligny **18** 65 Cd 65

Humeroeuille **62** 7 Cb 46
Humes-Jorquenay **52** 54 Fb 61
Humières **62** 7 Cb 46
Hunawihr **68** 56 Hb 59
Hundsbach **68** 72 Hb 63
Huningue **68** 72 Hd 63
Hunspach **67** 40 Hf 55
Huppain, Port-en-Bessin- **14** 13 Zb 52
Huppy **80** 7 Be 48
Hurbache **88** 56 Gf 58
Hure **33** 112 Zf 81
Hurecourt **70** 55 Ga 61
Hures-la-Parade **48** 129 Dc 83
Huriel **03** 91 Cc 70
Hurigny **71** 94 Ee 70
Hurtigheim **67** 40 Hd 56
Husseau **37** 63 Af 64
Husseren-les-Châteaux **68** 56 Hb 60
Husseren-Wesserling **68** 56 Gf 61
Hussigny-Godbrange **54** 21 Ff 52
Husson **50** 29 Za 57
Huttendorf **67** 40 Hd 56
Huttenheim **67** 57 Hd 58
Hyds **03** 91 Cf 71
Hyémondans **25** 71 Gd 64
Hyencourt-le-Grand **80** 18 Cf 50
Hyenville **50** 28 Yd 55
Hyères **83** 147 Ga 90
Hyet **70** 70 Ga 64
Hyèvre-Paroisse **25** 70 Gc 64
Hymont **88** 55 Ga 59

I

Ibarrolle **64** 137 Yf 89
Ibigny **57** 39 Gf 57
Ibos **65** 138 Aa 89
Ichtratzheim **67** 57 He 58
Ichy **77** 50 Cf 59
Idaux-Mendy **64** 137 Za 89
Idrac-Respaillès **32** 125 Ab 87
Idron-Lée-Ousse-Sendets **64** 138 Zc 89
Ids-Saint-Roch **18** 79 Cb 68
Iffendic **35** 44 Xf 60
Iffs, les **35** 44 Ya 59
Ifs **14** 29 Zd 54
Ifs-sur-Laizon **14** 30 Zf 54
Igé **61** 48 Ab 58
Igé **71** 94 Ee 70
Ignaucourt **80** 17 Cd 50
Ignaux **09** 153 Bf 92
Igney **54** 39 Ge 57
Igney **88** 55 Gc 59
Ignol **18** 80 Ce 67
Igny **70** 70 Fe 64
Igny **91** 33 Cb 56
Igny-Comblizy **51** 35 De 54
Igon **64** 138 Zc 89
Igoville **27** 15 Ba 53
Iguerande **71** 93 Ea 71
Iholdy **64** 137 Ye 89
Île-aux-Moines **56** 58 Xb 63
Île-Bouchard, L' **37** 62 Ac 66
Île-de-Batz **29** 25 Vf 56
Île-de-Bréhat **22** 26 Wf 55
Île-d'Elle, l' **85** 73 Za 71
Île-de-Sein **29** 41 Va 60
Île-d'Olonne, l' **85** 73 Yb 69
Île-d'Yeu, l' **85** 73 Xd 68
Île-Molène **29** 24 Va 58
Île-Rousse, L' **2B** 156 If 93
Ilharre **64** 137 Yf 88
Ilhes, les **11** 142 Cc 88
Ilhet **65** 139 Ac 91
Ilheu **65** 139 Ad 91
Illange **57** 22 Gb 53
Illats **33** 111 Zd 81
Ille-sur-Têt **66** 154 Cd 92
Illeville-sur-Montfort **27** 15 Ae 53
Illfurth **68** 71 Hb 62
Illhaeusern **68** 57 Hc 59
Illiat **01** 94 Ef 71
Illier-et-Laramade **09** 152 Bd 92
Illiers-Combray **28** 48 Bb 59
Illiers-l'Évêque **27** 32 Bb 56
Illies **59** 8 Ce 45
Illifaut **22** 44 Xd 60
Illkirch-Graffenstaden **67** 40 He 57
Illois **76** 16 Bd 50
Illoud **52** 54 Fd 59
Illy **08** 20 Ef 50
Illzach **68** 56 Hc 61
Ilonse **06** 134 Ha 84
Imling **57** 39 Ha 56
Immaculée, L' **44** 59 Xe 65
Imphy **58** 80 Db 67
Inaumont **08** 19 Eb 51
Incarville **27** 15 Bb 53
Inchy **59** 9 Dc 48
Inchy-en-Artois **62** 8 Da 47
Incourt **62** 7 Ca 46
Indevillers **25** 71 Gf 65
Ineuil **18** 79 Cb 68
Infournas, les **05** 120 Ga 80
Ingenheim **67** 40 Hd 56
Ingersheim **68** 56 Hb 60
Inghem **62** 3 Cb 44
Inglange **57** 22 Gb 52
Ingolsheim **67** 40 Hf 55
Ingouville **76** 15 Ae 50
Ingrandes **36** 77 Af 69
Ingrandes **49** 61 Za 64
Ingrandes **86** 77 Ad 67
Ingrandes-de-Touraine **37** 62 Ab 65
Ingrannes **45** 50 Cb 61
Ingré **45** 49 Be 61
Inguiniel **56** 43 We 61
Ingwiller **67** 40 Hc 55
Injoux-Génissiat **01** 95 Fe 72
Innenheim **67** 57 Hd 58
Innimond **01** 95 Fd 74
Inor **55** 21 Fa 51
Insming **57** 39 Gf 55
Insviller **57** 39 Gf 55
Intraville **76** 6 Bb 49
Intres **07** 118 Ec 79
Intréville **28** 49 Bf 59
Intville-la-Guétard **45** 50 Cb 59
Inval-Boiron **80** 16 Be 49
Inxent **62** 7 Be 45
Inzinzac-Lochrist **56** 43 We 61
Ippécourt **55** 37 Fb 54

Ippling **57** 39 Ha 54
Irai **61** 31 Af 57
Irais **79** 76 Zf 67
Irancy **89** 67 De 62
Iré-le-Sec **55** 21 Fd 52
Irigny **69** 106 Ee 75
Irissarry **64** 137 Ye 89
Irles **80** 8 Ce 48
Irodouër **35** 44 Ya 59
Iron **02** 9 Dd 48
Irouléguy **64** 136 Ye 89
Irreville **27** 31 Ba 54
Irvillac **29** 24 Ve 58
Isbergues **62** 8 Cd 45
Isches **88** 54 Ff 60
Isdes **45** 65 Cb 62
Is-en-Bassigny **52** 54 Fc 60
Isigny-le-Buat **50** 28 Yf 57
Isigny-sur-Mer **14** 13 Yf 53
Island **89** 67 Df 63
Isle **87** 89 Bb 74
Isle-Adam, L' **95** 33 Cb 54
Isle-Arné, L' **32** 125 Ae 87
Isle-Aubigny **10** 52 Ea 58
Isle-Aumont **10** 52 Ea 59
Isle-Bouzon, L' **32** 126 Ae 85
Isle-d'Abeau, L' **38** 107 Fb 75
Isle-de-Noé, L' **32** 125 Ab 87
Isle-en-Dodon, L' **31** 140 Af 88
Isle-et-Bardais **03** 80 Ce 68
Isle-Jourdain, L' **32** 126 Ae 87
Isle-Jourdain, L' **86** 89 Ae 70
Isle-Saint-Georges **33** 111 Zd 80
Isles-Bardel, les **14** 29 Ze 55
Isles-les-Meldeuses **77** 34 Da 54
Isles-sur-Suippe **51** 19 Ea 52
Isle-sur-la-Sorgue, L' **84** 132 Fa 85
Isle-sur-le-Doubs, l' **25** 71 Gd 64
Isle-sur-Serein, L' **89** 67 Ea 63
Islettes, Les **55** 36 Fa 54
Isneauville **76** 15 Ba 51
Isola **06** 134 Ha 83
Isolaccio-di-Fiumorbo **2B** 159 Kb 96
Isômes **52** 69 Fb 63
Ispagnac **48** 116 Dd 82
Isques **62** 2 Bd 44
Issac **24** 100 Ac 78
Issancourt-et-Rumel **08** 20 Ee 50
Issards, les **09** 141 Be 90
Issé **44** 60 Yd 63
Issel **11** 141 Bf 88
Issendolus **46** 114 Be 80
Issenhausen **67** 40 Hd 56
Issenheim **68** 56 Hb 61
Issepts **46** 114 Bf 81
Isserpent **03** 93 Dd 72
Isserteaux **63** 104 Dc 75
Issirac **30** 131 Ec 83
Issoire **63** 104 Da 75
Issor **64** 137 Zb 90
Issou **78** 32 Be 55
Issoudun **36** 79 Bf 67
Issoudun-Letrieix **23** 91 Ca 72
Is-sur-Tille **21** 69 Fa 64
Issus **31** 141 Bd 89
Issy-les-Moulineaux **92** 33 Cb 56
Issy-l'Évêque **71** 81 Df 68
Isturits **64** 137 Ye 88
Itancourt **02** 18 Dc 50
Iteuil **86** 76 Ab 70
Ittenheim **67** 40 Hd 57
Itterswiller **67** 56 Hc 58
Itteville **91** 50 Cc 57
Itxassou **64** 136 Yd 89
Itzac **81** 127 Bf 84
Ivergny **62** 7 Cc 47
Iverny **77** 33 Ce 54
Iviers **02** 19 Ea 49
Iville **27** 31 Af 53
Ivors **60** 34 Da 53
Ivory **39** 84 Ff 67
Ivoy-le-Pré **18** 65 Cc 64
Ivrey **39** 84 Ff 67
Ivry-en-Montagne **21** 82 Ed 66
Ivry-la-Bataille **27** 32 Bc 55
Ivry-le-Temple **60** 17 Ca 53
Ivry-sur-Seine **94** 33 Cc 56
Iwuy **59** 9 Db 47
Izaourt **65** 139 Ad 90
Izaut-de-l'Hôtel **31** 139 Ae 90
Izaux **65** 139 Ac 90
Izé **53** 46 Zd 59
Izeaux **38** 107 Fc 77
Izel-lès-Équerchin **62** 8 Cf 47
Izel-les-Hameaux **62** 8 Cd 47
Izenave **01** 95 Fd 72
Izernore **01** 95 Fd 71
Izeron **38** 107 Fc 78
Izeste **64** 138 Zc 90
Izeure **21** 69 Fa 65
Izier **21** 69 Fa 65
Izieu **01** 107 Fd 75
Izon **33** 111 Zd 79
Izotges **32** 124 Zf 87

J

Jablines **77** 33 Ce 55
Jabreilles-les-Bordes **87** 90 Bd 72
Jabrun **15** 116 Cf 80
Jacou **34** 130 Df 87
Jagny-sous-Bois **95** 33 Cc 54
Jaignes **77** 34 Da 55
Jaillans **26** 107 Fb 78
Jailleu, Bourgoin- **38** 107 Fb 75
Jaille-Yvon, La **49** 61 Zb 62
Jaillon **54** 37 Ff 56
Jailly **58** 67 Da 66
Jailly-les-Moulins **21** 68 Ed 64
Jainvillotte **88** 54 Fe 59
Jalesches **23** 90 Ca 71
Jaligny-sur-Besbre **03** 93 Dd 70
Jallais **49** 61 Za 65
Jallanges **21** 83 Fa 67
Jallans **28** 49 Bc 60
Jallaucourt **57** 38 Gc 55
Jallerange **25** 69 Fe 65
Jalognes **18** 66 Ce 65
Jalogny **71** 94 Ed 70
Jâlons **51** 35 Ea 55
Jambles **71** 82 Ee 68

K

L

Lamillarié 81 127 Ca 85
Lammerville 76 15 Af 50
Lamnay 72 48 Ae 60
Lamongerie 19 102 Bd 75
Lamontélarié 81 128 Cd 87
Lamontgie 63 104 Dc 76
Lamontjoie 47 125 Ad 84
Lamonzie-Montastruc 24
112 Ad 79
Lamonzie-Saint-Martin 24
112 Ac 79
Lamorlaye 60 33 Cc 54
Lamorville 55 37 Fd 55
Lamothe 40 123 Zc 86
Lamothe 43 104 Dc 77
Lamothe-Capdeville 82
126 Bc 84
Lamothe-Cassel 46 114 Bd 81
Lamothe-Cumont 82 126 Af 85
Lamothe-en-Blaisy 52 Ef 59
Lamothe-Fénelon 46 113 Bc 79
Lamothe-Goas 32 125 Ad 85
Lamothe-Landerron 33 112 Aa 81
Lamothe-Montravel 24 112 Aa 79
Lamotte-Beuvron 41 65 Ca 63
Lamotte-Brébière 80 17 Cc 49
Lamotte-Buleux 80 7 Bf 47
Lamotte-Warfusée 80 17 Cd 49
Lamouilly 55 21 Fb 51
Lamoura 39 96 Ff 70
Lampaul-Guimiliau 29 25 Vf 58
Lampaul-Plouarzel 29 24 Vb 58
Lampaul-Ploudalmézeau 29
24 Vc 57
Lampertheim 67 40 He 57
Lampertsloch 67 40 He 55
Lamure-sur-Azergues 69 94 Ee 72
Lanans 25 70 Gc 65
Lanarvily 29 24 Vd 57
Lanas 07 118 Ec 81
Lancé 41 63 Ba 62
Lanchères 80 6 Bd 48
Lanchy 02 18 Da 50
Lancié 69 94 Ee 72
Lancieux 22 27 Xf 57
Lancôme 41 63 Ba 63
Lançon 08 20 Ef 53
Lançon 65 150 Ac 91
Lançon-Provence 13 146 Fa 87
Landange 57 39 Gf 56
Landaul 56 43 Wf 62
Landaville-le-Bas 88 54 Fe 59
Landaville-le-Haut 88 54 Fe 59
Landavran 35 45 Ye 59
Landéan 35 45 Yf 58
Landebaëron 22 27 Xe 57
Landéan 22 27 Xe 58
Lande Chasles, La 49 62 Zf 64
Landécourt 54 55 Gc 57
Landéda 29 24 Vc 57
Lande-d'Airou, La 50 28 Ye 56
Lande-de-Fronsac, La 33
99 Zf 79
Lande-de-Goult, La 61 30 Zf 57
Lande-de-Lougé, La 61 30 Ze 56
Landéhen 29 27 Xc 58
Landeleau 29 42 Wb 59
Landelles 28 48 Bb 58
Landelles-et-Coupigny 14
29 Za 55
Landemont 49 60 Ye 65
Lande-Patry, La 61 29 Zc 56
Landepereuse 27 31 Ad 54
Landerne = Landernau 29
24 Ve 58
Landerneau 29 24 Ve 58
Landeronde 85 74 Ya 69
Landerrouat 33 112 Aa 80
Landerrouet-sur-Ségur 33
111 Zf 81
Landersheim 67 40 Hc 56
Landes 17 87 Zb 73
Lande-Saint-Léger, La 27
14 Ac 53
Lande-Saint-Siméon, La 61
29 Zd 56
Landes-Genusson, Les 85
74 Yf 67
Landes-les-Gaulois 41 63 Bb 63
Lande-sur-Drôme, La 14 29 Za 54
Lande-sur-Eure, La 61 31 Af 57
Landes-Vieilles-et-Neuves 76
16 Bd 50
Landévant 56 43 Wf 62
Landévennec 29 24 Ve 59
Landevieille 85 73 Yb 69
Landeyrat 15 103 Cf 77
Landifay-et-Bertaignemant 02
19 Dd 50
Landigou 61 29 Zc 56
Landin, Le 27 15 Ae 52
Landiras 33 111 Zd 81
Landisacq 61 29 Zc 56
Landivisiau 29 25 Vf 57
Landivizio = Landivisiau 29
25 Vf 57
Landivy 53 29 Yf 58
Landogne 63 91 Cd 73
Landorthe 31 139 Ae 90
Landos 43 117 De 79
Landouzy-la-Cour 02 19 Df 49
Landouzy-la-Ville 02 19 Ea 49
Landrais 17 86 Za 72
Landreau, Le 44 60 Yd 66
Landreau, Le 44 59 Xf 65
Landrecies 59 9 De 48
Landrecourt-Lempire 55 37 Fb 54
Landreger = Tréguier 22
26 We 56
Landremont 54 38 Ga 55
Landres 54 21 Fe 53
Landres-et-Saint-Georges 08
20 Fa 52
Landresse 25 70 Gc 65
Landrethun-le-Nord 62 3 Be 43
Landrethun-lès-Ardres 62 3 Bf 43
Landrévarzec 29 42 Vf 60
Landreville 10 53 Ec 60
Landrichamps 08 10 Ee 48
Landricourt 02 18 Dc 51
Landricourt 51 36 Ee 57
Landroff 57 38 Gd 55
Landry 73 109 Ge 75
Landser 68 72 Hc 63
Landudal 29 42 Wa 60
Landudec 29 41 Ve 60
Landujan 35 44 Ya 59
Landunvez 29 24 Vb 57

Lanespède 65 139 Ab 90
Lanester 56 42 Wd 62
Lanet 11 153 Cc 91
Laneuville-aux-Bois 54
38 Gd 57
Laneuvelle 52 54 Fe 61
Laneuvelotte 54 38 Gb 56
Laneuveville-aux-Bois 54
38 Gd 57
Laneuveville-derrière-Foug 54
37 Fe 56
Laneuveville-devant-Bayon 54
55 Gb 58
Laneuveville-devant-Nancy 54
38 Gb 57
Laneuveville-en-Saulnois 57
38 Gc 55
Laneuveville-lès-Lorquin 57
39 Ha 57
Laneuville 57 38 Gc 53
Laneuville-au-Pont 52 36 Ef 57
Laneuville-au-Rupt 55 37 Fd 56
Laneuvilleroy 60 17 Cd 52
Laneuville-sur-Meuse 55 21 Fa 52
Lanfains 22 26 Xa 58
Lanfroicourt 54 38 Gc 56
Langaeg = Langueux 22
26 Xb 58
Langan 35 44 Ya 59
Langast 22 43 Xc 59
Langatte 57 39 Gf 56
Langé 36 78 Bc 66
Langeac 43 104 Dc 78
Langeais 37 62 Ac 65
Langennerie 37 63 Ae 64
Langensoultzbach 67 40 Hf 55
Langeron 58 80 Da 68
Langesse 45 65 Cd 62
Langey 28 48 Bb 60
Langlade 30 130 Eb 86
Langoat 22 26 We 56
Langogne 48 117 Df 80
Langoiran 33 111 Zd 80
Langolen 29 42 Wa 60
Langon 33 111 Ze 81
Langon 35 44 Ya 62
Langon 41 64 Be 65
Langon, Le 85 75 Za 70
Langonnet 56 42 Wd 60
Langouet 35 44 Yb 59
Langourla 22 44 Xd 59
Langres 52 54 Fc 61
Langrolay-sur-Rance 22 27 Ya 57
Langruné-sur-Mer 14 13 Zd 53
Languédias 22 27 Xe 58
Languénan 22 27 Xf 57
Languevoisin-Quiquery 80
18 Cf 50
Languidic 56 43 Wf 62
Languimberg 57 39 Gf 56
Langy 03 92 Dc 71
Lanhélin 35 28 Yb 58
Lanhères 65 Fe 53
Lanhouarneau 29 24 Ve 57
Lanildut 29 Vb 58
Laning 57 38 Ge 54
Laniscat 22 43 Wf 59
Laniscourt 02 18 Dd 51
Lanleff 22 26 Wf 56
Lanloup 22 26 Xa 56
Lanmérin 22 26 Wd 56
Lanmeur 29 26 Wb 56
Lanmodez 22 26 Wf 55
Lannastère = Lanester 56
42 Wd 62
Lanne 65 138 Aa 90
Lanréanou 29 25 Wc 58
Lannebert 22 26 Xa 57
Lannecaube 64 138 Ze 88
Lanne-en-Barétous 64 137 Zb 90
Lannemaignan 32 124 Ze 85
Lannemezan 65 139 Ac 90
Lannepax 32 125 Ab 86
Lanneplaà 64 137 Zb 88
Lanneray 28 48 Bb 60
Lannes 47 125 Ab 84
Lanne-Soubiran 32 124 Zf 86
Lanneuffret 29 24 Ve 57
Lanneur = Lanmeur 29 25 Wb 57
Lannilis 29 24 Vc 57
Lannilly = Lannilis 29 24 Vc 57
Lannion 22 25 Wd 56
Lannolon = Lannvollon 22
26 Xa 57
Lannoy 59 4 Db 45
Lannoy-Cuillère 60 16 Be 50
Lannuon = Lannion 22 25 Wd 56
Lannux 32 124 Ze 87
Lano 2B 157 Kb 94
Lanobre 15 103 Cd 76
Lanouaille 24 101 Ba 76
Lanouée 56 43 Xc 61
Lanoux 09 140 Bc 90
Lanques-sur-Rognon 52 54 Fc 60
Lanquetot 76 15 Ad 51
Lanrelas 22 44 Xe 59
Lanrivain 22 26 We 58
Lanrivoaré 29 24 Vc 58
Lanrodec 22 26 Wf 57
Lans 71 82 Ef 68
Lansac 33 99 Zc 78
Lansac 66 154 Cd 92
Lans-en-Vercors 38 107 Fd 78
Lanslebourg-Mont-Cenis 73
109 Gf 77
Lanslevillard 73 109 Gf 77
Lanta 31 141 Bd 87
Lantabat 64 137 Yf 89
Lantages 10 53 Eb 60
Lantan 18 79 Cd 67
Lantéfontaine 54 21 Ff 53
Lanteriay 01 95 Fd 72
Lanteriay 21 68 Ef 64
Lanterne-Vertière 25 70 Fe 65
Lanteuil 19 102 Bd 78
Lanthenay, Romorantin- 41
64 Be 64
Lanthes 21 83 Fb 67
Lantheuil 14 13 Zc 53
Lantic 22 26 Xa 57
Lantignié 69 94 Ed 72
Lantillac 56 43 Xc 61
Lantilly 21 68 Ea 64
Lanton 33 110 Yf 80
Lantosque 06 135 Hb 85
Lantriac 43 117 De 79
Lanty 58 81 Df 68

Lanty-sur-Aube 52 53 Ee 60
Lanu = Lano 2B 157 Kb 94
Lanuéjols 30 129 Dc 84
Lanuéjols 48 116 Dd 82
Lanuéjols 12 115 Cb 82
Lanvallay 22 27 Xf 58
Lanvellec 22 25 Wc 56
Lanvénégen 56 42 Wc 61
Lanvéoc 29 24 Vd 59
Lanvollon 22 26 Xa 57
Lanyugon = Jugon-les-Lacs 22
27 Xe 58
Lanzac 46 114 Bc 79
Laon 02 19 Dd 51
Laons 28 31 Af 57
Lapalisse 03 93 Dd 71
Lapalud 84 131 Ee 83
Lapan 18 79 Cb 67
Lapanouse-de-Cernon 12
129 Da 85
Laparade 47 112 Ac 82
Laparrouquial 81 127 Ca 84
Lapège 09 152 Bd 92
Lapenche 82 127 Bd 83
Lapenne 09 141 Be 90
Lapenty 50 29 Yf 57
Laperrière-sur-Saône 21 83 Fc 66
Lapeschie 47 112 Ac 81
Lapeyrade 40 124 Zf 84
Lapeyre 65 139 Ac 89
Lapeyrère 31 140 Ba 89
Lapeyrouse 01 94 Ef 73
Lapeyrouse 26 106 Ef 77
Lapeyrouse 63 92 Cf 71
Lapeyrouse-Fossat 31 127 Bd 86
Lapeyrugue 15 115 Cd 80
Lapleau 19 103 Ca 77
Laplume 47 125 Ad 84
Lapoutroie 68 56 Ha 60
Lapouyade 33 99 Zf 78
Lappion 02 19 Df 51
Laprade 11 142 Cb 88
Laprade 16 100 Ab 77
Laprugne 03 93 De 72
Laps 63 104 Db 74
Lapte 43 105 Df 77
Lapugnoy 62 8 Cd 45
Laquenexy 57 38 Gb 54
Laqueuille 63 103 Ce 75
Laragne-Montéglin 05 120 Fe 83
Larajasse 69 106 Ec 75
Laramière 46 114 Ca 82
Laran 31 139 Ac 89
Laran 65 139 Ac 89
Larbey 40 123 Zb 86
Larbroye 60 18 Cf 51
Larcat 09 152 Bd 92
Larçay 37 63 Ae 64
Larceveau-Arros-Cibits 64
137 Yf 89
Larchamp 46 46 Yf 58
Larchamp 61 29 Zb 56
Larchant 77 50 Cd 59
Larche 04 121 Gf 82
Larche 19 101 Bc 78
Larderet, le 39 84 Ff 68
Lardier-et-Valença 05 120 Ff 82
Lardiers 04 132 Fe 84
Lardin-Saint-Lazare, Le 24
101 Bb 78
Laredorte 11 142 Cd 89
Larée 32 124 Zf 85
Laréole 31 140 Ba 87
Largeasse 79 75 Zd 68
Largentière 07 117 Eb 81
Largillay-Marsonnay 39 83 Fe 69
Largitzen 68 71 Hb 63
Largny-sur-Automne 02 18 Da 53
Larians-et-Munans 70 70 Gb 64
Larivière 90 71 Gf 62
Larivière-Arnoncourt 52 54 Fe 60
Larmor-Baden 56 58 Xa 63
Larmor-Plage 56 42 Wd 62
Larnage 26 106 Ef 78
Larnagol 46 114 Be 82
Larnas 07 118 Ed 82
Larnat 09 152 Bd 92
Larnaud 39 83 Fd 69
Larnod 25 70 Ff 65
Larochemillay 58 81 Ea 67
Laroche-près-Feyt 19 103 Cd 74
Laroche-Saint-Cydroine 89
51 Dc 61
Larodde 63 103 Cd 75
Laroin 64 138 Zd 89
Laronxe 54 38 Gd 57
Laroque 33 111 Ze 81
Laroque 34 130 De 85
Laroquebrou 15 115 Cb 79
Laroque-de-Fa 11 154 Cd 91
Laroque-des-Albères 66
154 Cf 93
Laroque-des-Arcs 46 114 Bc 82
Laroque-d'Olmes 09 141 Bf 91
Laroque-Timbaut 47 113 Ae 83
Laroquevieille 15 103 Cd 78
Larouillies 59 9 Df 48
Larrau 64 137 Za 90
Larrazet 82 126 Af 85
Larré 56 44 Xc 62
Larré 61 30 Aa 57
Larressingle 32 125 Ab 85
Larressore 64 136 Yd 88
Larret 70 69 Fd 63
Larreule 64 138 Zd 88
Larreule 65 138 Aa 88
Larrey 21 53 Fa 61
Larribar-Sorhapuru 64 137 Yf 89
Larringes 74 97 Gd 70
Larrivière 40 124 Zd 86
Larrogue 65 139 Ac 89
Larroque 31 139 Ad 89
Larroque 81 127 Be 84
Larroque-Engalin 32 125 Ad 85
Larroque-Saint-Sernin 32
125 Ac 86
Larroque-sur-l'Osse 32 125 Ab 85
Larroque-Toirac 46 114 Bf 81
Lartigue 32 124 Aa 86
Lartigue 33 111 Zf 83
Laruns 64 138 Zd 91
Laruscade 33 99 Zd 78
Larzac 24 113 Ba 80
Larzalier 48 117 De 81
Larzicourt 51 36 Ee 57
Las, Le 33 110 Za 80
Lasalle 30 130 Df 84
Lasbordes 11 141 Ca 89

Lascabanes 46 113 Bb 82
Lascaux 19 101 Bc 76
Lasclaveries 64 138 Ze 88
Lasfaillades 81 142 Cd 87
Lasgraisses 81 127 Ca 86
Laslades 65 139 Ab 89
Lassales 65 139 Ac 89
Lassay-les-Châteaux 53 46 Zd 58
Lassay-sur-Croisne 41 64 Bd 64
Lasse 49 62 Aa 63
Lasse 64 137 Ye 90
Lasséran 32 125 Ad 87
Lasserre 47 125 Aa 84
Lasserre 47 125 Ac 84
Lasserre 64 138 Zf 87
Lasserre-de-Prouille 11 141 Ca 89
Lasseube 64 138 Zd 89
Lasseube-Propre 32 125 Ad 87
Lasseubetat 64 138 Zd 89
Lassicourt 10 53 Ec 58
Lassigny 60 18 Cf 51
Lasson 14 13 Zd 53
Lasson 89 52 De 60
Lassouts 12 115 Cf 82
Lassur 09 152 Be 92
Lassy 14 29 Zb 55
Lassy 35 44 Ya 61
Lassy 95 33 Cc 54
Lastic 15 104 Db 78
Lastic 63 91 Cd 74
Lastours 11 142 Cc 89
Lataule 60 17 Ce 51
Latet, Le 39 84 Ga 68
Lathuile 74 96 Gb 74
Lathus-Saint-Rémy 86 89 Af 70
Latillé 86 76 Aa 69
Latilly 02 34 Db 54
Latoue 31 139 Ae 89
Latouille-Lentillac 46 114 Bf 79
Latour 31 140 Ba 89
Latour-Bas-Elne 66 154 Cf 93
Latour-de-Carol 66 153 Bf 94
Latour-de-France 66 154 Cd 92
Latour-en-Woëvre 55 37 Fd 55
Latresne 33 111 Zc 80
Latrape 31 140 Ba 89
Latronche 19 103 Cb 77
Latronquière 46 114 Ca 80
Lattainville 60 16 Be 53
Lattes 34 144 Df 87
Lattre-Saint-Quentin 62 8 Cd 47
Laubach 67 40 Hf 56
Laubert 48 117 Dd 81
Laubies, les 48 116 Dc 80
Laubressel 10 52 Eb 59
Laubrières 63 61 Yf 61
Laucourt 80 17 Ce 50
Laudon 30 131 Ed 84
Laudrefang 57 38 Gd 54
Laugnac 47 112 Ad 83
Laujuzan 32 124 Zf 86
Laulne 50 12 Yd 53
Laumesfeld 57 22 Gc 52
Launac 31 126 Bb 86
Launaguet 31 126 Bc 86
Launay-Villiers 53 46 Yf 60
Launois-sur-Vence 08 20 Ed 51
Launoy 02 18 Dc 53
Launstroff 57 22 Gd 52
Laupie, La 26 118 Ef 81
Laurabuc-et-Mireval 11 141 Bf 89
Laurac 11 141 Bf 89
Laurac-en-Vivarais 07 117 Eb 81
Lauraët 32 125 Ab 85
Lauraguel 11 141 Cb 90
Laure-Minervois 11 142 Cd 89
Laurens 34 143 Db 87
Lauret 34 130 Df 85
Lauret 40 123 Zb 87
Laurie 15 104 Da 77
Laurière, Le 59 7 Cb 43
Laurière 87 90 Bc 72
Lauris 84 132 Fb 86
Lauroux 34 129 Db 85
Laussonne 43 117 Ea 79
Laussou 47 113 Ae 81
Lautenbach 68 56 Ha 61
Lautenbachzell 68 56 Ha 61
Lauterbourg 67 40 Ib 55
Lauthiers 86 77 Ae 69
Lautignac 31 140 Ba 88
Lautrec 81 127 Ca 86
Lauw 68 71 Ha 62
Lauwin-Planque 59 8 Da 46
Laux-Montaux 26 119 Fd 83
Lauzach 56 59 Xc 63
Lauzerte 82 126 Ba 83
Lauzerville 31 141 Bd 87
Lauzès 46 114 Bd 81
Lauzet-Ubaye, le 04 120 Gc 82
Lauzun 47 112 Ac 81
Lavacquerie 60 17 Ca 50
Laval 38 108 Ff 77
Laval 53 46 Zb 60
Laval-Atger 48 117 De 80
Laval-d'Aix 26 119 Fc 80
Laval-d'Aurelle 07 117 Df 81
Lavaldens 38 120 Ff 79
Laval-du-Tarn 48 116 Dc 82
Laval-en-Brie 77 51 Da 58
Laval-en-Laonnais 02 19 Dd 51
Lavalette 11 142 Cb 89
Lavalette 31 127 Bd 87
Lavalette 34 129 Db 86
Lavallée 55 37 Fc 56
Laval-Morency 08 20 Ec 49
Laval-Roquecezière 12 128 Cd 86
Laval-Saint-Roman 30 131 Ed 83
Laval-sur-Doulon 43 104 Dd 76
Laval-sur-Luzège 19 103 Cb 77
Laval-sur-Tourbe 51 36 Ef 55
Laval-sur-Vologne 88 56 Ge 59
Lavancia-Epercy 39 95 Fe 71
Lavandou, Le 83 147 Gc 90
Lavangeot 39 69 Fd 66
Lavannes 51 19 Eb 53
Lavans-lès-Dole 39 69 Fd 66
Lavans-lès-Saint-Claude 39
95 Fe 70
Lavans-Quingey 25 84 Ff 66
Lavans-sur-Valouse 39 95 Fd 70
Lavans-Vuillafans 39 84 Gb 66
Lavaqueresse 02 9 De 49
Lavardac 47 125 Ab 83
Lavardens 32 125 Ad 86

Lavardin 41 63 Af 62
Lavardin 72 47 Aa 60
Lavaré 53 47 Ae 60
Lavars 38 119 Fe 79
Lavastrie 15 116 Da 79
Lavatoggio 2B 156 If 93
Lavatoghju, U = Lavatoggio 2B
156 If 93
Lavau 10 52 Ea 59
Lavau 89 67 Cf 63
Lavaufranche 23 91 Cb 71
Lavault-de-Frétoy 58 81 Ea 66
Lavault-Sainte Anne 03 91 Cd 71
Lavaur 24 113 Bb 81
Lavaur 81 127 Be 86
Lavaurette 82 127 Be 84
Lavausseau 86 76 Aa 69
Lavau-sur-Loire 44 59 Xf 65
Lavaveix-les-Mines 23 90 Ca 72
Lavazan 33 111 Zf 82
Laveissenet 15 104 Cf 78
Laveissière 15 103 Ce 78
Lavelanet 09 153 Bf 91
Lavelanet-de-Comminges 31
140 Ba 89
Laveline-devant-Bruyères 88
56 Ge 59
Laveline-du-Houx 88 56 Ge 60
Lavenay 72 47 Ae 61
Laventie 62 8 Ce 45
Laveraët 32 139 Ab 87
Lavercantière 46 113 Bb 81
Laverdines 18 80 Ce 66
Lavergne 46 114 Be 80
Lavergne 47 112 Ac 81
Lavernat 72 62 Ac 62
Lavernay 25 70 Fe 65
Lavernhe 12 129 Da 83
Lavernose-Lacasse 31 140 Bb 88
Laverrière 60 17 Ca 50
Laversine 02 18 Db 52
Laversines 60 17 Cb 52
Lavérune 34 144 De 87
Laveyron 26 106 Ee 77
Laveyrune 07 117 Df 80
Laveyssière 24 112 Ac 79
Lavieu 42 105 Ea 75
Laviéville 80 8 Cd 49
Lavigerie 15 103 Ce 78
Lavignac 87 89 Ba 74
Lavigney 70 70 Fe 62
Lavigny 39 83 Fd 68
Laville-aux-Bois 52 54 Fb 60
Lavilledieu 07 118 Ec 81
Lavilleneuve 52 54 Fd 60
Lavilletertre 60 32 Bf 53
Lavincourt 55 37 Fa 57
Laviolle 07 118 Ea 80
Laviron 25 71 Gd 65
Lavit 82 126 Af 85
Lavoine 03 93 De 73
Lavoncourt 70 70 Fe 63
Lavours 01 95 Fe 74
Lavoûte-Chilhac 43 104 Dc 78
Lavoûte-sur-Loire 43 105 Df 78
Lavoux 86 77 Ad 69
Lavoye 55 37 Fa 54
Lawarde-Mauger-l'Hortoy 80
17 Cb 50
Laxou 54 38 Ga 56
Lay 42 93 Eb 73
Lay-Lamidou 64 137 Zb 89
Laymont 32 140 Af 88
Layrac 47 125 Ad 84
Layrac-sur-Tarn 31 127 Bd 86
Layrisse 65 138 Aa 90
Lay-Saint-Christophe 54 38 Gb 56
Lay-Saint-Rémy 54 37 Fe 56
Lays-sur-le-Doubs 71 83 Fb 67
Laz 29 42 Wa 60
Lazenay 18 79 Ca 66
Léalvillers 80 8 Cd 48
Léaupartie 14 14 Aa 53
Léaz 01 96 Ff 72
Lebetain 90 71 Gf 64
Lebeuville 54 55 Gb 58
Lebiez 62 7 Bf 46
Leboulin 32 125 Ae 86
Lebreil 46 113 Bb 83
Lebucquière 62 8 Cf 47
Lécaude 14 30 Aa 54
Lecci 2A 160 Kb 98
Lecci, i = Lecci 2A 160 Kb 98
Lecelles 59 9 Dc 46
Lecey 52 54 Fc 61
Léchâtelet 21 83 Fa 66
Léchelle 77 34 Da 57
Léchelle 62 8 Cf 47
Lèches, Les 24 100 Ac 79
Lécluse 59 8 Da 47
Lécousse 35 45 Ye 58
Lecques 30 130 Ea 86
Lect 39 95 Fe 70
Lectoure 32 125 Ad 85
Lecumberry 64 137 Yf 90
Lécussan 31 139 Ac 89
Lédas-et-Penthiès 81 128 Cc 84
Lédat 47 112 Ac 81
Lédergues 12 128 Cd 84
Lédenon 30 130 Ea 85
Lédignan 30 130 Ea 85
Lédinghem 62 3 Bf 45
Ledringhem 59 3 Cc 43
Leers 59 4 Db 45
Lées-Athas 64 137 Zc 91
Lefaux 62 7 Bd 45
Leffard 14 30 Ze 55
Leffincourt 08 20 Ed 52
Leffonds 52 54 Fb 61
Leffrinckoucke 59 4 Cc 42
Leforest 62 8 Da 46
Lège 31 151 Ad 91
Legé 44 74 Yc 67
Lège-Cap-Ferret 33 110 Yf 80
Légéville-et-Bonfays 88 55 Ga 59
Léglantiers 60 17 Cd 51
Légna 39 83 Fd 70
Légny 69 94 Ed 73
Léguevin 31 126 Bb 87
Léguillac-de-Cercles 24
100 Ad 76
Léguillac-de-l'Auche 24
100 Ad 77
Le Havre 76 14 Ab 51
Léhon 22 27 Xf 58
Leignes-sur-Fontaine 86 77 Ae 69
Leigné-les-Bois 86 77 Ae 68
Leigné-sur-Usseau 86 76 Ac 67
Leigneux 42 93 Df 74
Leimbach 68 56 Ha 62
Leintrey 54 39 Ge 57
Lélex 01 96 Ff 72

Lelling 57 39 Ge 54
Lemainville 54 55 Gb 57
Le Mans 72 47 Ab 61
Lembach 67 40 He 54
Lemberg 57 39 Hc 54
Lembeye 64 138 Zf 88
Lembras 24 112 Ad 79
Lemé 02 19 De 49
Lème 64 138 Zd 88
Leménil-Mitry 54 55 Gb 58
Lémeré 37 62 Ac 66
Lemmecourt 88 54 Fe 59
Lemmes 55 37 Fb 54
Lemoncourt 57 38 Gc 55
Lempaut 81 141 Ca 87
Lempdes 43 104 Db 76
Lempdes 63 92 Db 74
Lempire 02 8 Da 49
Lemps 07 106 Ee 78
Lemps 26 119 Fc 82
Lempty 63 92 Dc 74
Lempzours 24 101 Ae 76
Lemud 39 84 Ff 67
Lemuy 39 84 Ff 67
Lénault 14 29 Zc 55
Lenax 03 93 De 71
Lenclôitre 86 76 Ad 68
Lencouacq 40 124 Zd 84
Lengelsheim 57 39 Hc 54
Lengronne 50 28 Yd 55
Lenharrée 51 35 Ea 56
Léning 57 39 Ge 55
Lennon 29 42 Wa 59
Lenoncourt 54 38 Gb 56
Lens 62 8 Ce 46
Lens-Lestang 26 106 Fa 77
Lent 01 95 Fb 72
Lentigny 42 93 Df 73
Lentillac-Lauzès 46 114 Bd 81
Lentillac-Saint-Blaise 46
114 Ca 81
Lentilères 07 117 Eb 81
Lentilles 10 53 Ed 58
Lentilly 69 94 Ed 74
Lentiol 38 107 Fa 77
Lento 2B 157 Kb 93
Lentu = Lento 2B 157 Kb 93
Léobard 46 113 Bb 80
Léogeats 33 111 Zd 81
Léognan 33 111 Zc 80
Léojaç 82 126 Bc 84
Léon 40 123 Ye 85
Léoncel 26 119 Fb 79
Léotoing 43 104 Db 76
Léouville 45 50 Ca 59
Léoville 17 99 Zd 76
Lépanges-sur-Vologne 88
56 Ge 59
Lépaud 23 91 Cf 71
Lépinas 23 90 Bf 72
Lépine 10 52 Ea 59
Lépine 62 7 Be 46
Lépin-le-Lac 73 107 Fe 75
Lépron-les-Vallées 08 20 Ec 50
Lepuix-Gy 90 71 Gf 62
Lepuix-Neuf 90 71 Ha 63
Léran 09 141 Bf 91
Lercoul 09 152 Bd 92
Léré 18 66 Cf 64
Léren 64 123 Yf 87
Lérigneux 42 105 Df 75
Lerné 37 62 Aa 66
Lérouville 55 37 Fd 56
Lerrain 88 55 Ga 60
Léry 21 68 Ef 63
Léry 27 15 Bb 53
Lerzy 02 9 Df 49
Lesboeufs 80 8 Cf 48
Lesbois 23 29 Zf 58
Lescar 64 138 Zd 89
Leschaux 74 96 Ga 74
Lesche-en-Diois 26 119 Fd 81
Leschelles 62 8 De 49
Lescheraines 73 96 Ga 74
Leschères 39 96 Ff 70
Leschères-sur-le-Blaiseron 52
53 Fa 58
Lescherolles 77 34 Dc 56
Lescheroux 01 95 Fa 70
Lesches 77 33 Ce 55
Lescouët-Gouarec 22 43 We 60
Lescousse 09 140 Bd 90
Lescout 81 141 Ca 87
Lescun 64 137 Zc 91
Lescuns 31 140 Ba 89
Lescure 09 140 Bc 90
Lescure-d'Albigeois 81 127 Cb 85
Lescure-Jaoul 12 127 Ca 83
Lescurry 65 139 Aa 88
Lesdain 59 8 Db 48
Lesdins 02 18 Db 49
Lesges 02 18 Dd 53
Lesgor 40 123 Za 85
Lésignac-Durand 16 89 Ae 73
Lésigny 77 33 Cd 56
Lésigny 86 77 Ae 67
Leslay, Le 22 26 Xa 58
Lesme 71 81 De 68
Lesménils 54 38 Ga 55
Lesmont 10 53 Ec 58
Lesneven 29 24 Ve 57
Lesparre-Médoc 33 98 Za 77
Lesparrou 09 153 Bf 91
Lesperon 40 123 Yf 85
Lespesses 62 7 Cc 45
Lespielle 64 138 Zf 88
Lespignan 34 143 Db 89
Lespinassière 11 142 Cd 88
Lespinoy 62 7 Bf 46
Lespiteau 31 139 Ae 90
Lespourcy 64 138 Zf 88
Lespugue 31 139 Ae 89
Lesquerde 66 154 Cd 92
Lesquielles-Saint-Germain 02
19 Dd 49
Lesquin 59 8 Da 45
Lessac 16 89 Ae 72
Lessard-en-Bresse 71 83 Fa 68
Lessard-et-le-Chêne 14 30 Aa 54
Lessard-le-National 71 82 Ef 67
Lesse 57 38 Gd 55
Lessy 57 38 Ga 54
Lestanville 76 15 Af 50
Lestards 19 102 Bf 75
Lestelle-Bétharram 64 138 Ze 90
Lestelle-de-Saint-Martory 31
140 Af 90
Lesterps 16 89 Ae 72
Lestiac 33 111 Zd 80

Lestiou 41 64 Bd 62
Lestrade-et-Thouels 12 128 Cd 84
Lestre 50 12 Ye 51
Lestrem 62 8 Ce 45
Létanne 08 20 Fa 51
Lételon 03 79 Cd 69
Lethuin 28 49 Bf 58
Letia 2A 158 If 95
Létricourt 54 38 Gb 55
Letteguives 27 16 Bb 52
Leubringhen 62 3 Be 43
Leuc 11 142 Cb 90
Leucamp 15 115 Cd 80
Leucate 11 154 Da 91
Leuchey 52 69 Fd 62
Leudeville 91 33 Cb 57
Leudon-en-Brie 77 34 Db 56
Leuglay 21 68 Ee 62
Leugny 86 76 Aa 68
Leugny 89 77 Ae 67
Leugny 89 66 Ac 62
Leuhan 29 42 Wb 60
Leuilly-sous-Coucy 02 18 Dc 52
Leulinghem 62 3 Ca 44
Leulinghen 62 3 Be 43
Leurville 52 54 Fc 59
Leury 02 18 Dc 52
Leutenheim 67 40 Ia 55
Leuville-sur-Orge 91 33 Cb 57
Leuvrigny 51 35 De 54
Leuy, Le 40 123 Zc 86
Leuze 02 19 Ea 49
Levainville 28 49 Be 58
Leval 59 9 Df 47
Levaré 53 46 Za 58
Levécourt 52 54 Fd 60
Levens 06 135 Hb 85
Levergies 02 18 Db 49
Levernois 21 82 Ef 66
Lèves 28 49 Bc 58
Lèves-et-Thoumeyragues, Les 33 112 Ab 80
Levesville-la-Chenard 28 49 Be 59
Levet 18 79 Cc 67
Levie 2A 159 Ka 98
Levier 25 84 Ga 67
Lévignac 31 126 Bb 86
Lévignac-de-Guyenne 47 112 Ab 81
Lévignacq 40 123 Ye 84
Lévignen 60 34 Cf 53
Lévigny 10 53 Ee 59
Levis 89 66 Dc 65
Lévis-Saint-Nom 78 32 Bf 56
Levoncourt 55 37 Fc 56
Levoncourt 68 71 Hb 64
Levroux 36 78 Bd 67
Lewarde 59 8 Db 46
Lexy 54 21 Fe 52
Ley 57 38 Gd 56
Leychert 09 152 Be 91
Leyme 46 114 Bf 80
Leymen 68 72 Hc 63
Leyment 01 95 Fb 73
Leynes 71 94 Ee 71
Leynhac 15 115 Cb 80
Leyr 54 38 Gb 56
Leyrat 23 91 Cb 70
Leyrieu 38 95 Fb 74
Leyritz-Moncassin 47 112 Ab 82
Leyvaux 15 104 Da 77
Leyviller 57 39 Gf 54
Lez 31 151 Ae 91
Lézan 30 130 Ea 84
Lézardrieux 22 26 Wf 56
Lézat-sur-Lèze 09 140 Bc 89
Lezay 79 88 Zf 71
Lezennes 59 8 Da 45
Lézéville 52 54 Fc 58
Lezey 57 38 Gd 56
Lez-Fontaine 59 10 Ea 47
Lézignac-Durand 16 88 Ad 74
Lézignan 65 138 Zf 90
Lézignan-Corbières 11 142 Ce 90
Lézignan-la-Cèbe 34 143 Dc 88
Lézigné 49 62 Ze 63
Lézigneux 42 105 Ea 75
Lézinnes 89 67 Ea 62
Lezoux 63 92 Dc 74
Lhéraule 60 16 Bf 52
Lherm 31 140 Bb 88
Lherm 46 113 Bb 81
Lhéry 51 35 De 53
Lhommaizé 86 77 Ad 70
Lhomme 72 63 Ad 62
Lhôpital 01 95 Fe 72
Lhor 57 39 Gf 55
Lhoumois 79 76 Zf 68
Lhuis 01 95 Fd 74
L'huître 10 35 Eb 57
Lhuys 02 18 Dd 53
Liac 65 138 Aa 88
Liancourt 60 17 Cc 52
Liancourt-Fosse 80 18 Ce 50
Liancourt-Saint-Pierre 60 16 Bf 53
Liart 08 19 Ec 50
Lias 32 140 Ba 87
Lias-d'Armagnac 32 124 Zf 85
Liausson 34 129 Dc 87
Libaros 65 139 Ac 89
Libercourt 62 8 Cf 46
Libermont 60 18 Cf 50
Libos, Monsempron- 47 113 Af 82
Libourne 33 111 Ze 79
Licey-sur-Vingeanne 21 69 Fc 64
Lichans-Sunhars 64 137 Za 90
Lichères 16 88 Ab 73
Lichères-près-Aigremont 89 67 Df 62
Lichères-sur-Yonne 89 67 Dd 63
Lichos 64 137 Zb 89
Lichtenberg 67 40 Hc 55
Licourt 80 18 Ce 50
Licq-Athérey 64 137 Za 90
Licques 62 3 Bf 44
Licy-Clignon 02 34 Db 54
Lidrezing 57 39 Ge 55
Liebenswiller 68 72 Hc 63
Liebsdorf 68 71 Hb 64
Liederschiedt 57 40 Hc 54
Lieffrans 70 70 Ff 63
Liège, Le 37 63 Ba 65
Liéhon 57 38 Gb 54
Liencourt 62 7 Cc 47
Liepvre 68 56 Hb 59
Liéramont 80 8 Da 49
Liercourt 80 7 Bf 48

Lières 62 7 Cc 45
Liergues 69 94 Ed 73
Liernais 21 68 Eb 65
Liernolles 03 93 De 70
Lierval 02 18 Dd 52
Lierville 60 32 Bf 53
Lies 65 139 Ab 90
Liesle 25 84 Fe 66
Liesse-Notre-Dame 02 19 De 51
Liessies 59 10 Ea 48
Liesville-sur-Douve 50 12 Ye 52
Liettres 62 7 Cc 45
Lieuche 06 134 Ha 84
Lieucourt 70 69 Fd 64
Lieurac 09 141 Be 91
Lieuran-Cabrières 34 143 Dc 87
Lieuran-lès-Béziers 34 143 Db 88
Lieurey 27 15 Ad 53
Lieuron 35 44 Yd 61
Lieusaint 50 12 Yd 52
Lieusaint 77 33 Cc 57
Lieu-Saint-Amand 59 9 Dc 47
Lieutadès 15 116 Cf 79
Lieuvillers 60 17 Cd 52
Liévans 70 70 Gc 63
Liévin 62 8 Ce 46
Liez 02 18 Db 50
Liez 85 75 Zb 70
Liézey 88 56 Ge 60
Liffol-le-Grand 88 54 Fd 59
Liffol-le-Petit 52 54 Fd 59
Liffré 35 45 Yd 59
Ligescourt 80 7 Bf 47
Liginiac 19 103 Cb 76
Liglet 86 77 Ba 69
Lignac 36 77 Bb 70
Lignairolles 11 141 Bf 90
Lignan 34 143 Db 88
Lignan-de-Bazas 33 111 Ze 82
Lignan-de-Bordeaux 33 111 Zd 80
Ligné 16 88 Aa 73
Ligné 44 60 Yd 64
Lignères 61 30 Ab 56
Lignères-Orgères 53 30 Ze 57
Lignereuil 62 8 Cd 47
Lignerolles 03 91 Cd 71
Lignerolles 21 53 Ef 61
Lignerolles 27 32 Bb 55
Lignerolles 36 78 Ca 70
Lignerolles 61 31 Ad 57
Lignéville 88 55 Ff 59
Ligneyrac 19 102 Bd 78
Lignières 10 52 Df 61
Lignières 18 79 Cb 68
Lignières 41 48 Bb 61
Lignières 80 8 Cf 49
Lignières-Châtelain 80 16 Bf 50
Lignières-de-Touraine 37 62 Ac 65
Lignières-en-Vimeu 80 16 Bd 49
Lignières-Sonneville 16 99 Ze 75
Lignières-sur-Aire 55 37 Fc 56
Lignol 56 43 We 60
Lignol-le-Château 10 53 Ee 59
Lignon 51 52 Ed 57
Lignorelles 89 52 De 61
Lignou 61 29 Zd 56
Ligny-en-Barrois 55 37 Fb 56
Ligny-en-Brionnais 71 93 Eb 71
Ligny-Haucourt 59 9 Dc 48
Ligny-le-Châtel 89 52 De 61
Ligny-le-Ribault 45 64 Be 62
Ligny-Saint-Flochel 62 7 Cc 46
Ligny-sur-Canche 62 7 Cc 47
Ligny-Thilloy 62 8 Ce 48
Ligré 37 62 Ab 66
Ligron 72 47 Aa 62
Ligsdorf 68 72 Hb 64
Ligueil 37 77 Af 66
Ligueux 33 112 Ab 80
Ligugé 86 76 Ab 69
Lihons 80 17 Ce 50
Lihus 60 17 Ca 51
Lilhac 31 140 Ad 89
Lille 59 8 Cf 45
Lillebonne 76 15 Ad 51
Lillemer 35 27 Ya 57
Lillers 62 8 Cc 45
Lilly 89 67 Ea 62
Limalonges 16 88 Aa 72
Limans 04 132 Fe 85
Limanton 58 81 De 67
Limas 69 94 Ee 73
Limbrassac 09 141 Bf 90
Limé 02 18 Dd 53
Limendous 64 138 Ze 89
Limeray 37 63 Ba 64
Limersheim 67 57 Hd 58
Limerzel 56 59 Xd 63
Limésy 76 15 Af 51
Limeuil 24 113 Af 79
Limeux 18 79 Ca 66
Limeux 80 7 Be 48
Limeyrat 24 101 Af 78
Limoges 87 89 Bb 74
Limoges-Fourches 77 33 Ce 57
Limogne-en-Quercy 46 114 Bc 82
Limoise 03 80 Da 68
Limon 58 80 Dc 67
Limonest 69 94 Ee 74
Limons 63 92 Dc 73
Limont-Fontaine 59 9 Df 47
Limony 07 106 Ee 76
Limours 91 33 Ca 57
Limousis 11 142 Cc 89
Limoux 11 142 Cb 90
Limouzinière, La 44 74 Yc 67
Limpiville 76 15 Ad 50
Linac 46 114 Ca 81
Linard 23 90 Be 71
Linards 87 90 Bd 74
Linars 16 88 Ab 74
Linas 91 33 Cb 57
Linay 08 21 Fb 51
Linazay 86 88 Ab 71
Lindebeuf 76 15 Af 50
Lindois, Le 16 88 Ad 74
Lindre-Basse 57 39 Ge 56
Lindre-Haute 57 39 Ge 56
Lingé 36 77 Ba 68
Lingeard 50 29 Yf 56
Lingèvres 14 13 Zb 53
Linghem 62 7 Cc 45
Lingolsheim 67 40 He 57
Lingreville 50 28 Yc 55
Linguizzetta 2B 159 Kc 95
Linières-Bouton 49 62 Aa 64

Liniers 86 77 Ad 69
Liniez 36 78 Be 66
Linsdorf 68 72 Hc 63
Linselles 59 4 Da 44
Linthal 68 56 Ha 61
Linthes 51 35 Df 56
Lintot 76 15 Ad 51
Lintot-les-Bois 76 15 Ba 50
Linxe 40 123 Ye 85
Liny-devant-Dun 55 21 Fb 52
Linzeux 62 7 Cb 46
Liocourt 57 38 Gc 55
Liomer 80 16 Be 49
Lion-d'Angers, Le 49 61 Zb 63
Lion-devant-Dun 55 21 Fb 52
Lion-en-Beauce 45 49 Bf 60
Lion-en-Sullias 45 65 Cc 62
Lion-sur-Mer 14 13 Ze 53
Liorac-sur-Louyre 24 112 Ad 79
Liouc 30 130 Df 85
Lioux 84 132 Fb 85
Lioux-les-Monges 23 91 Cc 73
Liposthey 40 110 Za 83
Lirac 30 131 Ee 84
Liré 49 60 Yf 65
Lironcourt 88 55 Ff 61
Lironville 54 37 Ff 55
Liry 08 20 Ef 52
Lisbourg 62 7 Cb 45
Lisieux 14 30 Ab 54
Lisle 24 100 Ad 77
Lisle 41 48 Bb 61
Lisle-en-Barrois 55 36 Fa 55
Lisle-en-Rigault 55 36 Fb 56
Lisle-sur-Tarn 81 127 Be 85
Lislet 02 19 Ea 50
Lison 14 13 Yf 53
Lisores 14 30 Ab 55
Lisors 27 16 Bc 52
Lissac 09 141 Bd 89
Lissac 19 102 Ca 75
Lissac 43 105 Df 78
Lissac-et-Mouret 46 114 Bf 81
Lissac-sur-Couze 19 102 Bc 78
Lissay-Lochy 18 79 Cc 67
Lisse-en-Champagne 51 36 Ed 56
Lisses 91 33 Cc 57
Lisseuil 63 92 Cf 72
Lissey 55 21 Fc 52
Lissieu 69 94 Ee 73
Lissy 77 33 Cc 57
Listrac-de-Durèze 33 112 Aa 80
Listrac-Médoc 33 98 Zb 78
Lit-et-Mixe 40 123 Ye 84
Lithaire 50 12 Yd 53
Litteau 14 13 Za 54
Littenheim 67 40 Hc 56
Litz 60 17 Cb 52
Livaie 61 30 Zf 57
Livarot 14 30 Aa 54
Liverdun 54 38 Ga 56
Liverdy-en-Brie 77 33 Ce 56
Liveringe = Olivese 2A 159 Ka 97
Livernon 46 114 Bf 81
Livers-Cazelles 81 127 Bf 84
Livet 53 46 Zd 59
Livet-en-Saosnois 72 47 Ab 58
Livet-et-Gavet 38 108 Ff 78
Livet-sur-Authou 27 15 Ad 53
Livilliers 95 33 Ca 54
Livinhac-le-Haut 12 115 Cb 81
Livinière, La 34 142 Cd 89
Livré 53 45 Za 61
Livré-sur-Changeon 35 45 Yd 59
Livron 64 138 Zf 90
Livron-sur-Drôme 26 118 Ef 80
Livry 14 29 Zb 54
Livry 58 80 Da 66
Livry-Gargan 93 33 Cd 55
Livry-Louvercy 51 35 Eb 54
Livry-sur-Seine 77 50 Ce 57
Lixhausen 67 40 Hd 56
Lixheim 57 39 Ha 56
Lixing-lès-Rouhling 57 39 Ha 54
Lixing-lès-Saint-Avold 57 39 Ge 54
Lixy 89 51 Da 59
Lizac 82 126 Bb 84
Lizant 86 88 Ab 72
Lizeray 36 78 Bf 67
Lizières 23 90 Bd 71
Lizine 25 84 Ga 66
Lizines 77 51 Db 57
Lizio 56 44 Xc 61
Lizos 65 139 Aa 89
Lizy 02 18 Dc 53
Lizy-sur-Ourcq 77 34 Da 54
Llagonne, la 66 153 Ca 93
Llo 66 153 Ca 94
Llupia 66 154 Ce 93
Lobsann 67 40 Hf 55
Locarn 22 26 Wd 59
Loc-Brévalaire 29 24 Vd 57
Loc-Eguiner 29 25 Vf 58
Loc-Eguiner-Saint-Thégonnec 29 25 Wa 58
Loc-Envel 22 26 We 57
Loch-Guénolé 29 42 Wa 59
Loches 37 77 Af 66
Loches-sur-Ource 21 53 Ed 60
Loché-sur-Indrois 37 77 Bb 66
Locheur, Le 14 29 Zc 54
Lochieu 01 95 Fd 73
Lochwiller 67 39 Hc 56
Locmalo 56 43 Wf 60
Locmaria 56 43 Wf 63
Locmaria-Berrien 29 25 Wb 58
Locmaria-Grand-Champ 56 43 Xb 62
Locmaria-Plouzané 29 24 Vc 58
Locmariaquer 56 58 Xa 63
Locmélar 29 25 Vf 58
Locminé 56 43 Xa 61
Locmiquélic 56 42 Wf 62
Locoal-Mendon 56 43 Wf 62
Locon 62 8 Cd 45
Locqueltas 56 43 Xa 62
Locquénolé 29 25 Wa 57
Locquignol 59 9 De 47
Locquirec 29 25 Wc 56
Locronan 29 41 Ve 60
Locunolé 29 42 Wd 61
Loctudy 29 41 Vd 61
Loddes 03 93 De 71
Lodes 31 139 Ae 89

Lodève 34 129 Db 86
Lods 25 84 Gb 66
Loechle 68 72 Hc 63
Lœuilley 70 69 Fc 64
Lœuilly 80 17 Cb 50
Loge, La 62 7 Ca 46
Loge-aux-Chèvres, La 10 53 Ec 59
Loge-Fougereuse 85 75 Zb 69
Logelheim 68 57 Hc 60
Loge-Pomblin, La 10 52 Ea 60
Loges, les 14 29 Zb 54
Loges, Les 52 69 Fd 62
Loges, les 76 14 Ab 50
Loges-en-Josas, Les 78 33 Ca 56
Loges-Marchis, Les 50 28 Yf 57
Loges-Margueron, Les 10 52 Ea 60
Loges-Saulces, Les 14 30 Ze 55
Loges-sur-Brécey, Les 50 28 Yf 56
Logny-Bogny 08 20 Ec 50
Logny-lès-Aubenton 02 19 Eb 50
Logrian-Florian 30 130 Ea 85
Logron 28 48 Bc 60
Loguivy-Plougras 22 25 Wd 57
Logunec'h = Locminé 56 43 Xa 61
Lohéac 35 44 Ya 61
Lohitzun-Oyhercq 64 137 Za 89
Lohr 67 39 Hb 55
Lohuec 22 25 Wc 58
Loigné-sur-Mayenne 53 46 Zb 61
Loigny-la-Bataille 28 49 Be 60
Loiré 49 61 Zb 63
Loire-les-Marais 17 86 Za 73
Loiré-sur-Nie 17 87 Ze 73
Loire-sur-Rhône 69 106 Ee 75
Loiron 53 46 Zb 60
Loisail 61 31 Ad 57
Loisey-Culey 55 37 Fb 56
Loisia 39 83 Fc 70
Loisieux 73 107 Fe 75
Loisin 74 96 Gb 71
Loison-sous-Lens 62 8 Ce 46
Loison-sur-Créquoise 62 7 Be 46
Loisy 54 38 Ga 55
Loisy 71 83 Fa 69
Loisy-en-Brie 51 35 Df 55
Loisy-sur-Marne 51 36 Ed 56
Loivre 51 19 Df 52
Loix 17 86 Yf 71
Lokorren = Saint-Renan 29 24 Vc 58
Lolif 50 28 Yd 56
Lolme 24 113 Af 80
Lombard 25 84 Ff 66
Lombard 39 83 Fd 66
Lombers 81 127 Ca 86
Lombez 32 140 Af 88
Lombia 64 138 Zf 89
Lombrès 65 139 Ad 90
Lombreuil 45 50 Cd 61
Lombron 72 47 Ac 60
Lomme 59 4 Cf 45
Lommerange 57 22 Ff 53
Lommoye 78 32 Bd 55
Lomné 65 139 Ab 90
Lomont 70 71 Ge 63
Lomont-sur-Crête 25 70 Gc 64
Lompnas 01 95 Fd 74
Lompnieu 01 95 Fd 73
Lompret 59 4 Cf 44
Lonçon 64 138 Zd 88
Londe, La 76 15 Ba 52
Londe-les-Maures, La 83 147 Ga 90
Londigny 16 88 Aa 72
Long 80 7 Bf 48
Longages 31 140 Bb 88
Longaulnay 35 45 Ya 59
Longavesnes 80 8 Da 49
Longchamp 21 69 Fb 65
Longchamp 52 54 Fc 60
Longchamp 88 55 Gc 59
Longchamps 27 16 Bd 52
Longchamps-sur-Aire 55 37 Fb 55
Longchamp-sur-Aujon 10 53 Ed 60
Longcochon 39 84 Ga 68
Longeault 24 79 Fb 65
Longeaux 55 37 Fb 56
Longechaux 25 70 Gc 65
Longechenal 38 107 Fc 76
Longecombe 01 95 Fd 73
Longecourt-en-Plaine 21 69 Fa 65
Longecourt-lès-Culêtre 21 68 Ee 66
Longemaison 25 70 Gc 65
Longepierre 71 83 Ff 67
Longeron, Le 49 74 Yf 66
Longes 69 106 Ee 76
Longessaigne 69 94 Ec 74
Longevelle 70 70 Gc 63
Longevelle-lès-Russey 25 71 Gd 65
Longevelle-sur-Doubs 25 71 Gd 64
Longèves 17 86 Za 71
Longèves 85 75 Za 70
Longeville 25 84 Ff 68
Longeville-en-Barrois 55 37 Fb 56
Longeville-lès-Metz 57 38 Ga 54
Longeville-lès-Saint-Avold 57 38 Gd 54
Longevilles-Hautes 25 84 Gc 68
Longevilles-Mont-d'Or 25 84 Gb 68
Longeville-sur-la-Laines 52 53 Ee 58
Longeville-sur-Mer 85 74 Yd 70
Longeville-sur-Mogne 10 52 Ea 60
Longfossé 62 3 Be 45
Longine, la 70 70 Gc 62
Longjumeau 91 33 Cb 56
Longlaville 54 21 Fe 51
Longmesnil 76 16 Bd 51
Longnes 72 47 Zf 61
Longny-au-Perche 61 31 Ae 57
Longpont 02 18 Db 53
Longpont-sur-Orge 91 33 Cb 57
Longpré-le-Sec 10 53 Ed 59
Longpré-les-Corps-Saints 80 7 Bf 48
Longraye 14 13 Zb 53
Longré 16 88 Zf 72
Longsols 10 52 Eb 58
Longué 49 62 Zf 64
Longueau 80 17 Cc 49

Longuefuye 53 46 Zc 61
Longueil 76 15 Af 49
Longueil-Annel 60 18 Cf 52
Longueil-Sainte-Marie 60 17 Ce 52
Longuenesse 62 3 Cb 44
Longuenoue 53 46 Zb 60
Longuerue 76 16 Bb 52
Longuesse 95 32 Bf 54
Longues-sur-Mer 14 13 Zb 52
Longueval 80 8 Ce 48
Longueval-Barbonval 02 19 Dd 52
Longueville 14 13 Za 53
Longueville 47 112 Ab 82
Longueville 50 28 Yc 55
Longueville 62 3 Bf 44
Longueville 77 34 Db 57
Longueville-sur-Aube 10 35 Df 57
Longueville-sur-Scie 76 15 Ba 50
Longuevillette 80 7 Cb 48
Longuyon 54 21 Fd 52
Longvic 21 69 Fa 65
Longvillers 14 29 Zc 54
Longvillers 62 7 Be 45
Longvilliers 78 32 Bf 57
Longwé 08 20 Ee 52
Longwy 54 21 Fe 51
Longwy-sur-le-Doubs 39 83 Fc 67
Lonlay-l'Abbaye 61 29 Zb 57
Lonlay-le-Tesson 61 29 Zd 57
Lonnes 16 88 Aa 73
Lonny 08 20 Ed 50
Lonrai 61 47 Aa 58
Lons 64 138 Zd 89
Lons-le-Saunier 39 83 Fd 68
Lonzac 17 99 Zd 75
Looberghe 59 3 Cb 43
Loon-Plage 59 3 Cb 42
Loos 59 8 Da 45
Loos-en-Gohelle 62 8 Ce 46
Looze 89 51 Dc 61
Lopérec 29 25 Vf 59
Loperhet 29 25 Wa 59
Lopigna 2A 158 If 96
Loqueffret 29 25 Wa 59
Lor 02 19 Ea 51
Loray 25 71 Gd 66
Lorcières 15 116 Db 79
Lorcy 45 50 Cd 60
Lordat 09 153 Be 92
Loré 61 29 Zc 58
Lorentzen 67 39 Hb 55
Loreto-di-Casinca 2B 157 Kc 94
Loreto-di-Tallano 2A 159 Ka 98
Lorette 42 106 Ed 75
Loretu di Casinca = Loreto-di-Casinca 2B 157 Kc 94
Loretu di Tadda = Loreto-di-Tallano 2A 159 Ka 98
Loreur, Le 50 28 Yd 55
Loreux 41 64 Be 64
Lorey, Le 50 28 Ye 54
Lorey 54 55 Gd 57
Lorges 41 49 Bf 61
Lorgies 62 8 Ce 45
Lorgues 83 147 Gc 87
Lorient 33 111 Zd 80
Lorient 56 42 Wd 62
Loriges 03 92 Dc 71
Lorignac 17 99 Zb 76
Lorigné 79 88 Aa 72
Loriol-du-Comtat 84 131 Fa 84
Loriol-sur-Drôme 26 118 Ee 80
Lorlanges 43 104 Db 77
Lorleau 27 16 Bc 52
Lormaison 60 17 Ca 53
Lormaye 28 32 Bd 57
Lormes 58 67 De 65
Lormont 33 111 Zc 79
Lornay 74 96 Ff 73
Loromontzey 54 55 Gc 58
Loroux, Le 35 45 Yf 58
Loroux-Bottereau, Le 44 60 Yd 65
Lorp-Sentaraille 09 140 Ba 90
Lorquin 57 39 Gf 56
Lorrez-le-Bocage 77 51 Cf 59
Lorris 45 50 Cd 61
Lorry-lès-Metz 57 38 Ga 54
Lorry-Mardigny 57 38 Ga 55
Lortet 65 139 Ac 90
Loscouët-sur-Meu 22 44 Xe 59
Losne 21 83 Fb 66
Losse 40 124 Aa 85
Lostanges 19 102 Be 78
Lostroff 57 39 Gf 55
Lothey 57 42 Vf 59
Lottinghen 62 3 Bf 44
Louailles 72 46 Ze 62
Louannec 22 26 Wd 56
Louans 37 63 Ae 65
Louan-Villegruis-Fontaine 77 34 Dc 57
Louargat 22 26 Wd 57
Loûatre 02 18 Db 53
Loubajac 65 138 Zf 90
Loubaresse 15 116 Db 79
Loubaut 09 140 Bb 89
Loubédat 32 124 Aa 86
Loubejac 24 113 Ba 81
Loubens 09 140 Bd 90
Loubens 33 111 Zf 81
Loubens-Lauragais 31 141 Be 87
Loubers 81 127 Bf 84
Loubès-Bernac 47 112 Ab 80
Loubeyrat 63 92 Da 73
Loubière, La 12 115 Ce 82
Loubières 09 141 Bd 90
Loubigné 79 88 Zf 72
Loubillé 79 88 Zf 72
Loubressac 46 114 Be 79
Loucé 61 30 Zf 56
Loucelles 14 13 Zc 53
Louches 62 3 Ca 43
Louchats 33 111 Zc 81
Louchy-Montfand 03 92 Db 71
Loucrup 65 138 Zf 90
Loudéac 22 43 Xb 59
Loudervielle 65 150 Ac 92
Loudes 43 105 De 78
Loudet 31 139 Ad 90
Loudieg = Loudéac 22 43 Xb 59
Loudrefing 57 39 Gf 55
Lou-du-Lac, Le 35 44 Ya 59
Loudun 86 76 Aa 66
Loué 72 47 Zf 61
Louer 40 123 Zb 85
Louesme 21 53 Ee 61
Louestault 37 63 Ad 63
Loueuse 60 16 Be 51
Louey 65 138 Aa 90

Lougé-sur-Maire 61 30 Ze 56
Lougratte 47 112 Ad 81
Lougres 21 71 Ge 64
Louhans 71 82 Fb 69
Louhossoa 64 136 Yd 89
Louignac 19 101 Bb 77
Louin 79 76 Ze 68
Louisfert 44 60 Yf 62
Louit 65 139 Aa 89
Loulans-Verchamp 70 70 Gb 64
Loulay 17 87 Zc 72
Loulle 39 84 Ff 68
Loupe, La 28 48 Ba 58
Loupeigne 02 18 Dd 53
Loupershouse 57 39 Gf 54
Loupes 33 111 Zd 80
Loupfougères 53 46 Zd 58
Loupia 11 141 Ca 90
Loupiac 33 111 Zf 81
Loupiac 46 113 Ba 81
Loupiac 46 114 Bc 80
Loupiac 81 127 Be 84
Loupiac-de-la-Réole 33 111 Zf 81
Louplande 34 143 Db 88
Loupmont 55 37 Fb 55
Louppy-le-Château 55 36 Fa 55
Louppy-sur-Chée 55 37 Fb 55
Louppy-sur-Loison 55 21 Fd 52
Louptière-Thénard, La 10 51 Dc 58
Lourches 59 9 Dc 47
Lourde 31 139 Ad 91
Lourdes 65 138 Zf 90
Lourdios-Ichere 64 137 Zb 90
Lourdoueix-Saint-Michel 36 78 Bd 70
Lourdoueix-Saint-Pierre 23 78 Be 70
Lourenties 64 138 Zf 89
Loures-Barousse 65 139 Ad 90
Louresse-Rochemenier 49 61 Ze 65
Lourmais 35 28 Yb 58
Lourmarin 84 132 Fc 86
Lournand 71 82 Ed 70
Lourouer-Saint-Laurent 36 79 Ca 69
Louroux, Le 37 63 Ae 66
Louroux-Béconnais, Le 49 61 Za 63
Louroux-Bourbonnais 03 80 Cf 69
Louroux-de-Beaune 03 92 Cf 71
Louroux-de-Bouble 03 92 Da 72
Louroux-Hodement 03 79 Ce 70
Lourquen 40 123 Zb 86
Lourties-Monbrun 32 139 Ad 88
Loury 45 50 Ca 61
Louslitges 32 125 Aa 87
Loussous-Débat 32 124 Aa 87
Loutehel 35 44 Xf 61
Loutzviller 57 39 Hc 54
Louvagny 14 30 Zf 55
Louvaines 49 61 Zb 63
Louvatange 39 69 Fe 65
Louveciennes 78 33 Ca 55
Louvemont 52 36 Ef 57
Louvencourt 80 8 Cd 48
Louvenne 39 83 Fc 70
Louvergny 08 20 Ee 51
Louverné 53 46 Zb 60
Louversey 27 31 Af 55
Louvetot 76 15 Ad 51
Louvie-Juzon 64 138 Zd 90
Louvières 14 13 Za 52
Louvières 52 54 Fb 60
Louvières-en-Auge 61 30 Aa 55
Louviers 27 16 Ba 53
Louvigné 53 46 Zc 60
Louvigné-de-Bais 35 45 Ye 60
Louvigné-du-Désert 35 28 Yf 58
Louvignies-an-Dezerzh = Louvigné-du-Désert 35 28 Yf 58
Louvignies 59 9 Dd 47
Louvigny 14 13 Zd 53
Louvigny 57 38 Ga 55
Louvigny 64 138 Zd 87
Louvigny 72 47 Aa 59
Louville-la-Chenard 28 49 Be 59
Louvilliers-en-Drouais 28 32 Bc 56
Louvilliers-lès-Perche 28 31 Ba 57
Louvois 51 35 Ea 54
Louvrechy 80 17 Cc 50
Louvres 95 33 Cd 54
Louvroil 59 9 Df 47
Louye 27 32 Bb 56
Louzac-Saint-André 16 87 Zd 74
Louze 52 53 Ee 58
Louzignac 17 87 Ze 73
Louzy 79 76 Ze 66
Lovagny 74 96 Ga 73
Loyat 56 44 Xd 61
Loye, La 39 83 Fd 66
Loye-sur-Arnon 18 79 Cc 69
Loyettes 01 95 Fb 74
Lozay 17 87 Zc 72
Loze 82 127 Bc 83
Lozinghem 62 8 Cd 45
Lozon 50 12 Ye 54
Lozzi 2B 156 Ka 94
Luant 36 78 Bd 67
Lubbon 40 124 Aa 84
Lubécourt 57 38 Gd 55
Lubersac 19 101 Bc 76
Lubey 54 21 Ff 53
Lubilhac 43 104 Db 77
Lubine 88 56 Ha 59
Lublé 37 62 Ab 63
Lubret-Saint-Luc 65 139 Ab 89
Luby-Betmont 65 139 Ab 89
Luc 12 115 Cd 83
Luc 48 117 Df 81
Luc 65 139 Ab 90
Luc, Le 83 147 Gb 88
Luc-Armau 64 138 Zf 88
Luçay-le-Libre 36 78 Bf 66
Luçay-le-Mâle 36 78 Bc 66
Lucbardez-et-Bargues 40 124 Zd 85
Lucciana 2B 157 Kc 93
Lucé 28 49 Bc 58
Lucé 61 29 Zd 57
Lucé-sous-Ballon 72 47 Aa 59
Luceau 72 62 Ac 62
Lucelle 68 72 Hb 64
Lucenay 69 94 Ee 73

Moragne 17 87 Zb 73
Morainville-Jouveaux 27 15 Ac 53
Morains 51 35 Df 56
Morainvilliers 78 32 Bf 55
Morancé 69 94 Ee 73
Morancez 28 49 Bc 58
Morancourt 52 53 Fa 58
Morand 37 63 Ba 63
Morangis 51 35 Df 55
Morangles 60 33 Cb 53
Morannes 49 61 Zd 62
Moranville 55 37 Fd 53
Moras 38 107 Fb 74
Moras-en-Valloire 26 106 Ef 77
Morbecque 59 4 Cd 44
Morbier 39 84 Ga 69
Morcenx 40 123 Za 84
Morchain 80 18 Cf 50
Morchies 62 8 Cf 48
Morcourt 02 18 Dc 49
Morcourt 80 17 Cd 49
Mordelles 35 44 Ya 60
Moré 69 94 Ed 73
Moréac 56 43 Xb 61
Morée 41 48 Bb 61
Moreilles 85 74 Yf 70
Morelmaison 88 55 Ff 59
Morembert 10 52 Ec 57
Morestel 38 107 Fc 74
Morette 38 107 Fc 77
Moreuil 80 17 Cc 50
Morey 71 82 Ed 68
Morey-Saint-Denis 21 69 Ef 65
Morez 39 84 Ga 69
Morfontaine 54 21 Fe 52
Morganx 40 123 Zc 87
Morgny 27 16 Bd 52
Morgny-en-Thiérache 02 19 Ea 50
Morgny-la-Pommeraye 76 16 Bb 51
Morgon, Villié- 69 94 Ee 72
Morhange 57 38 Gd 55
Moriat 63 104 Db 76
Morienne 61 16 Be 50
Morienval 60 18 Cf 53
Morières-lès-Avignon 84 131 Ef 85
Moriers 28 49 Bc 59
Morieux 22 27 Xc 57
Morigny 50 29 Yf 55
Morigny-Champigny 91 50 Cb 58
Morillon 74 97 Ge 72
Moringhem 62 3 Ca 44
Morionvilliers 52 54 Fc 58
Morisel 80 17 Cc 50
Moriville 88 55 Gc 58
Morizécourt 88 54 Ff 60
Morizès 33 111 Zf 81
Morlaàs 64 138 Ze 88
Morlac 18 79 Cb 68
Morlaix 29 25 Wb 57
Morlancourt 80 8 Cd 49
Morlanne 64 138 Zc 87
Morlet 71 82 Ed 67
Morley 55 37 Fe 57
Morlhon-le-Haut 12 114 Ca 83
Morlincourt 60 18 Da 51
Mormaison 85 74 Yd 67
Mormant 77 34 Cf 57
Mormant-sur-Vernisson 45 50 Ce 61
Mormès 32 124 Zf 86
Mormoiron 84 132 Fb 84
Mornac 16 88 Ab 74
Mornac-sur-Seudre 17 86 Yf 74
Mornand 42 105 Ea 74
Mornans 26 119 Fa 81
Mornant 69 106 Ee 75
Mornas 84 131 Ee 83
Mornay 71 82 Ec 69
Mornay-Berry 18 80 Cf 66
Mornay-sur-Allier 18 80 Da 68
Mornex 74 96 Gb 72
Moroges 71 82 Ee 68
Morosaglia 2B 157 Kb 94
Morre 25 70 Ga 65
Morsain 02 18 Db 52
Morsains 51 34 Dd 56
Morsalines 50 12 Ye 51
Morsan 27 31 Ad 53
Morsang-sur-Orge 91 33 Cc 57
Morsang-sur-Seine 91 33 Cd 57
Morsbach 57 39 Gf 53
Morsbronn-les-Bains 67 40 He 55
Morschwiller 67 40 Hd 56
Morschwiller-le-Bas 68 71 Hb 62
Morsiglia 2B 157 Kc 91
Mortagne 88 56 Ge 59
Mortagne-au-Perche 61 31 Ad 57
Mortagne-du-Nord 59 9 Dc 45
Mortagne-sur-Gironde 17 98 Zb 76
Mortagne-sur-Sèvre 85 75 Za 67
Mortain 50 29 Za 57
Mortcerf 77 34 Cf 56
Morte, La 38 108 Ff 78
Morteau 25 85 Gd 66
Morteaux-Coulibœuf 14 30 Zf 55
Mortefontaine 02 18 Da 52
Mortefontaine 60 33 Cd 54
Mortefontaine-en-Thelle 60 17 Cb 52
Mortemart 87 89 Af 72
Mortemer 60 17 Ce 51
Mortemer. 76 16 Bd 50
Mortery 77 34 Db 57
Morthomiers 18 79 Cb 66
Mortiers 02 19 De 50
Mortiers 17 99 Ze 76
Morton 86 62 Zf 66
Mortrée 61 30 Aa 57
Mortroux 23 90 Bf 70
Mortzwiller 68 71 Ha 62
Morval 62 8 Cf 48
Morvillars 90 71 Gf 63
Morville 50 12 Yd 52
Morville 88 54 Fe 59
Morville-en-Beauce 45 50 Cb 59
Morville-lès-Vic 57 38 Gd 56
Morville 80 16 Bf 51
Morvillers-Saint-Saturnin 80 16 Be 50
Morvilliers 10 53 Ed 58
Morvilliers 28 31 Af 57

Mory 62 8 Cf 48
Mory-Montcrux 60 17 Cc 51
Morzhell = Mordelles 35 44 Ya 60
Morzine 74 97 Ge 71
Mosles 14 13 Zc 53
Moslins 51 35 Df 55
Mosnac 17 99 Zc 75
Mosnac 16 100 Zf 75
Mosnay 36 78 Bd 69
Mosnes 37 63 Ba 64
Mosset 66 153 Cc 92
Mosson 21 53 Ed 61
Mostuéjouls 12 129 Db 83
Mothe-Achard, La 85 74 Yc 69
Mothern 67 40 Ia 55
Mothe-Saint-Héray, La 79 76 Zf 70
Motreff 29 42 Wc 59
Motte, la 22 27 Xe 57
Motte, la 22 43 Xb 59
Motte, La 83 142 Gf 87
Motte-Chalancon, La 26 119 Fc 82
Motte-d'Aigues, La 84 132 Fd 86
Motte-d'Aveillans, La 38 119 Fe 79
Motte-de-Galaure, La 26 106 Ef 77
Motte-Fanjas, La 26 107 Fb 78
Motte-Feuilly, La 36 79 Ca 69
Motte-Fouquet, La 61 30 Ze 57
Motte-Saint-Jean, La 71 81 Df 70
Motte-Saint-Martin, La 38 119 Fe 79
Motte-Servolex, La 73 108 Ff 75
Motte-Ternant, La 21 68 Eb 65
Motte-Tilly, La 10 51 De 58
Motteville 76 15 Af 51
Mottier 38 107 Fb 76
Motz 73 96 Ff 73
Mouais 44 45 Yc 62
Mouans-Sartoux 06 134 Gf 87
Mouaville 54 37 Fe 53
Mouazé 35 45 Yc 59
Mouchamps 85 74 Yf 68
Mouchan 32 125 Ab 85
Mouchard 39 84 Fe 67
Mouche, La 50 28 Yd 56
Mouchès 32 125 Ab 87
Mouchin 59 9 Dc 46
Mouchy-le-Châtel 60 17 Cb 53
Moudeyres 43 117 Ea 79
Mouen 14 29 Zd 54
Mouettes 27 32 Bc 55
Mouffy 89 67 Dd 63
Mouflaines 27 16 Bd 53
Mouflers 80 7 Ca 48
Mouflières 80 7 Be 49
Mougins 06 134 Gf 87
Mougon 79 87 Ze 71
Mouguerre 64 136 Yd 88
Mouhers 36 78 Be 69
Mouhet 36 90 Bc 70
Mouhous 64 138 Zd 88
Mouillac 33 99 Zd 78
Mouillac 82 127 Bd 83
Mouille, La 39 84 Ff 69
Mouilleron-en-Pareds 85 75 Za 68
Mouilleron-le-Captif 85 74 Yd 68
Mouilly 55 37 Fd 54
Moulainville 55 37 Fc 54
Moularès 81 128 Cb 84
Moulay 53 46 Zc 59
Moulayrès 81 127 Ca 86
Moulédous 65 139 Ab 89
Moulès-et-Baucels 34 130 De 85
Mouleydier 24 112 Ad 79
Mouliherne 49 62 Aa 64
Moulin-Engilbert 58 81 De 67
Moulins-en-Tonnerrois 89 67 Ea 62
Moulicent 61 31 Ae 57
Mouliets-et-Villemartin 33 111 Zf 79
Moulin-de-la-Croisée 17 86 Za 72
Moulineaux 76 15 Af 52
Moulines 14 30 Zd 55
Moulines 50 29 Yf 57
Moulines-en-Queyras 05 121 Gf 80
Moulinet 06 135 Hc 85
Moulinet 47 112 Ad 81
Moulinet-sur-Solin, Le 45 50 Cd 61
Moulin-Mage 81 128 Ce 86
Moulin-Neuf 09 141 Bf 90
Moulin-Neuf 24 100 Aa 78
Moulins 02 19 De 52
Moulins 02 34 Dc 54
Moulins 03 80 Dc 69
Moulins 35 45 Yd 61
Moulins-Engilbert 58 81 De 67
Moulins-en-Tonnerrois 89 67 Ea 62
Moulins-la-Marche 61 31 Ac 57
Moulins-le-Carbonnel 72 47 Zf 58
Moulins-lès-Metz 57 38 Ga 54
Moulin-sous-Touvent 60 18 Da 52
Moulins-Saint-Hubert 55 20 Fa 51
Moulins-sur-Céphons 36 78 Bd 66
Moulins-sur-Orne 61 30 Zf 56
Moulins-sur-Ouanne 89 66 Dc 62
Moulins-sur-Yèvre 18 79 Cd 66
Moulin-Vieux 38 108 Ff 78
Moulis 09 140 Ba 91
Moulis-en-Médoc 33 98 Zb 78
Moulismes 86 89 Ae 71
Moulle 62 3 Ca 44
Moulon 33 111 Ze 79
Moulon 45 50 Cb 60
Moulotte 55 37 Fe 54
Moult 14 30 Zf 54
Moumoulous 65 139 Ab 88
Moumour 64 137 Zc 88
Mounes-Prohencoux 12 128 Cf 86
Mourède 32 125 Ab 86
Mourens 33 111 Ze 79
Mourenx 64 137 Zc 88
Moureuille 63 92 Cf 72
Mourèze 34 143 Dc 86
Mouriès 13 131 Ef 86
Mouriez 62 7 Be 46
Mourioux 23 90 Bf 70
Mourjou 15 115 Cb 80
Mourmelon-le-Grand 51 36 Ec 54

Mourmelon-le-Petit 51 35 Eb 54
Mournans-Charbonny 39 84 Ff 68
Mournède, Aujan- 32 139 Ac 88
Mouron 08 20 Ef 53
Mouron-sur-Yonne 58 67 De 65
Mours 95 33 Cb 54
Mours-Saint-Eusèbe 26 106 Fa 78
Mouscardès 40 123 Za 87
Moussac 30 130 Eb 84
Moussac 86 77 Af 70
Moussages 15 103 Cc 77
Moussan 11 143 Cf 89
Moussé 35 45 Ye 61
Mousseaux-lès-Bray 77 51 Db 58
Mousseaux-Neuville 27 32 Bc 55
Mousseaux-sur-Seine 78 32 Bf 54
Moussey 10 52 Ea 59
Moussey 57 39 Ge 56
Moussey 88 56 Ha 58
Moussières, Les 39 96 Ff 70
Mousson 54 38 Ga 55
Moussonvilliers 61 31 Ae 57
Moussoulens 11 142 Cb 89
Moussy 51 35 Df 54
Moussy 58 66 Dc 65
Moussy 95 32 Bf 54
Moussy-le-Neuf 77 33 Cd 54
Moussy-le-Vieux 77 33 Cd 54
Moussy-Verneuil 02 19 Dd 52
Moustajon 31 151 Ad 92
Moustey 40 123 Zb 82
Moustier 47 112 Ab 81
Moustier-en-Fagne 59 10 Eb 48
Moustiers-Sainte-Marie 04 133 Gb 85
Moustier-Ventadour 19 102 Ca 76
Moustoir, le 22 42 Wc 59
Moustoir-Ac 56 43 Xb 61
Moustoir-Remungol 56 43 Xa 61
Moutade, La 63 92 Db 73
Moutardon 16 88 Ab 72
Moutaret, Le 38 108 Ga 76
Moutherhouse 57 39 Hc 55
Mouterre-Silly 86 76 Aa 67
Mouterre-sur-Blourde 86 89 Ae 71
Mouthe 25 84 Ga 68
Mouthier-en-Bresse 71 83 Fc 67
Mouthier-Haute-Pierre 25 84 Gb 66
Mouthiers-sur-Boëme 16 100 Aa 75
Mouthoumet 11 154 Cd 91
Moutier-d'Ahun 23 90 Ca 72
Moutier-Rozeille 23 91 Cb 73
Moutiers 28 49 Bc 59
Moutiers 35 45 Ye 61
Moûtiers 73 109 Gd 76
Moutiers, Les 44 59 Xf 66
Moutiers-au-Perche 61 48 Af 58
Moutiers-Hubert, Les 14 30 Ab 55
Moutiers-les-Mauxfaits 85 74 Yd 70
Moutiers-Saint-Jean 21 67 Eb 63
Moutiers-sous-Argenton 79 75 Zd 67
Moutiers-sous-Chantemerle 79 75 Zc 68
Moutiers-sur-le-Lay 85 74 Yf 69
Mouton 16 88 Ab 73
Moutonne 39 83 Fd 69
Moutonneau 16 88 Ab 73
Moutoux 39 84 Ff 68
Moutrot 54 37 Ff 57
Mouvaux 59 4 Da 44
Moux 11 142 Cd 89
Moux-en-Morvan 58 67 Ea 65
Mouxy 73 108 Ff 74
Mouy 60 17 Cb 53
Mouy-sur-Seine 77 51 Db 58
Mouzay 37 63 Af 66
Mouzay 55 21 Fb 52
Mouzeil 44 60 Yd 64
Mouzens 24 113 Ba 79
Mouzens 81 141 Bf 87
Mouzeuil-Saint-Martin 85 74 Za 70
Mouziéys-Panens 81 127 Bf 84
Mouziéys-Teulet 81 128 Cb 85
Mouzillon 44 60 Ye 66
Mouzon 08 20 Fa 51
Mouzon 16 88 Ad 72
Moyaux 14 30 Ab 53
Moydans 05 119 Fd 82
Moye 74 96 Ff 73
Moyemont 88 55 Gd 58
Moyen 54 56 Ge 58
Moyencourt 80 18 Cf 50
Moyencourt-lès-Poix 80 17 Ca 50
Moyenmoutier 88 56 Gf 58
Moyenneville 62 8 Cf 47
Moyenneville 60 17 Cd 52
Moyenneville 80 7 Be 48
Moyenvic 57 38 Gd 56
Moyeuvre-Grande 57 22 Ga 53
Moyeuvre-Petite 57 22 Ga 53
Moyon 50 29 Yf 55
Moyrazès 12 115 Cc 82
Moyvillers 60 17 Ce 52
Mozac 63 92 Da 73
Mozé-sur-Louet 49 61 Zc 64
Mucale, U = Moncale 2B 156 If 93
Muchedent 76 15 Bb 50
Muel 35 44 Xf 60
Muespach 68 72 Hc 63
Muespach-le-Haut 68 72 Hc 63
Mugron 40 123 Zb 86
Muhlbach-sur-Bruche 67 39 Hb 57
Muhlbach-sur-Munster 68 56 Ha 60
Muides-sur-Loire 41 64 Bd 63
Muidorge 60 17 Ca 52
Muids 27 16 Bb 53
Muille 80 18 Da 51
Muirancourt 60 18 Da 51
Muizon 51 35 Df 53
Mujouls, Les 06 134 Gf 85
Mulcent 91 32 Bf 55
Mulcey 57 38 Gd 56
Mulhausen 67 40 Hd 55

Mulhouse 68 72 Hb 62
Mulsanne 72 47 Ab 61
Mulsans 41 64 Bc 62
Mun 65 139 Ab 89
Munacia d'Auddé, A = Monacia-d'Allène 2A 160 Ka 99
Munchhausen 68 57 Hd 61
Munchhouse 68 57 Hd 61
Muncq-Nieurlet 62 3 Ca 43
Mundolsheim 67 40 He 57
Muneville-le-Bingard 50 12 Yd 54
Muneville-sur-Mer 50 28 Yd 55
Mung, Le 17 87 Zb 73
Munchenheim 68 57 Hc 60
Munster 68 56 Ha 60
Munticellu,U = Monticello 2B 156 If 93
Muntzenheim 68 57 Hc 60
Munwiller 68 56 Hc 61
Muracciole 2B 159 Kb 95
Murasson 12 128 Ce 86
Murat 63 103 Cf 74
Murat 15 103 Cf 78
Murat-le-Quaire 63 103 Ce 75
Murat-sur-Vèbre 81 128 Cf 86
Muraz, La 74 96 Gb 72
Murbach 68 56 Ha 61
Mur-de-Barrez 12 115 Cd 79
Mûr-de-Bretagne 22 43 Xa 59
Mur-de-Sologne 41 64 Bd 64
Mure, La 04 134 Gd 85
Mure, La 38 119 Fe 79
Mureaumont 60 16 Be 51
Mureaux, les 78 32 Bf 55
Mureils 26 106 Ef 77
Mûres 74 96 Ga 74
Muret 31 140 Bb 88
Muret-et-Crouttes 02 18 Dc 53
Muret-le-Château 12 115 Cd 82
Murette, la 38 107 Fd 77
Murianette 38 108 Fe 77
Murinais 38 107 Fb 77
Murles 34 130 De 86
Murlin 58 66 Da 66
Muro 2B 156 If 93
Murol 63 103 Ce 75
Murols 12 115 Cd 80
Muron 17 87 Zb 72
Murs 36 77 Be 67
Murs 84 132 Fb 85
Murs-Erigné 49 61 Zc 64
Murs-et-Gélignieux 01 107 Fd 75
Mursiglia = Morsiglia 2B 157 Kc 91
Murtin-et-Bogny 08 20 Ed 50
Murvaux 55 21 Fb 52
Murvaux 55 21 Fb 52
Murviel-lès-Béziers 34 143 Da 88
Murviel-lès-Montpellier 34 144 De 87
Murville 54 21 Fe 52
Murzo 2A 158 le 96
Murzu = Murzo 2A 158 le 96
Mus 30 130 Eb 85
Musculdy 64 137 Za 89
Mussey-sur-Marne 52 54 Fa 58
Mussidan 24 100 Ac 78
Mussig 67 57 Hc 59
Mussy-la-Fosse 21 68 Ec 63
Mussy-sous-Dun 71 93 Eb 71
Mussy-sur-Seine 10 53 Ec 61
Museleu = Mausoléo 2B 156 Ka 93
Mutigney 39 69 Fd 65
Mutigny 51 35 Ea 54
Mutrécy 14 29 Zd 54
Muttersholtz 67 57 Hd 59
Mutzenhouse 67 40 Hd 56
Mutzig 67 40 Hc 57
Muy, Le 83 148 Gd 88
Muzeray 55 21 Fd 52
Muzillheg = Muzillac 56 59 Xd 63
Muzillac 56 59 Xd 63
Muzy 27 32 Bc 56
Myans 73 108 Ff 75
Myennes 58 66 Cf 64
Myon 25 84 Ff 66

N

Nabas 64 137 Zb 89
Nabinaud 16 100 Ab 77
Nabirat 24 113 Bb 80
Nabringhen 62 3 Bf 44
Nachamps 17 87 Zc 72
Nadaillac 24 101 Bc 78
Nadaillac-de-Rouge 46 113 Bc 79
Nades 03 92 Cf 72
Nadillac 46 114 Bd 81
Nagel-Séez-Mesnil 27 31 Af 55
Nages 81 128 Ce 86
Nages-et-Solorgues 30 130 Eb 86
Nahuja 66 152 Bf 94
Nailhac 24 101 Bc 78
Naillat 23 90 Bd 71
Nailloux 31 141 Bd 89
Nailly 89 51 Da 59
Nainville-les-Roches 91 50 Cd 57
Naisey-les-Granges 25 70 Gb 65
Naives-Rosières 55 37 Fc 55
Naix-aux-Forges 55 37 Fc 57
Naizin 56 43 Xb 61
Najac 12 127 Bf 83
Nalliers 85 74 Yf 70
Nalliers 86 77 Af 69
Nalzen 09 152 Be 91
Nambsheim 68 57 Hd 61
Nampcel 60 18 Da 52
Nampcelles-la-Cour 02 19 Ea 50
Nampont-Saint-Martin 80 7 Be 46
Namps-Maisnil 80 17 Ca 50
Nampteuil-sous-Muret 02 18 Dc 52
Nampty 80 17 Cb 50
Nançay 18 65 Cb 64
Nance 39 83 Fc 68
Nances 73 107 Fe 75
Nanclars 16 100 Ab 73
Nançois-le-Grand 55 37 Fc 56
Nançois-sur-Ornain 55 37 Fb 56
Nancras 17 86 Za 74
Nancray 25 70 Gb 65
Nancray-sur-Rimarde 45 50 Cb 60
Nancy 54 38 Ga 56

Nancy-sur-Cluses 74 97 Gd 72
Nandax 42 93 Eb 72
Nandy 77 33 Cd 57
Nangeville 45 50 Cb 59
Nangis 77 34 Da 57
Nangy 74 96 Gb 72
Nannay 58 66 Db 65
Nans 25 70 Gc 64
Nans, Les 39 84 Ff 68
Nans-les-Pins 83 147 Fe 88
Nan-sous-Thil 21 68 Ec 64
Nans-sous-Sainte-Anne 25 84 Ga 67
Nant 12 129 Db 84
Nanteau-sur-Essonne 77 51 Cc 59
Nanteau-sur-Lunain 77 51 Ce 59
Nanterre 92 33 Cb 55
Nantes 44 60 Yc 65
Nantes-en-Ratier 38 120 Fe 79
Nanteuil 79 76 Zf 70
Nanteuil-Auriac-de-Bourzac 24 100 Ab 76
Nanteuil-en-Vallée 16 88 Ab 73
Nanteuil-la-Forêt 51 35 Df 54
Nanteuil-la-Fosse 02 18 Dc 52
Nanteuil-la-Haudouin 60 33 Cd 54
Nanteuil-lès-Meaux 77 34 Cf 55
Nanteuil-Notre-Dame 02 18 Dc 53
Nanteuil-sur-Aisne 08 19 Eb 51
Nanteuil-sur-Marne 77 34 Db 55
Nantey 39 95 Fc 70
Nantheuil 24 101 Af 76
Nanthiat 24 101 Af 76
Nantiat 87 89 Ba 72
Nantillé 17 87 Zd 73
Nantilly 70 69 Fd 64
Nant-le-Grand 55 37 Fb 56
Nant-le-Petit 55 37 Fb 57
Nantois 55 37 Fc 57
Nanton 71 82 Ee 69
Nantouillet 77 33 Ce 54
Nantoux 21 82 Ee 66
Nantua 01 95 Fd 72
Naours 80 7 Cb 48
Narbéfontaine 57 38 Gd 54
Narbief 25 71 Ge 66
Narbonne 11 143 Cf 89
Narcastet 64 138 Zd 89
Narcy 52 54 Fa 57
Narcy 58 66 Da 65
Nargis 45 50 Cc 59
Narnhac 15 115 Ce 79
Narp 64 137 Zb 88
Narrosse 40 123 Yf 86
Nasbinals 48 116 Da 80
Nassandres 27 31 Ae 54
Nassiet 40 123 Zc 87
Nassigny 03 91 Cd 70
Nastringues 24 112 Aa 79
Natzwiller 67 56 Hb 58
Naucelle 12 128 Cc 83
Naucelles 15 115 Cc 79
Naujac-sur-Mer 33 98 Yf 77
Naujan-et-Postiac 33 111 Ze 80
Nauroy 02 8 Db 49
Naussac 12 114 Ca 81
Naussac 48 117 Df 80
Naussannes 24 112 Ae 80
Nauviale 12 115 Cc 81
Navacelles 30 118 Ea 83
Navailles-Angos 64 138 Zd 88
Navarrenx 64 137 Zb 89
Naveil 41 63 Ba 62
Navenne 70 70 Ga 63
Naves 03 92 Da 71
Naves 19 102 Be 77
Naves 59 9 Db 47
Nâves-Parmelan 74 96 Gb 73
Navilly 71 83 Fa 67
Nay 50 12 Yd 54
Nay-Bourdettes 64 138 Ze 89
Nayemont-les-Fosses 88 56 Ha 59
Nayrac, Le 12 115 Cd 81
Néac 33 111 Ze 79
Néant-sur-Yvel 56 44 Xe 60
Neau 53 46 Zd 60
Neaufles-Auvergny 27 31 Ae 55
Neaufles-Saint-Martin 27 16 Be 53
Neaux 42 93 Eb 73
Nébian 34 143 Dc 87
Nébias 11 153 Ca 91
Nécy 61 30 Zf 56
Nedde 87 90 Be 74
Nédon 62 7 Cc 45
Nédonchel 62 7 Cc 45
Neewiller-près-Lauterbourg 67 40 Ia 55
Neffes 05 120 Ga 81
Neffiès 34 143 Dc 87
Néfiach 66 153 Cc 92
Nègrepelisse 82 127 Bd 83
Négreville 50 12 Yc 51
Négrondes 24 101 Af 76
Néhou 50 12 Yc 52
Nehwiller-près-Wœrth 67 40 He 55
Nelling 57 39 Gf 55
Nemours 77 50 Ce 59
Nempont-Saint-Firmin 62 7 Be 46
Nénigan 31 139 Ae 88
Néons-sur-Creuse 36 77 Af 68
Néoules 83 147 Ga 88
Néoux 23 91 Cb 73
Nepvant 55 21 Fb 51
Nérac 47 125 Ac 84
Nerbis 40 123 Zb 86
Nercillac 16 87 Ze 74
Néré 17 87 Zd 73
Néret 36 79 Ca 69
Nérigean 33 111 Ze 79
Néris-les-Bains 03 91 Cd 71
Nernier 74 96 Gb 71
Néron 28 32 Bd 57
Néronde 42 93 Eb 73
Néronde-sur-Dore 63 92 Dd 74
Nerpol-et-Serres 38 107 Fc 77
Ners 30 130 Ea 84
Nersac 16 100 Aa 75
Nervieux 42 93 Ea 74
Nerville-la-Forêt 95 33 Cb 54
Néry 60 17 Ce 53
Nesce = Nessa 2B 156 If 93

Neschers 63 104 Db 75
Nescus 09 140 Bc 91
Nesle 80 18 Cf 50
Nesle-et-Massoult 21 68 Ec 62
Nesle-Hodeng 76 16 Bd 51
Nesle-la-Reposte 51 34 Dd 57
Nesle-le-Repons 51 35 De 54
Nesle-l'Hôpital 80 16 Be 49
Nesle-Normandeuse 76 16 Be 49
Nesles 62 3 Bd 45
Nesles-la-Montagne 02 34 Dc 54
Nesles-la-Vallée 95 33 Cb 53
Neslette 80 6 Bd 49
Nesmy 85 74 Yd 69
Nesploy 45 50 Cb 60
Nespouls 19 102 Bc 78
Nessa 2B 156 If 93
Nestier 65 139 Ac 90
Nettancourt 55 36 Ef 55
Neublans-Abergement 39 83 Fb 67
Neubois 67 56 Hc 59
Neubourg, Le 27 31 Af 54
Neuf-Berquin 59 4 Ce 44
Neufbosc 76 16 Bc 51
Neufbourg, Le 50 29 Za 57
Neuf-Brisach 68 57 Hd 60
Neufchâteau 88 54 Fe 58
Neufchâtel-en-Bray 76 16 Bc 51
Neufchâtel-Hardelot 62 6 Bd 45
Neufchâtel-sur-Aisne 02 19 Ea 52
Neufchef 57 22 Ga 53
Neufchelles 80 34 Da 54
Neuf-Église 63 92 Cf 72
Neuffons 33 111 Aa 81
Neuffontaines 58 67 De 64
Neufgrange 57 39 Ha 54
Neuflieux 02 18 Da 51
Neuflize 08 19 Eb 52
Neufmaison 08 20 Ed 50
Neufmaisons 54 56 Gf 58
Neufmanil 08 20 Ee 50
Neufmesnil 50 12 Yc 53
Neufmoulins 57 39 Gf 56
Neufmoulin 80 7 Bf 48
Neufmoutiers-en-Brie 77 34 Cf 56
Neufour, le 55 36 Ef 54
Neufvillage 57 39 Ge 55
Neufvy-sur-Aronde 60 17 Ce 52
Neugartheim-Ittlenheim 67 40 Hd 56
Neugatheim-Ittlenheim 67 40 Hd 57
Neuhaeusel 67 40 Ia 56
Neuil 37 63 Ad 66
Neuilh 65 139 Aa 90
Neuillac 17 99 Zd 75
Neuillay-les-Bois 36 78 Bc 68
Neuillé 49 62 Zf 64
Neuillé-le-Lierre 37 63 Af 63
Neuillé-Pont-Pierre 37 63 Ad 63
Neuilly 27 32 Bc 55
Neuilly 58 67 Dd 65
Neuilly 89 67 Dc 63
Neuilly-en-Donjon 03 93 Df 70
Neuilly-en-Dun 08 80 De 68
Neuilly-en-Sancerre 18 65 Cd 64
Neuilly-en-Thelle 60 17 Cb 53
Neuilly-en-Vexin 95 32 Bf 53
Neuilly-la-Forêt 14 13 Yf 53
Neuilly-le-Bisson 61 30 Ab 58
Neuilly-le-Brignon 37 77 Ae 67
Neuilly-le-Dien 80 7 Ca 47
Neuilly-lès-Dijon 21 69 Ef 65
Neuilly-le-Vendin 53 29 Zd 58
Neuilly-l'Évêque 52 54 Fc 61
Neuilly-l'Hôpital 80 7 Bf 47
Neuilly-Plaisance 93 33 Cd 55
Neuilly-Saint-Front 02 34 Db 53
Neuilly-sous-Clermont 60 17 Cc 52
Neuilly-sur-Eure 61 31 Af 57
Neuilly-sur-Marne 93 33 Cd 55
Neuilly-sur-Seine 92 33 Cb 55
Neuilly-sur-Suize 52 54 Fa 60
Neulette 62 7 Ca 46
Neulise 42 93 Eb 73
Neulles 17 99 Zd 75
Neulliac 56 43 Xa 60
Neung-sur-Beuvron 41 64 Be 63
Neunkirchen-lès-Bouzonville 57 22 Gd 52
Neure 03 80 Cf 68
Neurey-en-Vaux 70 70 Gb 62
Neurey-lès-la-Demie 70 70 Gb 63
Neussargues-Moissac 15 104 Cf 78
Neuvecelle 74 97 Gd 70
Neuve-Chapelle 62 8 Ce 45
Neuve-Église 67 56 Hb 58
Neuvéglise 15 116 Cf 79
Neuve-Grange, la 27 16 Bd 52
Neuvelle-lès-Cromary 70 70 Ga 64
Neuvelle-la-Charité 70 70 Ff 63
Neuvelle-lès-Lure, La 70 71 Gd 62
Neuvelle-lès-Scey, La 70 70 Ff 63
Neuvelle-lès-Voisey 52 54 Fe 61
Neuve-Lyre, la 27 31 Ae 55
Neuve-Maison 02 19 Ea 49
Neuves-Maisons 54 38 Ga 57
Neuveville-devant-Lépanges, La 88 56 Gd 60
Neuveville-sous-Châtenois, La 88 54 Ff 59
Neuveville-sous-Montfort, La 88 55 Ga 59
Neuvic 19 103 Cb 76
Neuvic 24 100 Ac 78
Neuvic-Entier 87 90 Bd 74
Neuvicq 17 99 Ze 77
Neuvicq-le-Château 17 87 Zf 74
Neuvillalais 72 47 Aa 60
Neuville 19 102 Be 78
Neuville 63 92 Dc 74
Neuville 63 104 Cf 74
Neuville 63 104 Dd 75
Neuville 80 7 Bf 48
Neuville, La 59 8 Da 46
Neuville, La 60 16 Be 50
Neuville-à-Maire, La 08 20 Ef 51
Neuville-au-Bois 80 7 Be 49
Neuville-au-Cornet 62 7 Ca 47
Neuville-au-Plain 50 12 Ye 52
Neuville-au-Pont, La 51 36 Ef 54
Neuville-aux-Bois 45 50 Ca 60
Neuville-aux-Bois, La 51 36 Ef 54
Neuville-aux-Joûtes, la 08 19 Eb 49
Neuville-aux-Larris, La 51 35 Df 54

Petit-Quevilly, Le 76 15 Ba 52
Petit-Réderching 57 39 Hb 54
Petit-Tenquin 57 39 Gf 55
Petit-Verly 02 9 Dd 49
Petiville 14 14 Ze 53
Petiville 76 15 Ad 52
Petosse 85 125 Za 83
Petracurbara, A = Pietracorbara 2B 157 Kc 91
Petra di Verde, A = Pietra-di-Verde 2B 157 Kb 93
Petralba = Pietralba 2B 157 Kb 93
Petreto-Bicchisano 2A 159 If 98
Petricaghju, U = Pietrocaggio 2B 159 Kc 95
Petrosu, U = Pietroso 2B 159 Kb 96
Pettoncourt 57 38 Gc 56
Pettonville 54 39 Ge 57
Peujard 33 99 Zd 78
Peumérit 29 41 Ve 61
Peumerit-Quintin 22 26 We 58
Peuplingues 62 3 Be 43
Peuton 53 46 Zb 61
Peuvillers 55 21 Fc 52
Peux-et-Couffouleux 12 128 Cf 86
Pévange 57 38 Gd 55
Pévy 51 19 Df 53
Pexiora 11 141 Ca 89
Pexonne 54 39 Gf 58
Pey 40 123 Ye 87
Peymeinade 06 134 Gf 87
Peynier 13 146 Fd 88
Peypin 13 146 Fd 88
Peypin-d'Aigues 84 132 Fd 86
Peyrabout 23 90 Bf 72
Peyrat, Le 09 153 Bf 91
Peyrat-de-Bellac 87 89 Ba 72
Peyrat-la-Nonière 23 91 Cb 72
Peyrat-le-Château 87 90 Be 74
Peyratte, La 79 76 Zf 68
Peyraube 65 139 Ab 89
Peyre 40 124 Zc 87
Peyrecave 32 126 Ae 85
Peyrefitte-du-Razès 11 141 Ca 90
Peyrefitte-sur-l'Hers 11 141 Be 89
Peyregoux 81 128 Cb 86
Peyrehorade 40 123 Yf 87
Peyreleau 12 129 Db 83
Peyrelevade 19 90 Ca 75
Peyrelongue-Abos 64 138 Zf 88
Peyrens 11 141 Bf 88
Peyrestortes 66 154 Cf 92
Peyret-Saint-André 65 139 Ad 89
Peyriac-de-Mer 11 143 Cf 90
Peyriac-Minervois 11 142 Cd 89
Peyriat 01 95 Fd 72
Peyrière 47 112 Ab 81
Peyrieu 01 107 Fe 74
Peyrilhac 87 89 Ba 73
Peyrillac-et-Millac 24 113 Bc 79
Peyrilles 46 113 Bc 81
Peyrins 26 106 Fa 78
Peyrissac 19 102 Be 75
Peyrissas 31 140 Af 89
Peyrole 81 127 Bf 86
Peyroles 30 130 Df 84
Peyrolles 11 153 Cb 91
Peyrolles-en-Provence 13 132 Fd 87
Peyroules 04 134 Gd 86
Peyrouse 65 138 Zf 90
Peyrouzet 31 140 Af 89
Peyruis 04 133 Ff 84
Peyrun 65 139 Ab 89
Peyrus 26 119 Fa 79
Peyrusse 15 104 Da 77
Peyrusse-Grande 32 125 Ab 87
Peyrusse-le-Roc 12 114 Ca 82
Peyrusse-Massas 32 125 Ad 86
Peyrusse-Vieille 32 125 Ab 87
Peyssies 31 140 Bb 89
Peyzac-le-Moustier 24 101 Ba 79
Peyzieux-sur-Saône 01 94 Ee 72
Pézarches 77 34 Cf 56
Pezé-le-Robert 72 47 Zf 59
Pézenas 34 143 Dc 88
Pézènes-les-Mines 34 143 Db 87
Pezens 11 142 Cb 89
Pezou 41 48 Ba 61
Pezuls 24 113 Ae 79
Pézy 28 49 Bd 59
Pfaffenheim 68 56 Hb 61
Pfaffenhoffen 67 40 Hd 55
Pfalzweyer 67 39 Hb 56
Pfastatt 68 71 Hb 62
Pfettisheim 67 40 Hd 57
Pfulgriesheim 67 40 Hd 57
Pfaffans 90 71 Gf 63
Phalempin 59 8 Da 45
Phalsbourg 57 39 Hb 56
Philippsbourg 57 40 Hd 55
Philondenx 40 124 Zd 87
Phlin 54 38 Gb 55
Pia 66 154 Cf 92
Piacé 72 47 Aa 59
Piana 2A 158 Id 95
Piana, A = Piana 2B 158 Id 95
Pianello 2B 157 Kb 93
Pianello 2B 159 Kc 95
Pian-Médoc, Le 33 99 Zc 79
Piano 2B 157 Kc 94
Pianotolli-Caldarello 2A 160 Ka 100
Pianotolli Caldarelli = Pianotolli-Caldarello 2A 160 Ka 100
Pianu, U = Piano 2B 157 Kc 94
Piards, Les 39 84 Ff 70
Piazza 2B 159 Kc 95
Piazzole 2B 157 Kc 94
Piblange 57 22 Gc 53
Pibrac 31 140 Bb 87
Picarreau 39 84 Fe 68
Picauville 50 12 Yd 52
Pichanges 21 69 Fa 64
Picherande 63 103 Ce 76
Picquigny 80 7 Ca 49
Pied-de-Borne 48 117 Df 82
Piedicorte-di-Gaggio 2B 159 Kc 95
Piedigriggio 2B 157 Kb 93
Piedipartino 2B 157 Kc 94
Pie-d'Orezza 2B 157 Kc 94
Piégon 26 132 Fa 83
Piégros-la-Clastre 26 119 Fa 80
Piégut 04 120 Ga 82
Piégut-Pluviers 24 101 Ae 75

Piencourt 27 30 Ac 54
Piennes 54 21 Fe 53
Piennes 80 17 Cd 51
Pierlas 06 134 Ha 84
Pierre-Bénite 69 94 Ee 74
Pierre-Buffière 87 89 Bc 74
Pierre-Châtel 38 119 Fe 79
Pierreclos 71 94 Ee 71
Pierrecourt 70 69 Fe 63
Pierrecourt 76 16 Bd 49
Pierre-de-Bresse 71 83 Fd 67
Pierrefeu 06 134 Ha 85
Pierrefeu-du-Var 83 147 Ga 89
Pierrefiche 12 115 Cd 80
Pierrefiche 12 116 Cf 82
Pierrefiche 12 129 Db 84
Pierrefiche 48 117 De 80
Pierrefitte 19 102 Bd 76
Pierrefitte 23 91 Cb 72
Pierrefitte 79 75 Ze 67
Pierrefitte 88 55 Gb 59
Pierrefitte-en-Auge 14 14 Ab 53
Pierrefitte-en-Beauvaisis 60 16 Bf 52
Pierrefitte-en-Cinglais 14 29 Zd 55
Pierrefitte-ès-Bois 45 65 Ce 63
Pierrefitte-Nestalas 65 138 Zf 91
Pierrefitte-sur-Aire 55 37 Fb 55
Pierrefitte-sur-Loire 03 81 De 69
Pierrefitte-sur-Sauldre 41 65 Ca 63
Pierrefitte-sur-Seine 93 33 Cc 55
Pierrefonds 60 18 Cf 52
Pierrefontaine-lès-Blamont 25 71 Gf 64
Pierrefontaine-les-Varans 25 71 Gd 65
Pierrefort 15 115 Cf 79
Pierregot 80 7 Cc 48
Pierre-la-Treiche 54 38 Ff 57
Pierrelatte 26 118 Ee 82
Pierrelaye 95 33 Ca 54
Pierre-Levée 77 34 Da 55
Pierremande 02 18 Db 51
Pierre-Morains 51 35 Ea 55
Pierre-Percée 54 56 Gf 58
Pierre-Perthuis 89 67 De 64
Pierrepont 14 30 Ze 55
Pierrepont 02 18 De 51
Pierrepont-sur-Avre 80 17 Cd 50
Pierrepont-sur-l'Arentèle 88 55 Gd 59
Pierrerue 03 133 Ff 85
Pierrerue 34 143 Cf 88
Pierres 14 29 Zb 55
Pierres 28 32 Bd 57
Pierreval 76 16 Bb 51
Pierrevert 04 133 Fe 86
Pierreville 50 12 Yb 52
Pierreville 54 38 Ga 57
Pierrevillers 57 22 Ga 53
Pierric 44 60 Yb 62
Pierroton 33 110 Zb 80
Pierry 51 35 Df 54
Pietracorbara 2B 157 Kc 91
Pietra-di-Verde 2B 159 Kc 95
Pietralba 2B 157 Kb 93
Pietraserena 2B 159 Kc 95
Pietricaggio 2B 159 Kc 95
Pietrosella 2A 158 If 97
Pietroso 2B 159 Kb 96
Piets-Plasence-Moustrou 64 124 Zc 87
Pieusse 11 142 Cb 90
Pieux, Les 50 12 Yb 51
Pieve 2B 156 Ie 94
Pieve 2B 157 Kb 93
Piffonds 89 51 Da 60
Pigna 2B 156 If 93
Pignan 34 144 De 87
Pignans 83 147 Ga 88
Pignicourt 02 19 Ea 52
Pignols 63 104 Db 75
Pigny 18 65 Cc 65
Pihem 62 3 Cb 44
Pihen-lès-Guînes 62 3 Be 43
Pila-Canale 2A 158 If 98
Pillac 16 100 Ab 77
Pillemoine 39 84 Ff 68
Pilles, Les 26 119 Fb 82
Pillon 55 21 Fd 52
Pimbo 40 124 Zd 87
Pimelles 89 52 Eb 61
Pimprez 60 18 Cf 51
Pin 70 70 Ff 65
Pin, Le 03 93 Df 70
Pin, Le 14 14 Ac 53
Pin, Le 17 99 Ze 77
Pin, Le 30 131 Ed 84
Pin, le 38 78 Bd 69
Pin, Le 38 107 Fc 76
Pin, le 39 83 Fd 68
Pin, le 44 59 Xe 64
Pin, Le 44 60 Yf 63
Pin, Le 77 33 Cd 55
Pin, Le 79 75 Zc 67
Pin, Le 82 126 Af 84
Pinas 65 139 Ac 90
Pin-au-Haras, Le 61 30 Aa 56
Pinay 42 93 Ea 73
Pin-Balma 31 127 Bd 87
Pincé 72 46 Zd 62
Pindères 47 111 Aa 83
Pindray 86 77 Ae 70
Pineaux, Les 85 74 Ye 69
Pinel-Hauterive 47 112 Ad 82
Pin-en-Mauges, Le 49 61 Za 65
Pinet 34 143 Dd 88
Pineuilh 33 112 Ab 80
Piney 10 52 Ec 58
Pin-la-Garenne, Le 61 48 Ad 58
Pin-Murelet, Le 31 140 Ba 88
Pino 2B 157 Kc 91
Pinols 43 104 Dc 78
Pinon 02 18 Dc 52
Pins-Justaret 31 140 Bc 88
Pinsot 38 108 Ga 76
Pintac 65 138 Zf 89
Pinterville 27 31 Bb 53
Pintheville 55 37 Fd 54
Pinthières, les 28 32 Bc 56
Pinu, U = Pino 2B 157 Kc 91
Piobetta 2B 157 Kc 94
Pioggiola 2B 156 Ka 93
Piolenc 84 118 Ee 83

Pionnat 23 90 Ca 71
Pionsat 63 91 Ce 72
Pioussay 79 88 Aa 72
Pipriac 35 44 Ya 62
Piquecos 82 126 Bb 84
Piré-sur-Seiche 35 45 Yd 60
Pirey 25 70 Ff 65
Piriac-sur-Mer 44 59 Xc 64
Pirmil 72 47 Zf 61
Pirou 50 12 Yc 53
Pis 32 125 Ae 86
Pis 32 139 Ac 87
Pisany 17 87 Zb 74
Piseux 27 31 Af 56
Pisieu 38 106 Fa 76
Pisseleu 60 17 Ca 51
Pisseloup 52 54 Fe 62
Pisseure, La 70 55 Gb 61
Pissos 40 110 Zb 83
Pissotte 85 75 Za 70
Pissy 80 17 Ca 49
Pissy-Pôville 76 15 Af 51
Pissy 89 67 Ea 63
Pithiviers 45 50 Cb 60
Pithiviers-le-Vieil 45 50 Cb 60
Pithon 02 18 Da 50
Pîtres 27 16 Bb 53
Pitretu Bicchisagia = Petreto-Bicchisano 2A 159 If 98
Pitruseddu = Pietrosella 2A 158 If 97
Pittefaux 62 3 Be 44
Pizay 01 95 Fa 73
Pizieux 72 47 Ac 59
Pizou, le 24 100 Aa 78
Pla, le 09 153 Ca 92
Plabennec 29 24 Vd 57
Plabennec = Plabennec 29 24 Vd 57
Placé 53 46 Zb 59
Places, Les 27 30 Ac 54
Placey 25 70 Ff 65
Plachy-Buyon 80 17 Cb 50
Placy 14 29 Zd 55
Placy-Montaigu 50 29 Za 54
Plagad = Plouagat 22 26 Xa 57
Plagne 01 95 Fe 71
Plagne 31 140 Ba 90
Plagne, La 73 109 Ge 75
Plagnole 31 140 Ba 88
Plaigne 11 141 Be 89
Plailly 60 33 Cd 54
Plaimbois-du-Miroir 25 71 Gd 65
Plaimbois-Vennes 25 71 Gd 65
Plaine, La 49 61 Zb 65
Plaine-de-Walsch 57 39 Ha 56
Plaine Haute 22 26 Xb 57
Plaines-Saint-Lange 10 53 Ec 61
Plaine-sur-Mer, La 44 59 Xe 66
Plainfaing 88 56 Ha 59
Plainfaing, le 88 56 Ha 59
Plainoiseau 39 83 Fd 68
Plainpalais, La 73 108 Ga 75
Plains-et-Grands-Essarts, Les 25 71 Gf 65
Plaintel 22 26 Xb 58
Plainval 60 17 Cc 51
Plainville 27 31 Ad 54
Plainville 60 17 Cc 51
Plaisance 12 128 Cd 85
Plaisance 32 124 Aa 87
Plaisance 86 89 Af 71
Plaisance-du-Touch 31 140 Bb 87
Plaisia 39 83 Fd 69
Plaisians 26 132 Fb 83
Plaisir 78 32 Bf 56
Plaissan 34 143 Dd 87
Plaizac 16 87 Zf 74
Plan 38 107 Fc 77
Plan, Le 31 140 Ba 90
Plan, Le 83 134 Gd 87
Planay 21 68 Ec 62
Planay 73 109 Ge 76
Planche, La 44 60 Yd 66
Plancher-Bas 70 71 Gd 62
Plancher-les-Mines 70 71 Ge 62
Planches 61 30 Ac 56
Planches-en-Montagne, les 39 84 Gb 69
Planches-près-Arbois, Les 39 84 Ff 67
Plancoët 22 27 Xe 57
Plancy-l'Abbaye 10 35 Df 57
Plan-d'Aups 83 146 Fe 88
Plan-de-Baix 26 119 Fa 80
Plan-de-Cuques 13 146 Fc 88
Plan-d'Orgon 13 131 Ef 86
Planès 66 153 Ca 94
Planèzes 66 154 Cd 92
Planfili = Pleine-Fougères 35 28 Yc 57
Planfoy 42 106 Ec 76
Plangoed = Plancoët 22 27 Xe 57
Planguenoual 22 26 Xc 57
Planioles 46 114 Ca 81
Planois, le 71 83 Fc 68
Planquay, le 27 30 Ac 54
Planquery 14 13 Za 54
Planques 62 7 Ca 46
Planrupt 52 53 Ef 58
Plans, Les 30 130 Eb 84
Plans, Les 34 129 Db 86
Plantay, La 01 95 Fa 72
Plantiers, les 30 130 De 84
Plantis, le 61 31 Ab 57
Planty 10 52 Dd 59
Planzolles 07 117 Ea 82
Plasne 39 83 Fe 68
Plasnes 27 31 Ad 54
Plassac 17 99 Zc 76
Plassac 33 99 Zc 78
Plassac-Rouffiac 16 100 Aa 75
Plassay 17 87 Zb 74
Plateau-d'Assy 74 97 Ge 73
Plats 07 118 Ee 78
Plaudren 56 43 Xc 61
Plauzat 63 104 Db 75
Plavilla 11 141 Bf 90
Plazac 24 101 Ba 78
Pleaux 15 103 Cb 78
Plébeulle 22 27 Xe 57
Pléchâtel 35 45 Yb 61
Plédéliac 22 27 Xe 57
Plédran 22 26 Xb 58
Pléguien 22 26 Xa 57
Pléhédel 22 26 Xa 56

Pleiben = Pleyeben 29 42 Wa 59
Pleine-Fougères 35 28 Yc 57
Pleine-Selve 02 18 Dd 50
Pleine-Selve 33 99 Zc 77
Pleine-Sève 76 15 Ae 50
Pleines-Œuvres 14 29 Za 55
Plélan-le-Grand 35 44 Xf 61
Plélan-le-Petit 22 27 Xe 58
Plélann-Veur = Plélan-le-Grand 35 44 Xf 61
Plélann-Vihan = Plélan-le-Petit 22 27 Xe 58
Plélo 22 26 Xa 57
Plémet 22 43 Xb 58
Plémy 22 43 Xb 58
Plénée-Jugon 22 27 Xd 58
Pleneuf-Nanatraezh = Pléneuf-Val-André 22 27 Xc 57
Pléneuf-Val-André 22 27 Xc 57
Plénise 39 84 Ga 68
Plerguer 35 28 Ya 57
Plérin = Plérin 22 26 Xb 57
Plérin 22 26 Xb 57
Plerneuf 22 26 Xa 57
Plescop 56 43 Xa 62
Plesder 35 27 Ya 58
Plésidy 22 26 Wf 58
Pleslin-Trigavou 22 27 Xf 57
Plessala 22 43 Xc 59
Plessé 44 59 Ya 63
Plessier, Le 80 17 Cc 50
Plessier-Huleu, Le 02 18 Dc 53
Plessier-sur-Bulles, Le 60 17 Cc 51
Plessier-sur-Saint-Just, Le 60 17 Cc 51
Plessis-Balisson 22 27 Xf 57
Plessis-Barbuise 10 35 Dd 57
Plessis-Belleville, Le 60 33 Ce 54
Plessis-Brion, Le 60 18 Cf 52
Plessis-de-Roye 60 18 Cf 51
Plessis-Dorin, Le 41 48 Af 60
Plessis-Feu-Aussoux, Le 77 34 Da 56
Plessis-Gassot, Le 95 33 Cc 54
Plessis-Grammoire, Les 49 61 Zd 64
Plessis-Grimoult, Le 14 29 Zc 55
Plessis-Grohan, Le 27 31 Ba 55
Plessis-Hébert, Le 27 32 Bc 55
Plessis-Lastelle, Le 50 12 Yd 53
Plessis-l'Echelle, Le 41 49 Bc 62
Plessis-l'Evêque, Le 77 34 Ce 54
Plessis-Luzarches, Les 95 33 Cc 54
Plessis-Macé, Le 49 61 Zb 63
Plessis-Pâté, Le 91 33 Cb 57
Plessis-Placy, Le 77 34 Cf 54
Plessis-Robinson, Le 92 33 Cb 56
Plessis-Saint-Benoist 91 49 Ca 58
Plessis-Sainte-Opportune, Le 27 31 Af 54
Plessis-Saint-Jean 89 51 Db 58
Plestan 22 27 Xd 58
Plestin-les-Grèves 22 25 Wc 57
Pleubian 22 26 Wf 55
Pleucadeuc 56 44 Xf 62
Pleudaniel 22 26 Wf 56
Pleudihen-sur-Rance 22 27 Ya 57
Pleugriffet 56 43 Xb 61
Pleugueneuc 35 27 Ya 58
Pleumartin 86 77 Ae 68
Pleumeleuc 35 44 Ya 59
Pleumeur-Bodou 22 25 Wc 56
Pleumeur-Gautier 22 26 Wf 56
Pleure 39 83 Fc 67
Pleurs 51 35 Df 57
Pleurtuit 35 27 Xf 57
Pleuven 29 42 Vf 61
Pleuvezain 88 55 Ff 58
Pleuville 16 88 Ac 72
Plévenon 22 27 Xe 56
Plévin 22 42 Wc 59
Pleyben 29 42 Wa 59
Pleyber-Christ 29 25 Wa 57
Plibou = Pliboux 79 88 Aa 71
Plichancourt 51 36 Ee 56
Plieux 32 125 Ae 85
Plistin = Plestin-les-Grèves 22 25 Wc 57
Plivot 51 35 Ea 55
Plobannalec 29 41 Ve 62
Plobsheim 67 57 He 58
Ploemel 56 43 Wf 63
Ploemeur 56 42 Wd 62
Ploërdut 56 43 We 60
Ploeren 56 43 Xa 62
Ploërmel 56 44 Xd 61
Plœuc-sur-Lié 22 26 Xb 58
Plœven 29 41 Ve 60
Ploëzal 22 26 Wf 56
Plogastel-Saint-Germain 29 41 Ve 61
Plogoff 29 41 Vc 60
Plogonnec 29 41 Ve 61
Ploheg = Plœuc-sur-Lié 22 26 Xb 58
Plomb 50 28 Ye 56
Plombières-les-Bains 88 55 Gc 61
Plombières-lès-Dijon 21 68 Ef 64
Plomelin 29 41 Vf 61
Plomeur 29 41 Ve 61
Plomion 02 19 Ea 50
Plomodiern 29 41 Ve 60
Ploneis 29 41 Ve 61
Plonéour-Lanvern 29 41 Ve 61
Plonévez-Porzay 29 41 Ve 60
Plorec-sur-Arguenon 22 27 Xe 58
Plouagat 22 26 Xa 57
Plouaret = Plouaret 22 25 Wd 57
Plouaret 22 25 Wd 57
Plouarzel 29 24 Vb 58
Plouasne 22 44 Xf 59
Plouay 56 42 We 61
Ploubalanec 22 26 Wf 56
Ploubazlanec 22 26 Wf 56
Ploubezre 22 25 Wd 56
Ploudalmézeau 29 24 Vc 56
Ploudaniel 29 24 Vd 57
Ploudiry 29 25 Vf 58
Ploue = Plouha 22 26 Xa 57
Plouëc-du-Trieux 22 26 We 56
Plouédern 29 25 Vf 57

Plouescat 29 25 Vf 57
Ploueskad = Plouescat 29 25 Vf 57
Plouézoch 29 25 Wb 57
Ploufragan 22 26 Xb 58
Plougar 29 25 Vf 57
Plougasnou 29 25 Wb 56
Plougastel-Daoulas 29 24 Vd 58
Plougêr, Karaez = Plouguer, Carhaix- 29 24 Wc 59
Plougonvelin 29 24 Vb 58
Plougonven 29 25 Wa 57
Plougonver 22 26 Wd 58
Plougonwaz = Plouguenast 22 43 Xc 59
Plougoulm 29 25 Vf 57
Plougoumelen 56 43 Xa 63
Plougourvest 29 25 Vf 57
Plougras 22 25 Wc 57
Plougrescant 22 26 We 55
Plouguenast 22 43 Xc 59
Plouguer, Carhaix- 29 42 Wc 59
Plouguerneau 29 24 Vd 57
Plouguernével 22 43 We 59
Plouguiel 22 26 We 56
Plouguin 29 24 Vc 57
Plouha 22 26 Xa 57
Plouharnel 56 58 Wf 63
Plouhinec 56 43 We 62
Plouigneau 29 25 Wb 57
Plouigno = Plouigneau 29 25 Wb 57
Plouisy 22 26 We 57
Ploulec'h 22 25 Wd 56
Ploumagoar 22 26 We 57
Ploumanac'h 22 25 Wc 56
Ploumilliau 22 25 Wc 56
Ploumoguer 29 24 Vb 58
Plounéour-Menez 29 25 Wa 58
Plounéour-Trez 29 24 Ve 57
Plounérin 22 25 Wc 57
Plounéventer 29 24 Ve 57
Plounévez-du-Faou 29 42 Wb 59
Plounévez-Lochrist 29 24 Ve 57
Plounevez-Moëdec 22 25 Wd 57
Plounévez-Quintin 22 43 We 59
Plourac'h 22 25 Wc 57
Plouray 56 42 Wd 60
Plourhan 22 26 Xa 57
Plourin 29 24 Vb 57
Plourin-lès-Morlaix 29 25 Wb 57
Plourivo 22 26 Wf 56
Plouvain 62 8 Cf 47
Plouvara 22 26 Xa 57
Plouvien 29 24 Vd 57
Plouvorn 29 25 Vf 57
Plouyé 29 25 Wb 58
Plouzané 29 24 Vc 58
Plouzélambre 22 25 Wc 57
Plouzévédé 29 25 Vf 57
Plozévet 29 41 Vd 61
Pludual 22 26 Xa 57
Pluduno 22 27 Xe 58
Plufur 22 25 Wc 57
Pluguffan 29 41 Ve 61
Pluherlin 56 44 Xd 62
Plumaudan 22 44 Xf 58
Plumaugat 22 44 Xe 59
Plumelec 56 43 Xc 61
Pluméliau 56 43 Xa 61
Plumelin 56 43 Xa 61
Plumergat 56 43 Xa 62
Plumetot 14 14 Zd 53
Plumieux 22 43 Xc 60
Plumont 39 69 Fe 66
Pluneret 22 27 Xd 57
Plusquellec 22 25 Wd 58
Plussulien 22 43 Wf 59
Pluvault 21 69 Fa 65
Pluvet 21 69 Fa 65
Pluvigner 56 43 Wf 62
Pluzunet 22 26 Wd 57
Pocancy 51 35 Ea 55
Pocé-les-Bois 35 45 Ye 60
Pocé-sur-Cisse 37 63 Ae 63
Podensac 33 111 Zd 81
Poë-Sigillat, le 26 119 Fb 82
Poët, Le 05 133 Ff 83
Poët-Célard, Le 26 119 Fa 81
Poët-Laval, Le 26 118 Fa 81
Pœuilly 80 18 Da 49
Poey-de-Lescar 64 137 Zd 88
Poey-d'Oloron 64 137 Zb 89
Poëzat 03 92 Db 72
Poggio-di-Nazza 2B 159 Kc 95
Poggio-di-Venaco 2B 159 Kb 95
Poggio-d'Oletta 2B 157 Kc 93
Poggiolo 2B 158 If 95
Poggio-Marinaccio 2B 157 Kc 94
Poggio-Mezzana 2B 157 Kc 94
Poghju di Nazza, U = Poggio-di-Nazza 2B 159 Kc 95
Poghju di Vaenacu, U = Poggio-di-Venaco 2B 159 Kb 95
Poghju d'Oletta, U = Poggio-d'Oletta 2B 157 Kc 93
Poghju Marinacce = Poggio-Marinaccio 2B 157 Kc 94
Poghju Mezana, U = Poggio-Mezzana 2B 157 Kc 94
Pogny 51 36 Ec 55
Poids-de-Fiole 39 83 Fd 69
Poigny 77 34 Db 57
Poigny-la-Forêt 78 32 Bc 56
Poil 58 81 Ea 67
Poilcourt-Sydney 08 19 Ea 52
Poilhes 34 143 Da 89
Poillé-sur-Vègre 72 46 Ze 61
Poilley 35 28 Ye 58
Poilley 50 28 Ye 56
Poilly 51 35 De 53
Poilly-lez-Gien 45 65 Cd 62
Poilly-sur-Serein 89 67 Df 62
Poilly-sur-Tholon 89 67 Db 62
Poinçon-lès-Larrey 21 53 Ec 61
Poinçonnet, Le 36 78 Be 68
Poincy 77 34 Cf 55
Poinsenot 52 69 Fa 62
Poinson-lès-Fayl 52 69 Fd 62
Poinson-lès-Grancey 52 68 Ef 63
Poinson-lès-Nogent 52 54 Fc 61
Pointel 61 29 Zd 56

Pointis-de-Rivière 31 139 Ad 90
Pointis-Inard 31 139 Ae 90
Pointre 39 69 Fd 65
Pointvillers 25 84 Ff 66
Poiré-sur-Velluire, Le 85 75 Za 70
Poiré-sur-Vie, Le 85 74 Yc 68
Poiseul 52 54 Fc 61
Poiseul-la-Grange 21 68 Ee 63
Poiseul-la-Ville-et-Laperrière 21 68 Ee 63
Poiseul-lès-Saulx 21 68 Ef 63
Poiseux 58 81 Df 67
Poislay, Le 41 48 Ba 60
Poisoux 39 95 Fc 70
Poisson 71 93 Ea 70
Poissons 52 54 Fa 58
Poissy 78 33 Ca 55
Poisvilliers 28 32 Bc 57
Poitevinière, La 49 61 Za 65
Poitiers 86 76 Ac 69
Poivres 10 35 Eb 56
Poix 51 36 Ed 55
Poix-de-Picardie 80 17 Bf 50
Poix-du-Nord 59 9 Dd 47
Poix-Terron 08 20 Ed 51
Poizat, Le 01 95 Fe 72
Polaincourt-et-Clairefontaine 70 55 Ga 61
Polastron 31 140 Af 89
Polastron 32 140 Af 87
Poléon 17 87 Zb 72
Polhay 60 16 Bf 51
Poliénas 38 107 Fc 77
Polignac 17 99 Ze 77
Polignac 43 105 Df 78
Poligné 35 45 Yb 61
Poligny 05 120 Ga 80
Poligny 10 53 Ec 59
Poligny 39 83 Fe 67
Poligny 77 50 Ce 59
Polincove 62 3 Ca 43
Polisot 10 53 Ec 60
Polisy 10 53 Ec 60
Pollestres 66 154 Cf 93
Polliat 01 95 Fc 71
Pollieu 01 95 Fe 74
Pollionnay 69 94 Ed 74
Polminhac 15 115 Cc 79
Polveroso 2B 157 Kc 94
Pomacle 51 18 Ea 52
Pomarède 46 113 Bb 81
Pomarède, La 11 141 Be 89
Pomarez 40 123 Za 87
Pomas 11 142 Cb 89
Pomayrols 12 116 Da 82
Pomerol 33 111 Zf 79
Pomérols 34 143 Dd 88
Pomeys 69 106 Ec 75
Pommard 21 82 Ee 66
Pommera 62 7 Cc 47
Pommeraie-sur-Sèvre, La 85 75 Zb 67
Pommeraye, La 49 61 Za 64
Pommeret 22 26 Xc 58
Pommereuil 59 9 Dd 48
Pommereux 76 16 Bd 51
Pommeréval 76 16 Bb 50
Pommerieux 53 46 Zb 62
Pommérieux 57 38 Gb 55
Pommerit-Jaudy 22 26 We 56
Pommerit-le-Vicomte 22 26 Wf 57
Pommerol 26 119 Fc 82
Pommeuse 77 34 Da 56
Pommevic 82 126 Af 84
Pommier 62 8 Cd 47
Pommiers 02 18 Db 52
Pommiers 30 130 Db 85
Pommiers 36 78 Bd 69
Pommiers 42 93 Ea 74
Pommiers 69 94 Ee 73
Pommiers-la-Placette 38 107 Fd 77
Pommiers-Moulons 17 99 Zd 77
Pommier-de-Beaurepaire 38 107 Fa 76
Pomoy 70 70 Gc 63
Pompaire 79 76 Ze 69
Pompéjac 33 111 Zd 82
Pompertuzat 31 141 Bd 88
Pompey 54 38 Ga 56
Pompiac 32 140 Ba 87
Pompidou, Le 48 130 Dd 83
Pompierre 88 54 Fe 59
Pompierre-sur-Doubs 25 71 Gd 64
Pompiey 47 125 Ab 83
Pompignac 33 111 Zd 79
Pompignan 82 126 Bb 86
Pompignan 30 130 Df 85
Pompogne 47 112 Aa 83
Pomponne 77 33 Ce 55
Pomport 24 112 Ac 80
Pomps 64 138 Zc 88
Poncé-sur-le-Loir 72 63 Ad 62
Poncey-lès-Athée 21 69 Fc 65
Ponchel, Le 62 7 Ca 47
Ponches-Estruval 80 7 Bf 47
Ponchon 60 17 Cb 52
Poncin 01 95 Fd 72
Poncins 42 93 Ea 74
Pondaurat 33 111 Ze 82
Pondivi = Pontivy 56 43 Xa 60
Ponlat-Taillebourg 31 139 Ad 90
Pons 17 99 Zc 75
Ponsampère 32 139 Ac 88
Ponsan-Soubiran 32 139 Ac 89
Ponsas 26 106 Ee 77
Ponson-Debat-Pouts 64 138 Zf 89
Ponson-Dessus 64 138 Zf 89
Ponsonnas 38 120 Fe 79
Pont, Le 21 83 Fa 65
Pontacq 64 138 Zf 89
Pontailler-sur-Saône 21 69 Fc 65
Pontaix 26 119 Fa 80
Pont-à-Marcq 59 8 Da 45
Pont-à-Mousson 54 38 Ga 55
Pont-Arcy 02 18 De 52
Pont-Authou 27 31 Ad 53
Pont-Aven 29 42 Wb 61
Pont-à-Vendin 62 8 Cf 46
Pontavert 02 19 De 52
Pont-Bellanger 14 29 Za 55
Pontcarré 77 33 Ce 56
Pontcey 70 70 Ga 63

Quincerot 89 52 Ea 61
Quincey 21 82 Ef 66
Quincey 70 70 Gb 63
Quincié-en-Beaujolais 69 94 Fc 72
Quincieu 38 107 Fc 77
Quincieux 69 94 Ee 73
Quincy 18 65 Ca 66
Quincy-Basse 02 18 Dc 51
Quincy-Landzécourt 55 21 Fb 52
Quincy-le-Vicomte 21 68 Eb 63
Quincy-sous-le-Mont 02 18 Dd 53
Quincy-sous-Sénart 91 33 Cd 56
Quincy-Voisins 77 34 Cf 55
Quinéville 50 12 Ye 51
Quingey 25 84 Ff 66
Quinquempoix 60 17 Cc 51
Quins 12 128 Cc 83
Quinsac 24 101 Ae 76
Quinsac 33 111 Zd 80
Quinson 04 133 Ga 86
Quinssaines 03 91 Cd 71
Quint 31 141 Bd 87
Quintal 74 96 Ga 73
Quinte, la 72 47 Aa 60
Quintenas 07 106 Ee 77
Quintenic 22 27 Xd 57
Quintigny 39 83 Fd 68
Quintillan 11 154 Ce 91
Quintin 22 26 Xa 58
Quiou, le 22 44 Ya 58
Quirbajou 11 153 Cb 91
Quiry-le-Sec 80 17 Cc 50
Quissac 30 130 Ea 85
Quissac 46 114 Be 81
Quistinic 56 43 Wf 61
Quittebeuf 27 31 Ba 54
Quivières 80 18 Da 50
Quœux-Haut-Maïnil 62 7 Ca 47

R

Rabastens 81 127 Be 86
Rabatelière, La 85 74 Ye 67
Rabat-le-Trois-Seigneurs 09 152 Bd 91
Rablay-sur-Layon 49 61 Zc 65
Rabodanges 61 30 Ze 56
Rabou 05 120 Ga 81
Rabouillet 66 153 Cc 92
Racécourt 88 55 Gb 59
Rachecourt-sur-Marne 52 36 Fa 57
Râches 59 8 Da 46
Racines 10 52 Df 60
Racineuse, La 71 83 Fa 67
Racquinghem 62 3 Cc 44
Racrange 57 38 Ge 55
Raddon-et-Chapendu 70 55 Gc 61
Radenac 56 43 Xb 61
Radepont 27 16 Bb 52
Radinghem 62 7 Ca 45
Radinghem-en-Weppes 59 8 Cf 45
Radon 61 30 Aa 57
Radonvilliers 10 53 Ed 58
Raedersdorf 68 72 Hc 64
Raedersheim 68 56 Hb 61
Raffetot 76 15 Ad 51
Rahart 41 48 Ba 61
Rahay 72 48 Ae 61
Rahecourt-Suzemont 52 53 Ef 58
Rahling 57 39 Hb 55
Rahon 25 71 Gd 65
Rahon 39 83 Fc 67
Rai 61 31 Ad 56
Raids 50 12 Yd 53
Raillencourt-Saint-Olle 59 8 Db 47
Railleu 66 153 Cb 93
Raillicourt-Barbaise 08 20 Ed 51
Raillimont 02 19 Ea 50
Raimbeaucourt 59 8 Da 46
Raincheval 80 7 Cc 48
Raincourt 70 55 Ff 61
Raincy, Le 93 33 Cd 55
Rainfreville 76 15 Af 50
Rainneville 80 7 Cc 49
Rainsars 59 9 Df 48
Rainville 88 54 Ff 58
Rainvillers 60 17 Ca 52
Rairies, Les 49 62 Ze 63
Raismes 59 9 Dc 46
Raissac 09 153 Be 91
Raissac-d'Aude 11 142 Cf 89
Raissac-sur-Lampy 11 141 Ca 89
Raival 55 37 Fb 56
Raix 16 88 Aa 73
Raizeux 78 32 Be 57
Ramasse 01 95 Fc 71
Ramatuelle 83 148 Gd 89
Rambaud 05 120 Ga 81
Rambervillers 88 55 Gd 58
Ramblutin-et-Benoîte-Vaux 55 37 Fb 54
Rambouillet 78 32 Bf 57
Rambucourt 55 37 Fe 55
Ramburelles 80 7 Be 49
Rambures 80 7 Be 49
Ramecourt 62 7 Cb 46
Ramecourt 88 55 Ga 59
Ramerupt 10 52 Eb 57
Ramicourt 02 9 Dc 49
Ramillies 59 8 Cf 47
Rammersmatt 68 71 Ha 62
Ramonchamp 88 56 Gb 61
Ramonville-Saint-Agne 31 140 Bc 87
Ramoulu 45 50 Cb 59
Ramous 64 123 Za 87
Ramousies 59 9 Ea 48
Ramouzens 32 125 Ab 86
Rampan 50 12 Yf 54
Rampieux 24 113 Ae 80
Rampillon 77 34 Da 57
Rampoux 46 113 Bb 81
Rancé 01 94 Fa 72
Rancenay 25 70 Ff 65
Rancennes 08 10 Ee 48
Rances 10 53 Ed 58
Rancevelle 70 55 Ff 61
Ranchal 69 94 Ec 72
Ranchot 39 69 Fe 66
Ranchy 14 13 Zb 53
Rancon 87 89 Bb 73
Rançonnières 52 54 Fd 61
Rancourt 62 8 Cf 48
Rancourt 88 55 Ga 59
Rancourt-sur-Ornain 55 36 Ef 56
Rancy 71 83 Fa 69

Randan 63 92 Dc 72
Randens 73 108 Gb 75
Randevillers 25 71 Gd 65
Randonnai 61 31 Ae 57
Rânes 61 30 Aa 57
Rang 25 71 Gd 64
Rang-du-Fliers 62 6 Bd 46
Rangen-Hohengœft 67 40 Hc 56
Ranguevaux 57 38 Ga 54
Ranrupt 67 56 Hb 58
Rans 39 69 Fe 66
Ransart 62 8 Ce 47
Ranspach 68 56 Ha 61
Ranspach-le-Bas 68 72 Hc 63
Ranspach-le-Haut 68 72 Hc 63
Rantechaux 25 70 Gc 66
Rantigny 60 17 Cc 52
Ranton 86 76 Zf 66
Rantzwiller 68 72 Hc 63
Ranville 14 14 Ze 53
Ranzières 55 37 Fc 54
Raon-aux-Bois 88 55 Gd 60
Raon-lès-Leau 54 39 Ha 57
Raon-l'Étape 88 56 Gf 58
Rapaggio 2B 157 Kc 94
Rapaghju = Rapaggio 2B 157 Kc 94
Rapale 2B 157 Kb 93
Rapey 88 55 Gb 59
Rapilly 14 29 Ze 55
Rapsécourt 51 36 Ee 54
Raray 60 17 Ce 53
Rarécourt 55 36 Fa 54
Rasiguères 66 154 Cd 92
Raslay 86 62 Zf 66
Rasteau 84 131 Ef 83
Ratenelle 71 83 Fa 69
Ratte 71 83 Fb 69
Ratzwiller 67 39 Hb 55
Raucoules 43 105 Eb 77
Raucourt 54 38 Gc 56
Raucourt-au-Bois 59 9 De 47
Raucourt-et-Flaba 08 20 Ef 51
Raulecourt 55 37 Fe 56
Raulhac 15 115 Cc 79
Rauret 43 117 De 80
Rauville-la-Bigot 50 12 Yb 51
Rauville-la-Place 50 12 Yc 52
Rauwiller 67 39 Ha 56
Rauzan 33 111 Zf 80
Raveau 58 66 Da 65
Ravel 63 92 Dc 74
Ravenel 60 17 Cd 51
Ravenoville 50 12 Ye 52
Raves 88 56 Ha 58
Ravières 89 67 Eb 62
Ravigny 53 47 Zf 58
Raville 57 38 Gc 54
Raville-sur-Sânon 54 38 Gd 57
Ravilloles 39 84 Fe 70
Ravoire, la 73 108 Ff 75
Raye-sur-Authie 62 7 Bf 47
Rayet 47 113 Ae 81
Raymond 18 79 Ce 67
Rayol-Candel-sur-Mer, Le 83 148 Gc 89
Rayssac 81 128 Cc 86
Ray-sur-Saône 70 70 Fe 63
Razac-de-Saussignac 24 112 Ab 80
Razac-d'Eymet 24 112 Ac 80
Razac-sur-l'Isle 24 100 Ad 78
Raze 70 70 Ga 63
Razecueillé 31 139 Ae 91
Razengues 32 126 Af 87
Razès 87 89 Bc 72
Razimet 47 112 Ab 82
Razines 37 76 Ac 67
Réal 66 153 Cc 93
Réalcamp 76 16 Bd 49
Réallon 05 120 Gc 81
Réalmont 81 128 Cb 86
Réalville 82 127 Bc 84
Réans 32 124 Aa 85
Réau 37 63 Cd 57
Réaumont 38 107 Fd 76
Réaumur 85 75 Zb 68
Réaup-Lisse 47 125 Ab 84
Réauville 26 118 Ef 82
Réaux 17 99 Zd 76
Rebais 77 34 Db 55
Rebecques 62 3 Cb 45
Rébénacq 64 138 Zd 90
Rebergues 62 3 Bf 44
Rebets 76 16 Bb 52
Rebeuville 88 54 Fe 58
Rebigue 31 140 Bc 88
Rebourguil 12 128 Cc 85
Reboursin 36 78 Be 66
Rebréchien 45 49 Ca 61
Rebreuve 62 8 Cd 46
Rebreuve-sur-Canche 62 7 Cc 47
Rebreuviette 62 7 Cc 47
Recanoz 39 83 Fd 68
Recey-sur-Ource 21 68 Ef 62
Réchicourt-la-Petite 54 38 Gd 56
Réchicourt-le-Château 57 39 Gf 56
Récicourt 55 37 Fa 54
Réclainville 28 49 Bd 60
Réclainville 28 49 Be 58
Reclesne 71 82 Eb 66
Réclinghem 62 7 Cb 45
Réclonville 54 39 Ge 57
Recloses 77 50 Cd 58
Recologne 70 70 Ff 65
Recologne 70 70 Fb 64
Recologne-lès-Rioz 70 70 Ff 64
Recoubeau-Jansac 26 119 Fc 81
Recoules-d'Aubrac 48 116 Da 80
Recoules-de-Fumas 48 116 Dc 81
Recoules-Prévinquières 12 116 Cf 82
Récourt 62 8 Da 47
Récourt-Saint-Quentin 62 8 Da 47
Recouvrance 90 71 Gf 63
Recoux, Le 48 116 Da 82
Recoux, Le 48 116 Dc 80
Recques (sur-Course) 62 7 Be 45
Recques-sur-Hem 62 3 Ca 43
Recquignies 59 10 Ea 47
Reculey, Le 14 29 Za 55
Reculfoz 25 84 Ga 68
Recurt 65 139 Ac 89
Recy 51 35 Eb 55
Rédagne 89 41 Wd 61
Rédené 29 42 Wd 61
Redessan 30 131 Ec 85
Réding 57 39 Ha 56
Redon 35 59 Xf 63

Reffannes 79 76 Ze 69
Reffuveille 50 28 Yf 56
Régades 31 139 Ae 90
Régat 09 141 Bf 91
Regnauville 62 7 Ca 47
Regnevelle 88 55 Ff 61
Regnéville-sur-Mer 50 28 Yc 54
Regnéville-sur-Meuse 55 21 Fb 53
Regney 88 55 Gb 59
Regnié-Durette 69 94 Ed 72
Regnière-Écluse 80 7 Be 47
Regniville, Thiaucourt- 54 37 Ff 55
Regniowez 08 10 Ec 49
Régny 02 18 Dc 49
Régny 42 93 Eb 73
Regrippière, La 44 60 Ye 65
Réguiny 56 43 Xb 61
Réguisheim 68 56 Hc 61
Régusse 83 133 Ga 86
Rehaincourt 88 55 Gc 58
Rehainviller 54 38 Gc 57
Rehaupal 88 56 Ge 60
Reherrey 54 39 Ge 57
Rehon 54 21 Fe 51
Reichsfeld 67 56 Hc 58
Reichshoffen 67 40 Hd 55
Reichstett 67 40 He 57
Reignac 16 99 Ze 76
Reignac 33 99 Zc 77
Reignac-sur-Indre 37 63 Af 65
Reignat 63 104 Da 75
Reigneux-Bocage 50 12 Yd 52
Reignier 74 96 Gb 72
Reigny 18 79 Cc 69
Reilhac 15 115 Cc 79
Reilhac 46 114 Be 80
Reilhaguet 46 114 Bd 80
Reilhanette 26 132 Fc 83
Reillanne 04 132 Fd 85
Reillon 54 39 Ge 57
Reilly 60 16 Bf 53
Reims 51 19 Ea 53
Reims-la-Brûlée 51 36 Ee 56
Reinhardsmunster 67 39 Hb 56
Reiningue 68 71 Hb 62
Reipertswiller 67 39 Hc 55
Reithouse 39 83 Fd 69
Réjaumont 32 125 Ad 86
Réjaumont 65 139 Ac 90
Rejet-de-Beaulieu 59 9 Dd 48
Réjouit 33 111 Zc 80
Relanges 88 55 Ga 60
Relans 39 83 Fc 68
Relecq-Kerhuon, Le 29 24 Vd 58
Relevant 01 94 Ef 72
Rely 62 7 Cc 45
Remaisnil 80 7 Cb 47
Rémalard 61 48 Ae 58
Remaucourt 02 18 De 49
Remaucourt 08 19 Eb 51
Remaudière, La 44 60 Ye 65
Remaugies 80 17 Ce 51
Remauville 77 51 Ce 59
Rembercourt-Sommaisne 55 37 Fb 55
Rembercourt-sur-Mad 54 37 Ff 55
Rémécourt 60 17 Cd 52
Rémelfang 57 22 Gd 53
Rémelfing 57 39 Ha 54
Rémeling 57 22 Gc 52
Remennecourt 55 36 Ef 56
Remenoville 54 55 Gc 58
Rémérangles 60 17 Cb 52
Réméréville 54 38 Gc 56
Rémering-lès-Hargarten 57 22 Gd 53
Rémering-lès-Puttelange 57 39 Gf 54
Remicourt 51 36 Ef 55
Remicourt 88 55 Ga 59
Remiencourt 80 17 Cc 50
Remies 02 18 Db 50
Remigny 02 18 Db 50
Remigny 71 82 Ee 67
Rémilly 57 38 Gc 54
Rémilly 58 81 De 68
Rémilly-Aillicourt 08 20 Ef 51
Rémilly-les-Pothées 08 20 Ed 50
Remilly-en-Montagne 21 68 Ee 65
Remilly-sur-Lozon 50 12 Ye 53
Remilly-sur-Tille 21 69 Fb 65
Remilly-Wirquin 62 3 Ca 44
Réminiac 56 44 Xe 61
Remiremont 88 55 Gd 60
Remoiville 55 21 Fd 52
Remollon 04 120 Gb 82
Remomeix 88 56 Ha 59
Remoncourt 54 39 Ge 57
Remoncourt 88 55 Ga 59
Remoray-Boujeons 25 84 Gb 68
Remouillé 44 60 Yd 66
Remoulins 30 131 Ed 85
Rempnat 87 102 Bf 75
Remuée, La 76 14 Ac 51
Remungol 56 43 Xa 61
Rémuzat 26 119 Fc 82
Rémy 60 17 Ce 52
Rémy 62 8 Cf 47
Renac 35 44 Ya 62
Renage 38 107 Fc 77
Renaison 42 93 Df 72
Renansart 02 18 Dc 50
Renaucourt 70 70 Fe 63
Renaudière, La 49 60 Yf 66
Renauvoid 88 55 Gc 60
Renay 41 48 Bb 61
Renazé 53 45 Yf 62
Rencurel 38 107 Fc 78
René 72 47 Ab 59
Renédale 25 84 Gb 66
Renescure 59 3 Cc 44
Renève 21 69 Fc 64
Rennepont 52 53 Ef 60
Rennes 35 45 Yc 60
Rennes-en-Grenouilles 53 29 Zc 58
Rennes-le-Château 11 153 Cb 91
Rennes-les-Bains 11 153 Cb 91
Rennes-sur-Loue 25 84 Ff 66
Renneval 02 19 Ea 50
Renneville 08 19 Eb 50
Renneville 27 16 Bd 52
Renneville 31 141 Bd 88
Renno 2A 158 If 95
Rennu = Renno 2A 158 If 95
Renouard, Le 61 30 Aa 55
Rentières 63 104 Da 76

Renty 62 7 Ca 45
Renung 40 124 Zd 86
Renwez 08 20 Ed 49
Réole, La 33 111 Zf 81
Réorthe, La 85 74 Yf 69
Réotier 05 121 Gd 80
Repaix 54 39 Ge 57
Réparsac 16 87 Ze 74
Repel 88 55 Ff 58
Repentigny 14 14 Aa 53
Replonges 01 94 Ef 71
Reposoir-Pralong, Le 74 96 Gd 72
Repôts, Les 39 83 Fc 68
Reppe 90 71 Ha 63
Requeil 72 47 Aa 62
Requista 12 128 Cd 84
Résie-Saint-Martin, La 70 69 Fd 65
Résigny 02 19 Eb 50
Ressaincourt 57 38 Gb 55
Resson 55 37 Fb 56
Ressons 60 17 Ca 54
Ressons-le-Long 02 18 Da 52
Ressons-sur-Matz 60 17 Ce 51
Rester = Retiers 35 45 Yd 61
Restigné 37 62 Ab 65
Restinclières 34 130 Ea 86
Retail, Le 79 75 Zc 69
Rétaud 17 87 Zb 74
Reterre 23 91 Cc 72
Rethel 08 20 Ec 51
Rethondes 60 18 Cf 52
Rethonvillers 80 17 Cf 50
Réthoville 50 12 Yd 50
Retiers 35 45 Yd 61
Retjons 40 124 Ze 84
Retonfey 57 38 Gb 54
Rétonval 76 16 Bd 50
Retournac 43 105 Ea 77
Retschwiller 67 40 Hf 55
Rettel 57 22 Gc 52
Rety 62 3 Be 44
Retzwiller 68 71 Ha 63
Reugney 25 84 Ga 66
Reugny 03 79 Cd 69
Reugny 37 63 Af 64
Reuil 51 35 Df 54
Reuil-en-Brie 77 34 Da 55
Reuilly 27 32 Bb 54
Reuilly 36 79 Ca 66
Reuil-sur-Brêche 60 17 Cb 51
Reumont 59 9 Dc 48
Réunion, La 47 112 Aa 83
Reutenbourg 67 39 Hc 56
Reuves 51 35 De 56
Reuville 76 15 Af 50
Reux 14 14 Aa 53
Réveillon 51 34 Dc 56
Réveillon 61 48 Ad 58
Revel 31 141 Ca 88
Revel 38 107 Fe 77
Revelles 80 17 Cb 50
Revel-Tourdan 38 106 Fa 76
Reventin-Vaugris 38 106 Ef 76
Revercourt 28 31 Ba 56
Revest-du-Bion 04 132 Fd 84
Revest-les-Eaux, Le 83 147 Ff 89
Revest-les-Roches 06 134 Ha 85
Revest-Saint-Martin 04 133 Fe 84
Reviers 14 13 Zd 53
Revigny 39 83 Fd 69
Revigny-sur-Ornain 55 36 Ef 56
Réville 50 12 Yf 50
Réville-aux-Bois 55 21 Fc 52
Révillon 02 18 Dd 52
Revin 08 20 Ed 49
Revonnas 01 95 Fb 72
Rexingen 67 39 Hb 55
Rexpoède 59 4 Cd 43
Reygade 19 102 Bf 78
Reynel 52 54 Fa 59
Reynès 66 154 Ce 94
Reyniès 82 126 Bc 85
Reyrevignes 46 114 Bf 81
Reyrieux 01 94 Ee 73
Reyssouze 01 83 Fa 70
Reyvroz 74 96 Gd 71
Rezay 18 79 Cb 68
Rezé 44 60 Yc 65
Rézentières 15 104 Da 78
Rezonville 57 38 Ff 54
Rezza 2A 159 If 96
Rhèges-Bessy 10 35 Df 57
Rheu, Le 35 45 Yb 60
Rhèges 57 39 Hc 54
Rhinau 67 57 Hf 59
Rhodes 57 39 Gf 56
Rhodon 41 64 Bb 62
Rhuis 60 17 Ce 53
Ri 61 30 Zf 56
Riaillé 44 60 Yd 64
Rialet, Le 81 142 Cc 87
Rians 18 65 Cd 65
Rians 83 147 Fe 87
Riantec 56 42 We 62
Ria-Sirach 66 153 Cc 93
Riaucourt 52 54 Fa 59
Riols, le 81 127 Bf 84
Ribagnac 24 112 Ac 80
Ribarrouy 64 138 Ze 87
Ribaute 11 142 Cd 90
Ribaute-les-Tavernes 30 130 Ea 84
Ribay, Le 53 47 Zf 58
Ribeaucourt 55 37 Fc 57
Ribeaucourt 80 7 Cb 48
Ribeauville 02 9 Dd 48
Ribeauvillé 68 56 Hb 59
Ribécourt-Dreslincourt 60 18 Cf 51
Ribemont 02 18 Dc 50
Ribemont-sur-Ancre 80 8 Cd 49
Ribennes 48 116 Db 81
Ribérac 24 100 Ac 77
Ribes 07 117 Eb 82
Ribeyret 05 119 Fd 82
Ribiers 05 133 Ff 83
Ribouisse 11 141 Bf 89
Riboux 83 147 Fe 89
Ricamarie, la 42 106 Ec 76
Ricarville-du-Val 76 16 Bd 51
Ricaud 11 141 Bf 88
Ricaud 65 139 Ab 90
Riceys, Les 10 53 Ea 60
Richardais, La 35 27 Xf 57
Richarménil 54 38 Gb 57
Richarville 91 49 Bf 58

Riche 57 38 Gd 55
Richebourg 52 53 Fa 60
Richebourg 62 8 Ce 45
Richebourg 78 32 Bd 56
Richecourt 55 37 Fe 55
Richeling 57 38 Gf 54
Richemont 57 22 Ga 53
Richemont 76 16 Bd 50
Richerenches 84 118 Ef 82
Richet 40 110 Zb 82
Richeval 57 39 Gf 57
Richeville 27 16 Be 52
Richtolsheim 67 57 Hd 59
Richwiller 68 71 Hb 62
Ricourt 32 139 Ab 88
Ricquebourg 60 17 Ce 51
Riec-sur-Belon 29 42 Wb 61
Riedisheim 68 72 Hc 62
Riedseltz 67 40 Hf 54
Riel-les-Eaux 21 53 Ee 61
Riencourt 80 17 Cb 50
Riencourt-lès-Cagnicourt 62 8 Cf 47
Riespach 68 72 Hb 63
Rieucazé 33 139 Ae 90
Rieucros 09 141 Be 90
Rieulay 59 8 Db 46
Rieumajou 31 141 Be 88
Rieumes 31 140 Ba 88
Rieupeyroux 12 128 Cb 83
Rieussec 34 142 Cd 89
Rieutort-de-Randon 48 116 Dc 81
Rieux 31 140 Bb 89
Rieux 51 34 Dd 55
Rieux 56 43 Xf 63
Rieux 60 17 Ca 51
Rieux 76 6 Bd 49
Rieux-de-Pelleport 09 141 Bd 90
Rieux-en-Cambrésis 59 9 Dc 47
Rieux-en-Val 11 142 Cd 90
Rieux-Minervois 11 142 Cd 89
Riez 04 133 Ga 86
Rigarda 66 154 Cd 93
Rigaud 06 134 Gf 85
Rignac 12 115 Cb 82
Rignac 46 114 Be 80
Rigney 25 70 Gb 64
Rignieux-le-Franc 01 95 Fb 73
Rignosot 25 70 Gb 64
Rignovelle 70 70 Gb 62
Rigny 70 70 Fe 64
Rigny-la-Nonneuse 10 52 Dd 58
Rigny-la-Salle 55 37 Fe 57
Rigny-le-Ferron 10 52 Dd 59
Rigny-Saint-Martin 55 37 Fe 57
Rigny-sur-Arroux 71 81 Ea 69
Rigny-Ussé 37 62 Ab 65
Riguepeu 32 125 Ac 87
Rilhac-Lastours 87 101 Ba 74
Rilhac-Rancon 87 89 Bb 73
Rilhac-Treignac 19 102 Be 75
Rilhac-Xaintrie 19 103 Cd 77
Rillé 37 62 Ac 64
Rillieux-la-Pape 69 94 Ef 74
Rilly-la-Montagne 51 35 Ea 54
Rilly-Sainte-Syre 10 52 Df 58
Rilly-sur-Aisne 08 20 Ec 52
Rilly-sur-Loire 41 63 Ba 64
Rimaucourt 52 54 Fa 59
Rimbach-près-Guebwiller 68 56 Ha 61
Rimbach-près-Masevaux 68 56 Gf 62
Rimbachzell 68 56 Hb 61
Rimbez-et-Baudiets 40 125 Aa 84
Rimblas 06 134 Ha 84
Rimboval 62 7 Bf 45
Rimeize 48 116 Db 80
Rimling 57 39 Hb 54
Rimogne 08 20 Ed 49
Rimondeix 23 90 Ca 71
Rimon-et-Savel 26 119 Fb 81
Rimons 33 112 Aa 80
Rimont 09 140 Bb 91
Rimou 35 45 Yc 58
Rimsdorf 67 39 Ha 55
Ringeldorf 67 40 Hd 56
Ringendorf 67 40 Hd 56
Rinxent 62 3 Be 44
Riocaud 33 112 Ab 80
Riolas 31 140 Af 88
Riols 34 142 Cc 88
Riols, le 81 127 Bf 84
Riom 63 92 Da 73
Riom-ès-Montagnes 15 103 Cd 77
Rion-des-Landes 40 123 Za 85
Rions 33 111 Zd 80
Riorges 42 93 Ea 72
Riotord 43 106 Ec 77
Rioupéroux 38 108 Ff 78
Riousse 58 80 Da 68
Rioux 17 87 Zb 75
Rioux-Martin 16 100 Aa 77
Rioz 70 70 Ga 64
Riquewihr 68 56 Hb 59
Ris 63 92 Dd 73
Ris 65 150 Ac 91
Riscle 32 124 Zf 87
Ris-Orangis 91 33 Cc 57
Risoul 05 121 Gd 81
Ristolas 05 121 Gf 80
Rittershoffen 67 40 Hf 55
Ritzing 57 22 Gc 52
Riupeyrous 64 138 Ze 88
Rivarennes 36 78 Bc 69
Rivarennes 37 62 Ac 65
Rivas 42 105 Eb 75
Rivecourt 60 17 Ce 52
Rive-de-Gier 42 106 Ed 75
Rivedoux-Plage 17 86 Ye 72
Rivehaute 64 137 Za 88
Rivel 11 153 Cb 91
Riventosa 2B 159 Ka 95
Rivèrenert 09 140 Bb 91
Riverie 69 106 Ed 75
Rivery 80 7 Cc 49
Rives 34 129 Db 85
Rives, Les 34 129 Db 85
Rives-sur-Fure 38 107 Fc 76
Rivesaltes 66 154 Da 92
Rivier, Les 38 107 Fc 76
Rivière 37 62 Ab 66
Rivière 62 8 Ce 47
Rivière, la 33 111 Ze 79
Rivière-de-Corps, La 10 52 Ea 57
Rivière-Enverse, La 74 97 Gd 72
Rivière-les-Fosses 52 69 Fb 63
Rivières 16 88 Ac 74

Rivières 30 130 Eb 83
Rivières 81 127 Bf 85
Rivière-Saas-et-Gourby 40 123 Yf 86
Rivière-Saint-Sauveur, la 14 14 Ab 52
Rivières-Henruel, les 51 52 Ed 57
Rivières-le-Bois 52 69 Fc 62
Rivière-sur-Tarn 12 129 Da 83
Riville 76 15 Ad 50
Rivire, La 38 107 Fd 77
Rivolet 69 94 Ed 73
Rix 39 84 Ga 68
Rix 58 67 Dc 64
Rixheim 68 72 Hc 62
Rixouse, La 39 84 Ga 69
Rizaucourt-Buchey 52 53 Ef 59
Roaillan 33 111 Ze 82
Roaix 84 131 Fa 83
Roanne 42 93 Ea 72
Roannes-Saint-Mary 15 115 Cc 79
Roazhon = Rennes 35 45 Yc 60
Robécourt 88 54 Fe 59
Robecq 62 8 Cd 45
Robersart 59 9 Dd 47
Robert-Espagne 55 36 Fa 56
Robert-Magny-Laneuville-à-Rémy 52 53 Ef 58
Robertot 76 15 Ae 50
Roberval 60 17 Ce 52
Robiac 30 130 Ea 83
Robiac-Rochessadoule 30 130 Ea 83
Robine, La 04 133 Gb 83
Robion 84 132 Fa 85
Roc, le 46 113 Bc 79
Rocamadour 46 114 Bd 80
Rocbaron 83 147 Ga 89
Rocé 41 48 Ba 62
Roc'han = Rohan 56 43 Xb 60
Roc'h-an-Argoed = Rochefort-en-Terre 56 44 Xe 62
Rochbrune 05 120 Gb 82
Roche 38 107 Fa 75
Roche 70 70 Fd 64
Rochebaudin 26 118 Fa 81
Rochebeaucourt-et-Argentine, La 24 100 Ac 76
Roche-Bernard, La 56 59 Xe 63
Roche-Blanche 63 104 Da 74
Roche-Blanche, La 44 60 Yf 64
Rochebrune 26 119 Fb 82
Roche-Canillac, La 19 102 Bf 77
Roche-Chalais, La 24 100 Aa 78
Roche-Charles 63 104 Da 76
Rochechouart 87 89 Ae 74
Roche-Clermault, La 37 62 Ab 66
Rochecolombe 07 118 Ec 81
Rochecorbon 37 63 Ae 64
Roche-d'Agoux 63 91 Cd 72
Roche-de-Rame, la 05 121 Gd 80
Roche-des-Arnauds, La 05 120 Ff 81
Roche-en-Brenil, La 21 67 Eb 64
Roche-en-Reignier 43 105 Df 77
Rochefort 21 68 Ea 63
Rochefort 73 108 Ga 74
Rochefort 17 86 Za 73
Rochefort 21 68 Ee 62
Rochefort-du-Gard 30 131 Ee 85
Rochefort-en-Terre 56 44 Xe 62
Rochefort-en-Yvelines 78 32 Bf 57
Rochefort-Montagne 63 91 Ce 74
Rochefort-Samson 26 119 Fb 80
Rochefort-sur-la-Côte 52 54 Fb 59
Rochefort-sur-Loire 49 61 Zc 64
Rochefort-sur-Nenon 39 69 Fd 66
Rochefoucauld, La 16 88 Ac 74
Rochegiron, La 04 132 Fd 84
Rochegude 26 119 Fb 82
Rochegude 30 130 Eb 83
Roche-Guyon, La 95 32 Bd 54
Rochejean 25 84 Gb 68
Roche-l'Abeille, L' 87 101 Bb 75
Roche-la-Molière 42 105 Eb 76
Roche-le-Peyroux 19 103 Cc 76
Roche-lès-Clerval 25 70 Gc 64
Roche-lez-Beaupré 25 70 Ga 65
Rochelle, La 17 86 Ye 72
Rochelle, La 70 70 Fd 63
Rochelle-Normandie, La 50 28 Yd 56
Roche-Mabile, La 61 30 Zf 58
Rochemaure 07 118 Ee 81
Roche-Maurice, La 29 24 Ve 58
Roche-Morey, La 70 69 Fe 62
Rochenard, la 79 87 Zc 71
Roche-Noire, La 63 104 Db 74
Roche-Posay, La 86 77 Ae 68
Rochepot, La 21 82 Ee 67
Rocher 07 117 Eb 81
Rochère, La 70 55 Ga 61
Rochereau, Le 86 76 Aa 68
Roche-Rigault, La 86 76 Ab 67
Roches 23 90 Bf 71
Roches 41 49 Bd 61
Roche-Saint-Secret-Béconne 26 118 Fa 82
Roches-Bettaincourt 52 54 Fb 59
Roches-de-Condrieu, les 38 106 Ee 76
Rocheservière 85 74 Yc 67
Roches-lès-Blamont 25 71 Gf 64
Roches-l'Évêque, les 41 63 Af 62
Roches-Prémarie-Andillé 86 76 Ac 70
Rochesauve 07 118 Ed 80
Rochesson 88 56 Ge 60
Roches-sur-Marne 52 36 Fa 57
Roche-sur-Foron, La 74 96 Gc 72
Roche-sur-Grane, la 26 118 Ef 80
Roche-sur-Linotte 70 70 Gb 64
Roche-sur-Yon, La 85 74 Yd 69
Rochetaillée 52 54 Fc 61
Rochette, La 05 120 Ga 81
Rochette, La 07 117 Eb 79
Rochette, La 16 88 Ab 74
Rochette, La 73 108 Ga 75
Rochette, La 77 50 Ce 58
Roche-Vanneau, la 21 68 Ed 64
Rocheville 50 12 Yc 51
Roche-Vineuse, la 71 94 Ee 70
Rochonvillers 57 22 Ga 52
Rochy-Condé 60 17 Cb 52
Rocles 03 80 Da 70
Rocles 07 117 Eb 81
Rocles 48 116 Dd 81
Roclincourt 62 8 Ce 47
Rocourt 88 54 Fe 60

Rocourt-Saint-Martin **02** 34 Dc 54
Rocquancourt **14** 30 Ze 54
Rocque, La **14** 29 Zb 55
Rocquefort **76** 15 Ae 50
Rocquemont **60** 18 Ce 53
Rocquemont **76** 16 Bb 51
Rocquencourt **60** 17 Cc 51
Rocques **14** 30 Ab 53
Rocquigny **02** 9 Df 48
Rocquigny **08** 19 Eb 50
Rocquigny **62** 8 Da 48
Rocroi **08** 20 Ed 49
Roc-Saint-André, Le **56** 44 Xd 61
Rodalbe **57** 39 Ge 55
Rodelinghem **62** 3 Bf 43
Rodelle **12** 115 Cd 82
Rodemack **57** 22 Gb 52
Roderen **68** 71 Ha 62
Rodern **68** 56 Hc 59
Rodès **66** 154 Cd 93
Rodez **12** 115 Cd 82
Rodilhan **30** 131 Ec 86
Rodome **11** 153 Ca 92
Roë, La **53** 45 Yf 61
Roëllecourt **62** 7 Cb 46
Rœschwoog **67** 40 Ia 55
Rœulx **59** 9 Df 47
Rœux **62** 8 Cf 47
Roëzé-sur-Sarthe **72** 47 Aa 61
Roffey **89** 52 Df 61
Roffiac **15** 104 Da 78
Rogécourt **02** 18 Dc 51
Rogerville **76** 14 Ab 51
Rogéville **54** 38 Ff 56
Roggenhouse **68** 57 Hc 61
Rogliano **2B** 157 Kc 91
Rogna **39** 95 Fe 71
Rognaix **73** 108 Gc 75
Rognes **13** 132 Fc 86
Rognonas **13** 131 Ee 85
Rogny **02** 19 De 50
Rogny-les-Sept-Écluses **89** 66 Cf 62
Rogues **30** 129 Dd 85
Rogy **80** 17 Cb 50
Rohaire **28** 31 Af 56
Rohan **56** 43 Xb 60
Rohrbach-lès-Bitche **57** 39 Hb 54
Rohrwiller **67** 40 Hf 56
Roiffé **86** 62 Aa 66
Roiffieux **07** 106 Ed 77
Roiglise **80** 18 Ce 50
Roilly **21** 68 Ec 64
Roinville **28** 49 Be 58
Roinville **91** 33 Ca 57
Roinvilliers **91** 50 Cb 58
Roisel **80** 8 Da 49
Roises, Les **55** 54 Fd 58
Roissard **38** 119 Fd 79
Roissy-en-Brie **77** 33 Cd 56
Roissy-en-France **95** 33 Cd 54
Roiville **61** 30 Ab 55
Roizy **08** 19 Eb 52
Rolampont **52** 54 Fb 61
Rolbing **57** 39 Hc 53
Rollainville **88** 54 Fe 58
Rollancourt **62** 7 Ca 46
Rolleboise **78** 32 Bd 54
Rolleville **76** 14 Ab 51
Rollot **80** 17 Ce 50
Rom **79** 88 Aa 71
Romagnat **63** 92 Da 74
Romagne **33** 111 Ze 80
Romagné **35** 45 Ye 58
Romagne **86** 88 Ab 71
Romagne, La **08** 19 Eb 50
Romagne, La **49** 61 Yf 66
Romagne-Gesnes **55** 22 Fa 53
Romagne-sous-les-Côtes **55** 21 Fc 53
Romagnieu **38** 107 Fd 75
Romagny **50** 29 Za 57
Romagny **68** 71 Ha 63
Romain **25** 70 Gc 64
Romain **39** 69 Fe 65
Romain **51** 19 De 52
Romain **54** 38 Gc 57
Romain-aux-Bois **88** 54 Fe 60
Romain-sur-Meuse **52** 54 Fd 59
Romainville **93** 33 Cc 55
Roman **27** 31 Ba 55
Romange **39** 69 Fd 66
Romans **01** 94 Fa 72
Romans **79** 75 Ze 70
Romans-sur-Isère **26** 106 Fa 78
Romanswiller **67** 39 Hc 57
Romazières **17** 87 Ze 73
Romazy **35** 45 Yd 58
Rombach-le-Franc **68** 56 Hb 59
Rombas **57** 22 Ga 53
Rombies-et-Marchipont **59** 9 Dd 46
Romegoux **17** 87 Zb 73
Romelfing **57** 39 Ha 55
Romenay **71** 83 Fa 69
Romeny-sur-Marne **02** 34 Dc 55
Romeries **59** 9 Dd 47
Romery **51** 35 Df 54
Romescamps **60** 16 Be 50
Romestaing **47** 111 Aa 82
Romeyer **26** 119 Fc 80
Romigny **51** 35 De 53
Romiguières **34** 129 Db 86
Romillé **35** 44 Ya 59
Romilly **41** 48 Ba 61
Romilly-la-Puthenaye **27** 31 Af 54
Romilly-sur-Aigre **28** 49 Bb 61
Romilly-sur-Andelle **27** 16 Bb 52
Romilly-sur-Seine **10** 52 Dc 57
Romont **88** 55 Gd 58
Romorantin-Lanthenay **41** 64 Be 64
Rompon **07** 118 Ee 80
Rônai **61** 30 Zf 56
Ronce-les-Bains **17** 86 Yf 74
Roncenay-Authenay, Le **27** 31 Ba 55
Roncey **50** 29 Yd 56
Ronchamp **70** 71 Gd 62
Ronchaux **25** 84 Ff 66
Ronchères **02** 35 Dd 54
Roncherolles-en-Bray **76** 16 Bc 51
Roncherolles-sur-le-Vivier **76** 15 Bb 52
Ronchin **59** 8 Da 45
Ronchois **76** 16 Bd 50
Roncourt **57** 38 Ga 53
Roncq **59** 4 Da 44
Ronde, La **17** 87 Zb 71

Rondefontaine **25** 84 Gb 68
Ronde-Haye, La **50** 12 Yd 54
Ronel **81** 128 Cb 86
Ronfeugerai **61** 29 Zd 56
Rongères **03** 92 Dc 71
Ronnet **03** 91 Ce 71
Ronquerolles **95** 33 Cb 53
Ronsenac **16** 100 Ab 76
Ronssoy **80** 8 Da 49
Rontalon **69** 106 Ed 75
Rontignon **64** 138 Zc 89
Ronvaux **55** 37 Fd 54
Roost-Warendin **59** 8 Da 46
Roppe **90** 71 Ha 63
Roppenheim **67** 40 Ia 56
Roppentzwiller **68** 72 Hb 63
Roppeviller **57** 40 Hf 54
Roque-Alric, la **84** 132 Fa 84
Roque-Baignard, la **14** 4a 53
Roquebillière **06** 135 Hb 84
Roquebrun **34** 143 Da 88
Roquebrune **06** 135 Hc 86
Roquebrune **32** 125 Ab 86
Roquebrune **33** 112 Aa 81
Roquebrune-sur-Argens **83** 148 Gd 88
Roquebrussanne, La **83** 147 Ff 88
Roquecor **82** 113 Af 83
Roquecourbe **81** 128 Cb 87
Roquecourbe-Minervois **11** 142 Cd 89
Roque-d'Anthéron, La **13** 132 Fb 86
Roquedur **30** 130 Dd 85
Roque-Esclapon, La **83** 134 Gd 86
Roquefère **11** 128 Cc 88
Roquefeuil **11** 153 Bf 92
Roquefixade **09** 152 Be 91
Roquefort **32** 125 Ad 86
Roquefort **40** 124 Ze 84
Roquefort **47** 125 Ad 83
Roquefort-de-Sault **11** 153 Cb 92
Roquefort-des-Corbières **11** 143 Cf 91
Roquefort-la-Bédoule **13** 146 Fd 89
Roquefort-les-Pins **06** 134 Ha 86
Roquefort-sur-Garonne **31** 140 Af 90
Roquefort-sur-Soulzon **12** 129 Cf 85
Roquelaure **32** 125 Ad 86
Roquelaure-Saint-Aubin **32** 126 Af 86
Roquemaure **30** 131 Ee 84
Roquemaure **81** 127 Bd 86
Roquepine **32** 125 Ac 85
Roqueredonde **34** 129 Db 86
Roques **31** 127 Be 87
Roques **32** 125 Ab 85
Roque-Sainte-Marguerite, La **12** 129 Db 84
Roquesérière **31** 127 Bd 86
Roquessels **34** 143 Db 87
Roquesteron **06** 134 Ha 85
Roque-sur-Cèze, La **30** 131 Ed 83
Roque-sur-Pernes, La **84** 132 Fa 84
Roquetaillade **11** 141 Cb 91
Roquetoire **62** 3 Cc 44
Roquette, La **12** 115 Cd 82
Roquette, La **12** 129 Dc 85
Roquette, La **27** 16 Bc 53
Roquettes **31** 140 Bc 88
Roquette-sur-Siagne, La **06** 134 Gf 87
Roquette-sur-Var, La **06** 135 Hb 85
Roquevaire **13** 146 Fd 88
Roquevidal **81** 127 Bf 87
Roquiague **64** 137 Za 89
Roquille, la **33** 112 Ab 80
Rorbach-lès-Dieuze **57** 39 Gf 55
Rosans **05** 119 Fc 82
Rosay **39** 83 Fc 69
Rosay **51** 36 Ea 56
Rosay **76** 15 Bb 50
Rosay **78** 32 Be 55
Rosay-sur-Lieure **27** 16 Bc 52
Rosazia **2A** 158 If 96
Rosbruck **57** 39 Gf 53
Roscanvel **29** 24 Vc 59
Roschwihr **68** 56 Hc 59
Roscoff **29** 25 Wa 56
Rosel **14** 13 Zd 53
Rosenau **68** 72 Hd 63
Rosenwiller **67** 39 Hc 57
Roset-Fluans **25** 70 Fe 66
Rosey **70** 70 Ga 63
Rosey **71** 82 Ee 68
Rosheim **67** 40 Hc 57
Rosière, La **70** 55 Gd 61
Rosières **07** 117 Eb 82
Rosières **43** 105 Df 78
Rosières **60** 33 Ce 53
Rosières-aux-Salines **54** 38 Gc 57
Rosières-en-Haye **54** 38 Ff 56
Rosières-en-Santerre **80** 17 Ce 50
Rosières-près-Troyes **10** 52 Ea 59
Rosières-sur-Barbèche **25** 71 Gd 65
Rosières-sur-Mance **70** 54 Fe 61
Rosiers, Les **22** 26 Yd 61
Rosiers-d'Égletons **19** 102 Ca 76
Rosiers-de-Juillac **19** 101 Bb 77
Rosis **34** 128 Da 87
Rosnay **36** 77 Bb 68
Rosnay **51** 35 De 54
Rosnay-l'Hôpital **10** 53 Ec 58
Rosnoën **29** 24 Vf 59
Rosny-sous-Bois **93** 33 Cd 55
Rosny-sur-Seine **78** 32 Bd 55
Rosoy **60** 17 Ce 52
Rosoy-en-Multien **60** 34 Cf 54
Rosoy-le-Vieil **45** 51 Cf 60
Rospez **22** 26 Wd 56
Rospigliani **2B** 159 Kb 95
Rosporden **29** 42 Wb 60
Rossay-sur-Lieure **27** 16 Be 52
Rosselange **57** 22 Ga 53
Rossfeld **67** 57 Hd 58
Rossillon **01** 95 Fd 74
Rosteig **67** 39 Hc 55
Rostrenen **22** 43 We 59
Rostrenen = Rostrenen **22** 43 We 59
Rosult **59** 9 Dc 46
Rosureux **25** 71 Ge 65
Rotalier **39** 83 Fc 69
Rotangy **60** 17 Ca 51

Rothau **67** 56 Hb 58
Rothbach **67** 40 Hd 55
Rotherens **73** 108 Ga 76
Rothière, La **10** 53 Ed 58
Rothois **60** 17 Bf 51
Rothonay **39** 83 Fd 69
Rots **14** 13 Zd 53
Rott **67** 40 Hf 54
Rottelsheim **67** 40 He 56
Rottier **26** 119 Fc 82
Rouairoux **81** 142 Cd 88
Rouans **44** 59 Ya 65
Rouaudière, La **53** 45 Ye 62
Roubaix **59** 8 Db 44
Roubia **11** 142 Ce 90
Roubion **06** 134 Ha 84
Roucourt **59** 8 Da 46
Roucy **02** 19 De 52
Rouécourt **52** 53 Fa 59
Rouède **31** 140 Af 90
Rouellé **61** 29 Zf 57
Rouelles **52** 69 Fa 62
Rouen **76** 15 Ba 52
Rouessé-Fontaine **72** 47 Aa 59
Rouessé-Vassé **72** 47 Zd 60
Rouet **34** 130 De 86
Rouez **72** 47 Zf 60
Rouffach **68** 56 Hb 61
Rouffange **39** 69 Fe 66
Rouffiac **17** 87 Zd 74
Rouffiac **81** 127 Ca 85
Rouffiac-d'Aude **11** 142 Cb 90
Rouffiac-des-Corbières **11** 154 Cd 91
Rouffiac-Tolosan **31** 127 Bd 87
Rouffignac **17** 99 Zd 76
Rouffignac-de-Sigoulès **24** 112 Ac 80
Rouffignac-Saint-Cernin-de-Reilhac **24** 101 Af 78
Rouffigny **50** 28 Ye 56
Rouffilhac **46** 113 Bc 80
Rouffy **51** 35 Ea 56
Rougé **44** 45 Yd 62
Rouge, la **61** 48 Ae 59
Rougefay **62** 7 Cb 47
Rougegoutte **90** 71 Gf 62
Rougemont **21** 68 Eb 62
Rougemont **25** 70 Gc 63
Rougemontiers **27** 15 Ae 52
Rougemont-le-Château **90** 71 Gf 62
Rougeou **41** 64 Bf 64
Rouge-Perriers **27** 31 Af 54
Rouges-Eaux, Les **88** 56 Ge 59
Rouget, Le **15** 115 Cb 79
Rougeux **52** 69 Fe 62
Rougier **83** 147 Ff 88
Rougnac **16** 100 Ac 75
Rougnat **23** 91 Cd 72
Rougon **04** 133 Gc 86
Rouhe **25** 84 Ff 66
Rouhling **57** 39 Ha 54
Rouillac **16** 88 Zf 74
Rouillac **22** 44 Xd 59
Rouillé **86** 76 Aa 70
Rouillon **72** 47 Aa 61
Rouilly **77** 34 Db 57
Rouilly-Sacey **10** 52 Eb 58
Rouilly-Saint-Loup **10** 52 Ea 59
Roujan **34** 143 Db 87
Roulans **25** 70 Gb 65
Roulier, Le **88** 55 Gc 60
Roullens **11** 142 Cb 90
Roullet-Saint-Estèphe **16** 100 Aa 75
Roullours **14** 29 Za 56
Roumagne **47** 112 Ac 81
Roumare **76** 15 Af 51
Rou-Marson **49** 62 Zf 65
Roumazières-Loubert **16** 88 Ad 73
Roumégoux **15** 115 Cb 79
Roumégoux **81** 128 Cb 86
Roumengoux **09** 141 Bf 90
Roumens **31** 141 Bf 88
Roumoules **04** 133 Ga 85
Rountzenheim **67** 40 Hf 56
Roupeldange **57** 22 Gc 53
Rouperroux **61** 30 Zf 57
Rouperroux-le-Coquet **72** 47 Ac 59
Roupy **02** 18 Db 50
Roure **06** 134 Ha 84
Rouret, Le **06** 134 Ha 86
Roussac **87** 89 Bb 72
Roussas **26** 118 Ee 82
Roussay **49** 60 Yf 66
Roussayrolles **81** 127 Be 84
Rousseloy **60** 17 Cc 53
Roussenac **12** 115 Cb 82
Roussent **62** 7 Be 46
Rousses **48** 129 Dd 83
Rousses, les **39** 84 Ga 70
Rousset **05** 120 Gb 82
Rousset **13** 146 Fd 88
Rousset, Le **71** 82 Ec 69
Rousset-les-Vignes **26** 119 Fa 82
Roussette **27** 31 Ad 55
Roussieux **26** 119 Fc 82
Roussillon **38** 106 Ee 76
Roussillon **84** 132 Fb 85
Roussillon-en-Morvan **71** 81 Ea 66
Roussines **16** 88 Ad 74
Roussines **36** 78 Bc 70
Rousson **89** 51 Db 60
Roussy-le-Village **57** 22 Gb 51
Routelle **25** 70 Ff 65
Routes **76** 15 Ae 50
Routier **11** 141 Ca 90
Routot **27** 15 Ae 52
Rouvenac **11** 153 Ca 91
Rouves **54** 38 Gd 56
Rouville **60** 34 Cf 53
Rouville **76** 15 Ac 51
Rouvillers **60** 17 Cd 52
Rouvray **21** 82 Ed 66
Rouvray **27** 32 Bd 54
Rouvray **89** 52 De 61
Rouvray-Catillon **76** 16 Bc 51
Rouvray-Saint-Denis **28** 49 Bf 59
Rouvray-Sainte-Croix **45** 49 Be 60
Rouvray-Saint-Florentin **28** 49 Bd 59
Rouvre **79** 75 Zd 70
Rouvrel **80** 17 Cc 50

Rouvres **14** 30 Ze 54
Rouvres **28** 32 Bc 55
Rouvres **77** 33 Ce 54
Rouvres-en-Plaine **21** 69 Fa 65
Rouvres-en-Woëvre **55** 37 Fe 53
Rouvres-en-Xaintois **88** 55 Ga 59
Rouvres-la-Chétive **88** 54 Fe 59
Rouvres-les-Bois **36** 78 Bc 66
Rouvres-les-Vignes **10** 53 Ee 59
Rouvres-Saint-Jean **45** 50 Cb 59
Rouvres-sous-Meilly **21** 68 Ed 65
Rouvrois-sur-Meuse **55** 37 Fd 55
Rouvrois-sur-Othain **55** 21 Fd 52
Rouvroy **02** 8 Df 49
Rouvroy **62** 8 Cf 46
Rouvroy-en-Santerre **80** 17 Ce 50
Rouvroy-les-Merles **60** 17 Cc 51
Rouvroy-Ripont **51** 36 Ee 53
Rouvroy-sur-Audry **08** 20 Ec 50
Rouvroy-sur-Marne **52** 54 Fa 58
Rouvroy-sur-Serre **02** 19 Eb 50
Rouxeville **50** 29 Za 54
Rouxière, La **44** 60 Yf 64
Rouxmesnil-Bouteilles **76** 6 Ba 49
Rouy **58** 81 Dd 66
Rouy-le-Grand **80** 18 Cf 50
Rouy-le-Petit **80** 18 Cf 50
Rouze **09** 153 Bf 92
Rouzède **16** 88 Ad 74
Rouziers **15** 114 Ca 80
Rouziers-de-Touraine **37** 63 Ad 63
Rove, Le **13** 146 Fb 88
Roville-aux-Chênes **88** 55 Gd 58
Roville-devant-Bayon **54** 55 Gb 58
Rovon **38** 107 Fc 77
Royan **17** 86 Yf 75
Royas **38** 107 Fa 75
Royat **63** 92 Da 74
Royaucourt **60** 17 Cd 51
Royaucourt-et-Chailvet **02** 18 Dd 51
Royaumeix **54** 37 Ff 56
Roybon **38** 107 Fb 77
Roye **70** 71 Gd 61
Roye **80** 18 Ce 50
Royer **71** 82 Ee 68
Royère-de-Vassivière **23** 90 Bf 73
Roye-sur-Matz **60** 17 Ce 51
Roynac **26** 118 Ef 81
Royon **62** 7 Bf 46
Royville **76** 15 Af 50
Rozay-en-Brie **77** 34 Cf 56
Rozel, Le **50** 12 Yb 52
Rozelay **71** 82 Eb 69
Rozelieures **54** 55 Gc 58
Rozérieulles **57** 38 Ga 54
Rozerotte **88** 54 Ga 59
Rozès **32** 124 Aa 86
Rozet-Saint-Albin **02** 34 Db 53
Rozier-Côtes-d'Aurec **42** 105 Ea 76
Rozier-en-Donzy **42** 93 Eb 74
Rozières-en-Beauce **45** 49 Be 61
Rozières-sur-Crise **02** 18 Dc 53
Rozières-sur-Mouzon **88** 54 Fe 60
Roziers-Saint-Georges **87** 90 Bd 74
Roz-Landrieux **35** 28 Yb 57
Rozoy-Bellevalle **02** 34 Dc 55
Rozoy-sur-Serre **02** 19 Ea 51
Roz-sur-Couesnon **35** 28 Yc 57
Ruages **58** 67 De 65
Ruan **45** 49 Bf 60
Ruan-sur-Egvonne **41** 48 Ba 60
Ruaudin **72** 48 Ab 61
Rubécourt **08** 20 Fa 50
Rubelles **77** 33 Ce 57
Rubempré **80** 7 Cc 48
Rubercy **14** 13 Za 53
Rubescourt **80** 17 Cd 51
Rubigny **08** 19 Eb 50
Rubrouck **59** 3 Cc 43
Ruca **22** 27 Xe 57
Ruch **33** 111 Zf 80
Ruchère, la **38** 108 Fe 76
Rucqueville **14** 13 Zc 53
Rudeau-Ladosse **24** 100 Ad 76
Rudelle **46** 114 Bf 80
Rue **80** 6 Bd 47
Ruederbach **68** 71 Hb 63
Rueil-la-Gadelière **28** 31 Af 56
Rueil-Malmaison **92** 33 Cb 55
Ruelisheim **68** 56 Hc 62
Ruelle-sur-Touvre **16** 88 Ab 74
Rue-Saint-Pierre, la **60** 17 Cd 52
Rue-Saint-Pierre, la **76** 16 Bb 51
Rues-des-Vignes, Les **59** 8 Db 48
Ruesnes **59** 9 Dd 47
Rueyres **46** 114 Bf 80
Ruffec **16** 88 Aa 72
Ruffec **36** 77 Bb 69
Ruffey-le-Château **25** 70 Fe 65
Ruffey-lès-Beaune **21** 82 Ef 66
Ruffey-lès-Echirey **21** 69 Fa 64
Ruffey-sur-Seille **39** 83 Fc 68
Ruffiac **56** 44 Xe 62
Ruffieu **01** 95 Fd 73
Ruffieux **73** 96 Ff 73
Ruffigné **44** 45 Yd 62
Rugles **27** 31 Ae 56
Rugney **88** 55 Gb 58
Rugny **89** 52 Ea 61
Ruhans **70** 70 Ga 64
Ruillé-en-Champagne **72** 47 Zf 60
Ruillé-Froid-Fonds **53** 46 Zc 61
Ruillé-le-Gravelais **53** 46 Za 60
Ruillé-sur-Loir **72** 63 Ad 62
Ruisseauville **62** 7 Ca 46
Ruitz **62** 8 Cf 46
Rullac-Saint-Cirq **12** 128 Cc 84
Rully **60** 17 Ce 52
Rully **71** 82 Ee 67
Rumaucourt **62** 8 Da 47
Rumegies **59** 9 Dc 46
Rumersheim-le-Haut **68** 57 Hd 61
Rumigny **08** 19 Eb 50
Rumigny **80** 17 Cb 50
Rumilly **62** 7 Ca 45
Rumilly **74** 96 Ff 73
Rumilly-en-Cambrésis **59** 8 Db 48
Rumilly-lès-Vaudes **10** 52 Eb 60
Ruminghem **62** 3 Ca 43
Rumont **55** 37 Fb 56
Rumont **77** 50 Cd 59
Runan **22** 26 Wf 57
Rungis **94** 33 Cc 56

Ruoms **07** 118 Ec 82
Rupéreux **77** 34 Dc 57
Ruppes **88** 54 Fe 58
Rupt **52** 54 Fa 58
Rupt-aux-Nonains **55** 36 Fa 56
Rupt-en-Woëvre **55** 37 Fc 54
Rupt-sur-Moselle **88** 56 Gd 61
Rupt-sur-Othain **55** 21 Fd 52
Rupt-sur-Saône **70** 70 Ff 63
Rurange-lès-Thionville **57** 22 Gb 53
Rurey **25** 84 Ga 66
Rusazia = Rosazia **2A** 158 If 96
Rusiu = Rusio **2B** 157 Kb 94
Russ **67** 39 Hb 57
Russey, Le **25** 71 Ge 66
Russy **14** 13 Zb 52
Rustenhart **57** 57 Hc 61
Rustiques **11** 142 Cc 89
Rustrel **84** 132 Fb 85
Rustroff **57** 22 Gc 51
Ruvigny **10** 52 Ea 59
Ruyaulcourt **62** 8 Da 48
Ruy **38** 107 Fb 75
Ry **76** 16 Bc 52
Rye **39** 83 Fc 67

S

Saâcy-sur-Marne **77** 34 Db 55
Saales **67** 56 Ha 58
Saâne-Saint-Just **76** 15 Af 50
Saasenheim **67** 57 Hd 59
Sabadel-Latronquière **46** 114 Ca 80
Sabadel-Lauzès **46** 114 Bd 81
Sabaillan **32** 140 Ae 88
Sabalos **65** 139 Aa 89
Sabarat **09** 140 Bc 90
Sabarros **65** 139 Ac 89
Sabazan **32** 124 Aa 86
Sableau, le **85** 74 Za 70
Sables-d'Olonne, Les **85** 73 Yb 70
Sablé-sur-Sarthe **72** 46 Zd 61
Sablet **84** 131 Fa 83
Sablières **07** 117 Ea 81
Sablon **39** 69 Zf 78
Sabloncourt **17** 86 Za 74
Sablonnières **77** 34 Db 55
Sablonnières-sur-Ry **76** 16 Bc 51
Sabonnères **31** 140 Ba 88
Sabotterie, La **08** 20 Ee 51
Sabres **40** 123 Zb 84
Saccourville **31** 151 Ad 92
Sacé **53** 46 Zb 59
Sacey **50** 28 Yd 57
Saché **37** 63 Ad 65
Sachin **62** 7 Cb 46
Sachy **08** 20 Fa 50
Saciergues-Saint-Martin **36** 78 Bc 70
Saclas **91** 50 Ca 58
Saclay **91** 33 Cb 56
Saconin-et-Breuil **02** 18 Db 52
Sacoué **65** 139 Ad 91
Sacq, Le **27** 31 Ba 55
Sacquenay **21** 69 Fb 63
Sacquenville **27** 31 Ba 54
Sacy **51** 35 Df 53
Sacy **89** 67 De 63
Sacy-le-Grand **60** 17 Cd 52
Sacy-le-Petit **60** 17 Cd 52
Sadeillan **32** 139 Ac 88
Sadillac **24** 112 Ac 80
Sadirac **33** 111 Zd 80
Sadournin **65** 139 Ac 89
Sadroc **19** 102 Bd 78
Saessolsheim **67** 40 Hd 56
Saffais **54** 38 Gb 57
Saffloz **39** 84 Ff 68
Saffré **44** 60 Yc 63
Saffres **21** 68 Ed 64
Sagelat **24** 113 Ba 80
Sagnat **23** 90 Bd 71
Sagnes-et-Goudoulet **07** 117 Eb 80
Sagonne **18** 80 Ce 67
Sagy **71** 83 Fb 69
Sagy **95** 32 Bf 54
Sahorre **66** 153 Cc 93
Sahune **26** 119 Fb 82
Sahurs **76** 15 Af 52
Sai **61** 30 Aa 56
Saignes **15** 103 Cc 77
Saignes **46** 114 Be 80
Saigneville **80** 7 Be 48
Saignon **84** 132 Fc 85
Saiguède **31** 140 Ba 87
Sailhan **65** 150 Ac 92
Saillac **19** 102 Bd 78
Saillac **46** 114 Bf 81
Saillagouse **66** 153 Ca 94
Saillans **26** 119 Fb 80
Saillant **33** 99 Za 79
Saillant **63** 105 Df 76
Saillenard **71** 83 Fc 68
Sailly **08** 21 Fb 51
Sailly **52** 54 Fa 59
Sailly **71** 82 Ed 69
Sailly **78** 32 Bd 55
Saâly-Achâtel **57** 38 Gb 55
Sailly-au-Bois **62** 8 Cd 48
Sailly-en-Ostrevent **62** 8 Cf 47
Sailly-Flibeaucourt **80** 7 Be 47
Sailly-Laurette **80** 17 Cd 49
Sailly-le-Sec **80** 17 Cd 49
Sailly-Saillisel **80** 8 Da 48
Sailly-sur-la-Lys **62** 4 Ce 45
Sail-sous-Couzan **42** 93 Df 74
Sain-Bel **69** 94 Ed 74
Saincaize-Meauce **58** 80 Da 67
Sainghin-en-Mélantois **59** 8 Da 45
Sainghin-en-Weppes **59** 8 Cf 45
Sainneville **76** 14 Ab 51
Sainpuits **89** 66 Db 63
Sains **35** 29 Yc 57
Sains **62** 7 Ca 45
Sains-du-Nord **59** 9 Ea 48
Sains-en-Amiénois **80** 17 Cc 50
Sains-en-Gohelle **62** 8 Cd 46
Sains-lès-Fressin **62** 7 Ca 45
Sains-lès-Marquion **62** 8 Da 47
Sains-lès-Pernes **62** 7 Cb 46
Sains-Morainvillers **60** 17 Cc 51
Sains-Richaumont **02** 19 De 49

Saint, Le **56** 42 Wc 60
Saint-Abit **64** 138 Ze 89
Saint-Acheul **80** 7 Ca 47
Saint-Adjutory **16** 88 Ac 74
Saint-Adrien **22** 26 Wf 56
Saint-Adrien **22** 26 Wf 58
Saint-Affrique **12** 128 Cf 85
Saint-Affrique-les-Montagnes **81** 141 Cb 87
Saint-Agathon **22** 26 Wf 57
Saint-Agil **41** 48 Af 60
Saint-Agnan **02** 35 Dd 54
Saint-Agnan **58** 67 Ea 65
Saint-Agnan **71** 81 Df 69
Saint-Agnan **81** 127 Be 86
Saint-Agnan **89** 51 Da 59
Saint-Agnan-de-Cernières **27** 31 Ad 55
Saint-Agnan-en-Vercors **26** 119 Fc 79
Saint-Agnan-le-Malherbe **14** 29 Zc 54
Saint-Agnan-sur-Erre **61** 48 Ae 59
Saint-Agnan-sur-Sarthe **61** 30 Ac 57
Saint-Agnant **17** 86 Za 73
Saint-Agnant-de-Versillat **23** 90 Bd 71
Saint-Agnant-près-Crocq **23** 91 Cc 74
Saint-Agnant-sous-les-Côtes **55** 37 Fc 55
Saint-Agnet **40** 124 Ze 87
Saint-Agoulin **63** 92 Da 72
Saint-Agrève **07** 118 Ec 78
Saint-Aignan **08** 20 Ef 51
Saint-Aignan **33** 99 Ze 79
Saint-Aignan **41** 64 Bc 65
Saint-Aignan **82** 126 Ba 85
Saint-Aignan-de-Couptrain **53** 29 Ze 58
Saint-Aignan-de-Cramesnil **14** 30 Ze 54
Saint-Aignan-des-Gués **45** 50 Cb 61
Saint-Aignan-des-Noyers **18** 80 Ce 68
Saint-Aignan-Grandlieu **44** 60 Yc 66
Saint-Aignan-le-Jaillard **45** 65 Cc 62
Saint-Aignan-sur-Roë **53** 45 Yf 61
Saint-Aignan-sur-Ry **76** 16 Bc 51
Saint-Aigny **36** 78 Ba 69
Saint-Aigulin **17** 100 Zf 78
Saint-Ail **54** 38 Ff 54
Saint-Albain **71** 82 Ee 70
Saint-Alban **01** 95 Fc 72
Saint-Alban **22** 27 Xc 57
Saint-Alban-d'Ay **07** 106 Ed 77
Saint-Alban-de-Montbel **73** 107 Fd 76
Saint-Alban-de-Roche **38** 107 Fb 75
Saint-Alban-des-Hurtières **73** 108 Gb 76
Saint-Alban-des-Villards **73** 108 Gb 77
Saint-Alban-du-Rhône **38** 106 Ee 76
Saint-Alban-les-Eaux **42** 93 Df 72
Saint-Alban-Lessay **73** 108 Ff 75
Saint-Alban-sur-Limagnole **48** 116 Dc 80
Saint-Albin-de-Vaulserre **38** 107 Fe 76
Saint-Alexandre **30** 131 Ed 83
Saint-Algis **02** 19 De 49
Saint-Alpinien **23** 91 Cb 73
Saint-Alyre-d'Arlanc **63** 105 Dd 76
Saint-Alyre-ès-Montagne **63** 104 Cf 76
Saint-Amadou **09** 141 Be 90
Saint-Amancet **81** 141 Ca 88
Saint-Amand **23** 91 Cb 73
Saint-Amand **50** 29 Za 54
Saint-Amand-de-Belvès **24** 113 Ba 80
Saint-Amand-de-Coly **24** 101 Bb 78
Saint-Amand-des-Hautes-Terres **27** 15 Af 53
Saint-Amand-de-Vergt **24** 100 Ae 79
Saint-Amand-en-Puisaye **58** 66 Da 63
Saint-Amandin **15** 103 Ce 76
Saint-Amand-le-Petit **87** 90 Be 74
Saint-Amand-les-Eaux **59** 9 Dc 46
Saint-Amand-Longpré **41** 63 Ba 62
Saint-Amand-Magnazeix **87** 89 Bc 71
Saint-Amand-Montrond **79** 80 Cd 68
Saint-Amand-sur-Fion **51** 36 Ed 56
Saint-Amand-sur-Ornain **55** 37 Fc 57
Saint-Amans **09** 141 Bd 90
Saint-Amans **11** 141 Bf 89
Saint-Amans **48** 116 Dc 81
Saint-Amans **82** 126 Bb 84
Saint-Amans **82** 126 Bc 83
Saint-Amans-de-Pellagal **82** 126 Ba 83
Saint-Amans-des-Cots **12** 115 Cd 80
Saint-Amans-du-Pech **82** 113 Af 83
Saint-Amans-Soult **81** 142 Cc 88
Saint-Amans-Valforet **81** 142 Cc 88
Saint-Amant **16** 100 Aa 74
Saint-Amant-de-Boixe **16** 88 Ab 73
Saint-Amant-de-Bonnieure **16** 88 Ab 73
Saint-Amant-de-Graves **16** 99 Zf 75
Saint-Amant-de-Nouère **16** 88 Aa 74
Saint-Amant-Roche-Savine **63** 105 Dd 75
Saint-Amant-Tallende **63** 104 Da 74
Saint-Amarin **68** 56 Ha 61
Saint-Ambreuil **71** 82 Ef 68

Saint-Ambroix — Saint-Cloud (F)

Sainte-Valière **11** 142 Cf 89
Sainte-Evarzec **29** 42 Vf 61
Sainte-Vaubourg **08** 20 Ed 52
Sainte-Verge **79** 76 Ze 66
Sainte-Vertu **89** 67 Df 62
Saint-Evroult-de-Montfort **61** 30 Ab 56
Saint-Evroult-Notre-Dame-du-Bois **61** 31 Ac 56
Saint-Exupéry **33** 111 Zf 81
Saint-Exupéry-les-Roches **19** 103 Cc 75
Saint-Fargeau **89** 66 Da 63
Saint-Fargeau-Ponthierry **77** 33 Cd 57
Saint-Fargeol **03** 91 Cd 72
Saint-Faust **64** 138 Zd 89
Saint-Félicien **07** 106 Ed 78
Saint-Féliu-d'Amont **66** 154 Ce 92
Saint-Féliu-d'Avail **66** 154 Cf 92
Saint-Félix **03** 92 Dc 71
Saint-Félix **16** 100 Aa 76
Saint-Félix **17** 87 Zc 72
Saint-Félix **46** 113 Ba 82
Saint-Félix **46** 114 Ca 81
Saint-Félix **60** 17 Cb 52
Saint-Félix **74** 96 Ff 74
Saint-Félix-de-Bourdeilles **24** 100 Ad 76
Saint-Félix-de-Foncaude **33** 111 Zf 81
Saint-Félix-de-Lodez **34** 129 Dc 87
Saint-Félix-de-Lunel **12** 115 Cd 81
Saint-Félix-de-Pallières **30** 130 Df 84
Saint-Félix-de-Reillac-et-Mortemart **24** 101 Af 78
Saint-Félix-de-Rieutord **09** 141 Be 90
Saint-Félix-de-Sorgues **12** 129 Cf 85
Saint-Félix-de-Tournegat **09** 141 Be 90
Saint-Félix-de-Villadeix **24** 112 Ae 79
Saint-Félix-Lauragais **31** 141 Bf 88
Saint-Fergeux **08** 19 Eb 51
Saint-Ferme **33** 112 Aa 80
Saint-Ferréol **31** 139 Ae 88
Saint-Ferréol **31** 141 Ca 88
Saint-Ferréol **74** 96 Gb 74
Saint-Ferréol-d'Aurore **43** 105 Eb 76
Saint-Ferréol-des-Côtes **63** 105 De 75
Saint-Ferréol-Trente-Pas **26** 119 Fb 82
Saint-Ferriol **11** 153 Cb 91
Saint-Fiacre **22** 44 Wf 58
Saint-Fiacre **77** 34 Cf 55
Saint-Fiacre-sur-Maine **44** 60 Yd 66
Saint-Fiel **23** 90 Bf 71
Saint-Firmin **05** 120 Ga 80
Saint-Firmin **54** 55 Ga 58
Saint-Firmin **58** 80 Dc 66
Saint-Firmin **71** 82 Ec 67
Saint-Firmin-des-Bois **45** 51 Cf 61
Saint-Firmin-des-Prés **41** 48 Ba 61
Saint-Firmin-sur-Loire **45** 66 Cc 63
Saint-Flavy **10** 52 De 58
Saint-Florent **2B** 157 Kb 92
Saint-Florent **45** 65 Cc 62
Saint-Florent-des-Bois **85** 74 Ye 69
Saint-Florentin **89** 52 De 61
Saint-Florent-le-Vieil **49** 61 Yf 64
Saint-Florent-sur-Auzonnet **30** 130 Ea 83
Saint-Florent-sur-Cher **18** 79 Cb 67
Saint-Floret **63** 104 Da 75
Saint-Floris **62** 8 Cd 45
Saint-Flour **15** 104 Da 78
Saint-Flour **63** 104 Dd 74
Saint-Flour **63** 105 Df 76
Saint-Flour-de-Mercoire **48** 117 De 80
Saint-Flovier **37** 77 Ba 67
Saint-Floxel **50** 12 Yd 51
Saint-Folquin **62** 3 Ca 43
Saint-Fons **69** 106 Ef 74
Saint-Forgeot **71** 82 Eb 66
Saint-Forgeux-Lespinasse **42** 93 Df 72
Saint-Fort **53** 46 Zb 62
Saint-Fort-sur-Gironde **17** 99 Zb 76
Saint-Fort-sur-le-Né **16** 99 Ze 75
Saint-Fortunat-sur-Eyrieux **07** 118 Ee 80
Saint-Fraigne **16** 88 Zf 73
Saint-Fraimbault **61** 29 Zb 58
Saint-Fraimbault-de-Prières **53** 46 Zc 58
Saint-Frajou **31** 140 Af 88
Saint-Franchy **58** 66 Dc 66
Saint-François-de-Sales **73** 108 Ga 74
Saint-François-Lacroix **57** 22 Gc 52
Saint-Frégant **29** 24 Vd 57
Saint-Fréjoux **19** 103 Cc 75
Saint-Frézal-d'Albuges **48** 117 De 81
Saint-Frézal-de-Ventalon **48** 117 Df 83
Saint-Frichoux **11** 142 Cd 89
Saint-Frion **23** 91 Cb 73
Saint-Fromond **50** 13 Yf 53
Saint-Front **16** 88 Ab 73
Saint-Front **43** 117 Ea 79
Saint-Front-d'Alemps **24** 101 Ae 77
Saint-Front-de-Pradoux **24** 100 Ac 78
Saint-Front-la-Rivière **24** 101 Ae 76
Saint-Front-sur-Lémance **47** 113 Af 81
Saint-Front-sur-Nizonne **24** 100 Ad 76
Saint-Froult **17** 86 Yf 73
Saint-Fulgent **85** 74 Ye 67
Saint-Fulgent-des-Ormes **61** 47 Ac 59
Saint-Fuscien **80** 17 Cb 49
Saint-Gabriel-Brécy **14** 13 Zc 53
Saint-Gal **30** 130 Eb 84
Saint-Galmier **42** 105 Eb 75

Saint-Gal-sur-Sioule **63** 92 Da 72
Saint-Gand **77** Ff 64
Saint-Ganton **35** 44 Ya 62
Saint-Gatien-des-Bois **14** 14 Ab 52
Saint-Gaudens **31** 139 Ae 90
Saint-Gaudent **86** 88 Ab 72
Saint-Gaudéric **11** 141 Bf 90
Saint-Gaultier **36** 78 Bc 69
Saint-Gauzens **81** 127 Bf 86
Saint-Gein **40** 124 Ze 85
Saint-Gelven **22** 43 Wf 59
Saint-Gély-du-Fesc **34** 130 De 86
Saint-Gemmes-d'Andigné **49** 61 Za 62
Saint-Génard **79** 87 Zf 71
Saint-Gence **87** 89 Ba 73
Saint-Généroux **79** 76 Zf 67
Saint-Genès-Champanelle **63** 92 Da 74
Saint-Genès-Champespe **63** 103 Ce 76
Saint-Genès-de-Blaye **33** 99 Zc 78
Saint-Genès-de-Castillon **33** 111 Zf 79
Saint-Genès-de-Fronsac **33** 99 Zd 78
Saint-Genès-de-Lombaud **33** 111 Zd 80
Saint-Genès-du-Retz **63** 92 Db 72
Saint-Genès-la-Tourette **63** 104 Dc 75
Saint-Genest **03** 91 Cd 71
Saint-Genest **88** 55 Gd 58
Saint-Genest-d'Ambière **86** 76 Ab 68
Saint-Genest-de-Beauzon **07** 117 Eb 82
Saint-Genest-de-Contest **81** 127 Ca 86
Saint-Genest-Lerpt **42** 106 Eb 76
Saint-Genest-Malifaux **42** 106 Ec 77
Saint-Genest-sur-Roselle **87** 90 Bc 74
Saint-Geneys-près-Saint-Paulien **43** 105 De 78
Saint-Gengoulph **02** 34 Db 54
Saint-Gengoux-de-Scissé **71** 82 Ee 70
Saint-Gengoux-le-National **71** 82 Ee 69
Saint-Geniès **24** 101 Bb 79
Saint-Geniès-Bellevue **31** 126 Bc 86
Saint-Geniès-de-Comolas **30** 131 Ee 84
Saint-Geniès-de-Malgoire **30** 130 Eb 85
Saint-Geniès-des-Mourgues **34** 130 Ea 86
Saint-Geniès-de-Varensal **34** 129 Da 86
Saint-Geniès-le-Bas **34** 143 Db 88
Saint-Geniez **04** 133 Ga 83
Saint-Geniez-d'Olt **12** 116 Cf 82
Saint-Geniez-ô-Merle **19** 102 Ca 78
Saint-Genis **05** 120 Fe 82
Saint-Genis-de-Saintonge **17** 99 Zc 76
Saint-Génis-des-Fontaines **66** 154 Cf 92
Saint-Genis-d'Hiersac **16** 88 Aa 74
Saint-Genis-du-Bois **33** 111 Ze 80
Saint-Genis-l'Argentière **69** 106 Ec 74
Saint-Genis-Laval **69** 106 Ee 74
Saint-Genis-les-Ollières **69** 94 Ee 74
Saint-Genis-Pouilly **01** 96 Ga 71
Saint-Genis-sur-Menthon **01** 94 Fa 71
Saint-Genou **36** 78 Bc 67
Saint-Genouph **37** 63 Ad 64
Saint-Geoire-en-Valdaine **38** 107 Fd 76
Saint-Geoirs **38** 107 Fc 77
Saint-Georges **15** 103 Cd 78
Saint-Georges **16** 88 Ab 73
Saint-Georges **32** 126 Af 86
Saint-Georges **47** 113 Af 82
Saint-Georges **57** 38 Gf 56
Saint-Georges **62** 7 Ca 46
Saint-Georges **82** 127 Bd 83
Saint-Georges-Armont **25** 71 Gd 64
Saint-Georges-Blancaneix **24** 112 Ac 79
Saint-Georges-Buttavent **53** 46 Zb 59
Saint-Georges-d'Annebecq **61** 30 Ze 57
Saint-Georges-d'Antignac **17** 99 Zc 76
Saint-Georges-d'Aunay **14** 29 Zb 54
Saint-Georges-d'Aurac **43** 104 Dd 78
Saint-Georges-de-Baroille **42** 93 Ea 73
Saint-Georges-de-Bohon **50** 12 Ye 53
Saint-Georges-de-Chesné **35** 45 Ye 59
Saint-Georges-de-Commiers **38** 107 Fe 78
Saint-Georges-de-Didonne **17** 98 Yf 75
Saint-Georges-de-Gréhaigne **35** 28 Yc 57
Saint-Georges-de-la-Couée **72** 48 Ad 61
Saint-Georges-de-la-Rivière **50** 12 Yb 52
Saint-Georges-de-Lévéjac **48** 129 Db 83
Saint-Georges-de-Livoye **50** 28 Ye 56
Saint-Georges-d'Elle **50** 13 Za 54
Saint-Georges-de-Longuepierre **17** 87 Zd 72
Saint-Georges-de-Luzençon **12** 129 Cf 84
Saint-Georges-de-Mons **63** 91 Cf 73
Saint-Georges-de-Montaigu **85** 74 Ye 67
Saint-Georges-de-Montclard **24** 112 Ad 79

Saint-Georges-de-Noisné **79** 75 Ze 70
Saint-Georges-de-Pointindoux **85** 74 Yc 69
Saint-Georges-de-Poisieux **18** 79 Cc 68
Saint-Georges-de-Reintembault **35** 28 Ye 57
Saint-Georges-de-Reneins **69** 94 Ee 72
Saint-Georges-de-Rex **79** 87 Zc 71
Saint-Georges-de-Rouelley **50** 29 Zb 57
Saint-Georges-des-Agoûts **17** 99 Zc 76
Saint-Georges-des-Côteaux **17** 87 Zb 74
Saint-Georges-des-Gardes **49** 61 Zb 66
Saint-Georges-des-Groseillers **61** 29 Zc 56
Saint-Georges-des-Hurtières **73** 108 Gb 75
Saint-Georges-d'Espérance **38** 107 Fa 75
Saint-Georges-d'Oléron **17** 86 Ye 73
Saint-Georges-d'Orques **34** 144 De 87
Saint-Georges-du-Bois **17** 87 Zb 72
Saint-Georges-du-Bois **49** 62 Ze 64
Saint-Georges-du-Bois **72** 47 Aa 61
Saint-Georges-du-Mesnil **27** 15 Ad 53
Saint-Georges-du-Rosay **72** 48 Ad 59
Saint-Georges-du-Vièvre **27** 15 Ad 53
Saint-Georges-en-Auge **14** 30 Aa 55
Saint-Georges-en-Couzan **42** 105 Df 74
Saint-Georges-Haute-Ville **42** 105 Ea 75
Saint-Georges-Lagricol **43** 105 Df 74
Saint-Georges-la-Pouge **23** 90 Bf 73
Saint-Georges-le-Fléchard **53** 46 Zc 60
Saint-Georges-le-Gaultier **72** 47 Zf 59
Saint-Georges-lès-Baillargeaux **86** 76 Ac 69
Saint-Georges-les-Bains **07** 118 Ee 79
Saint-Georges-les-Landes **87** 89 Bc 70
Saint-Georges-Montcocq **50** 13 Yf 54
Saint-Georges-Motel **27** 32 Bb 56
Saint-Georges-Nigremont **23** 91 Cb 74
Saint-Georges-sur-Allier **63** 104 Db 74
Saint-Georges-sur-Arnon **36** 79 Ca 67
Saint-Georges-sur-Baulche **89** 67 Dd 62
Saint-Georges-sur-Cher **41** 63 Ba 65
Saint-Georges-sur-Erve **53** 46 Ze 60
Saint-Georges-sur-Eure **28** 49 Bc 58
Saint-Georges-sur-Fontaine **76** 15 Bb 51
Saint-Georges-sur-l'Aa **59** 3 Cb 43
Saint-Georges-sur-la-Prée **18** 64 Bf 65
Saint-Georges-sur-Layon **49** 61 Zd 65
Saint-Georges-sur-Loire **49** 61 Zb 64
Saint-Georges-sur-Moulon **18** 65 Cc 65
Saint-Georges-sur-Renon **01** 94 Fa 72
Saint-Geours-d'Auribat **40** 123 Za 86
Saint-Geours-de-Maremne **40** 123 Ye 86
Saint-Gérand-de-Vaux **03** 92 Dc 70
Saint-Gérand-le-Puy **03** 92 Dd 71
Saint-Géraud **47** 112 Aa 81
Saint-Géraud-de-Corps **24** 112 Ab 79
Saint-Germain **07** 118 Ec 81
Saint-Germain **10** 52 Ea 59
Saint-Germain **54** 55 Gc 58
Saint-Germain **70** 71 Gd 61
Saint-Germain-au-Mont-d'Or **69** 94 Ee 73
Saint-Germain-Beaupré **23** 90 Bd 71
Saint-Germain-Chassenay **58** 80 Dc 68
Saint-Germain-d'Anxure **53** 46 Zb 59
Saint-Germain-d'Arcé **72** 62 Ab 63
Saint-Germain-d'Aunay **61** 30 Ac 55
Saint-Germain-de-Belvès **24** 113 Ba 80
Saint-Germain-de-Bois **18** 79 Cc 67
Saint-Germain-de-Calberte **48** 130 De 83
Saint-Germain-de-Clairefeuille **61** 30 Ab 56
Saint-Germain-de-Confolens **16** 89 Ae 72
Saint-Germain-de-Coulamer **53** 47 Zf 59
Saint-Germain-d'Ectot **14** 29 Zb 54
Saint-Germain-de-Fresney **27** 32 Bb 55
Saint-Germain-de-Grave **33** 111 Ze 81
Saint-Germain-de-la-Coudre **61** 48 Ad 59
Saint-Germain-de-la-Grange **78** 32 Bf 56

Saint-Germain-de-la-Rivière **33** 99 Zd 79
Saint-Germain-de-Livet **14** 30 Ab 54
Saint-Germain-d'Elle **50** 29 Za 54
Saint-Germain-de-Longue-Chaume **79** 75 Zd 69
Saint-Germain-de-Lusignan **17** 99 Zd 76
Saint-Germain-de-Marencennes **17** 87 Zb 72
Saint-Germain-de-Martigny **61** 30 Ac 57
Saint-Germain-de-Modéon **21** 67 Ea 64
Saint-Germain-de-Montbron **16** 100 Ac 75
Saint-Germain-de-Montgommery **14** 30 Ab 55
Saint-Germain-de-Pasquier **27** 15 Ba 53
Saint-Germain-de-Prinçay **85** 74 Yf 68
Saint-Germain-de-Salles **03** 92 Db 71
Saint-Germain-des-Angles **27** 31 Ba 54
Saint-Germain-des-Bois **58** 67 Dd 64
Saint-Germain-des-Champs **89** 67 Df 64
Saint-Germain-des-Essourts **76** 16 Bb 51
Saint-Germain-des-Fossés **03** 92 Dc 71
Saint-Germain-des-Grois **61** 48 Ae 58
Saint-Germain-des-Prés **24** 101 Af 76
Saint-Germain-des-Prés **45** 51 Cf 61
Saint-Germain-des-Prés **49** 61 Zb 64
Saint-Germain-des-Prés **81** 141 Ca 87
Saint-Germain-d'Esteuil **33** 98 Za 77
Saint-Germain-des-Vaux **50** 12 Ya 50
Saint-Germain-d'Etables **76** 16 Bb 49
Saint-Germain-de-Tallevende-la-Lande-Vaumont **14** 29 Za 56
Saint-Germain-de-Tournebut **50** 12 Yd 51
Saint-Germain-de-Varreville **50** 12 Ye 52
Saint-Germain-de-Vibrac **17** 99 Ze 76
Saint-Germain-du-Bel-Air **46** 113 Bc 81
Saint-Germain-du-Bois **71** 83 Fb 68
Saint-Germain-du-Corbéis **61** 47 Aa 58
Saint-Germain-du-Grioult **14** 29 Zc 55
Saint-Germain-du-Pert **14** 13 Yf 52
Saint-Germain-du-Pinel **35** 45 Yf 60
Saint-Germain-du-Plain **71** 83 Ef 68
Saint-Germain-du-Puch **33** 111 Ze 79
Saint-Germain-du-Puy **18** 79 Cc 66
Saint-Germain-du-Salembre **24** 100 Ac 78
Saint-Germain-du-Seudre **17** 99 Zb 75
Saint-Germain-du-Teil **48** 116 Db 82
Saint-Germain-en-Brionnais **71** 93 Eb 70
Saint-Germain-en-Coglès **35** 45 Ye 58
Saint-Germain-en-Laye **78** 33 Ca 55
Saint-Germain-en-Montagne **39** 84 Ff 68
Saint-Germain-et-Mons **24** 112 Ad 79
Saint-Germain-la-Blanche-Herbe **14** 13 Zd 53
Saint-Germain-la-Campagne **27** 30 Ac 54
Saint-Germain-la-Chambotte **73** 96 Ff 74
Saint-Germain-l'Aiguiller **85** 75 Za 68
Saint-Germain-la-Montagne **42** 94 Ec 71
Saint-Germain-la-Poterie **60** 16 Bf 52
Saint-Germain-Laprade **43** 105 Df 78
Saint-Germain-Laval **42** 93 Ea 74
Saint-Germain-Laval **77** 51 Cf 58
Saint-Germain-la-Ville **51** 36 Ec 55
Saint-Germain-Lavolps **19** 103 Cb 75
Saint-Germain-Laxis **77** 33 Ce 57
Saint-Germain-le-Châtelet **90** 71 Gf 62
Saint-Germain-le-Fouilloux **53** 46 Zb 60
Saint-Germain-le-Gaillard **28** 49 Bb 58
Saint-Germain-le-Gaillard **50** 12 Yb 52
Saint-Germain-le-Guillaume **53** 46 Zb 59
Saint-Germain-Lembron **63** 104 Db 76
Saint-Germain-le-Rocheux **21** 68 Ee 62
Saint-Germain-lès-Arlay **39** 83 Fd 68
Saint-Germain-lès-Arpajon **91** 33 Cb 57
Saint-Germain-lès-Belles **87** 102 Bc 75
Saint-Germain-lès-Buxy **71** 82 Ee 68
Saint-Germain-lès-Corbeil **91** 33 Cd 57
Saint-Germain-les-Paroisses **01** 95 Fd 74
Saint-Germain-Lespinasse **42** 93 Df 72

Saint-Germain-lès-Senailly **21** 68 Eb 63
Saint-Germain-les-Vergnes **19** 102 Bd 78
Saint-Germain-le-Vasson **14** 30 Ze 55
Saint-Germain-le-Vieux **61** 31 Ab 57
Saint-Germain-l'Herm **63** 104 Dd 76
Saint-Germainmont **08** 19 Ea 51
Saint-Germain-près-Herment (Chadeaux) **63** 91 Cd 74
Saint-Germain-Source-Seine **21** 68 Ee 64
Saint-Germain-sous-Cailly **76** 15 Bb 51
Saint-Germain-sous-Doue **77** 34 Da 55
Saint-Germain-sur-Sèves **50** 12 Yd 53
Saint-Germain-sur-Avre **27** 32 Bb 56
Saint-Germain-sur-Ay **50** 12 Yc 53
Saint-Germain-sur-Bresle **80** 16 Be 49
Saint-Germain-sur-Eaulne **76** 16 Bd 50
Saint-Germain-sur-École **77** 50 Cd 58
Saint-Germain-sur-Ille **35** 45 Yc 59
Saint-Germain-sur-l'Arbresle **69** 94 Ed 73
Saint-Germain-sur-Meuse **37** Fe 57
Saint-Germain-sur-Moine **49** 60 Yf 66
Saint-Germain-sur-Morin **34** Cf 55
Saint-Germain-sur-Renon **01** 94 Fa 72
Saint-Germain-sur-Sarthe **72** 47 Aa 59
Saint-Germain-sur-Vienne **37** 62 Aa 65
Saint-Germain-Village **27** 15 Ad 52
Saint-Germé **32** 124 Zf 86
Saint-Germer-de-Fly **60** 16 Be 52
Saint-Germier **31** 141 Be 88
Saint-Germier **32** 126 Af 86
Saint-Germier **79** 76 Zf 70
Saint-Germier **81** 127 Bf 87
Saint-Germier **81** 128 Cb 86
Saint-Géron **43** 104 Db 76
Saint-Gérons **15** 115 Cb 79
Saint-Gervais **33** 99 Zd 78
Saint-Gervais **38** 107 Fc 77
Saint-Gervais **85** 73 Xf 67
Saint-Gervais **95** 32 Be 53
Saint-Gervais-d'Auvergne **63** 91 Ce 72
Saint-Gervais-des-Sablons **61** 30 Aa 55
Saint-Gervais-de-Vic **72** 48 Ae 61
Saint-Gervais-du-Perron **61** 30 Aa 57
Saint-Gervais-en-Belin **72** 47 Ab 61
Saint-Gervais-en-Vallière **71** 82 Ef 67
Saint-Gervais-la-Forêt **41** 64 Bc 63
Saint-Gervais-les-Bains **74** 97 Ge 73
Saint-Gervais-les-Trois-Clochers **86** 76 Ac 67
Saint-Gervais-sous-Meymont **63** 105 De 75
Saint-Gervais-sur-Couches **71** 82 Ed 67
Saint-Gervais-sur-Mare **34** 129 Da 87
Saint-Gervais-sur-Roubion **26** 118 Ef 81
Saint-Gervasy **30** 131 Ec 85
Saint-Gervazy **63** 104 Db 76
Saint-Géry **24** 100 Ab 79
Saint-Géry **46** 114 Bd 82
Saint-Geyrac **24** 101 Af 78
Saint-Gibrien **51** 35 Eb 55
Saint-Gildas **22** 43 Xa 58
Saint-Gildas-de-Rhuys **56** 58 Xa 63
Saint-Gildas-des-Bois **44** 59 Xf 63
Saint-Gilles **30** 131 Ec 86
Saint-Gilles **35** 44 Yb 60
Saint-Gilles **36** 78 Bc 70
Saint-Gilles **51** 19 De 53
Saint-Gilles **71** 82 Ed 67
Saint-Gilles-Croix-de-Vie **85** 73 Ya 68
Saint-Gilles-de-Crétot **76** 15 Ad 51
Saint-Gilles-de-la-Neuville **14** Ac 51
Saint-Gilles-des-Marais **61** 29 Zb 57
Saint-Gilles-du-Mené **22** 44 Xc 59
Saint-Gilles-les-Bois **22** 26 Wf 57
Saint-Gilles-les-Forêts **87** 102 Bd 75
Saint-Gilles-Pligeaux **22** 26 Wf 58
Saint-Gilles-Vieux-Marché **22** 43 Xa 59
Saint-Gineis-en-Coiron **07** 118 Ed 81
Saint-Gingolph **74** 97 Ge 70
Saint-Girod **73** 96 Ff 74
Saint-Girons **09** 140 Ba 91
Saint-Girons-Bois **64** 123 Za 87
Saint-Girons-d'Aiguevives **33** 99 Zc 78
Saint-Gladie-Arrive-Munein **64** 137 Za 86
Saint-Glen **22** 27 Xc 58
Saint-Goazes **38** 42 Wb 60
Saint-Gobain **02** 18 Dc 51
Saint-Gobert **02** 19 De 50
Saint-Goin **64** 137 Zb 89
Saint-Gondon **45** 65 Cb 62
Saint-Gondran **35** 44 Yb 59
Saint-Gonlay **35** 44 Xf 60
Saint-Gonnery **56** 43 Xb 60
Saint-Gor **40** 124 Ze 84
Saint-Gorgon **56** 59 Xe 63
Saint-Gorgon **88** 55 Gd 58
Saint-Gorgon-Main **25** 84 Gc 66
Saint-Guéno **22** 44 Xc 59
Saint-Gourgon **41** 63 Ba 63
Saint-Gourson **16** 88 Ad 73
Saint-Goussaud **23** 90 Bd 72
Saint-Gratien **80** 7 Cd 49

Saint-Gratien **95** 33 Cb 55
Saint-Gratien-Savigny **58** 81 De 67
Saint-Gravé **56** 44 Xe 62
Saint-Grégoire **35** 45 Yb 60
Saint-Grégoire **81** 128 Cb 85
Saint-Grégoire-d'Ardennes **17** 99 Zb 75
Saint-Grégoire-du-Vièvre **27** 15 Ad 53
Saint-Griède **32** 124 Zf 86
Saint-Groux **19** 42 Wc 59
Saint-Guen **22** 43 Xa 59
Saint-Guilhem-le-Désert **34** 129 Dd 86
Saint-Guillaume **38** 119 Fd 79
Saint-Guinoux **35** 27 Ya 57
Saint-Guiraud **34** 129 Dc 86
Saint-Guyomard **56** 44 Xc 62
Saint-Haon **43** 117 De 79
Saint-Haon-le-Châtel **42** 93 Df 72
Saint-Haon-le-Vieux **42** 93 Df 72
Saint-Helen **22** 27 Ya 58
Saint-Hélier **22** 8 Ee 64
Saint-Hellier **76** 16 Bb 50
Saint-Hénand **42** 106 Ec 75
Saint-Herblain **44** 60 Yc 65
Saint-Herblon **44** 60 Yf 64
Saint-Hérent **63** 104 Da 76
Saint-Hernin **29** 42 Wc 59
Saint-Hervé **22** 26 Xb 57
Saint-Hilaire **11** 142 Cb 90
Saint-Hilaire **25** 70 Gb 65
Saint-Hilaire **31** 140 Bb 88
Saint-Hilaire **43** 104 Dc 76
Saint-Hilaire **46** 114 Bd 83
Saint-Hilaire **63** 91 Cd 72
Saint-Hilaire **91** 50 Ca 58
Saint-Hilaire, Talmont- **85** 74 Yc 70
Saint-Hilaire-au-Temple **51** 36 Ec 54
Saint-Hilaire-Bonneval **87** 89 Bc 74
Saint-Hilaire-Cottes **62** 7 Cc 45
Saint-Hilaire-Cusson-la-Valmitte **42** 105 Ea 76
Saint-Hilaire-de-Beauvoir **34** 130 Ea 86
Saint-Hilaire-de-Brens **38** 107 Fb 74
Saint-Hilaire-de-Brethmas **30** 130 Ea 84
Saint-Hilaire-de-Briouze **61** 29 Zc 56
Saint-Hilaire-de-Chaléons **44** 59 Ya 66
Saint-Hilaire-de-Clisson **44** 60 Ye 66
Saint-Hilaire-de-Court **18** 65 Ca 65
Saint-Hilaire-de-Gondilly **18** 80 Cf 66
Saint-Hilaire-de-la-Côte **38** 107 Fb 76
Saint-Hilaire-de-la-Noaille **33** 111 Aa 81
Saint-Hilaire-de-Lavit **48** 130 Df 83
Saint-Hilaire-de-Loulay **85** 60 Ye 66
Saint-Hilaire-de-Lusignan **47** 125 Ad 83
Saint-Hilaire-de-Riez **85** 73 Ya 68
Saint-Hilaire-des-Landes **35** 45 Yd 58
Saint-Hilaire-des-Loges **85** 75 Zc 70
Saint-Hilaire-d'Estissac **24** 100 Ad 78
Saint-Hilaire-de-Villefranche **17** 87 Zc 73
Saint-Hilaire-de-Voust **85** 75 Zc 69
Saint-Hilaire-d'Ozilhan **30** 131 Ed 85
Saint-Hilaire-du-Bois **17** 99 Zc 76
Saint-Hilaire-du-Bois **33** 111 Zf 80
Saint-Hilaire-du-Harcouët **50** 28 Yf 57
Saint-Hilaire-du-Maine **53** 46 Za 59
Saint-Hilaire-du-Rosier **38** 107 Fb 78
Saint-Hilaire-en-Lignières **18** 79 Cb 68
Saint-Hilaire-en-Morvan **58** 81 Df 66
Saint-Hilaire-en-Woëvre **55** 37 Fe 54
Saint-Hilaire-Foissac **19** 102 Ca 77
Saint-Hilaire-Fontaine **58** 81 Dd 68
Saint-Hilaire-la-Croix **63** 92 Da 72
Saint-Hilaire-la-Forêt **85** 74 Yc 70
Saint-Hilaire-la-Gérard **61** 30 Aa 57
Saint-Hilaire-la-Gravelle **41** 48 Bb 61
Saint-Hilaire-la-Palud **79** 87 Zb 71
Saint-Hilaire-la-Plaine **23** 90 Bf 72
Saint-Hilaire-la-Treille **87** 89 Bb 71
Saint-Hilaire-le-Château **23** 90 Bf 73
Saint-Hilaire-le-Châtel **61** 31 Ad 57
Saint-Hilaire-le-Grand **51** 36 Ec 54
Saint-Hilaire-le-Lierru **37** 47 Ac 60
Saint-Hilaire-le-Petit **51** 20 Ec 53
Saint-Hilaire-les-Andrésis **45** 51 Da 60
Saint-Hilaire-les-Courbes **19** 102 Bd 76
Saint-Hilaire-les-Monges **63** 91 Cd 74
Saint-Hilaire-les-Places **87** 101 Ba 75
Saint-Hilaire-les-Vouhis **85** 74 Yf 68
Saint-Hilaire-lez-Cambrai **59** 9 Dc 47
Saint-Hilaire-Luc **19** 103 Cb 76
Saint-Hilaire-Peyroux **19** 102 Bd 78
Saint-Hilaire-Saint-Mesmin **45** 49 Be 61
Saint-Hilaire-sous-Charlieu **42** 93 Eb 72
Saint-Hilaire-sous-Romilly **10** 52 Dd 57
Saint-Hilaire-sur-Benaize **36** 77 Ba 69
Saint-Hilaire-sur-Erre **61** 48 Ae 59

Saint-Michel-de-Chaillol **05** 120 Ga 80
Saint-Michel-de-Chaillol **05** 120 Gb 80
Saint-Michel-de-Chavaignes **72** 48 Ad 60
Saint-Michel-de-Dèze **48** 130 Df 83
Saint-Michel-de-Double **24** 100 Ab 78
Saint-Michel-de-Feins **53** 46 Zc 62
Saint-Michel-de-Fronsac **33** 111 Ze 79
Saint-Michel-de-Lanès **11** 141 Be 89
Saint-Michel-de-Lapujade **33** 112 Aa 81
Saint-Michel-de-la-Roë **53** 45 Yf 61
Saint-Michel-de-Livet **14** 30 Aa 54
Saint-Michel-de-Llotes **66** 154 Cd 93
Saint-Michel-de-Maurienne **73** 108 Gc 77
Saint-Michel-de-Montaigne **24** 112 Aa 79
Saint-Michel-de-Montjoie **50** 29 Yf 56
Saint-Michel-de-Plélan **22** 27 Xe 58
Saint-Michel-de-Rieufret **33** 111 Zd 81
Saint-Michel-de-Rivière **24** 100 Zf 78
Saint-Michel-de-Saint-Geoirs **38** 107 Fc 77
Saint-Michel-des-Andaines **61** 29 Zd 57
Saint-Michel-des-Loups **50** 28 Yc 56
Saint-Michel-d'Euzet **30** 131 Ed 84
Saint-Michel-de-Vax **81** 127 Be 84
Saint-Michel-de-Veisse **23** 90 Ca 73
Saint-Michel-de-Villadeix **24** 101 Ae 79
Saint-Michel-de-Volangis **18** 65 Cc 66
Saint-Michel-l'Halescourt **76** 16 Bd 51
Saint-Michel-en-Beaumont **38** 120 Ff 79
Saint-Michel-en-Brenne **36** 77 Ba 68
Saint-Michel-en-Grève **22** 25 Wc 56
Saint-Michel-en-l'Herm **85** 74 Ye 70
Saint-Michel-et-Chanveaux **49** 60 Yf 62
Saint-Michel-Labadié **81** 128 Cc 84
Saint-Michel-le-Clocuq **85** 75 Zb 70
Saint-Michel-les-Portes **38** 119 Fd 79
Saint-Michel-l'Observatoire **04** 132 Fe 85
Saint-Michel-Loubéjou **46** 114 Bf 79
Saint-Michel-Mont-Mercure **85** 75 Za 68
Saint-Michel-sous-Bois **62** 7 Bf 45
Saint-Michel-sur-Loire **37** 62 Ac 65
Saint-Michel-sur-Meurthe **88** 56 Gf 59
Saint-Michel-sur-Rhône **42** 106 Ee 76
Saint-Michel-sur-Savasse **26** 107 Fa 78
Saint-Michel-sur-Ternoise **62** 7 Cc 46
Saint-Michel-Tubœuf **61** 31 Ae 56
Saint-Mihiel **55** 37 Fd 55
Saint-Mitre-les-Remparts **13** 145 Fa 88
Saint-Molf **44** 59 Xd 64
Saint-Momelin **59** 3 Cb 44
Saint-Mont **32** 124 Zf 87
Saint-Montant **07** 118 Ed 82
Saint-Moré **89** 67 De 63
Saint-Moreil **23** 90 Be 73
Saint-Morel **08** 20 Ee 52
Saint-Morillon **33** 111 Zc 81
Saint-Mury-Monteymond **38** 108 Ff 77
Saint-Myon **63** 92 Da 73
Saint-Nabor **67** 56 Hc 58
Saint-Nabord **88** 55 Gd 60
Saint-Nabord-sur-Aube **10** 52 Eb 57
Saint-Nauphary **82** 126 Bc 85
Saint-Nazaire **30** 131 Ed 83
Saint-Nazaire **38** 108 Ef 77
Saint-Nazaire **44** 59 Xe 65
Saint-Nazaire **66** 154 Cf 92
Saint-Nazaire-d'Aude **11** 142 Cf 89
Saint-Nazaire-de-Ladarez **34** 143 Da 87
Saint-Nazaire-de-Pézan **34** 130 Ea 87
Saint-Nazaire-de-Valentane **82** 126 Ba 83
Saint-Nazaire-en-Royans **26** 107 Fb 78
Saint-Nazaire-le-Désert **26** 119 Fb 81
Saint-Nazaire-sur-Charente **17** 86 Yf 73
Saint-Nectaire **63** 104 Cf 75
Saint-Nic **50** 24 We 57
Saint-Nicodème **22** 26 We 58
Saint-Nicolas **62** 8 Cb 43
Saint-Nicolas **62** 8 Bd 46
Saint-Nicolas-aux-Bois **02** 18 Dc 51
Saint-Nicolas-d'Aliermont **76** 16 Bb 49
Saint-Nicolas-de-Bliquetuit **76** 15 Ae 51
Saint-Nicolas-de-Bourgueil **37** 62 Aa 65
Saint-Nicolas-de-la-Balerme **47** 126 Ae 84
Saint-Nicolas-de-la-Grave **82** 126 Ba 84

Saint-Nicolas-de-la-Haie **76** 15 Ad 51
Saint-Nicolas-de-la-Taille **76** 15 Ac 51
Saint-Nicolas-de-Pierrepont **50** 12 Yc 53
Saint-Nicolas-de-Port **54** 38 Gb 57
Saint-Nicolas-de-Redon **44** 59 Xf 63
Saint-Nicolas-des-Biefs **03** 93 De 72
Saint-Nicolas-des-Bois **50** 28 Ye 56
Saint-Nicolas-des-Bois **61** 30 Aa 58
Saint-Nicolas-des-Laitiers **61** 30 Ac 56
Saint-Nicolas-des-Motets **37** 63 Ba 63
Saint-Nicolas-de-Sommaire **61** 31 Ad 56
Saint-Nicolas-du-Bosc **27** 15 Af 53
Saint-Nicolas-de-la-Chapelle **73** 96 Gc 74
Saint-Nicolas-du-Pélem **22** 43 Wf 59
Saint-Nicolas-du-Tertre **56** 44 Xe 62
Saint-Nicolas-la-Chapelle **10** 51 Dc 57
Saint-Nicolas-la-Chapelle **73** 96 Gc 74
Saint-Nicolas-lès-Cîteaux **21** 83 Fa 66
Saint-Nicolas-Macherin **38** 107 Fd 76
Saint-Nizier-d'Azergues **69** 94 Ec 72
Saint-Nizier-de-Fornas **42** 105 Ea 76
Saint-Nizier-du-Moucherotte **38** 107 Fd 77
Saint-Nizier-le-Bouchoux **01** 83 Fa 70
Saint-Nizier-le-Désert **01** 95 Fa 72
Saint-Nizier-sous-Charlieu **42** 93 Ea 72
Saint-Nizier-sur-Arroux **71** 81 Ea 68
Saint-Nolff **56** 43 Xc 62
Saint-Nom-la-Bretèche **78** 33 Ca 56
Saint-Offenge **73** 96 Ff 74
Saint-Omer **14** 29 Zd 55
Saint-Omer **62** 3 Cb 44
Saint-Omer-Capelle **62** 3 Ca 43
Saint-Omer-en-Chaussée **60** 17 Ca 51
Saint-Ondras **38** 107 Fd 75
Saint-Onen-la-Chapelle **35** 44 Xf 59
Saint-Oradour-de-Chirouze **23** 91 Cb 74
Saint-Oradour-près-Crocq **23** 91 Cc 73
Saint-Orens **32** 126 Af 86
Saint-Orens-de-Gameville **31** 141 Bd 87
Saint-Orens-Pouy-Petit **32** 125 Ac 85
Saint-Ost **32** 139 Ac 88
Saint-Ouen **41** 48 Ba 62
Saint-Ouen **80** 7 Ca 48
Saint-Ouen **93** 33 Cc 55
Saint-Ouen-d'Attez **27** 31 Af 56
Saint-Ouën-de-la-Cour **61** 48 Ad 58
Saint-Ouen-de-Mimbré **72** 47 Aa 59
Saint-Ouen-de-Pontcheuil **27** 15 Af 53
Saint-Ouen-des-Alleux **35** 45 Yd 59
Saint-Ouen-des-Champs **27** 15 Ad 52
Saint-Ouen-de-Sécherouvre **61** 31 Ac 57
Saint-Ouen-des-Toits **53** 46 Za 60
Saint-Ouen-des-Vallon **53** 46 Zc 60
Saint-Ouen-de-Thouberville **27** 15 Af 52
Saint-Ouen-Domprot **51** 36 Ec 57
Saint-Ouen-du-Breuil **76** 15 Ba 51
Saint-Ouen-du-Mesnil-Oger **14** 30 Zf 54
Saint-Ouen-du-Tilleul **23** 90 Be 73
Saint-Ouen-en-Belin **72** 47 Ab 62
Saint-Ouen-en-Brie **77** 34 Cf 57
Saint-Ouen-en-Champagne **72** 47 Ze 61
Saint-Ouen-la-Rouërie **35** 28 Yd 58
Saint-Ouen-l'Aumône **95** 33 Ca 54
Saint-Ouen-le-Brisoult **61** 29 Zd 57
Saint-Ouen-le-Houx **14** 30 Ab 55
Saint-Ouen-le-Mauger **76** 15 Af 50
Saint-Ouen-le-Pin **14** 30 Aa 54
Saint-Ouen-lès-Parey **88** 54 Fe 59
Saint-Ouen-les-Vignes **37** 63 Af 64
Saint-Ouen-Marchefroy **28** 32 Bd 55
Saint-Ouen-sous-Bailly **76** 16 Bb 49
Saint-Ouen-sur-Gartempe **87** 89 Ba 72
Saint-Ouen-sur-Iton **61** 31 Ae 56
Saint-Ouen-sur-Loire **58** 80 Db 67
Saint-Ouen-sur-Maire **61** 30 Ze 56
Saint-Ouen-sur-Morin **77** 34 Db 55
Saint-Oulph **10** 52 Df 57
Saint-Ours **63** 92 Cf 73
Saint-Ours **73** 108 Gc 76
Saint-Outrille **18** 64 Bf 66
Saint-Ovin **50** 28 Ye 56
Saint-Oyen **73** 108 Gc 76
Saint-Paër **76** 15 Af 51
Saint-Paër **76** 15 Af 51
Saint-Pair-sur-Mer **50** 28 Yc 56
Saint-Palais **03** 79 Cb 70
Saint-Palais **18** 65 Cc 65
Saint-Palais **64** 137 Yf 89
Saint-Palais-de-Négrignac **17** 99 Ze 77
Saint-Palais-de-Phiolin **17** 99 Zc 75
Saint-Palais-du-Né **16** 99 Ze 75
Saint-Palais-sur-Mer **17** 86 Yf 75
Saint-Pal-de-Mons **43** 105 Eb 77

Saint-Pal-de-Senouire **43** 105 Dd 77
Saint-Pancrace **24** 100 Ae 76
Saint-Pancrace **73** 108 Gb 77
Saint-Pancrasse **38** 108 Ff 77
Saint-Pandelon **40** 123 Yf 86
Saint-Pantaléon **46** 113 Bb 82
Saint-Pantaléon **84** 132 Fb 85
Saint-Pantaléon-de-Lapleau **19** 103 Cb 77
Saint-Pantaléon-de-Larche **19** 102 Bc 78
Saint-Pantaléon-les-Vignes **26** 118 Fa 82
Saint-Pantaly-d'Ans **24** 101 Af 77
Saint-Papoul **11** 141 Ca 89
Saint-Pardon-de-Comques **33** 111 Ze 81
Saint-Pardoult **17** 87 Zd 73
Saint-Pardoux **23** 91 Cc 72
Saint-Pardoux **63** 92 Da 72
Saint-Pardoux **63** 103 Ce 75
Saint-Pardoux **79** 75 Ze 69
Saint-Pardoux **87** 89 Bb 72
Saint-Pardoux-Corbier **19** 102 Bc 76
Saint-Pardoux-d'Arnet **23** 91 Cc 73
Saint-Pardoux-de-Drône **24** 100 Ac 77
Saint-Pardoux-du-Breuil **47** 112 Ab 82
Saint-Pardoux-Isaac **47** 112 Ac 81
Saint-Pardoux-la-Croisille **19** 102 Bf 77
Saint-Pardoux-la-Rivière **24** 101 Ae 76
Saint-Pardoux-le-Neuf **19** 103 Cb 75
Saint-Pardoux-le-Neuf **23** 91 Cb 73
Saint-Pardoux-les-Cards **23** 91 Ca 72
Saint-Pardoux-le-Vieux **19** 103 Cb 75
Saint-Pardoux-l'Ortigier **19** 102 Bd 78
Saint-Pargoire **34** 143 Dd 87
Saint-Parize-en-Viry **58** 80 Dc 68
Saint-Parize-le-Châtel **58** 80 Db 67
Saint-Parres-aux-Tertres **10** 52 Ea 56
Saint-Parres-lès-Vaudes **10** 52 Eb 59
Saint-Parthem **12** 115 Cb 81
Saint-Pastour **47** 112 Ad 82
Saint-Pastous **65** 138 Zf 90
Saint-Paterne **72** 47 Aa 59
Saint-Paterne-Racan **37** 63 Ac 63
Saint-Pathus **77** 34 Ce 54
Saint-Patrice **37** 62 Ab 65
Saint-Patrice-de-Claids **50** 12 Yd 53
Saint-Patrice-du-Désert **61** 29 Ze 57
Saint-Paul **04** 121 Ge 81
Saint-Paul **06** 134 Ha 86
Saint-Paul **19** 102 Bf 77
Saint-Paul **33** 99 Zc 78
Saint-Paul **60** 17 Ca 52
Saint-Paul **61** 29 Zc 56
Saint-Paul **73** 107 Fe 74
Saint-Paul **88** 55 Ff 59
Saint-Paul, Épercieux- **42** 93 Eb 74
Saint-Paul-aux-Bois **02** 18 Db 51
Saint-Paul-Cap-de-Joux **81** 127 Bd 87
Saint-Paul-de-Baïse **32** 125 Ac 86
Saint-Paul-de-Fenouillet **66** 153 Cc 92
Saint-Paul-de-Fourques **27** 15 Aa 53
Saint-Paul-de-Jarrat **09** 152 Bd 91
Saint-Paul-de-Loubressac **46** 113 Bc 83
Saint-Paul-de-Salers **15** 103 Cd 78
Saint-Paul-de-Serre **24** 100 Ad 78
Saint-Paul-des-Landes **15** 115 Cb 79
Saint-Paul-d'Espis **82** 126 Af 84
Saint-Paul-d'Izeaux **38** 107 Fc 77
Saint-Paul-d'Oueil **31** 151 Ad 92
Saint-Paul-du-Bois **49** 61 Zc 66
Saint-Paul-du-Vernay **14** 13 Zb 53
Saint-Paul-d'Uzore **42** 105 Ea 74
Saint-Paul-en-Born **40** 110 Yf 83
Saint-Paul-en-Chablais **74** 97 Gd 70
Saint-Paul-en-Forêt **83** 148 Ge 87
Saint-Paul-en-Jarez **42** 106 Ed 76
Saint-Paul-en-Pareds **85** 75 Za 68
Saint-Paulet-de-Caisson **30** 131 Ed 83
Saint-Paulet-et-Valmalle **34** 144 De 87
Saint-Paulien **43** 105 De 78
Saint-Paul-la-Coste **30** 130 Df 84
Saint-Paul-la-Roche **24** 101 Ba 76
Saint-Paul-le-Froid **48** 116 Dd 80
Saint-Paul-le-Gaultier **72** 47 Zf 59
Saint-Paul-le-Jeune **07** 117 Ea 82
Saint-Paul-lès-Dax **40** 123 Yf 86
Saint-Paul-lès-Durance **13** 132 Fe 86
Saint-Paul-lès-Font **30** 131 Ed 84
Saint-Paul-lès-Romans **26** 107 Fa 78
Saint-Paul-Lizonne **24** 100 Ab 77
Saint-Paul-Mont-Penit **85** 74 Yc 68
Saint-Paul-sur-Isère **73** 108 Gc 75
Saint-Paul-Trois-Châteaux **26** 118 Ee 82
Saint-Pavace **72** 47 Ab 60
Saint-Pé-d'Ardet **31** 139 Ae 91
Saint-Pé-de-Bigorre **65** 138 Zf 90
Saint-Pé-Delbosc **31** 139 Ae 89
Saint-Pé-de-Léren **64** 137 Yf 88
Saint-Pée-sur-Nivelle **64** 136 Yc 88
Saint-Pellerin **50** 12 Ye 53

Saint-Péran **35** 44 Xf 60
Saint-Péravy-la-Colombe **45** 49 Be 61
Saint-Péray **07** 118 Ef 79
Saint-Perdoux **24** 112 Ad 80
Saint-Perdoux **46** 114 Ca 80
Saint-Père **35** 27 Ya 57
Saint-Père **58** 66 Cf 64
Saint-Père **89** 67 De 64
Saint-Père-en-Retz **44** 59 Xf 65
Saint-Père-sur-Loire **45** 65 Cc 62
Saint-Pern **35** 44 Ya 59
Saint-Pé-Saint-Simon **47** 125 Aa 84
Saint-Péver **22** 26 Wf 58
Saint-Pey-d'Armens **33** 111 Zf 79
Saint-Pey-de-Castets **33** 111 Zf 80
Saint-Phal **10** 52 Df 60
Saint-Philbert-de-Grand-Lieu **44** 60 Yc 66
Saint-Philbert-des-Champs **14** 14 Ab 53
Saint-Philbert-du-Peuple **49** 62 Zf 64
Saint-Philbert-en-Mauges **49** 61 Yf 66
Saint-Philbert-sur-Risle **27** 15 Ad 53
Saint-Philibert **21** 69 Fa 65
Saint-Philippe-d'Aiguille **33** 111 Zf 79
Saint-Philippe-du-Seignal **33** 112 Ab 80
Saint-Piat **28** 32 Bd 57
Saint-Pierre **04** 134 Gf 85
Saint-Pierre **31** 127 Bd 87
Saint-Pierre **39** 84 Ff 69
Saint-Pierre **51** 35 Eb 55
Saint-Pierre **57** 57 Hc 58
Saint-Pierre-à-Arnes **08** 20 Ec 53
Saint-Pierre-Aigle **02** 18 Db 53
Saint-Pierre-Avez **05** 133 Fe 83
Saint-Pierre-Azif **14** 14 Aa 53
Saint-Pierre-Bellevue **23** 90 Bf 73
Saint-Pierre-Bénouville **76** 15 Af 50
Saint-Pierre-Bois **67** 56 Hc 59
Saint-Pierre-Brouck **59** 3 Cb 43
Saint-Pierre-Canivet **14** 30 Ze 55
Saint-Pierre-Colamine **63** 104 Cf 75
Saint-Pierre-d'Albigny **73** 108 Ga 75
Saint-Pierre-d'Alvey **73** 107 Fe 75
Saint-Pierre-d'Amilly **17** 87 Zb 71
Saint-Pierre-d'Argençon **05** 119 Fe 81
Saint-Pierre-d'Arthéglise **50** 12 Yb 52
Saint-Pierre-d'Aubézies **32** 125 Aa 87
Saint-Pierre-d'Aurillac **33** 111 Ze 81
Saint-Pierre-d'Autils **27** 32 Bc 54
Saint-Pierre-d'Avellard **38** 108 Ga 76
Saint-Pierre-de-Bat **33** 111 Ze 80
Saint-Pierre-de-Belleville **73** 108 Gb 76
Saint-Pierre-de-Bœuf **42** 106 Ee 76
Saint-Pierre-de-Bressieux **38** 107 Fb 77
Saint-Pierre-de-Buzet **47** 125 Ab 83
Saint-Pierre-de-Cernières **61** 31 Ad 55
Saint-Pierre-de-Chandieu **69** 106 Fa 75
Saint-Pierre-de-Chartreuse **38** 108 Fe 76
Saint-Pierre-de-Chérennes **38** 107 Fc 78
Saint-Pierre-de-Chevillé **72** 63 Ac 63
Saint-Pierre-de-Chignac **24** 101 Af 78
Saint-Pierre-de-Clairac **47** 126 Ae 83
Saint-Pierre-de-Côle **24** 101 Ae 76
Saint-Pierre-de-Colombier **07** 117 Eb 80
Saint-Pierre-de-Curtille **73** 96 Fe 74
Saint-Pierre-de-Forcats **66** 153 Ca 94
Saint-Pierre-de-Frugie **24** 101 Ba 75
Saint-Pierre-de-Fursac **23** 90 Bd 72
Saint-Pierre-de-Genebroz **73** 107 Fe 76
Saint-Pierre-de-Jards **36** 78 Bf 66
Saint-Pierre-de-Juillers **17** 87 Zd 73
Saint-Pierre-de-la-Fage **34** 129 Dc 86
Saint-Pierre-de-Lages **31** 141 Bd 87
Saint-Pierre-de-Maillé **86** 77 Af 68
Saint-Pierre-de-Mailloc **14** 30 Ab 54
Saint-Pierre-de-Manneville **76** 15 Af 52
Saint-Pierre-de-Méaroz **38** 120 Fe 79
Saint-Pierre-d'Entremont **61** 29 Zc 56
Saint-Pierre-d'Entremont **73** 108 Ff 76
Saint-Pierre-de-Plesguen **35** 27 Ya 58
Saint-Pierre-de-Rivière **09** 152 Bd 91
Saint-Pierre-de-Salerne **27** 15 Ad 53
Saint-Pierre-des-Bois **72** 47 Zf 61
Saint-Pierre-des-Champs **11** 142 Cd 90
Saint-Pierre-des-Corps **37** 63 Ae 64
Saint-Pierre-des-Échaubrognes **79** 75 Zb 67
Saint-Pierre-de-Semilly **50** 29 Za 54
Saint-Pierre-des-Fleurs **27** 15 Af 53
Saint-Pierre-des-Ifs **14** 30 Ab 54

Saint-Pierre-des-Ifs **27** 15 Ad 53
Saint-Pierre-des-Jonquières **76** 16 Bc 49
Saint-Pierre-des-Landes **53** 46 Yf 59
Saint-Pierre-des-Loges **61** 31 Ac 56
Saint-Pierre-des-Nids **53** 47 Zf 58
Saint-Pierre-des-Ormes **72** 47 Ac 59
Saint-Pierre-des-Soucy **73** 108 Ga 76
Saint-Pierre-des-Tripiers **48** 129 Db 83
Saint-Pierre-de-Trivisy **81** 128 Cc 86
Saint-Pierre-de-Varengeville **76** 15 Af 51
Saint-Pierre-de-Varennes **71** 82 Ec 67
Saint-Pierre-de-Vassols **84** 132 Fa 84
Saint-Pierre-d'Exideuil **86** 88 Ab 72
Saint-Pierre-d'Eyraud **24** 112 Ab 79
Saint-Pierre-d'Irube **64** 136 Yd 88
Saint-Pierre-d'Oléron **17** 86 Ye 73
Saint-Pierre-du-Bosguérard **27** 15 Af 53
Saint-Pierre-du-Bû **14** 30 Ze 55
Saint-Pierre-du-Champ **43** 105 Df 77
Saint-Pierre-du-Chemin **85** 75 Zb 68
Saint-Pierre-du-Fresne **14** 29 Za 59
Saint-Pierre-du-Jonquet **14** 14 Zf 53
Saint-Pierre-du-Lorouër **72** 47 Ad 62
Saint-Pierre-du-Mesnil **27** 31 Ad 55
Saint-Pierre-du-Mont **14** 13 Za 52
Saint-Pierre-du-Mont **40** 124 Zc 85
Saint-Pierre-du-Mont **58** 66 Dc 64
Saint-Pierre-du-Palais **17** 99 Zf 77
Saint-Pierre-du-Perray **91** 33 Cd 57
Saint-Pierre-du-Val **27** 14 Ac 52
Saint-Pierre-du-Vauvray **27** 16 Bb 53
Saint-Pierre-Église **50** 12 Yd 50
Saint-Pierre-en-Faucigny **74** 96 Gc 72
Saint-Pierre-en-Port **76** 15 Ac 50
Saint-Pierre-en-Val **76** 16 Bc 48
Saint-Pierre-en-Vaux **21** 82 Ed 66
Saint-Pierre-ès-Champs **60** 16 Be 52
Saint-Pierre-la-Bourlhonne **63** 105 De 74
Saint-Pierre-la-Bruyère **61** 48 Ae 58
Saint-Pierre-la-Cour **53** 46 Yf 60
Saint-Pierre-Lafeuille **46** 113 Bc 81
Saint-Pierre-Langers **50** 28 Yd 56
Saint-Pierre-la-Noaille **42** 93 Ea 71
Saint-Pierre-la-Palud **69** 94 Ed 74
Saint-Pierre-la-Roche **07** 118 Ed 81
Saint-Pierre-Laval **03** 93 De 71
Saint-Pierre-la-Vieille **14** 29 Zc 55
Saint-Pierre-le-Bost **23** 91 Cb 70
Saint-Pierre-le-Chastel **63** 91 Cf 74
Saint-Pierre-le-Moûtier **58** 80 Da 68
Saint-Pierre-lès-Bitry **60** 18 Da 52
Saint-Pierre-lès-Bois **18** 79 Cb 69
Saint-Pierre-les-Étieux **18** 79 Cd 68
Saint-Pierre-lès-Franqueville **02** 19 De 50
Saint-Pierre-lès-Nemours **77** 50 Ce 59
Saint-Pierre-le-Vieux **71** 94 Ed 71
Saint-Pierre-le-Vieux **76** 15 Af 49
Saint-Pierre-le-Vieux **85** 75 Zb 70
Saint-Pierre-le-Viger **76** 15 Af 49
Saint-Pierremont **02** 19 Df 50
Saint-Pierremont **08** 20 Ef 52
Saint-Pierremont **88** 55 Gd 58
Saint-Pierre-Montlimart **49** 61 Yf 65
Saint-Pierre-Quiberon **56** 58 Wf 63
Saint-Pierre-Roche **63** 91 Ce 74
Saint-Pierre-sur-Dives **14** 30 Zf 54
Saint-Pierre-sur-Doux **07** 106 Ec 78
Saint-Pierre-sur-Dropt **47** 112 Ab 81
Saint-Pierre-sur-Erve **53** 46 Zc 60
Saint-Pierre-sur-Orthe **53** 47 Ze 59
Saint-Pierre-sur-Vence **08** 20 Ee 50
Saint-Pierre-Tarentaine **14** 29 Zb 55
Saint-Pierre-Toirac **46** 114 Bf 81
Saint-Pierreville **07** 118 Ec 80
Saint-Pierrevillers **55** 21 Fe 52
Saint-Plaisir **03** 80 Cf 69
Saint-Plancard **31** 139 Ad 89
Saint-Planchers **50** 28 Yc 56
Saint-Plantaire **36** 78 Be 70
Saint-Point **71** 94 Ed 70
Saint-Point-Lac **25** 84 Gb 68
Saint-Pois **50** 29 Za 56
Saint-Poix **53** 45 Yf 61
Saint-Pol-de-Léon **29** 25 Wa 56
Saint-Pol-sur-Ternoise **62** 7 Cc 46
Saint-Polgues **43** 93 Df 73
Saint-Polycarpe **11** 142 Cb 90
Saint-Pompain **79** 75 Zc 70
Saint-Pompont **24** 113 Ba 80
Saint-Poncy **15** 104 Da 77
Saint-Pons **04** 121 Gd 82
Saint-Pons **07** 118 Ed 81
Saint-Pons-de-Mauchiens **34** 143 Dd 87
Saint-Pons-de-Thomières **34** 142 Ce 88
Saint-Pons-la-Calm **30** 131 Ed 84
Saint-Pont **03** 92 Db 72
Saint-Porchaire **17** 87 Zb 74
Saint-Porquier **82** 126 Bb 84
Saint-Pôtan **22** 27 Xe 57
Saint-Pouange **10** 52 Ea 59

Saint-Pourçain-sur-Besbre **03** 81 Dd 70
Saint-Pourçain-sur-Sioule **03** 92 Db 71
Saint-Prancher **88** 55 Ff 58
Saint-Préjet-Armandon **43** 104 Dd 77
Saint-Préjet-d'Allier **43** 117 Dd 79
Saint-Prest **28** 32 Bd 58
Saint-Preuil **16** 99 Ze 75
Saint-Priest **07** 118 Ed 80
Saint-Priest **23** 91 Cc 72
Saint-Priest **pus** 106 Ef 74
Saint-Priest-Bramefant **63** 92 Dc 72
Saint-Priest-d'Andelot **03** 92 Da 72
Saint-Priest-de-Gimel **19** 102 Bf 78
Saint-Priest-des-Champs **63** 91 Ce 73
Saint-Priest-en-Jarrez **42** 106 Ec 76
Saint-Priest-en-Murat **03** 92 Cf 70
Saint-Priest-la-Feuille **23** 90 Bd 71
Saint-Priest-la-Marche **18** 79 Cb 70
Saint-Priest-la-Plaine **23** 90 Bd 71
Saint-Priest-la-Prugne **42** 93 De 73
Saint-Priest-la-Roche **42** 93 Ea 73
Saint-Priest-la-Vêtre **42** 93 De 74
Saint-Priest-les-Fougères **24** 101 Ba 75
Saint-Priest-Ligoure **87** 101 Bb 75
Saint-Priest-sous-Aixe **87** 89 Ba 74
Saint-Priest-Taurion **87** 90 Bc 73
Saint-Prim **38** 106 Ee 76
Saint-Privat **07** 118 Ec 81
Saint-Privat **19** 102 Ca 78
Saint-Privat **24** 100 Ab 77
Saint-Privat **24** 101 Af 77
Saint-Privat **34** 129 Dc 86
Saint-Privat-d'Allier **43** 117 Dd 79
Saint-Privat-de-Champclos **30** 131 Ec 83
Saint-Privat-des-Vieux **30** 130 Ea 84
Saint-Privat-de-Vallongue **48** 130 Df 83
Saint-Privat-du-Dragon **43** 104 Dc 77
Saint-Privat-du-Fau **48** 116 Dc 79
Saint-Privat-la-Montagne **57** 38 Ga 53
Saint-Privé **71** 82 Ed 68
Saint-Privé **89** 66 Da 62
Saint-Prix **03** 93 Dd 71
Saint-Prix **07** 118 Ec 79
Saint-Prix **71** 81 Ea 67
Saint-Prix-lès-Arnay **21** 81 Ec 66
Saint-Projet **46** 114 Bc 80
Saint-Projet **82** 114 Be 82
Saint-Projet-de-Salers **15** 103 Cd 78
Saint-Projet-Saint-Constant **16** 88 Ac 74
Saint-Prouant **85** 75 Za 68
Saint-Python **59** 9 Dc 47
Saint-Pyrvé-Saint-Mesmin **45** 49 Bf 61
Saint-Quantin-de-Rançanne **17** 99 Zc 75
Saint-Quay **22** 26 Xa 57
Saint-Quay-Perros **22** 26 Wd 56
Saint-Quay-Portrieux **22** 26 Xb 57
Saint-Quentin **02** 18 Db 50
Saint-Quentin-au-Bosc **76** 6 Bb 49
Saint-Quentin-de-Baron **33** 111 Ze 80
Saint-Quentin-de-Blavou **61** 47 Ac 58
Saint-Quentin-de-Caplong **33** 112 Aa 80
Saint-Quentin-de-Chalais **16** 100 Aa 77
Saint-Quentin-des-Isles **27** 31 Ad 54
Saint-Quentin-des-Prés **60** 16 Be 51
Saint-Quentin-du-Dropt **47** 112 Ad 80
Saint-Quentin-en-Mauges **49** 61 Za 65
Saint-Quentin-en-Tourmont **80** 6 Bd 47
Saint-Quentin-en-Yvelines **78** 32 Bf 56
Saint-Quentin-Fallavier **38** 107 Fa 75
Saint-Quentin-la-Chabanne **23** 91 Ca 73
Saint-Quentin-la-Motte-Croix-au-Bailly **80** 6 Bc 48
Saint-Quentin-la-Poterie **30** 131 Ec 84
Saint-Quentin-la-Tour **09** 141 Bf 90
Saint-Quentin-le-Petit **08** 19 Ea 51
Saint-Quentin-les-Anges **53** 46 Za 62
Saint-Quentin-lès-Beaurepaire **49** 62 Zf 63
Saint-Quentin-les-Chardonnets **61** 29 Zb 56
Saint-Quentin-les-Marais **51** 36 Ed 56
Saint-Quentin-le-Verger **51** 35 De 57
Saint-Quentin-sur-Charente **16** 89 Ae 73
Saint-Quentin-sur-Coole **51** 35 Eb 55
Saint-Quentin-sur-Indrois **37** 63 Ba 65
Saint-Quentin-sur-Isère **38** 107 Fd 77
Saint-Quentin-sur-le-Homme **50** 28 Ye 57
Saint-Quentin-sur-Nohain **58** 66 Da 64
Saint-Quentin-sur-Sauxillanges **63** 104 Dc 75
Saint-Quintin-sur-Sioule **63** 92 Da 72
Saint-Quirc **09** 140 Bd 89
Saint-Quirin **57** 39 Ha 57
Saint-Rabier **24** 101 Ba 77
Saint-Racho **71** 94 Ec 71

Saint-Rambert-en-Bugey 01
95 Fc 73
Saint-Raphaël 24 101 Ba 77
Saint-Raphaël 83 148 Ge 88
Saint-Regis-du-Coin 42 106 Ec 77
Saint-Règle 37 63 Ba 64
Saint-Remèze 07 118 Ed 82
Saint-Remiment 54 55 Gb 57
Saint-Remimont 88 55 Ff 59
Saint-Rémy 01 95 Fa 71
Saint-Rémy 12 114 Ca 82
Saint-Rémy 12 128 Ce 84
Saint-Rémy 14 29 Zd 55
Saint-Rémy 19 103 Cb 75
Saint-Rémy 21 68 Eb 63
Saint-Rémy 24 112 Ab 79
Saint-Rémy 70 55 Ga 61
Saint-Rémy 71 82 Ef 68
Saint-Rémy 79 75 Zc 70
Saint-Rémy 79 75 Zc 70
Saint-Rémy 88 56 Ge 58
Saint-Rémy-aux-Bois 62 7 Bf 46
Saint-Rémy-aux-Bois 54 55 Gc 58
Saint-Rémy-Blanzy 02 18 Db 53
Saint-Rémy-Boscrocourt 76
6 Bc 48
Saint-Rémy-Chaussée 59 9 Df 47
Saint-Rémy-de-Blot 63 92 Cf 72
Saint-Rémy-de-Chargnat 63
104 Db 75
Saint-Rémy-de-Chaudes-Aigues 15
116 Da 80
Saint-Rémy-de-Maurienne 73
108 Gb 76
Saint-Rémy-de-Provence 13
131 Ee 86
Saint-Rémy-des-Landes 50
12 Yc 53
Saint-Rémy-des-Monts 72
47 Ac 59
Saint-Rémy-du-Nord 59 9 Df 47
Saint-Rémy-du-Plain 35 45 Yc 58
Saint-Rémy-du-Val 72 47 Ab 58
Saint-Rémy-en-Bouzemont-Saint-
Genest-et-Isson 51 52 Ed 57
Saint-Rémy-en-l'Eau 60 17 Cc 52
Saint-Rémy-en-Mauges 49
60 Yf 65
Saint-Rémy-en-Rollat 03 92 Dc 71
Saint-Rémy-la-Calonne 55
37 Fd 54
Saint-Rémy-la-Vanne 77 34 Db 56
Saint-Rémy-la-Varenne 49
61 Ze 64
Saint-Rémy-lès-Chevreuse 78
33 Ca 56
Saint-Rémy-l'Honoré 78 32 Bf 56
Saint-Rémy-sous-Barbuise 10
52 Ea 58
Saint-Rémy-sous-Broyes 51
35 De 56
Saint-Rémy-sur-Avre 28 32 Bb 56
Saint-Rémy-sur-Bussy 51
36 Ed 54
Saint-Rémy-sur-Creuse 86
77 Ac 69
Saint-Rémy-sur-Durolle 63
92 Dd 73
Saint-Renan 29 24 Vc 58
Saint-Révérend 85 73 Yb 68
Saint-Révérien 58 67 Dd 65
Saint-Rieul 22 27 Xd 58
Saint-Rimay 41 63 Af 62
Saint-Riquier 80 7 Bf 48
Saint-Riquier-en-Rivière 76
16 Bd 49
Saint-Riquier-ès-Plains 76
15 Ad 49
Saint-Rirand 42 93 Df 72
Saint-Rivoal 29 25 Wa 58
Saint-Robert 19 101 Bb 77
Saint-Robert 47 126 Ae 83
Saint-Roch 37 63 Ad 64
Saint-Roch-sur-Ergenne 61
29 Zc 57
Saint-Rogatien 17 86 Yf 72
Saint-Romain 16 100 Aa 77
Saint-Romain 21 82 Ee 66
Saint-Romain 63 105 Df 76
Saint-Romain 86 88 Ac 71
Saint-Romain-de-Benet 17
86 Za 74
Saint-Romain-de-Colbosc 76
14 Ac 51
Saint-Romain-de-Lerps 07
118 Ee 79
Saint-Romain-de-Monpazier 24
113 Af 80
Saint-Romain-de-Popay 69
94 Ed 74
Saint-Romain-de-Popey 69
94 Ed 73
Saint-Romain-de-Surieu 38
106 Ef 76
Saint-Romain-d'Urfé 42 93 De 73
Saint-Romain-en-Jarez 42
106 Ed 75
Saint-Romain-en-Viennois 84
132 Fa 83
Saint-Romain-Lachalm 43
106 Eb 77
Saint-Romain-la-Motte 42
93 Df 72
Saint-Romain-la-Virvée 33
99 Zd 79
Saint-Romain-le-Noble 47
126 Ae 84
Saint-Romain-le-Preux 89
51 Db 61
Saint-Romain-le-Puy 42 105 Ea 75
Saint-Romain-les-Atheux 42
106 Ec 76
Saint-Romain-sous-Gourdon 71
82 Ec 69
Saint-Romain-sous-Versigny 71
81 Eb 69
Saint-Romain-sur-Cher 41
64 Bc 65
Saint-Romain-sur-Gironde 17
99 Zb 76
Saint-Roman 26 119 Fc 80
Saint-Roman-de-Codières 30
130 De 85
Saint-Roman-de-Malegarde 84
118 Ee 83
Saint-Romans-des-Champs 79
87 Zd 71
Saint-Romans-lès-Melle 79
87 Ze 71
Saint-Rome 31 141 Be 88

Saint-Rome-de-Cernon 12
129 Cf 84
Saint-Rome-de-Dolan 48
129 Db 83
Saint-Rome-de-Tarn 12 129 Cf 84
Saint-Romphaire 50 29 Yf 54
Saint-Rustice 31 126 Bc 86
Saint-Saëns 76 16 Bb 50
Saint-Saire 76 16 Bc 50
Saint-Salvadour 19 102 Be 76
Saint-Salvi-de-Carcavès 81
128 Cd 86
Saint-Salvy 47 112 Ac 83
Saint-Salvy-de-la-Balme 81
128 Cc 87
Saint-Samson 14 47 53
Saint-Samson 53 30 Ze 58
Saint-Samson-de-Bonfossé 50
29 Yf 54
Saint-Samson-de-la-Roque 27
15 Ac 52
Saint-Samson-la-Poterie 60
16 Be 51
Saint-Samson-sur-Rance 22
27 Xf 58
Saint-Sandoux 63 104 Da 75
Saint-Santin-Cantalès 15
103 Cb 78
Saint-Sardos 47 112 Ac 82
Saint-Sardos 82 126 Ba 85
Saint-Satin-de-Maurs 12
115 Cb 81
Saint-Satur 18 66 Cf 64
Saint-Saturnin-lès-Avignon 84
131 Ef 85
Saint-Saturnin 15 103 Ce 77
Saint-Saturnin 16 88 Aa 75
Saint-Saturnin 18 79 Cb 69
Saint-Saturnin 34 129 Dc 86
Saint-Saturnin 48 116 Db 82
Saint-Saturnin 51 35 Df 57
Saint-Saturnin 63 104 Da 75
Saint-Saturnin 72 47 Aa 60
Saint-Saturnin-d'Apt 84 132 Fc 85
Saint-Saturnin-de-Lenne 12
116 Da 82
Saint-Saturnin-du-Bois 17
87 Zb 72
Saint-Saturnin-du-Limet 53
45 Yf 62
Saint-Saturnin-sur-Loire 49
61 Zd 64
Saint-Sauflieu 80 17 Cb 50
Saint-Saulge 58 81 Dd 66
Saint-Saulve 59 9 Dd 46
Saint-Saury 15 114 Ca 79
Saint-Sauvant 17 87 Zc 74
Saint-Sauvant 86 74 Aa 70
Saint-Sauves-d'Auvergne 63
103 Ce 75
Saint-Sauveur 21 69 Fc 64
Saint-Sauveur 24 112 Ad 79
Saint-Sauveur 29 25 Wa 58
Saint-Sauveur 31 126 Bc 86
Saint-Sauveur 33 98 Za 77
Saint-Sauveur 54 39 Gf 57
Saint-Sauveur 60 18 Ce 53
Saint-Sauveur 70 70 Gc 62
Saint-Sauveur 80 7 Cb 49
Saint-Sauveur 86 77 Ad 68
Saint-Sauveur, Caubon- 47
112 Ab 81
Saint-Sauveur-d'Aunis 17
86 Za 71
Saint-Sauveur-de-Bonnefossé 50
28 Ye 54
Saint-Sauveur-de-Carrouges 61
30 Zf 57
Saint-Sauveur-de-Cruzières 07
130 Eb 83
Saint-Sauveur-de-Flée 49
46 Zb 62
Saint-Sauveur-de-Ginestoux 48
116 Dd 80
Saint-Sauveur-de-Landemont 49
60 Ye 65
Saint-Sauveur-d'Emalleville 76
14 Ab 51
Saint-Sauveur-de-Meilhan 47
111 Zf 82
Saint-Sauveur-de-Montagut 07
118 Ed 80
Saint-Sauveur-de-Peyre 48
116 Db 81
Saint-Sauveur-de-Puynormand 33
99 Zf 79
Saint-Sauveur-des-Landes 35
45 Ye 58
Saint-Sauveur-des-Pourcils 30
129 Dc 84
Saint-Sauveur-en-Puisaye 89
66 Db 63
Saint-Sauveur-en-Rue 42
106 Ec 77
Saint-Sauveur-Lalande 24
100 Ab 79
Saint-Sauveur-la-Pommeraye 50
28 Yd 55
Saint-Sauveur-la-Vallée 46
114 Bd 81
Saint-Sauveur-Lendelin 50
12 Yd 54
Saint-Sauveur-lès-Bray 77
51 Db 58
Saint-Sauveur-le-Vicomte 50
12 Yc 52
Saint-Sauveur-Marville 28
32 Bb 57
Saint-Sauveur-sur-École 77
50 Cd 58
Saint-Sauveur-sur-Tinée 06
134 Ha 84
Saint-Sauvier 03 91 Cb 70
Saint-Sauvy 43 126 Ae 86
Saint-Saveur 05 121 Gd 81
Saint-Savin 33 99 Zd 78
Saint-Savin 38 107 Fb 75
Saint-Savin 65 138 Zf 91
Saint-Savin 86 77 Af 69
Saint-Saviol 86 88 Ab 72
Saint-Savournin 13 146 Fd 88
Saint-Sébastien 38 120 Fe 79
Saint-Sébastien 23 90 Bd 70

Saint-Sébastien-de-Morsent 27
31 Ba 54
Saint-Sébastien-de-Raids 50
12 Yd 53
Saint-Sébastien-sur-Loire 44
60 Yc 65
Saint-Secondin 86 88 Ac 71
Saint-Ségal 29 42 Vf 59
Saint-Séglin 35 44 Xf 61
Saint-Seine 58 81 De 68
Saint-Seine-en-Bâche 21 69 Fc 64
Saint-Seine-l'Abbaye 21 68 Ee 64
Saint-Seine-sur-Vingeanne 21
69 Fc 63
Saint-Selve 33 111 Zd 80
Saint-Senier-de-Beuvron 50
28 Ye 57
Saint-Senier-sous-Avranches 50
28 Yd 56
Saint-Senoch 37 77 Af 66
Saint-Senoux 35 44 Yb 61
Saint-Sériès 34 130 Ea 86
Saint-Sernin 11 141 Be 89
Saint-Sernin 11 141 Ca 91
Saint-Sernin 47 112 Ab 80
Saint-Sernin-du-Bois 71 82 Ec 67
Saint-Sernin-du-Plain 71 82 Ed 67
Saint-Sernin-lès-Lavaur 81
141 Bf 87
Saint-Sernin-sur-Rance 12
128 Cd 85
Saint-Sérotin 89 51 Da 59
Saint-Servais 22 26 Wd 58
Saint-Servais 29 25 Vf 57
Saint-Servant 56 44 Xc 61
Saint-Setiers 19 102 Ca 75
Saint-Seurin-de-Bourg 33
99 Zc 78
Saint-Seurin-de-Cadourne 33
98 Zb 77
Saint-Seurin-de-Cursac 33
99 Zc 78
Saint-Seurin-de-Palenne 17
99 Zc 75
Saint-Seurin-de-Prats 24
112 Aa 79
Saint-Seurin-sur-l'Isle 33 100 Zf 78
Saint-Sève 29 25 Wa 57
Saint-Sève 33 111 Zf 81
Saint-Sever 40 124 Zc 86
Saint-Sever-Calvados 14 29 Yf 55
Saint-Sever-de-Rustan 65
139 Ab 88
Saint-Sever-de-Saintonge 17
87 Zc 74
Saint-Séverin 16 100 Ab 77
Saint-Séverin-d'Estissac 24
Saint-Séverin-sur-Boutonne 17
87 Zd 72
Saints-Geosmes 52 54 Fc 61
Saint-Siffren 30 131 Ec 84
Saint-Sigismond 45 49 Be 61
Saint-Sigismond 49 61 Za 64
Saint-Sigismond 74 97 Gd 72
Saint-Sigismond 85 75 Zb 70
Saint-Sigismond-de-Clermont 17
99 Zc 76
Saint-Silvain-Bas-le-Roc 23
91 Cb 71
Saint-Silvain-Bellegarde 23
91 Cb 73
Saint-Silvain-Montaigut 23
90 Be 72
Saint-Silvain-Sous-Toulx 23
91 Cb 71
Saint-Siméon 27 15 Ad 53
Saint-Siméon 61 29 Zb 58
Saint-Siméon 77 34 Db 56
Saint-Simeux 16 100 Ab 77
Saint-Simon 02 18 Dd 50
Saint-Simon 15 115 Cc 79
Saint-Simon 46 114 Bf 80
Saint-Simon-de-Bordes 17
99 Zd 76
Saint-Simon-de-Pellouaille 17
99 Zb 75
Saint-Sixt 74 96 Gb 72
Saint-Sixte 42 93 Df 74
Saint-Sixte 47 126 Ae 84
Saint-Solve 19 101 Bc 77
Saint-Sorlin 89 66 Db 63
Saint-Sorlin-d'Arves 73 108 Gb 77
Saint-Sorlin-de-Cônac 17
99 Zb 76
Saint-Sorlin-de-Morestel 38
107 Fc 75
Saint-Sorlin-de-Vienne 38
106 Ef 76
Saint-Sorlin-en-Bugey 01 95 Fc 73
Saint-Sorlin-en-Valloire 26
107 Ef 77
Saint-Sornin 03 92 Da 70
Saint-Sornin 16 88 Ac 74
Saint-Sornin 17 86 Za 74
Saint-Sornin-la-Marche 87
89 Af 71
Saint-Sornin-Lavolps 19
101 Bc 76
Saint-Sornin-Leulac 87 89 Bb 71
Saint-Soulan 32 140 Af 87
Saint-Souplet 59 9 Dd 48
Saint-Souplet-sur-Py 51 20 Ec 53
Saint-Soupplets 77 34 Ce 54
Saint-Sozy 46 114 Bd 79
Saint-Stail 88 56 Ha 58
Saint-Suliac 35 27 Ya 57
Saint-Sulpice 41 64 Fa 71
Saint-Sulpice 41 64 Bb 63
Saint-Sulpice 46 114 Be 81
Saint-Sulpice 49 61 Zd 64
Saint-Sulpice 53 3 Be 43
Saint-Sulpice 58 80 Dc 66
Saint-Sulpice 60 17 Ca 52
Saint-Sulpice 63 103 Cd 75
Saint-Sulpice 70 70 Gc 63
Saint-Sulpice 73 108 Ff 75
Saint-Sulpice 81 127 Be 86
Saint-Sulpice-d'Arnoult 17
86 Za 74
Saint-Sulpice-de-Cognac 16
99 Zf 75
Saint-Sulpice-de-Faleyrens 33
111 Ze 79
Saint-Sulpice-de-Favières 91
33 Cb 57
Saint-Sulpice-de-Graimbouville 27
15 Ac 52
Saint-Sulpice-de-Guilleragues 33
112 Aa 81
Saint-Sulpice-de-Mareuil 24
100 Ad 76

Saint-Sulpice-de-Pommiers 33
111 Zf 80
Saint-Sulpice-de-Roumagnac 24
100 Ac 77
Saint-Sulpice-de-Royan 17
86 Yf 74
Saint-Sulpice-de-Ruffec 16
88 Ab 73
Saint-Sulpice-des-Landes 35
45 Yc 62
Saint-Sulpice-des-Landes 44
60 Ye 63
Saint-Sulpice-des-Rivoires 38
107 Fd 76
Saint-Sulpice-d'Excideuil 24
101 Ba 76
Saint-Sulpice-en-Pareds 85
75 Za 69
Saint-Sulpice-et-Cameyrac 33
111 Zf 79
Saint-Sulpice-la-Forêt 35 45 Yc 59
Saint-Sulpice-Laurière 87
90 Bc 72
Saint-Sulpice-le-Dunois 23
90 Be 71
Saint-Sulpice-le-Guérétois 23
90 Be 71
Saint-Sulpice-les-Bois 19
103 Ca 75
Saint-Sulpice-les-Champs 23
90 Ca 73
Saint-Sulpice-les-Feuilles 87
90 Bc 71
Saint-Sulpice-le-Verdon 85
74 Yd 67
Saint-Sulpice-sur-Lèze 31
140 Bb 89
Saint-Sulpice-sur-Risle 61
31 Ad 56
Saint-Supplet 54 21 Fe 52
Saint-Sylvain 14 30 Ze 54
Saint-Sylvain 19 102 Bf 77
Saint-Sylvain 76 15 Ae 49
Saint-Sylvain-d'Anjou 49 61 Zd 63
Saint-Sylvestre 07 118 Ee 79
Saint-Sylvestre 74 105 Da 75
Saint-Sylvestre-Cappel 59 4 Cd 44
Saint-Sylvestre-de-Cormeilles 27
14 Ac 53
Saint-Sylvestre-Pragoulin 63
92 Dc 72
Saint-Sylvestre-sur-Lot 47
113 Ae 82
Saint-Symphorien 18 79 Cb 68
Saint-Symphorien 27 15 Ac 53
Saint-Symphorien 33 111 Zd 82
Saint-Symphorien 48 117 Dd 79
Saint-Symphorien 72 47 Zf 60
Saint-Symphorien 79 87 Zd 71
Saint-Symphorien-de-Lay 42
93 Eb 73
Saint-Symphorien-de-Mahun 07
106 Ec 78
Saint-Symphorien-de-Marmagne 71
82 Ec 67
Saint-Symphorien-des-Bois 71
93 Eb 71
Saint-Symphorien-des-Bruyères 61
31 Ad 56
Saint-Symphorien-des-Monts 50
29 Za 57
Saint-Symphorien-de-Thénières 12
115 Ce 80
Saint-Symphorien-d'Ozon 69
106 Ef 75
Saint-Symphorien-le-Château 28
32 Be 57
Saint-Symphorien-les-Ponceaux 37
62 Ac 64
Saint-Symphorien-sous-Chomérac
07 118 Ee 80
Saint-Symphorien-sur-Coise 69
106 Ec 75
Saint-Symphorien-sur-Couze 87
89 Bc 72
Saint-Symphorien-sur-Saône 21
83 Fb 66
Saint-Thégonnec 29 25 Wa 57
Saint-Thélo 22 43 Xa 59
Saint-Théodorit 30 130 Ea 85
Saint-Théoffrey 38 120 Fe 79
Saint-Thibaud-de-Couz 73
108 Ff 75
Saint-Thibault 02 19 Dd 53
Saint-Thibault 10 52 Ea 59
Saint-Thibault 21 68 Ec 64
Saint-Thibault 60 16 Bf 50
Saint-Thibéry 34 143 Dc 88
Saint-Thiébaud 39 84 Ff 67
Saint-Thiébault 52 54 Fd 59
Saint-Thierry 51 19 Df 53
Saint-Thois 29 42 Wa 60
Saint-Thomas 02 19 De 52
Saint-Thomas 31 140 Ba 87
Saint-Thomas-de-Conac 17
99 Zb 76
Saint-Thomas-de-Courceriers 53
47 Ze 59
Saint-Thomas-en-Argonne 51
36 Ef 53
Saint-Thomas-la-Garde 42
105 Ea 75
Saint-Thomé 07 118 Ed 81
Saint-Thonan 29 24 Ve 58
Saint-Thual 35 44 Ya 59
Saint-Thurial 35 44 Ya 60
Saint-Thuriau 56 43 Xa 60
Saint-Thurien 27 15 Ad 52
Saint-Thurien 29 42 Wc 61
Saint-Thurin 42 93 Df 74
Saint-Tricat 62 3 Be 43
Saint-Trimoël 22 27 Xc 58
Saint-Trinit 84 132 Fc 84
Saint-Trivier-de-Courtes 01
83 Fa 70
Saint-Trivier-sur-Moignans 01
94 Ef 72
Saint-Trojan 33 99 Zc 78
Saint-Trojan-les-Bains 17
86 Ye 73
Saint-Tropez 83 148 Gd 89
Saint-Tugdual 56 43 Wd 60
Saint-Tulle 04 133 Fe 86
Saint-Ulphace 72 48 Ae 60
Saint-Ulrich 68 71 Ha 63
Saint-Uniac 35 44 Xf 59
Saint-Urbain 29 24 Ve 58
Saint-Urbain 85 73 Xf 67
Saint-Urbain-Maconcourt 52
54 Fb 58
Saint-Urcisse 47 126 Ae 84

Saint-Urcisse 81 127 Bd 85
Saint-Urcize 15 116 Da 80
Saint-Ursin 50 28 Yd 56
Saint-Usage 10 53 Ed 60
Saint-Usage 21 83 Fb 66
Saint-Usage 71 83 Fb 66
Saint-Utin 51 52 Ed 57
Saint-Uze 26 106 Ef 77
Saint-Vaas-sur-Seulles 14
29 Zc 54
Saint-Vaast-de-Longmont 60
17 Cc 53
Saint-Vaast-d'Equiqueville 76
16 Bb 50
Saint-Vaast-Dieppedalle 76
15 Ac 50
Saint-Vaast-du-Val 76 15 Ba 50
Saint-Vaast-en-Auge 14 14 Aa 53
Saint-Vaast-en-Cambrésis 59
9 Dc 47
Saint-Vaast-en-Chaussée 80
7 Cb 49
Saint-Vaast-la-Hougue 50
12 Yc 51
Saint-Vaast-lès-Mello 60 17 Cc 53
Saint-Vaize 17 87 Zc 74
Saint-Valbert 70 55 Gc 61
Saint-Valentin 36 78 Bf 67
Saint-Valérien 85 75 Za 69
Saint-Valérien 89 51 Da 59
Saint-Valery 60 16 Be 50
Saint-Valery-en-Caux 76 15 Ae 49
Saint-Valery-sur-Somme 80
6 Bd 47
Saint-Vallerin 71 82 Ee 68
Saint-Vallier 16 99 Zf 77
Saint-Vallier 26 106 Ee 77
Saint-Vallier 71 82 Ec 69
Saint-Vallier 88 55 Gb 59
Saint-Vallier-de-Thiey 06
134 Gf 86
Saint-Vallier-sur-Marne 52
54 Fc 61
Saint-Varent 79 76 Ze 67
Saint-Vaury 23 90 Be 71
Saint-Vénérand 43 117 De 79
Saint-Vérain 58 66 Da 64
Saint-Véran 05 121 Gf 80
Saint-Vérand 38 107 Fb 77
Saint-Vérand 69 94 Ee 71
Saint-Vert 43 104 Dd 76
Saint-Viance 19 102 Bc 76
Saint-Viâtre 41 64 Bf 63
Saint-Viaud 44 59 Xf 65
Saint-Victeur 72 47 Aa 59
Saint-Victor 03 91 Cd 70
Saint-Victor 15 103 Cc 78
Saint-Victor 24 100 Ac 77
Saint-Victor-de-Buthon 28
48 Af 58
Saint-Victor-de-Chrétienville 27
31 Ad 54
Saint-Victor-de-Malcap 30
130 Eb 83
Saint-Victor-de-Morestel 38
107 Fc 74
Saint-Victor-d'Epine 27 15 Ad 53
Saint-Victor-de-Reno 61 31 Ae 57
Saint-Victor-des-Oules 30
131 Ec 84
Saint-Victor-en-Marche 23
90 Be 72
Saint-Victoret 13 146 Fb 88
Saint-Victor-et-Melvieu 12
128 Ce 84
Saint-Victor-l'Abbaye 76 15 Ba 50
Saint-Victor-la-Coste 30
131 Ed 84
Saint-Victor-la-Rivière 63
104 Cf 75
Saint-Victor-Malescours 43
105 Eb 77
Saint-Victor-Montvianeix 63
93 Dd 73
Saint-Victor-Rouzaud 09
141 Bd 90
Saint-Victor-sur-Arlanc 43
105 De 76
Saint-Victor-sur-Avre 27 31 Af 56
Saint-Victor-sur-Ouche 21
68 Ee 65
Saint-Victor-sur-Rhins 42
93 Eb 73
Saint-Victurnien 87 89 Ba 73
Saint-Vidal 43 105 Df 78
Saint-Vigor 27 32 Bb 54
Saint-Vigor-des-Mézerets 14
29 Zc 55
Saint-Vigor-des-Monts 50 29 Yf 55
Saint-Vigor-d'Ymonville 76
14 Ac 51
Saint-Vigor-le-Grand 14 13 Zb 53
Saint-Vincent 31 141 Be 88
Saint-Vincent 43 105 Df 78
Saint-Vincent 63 104 Da 75
Saint-Vincent 64 138 Zf 90
Saint-Vincent 82 126 Bc 84
Saint-Vincent 82 127 Bf 83
Saint-Vincent, Jonquières- 30
131 Ed 85
Saint-Vincent-Bragny 71 81 Ea 69
Saint-Vincent-Cramesnil 76
14 Ac 51
Saint-Vincent-de-Barbeyrargues 34
130 Df 86
Saint-Vincent-de-Boisset 42
93 Ea 72
Saint-Vincent-de-Connezac 24
100 Ac 78
Saint-Vincent-de-Cosse 24
113 Ba 79
Saint-Vincent-de-Durfort 07
118 Ed 80
Saint-Vincent-de-Lamontjoie 47
125 Ad 84
Saint-Vincent-de-Paul 33 99 Zd 79
Saint-Vincent-de-Paul 40
123 Yf 86
Saint-Vincent-de-Pertignas 33
111 Zf 80
Saint-Vincent-de-Reins 69
94 Ec 72
Saint-Vincent-des-Bois 27
32 Bc 54
Saint-Vincent-des-Landes 44
60 Yd 63

Saint-Vincent-des-Prés 71
82 Ed 70
Saint-Vincent-des-Prés 72
47 Ac 59
Saint-Vincent-de-Tyrosse 40
123 Ye 87
Saint-Vincent-d'Olargues 34
142 Cf 87
Saint-Vincent-du-Boulay 27
31 Ac 54
Saint-Vincent-du-Lorouër 72
47 Ac 62
Saint-Vincent-du-Pendit 46
114 Bf 79
Saint-Vincent-en-Bresse 71
83 Fa 69
Saint-Vincent-Jalmoutiers 24
100 Ab 77
Saint-Vincent-la-Châtre 79
88 Zf 71
Saint-Vincent-la-Commanderie 26
119 Fa 79
Saint-Vincent-les-Forts 04
120 Gc 82
Saint-Vincent-Lespinasse 82
126 Af 84
Saint-Vincent-Rive-d'Olt 46
113 Bb 82
Saint-Vincent-Sterlanges 85
74 Yf 68
Saint-Vincent-sur-Graon 85
74 Yd 69
Saint-Vincent-sur-Jabron 04
132 Fe 83
Saint-Vincent-sur-Jard 85
74 Yc 70
Saint-Vincent-sur-l'Isle 24
101 Af 77
Saint-Vincent-sur-Oust 56
44 Xf 62
Saint-Vit 25 70 Fe 65
Saint-Vital 73 108 Gb 75
Saint-Vite 47 113 Af 82
Saint-Vitte 18 79 Cd 69
Saint-Vitte-sur-Briance 87
102 Bd 75
Saint-Vivien 17 86 Yf 72
Saint-Vivien 24 100 Ad 77
Saint-Vivien 24 112 Aa 79
Saint-Vivien-de-Blaye 33 99 Zc 78
Saint-Vivien-de-Monségur 33
112 Aa 81
Saint-Voir 03 92 Dd 70
Saint-Vougay 29 25 Vf 57
Saint-Vrain 51 36 Ee 56
Saint-Vrain 91 33 Cb 57
Saint-Vran 22 43 Xa 59
Saint-Vulbas 01 95 Fb 74
Saint-Waast 59 9 De 47
Saint-Wandrille-Rançon 76
15 Ae 51
Saint-Witz 95 33 Cd 54
Saint-Xandre 17 86 Yf 71
Saint-Yaguen 40 123 Zb 85
Saint-Yan 71 93 Ea 70
Saint-Ybard 19 102 Bd 76
Saint-Ybars 09 140 Bc 89
Saint-Yorre 03 92 Dc 72
Saint-Yrieix-la-Montagne 23
90 Ca 73
Saint-Yrieix-la-Perche 87
101 Bb 75
Saint-Yrieix-le-Déjalat 19
102 Bf 76
Saint-Yrieix-les-Bois 23 30 Bf 72
Saint-Yrieix-sous-Aixe 87 89 Ba 73
Saint-Yrieix-sur-Charente 16
88 Aa 74
Saint-Ythaire 71 82 Ed 69
Saint-Yvoine 63 104 Db 75
Saint-Yvy 29 42 Wa 61
Saint-Yzan-de-Soudiac 33
99 Zd 78
Saint-Yzans-de-Médoc 33
98 Zb 77
Saint-Zacharie 83 146 Fe 88
Sainville 28 49 Bf 58
Saires 86 76 Ab 67
Saires-la-Verrerie 61 29 Zd 56
Saissac 81 141 Cb 88
Saisseval 80 17 Ca 49
Saisy 71 82 Ed 67
Saivres 79 75 Ze 70
Saix 81 141 Cb 87
Saix 86 62 Zf 66
Saizenay 39 84 Ff 66
Saizerais 54 38 Ga 56
Saizy 58 67 De 64
Sajas 31 140 Ba 88
Salagnac 24 101 Bb 77
Salagnon 38 107 Fc 75
Salans 39 70 Fe 66
Salasc 34 143 Dd 87
Salaunes 33 98 Zb 79
Salavas 07 118 Ec 82
Salavre 01 95 Fc 70
Salazac 30 131 Ed 83
Salbert, Évette- 90 71 Ge 62
Sal-Breizh = Sel-de-Bretagne, Le 35
45 Yc 61
Salbris 41 65 Ca 64
Salces, les 48 114 Da 81
Saléchan 65 139 Ad 91
Saleignes 17 87 Ze 72
Saleilles 66 154 Cf 93
Saïelles 34 129 Dc 86
Salelles, Les 07 117 Ea 82
Salelles, Les 07 118 Ec 82
Salelles, Les 48 116 Db 82
Salency 60 18 Da 51
Salenthal 67 39 Hc 56
Saléon 05 120 Fe 82
Sálerans 05 132 Fe 83
Salerm 31 140 Ae 89
Salernes 83 147 Ga 88
Salers 15 103 Cc 78
Sales 74 96 Ff 73
Salette-Fallavaux, la 38 120 Ff 79
Salettes 26 118 Ef 81
Salettes 43 117 Ea 80
Saleux 80 17 Cb 49
Salice 2A 158 If 96
Salice, U = Salice 2A 158 If 96
Saliceto 2B 157 Kb 94
Salicetu, U = Saliceto 2B
157 Kb 94
Saliès 81 127 Ca 85
Salies-de-Béarn 64 137 Za 88

Sulinzara = Solenzera **2A** 159 Kc 97
Sully **60** 16 Be 51
Sully **71** 82 Ec 66
Sully-la-Chapelle **45** 50 Cb 61
Sully-sur-Loire **45** 65 Cc 62
Sulniac **56** 43 Xc 62
Sumène **30** 130 De 85
Sundhoffen **68** 57 Hc 60
Sundhouse **67** 57 Hd 59
Supt **39** 84 Ff 67
Surat **63** 92 Db 73
Surba **09** 152 Bd 91
Surbourg **67** 40 Hf 55
Surcamps **80** 7 Ca 48
Surdoux **87** 102 Bd 75
Suré **61** 47 Ac 58
Surfonds **72** 47 Ac 61
Surfontaine **02** 18 Dc 50
Surgères **17** 87 Zb 72
Surgy **58** 67 Dd 63
Suriauville **88** 54 Ff 59
Surin **79** 75 Zd 70
Surin **86** 88 Ac 72
Suris **16** 88 Ad 73
Surjoux **01** 95 Fe 72
Surmont **25** 71 Gd 65
Surques **62** 3 Bf 44
Surrain **14** 13 Za 53
Surtainville **50** 12 Yb 52
Surtauville **27** 15 Ba 53
Survie **61** 30 Ab 55
Surville **14** 14 Ab 53
Surville **27** 15 Ba 53
Surville **50** 12 Yc 53
Survilliers **95** 33 Cd 54
Sury **08** 20 Ed 50
Sury-aux-Bois **45** 50 Cc 61
Sury-en-Vaux **18** 66 Ce 64
Sury-ès-Bois **18** 65 Ce 64
Sury-le-Comtal **42** 105 Eb 75
Sury-près-Léré **18** 66 Cf 64
Surzur **56** 58 Xc 63
Sus **64** 137 Zb 89
Susmiou **64** 137 Zb 89
Sussac **87** 102 Bd 75
Sus-Saint-Léger **62** 7 Cc 47
Sussargues **34** 130 Ea 86
Sussat **03** 92 Da 72
Sussey **21** 68 Ec 65
Sutrieu **01** 95 Fe 73
Suzanne **08** 20 Ed 51
Suzanne **80** 8 Da 49
Suzannecourt **52** 54 Fb 58
Suzay **27** 16 Bd 53
Suze **26** 119 Fa 80
Suze-la-Rousse **26** 118 Ef 83
Suze-sur-Sarthe, La **72** 47 Aa 61
Suzette **84** 132 Fa 83
Suzoy **60** 18 Cf 51
Suzy **02** 18 Dc 51
Sy **08** 20 Ef 51
Syam **39** 84 Ff 68
Sylvains-les-Moulins **27** 31 Ba 55
Sylvanès **12** 129 Cf 86
Syndicat, le **88** 56 Ge 60

T

Tabaille-Usquain **64** 137 Za 88
Tabanac **33** 111 Zd 80
Table, La **73** 108 Gb 76
Tablier, le **85** 74 Yd 69
Tabre **09** 141 Bf 91
Tâche, La **16** 88 Ac 73
Tachoires **32** 139 Ad 88
Tacoignières **78** 32 Be 55
Taconnay **58** 67 Dc 65
Taconville **54** 39 Gf 57
Taden **22** 27 Xf 58
Tadousse-Ussau **64** 124 Ze 87
Tagliu Isulacciu = Taglio-Isolaccio **2A** 157 Kc 94
Tagnière, La **71** 81 Eb 68
Tagnon **08** 19 Eb 52
Tagolsheim **68** 71 Hb 63
Tagsdorf **68** 72 Hb 63
Tailhac **43** 104 Dc 78
Taillades **84** 132 Fa 85
Taillancourt **55** 38 Fe 57
Taillan-Médoc, Le **33** 111 Zb 79
Taillant **17** 87 Zc 73
Taillebois **61** 29 Zd 56
Taillebourg **17** 87 Zc 73
Taillebourg **47** 112 Ab 82
Taillecavat **33** 112 Aa 81
Taillée, La **85** 74 Yb 68
Taillefontaine **02** 18 Da 53
Taillet **66** 154 Cd 93
Taillette **08** 20 Ec 49
Taillis **35** 45 Ye 59
Tailly **08** 20 Ee 51
Tailly **21** 82 Ee 67
Tailly **80** 7 Bf 49
Taingy **89** 66 Db 63
Tain-l'Hermitage **26** 106 Ef 78
Taintrux **88** 56 Ge 59
Taisnières-en-Thiérache **59** 9 De 47
Taisnières-sur-Hon **59** 9 Df 47
Taissy **51** 35 Ea 53
Taïx **81** 127 Ca 84
Taizé **71** 82 Ed 69
Taizé **79** 76 Zf 67
Taizé-Aizie **16** 88 Ab 72
Taizy **09** 19 Eb 51
Tajan **65** 139 Ac 89
Talairan **11** 142 Cd 90
Talairat **43** 104 Db 77
Talange **57** 22 Ga 53
Talant **21** 69 Fa 65
Talasani **2B** 157 Kc 94
Talau **66** 153 Cb 93
Talaudière, La **42** 106 Ec 76
Talazac **65** 138 Aa 89
Talcy **41** 64 Bc 62
Talcy **89** 67 Ea 63
Talence **33** 111 Zc 80
Talencieux **07** 106 Ee 77
Talensac **35** 44 Ya 60
Talizat **15** 104 Da 78
Tallans **25** 70 Gb 64
Tallard **05** 120 Ga 82
Tallenay **25** 70 Ga 65
Tallende **63** 104 Da 74
Taller **40** 123 Yf 85

Talloires **74** 96 Gb 73
Tallone **2B** 159 Kc 95
Tallone **2B** 159 Kd 96
Tallud, le **79** 75 Ze 69
Tallud-Sainte-Gemme **85** 75 Za 68
Talmas **80** 7 Cb 48
Talmay **21** 69 Fc 64
Talmont **17** 98 Za 75
Talmontiers **60** 16 Be 52
Talmont-Saint-Hilaire **85** 74 Yc 69
Talon **22** 99 Zc 75
Talus-Saint-Prix **51** 35 De 55
Talyers **69** 106 Ee 75
Tamerville **50** 12 Ye 51
Tamnay **21** 69 Fb 64
Tamniès **24** 113 Ba 79
Tanavelle **15** 104 Cf 78
Tanay **21** 69 Fb 64
Tancarville **76** 15 Ac 52
Tancoigné **49** 61 Zd 65
Tancon **71** 93 Ea 71
Tancrou **77** 34 Da 54
Tancua **39** 84 Ff 69
Tangry **62** 7 Cb 46
Taninges **74** 97 Gd 72
Tanlay **89** 52 Ea 61
Tannay **08** 20 Ee 51
Tannay **58** 67 Dd 64
Tanneron **83** 134 Gf 87
Tannerre-en-Puisaye **89** 66 Da 62
Tannières **02** 18 Dd 53
Tannois **55** 37 Fb 56
Tanques **61** 30 Zf 56
Tantonville **54** 55 Ga 58
Tanu, le **50** 28 Yd 56
Tanus **81** 128 Cb 84
Tanville **61** 30 Aa 57
Tanzac **17** 99 Zc 75
Taole = Taulé **29** 25 Wa 57
Tapon **43** 104 Dc 77
Taponnat-Fleurignac **16** 88 Ac 74
Tarabel **31** 141 Be 87
Taradeau **83** 147 Gc 88
Tarare **69** 94 Ec 73
Tarascon **13** 131 Ed 86
Tarascon-sur-Ariège **09** 152 Bd 91
Tarasteix **65** 138 Zf 89
Tarbes **65** 138 Zf 89
Tarcenay **25** 70 Ga 66
Tardes **23** 91 Cd 72
Tardets-Sorholus **64** 137 Za 90
Tardinghen **62** 3 Bd 43
Tarentaise **42** 106 Ec 76
Tarerach **66** 153 Cc 92
Targassonne **66** 153 Bf 93
Target **03** 92 Da 71
Targon **33** 111 Ze 80
Tarnac **19** 102 Bf 74
Tarnos **40** 122 Yd 87
Taron-Sadirac-Viellenave **64** 138 Ze 87
Tarquimpol **57** 39 Ge 56
Tarrano **2B** 157 Kc 94
Tarranu = Tarrano **2B** 157 Kc 94
Tarsac **32** 124 Zf 86
Tarsacq **64** 138 Zc 88
Tarsul **21** 68 Ef 63
Tartas **40** 123 Ze 86
Tartécourt **70** 55 Ff 61
Tartiers **02** 18 Db 52
Tartigny **60** 17 Cc 51
Tart-l'Abbaye **21** 69 Fa 65
Tart-le-Bas **21** 69 Fa 65
Tart-le-Haut **21** 69 Fa 65
Tartonne **04** 133 Gc 84
Tarzy **08** 19 Eb 49
Tasque **32** 124 Aa 87
Tassé **72** 47 Zf 61
Tassenières **39** 83 Fd 67
Tassillé **72** 47 Zf 60
Tassin-la-Demi-Lune **69** 94 Ee 74
Tasso **2A** 159 Ka 97
Tassu = Tasso **2A** 159 Ka 97
Tatinghem **62** 3 Cb 44
Tâtre, Le **16** 99 Ze 76
Taugon **17** 87 Za 71
Taulé **29** 25 Wa 57
Taulignan **26** 118 Ef 82
Taulis **66** 154 Cd 93
Taupont **56** 44 Xd 61
Tauriac **33** 99 Zc 78
Tauriac **46** 114 Be 79
Tauriac **81** 127 Bd 85
Tauriac-de-Camarès **12** 129 Da 86
Tauriac-de-Naucelle **12** 128 Cb 84

Teissières-de-Cornet **15** 115 Cc 79
Teissières-lès-Bouliès **15** 115 Cd 80
Telgruc-sur-Mer **29** 24 Vd 59
Tellancourt **54** 21 Fd 51
Tellières-le-Plessis **61** 30 Ac 57
Teloché **72** 47 Ab 61
Temple, le **33** 110 Za 79
Temple, Le **41** 48 Af 61
Temple-de-Bretagne, Le **44** 60 Yb 65
Temple-Laguyon **24** 101 Ba 77
Templemars **59** 8 Cf 45
Temple-sur-Lot, Le **47** 112 Ad 82
Templeuve **59** 8 Da 45
Templeux-la-Fosse **80** 8 Da 49
Templeux-le-Guérard **80** 8 Da 49
Tenay **01** 95 Fd 71
Tence **43** 105 Eb 78
Tencin **38** 108 Ff 77
Tende **06** 135 Hd 84
Tendon **88** 56 Gd 60
Tendron **18** 80 Cf 67
Tendu **36** 78 Bd 68
Teneur **62** 7 Cb 46
Tennie **72** 47 Zf 60
Tenteling **57** 39 Gf 54
Terasanne **26** 106 Fa 77
Tercé **86** 77 Ad 69
Tercillat **23** 90 Ca 71
Tercis-les-Bains **40** 123 Yf 86
Terdeghem **59** 4 Cd 44
Tergnier **02** 18 Db 51
Terjat **03** 91 Cd 71
Termes **08** 20 Ee 53
Termes **11** 142 Cd 91
Termes **48** 116 Db 80
Terminiers **28** 49 Be 60
Ternand **69** 94 Ed 73
Ternant **21** 68 Ef 65
Ternant **58** 81 Df 68
Ternant-les-Eaux **63** 104 Da 76
Ternas **62** 7 Cb 46
Ternat **52** 54 Fa 61
Ternay **41** 63 Ae 62
Ternay **69** 106 Ee 75
Ternay **86** 76 Zf 66
Ternes, Les **15** 116 Da 79
Ternuay-Melay-et-Saint-Hilaire **70** 71 Gd 62
Terny-Sorny **02** 18 Dc 52
Terramesnil **80** 7 Cc 48
Terrans **71** 83 Fb 67
Terrasse, La **38** 108 Ff 77
Terrasse-sur-Dorlay, La **42** 106 Ed 76
Terrasson-la-Villedieu **24** 101 Bb 78
Terrats **66** 154 Ce 93
Terraube **32** 125 Ad 85
Terre-Clapier **81** 128 Cb 85
Terrefondrée **21** 68 Ef 62
Terrehault **72** 47 Ac 59
Terre-Natale **52** 54 Fd 61
Terres-de-Chaux **25** 71 Ge 65
Terrisse, La **12** 115 Ce 80
Terroles **11** 142 Cc 91
Terron-sur-Aisne **08** 20 Ee 52
Terrou **46** 114 Bf 80
Tersannes **87** 89 Ba 71
Tertre-Saint-Denis, Le **78** 32 Bd 55
Tertry **80** 18 Da 49
Terville **57** 22 Ga 52
Tessancourt-sur-Aubette **78** 32 Bf 54
Tessé-Froulay **61** 29 Zd 57
Tessel **14** 13 Zc 54
Tessé-la-Madeleine **61** 29 Zd 57
Tessens **73** 108 Gc 76
Tessonnière **79** 76 Ze 68
Tessouale, La **49** 61 Zb 66
Tessy-sur-Vire **50** 29 Yf 55
Teste, La **33** 110 Ye 81
Tétaigne **08** 20 Fa 51
Téteghem **59** 3 Cc 42
Téterchen **57** 22 Gd 53
Téthieu **40** 123 Za 86
Teting-sur-Nied **57** 38 Gd 54
Teuillac **33** 99 Zc 78
Teulat **81** 127 Be 87
Teurthéville-Bocage **50** 12 Yd 51
Teurthéville-Hague **50** 12 Yb 51
Teyran **34** 130 Df 86
Teyssières **26** 119 Fa 82
Teyssieu **46** 114 Bf 80
Thaas **51** 35 Df 57
Thairé **17** 86 Yf 72
Thaix **58** 81 Df 68
Thalamy **19** 103 Cc 75
Thal-Drulingen **67** 39 Ha 55
Thal-Marmoutier **67** 39 Hc 56
Thann **68** 56 Ha 62
Thannenkirch **68** 56 Hb 59
Thanvillé **67** 56 Hc 59
Thaon **14** 13 Zd 53
Thaon-les-Vosges **88** 55 Gc 59
Tharaux **30** 130 Eb 83
Tharot **89** 67 Df 63
Thaumiers **18** 79 Cd 68
Thauvenay **18** 66 Cf 65
Thèbe **65** 139 Ad 91
Théding **57** 39 Gf 54
Thédirac **46** 113 Bc 81
Thégra **46** 114 Be 80
Theil, Le **03** 91 Cc 71
Theil, le **03** 92 Da 70
Theil, Le **50** 12 Yd 51
Theil, Le **61** 48 Ae 59
Theil-Bocage, Le **14** 29 Zb 55
Theil-de-Bretagne, le **35** 45 Yd 61
Theil-en-Auge, le **14** 14 Ab 52
Theillay **41** 65 Ca 65
Theillement **27** 15 Ba 53
Theil-Nolent, **27** 31 Ad 54
Theil-Rabier **16** 88 Aa 72
Theil-sur-Vanne **89** 51 Dc 60
Theix **56** 58 Xc 63
Theizé **69** 94 Ed 73
Thel **69** 93 Eb 72
Thel, Le **69** 94 Ed 71
Théligny **72** 48 Ad 60
Teillé **45** 64 Ab 59
Teillé **72** 47 Ab 59
Teillet **81** 128 Ca 85
Teillet-Argenty **03** 91 Cd 71
Teillot **58** 81 Db 68
Teilleul, le **50** 29 Za 57
Teillots **89** 101 Bb 77
Thélis-la-Combe **42** 106 Ed 77
Thélod **54** 38 Ga 57
Thelonne **08** 20 Ef 51
Thélus **62** 8 Ce 46
Théméricourt **95** 32 Bf 54

Thémines **46** 114 Be 80
Théminettes **46** 114 Bf 80
Thénac **17** 87 Zc 75
Thénac **24** 112 Ac 80
Thenailles **02** 19 Df 50
Thenay **36** 78 Bb 69
Thenay **41** 64 Bb 64
Thenelles **02** 18 Dc 49
Thénésol **73** 96 Gc 74
Theneuil **37** 62 Ac 66
Theneuille **03** 80 Cf 69
Thénioux **18** 65 Bf 64
Thenissey **21** 68 Ed 64
Thénisy **77** 51 Db 58
Thennelières **10** 52 Eb 59
Thennes **80** 17 Cc 50
Thenon **24** 101 Ba 78
Thénorgues **08** 20 Ef 52
Théoule-sur-Mer **06** 148 Gf 87
Therdonne **60** 17 Ca 52
Thérines **60** 16 Bf 51
Thermes-Magnoac **65** 139 Ad 89
Thérondels **12** 115 Ce 79
Thérouanne **62** 3 Cb 45
Thérouldeville **76** 15 Ad 50
Thervay **39** 69 Fe 65
Thésée **41** 64 Bb 65
Thésy **39** 84 Ff 67
Theuley **70** 70 Fe 63
Théus **05** 120 Gb 82
Theuville **28** 49 Bd 58
Theuville **95** 33 Ca 54
Theuville-aux-Maillots **76** 15 Ac 50
Thevet-Saint-Julien **36** 79 Ca 69
Théville **50** 12 Ye 51
Thevray **27** 31 Ba 55
They-sous-Montfort **88** 55 Ff 59
They-sous-Vaudémont **54** 55 Ga 58
Théza **66** 154 Cf 93
Thézac **17** 87 Zb 74
Thézac **47** 113 Ae 82
Thézan-lès-Béziers **34** 143 Db 88
Thèze **64** 138 Zd 88
Thézey-Saint-Martin **54** 38 Gb 55
Théziers **30** 131 Ed 85
Thézillieu **01** 95 Fd 73
Thézy-Glimont **80** 17 Cc 50
Thiais **94** 33 Cc 56
Thiancourt **90** 71 Gf 63
Thianges **58** 81 Dd 67
Thiant **59** 9 Dc 47
Thiat **87** 89 Af 71
Thiaucourt-Regniéville **54** 37 Ff 55
Thiaville-sur-Meurthe **54** 56 Ge 58
Thibie **51** 35 Eb 55
Thibivillers **60** 16 Bf 53
Thibouville **27** 31 Ae 54
Thicourt **57** 38 Gd 55
Thiéblemont-Farémont **51** 36 Ee 56
Thiébouhans **25** 71 Gf 65
Thieffrain **10** 53 Ec 59
Thieffrans **70** 70 Gb 64
Thiéfosse **88** 56 Ge 61
Thiel-sur-Acolin **03** 81 Dd 69
Thiembronne **62** 7 Ca 44
Thiénans **70** 70 Gb 64
Thiennes **59** 3 Cc 45
Thiepval **80** 8 Ce 48
Thiergeville **76** 15 Ac 50
Thiernu **02** 19 De 50
Thiers **63** 92 Dd 73
Thiers-sur-Thève **60** 33 Cd 54
Thierville **27** 15 Ae 53
Thierville-sur-Meuse **55** 37 Fc 53
Thiéry **06** 134 Ha 85
Thiescourt **60** 18 Cf 51
Thiétreville **76** 15 Ac 50
Thieulin, Le **28** 48 Ba 58
Thieulloy-la-Ville **80** 16 Bf 50
Thieulloy-l'Abbaye **80** 16 Bf 50
Thieuloye, La **62** 7 Cb 46
Thieux **60** 18 Cf 52
Thieux **77** 33 Ce 54
Thiéville **14** 30 Zf 54
Thièvres **62** 7 Cc 48
Thiézac **15** 103 Ce 79
Thignonville **45** 50 Cb 59
Thil **01** 94 Fa 74
Thil **10** 53 Ee 58
Thil **51** 19 Df 52
Thil **54** 21 Ff 52
Thil, Le **27** 16 Bd 53
Thilay **08** 20 Ee 49
Thillay, Le **95** 33 Cc 54
Thilleux **52** 53 Ee 57
Thilliers-en-Vexin, les **27** 16 Bd 53
Thillois **51** 19 Df 53
Thillombois **55** 37 Fb 55
Thillot **55** 37 Fe 54
Thillot, le **88** 56 Ge 61
Thil-Manneville **76** 15 Af 49
Thilouze **37** 63 Ad 65
Thil-Riberpré, Le **76** 16 Bd 51
Thil-sur-Arroux **71** 81 Ea 68
Thimert-Gâtelles **28** 32 Bf 57
Thimonville **57** 38 Gc 55
Thimory **45** 50 Cd 61
Thin-le-Moutier **08** 20 Ec 50
Thiolières **63** 105 De 75
Thionne **03** 92 Da 70
Thionville **57** 22 Ga 52
Thiouville **76** 15 Ac 50
Thiraucourt **88** 55 Ga 59
Thiré **85** 74 Yf 68
Thiron **28** 48 Af 59
This **08** 20 Ed 50
Thise **25** 70 Ga 65
Thivars **28** 49 Bc 58
Thivencelle **59** 9 Dd 46
Thiverny **60** 17 Cc 53
Thiverval-Grignon **78** 32 Bf 55
Thivet **52** 54 Fb 61
Thiviers **24** 101 Af 76
Thiville **28** 49 Bd 60
Thizay **36** 78 Bf 67
Thizay **37** 62 Aa 66
Thizy **69** 93 Eb 72
Thizy **89** 67 Ea 63
Thoard **04** 133 Ga 84
Thoigné **72** 47 Ab 58
Thoiras **30** 130 Df 84
Thoires **21** 53 Ee 61
Thoiré-sous-Contensor **72** 47 Ab 59
Thoiré-sur-Dinan **72** 63 Ac 62

Thoirette **39** 95 Fd 71
Thoiria **39** 84 Fe 69
Thoiry **01** 96 Ff 71
Thoiry **73** 108 Ga 75
Thoiry **78** 32 Be 55
Thoissey **01** 94 Ee 72
Thoissia **39** 83 Fc 70
Thoix **80** 17 Ca 50
Thol-lès-Millières **52** 54 Fc 60
Thollet **86** 77 Ba 70
Thollon-les-Mémises **74** 97 Ge 70
Tholonet, Le **13** 146 Fd 87
Tholy, le **88** 56 Ge 60
Thomer-la-Sôgne **27** 31 Bb 55
Thomery **77** 50 Ce 58
Thomirey **21** 68 Eb 65
Thomirey **21** 82 Ed 66
Thonac **47** 101 Ba 78
Thônes **74** 96 Gb 73
Thonnance-lès-Joinville **52** 54 Fb 58
Thonnance-lès-Moulins **52** 54 Fb 58
Thonne-la-Long **55** 21 Fc 51
Thonne-lès-Près **55** 21 Fc 51
Thonne-le-Thil **55** 21 Fc 51
Thonnelle **55** 21 Fc 51
Thonon-les-Bains **74** 96 Gd 70
Thons, Les **88** 55 Ff 61
Thonville **57** 38 Gd 54
Thor, Le **84** 131 Ef 85
Thorailles **45** 51 Cf 60
Thoraise **25** 70 Ff 65
Thorame-Basse **04** 134 Gc 84
Thorame-Haute **04** 134 Gd 84
Thoras **43** 116 Dd 79
Thoré-la-Rochette **41** 63 Af 62
Thorens-Glières **74** 96 Gb 73
Thorey **89** 52 Ea 61
Thorey-en-Plaine **21** 69 Fa 65
Thorey-Lyautey **54** 55 Ga 58
Thorey-sous-Charny **21** 68 Ec 65
Thorey-sur-Ouche **21** 68 Ee 66
Thorigné **79** 88 Ze 71
Thorigné-d'Anjou **49** 61 Zc 63
Thorigné-en-Charnie **53** 46 Zd 61
Thorigné-Fouillard **35** 45 Yc 60
Thorigné-sur-Dué **72** 48 Ad 60
Thorigny **79** 87 Zc 72
Thorigny **85** 74 Ye 69
Thorigny-sur-Marne **77** 33 Ce 55
Thorigny-sur-Oreuse **89** 51 Dc 59
Thoronet, Le **83** 147 Gb 88
Thors **10** 53 Ee 59
Thors **17** 87 Zd 74
Thory **80** 17 Cc 50
Thory **89** 67 Df 63
Thoste **21** 67 Eb 64
Thou **18** 66 Cf 63
Thou **45** 66 Cf 63
Thou, Le **17** 86 Za 72
Thouarcé **49** 61 Zc 65
Thouaré-sur-Loire **44** 60 Yd 65
Thouars **79** 76 Ze 67
Thouarsais-Bouildroux **85** 75 Za 69
Thouars-sur-Arize **09** 140 Bb 89
Thouars-sur-Garonne **47** 125 Ac 83
Thoult-Trosnay, Le **51** 35 De 55
Thour, le **08** 19 Eb 51
Thoureil, Le **49** 62 Ze 64
Thourie **35** 45 Yd 61
Thouron **87** 89 Bb 73
Thourotte **60** 18 Cf 52
Thoury **41** 64 Bd 63
Thoury-Férottes **77** 51 Cf 59
Thoux **32** 126 Af 86
Thubœuf **53** 29 Zd 57
Thuel, Le **02** 19 Ea 51
Thuès-entre-Valls **66** 153 Cb 93
Thueyts **07** 117 Eb 80
Thugny-Trugny **08** 20 Ec 52
Thuile, la **73** 108 Ga 75
Thuiles, Les **04** 121 Gd 82
Thuillières **88** 55 Ga 60
Thuit, Le **27** 15 Ba 53
Thuit-Anger, Le **27** 15 Af 53
Thuit-Hébert **27** 15 Af 53
Thuit-Signol, Le **27** 14 Af 53
Thuit-Simer, Le **27** 15 Af 53
Thulay **25** 71 Gf 64
Thumeréville **54** 37 Fe 53
Thumeries **59** 8 Da 46
Thun **59** 9 Dc 46
Thun-l'Évêque **59** 9 Db 47
Thun-Saint-Martin **59** 9 Db 47
Thurageau **86** 76 Ab 68
Thuré **86** 76 Ab 68
Thuret **63** 92 Db 73
Thurey **71** 83 Fa 68
Thurey-le-Mont **25** 70 Ga 64
Thurins **69** 106 Ed 74
Thury **21** 82 Ed 66
Thury **89** 66 Db 63
Thury-en-Valois **60** 34 Da 54
Thury-Harcourt **14** 29 Zd 55
Thury-sous-Clermont **60** 17 Cb 52
Thusy **74** 96 Ff 72
Thuy **65** 138 Aa 89
Thyez **74** 96 Gd 72
Tibiran-Jaunac **65** 139 Ad 90
Ticheville **61** 30 Ab 55
Tichey **21** 83 Fb 66
Tieffenbach **67** 39 Hb 55
Tiercé **49** 61 Zd 63
Tiercelet **54** 21 Ff 52
Tierceville **14** 13 Zc 53
Tieste-Uragnoux **32** 124 Aa 87
Tieule, La **48** 116 Da 82
Tigeaux **77** 34 Cf 56
Tigery **91** 33 Cd 57
Tignac **09** 152 Be 92
Tigné **49** 61 Zc 65
Tignécourt **88** 55 Ff 60
Tignes **73** 109 Ge 76
Tignet, Le **06** 134 Gf 87
Tignieu-Jameyzieu **38** 94 Fb 74
Tigny-Noyelle **62** 7 Be 46
Tigy **45** 50 Cb 61
Tilh **40** 123 Za 87
Til-Châtel **21** 69 Fb 63
Tilhouse **65** 139 Ab 90
Tillac **32** 139 Ab 88
Tillay-le-Péneux **28** 49 Be 60
Tillé **60** 17 Ca 52
Tillenay **21** 69 Fc 65
Tilleul, Le **76** 14 Ab 51

Tilleul-Dame-Agnès **27** 31 Af 54
Tilleul-Lambert, Le **27** 31 Af 54
Tilleul-Othon, Le **27** 31 Ae 54
Tilleux **88** 54 Fe 59
Tillières **49** 60 Ye 66
Tillières-sur-Avre **27** 31 Ba 56
Tilloloy **80** 17 Ce 51
Tillou **39** 83 Ff 72
Tilloy-et-Bellay **51** 36 Ed 54
Tilloy-Floriville **80** 6 Bd 49
Tilloy-lès-Conty **80** 17 Cb 50
Tilloy-lès-Hermaville **62** 8 Cd 47
Tilloy-lès-Mofflaines **62** 8 Cd 47
Tilloy-lez-Cambrai **59** 8 Db 47
Tilloy-lez-Marchiennes **59** 9 Db 46
Tilly **27** 32 Bd 54
Tilly **36** 77 Bb 70
Tilly **78** 32 Be 55
Tilly-Capelle **62** 7 Cb 46
Tilly-la-Campagne **14** 30 Ze 54
Tilly-sur-Meuse **55** 37 Fc 54
Tilly-sur-Seulles **14** 13 Zc 53
Tilques **62** 3 Cb 44
Tincey-et-Pontrebeau **70** 70 Fe 63
Tinchebray **61** 29 Zb 56
Tincourt-Boucly **80** 8 Da 49
Tincques **62** 8 Cc 46
Tincry **57** 38 Gc 55
Tingry **62** 7 Be 45
Tinténiac **35** 44 Yb 59
Tintenieg = Tinténiac **35** 44 Yb 59
Tintry **71** 82 Ec 67
Tintury **58** 81 Dd 67
Tiranges **43** 105 Df 77
Tirent-Pontéjac **32** 139 Ae 87
Tirepied **50** 28 Ye 56
Tissey **89** 52 Ef 61
Titre, Le **80** 7 Bf 48
Tivernon **45** 49 Bf 60
Tiviers **15** 104 Da 78
Tizac-de-Curton **33** 111 Ze 80
Tizac-de-Lapouyade **33** 99 Ze 78
Tocchisi = Tox **2B** 159 Kc 95
Tocqueville **27** 15 Ba 52
Tocqueville **50** 12 Ye 50
Tocqueville-en-Caux **76** 15 Af 50
Tocqueville-les-Murs **76** 15 Ac 50
Tocqueville-sur-Eu **76** 6 Bb 48
Tœufles **80** 7 Be 48
Toges **08** 20 Ee 52
Togny-aux-Bœufs **51** 36 Ec 55
Tolla **2A** 159 If 97
Tollaincourt **88** 54 Fe 60
Tollent **62** 7 Ca 47
Tollevast **50** 12 Yc 51
Tombe, La **77** 51 Da 58
Tombebœuf **47** 112 Ac 81
Tomino **2B** 157 Kc 91
Tonils, Les **26** 119 Fb 81
Tonnac **81** 127 Bf 84
Tonnay-Boutonne **17** 87 Zb 73
Tonnay-Charente **17** 86 Za 73
Tonneins **47** 112 Ab 82
Tonnerre **89** 52 Df 61
Tonnoy **54** 38 Gb 57
Tonquédec **22** 25 Wd 56
Torcé **35** 45 Ye 60
Torcé-en-Vallée **72** 47 Ac 60
Torcenay **52** 69 Fd 61
Torcé-Viviers-en-Charnie **53** 47 Ze 60
Torchamp **61** 29 Zb 57
Torchefelon **38** 107 Fc 75
Torcieu **01** 95 Fc 73
Torcy **62** 7 Ca 46
Torcy **77** 33 Cd 55
Torcy-en-Valois **02** 34 Db 54
Torcy-et-Pouligny **21** 67 Eb 64
Torcy-le-Grand **10** 52 Eb 57
Torcy-le-Grand **76** 15 Bb 50
Torcy-le-Petit **10** 35 Eb 57
Torcy-le-Petit **76** 15 Bb 50
Tordouet **14** 30 Ab 54
Torfou **49** 60 Yf 66
Torfou **91** 33 Cc 57
Torigni-sur-Vire **50** 29 Za 54
Tornac **30** 130 Df 84
Tornay **52** 69 Fd 62
Torpes **25** 70 Ff 65
Torpes **71** 83 Fa 68
Torp-Mesnil, Le **76** 15 Af 50
Torpt, Le **27** 14 Ac 53
Torquesne, le **14** 14 Aa 53
Torreilles **66** 154 Cf 92
Torsac **16** 100 Ab 75
Tortebesse **63** 91 Cd 74
Tortefontaine **62** 7 Bf 47
Tortequesne **62** 8 Da 47
Torteron **18** 80 Cf 66
Torteval-Quesnay **14** 13 Zb 54
Tortezais **03** 80 Cf 70
Tortisambert **14** 30 Aa 55
Torvilliers **10** 52 Ea 59
Torxé **17** 87 Zb 73
Tosny **27** 16 Bc 53
Tosse **40** 123 Yd 86
Tossiat **01** 95 Fb 72
Tostat **65** 138 Aa 89
Tostes **27** 15 Ba 53
Totainville **88** 55 Ff 59
Tôtes **76** 15 Ba 50
Touchay **18** 79 Cb 68
Touche, La **26** 118 Ef 81
Touches, Les **44** 60 Yd 64
Touches-de-Périgny, Les **17** 87 Ze 73
Toucy **89** 66 Db 62
Toudon **06** 134 Ha 85
Touët-de-l'Escarène **06** 135 Hc 85
Touët-sur-Var **06** 134 Ha 85
Touffailles **82** 126 Ba 83
Touffréville **14** 30 Ze 54
Touffreville **27** 16 Bc 52
Touffreville **76** 16 Bc 52
Touffreville-la-Cable **76** 15 Ad 51
Touffreville-sur-Eu **76** 6 Bb 48
Touget **32** 126 Af 86
Touille **31** 140 Af 90
Touillon **21** 68 Ee 63
Touillon-et-Loutelet **25** 84 Gc 68
Toujouse **32** 124 Ze 86
Toul **54** 37 Fe 56
Touland **07** 118 Ee 79
Toule, La **71** 94 Ed 71
Toulenne **33** 111 Zd 81
Touligny **08** 20 Ed 50
Toulis-et-Attencourt **02** 19 De 50
Toulon **83** 147 Ff 90
Toulon-sur-Allier **03** 80 Da 69
Toulon-sur-Arroux **71** 81 Ea 68
Toulouges **66** 154 Ce 92
Toulouse **31** 126 Bc 87

Toulouse-le-Château 39 83 Fd 68
Toulouzette 40 123 Zb 86
Toulx-Sainte-Croix 23 91 Cb 71
Touques 14 14 Aa 52
Touquet-Paris-Plage, Le 62 6 Bd 45
Touquettes 61 30 Ac 56
Touquin 77 34 Da 56
Tourailles 61 63 Ba 62
Tourailles, Les 61 29 Zd 56
Tourbes 34 143 Dc 88
Tour-Blanche, La 24 100 Ac 76
Tourcelles-Chaumont 08 20 Ed 52
Tourc'h 29 42 Wb 60
Tourcoing 59 4 Da 44
Tour-d'Aigues, La 84 132 Fd 86
Tourdan, Revel- 38 106 Fa 76
Tour-d'Auvergne, La 63 103 Ce 73
Tour-de-Faure 46 114 Be 82
Tour-de-Salvagny, La 69 94 Ee 74
Tour-de-Scay, la 25 70 Gb 64
Tour-de-Crieu, La 09 141 Bd 90
Tour-du-Meix, La 39 83 Fe 69
Tourdun 32 139 Aa 87
Tour-du-Parc, Le 56 58 Xc 63
Tour-du-Pin, La 38 107 Fc 75
Tour-en-Bessin 14 13 Zb 53
Tour-en-Sologne 41 64 Bd 63
Tourette, La 42 105 Ea 76
Tourette-Cabardès, La 11 142 Cc 88
Tourette-du-Château 06 134 Ha 85
Tourettes, Les 26 118 Ee 81
Tourettes-sur-Loup 06 134 Ha 86
Tourgéville 14 14 Aa 53
Tourlandry, La 49 61 Zb 66
Tourlaville 50 12 Yc 51
Tourliac 47 113 Ae 80
Tourly 60 16 Bf 53
Tourmignies 59 8 Da 45
Tourmont 39 83 Fe 67
Tournai-sur-Dive 61 30 Aa 56
Tournan 32 139 Ae 88
Tournan-en-Brie 77 33 Ce 56
Tournans 25 70 Gb 64
Tournay 65 139 Ab 89
Tournay-sur-Odon 14 29 Zc 54
Tourne, Le 33 111 Zd 80
Tournebu 14 29 Zd 55
Tournecoupe 32 126 Ae 85
Tournedos-Bois-Hubert 27 31 Af 54
Tournedos-sur-Seine 27 16 Bb 53
Tournefeuille 31 140 Bc 87
Tournefort 06 134 Ha 85
Tournehem-sur-la-Hem 62 3 Ca 44
Tournemire 12 129 Da 85
Tournemire 15 103 Cc 78
Tournes 08 20 Ed 50
Tournettes 83 134 Ge 87
Tourneur, Le 14 29 Zb 55
Tourneville 27 31 Ba 54
Tournières 14 13 Za 53
Tournissan 11 142 Cd 90
Tournoisis 07 118 Ec 81
Tournon 78 108 Gb 75
Tournon-d'Agenais 47 113 Af 83
Tournon-Saint-Pierre 37 77 Af 68
Tournon-sur-Rhône 07 106 Ef 78
Tournous-Darré 65 139 Ac 89
Tournous-Devant 65 139 Ac 89
Tournus 71 82 Ef 69
Tourny 27 32 Bd 53
Tourouvre 61 31 Ad 57
Tourouzelle 11 142 Ce 89
Tourreilles 11 141 Cb 90
Tourreilles, les 31 139 Ad 90
Tourrenquets 32 125 Ae 86
Tourrette-Levens 06 135 Hb 86
Tourrettes 83 134 Ge 87
Tourriers 16 88 Ab 74
Tours 37 63 Ae 64
Tour-Saint-Gelin, La 37 76 Ac 66
Tours-en-Savoie 73 108 Gc 75
Tours-en-Vimeu 80 7 Be 48
Tours-sur-Marne 51 35 Ea 54
Tours-sur-Meymont 63 104 Dd 74
Tour-sur-Jour 58 80 Db 68
Tour-sur-Orb, La 34 129 Da 87
Tourtenay 79 76 Zf 66
Tourteron 08 20 Ed 51
Tourtour 83 147 Gb 87
Tourtouse 09 140 Ba 90
Tourtrès 41 112 Ac 81
Tourtrol 09 141 Be 90
Tourves 83 147 Ff 88
Tourville-en-Auge 14 14 Ab 53
Tourville-la-Campagne 27 15 Af 53
Tourville-la-Chapelle 76 6 Bb 49
Tourville-la-Rivière 76 15 Ba 53
Tourville-les-Ifs 76 15 Ad 50
Tourville-sur-Arques 76 15 Ba 49
Tourville-sur-Odon 14 29 Zd 54
Tourville-sur-Pont-Audemer 27 15 Ad 53
Tourville-sur-Sienne 50 28 Yc 54
Toury 28 49 Bf 60
Toury-Lurcy 58 80 Dc 68
Tourzel-Ronzières 63 104 Da 75
Toussaint 76 15 Ac 50
Toussieu 69 106 Ef 75
Toussieux 01 94 Ee 73
Tousson 77 50 Cc 58
Toussus-le-Noble 78 33 Ca 56
Toutainville 27 15 Ac 52
Toutenant 71 83 Fa 67
Toutencourt 80 7 Cc 48
Toutens 31 141 Be 88
Toutlemonde 49 61 Zb 66
Toutry 21 67 Ea 63
Touvérac 16 99 Ze 76
Touvet, Le 38 108 Ff 76
Touville 27 15 Ac 53
Touvois 44 74 Yb 67
Touvre 16 88 Ab 74
Touzac 16 99 Zf 75
Touzac 46 113 Ba 82
Tox 2B 159 Kc 95
Toy-Viam 19 102 Bf 75
Tracy-Bocage 14 29 Zc 54
Tracy-le-Mont 60 18 Da 52
Tracy-le-Val 60 18 Da 52
Tracy-sur-Loire 58 66 Cf 65
Tracy-sur-Mer 14 13 Zc 52
Trades 69 94 Ed 71

Traenheim 67 40 Hc 57
Tragny 57 38 Gc 55
Traînou 45 50 Ca 61
Trait, Le 76 15 Ae 52
Traize 73 107 Fe 74
Tralaigues 63 91 Cd 73
Tralonca 2B 157 Kb 94
Tramain 22 27 Xd 58
Tramayes 71 94 Ed 71
Tramecourt 62 7 Ca 46
Tramery 51 35 De 53
Tramezaïgues 65 150 Ab 92
Tramont-Emy 54 54 Ff 58
Tramont-Lassus 54 55 Ff 58
Tramont-Saint-André 54 55 Ff 58
Tramoyes 01 94 Ef 73
Tranche-sur-Mer, La 85 74 Yd 70
Tranclière, La 01 95 Fb 72
Trancrainville 28 49 Bf 59
Trange 72 47 Aa 60
Tranger, Le 36 78 Bb 67
Trannes 10 53 Ed 58
Tranqueville-Graux 88 54 Ff 58
Trans 35 28 Yd 57
Trans 53 46 Ze 59
Trans-en-Provence 83 148 Gc 87
Translay, Le 80 7 Be 49
Transloy, Le 62 8 Cf 48
Trans-sur-Erdre 44 60 Yd 64
Tranzault 36 78 Bd 68
Trappes 78 32 Bf 56
Trassanel 11 142 Cd 89
Traubach-le-Bas 68 71 Ha 63
Traubach-le-Haut 68 71 Ha 62
Trausse 11 142 Cd 89
Travaillan 84 131 Ef 83
Travecy 02 18 Dc 50
Traversères 32 139 Ad 87
Travet, Le 81 128 Cc 86
Trayes 79 75 Zd 68
Tréal 56 44 Xe 61
Tréauville 50 12 Yb 51
Treban 03 92 Db 70
Tréban 81 128 Cc 84
Trébas 81 128 Cc 85
Trébédan 22 27 Xf 58
Trèbes 11 142 Cc 89
Trébeurden 22 25 Wc 56
Trébons 65 138 Aa 90
Trébons-de-Luchon 31 151 Ad 92
Trébons-sur-la-Grasse 31 141 Be 88
Trébrivan 22 25 Wd 59
Trébry 22 27 Xc 58
Tréclun 21 69 Fa 65
Trécon 51 35 Ea 55
Trédaniel 22 26 Xc 58
Trédarzec 22 26 We 56
Trédion 56 43 Xc 62
Trédrez 22 25 Wc 56
Tréduder 22 25 Wc 56
Trefcon 02 18 Da 49
Treffendel 35 44 Xf 60
Treffiagat 29 41 Ve 62
Treffieux 44 60 Yc 63
Treffort 38 119 Fd 79
Treffort-Cuisiat 01 95 Fc 71
Treffrin 22 25 Wd 59
Tréflaouénan 29 25 Vf 57
Tréflévénez 29 25 Vf 58
Tréflez 29 24 Vf 57
Tréfols 51 34 Dd 56
Tréfumel 22 44 Xf 58
Tregaeg = Trégueux 22 26 Xb 58
Trégarantec 29 24 Ve 57
Trégarvan 29 24 Ve 59
Trégastel 22 26 Xa 57
Tréglamus 22 26 We 57
Tréglonou 29 24 Vd 57
Trégomeur 22 26 Xa 57
Trégon 22 27 Xe 57
Trégonneau 22 26 Wf 57
Trégornan 22 42 Wd 59
Trégourez 29 42 Wa 60
Trégrom 22 26 Wd 57
Tréguennec 29 41 Ve 61
Trégueux 22 26 Xb 58
Tréguidel 22 26 Xa 57
Tréguier 22 26 We 56
Trégunc 29 42 Wa 61
Tréhorenteuc 56 44 Xe 60
Tréhou, Le 29 25 Vf 58
Treignac 19 102 Be 75
Treignat 03 91 Cc 70
Treilles 11 154 Cf 91
Treilles-en-Gâtinais 45 50 Cd 60
Treillières 44 60 Yc 63
Treix 52 54 Fb 60
Treize-Septiers 85 74 Ye 67
Treize-Vents 85 75 Za 67
Tréjouls 82 126 Bb 84
Trélans 48 116 Da 82
Trélazé 49 62 Zd 64
Trélévern 22 26 Wd 56
Trelins 42 93 Ea 74
Trélissac 24 101 Ad 77
Trélivan 22 27 Xf 58
Trelly 50 28 Yd 55
Trélon 59 10 Ea 48
Trélou-sur-Marne 02 35 Dd 54
Trémaouézan 29 24 Ve 57
Trémargat 22 26 We 59
Trémauville 76 15 Ad 50
Tremblade, La 17 86 Yf 74
Tremblay 35 45 Yd 58
Tremblay, Le 27 31 Af 54
Tremblay, Le 49 61 Yf 62
Tremblay-en-France 93 33 Cd 55
Tremblay-les-Villages 28 32 Bc 57
Tremblay-sur-Mauldre, le 78 32 Bf 56
Tremblecourt 54 38 Ff 56
Tremblois, le 70 69 Fd 64
Tremblois-lès-Carignan 08 21 Fb 51
Tremblois-lès-Rocroi 08 20 Ec 49
Trémeheuc 35 28 Yb 57
Trémel 22 26 Wc 57
Trémentines 49 61 Zb 66
Tréméoc 29 41 Ve 61
Tréméreuc 22 27 Xf 57
Trémery 57 22 Gb 53
Trémeur 22 44 Xe 58
Tréméven 29 42 Wf 56
Tréméven 22 26 Wf 57
Tréminis 38 119 Fe 80
Trémons 70 71 Ga 63
Trémolat 24 113 Ae 79

Trémons 47 113 Af 82
Trémont 49 61 Zd 66
Trémont 61 31 Ab 57
Trémont-sur-Saulx 55 36 Fa 56
Trémonzey 88 55 Gb 61
Trémorel 22 44 Xe 59
Trémouille 15 103 Ce 76
Trémouilles 12 128 Cd 83
Trémouille-Saint-Loup 63 103 Cd 76
Trémoulet 09 141 Be 90
Trémuson 22 26 Xa 57
Trenal 39 83 Fc 69
Trensacq 40 123 Zb 83
Trentels 47 113 Af 82
Tréogan 29 42 Wc 59
Tréon 28 32 Bb 57
Tréouergat 29 24 Vc 57
Trépail 51 35 Eb 54
Tréport, Le 76 6 Bc 48
Trépot 25 70 Gb 65
Trept 38 107 Fb 74
Trésauvaux 55 37 Fd 54
Tresbœuf 35 45 Yc 61
Trescault 62 8 Da 48
Tresclaux 05 119 Fe 82
Trésilley 70 70 Ga 64
Treslon 51 35 De 53
Tresnay 58 80 Db 68
Trespoux-Rassiels 46 113 Bc 82
Tresques 30 131 Ed 84
Tressange 57 22 Ff 52
Tresserre 66 154 Ce 93
Tresses 33 111 Zd 79
Tressignaux 22 26 Xa 57
Tressin 59 8 Db 45
Tresson 72 48 Ad 61
Trétoire, la 77 34 Db 55
Trets 13 146 Fe 88
Treux 80 7 Cc 48
Treuzy-Levelay 77 51 Ce 59
Trévé 22 43 Xb 59
Trévenans 90 71 Gf 63
Tréveneuc 22 26 Xa 57
Tréveray 55 37 Fc 57
Trévérec 22 26 We 57
Tréverien 35 44 Ya 58
Trèves 30 129 Dc 84
Trèves 69 106 Ee 75
Trévien 81 127 Ca 85
Trevières 14 13 Za 53
Trévignin 73 108 Ff 74
Trévillach 66 154 Cd 92
Trévillers 25 71 Gf 65
Trévilly 89 67 Ea 63
Trévol 03 80 Db 69
Trévou-Tréguignec 22 26 Wd 56
Trévoux 01 94 Ee 73
Trévoux, le 29 42 Wc 61
Trévron 22 27 Xf 58
Trézelles 03 93 Dd 71
Trézény 22 26 Wd 56
Tréziers 11 141 Bf 90
Trézilidé 29 25 Vf 57
Trézioux 63 104 Dc 74
Triac-Lautrait 16 87 Zf 75
Triadou, Le 34 130 Df 86
Triaize 85 74 Ye 70
Tribehou 50 12 Ye 53
Trichey 89 52 Ea 61
Tricot 60 17 Cd 51
Trie-Château 60 16 Be 53
Trie-la-Ville 60 16 Be 53
Triel-sur-Seine 78 33 Ca 55
Triembach-au-Val 67 56 Hb 58
Trie-sur-Baïse 65 139 Ac 89
Trieux 54 22 Ff 53
Trigance 83 133 Gc 86
Trignac 44 59 Xe 65
Trigny 51 19 Df 53
Triguères 45 51 Cf 61
Trilbardou 77 34 Ce 55
Trilla 66 154 Cd 92
Trilport 77 34 Cf 55
Trimbach 67 40 Ia 55
Trimer 35 44 Ya 58
Trimouille, la 86 77 Ba 70
Trinay 45 49 Bf 60
Trinitat, La 15 116 Cf 80
Trinité, La 06 135 Hb 86
Trinité, La 27 32 Bb 55
Trinité, La 50 28 Ye 56
Trinité-de-Réville, La 27 31 Ad 55
Trinité-des-Laitiers, La 61 30 Ac 56
Trinité-du-Mont, La 76 15 Ad 51
Trinité-Porhoët, La 56 44 Xc 60
Trinité-sur-Mer, La 56 58 Xa 63
Trinité-Surzur, La 56 59 Xc 63
Triors 26 107 Fa 78
Trioulou, Le 15 115 Cb 80
Tripleville 41 49 Bc 61
Triquerville 76 15 Ad 51
Trith-Saint-Léger 59 9 Dc 46
Tritteling 57 38 Gd 55
Trivy 71 94 Ec 70
Trizac 15 103 Cd 77
Trizay 17 86 Za 74
Trizay-Coutretot-Saint-Serge 28 48 Af 59
Trizay-lès-Bonneval 28 49 Bc 59
Troarn 14 14 Ze 53
Troche 19 102 Bc 76
Trochères 21 69 Fb 64
Troësnes 02 34 Db 54
Troguéry 22 26 We 56
Trogues 37 63 Ad 66
Trois-Domaines, Les 55 37 Fb 55
Trois-Fonds 23 91 Cb 71
Trois-Fontaines 51 36 Ef 56
Troisfontaines 57 39 Ha 56
Troisfontaines-la-Ville 52 36 Fa 57
Troisgots 50 29 Yf 54
Trois-Monts 14 29 Zd 54
Trois-Moutiers, Les 86 62 Aa 66
Trois-Palis 16 88 Aa 75
Trois-Pierres, Les 76 15 Ac 51
Trois-Puits 51 35 Ea 54
Troissereux 60 17 Ca 52
Troissy 51 35 De 54
Trois-Vèvres 58 80 Dc 67
Troisvilles 59 9 Dc 48
Trois-Villes 64 137 Za 90
Tromarey 70 69 Fe 64
Tromborn 57 22 Gd 53
Troncens 32 139 Ab 88

Tronchet, Le 35 28 Yb 58
Tronchet, Le 72 47 Aa 59
Tronchoy 89 52 Df 61
Tronchy 71 83 Fa 68
Troncq, Le 27 31 Af 53
Trondes 54 37 Fe 56
Tronget 03 80 Da 70
Tronquay, Le 14 13 Zb 53
Tronquay, Le 27 16 Be 52
Tronsanges 58 80 Da 66
Tronville 54 37 Fe 56
Tronville-en-Barrois 55 37 Fb 56
Troo 41 48 Af 62
Trosly-Breuil 60 18 Cf 52
Trosly-Loire 60 18 Db 51
Trouans 10 35 Eb 57
Troubat 65 139 Ad 91
Trouhans 21 69 Fb 66
Trouhaut 21 68 Ea 64
Trouillas 66 154 Ce 93
Trouley-Labarthe 65 139 Ab 89
Troussencourt 60 17 Cb 51
Troussey 55 37 Fe 56
Troussures 60 16 Bf 52
Trouville 76 15 Ad 51
Trouville-la-Haule 27 15 Ad 52
Trouville-sur-Mer 14 14 Aa 52
Trouy 18 79 Cc 66
Troyes 10 52 Ea 59
Troyon 55 37 Fc 54
Truchère, La 71 82 Ef 69
Truchtersheim 67 40 Hd 57
Trucy 02 19 De 52
Trucy-l'Orgueilleux 58 66 Dc 64
Trucy-sur-Yonne 89 67 Dd 63
Truel, Le 12 128 Ce 84
Trugny 21 83 Fa 67
Truinas 26 119 Fa 81
Trumilly 60 18 Ce 53
Trun 61 30 Aa 55
Trungy 14 13 Za 53
Truttemer-le-Grand 14 29 Zb 56
Truttemer-le-Petit 14 29 Zb 56
Truyes 37 63 Ae 65
Tubersent 62 7 Be 45
Tuchan 11 154 Ce 91
Tucquegnieux 54 21 Ff 53
Tudeils 19 102 Be 78
Tudelle 32 125 Ab 86
Tuffé 72 48 Ad 61
Tugéras 17 99 Zd 76
Tugny-et-Pont 02 18 Da 50
Tuilière, La 42 93 De 73
Tulette 26 131 Ee 83
Tulle 19 102 Be 77
Tullins 38 107 Fc 77
Tully 80 6 Bd 48
Tuminu = Tomino 2B 157 Kc 91
Tupigny 02 9 Dd 49
Tupin-et-Semons 69 106 Ee 76
Turballe, La 44 59 Xc 64
Turbie, la 06 135 Hc 86
Turcey 21 68 Ee 64
Turckheim 68 56 Hb 60
Turenne 19 102 Bd 78
Turgon 16 88 Ac 73
Turgy 10 52 Ea 60
Turny 89 52 De 60
Turquant 49 62 Aa 65
Turquestein-Blancrupt 57 39 Ha 57
Turqueville 50 12 Ye 52
Turretot 14 14 Aa 52
Turriers 04 120 Gb 82
Tursac 24 113 Ba 79
Tusson 16 88 Aa 73
Tuzaguet 65 139 Ac 90
Tuzan, Le 33 111 Ze 81
Tuzie 16 88 Aa 73

U

Uberach 67 40 Hd 55
Ubexy 88 55 Gb 58
Ubraye 04 134 Ge 85
Ucciani 2A 159 If 96
Ucel 07 118 Ec 80
Uchacq-et-Parentis 40 124 Zc 85
Uchaud 30 130 Eb 86
Uchaux 84 118 Ee 83
Uchentein 09 151 Ba 91
Uchizy 71 82 Ef 69
Uchon 71 82 Ea 68
Uckange 57 22 Ga 53
Ueberstrass 68 71 Ha 63
Uffheim 68 72 Hc 63
Uffholtz 68 56 Ha 61
Ugine 73 96 Gc 74
Uglas 65 139 Ac 90
Ugnouas 65 139 Aa 88
Ugny 54 21 Fc 52
Ugny-le-Gay 02 18 Db 51
Ugny-l'Équipée 80 18 Da 50
Ugny-sur-Meuse 55 37 Fe 56
Uhart-Cize 64 137 Ye 90
Uhart-Mixe 64 137 Yf 89
Uhlwiller 67 40 He 56
Uhrwiller 67 40 Hd 55
Ulcot 79 75 Zd 66
Ulis, Les 91 33 Cb 56
Ully-Saint-Georges 60 17 Cb 53
Ulmes, Les 49 62 Ze 65
Ulmet = Olmeto 2A 158 If 98
Ulmiccia = Olmiccia 2A 159 Ka 98
Umpeau 28 49 Be 58
Unac 09 152 Be 92
Uncey-le-Franc 21 68 Ed 64
Unchair 51 19 De 53
Ungersheim 68 56 Hb 61
Unienville 10 53 Ed 59
Unieux 42 105 Eb 76
Union, l' 31 126 Bd 87
Unlas 42 105 Eb 75
Unverre 28 48 Ba 59
Unzent 09 141 Bd 89
Upaix 05 120 Ff 83
Upie 26 119 Fa 80
Urau 31 140 Af 90
Urbalacone = Urbalacone 2A 159 If 97
Urbanya 66 153 Cb 93
Urbeis 67 56 Hb 59
Urbes 68 56 Gf 61
Urbise 42 93 Df 71
Urçay 03 79 Cd 69
Urcel 02 18 Dc 52
Urcerey 90 71 Gf 63
Urciers 36 79 Ca 69

Urcuit 64 136 Yd 88
Urcy 21 68 Ef 65
Urdens 32 125 Ae 85
Urdès 64 138 Zc 89
Urdos 64 149 Zc 91
Urepel 64 136 Yd 90
Urgons 40 124 Zf 87
Urgosse 32 124 Zf 86
Uriménil 88 55 Gc 60
Uronville 54 37 Fe 56
Urou-et-Crennes 61 30 Aa 56
Urrugne 64 136 Yb 88
Urs 09 152 Bf 92
Urschenheim 68 57 Hc 60
Urt 64 137 Yd 88
Urtaca 2B 157 Kb 93
Uruffe 54 37 Fe 57
Urville 10 53 Ed 59
Urville 14 30 Ze 54
Urville 50 12 Yd 52
Urville-Nacqueville 50 12 Yb 50
Urvillers 02 18 Db 50
Ury 77 50 Cd 58
Urzy 58 80 Db 66
Us 95 32 Bf 54
Usclas-d'Hérault 34 143 Dc 87
Usinens 74 96 Ff 73
Ussac 19 102 Bc 78
Ussat 09 152 Bd 91
Usseau 79 87 Zc 71
Usseau 86 77 Ad 67
Ussel 15 104 Cf 78
Ussel 19 103 Cb 75
Ussel 46 114 Bc 81
Ussel-d'Allier 03 92 Db 71
Usson 63 104 Dc 75
Usson-du-Poitou 86 88 Ad 71
Usson-en-Forez 42 105 Df 76
Ussy 14 30 Zf 55
Ussy-sur-Marne 77 34 Da 55
Ustaritz 64 136 Yd 88
Ustou 09 152 Bb 92
Utelle 06 135 Hb 85
Uttenheim 67 57 Hd 58
Uttenhoffen 67 40 Hd 55
Uttwiller 67 40 Hc 55
Uvernet-Fours 04 133 Ge 83
Uxeau 71 81 Ea 69
Uxegney 88 55 Gc 59
Uxelles 39 84 Fe 69
Uxem 59 4 Cc 42
Uza 40 123 Ye 84
Uzan 64 138 Zc 88
Uzay-le-Venon 18 79 Cc 68
Uzech 46 113 Bc 81
Uzein 64 138 Zd 88
Uzel 22 43 Xa 59
Uzemain 88 55 Gc 60
Uzer 07 117 Eb 81
Uzer 65 139 Ab 90
Uzès 30 131 Ec 84
Uzeste 33 111 Ze 82
Uzos 64 138 Zd 89

V

Vaas 72 62 Ab 63
Vabre 81 128 Cc 86
Vabres 15 104 Db 78
Vabres 30 130 Df 84
Vabres-l'Abbaye 12 128 Cf 85
Vabre-Tizac 12 127 Ca 83
Vacherauville 55 37 Fc 53
Vachères 04 132 Fd 85
Vachères-en-Quint 26 119 Fb 80
Vacheresse 74 97 Ge 71
Vacheresse-et-la-Rouillie, La 88 54 Fe 60
Vacherie, La 27 31 Ae 54
Vacherie, La 27 31 Ba 54
Vacognes-Neuilly 14 29 Zc 54
Vacquerie 80 7 Ca 48
Vacquerie-et-Saint-Martin-de-Castries, La 34 129 Dc 86
Vacquerie-le-Boucq 62 7 Ca 47
Vacqueriette-Erquières 62 7 Ca 47
Vacqueville 54 56 Ge 58
Vacqueyras 84 131 Ef 84
Vacquières 34 130 Df 85
Vacquiers 31 126 Bc 86
Vadans 39 83 Fe 67
Vadans 70 69 Fd 64
Vadelaincourt 55 37 Fb 54
Vadenay 51 36 Ec 54
Vadencourt 02 19 Dd 49
Vadencourt 80 8 Cc 48
Vadonville 55 37 Fd 55
Vagney 88 56 Ge 60
Vahl-Ebersing 57 39 Ge 54
Vahl-lès-Bénestroff 57 39 Ge 55
Vahl-lès-Faulquemont 57 38 Gd 54
Vaiges 53 46 Zd 60
Vailhan 34 143 Dc 87
Vailhauquès 34 130 De 86
Vailhourles 12 114 Bf 83
Vaillac 46 114 Bd 80
Vaillant 52 69 Fa 62
Vailly 10 52 Ea 58
Vailly 74 96 Gd 71
Vailly-sur-Aisne 02 18 Dd 52
Vailly-sur-Sauldre 18 65 Cd 64
Vains 50 28 Yd 56
Vairé 85 73 Yb 68
Vaire-Arcier 25 70 Ga 65
Vaire-le-Petit 25 70 Ga 65
Vaires-sous-Corbie 80 7 Cd 49
Vaires-sur-Marne 77 33 Cd 55
Vaison-la-Romaine 84 132 Fa 83
Vaïssac 82 127 Bd 84
Vaivre, La 70 55 Gb 61
Vaivre-et-Montoille 70 70 Ga 63
Val, Le 83 147 Ga 88
Valady 12 115 Cc 82
Valailles 27 31 Ad 54
Valaire 41 64 Bd 64
Val-André, Le 22 27 Xc 57
Valanjou 49 61 Zc 65
Valaurie 26 118 Ee 82
Valavoire 04 133 Ga 83
Valay 70 69 Fd 64
Valbeleix 63 104 Cf 76
Valbelle 04 133 Ff 83
Valbois 57 37 Fd 55
Valbonnais 38 119 Fe 80
Valbonne 06 134 Ha 87
Valcabrère 31 139 Ad 90
Valcanville 50 12 Ye 51
Valcebollère 66 153 Ca 94
Valcivières 63 105 De 75

Valcivières 63 105 De 75
Valdahon 25 70 Gc 65
Val-d'Ajol, Le 88 55 Gc 61
Valdampierre 60 17 Ca 53
Val-d'Auzon 10 53 Ec 58
Val-David, le 27 32 Bb 55
Val-de-Bride 57 39 Ge 55
Valdécie 50 12 Yc 52
Val-de-Fier 74 96 Ff 73
Val-de-Guéblange, le 57 39 Gf 55
Val-de-Mercy 89 67 Dd 62
Val-de-Meuse 52 54 Fd 60
Val-d'Épy 39 95 Fc 70
Valderies 81 128 Cb 84
Valderoure 06 134 Ge 86
Val-de-Roulans 25 70 Gb 64
Val-de-Saâne 76 15 Af 50
Val-d'Esnoms 52 69 Fb 62
Val-des-Prés 05 120 Ge 78
Val-de-Vesle 51 35 Eb 53
Val-de-Vière 51 36 Ee 56
Valdieu-Lutran 68 71 Ha 63
Val-d'Isère 73 109 Gf 76
Valdivienne 86 77 Ad 69
Val-d'Izé 35 45 Ye 59
Valdoie 90 71 Gf 63
Val-d'Ornain 55 36 Fa 56
Val-d'Orvin 10 52 Dd 58
Valdrôme 26 119 Fd 81
Valdurenque 81 142 Cb 87
Valeille 42 105 Eb 74
Valeilles 82 113 Af 82
Valeins 01 94 Ef 72
Valempoulières 39 84 Ff 68
Valençay 36 64 Bd 66
Valence 16 88 Ab 73
Valence 26 118 Ef 79
Valence 82 126 Af 84
Valence-d'Albigeois 81 128 Cc 84
Valence-en-Brie 77 51 Cf 58
Valence-sur-Baïse 32 125 Ac 85
Valenciennes 59 9 Dd 46
Valencin 38 106 Fa 75
Valencogne 38 107 Fd 76
Valennes 72 48 Ae 61
Valensole 04 133 Ff 85
Valentigney 25 71 Ge 64
Valentine 31 139 Ae 90
Valenton 94 33 Cc 56
Valergues 34 130 Ea 87
Valernes 04 133 Ff 83
Valescourt 60 17 Cc 52
Valesvilles 31 141 Bd 87
Val-et-Châtillon 54 39 Gf 57
Valette 15 103 Cd 77
Valette, La 38 120 Ff 79
Valette-du-Var, La 83 147 Ff 90
Valeuil 24 100 Ad 77
Valezan 73 109 Ge 75
Valff 67 57 Hd 58
Valfin-sur-Valouse 39 95 Fd 70
Valflaunès 34 130 Df 86
Valfleury 42 106 Ee 75
Valframbert 61 47 Aa 58
Valfroicourt 88 55 Ga 59
Valgorge 07 117 Ea 81
Valhey 54 38 Gc 56
Valhuon 62 7 Cc 46
Valiergues 19 103 Cb 76
Valignat 03 92 Da 71
Valigny 03 80 Ce 68
Valines 80 6 Bd 48
Valjouffrey 38 120 Ga 79
Valjouze 15 104 Da 77
Valla, La 42 93 Df 74
Vallabrègues 30 131 Ed 85
Vallabrix 30 131 Ec 84
Valla-en-Gier, La 42 106 Ed 76
Vallan 89 67 Dd 62
Vallangoujard 95 33 Ca 54
Vallans 79 87 Zc 71
Vallant-Saint-Georges 10 52 Df 58
Vallauris 06 134 Ha 87
Valle, La 2B 156 Ka 94
Vallecalle 2B 157 Kc 93
Valle-d'Alesani 2B 159 Kc 95
Valle-d'Alisani, E = Valle-d'Alesani 2B 157 Kc 95
Valle-di-Campoloro 2B 159 Kd 95
Valle di Campulori, E = Valle-di-Campoloro 2B 159 Kd 95
Valle-di-Mezzana 2A 158 Ie 96
Valle-di-Rostino 2B 157 Kb 94
Valle di Rustinu, E = Valle-di-Rostino 2B 157 Kb 94
Valle-d'Orezza 2B 159 Kd 95
Valle d'Orezza, E = Valle-d'Orezza 2B 157 Kc 94
Vallée, La 17 86 Za 73
Vallée-au-Blé, la 02 19 Dd 49
Vallée-Mulâtre, la 02 9 Dd 48
Vallègue 31 141 Be 88
Valleiry 74 96 Ff 72
Vallenay 18 79 Cc 68
Vallentigny 10 53 Ed 58
Vallerange 57 38 Ge 55
Vallérargues 30 131 Ec 84
Valleraugue 30 130 Dd 84
Vallères 37 63 Ac 65
Valleret 52 53 Fa 58
Vallereuil 24 100 Ad 78
Vallerois-le-Bois 70 70 Gb 63
Vallerois-Lorioz 70 70 Ga 63
Valleroy 52 69 Fe 62
Valleroy 25 70 Ga 65
Valleroy 54 38 Ff 53
Valleroy-aux-Saules 88 55 Ga 59
Valleroy-le-Sec 88 55 Ga 59
Vallery 89 51 Da 59
Vallet 44 60 Yd 66
Valletot 27 15 Ad 52
Vallica 2B 156 Ka 93
Valli di Mezzana, E = Valle-di-Mazzana 2A 158 Ie 96
Vallière 23 91 Cc 71
Vallières 10 52 Ea 61
Vallières 23 90 Ca 73
Vallières-les-Grandes 41 63 Ba 64
Valliguières 30 131 Ed 84
Valliquerville 76 15 Ae 51
Valloire 73 108 Gc 78
Vallois 54 55 Gd 58
Vallois, Les 88 55 Ga 60
Vallon-en-Sully 03 79 Cd 69
Vallon-Pont-d'Arc 07 118 Ec 82
Vallon-sur-Gée 72 47 Zf 61
Vallorcine 74 97 Gf 72
Vallouise 05 120 Ga 79
Valmanya 66 154 Cd 93

Valmascle 34 143 Db 87
Valmeinier 73 108 Gc 77
Valmestroff 57 22 Gb 52
Valmigère 11 142 Cc 91
Valmondois 95 33 Cb 54
Valmont 76 15 Ad 50
Valmunster 57 22 Gd 53
Valmy 51 36 Ee 54
Valognes 50 12 Yd 51
Valojoulx 24 101 Ba 78
Valonne 25 71 Gd 64
Valoreille 25 71 Ge 65
Valouse 26 119 Fb 82
Valprionde 46 113 Ba 82
Valprivas 43 105 Ea 77
Valpuiseaux 91 50 Cb 58
Valras-Plage 34 143 Db 89
Valréas 84 118 Ef 82
Valros 34 143 Dc 88
Valroufié 46 114 Bc 81
Vals 09 141 Be 90
Val-Saint-Eloi, Le 70 70 Gb 62
Val-Saint-Germain, Le 91 33 Ca 57
Val-Saint-Père, Le 50 28 Yd 57
Vals-des-Tilles 52 69 Fa 62
Valsemé 14 14 Aa 53
Valserres 05 120 Ga 82
Vals-le-Chastel 43 104 Dd 77
Vals-les-Bains 07 118 Ec 81
Valsonne 69 94 Ec 73
Vals-près-le-Puy 43 105 Df 78
Val-Suzon 21 68 Ef 64
Valtin, le 88 56 Ha 60
Valuéjols 15 104 Cf 78
Valvignères 07 118 Ed 82
Valzergues 12 115 Cb 82
Valz-sous-Châteauneuf 63 104 Dc 76
Vanault-le-Châtel 51 36 Ee 55
Vanault-les-Dames 51 36 Ee 55
Vançais 79 88 Aa 71
Vancé 72 48 Ad 62
Vancelle, La 67 56 Hb 59
Vanclans 25 84 Gc 66
Vandeins 01 94 Fa 71
Vandelainville 54 38 Gf 54
Vandelans 70 70 Gb 64
Vandeléville 54 55 Ff 58
Vandélicourt 60 18 Ce 51
Vandenesse 58 81 De 67
Vandenesse-en-Auxois 21 68 Ed 65
Vandeuil 51 19 De 53
Vandières 51 35 De 54
Vandières 54 38 Ga 55
Vandœuvre-lès-Nancy 54 38 Gb 57
Vandoncourt 25 71 Gf 64
Vandré 17 87 Zb 72
Vandrimare 27 16 Bc 52
Vandy 08 20 Ee 52
Vanlay 10 52 Ea 60
Vanne 70 70 Ff 63
Vanneau, Le 79 87 Zc 71
Vannecourt 57 38 Gd 55
Vannecrocq 27 15 Ac 53
Vannes 56 43 Xb 63
Vannes-le-Châtel 54 37 Fe 57
Vannes-sur-Cosson 45 65 Cb 62
Vannoz 39 84 Ff 64
Vanosc 07 106 Ed 77
Vans, les 07 117 Ea 82
Vantoux 57 38 Gb 54
Vantoux-et-Longevelle 70 70 Ff 64
Vanvey 21 53 Ee 61
Vanville 77 34 Da 57
Vanxains 24 100 Ab 77
Vany 57 38 Gb 54
Vanzac 17 99 Ze 76
Vanzay 79 88 Aa 71
Vanzy 74 96 Ff 72
Vaour 81 127 Be 84
Varacieux 38 107 Fc 77
Varades 44 61 Yf 64
Varages 83 147 Ff 87
Varaignes 24 100 Ad 75
Varaire 46 114 Be 82
Varaize 17 87 Zd 73
Varambon 01 95 Fb 72
Varanges 21 69 Fa 64
Varangéville 54 38 Gb 57
Varaville 14 14 Zf 53
Varces-Allières-et-Risset 38 107 Fe 78
Vareille, La 23 90 Bf 74
Vareilles 23 90 Bc 71
Vareilles 71 93 Eb 71
Vareilles 89 51 Dc 59
Varen 82 127 Bf 84
Varengeville-sur-Mer 76 6 Af 49
Varenguebec 50 12 Yd 52
Varenne, La 49 60 Ye 65
Varenne-l'Arconce 71 93 Ea 70
Varennes 24 112 Ae 80
Varennes 31 141 Be 88
Varennes 37 77 Af 66
Varennes 43 104 Dc 78
Varennes 43 117 De 78
Varennes 80 8 Cd 48
Varennes 82 127 Bd 85
Varennes 86 76 Ab 68
Varennes 89 52 De 61
Varennes 89 66 Dc 62
Varenne-Saint-Germain 71 81 Ea 70
Varennes-Changy 45 50 Cd 61
Varennes-en-Argonne 55 36 Fa 53
Varennes-Jarcy 91 33 Cd 56
Varennes-le-Grand 71 82 Ef 68
Varennes-lès-Mâcon 71 94 Ee 71
Varennes-lès-Narcy 58 66 Da 65
Varennes-Saint-Honorat 43 105 Dd 77
Varennes-Saint-Sauveur 71 83 Fb 70
Varennes-sous-Dun 71 94 Eb 71
Varennes-sur-Allier 03 92 Dc 71
Varennes-sur-Fouzon 36 64 Bd 65
Varennes-sur-le-Doubs 71 83 Fb 67
Varennes-sur-Loire 49 62 Aa 65
Varennes-sur-Morge 63 92 Db 73
Varennes-sur-Seine 77 51 Cf 58
Varennes-sur-Tèche 03 93 Dd 71
Varennes-sur-Usson 63 104 Db 75
Varès 47 112 Ac 82

Varesnes 60 18 Da 51
Varessia 39 83 Fd 69
Varetz 19 102 Bc 77
Varilhes 09 141 Bd 90
Varinfroy 60 34 Da 54
Varize 28 49 Bd 60
Varize 57 38 Gc 54
Varmonzey 88 55 Gb 59
Varneville-Bretteville 76 15 Ba 51
Varogne 70 70 Gb 61
Varois-et-Chaignot 21 69 Fa 64
Varouville 50 12 Yd 50
Varrains 49 62 Zf 65
Varreddes 77 34 Cf 54
Vars 05 121 Ge 81
Vars 16 88 Aa 74
Vars 70 25 Fd 63
Varsberg 57 38 Gd 53
Varzay 17 87 Zb 74
Varzy 58 66 Dc 64
Vascœuil 27 16 Bc 52
Vasles 79 76 Zf 69
Vasperviller 57 39 Ha 57
Vassel 63 92 Db 74
Vasselay 18 65 Cc 66
Vasselin 38 107 Fc 75
Vassens 02 18 Da 52
Vasseny 02 18 Da 52
Vassieux-en-Vercors 26 119 Fc 79
Vassimont-et-Chapelaine 51 35 Ea 56
Vassogne 02 19 De 52
Vassonville 76 15 Ba 50
Vassy 14 29 Zc 55
Vassy 89 66 Dc 63
Vassy 89 67 Ed 63
Vast, le 50 12 Yd 51
Vasteville 50 12 Yb 51
Vastres, Les 43 117 Eb 79
Vatan 36 78 Be 66
Vathiménil 54 38 Gd 57
Vatierville 76 16 Bc 50
Vatilieu 38 107 Fc 77
Vatimont 57 38 Gd 55
Vatry 51 35 Eb 56
Vattetot-sous-Beaumont 76 15 Ad 51
Vattetot-sur-Mer 76 14 Ab 50
Vatteville 76 16 Bb 53
Vatteville-la-Rue 76 15 Ae 52
Vaubadon 14 13 Zd 53
Vauban 71 93 Eb 71
Vaubecourt 55 36 Fa 55
Vaubexy 88 55 Gb 59
Vaucé 53 29 Zb 58
Vaucelles 14 13 Zc 53
Vaucelles-et-Beffecourt 02 18 Db 52
Vauchamps 25 70 Gb 65
Vauchamps 51 35 Dd 55
Vauchassis 10 52 Df 59
Vauchelles 60 18 Cf 51
Vauchelles 80 7 Bf 48
Vauchelles-lès-Authie 80 7 Cc 48
Vauchelles-lès-Domart 80 7 Ca 48
Vauchignon 21 82 Ed 67
Vauchonvilliers 10 53 Ed 59
Vauchoux 70 70 Ga 63
Vauchrétien 49 61 Zd 65
Vauciennes 51 35 Df 54
Vauciennes 60 18 Da 53
Vauclaix 58 67 De 65
Vauclerc 51 36 Ed 56
Vauclusotte 25 71 Ge 65
Vaucogne 10 52 Ec 57
Vauconcourt-Nervezain 70 70 Fe 63
Vaucouleurs 55 37 Fe 57
Vaucourt 54 39 Ge 56
Vaucourtois 77 34 Cf 55
Vaudancourt 60 17 Bf 53
Vaudebarrier 71 93 Eb 70
Vaudelnay 49 62 Ze 66
Vaudeloges 14 30 Zf 55
Vaudemanges 51 35 Eb 54
Vaudémont 54 55 Ga 58
Vaudes 10 52 Ea 59
Vaudesincourt 51 36 Ec 53
Vaudesson 02 18 Dc 52
Vaudeurs 89 51 Dd 60
Vaudeville 54 55 Gb 58
Vaudéville 88 55 Gd 59
Vaudeville-le-Haut 55 54 Fd 58
Vaudioux, le 39 84 Ff 68
Vaudoncourt 88 54 Fe 59
Vaudoué, le 77 50 Cd 58
Vaudoy-en-Brie 77 34 Da 56
Vaudrecourt 52 54 Fd 59
Vaudrémont 52 53 Ef 60
Vaudreuil, Le 27 16 Bb 53
Vaudreuille 31 141 Bf 88
Vaudrey 39 83 Fd 67
Vaudricourt 62 8 Cd 45
Vaudricourt 80 6 Bd 48
Vaudrimesnil 50 12 Yd 54
Vaudringhem 62 3 Ca 43
Vaudrivillers 25 70 Gc 65
Vaudry 14 29 Za 55
Vaufrey 25 71 Gf 64
Vaugines 84 132 Fc 86
Vaugneray 69 94 Ee 74
Vaugrigneuse 91 33 Ca 57
Vauhallan 91 33 Cb 56
Vaujany 38 108 Ga 78
Vaulandry 49 62 Zf 63
Vaulmier, Le 15 103 Cd 77
Vaulnaveys-le-Haut 38 108 Fe 78
Vaulry 87 89 Ba 72
Vault-de-Lugny 89 67 Df 64
Vaulx 62 7 Ca 47
Vaulx 74 96 Ff 73
Vaulx-en-Velin 69 94 Ef 74
Vaulx-Milieu 38 107 Fb 75
Vaulx-Vraucourt 62 8 Cf 48
Vaumain, Le 60 16 Bf 52
Vaumas 03 81 Dd 70
Vaumeilh 04 133 Ff 83
Vaumoise 60 18 Cf 53
Vaumort 89 51 Dd 60
Vaunac 24 101 Af 76
Vaunaveys-sur-la-Rochette 26 118 Fa 80
Vaunoise 61 48 Ab 58
Vaupalière, La 76 15 Af 52
Vaupillon 28 48 Ba 58
Vaupoisson 10 52 Eb 57
Vauquois 55 36 Fa 53

Vauréal 95 33 Ca 54
Vaureilles 12 115 Cb 82
Vauroux, Le 60 16 Bf 52
Vausseroux 79 76 Zf 69
Vautebis 79 76 Zf 69
Vauthiermont 90 71 Ha 62
Vautorte 53 46 Zb 59
Vauvenargues 13 146 Fd 87
Vauvert 30 130 Eb 86
Vauville 14 14 Aa 53
Vauville 50 12 Ya 51
Vauvillers 70 55 Ga 61
Vauvillers 80 17 Ce 49
Vaux 03 Cf 70
Vaux 31 141 Bf 88
Vaux 57 38 Ga 54
Vaux 86 88 Ab 71
Vauxaillon 02 18 Dc 52
Vaux-Andigny 02 9 Dd 48
Vauxbons 52 54 Fa 61
Vauxbuin 02 18 Db 52
Vauxcéré 02 19 Dd 52
Vaux-Champagne 08 20 Ed 52
Vaux-devant-Damloup 55 37 Fc 53
Vaux-en-Amiénois 80 7 Cb 49
Vaux-en-Beaujolais 69 94 Ed 72
Vaux-en-Bugey 01 95 Fc 73
Vaux-en-Dieulet 08 20 Ef 52
Vaux-en-Pré 71 82 Ed 69
Vaux-en-Vermandois 02 18 Da 50
Vaux-et-Chantegrue 25 84 Gb 68
Vaux-la-Douce 52 54 Fe 61
Vaux-Lavalette 16 100 Ab 76
Vaux-le-Moncelot 70 70 Ff 64
Vaux-le-Pénil 77 33 Ce 57
Vaux-lès-Mouron 08 20 Ee 53
Vaux-lès-Mouzon 08 20 Fa 52
Vaux-lès-Palameix 55 37 Fd 54
Vaux-lès-Prés 25 70 Ff 65
Vaux-lès-Rubigny 08 19 Eb 50
Vaux-lès-Saint-Claude 39 95 Fe 70
Vaux-Marquenneville 80 7 Be 49
Vaux-Montreuil 08 20 Ed 51
Vaux-Rouillac 16 87 Zf 74
Vaux-Saules 21 68 Ee 64
Vaux-sous-Aubigny 52 69 Fb 63
Vaux-sur-Aure 14 13 Zb 53
Vaux-sur-Blaise 52 53 Ef 58
Vaux-sur-Eure 27 32 Bc 54
Vaux-sur-Lunain 77 51 Cf 59
Vaux-sur-Mer 17 86 Yf 75
Vaux-sur-Poligny 39 83 Fe 68
Vaux-sur-Saint-Urbain 52 54 Fb 58
Vaux-sur-Seine 78 32 Bf 54
Vaux-sur-Seulles 14 13 Zc 53
Vaux-sur-Somme 80 17 Cd 49
Vaux-sur-Vienne 86 77 Ad 67
Vauxtin 02 19 Dd 52
Vauxrenard 69 94 Ed 72
Vaux-Villaine 08 20 Ec 50
Vavincourt 55 37 Fb 56
Vavray-le-Grand 51 36 Ee 56
Vavray-le-Petit 51 36 Ee 56
Vaxainville 54 39 Ge 57
Vaxoncourt 88 55 Gc 59
Vaxy 57 38 Gd 55
Vay 44 60 Yb 63
Vaychis 09 152 Be 92
Vaylats 46 114 Bd 82
Vayrac 46 114 Be 79
Vayres 33 111 Ze 79
Vayres 87 89 Ae 74
Vayres-sur-Essonne 91 50 Cc 58
Vazeilles-Limandre 43 105 De 78
Vazeilles-près-Saugues 43 116 Dd 79
Vazerac 82 126 Bb 83
Veauce 03 92 Da 72
Veauche 42 105 Eb 75
Veauges 18 66 Ce 65
Veaunes 26 106 Ef 78
Veauville-lès-Baons 76 15 Ae 51
Vèbre 09 152 Be 92
Vebret 15 103 Cd 76
Veckersviller 57 39 Hb 55
Veckring 57 22 Gc 52
Vecquemont 80 17 Cc 49
Vecqueville 52 54 Fa 58
Vedène 84 131 Ef 85
Védrines-Saint-Loup 15 104 Db 78
Vého 54 39 Ge 57
Veigné 37 63 Ae 65
Veilhes 81 127 Be 87
Veilleins 41 64 Be 64
Veix 19 102 Bf 75
Velaine-en-Haye 54 38 Ga 56
Velaines 55 37 Fb 56
Velaine-sous-Amance 54 38 Gb 56
Velanne 38 107 Fd 76
Velars-sur-Ouche 21 68 Ef 65
Velaux 13 146 Fb 87
Velennes 60 17 Cb 52
Velennes 80 17 Ca 50
Velesmes-Echevanne 70 69 Fd 64
Velesmes-Essarts 70 70 Ff 65
Velet 70 69 Fd 64
Vélieux 34 142 Ce 89
Vélines 24 112 Aa 79
Vélizy-Villacoublay 78 33 Cb 56
Vellèches 86 77 Ad 67
Vellechevreux-et-Courbenans 70 71 Gd 63
Velleclaire 70 70 Ff 64
Vellefaux 70 70 Ga 63
Vellefrey-et-Vellefrange 70 70 Fe 64
Velle-le-Châtel 70 70 Ga 63
Velleminfroy 70 70 Gb 63
Vellemoz 70 70 Fe 64
Velleron 84 131 Fa 85
Vellerot-lès-Belvoir 25 71 Gd 65
Vellerot-lès-Vercel 25 70 Gc 65
Velles 36 78 Bd 68
Velles 52 54 Fc 61
Vellescot 90 71 Ha 63
Velle-sur-Moselle 54 38 Gb 57
Vellevans 25 70 Gc 65
Vellexon-Queutrey-et-Vaudey 70 70 Fe 63
Velloreille-lès-Choye 70 69 Fe 64
Velluire 85 75 Za 69
Velogny 21 68 Ec 64
Velone-Orneto 2B 157 Kc 94

Velorcey 70 70 Gb 62
Velosnes 55 21 Fc 51
Velotte-et-Tatignécourt 88 55 Gb 59
Vélu 62 8 Cf 48
Velving 57 22 Gd 53
Vélye 51 35 Ea 55
Velzic 15 115 Cd 79
Vémars 95 33 Cd 54
Venables 27 32 Bb 53
Venaco 2B 159 Kb 95
Venacu = Venaco 2B 158 Kb 95
Venansault 85 74 Yc 68
Venanson 06 135 Hb 84
Venarey-les-Laumes 21 66 Ec 63
Venarsal 19 102 Bd 78
Venas 03 80 Ce 70
Venasque 84 132 Fa 84
Vence 06 134 Ha 86
Vendargues 34 130 Df 87
Vendat 03 92 Db 72
Vendays-Montalivet 33 98 Yf 76
Vendegies-au-Bois 59 9 Dd 47
Vendegies-sur-Ecaillon 59 9 Dd 47
Vendel 35 45 Ye 59
Vendelée, La 50 28 Yd 54
Vendelles 02 18 Da 49
Vendémian 34 143 Dd 87
Vendenesse-lès-Charolles 71 82 Ec 70
Vendenesse-sur-Arroux 71 81 Ea 69
Vendenheim 67 40 He 56
Vendes 14 13 Zc 53
Vendeuil 02 18 Dc 50
Vendeuil-Caply 60 17 Cb 51
Vendeuvre 14 30 Zf 55
Vendeuvre-du-Poitou 86 76 Ab 68
Vendeuvre-sur-Barse 10 53 Ec 59
Vendeville 59 8 Da 45
Vendhuile 02 8 Db 48
Vendières 02 34 Dc 55
Vendin 62 8 Cd 45
Vendine 31 141 Be 88
Vendin-le-Vieil 62 8 Cf 46
Vendœuvres 36 78 Bc 68
Vendoire 24 100 Ab 76
Vendôme 41 48 Ba 62
Vendranges 42 93 Ea 73
Vendrennes 85 74 Yf 68
Vendres 34 143 Db 89
Vendresse 08 20 Ee 51
Vendresse-Beaulne 02 19 De 52
Vendrest 77 34 Da 54
Vendue-Mignot, la 10 52 Ea 60
Vénéjan 30 131 Ed 83
Venelles 13 146 Fc 87
Vénérand 17 87 Zc 74
Venère 70 69 Fe 64
Vénérieu 38 107 Fb 75
Venerque 31 140 Bc 88
Vénès 81 128 Cb 86
Venesmes 18 79 Cb 67
Venette 60 18 Cf 52
Veneux-les-Sablons 77 50 Ce 58
Veney 54 56 Ge 58
Vengeons 50 29 Za 56
Venise 25 70 Ga 64
Venisey 70 55 Ff 61
Vénissieux 69 106 Ef 74
Vénizel 02 18 Dc 52
Venizy 89 51 Dd 60
Venlenac-en-Minervois 11 142 Cf 89
Vennecy 45 50 Ca 61
Vennes 25 71 Gd 66
Vennezey 54 56 Gc 58
Venon 27 32 Ba 53
Venon 38 108 Fe 77
Vénosc 38 120 Ga 79
Venouse 89 52 De 61
Venoy 89 67 Dd 62
Ventabren 13 146 Fb 87
Ventavon 05 120 Ff 82
Ventelay 51 19 De 52
Ventenac 09 141 Be 90
Ventenac-Cabardès 11 142 Cf 89
Ventenac-en-Minervois 11 142 Cf 89
Venterol 04 120 Ga 82
Ventes, Les 27 31 Ba 55
Ventes-de-Bourse, les 61 31 Ab 57
Ventes-Saint-Rémy 76 16 Bb 50
Venteuges 43 116 Dd 79
Venteuil 51 35 Df 54
Ventiseri 2B 159 Kc 97
Ventouse 16 88 Ab 73
Ventron 88 56 Gf 61
Ventrouze, La 61 31 Ad 57
Venzolasca 2B 157 Kc 94
Ver 50 28 Yd 55
Vérac 33 99 Zd 79
Véranne 42 106 Ed 76
Vérargues 34 130 Ea 86
Véraza 11 142 Cb 91
Verberie 60 17 Ce 53
Verbiesles 52 54 Fa 60
Vercel-Villedieu-le-Camp 25 70 Gc 65
Verchain-Maugré 59 9 Dc 47
Verchaix 74 97 Ge 72
Vercheny 26 119 Fb 80
Verchers-sur-Layon, Les 49 61 Ze 66
Verchin 62 7 Cb 46
Verchocq 62 7 Ca 45
Vercia 39 83 Fd 69
Vercieu, Montalieu- 38 95 Fc 74
Verclause 26 119 Fc 82
Vercoiran 26 132 Fc 83
Verconcey 50 28 Yd 57
Vercourt 80 7 Be 47
Verdaches 04 120 Gc 83
Verdalle 81 141 Ca 87
Verdelais 33 111 Ze 81
Verdelot 77 34 Dc 55
Verdenal 54 39 Ge 57
Verderel-lès-Sauqueuse 60 17 Ca 51
Verderonne 60 17 Cd 53
Verdes 41 49 Bc 61
Verdets 64 137 Zc 89
Verdier 81 142 Cd 87
Verdière, La 83 147 Ff 87
Verdigny 18 65 Cc 65
Verdille 16 87 Zf 73
Verdon 24 112 Ad 80

Verdon 51 35 Dd 55
Verdonnet 21 68 Ec 62
Verdon-sur-Mer, Le 33 98 Yf 75
Verdun 09 153 Be 92
Verdun 55 37 Fc 53
Verdun-en-Lauragais 11 141 Ca 88
Verdun-sur-Garonne 82 126 Bb 85
Verdun-sur-le-Doubs 71 83 Fa 67
Vereaux 18 80 Cf 67
Verel-de-Montbel 73 107 Fe 75
Verel-Pragondran 73 108 Ff 75
Véretz 37 63 Ae 64
Vereux 70 69 Fd 64
Verfeil 31 127 Bd 87
Verfeil 82 127 Ca 85
Verfeil-sur-Seye 82 127 Bf 83
Vergaville 57 39 Ge 55
Vergéal 35 45 Ye 60
Vergenne, La 70 70 Gd 63
Verger, Le 35 44 Ya 60
Verger-sur-Dive 86 76 Aa 68
Verges 39 83 Fe 69
Vergezac 43 105 De 78
Vergèze 30 130 Eb 86
Vergheas 63 91 Cd 72
Vergies 80 7 Bf 49
Vergigny 89 52 De 61
Vergisson 71 94 Ee 71
Vergné 17 87 Zc 72
Vergne, La 17 87 Zb 73
Vergoignan 32 124 Zf 86
Vergongheon 43 104 Db 76
Vergonnes 49 45 Yf 62
Vergons 04 134 Gd 85
Vergranne 25 70 Gc 64
Vergt 24 101 Ae 78
Verguier, Le 02 18 Db 49
Véria 39 83 Fc 70
Vérignon 83 133 Gb 87
Vérigny 28 32 Bb 57
Vérine 42 93 Ea 74
Vérissey 71 83 Fa 68
Verjon 01 95 Fc 70
Verjux 71 82 Ef 67
Verlans 70 71 Ge 63
Verlhac-Tescou 82 127 Bd 85
Verlin 89 51 Db 60
Verlincthun 62 3 Bd 45
Verlinghem 59 4 Cf 44
Vermand 02 18 Da 49
Vermandovillers 80 18 Ce 49
Vermelles 62 8 Ce 46
Vermenton 89 67 De 63
Vermondans 25 71 Ge 64
Vermont, le 88 56 Ha 58
Vernais 18 79 Ce 68
Vernaison 69 106 Ee 75
Vernajoul 09 152 Bd 91
Vernancourt 51 36 Ee 55
Vernantes 49 62 Aa 64
Vernantois 39 83 Fd 69
Vernas 38 95 Fb 74
Vernassal 43 105 De 78
Vernaux 09 152 Be 92
Vernay 69 94 Ed 72
Vernaz, la 74 97 Gd 71
Verne 25 70 Gc 64
Vernègues 13 132 Fb 86
Verneiges 23 91 Cc 71
Verneil, Le 73 108 Gb 76
Verneil-le-Chétif 72 62 Ab 62
Verneix 03 91 Cf 71
Vernelle, la 36 64 Bd 65
Vernet 31 140 Bc 88
Vernet, Le 03 92 Dc 72
Vernet, Le 04 120 Gc 83
Vernet, Le 09 141 Bd 89
Vernet, Le 43 105 De 78
Vernet-la-Varenne 63 104 Db 76
Vernet-les-Bains 66 153 Cc 93
Vernet-Sainte-Marguerite, le, Le 63 104 Cf 75
Verneugheol 63 91 Cd 74
Verneuil 16 89 Ae 74
Verneuil 18 79 Cd 68
Verneuil 51 35 De 54
Verneuil 58 81 Dd 67
Verneuil-en-Bourbonnais 03 92 Db 70
Verneuil-en-Halatte 60 17 Cd 53
Verneuil-Grand 55 21 Fc 51
Verneuil-le-Château 37 76 Ac 66
Verneuil-l'Étang 77 34 Cf 57
Verneuil-Moustiers 87 89 Ba 70
Verneuil-Petit 55 21 Fc 51
Verneuil-sous-Coucy 02 18 Db 51
Verneuil-sur-Avre 27 31 Ad 56
Verneuil-sur-Igneraie 36 79 Ca 68
Verneuil-sur-Indre 37 77 Ba 66
Verneuil-sur-Seine 78 32 Bf 55
Verneuil-sur-Serre 02 19 De 51
Verneuil-sur-Vienne 87 89 Ba 73
Verneusses 27 31 Ac 55
Verney, Le 73 108 Gb 77
Vernines 63 104 Cf 75
Vernioille 09 141 Bd 90
Vernioz 38 106 Ef 76
Vernix 50 28 Ye 56
Vernoil 49 62 Aa 64
Vernois, Le 21 68 Ee 65
Vernois, Le 39 83 Fd 68
Vernois-lès-Belvoir 25 71 Gd 65
Vernois-lès-Vesvres 21 69 Fa 63
Vernois-sur-Mance 70 54 Fe 61
Vernols 15 104 Cf 77
Vernon 07 117 Eb 81
Vernon 27 32 Bc 54
Vernon 86 76 Ac 70
Vernonvilliers 10 53 Ee 59
Vernosc-lès-Annonay 07 106 Ee 77
Vernot 21 68 Ef 64
Vernou-en-Sologne 41 64 Be 64
Vernouillet 28 32 Bc 56
Vernouillet 78 32 Bf 55
Vernou-la-Celle-sur-Seine 77 51 Cf 58
Vernou-sur-Brenne 37 63 Af 64
Vernoux 01 95 Fb 71
Vernoux-en-Gâtine 79 75 Ze 69
Vernoux-en-Vivarais 07 118 Ed 79
Vernoux-sur-Boutonne 79 87 Zc 72
Vernoy 89 51 Da 60

Vern-sur-Seiche 35 45 Yc 60
Vernusse 03 92 Cf 71
Verny 57 38 Gb 54
Vero 2A 158 If 96
Véron 89 51 Db 60
Véronne 26 119 Fb 80
Véronnes 21 69 Fb 63
Verpel 08 20 Ef 52
Verpillière, La 38 107 Fa 75
Verpillières 80 18 Ce 50
Verpillières-sur-Ource 10 53 Ed 60
Verquigneul 62 8 Cd 45
Verquin 62 8 Cd 45
Verquières 13 131 Ef 85
Verrens-Arvey 73 108 Gb 75
Verrerie-de-Portieux, la- 88 55 Gc 58
Verrerines-de-Moussans 34 142 Ce 88
Verrey-sous-Drée 21 68 Ee 64
Verrey-sous-Salmaise 21 68 Ed 64
Verricourt 10 52 Ec 58
Verrie 49 62 Zf 65
Verrie, La 85 75 Za 67
Verrière, La 78 32 Bf 56
Verrières 08 20 Ef 52
Verrières 10 52 Ea 59
Verrières 12 129 Da 83
Verrières 16 99 Ze 75
Verrières 51 36 Ef 54
Verrières 61 48 Ae 58
Verrières 63 104 Da 75
Verrières 86 77 Ad 67
Verrières-de-Joux 25 84 Gc 67
Verrières-du-Grosbois 25 70 Gb 65
Verrières-en-Forez 42 105 Df 75
Verrue 86 76 Ab 67
Verruyes 79 75 Ze 69
Vers 46 114 Bd 82
Vers 71 82 Ef 69
Vers 74 96 Ga 72
Versailles 78 33 Ca 56
Versailleux 01 95 Fa 73
Versainville 14 30 Zf 55
Versanne, La 42 106 Ed 77
Versaugues 71 93 Ea 70
Verseilles-le-Bas 52 69 Fb 62
Verseilles-le-Haut 52 69 Fb 62
Vers-en-Montagne 39 84 Ff 68
Versigny 02 18 Dc 51
Versigny 60 33 Ce 54
Vers-lès-Chartres 28 49 Bc 58
Versols-et-Lapeyre 12 129 Cf 85
Verson 14 13 Zd 54
Versonnex 01 96 Ha 71
Versonnex 74 96 Ff 73
Vers-Pont-du-Gard 30 131 Ed 85
Vers-sous-Sellières 39 83 Fd 68
Vers-sur-Selle 80 17 Cb 49
Ver-sur-Launette 60 33 Ce 54
Ver-sur-Mer 14 13 Zc 52
Vert 40 124 Zc 84
Vert 78 32 Be 55
Vert, Le 79 87 Zd 72
Vertain 59 9 Dc 47
Vertaizon 63 92 Db 74
Vertamboz 39 84 Fe 69
Vertault 21 53 Ea 61
Verteillac 24 100 Ac 76
Vert-en-Drouais 28 32 Bb 56
Verteuil-d'Agenais 47 112 Ac 82
Verteuil-sur-Charente 16 88 Ab 73
Verthemex 73 107 Fe 75
Vertheuil 33 98 Za 77
Vert-le-Grand 91 33 Cc 57
Vert-le-Petit 91 33 Cc 57
Vertolaye 63 105 De 75
Verton 62 6 Bd 46
Vertou 44 60 Yd 65
Vertrieu 38 95 Fc 73
Vert-Saint-Denis 77 33 Cd 57
Vert-Toulon 51 35 Ea 55
Vertus 51 35 Ea 55
Veru = Vero 2A 158 If 96
Vervant 16 88 Aa 73
Verzeille 88 56 Ge 59
Vervins 02 19 Df 49
Véry 55 20 Fa 53
Verzé 71 94 Ee 70
Verzeille 11 142 Cb 90
Verzenay 51 35 Ea 54
Verzy 51 35 Ea 54
Vesaignes-sous-Lafauche 52 54 Fc 59
Vesaignes-sur-Marne 52 54 Fb 60
Vesancy 01 96 Ga 70
Vesc 26 119 Fa 81
Vescemont 90 71 Gf 62
Vescheim 57 39 Hb 56
Vescles 39 95 Fd 70
Vescours 01 83 Fa 70
Vescovato 2B 157 Kc 94
Vesdun 18 79 Cc 69
Vésenex-Crassy 01 96 Ga 70
Vésigneul-sur-Marne 51 36 Ec 55
Vésines 01 94 Ef 70
Vésinet, Le 78 33 Ca 55
Vesles-et-Caumont 02 19 De 50
Veslud 02 19 De 51
Vesly 27 16 Bd 53
Vesly 50 12 Yd 53
Vesoul 70 70 Ga 63
Vesseaux 07 118 Ec 81
Vessey 50 28 Yd 57
Vestric-et-Candiac 30 130 Eb 86
Vesvres 21 68 Ed 64
Vesvres-sous-Chalancey 52 69 Fa 62
Vétheuil 95 32 Be 54
Vétraz-Monthoux 74 96 Gb 71
Veuil 36 64 Bd 66
Veuilly-la-Poterie 02 34 Db 54
Veules-les-Roses 76 15 Ae 49
Veulettes-sur-Mer 76 15 Ad 49
Veurdre, le 03 80 Da 68
Veurey-Voiroize 38 107 Fd 77
Veuve, la 51 35 Eb 54
Veuves 41 63 Ba 63
Veuvey-sur-Ouche 21 68 Ee 65
Veuxhaulles-sur-Aube 21 53 Ee 61
Vevy 39 83 Fd 69
Vexaincourt 88 39 Ha 57
Vey, le 14 29 Zd 55
Veynes 05 120 Fe 81
Veyrac 87 89 Ba 73
Veyras 07 118 Ed 80
Veyreau 12 129 Db 83

Veyre-Monton 63 104 Da 74
Veyrier-du-Lac 74 96 Gb 73
Veyrières 15 103 Cc 77
Veyrignac 24 113 Bb 80
Veyrines-de-Domme 24 113 Ba 80
Veyrines-de-Vergt 24 101 Ae 78
Veyrins-Thuelin 38 107 Fb 75
Veys 50 13 Yf 53
Veyssilieu 38 107 Fb 74
Vez 60 18 Da 53
Vézac 15 115 Cd 79
Vézac 24 113 Ba 79
Vézannes 89 52 Df 61
Vézaponin 02 18 Db 52
Vèze 15 104 Cf 77
Vèze, La 25 70 Ga 65
Vézelay 89 67 De 64
Vézelise 54 55 Ga 58
Vézelois 90 71 Gf 63
Vézénobres 30 130 Ea 84
Vezet 70 70 Ff 63
Vézézoux 43 104 Dc 76
Vézier, Le 51 34 Dc 56
Vézières 86 62 Aa 66
Vézillon 27 16 Bb 52
Vézilly 02 35 De 53
Vezin-le-Coquet 35 45 Yb 60
Vézinnes 89 52 Df 61
Vezins 49 61 Zb 66
Vézins-de-Lévézou 12 129 Cf 83
Vezot 72 47 Ab 58
Vezzani 2B 159 Kb 95
Viabon 28 49 Be 59
Viala-du-Pas-de-Jaux 12 129 Da 85
Viala-du-Tarn, Le 12 128 Cf 84
Vialard, Le 19 102 Bf 78
Vialas 48 117 Df 83
Vialer 64 138 Ze 87
Viam 19 102 Bf 75
Viane 81 128 Cd 86
Vianges 21 68 Eb 64
Vianne 47 125 Ab 83
Viâpres-le-Petit 10 35 Ea 57
Viarmes 95 33 Cc 54
Vias 34 143 Dc 89
Viazac 46 114 Ca 81
Vibal, Le 12 115 Ce 83
Vibersviller 57 39 Gf 55
Vibeuf 76 15 Af 50
Vibrac 16 100 Zf 75
Vibrac 17 99 Zd 76
Vibraye 72 48 Ae 60
Vic-de-Chassenay 21 68 Eb 64
Vicdessos 09 152 Bc 92
Vicel, Le 50 12 Ye 51
Vic-en-Bigorre 65 138 Aa 88
Vic-Fezensac 32 125 Ab 86
Vichel-Nanteuil 02 34 Db 53
Vichères 28 48 Af 59
Vichy 03 92 Dc 72
Vic-la-Gardiole 34 144 De 88
Vic-le-Comte 63 104 Db 75
Vic-le-Fesq 30 130 Ea 85
Vico 2A 158 Ie 96
Vicogne, La 80 7 Cb 48
Vicomté, La 22 27 Ya 58
Vicq 03 92 Da 72
Vicq 52 54 Fd 61
Vicq 59 3 Dd 46
Vicq 78 32 Be 56
Vicq-d'Auribat 40 123 Za 86
Vicq-Exemplet 36 79 Ca 69
Vicq-sur-Breuilh 87 101 Bc 75
Vicq-sur-Gartempe 86 77 Af 68
Vicq-sur-Nahon 36 64 Bc 66
Vicques 14 30 Zf 55
Vic-sous-Thil 21 68 Eb 64
Vic-sur-Aisne 02 18 Da 52
Vic-sur-Cère 15 115 Cd 79
Vic-sur-Seille 57 38 Gd 56
Victot-Rontfol 14 30 Zf 54
Vicu = Vico 2A 158 Ie 96
Vidai 61 47 Ab 58
Vidaillac 46 114 Be 82
Vidaillat 23 90 Bf 73
Vidauban 83 147 Gc 88
Videcosville 50 12 Yd 51
Videix 87 89 Ae 74
Videlles 91 50 Cc 58
Vidou 65 139 Ab 89
Vidouville 50 29 Za 54
Vidouze 65 138 Zf 88
Vieil-Dampierre, Le 51 36 Ef 55
Vieil-Evreux, Le 27 32 Bb 54
Vieil-Hesdin 62 7 Ca 46
Vieille-Adour 65 139 Aa 90
Vieille-Brioude 43 104 Dc 77
Vieille-Chapelle 62 8 Ce 45
Vieille-Église 62 3 Ca 43
Vieille-Église-en-Yvelines 78 32 Bf 56
Vieille-Louron 65 150 Ac 91
Vieille-Loye, La 39 83 Fd 66
Vieille-Lyre, La 27 31 Ae 55
Vieilles-Maisons-sur-Joudry 45 50 Cc 61
Vieillespesse 15 104 Da 78
Vieille-Toulouse 31 140 Bc 87
Vieillevie 15 115 Cd 81
Vieillevigne 31 141 Bd 88
Vieillevigne 44 74 Yd 67
Vieilley 25 70 Ga 64
Vieils-Maisons 02 34 Dc 55
Viel-Arcy 02 19 Dd 52
Viella 32 124 Zf 87
Vielle-Aure 65 150 Ab 92
Viellenave-d'Arthez 64 138 Zd 88
Viellenave-sur-Bidouze 64 137 Zb 88
Vielle-Saint-Girons 40 123 Yd 85
Viellesègure 64 137 Zb 88
Vielle-Soubiran 40 124 Ze 84
Vielle-Tursan 40 124 Zd 86
Vielmanay 58 66 Da 65
Vielmoulin 21 68 Ea 65
Vielmur-sur-Agout 81 127 Ca 87
Vielprat 43 117 Df 79
Viel-Saint-Remy 08 20 Ec 51
Vielverge 21 69 Fc 65
Vienne 38 106 Ef 75
Vienne-en-Arthies 95 32 Be 54
Vienne-en-Bessin 14 13 Zc 53
Vienne-en-Val 14 63 Ca 62
Vienne-la-Ville 51 36 Ef 53
Vienne-le-Château 51 36 Ef 53
Viens 84 132 Fd 85
Vienville 88 56 Gf 59
Viersat 23 91 Cc 71

Vierville 28 49 Bf 58
Vierville 50 12 Ye 52
Vierville-sur-Mer 14 13 Za 52
Vierzon 18 65 Ca 65
Vierzy 02 18 Db 53
Viesly 59 9 Dc 48
Viessoix 14 29 Zb 55
Viéthorey 25 70 Gc 64
Vieu 01 95 Fe 73
Vieu-d'Izenave 01 95 Fd 72
Vieugy 74 96 Ga 73
Vieure 03 80 Cf 70
Vieussan 34 143 Cf 87
Vieuvicq 28 48 Bb 59
Vieuvy 53 29 Za 58
Vieux 14 29 Zd 54
Vieux 81 127 Bf 85
Vieux-Berquin 59 4 Cd 44
Vieux-Boucau-les-Bains 40 122 Yd 86
Vieux-Bourg, Le 14 14 Ab 53
Vieux-Bourg, le 22 26 Xa 56
Vieux-Bourg, Le 22 43 Xb 59
Vieux-Bourg, le 22 43 Xb 59
Vieux-Cérier, Le 16 88 Ac 73
Vieux-Cerne, Le 85 73 Xf 67
Vieux-Champagne 77 34 Da 57
Vieux-Charmont 25 71 Ge 63
Vieux-Château 21 67 Ea 64
Vieux-Condé 59 9 Dd 46
Vieux-Ferrette 68 72 Hb 63
Vieux-Fumé 14 30 Zf 54
Vieux-lès-Asfeld 08 19 Ea 52
Vieux-Lixheim 57 39 Ha 56
Vieux-Manoir 76 16 Bb 51
Vieux-Marché, Le 22 25 Wd 57
Vieux-Mareuil 24 100 Ad 76
Vieux-Mesnil 59 9 Df 47
Vieux-Moulin 60 18 Cf 52
Vieux-Moulin 88 56 Ha 58
Vieux-Pont 14 30 Aa 54
Vieux-Pont 61 31 Zf 57
Vieux-Port 27 15 Ad 52
Vieux-Reng 59 10 Ea 46
Vieux-Rouen-sur-Bresle 76 16 Be 49
Vieux-Rue, La 76 16 Bb 51
Vieux-Ruffec 16 88 Ac 72
Vieux-Thann 68 56 Ha 62
Vieux-Vil 35 28 Yc 57
Vieux-Villez 27 32 Bb 53
Vieux-Vy-sur-Couesnon 35 45 Yd 58
Viévigne 21 69 Fb 64
Viéville 52 54 Fa 60
Viéville-en-Haye 54 38 Ff 55
Viévy 21 82 Ec 66
Vievy-le-Rayé 41 49 Bb 61
Viey 65 150 Aa 91
Viffort 02 34 Dc 55
Vigan, Le 30 129 Dd 85
Vigan, Le 46 113 Bc 80
Vigean, Le 15 103 Cc 77
Vigeant, Le 86 89 Ad 71
Vigen, Le 87 89 Bb 74
Vigeois 19 102 Bd 76
Viger 65 138 Zf 90
Vigeville 23 90 Ca 72
Viggianello 2A 159 If 98
Vighignaneddu = Viggianello 2A 159 If 98
Viglain 45 65 Cb 62
Vignacourt 80 7 Cb 48
Vignale 2B 157 Kc 93
Vignats 14 30 Zf 55
Vignau, le 40 124 Ze 86
Vignaux 31 126 Ba 86
Vigneaux, Les 05 121 Gd 80
Vignely 77 34 Ce 55
Vignemont 60 18 Ce 51
Vignes 64 138 Zd 87
Vignes 89 67 Ea 63
Vignes, Les 48 129 Db 83
Vignes-la-Côte 52 54 Fa 59
Vigneulles 54 38 Gc 57
Vigneulles-lès-Hattonchâtel 55 37 Fc 55
Vigneul-sous-Montmédy 55 21 Fb 51
Vigneux-de-Bretagne 44 60 Yb 65
Vigneux-Hocquet 02 19 Df 50
Vigneux-sur-Seine 91 33 Cc 56
Vignevieille 11 142 Cd 91
Vignieu 38 107 Fc 75
Vignoc 35 45 Yb 59
Vignol 58 67 Dd 64
Vignoles 21 82 Ef 66
Vignolles 16 99 Zf 75
Vignonet 33 111 Zf 79
Vignory 52 53 Fa 59
Vignot 55 37 Fd 56
Vignoux-sous-les-Aix 18 65 Cc 65
Vignoux-sur-Barangeon 18 65 Cb 65
Vigny 57 38 Gd 55
Vigny 95 32 Bf 54
Vigoulant 36 79 Ca 70
Vigoulet-Auzil 31 140 Bc 87
Vigoux 36 78 Bd 69
Vigueron 82 126 Ba 85
Vigy 57 38 Gb 54
Vihiers 49 61 Zc 66
Vijon 36 79 Ca 70
Vilcey-sur-Trey 54 38 Ff 55
Vildé-Guingalan 22 27 Xf 58
Vildé-la-Marine 35 28 Ya 57
Vilette 78 32 Be 55
Vilhonneur 16 88 Ac 74
Villabé 91 33 Cc 57
Villabon 18 79 Ce 66
Villac 24 101 Bb 77
Villacerf 10 52 Df 58
Villacourt 54 55 Gc 58
Villadin 10 52 De 59
Villafans 70 70 Gc 63
Village-Neuf 68 72 Hd 63
Villaines-en-Duesmois 21 68 Ed 62
Villaines-la-Gonais 72 48 Ad 60
Villaines-la-Juhel 53 47 Ac 61
Villaines-les-Prévôtes 21 68 Eb 63
Villaines-les-Rochers 37 63 Ad 65
Villaines-sous-Bois 95 33 Cc 54
Villaines-sous-Lucé 72 47 Ac 61
Villaines-sous-Malicorne 72 47 Zf 62
Villainville 76 14 Ab 50
Villalet 27 31 Ba 55
Villalier 11 142 Cc 89
Villamblain 45 49 Bd 60

Villamblard 24 100 Ad 78
Villamée 35 28 Ye 58
Villampuy 28 49 Bc 59
Villandraut 33 111 Zd 82
Villandry 37 63 Ad 65
Villanière 11 142 Cc 88
Villanova 2A 158 Ie 97
Villapourçon 58 81 Df 67
Villard 23 90 Be 71
Villard 23 90 Be 72
Villard 74 96 Ga 73
Villard, le 23 90 Bf 75
Villard-d'Arène 05 120 Ga 80
Villard-Bonnot 38 108 Ff 77
Villard-de-Lans 38 107 Fd 78
Villard-d'Héry 73 108 Ga 75
Villardebelle 11 142 Cc 90
Villard-Notre-Dame 38 108 Ga 78
Villard-Reculas 38 108 Ga 78
Villard-Reymond 38 108 Ga 78
Villards, Les 42 105 Df 76
Villard-Saint-Christophe 38 120 Fe 79
Villard-Saint-Sauveur 39 96 Ff 70
Villard-Sallet 73 108 Ga 76
Villards-d'Héria 39 95 Ff 70
Villards-sur-Thônes, Les 74 96 Gc 73
Villard-sur-Bienne 39 96 Ff 70
Villard-sur-Doron 73 96 Gd 74
Villard-sur-l'Ain 39 84 Fe 68
Villarembert 73 108 Gb 77
Villar-en-Val 11 142 Cc 90
Villargent 21 68 Eb 65
Villargoix 21 68 Eb 65
Villariès 31 127 Bc 86
Villar-Loubière 05 120 Ga 80
Villarlurin 73 108 Gb 76
Villaroger 73 109 Gf 75
Villaroux 73 108 Ga 76
Villars 24 101 Ac 76
Villars 24 101 Ac 76
Villars 28 49 Bd 59
Villars 84 132 Fd 85
Villars, Le 71 82 Ef 69
Villar-Saint-Anselme 11 142 Cb 90
Villars-en-Azois 52 53 Ee 60
Villars-et-Villenotte 21 68 Ec 63
Villars-Fontaine 21 68 Ef 65
Villars-lès-Blamont 25 71 Gf 64
Villars-les-Bois 17 87 Zd 74
Villars-les-Dombes 01 94 Fa 73
Villars-le-Sec 90 71 Gf 64
Villars-Saint-Georges 25 70 Fe 66
Villars-sous-Ecot 25 71 Ge 64
Villars-sous-Dampjoux 25 71 Ge 64
Villarzel-Cabardès 11 142 Cc 89
Villarzel-du-Razès 11 141 Ca 90
Villasavary 11 141 Ca 89
Villate 31 140 Bc 87
Villaudric 31 126 Bc 86
Villautou 11 141 Ca 89
Villavard 41 63 Af 62
Villaz 74 96 Gb 73
Villé 67 56 Hb 58
Villeau 28 49 Bd 59
Ville-au-Montois 54 21 Fe 52
Ville-au-Val 54 38 Gb 55
Ville-aux-Clercs, La 41 48 Ba 61
Villebadin 61 30 Aa 56
Villebarou 41 64 Bc 62
Villebaudon 50 28 Yf 55
Villebazy 11 142 Cb 90
Villebéon 77 51 Cf 59
Villeberny 21 68 Ed 64
Villebichot 21 69 Fa 66
Villeblevin 89 51 Da 59
Villebois 05 95 Fc 73
Villebois-Lavalette 16 100 Ab 76
Villebois-les-Pins 26 119 Fd 83
Villebon 28 48 Bb 58
Villebougis 89 51 Da 59
Villebourg 37 63 Ad 63
Villebout 41 48 Bb 61
Villebramar 47 112 Ac 81
Villebret 03 91 Cc 71
Villebrumier 82 126 Bc 85
Villecey-sur-Mad 54 38 Ff 54
Villecelin 18 79 Cb 68
Villecerf 77 51 Ce 59
Villechantria 39 95 Fc 70
Villechaud 58 66 Cf 64
Villechauve 41 63 Af 63
Villechenève 69 94 Ec 74
Villechétif 10 52 Ea 59
Villechétive 89 51 Dd 60
Villechien 50 29 Za 57
Villecien 89 51 Db 60
Villécloye 55 21 Fc 51
Villecomtal 12 115 Cd 81
Villecomtal-sur-Arros 32 139 Ab 88
Villecomte 21 69 Fa 63
Villeconin 91 50 Ca 57
Villecourt 80 18 Da 50
Villecresnes 94 33 Cd 56
Villecroze 83 147 Gb 87
Villedaigne 11 142 Cf 89
Ville-Danet, La 35 ...
Villedieu 15 116 Da 78
Villedieu 21 53 Ec 61
Villedieu 84 131 Fa 83
Villedieu, La 11 87 Ze 72
Villedieu, La 23 90 Bf 74
Villedieu, La 48 116 Dd 80
Villedieu, Les 25 84 Gb 68
Villedieu-du-Clain, La 86 76 Ac 70
Ville-Dieu-du-Temple, La 82 126 Bb 84
Villedieu-en-Fontenette, la 70 70 Gb 62
Villedieu-la-Blouère 49 60 Yf 66
Villedieu-le-Château 41 63 Ad 62
Villedieu-les-Bailleul 61 30 Aa 56
Villedieu-les-Poêles 50 28 Ye 55
Villedieu-sur-Indre 36 78 Bd 67
Ville di Parasi, E = Ville-de-Paraso 2B 156 If 93
Villedômain 37 78 Bb 66
Villedômer 37 63 Af 63
Ville-Dommange 51 35 De 53

Villedoux 17 86 Yf 71
Villedubert 11 142 Cc 89
Ville-du-Pont 25 84 Gc 66
Ville-en-Sallaz 74 96 Gc 72
Ville-en-Tardenois 51 35 De 53
Ville-en-Vermois 54 38 Gb 57
Ville-en-Woëvre 55 37 Fd 54
Villefagnan 16 88 Aa 72
Villefargeau 89 67 Dd 62
Villefavard 87 89 Bb 72
Villeferry 21 68 Ed 64
Villefloure 11 142 Cc 90
Villefollet 79 87 Ze 72
Villefontaine 38 107 Fa 75
Villefort 11 153 Ca 91
Villefort 48 117 Df 82
Villefranche 32 139 Ae 88
Villefranche 89 51 Da 60
Villefranche-d'Albigeois 81 128 Cc 85
Villefranche-d'Allier 03 92 Cf 70
Villefranche-de-Conflent 66 153 Cc 93
Villefranche-de-Lauragais 31 141 Be 88
Villefranche-de-Lonchat 24 100 Aa 79
Villefranche-de-Panat 12 128 Ce 84
Villefranche-de-Rouergue 12 114 Ca 82
Villefranche-du-Périgord 24 113 Ba 81
Villefranche-du-Queyran 47 112 Ab 83
Villefranche-le-Château 26 132 Fd 83
Villefranche-sur-Cher 41 64 Be 65
Villefranche-sur-Mer 06 135 Hb 86
Villefranche-sur-Saône 69 94 Ee 73
Villefrancon 70 70 Fe 64
Villefranque 64 136 Yd 88
Villefranque 65 138 Zf 88
Villegailhenc 11 142 Cc 89
Villegats 16 88 Ab 73
Villegats 27 32 Bc 54
Villegaudin 71 83 Fa 68
Villegenon 18 65 Cd 64
Villegly 11 142 Cc 89
Villegongis 36 78 Bd 67
Villegouge 33 99 Ze 79
Villegouin 36 78 Bd 67
Villegusien-le-Lac 52 69 Fb 62
Villeherviers 41 64 Be 64
Ville-Houdlémont 54 21 Fd 51
Villejésus 16 88 Aa 73
Villejoubert 16 88 Ab 74
Villejuif 94 33 Cc 56
Villejust 91 33 Cb 56
Ville-Langy 58 66 Da 65
Villelaure 84 132 Fc 86
Ville-le-Marclet 80 7 Ca 48
Villelongue 65 138 Zf 91
Villelongue-d'Aube 11 141 Ca 90
Villelongue-de-la-Salanque 66 154 Cf 92
Villelongue-dels-Monts 66 154 Cf 93
Villeloup 10 52 Df 58
Villemade 82 126 Bb 84
Villemagne 11 142 Cd 90
Villemagne 34 129 Da 87
Villemain 79 87 Zf 72
Villemandeur 45 50 Ce 61
Villemanoche 89 51 Da 59
Villemardy 41 63 Bb 62
Villemaréchal 77 51 Cf 59
Villematier 31 127 Bd 86
Villemaur-sur-Vanne 10 52 De 59
Villembits 65 139 Ab 89
Villembray 60 16 Bf 52
Villemer 77 51 Ce 59
Villemer 89 51 Dc 61
Villemereuil 10 52 Ea 59
Villemeux-sur-Eure 28 32 Bc 56
Villemoirieu 38 107 Fb 74
Villemoiron-en-Othe 10 52 De 59
Villemoisan 49 61 Za 64
Villemolaque 66 154 Ce 93
Villemomble 93 33 Cd 55
Villemontoire 02 18 Db 53
Villemorien 10 52 Eb 60
Villemorin 17 87 Ze 72
Villemort 86 77 Af 69
Villemotier 01 95 Fb 70
Villemoustaussou 11 142 Cc 89
Villemoutiers 45 50 Cd 61
Villemoyenne 02 34 Dd 53
Villemoyenne 10 52 Eb 59
Villemur 81 128 Cd 85
Villemurlin 45 65 Cb 62
Villemur-sur-Tarn 31 127 Bd 86
Villemus 04 132 Fc 85
Villenauxe-la-Grande 10 34 Dd 57
Villenauxe-la-Petite 77 51 Db 58
Villenave 40 123 Ye 87
Villenave 40 123 Zb 86
Villenave-de-Rions 33 111 Zd 80
Villenave-d'Ornon 33 111 Zc 80
Villenave-près-Béarn 65 138 Zf 88
Villenavotte 89 51 Db 59
Villeneuve 01 94 Ef 72
Villeneuve 04 133 Ff 85
Villeneuve 09 151 Af 91
Villeneuve 12 114 Ca 82
Villeneuve 33 99 Zc 78
Villeneuve 63 103 Db 76
Villeneuve 77 50 Cd 60
Villeneuve, La 23 91 Cc 73
Villeneuve, La 71 83 Ea 69
Villeneuve-au-Châtelot, La 10 35 Dd 57
Villeneuve-au-Chemin 10 52 Df 60
Villeneuve-au-Chêne, La 10 53 Ec 59
Villeneuve-Bellenoye-et-la-Maize, la 70 70 Gb 62
Villeneuve-d'Allier 43 104 Dc 77
Villeneuve-d'Ascq 59 9 Da 45
Villeneuve-d'Aval 39 84 Fe 68
Villeneuve-de-Berg 07 118 Ed 81
Villeneuve-de-Duras 47 112 Ab 80
Villeneuve-de-la-Raho 66 154 Cf 93
Villeneuve-de-Marsan 40 124 Ze 85

Villeneuve-de-Mézin 47 125 Ab 84
Villeneuve-d'Entraunes 06 134 Gd 84
Villeneuve-de-Rivière 31 139 Ad 90
Villeneuve-d'Olmes 09 153 Be 91
Villeneuve-du-Latou 09 140 Bc 89
Villeneuve-du-Paréage 09 141 Bd 90
Villeneuve-en-Chevrie, la 78 32 Bd 54
Villeneuve-en-Montagne 71 82 Ed 68
Villeneuve-Frouville 41 64 Bb 62
Villeneuve-la-Comptal 11 141 Bf 89
Villeneuve-la-Comtesse 17 87 Zc 72
Villeneuve-la-Dondrage 89 51 Da 60
Villeneuve-la-Guyard 89 51 Da 58
Villeneuve-la-Lionne 51 34 Dc 56
Villeneuve-l'Archevêque 89 51 Dd 60
Villeneuve-la-Rivière 66 154 Ce 92
Villeneuve-Lécussan 31 139 Ac 90
Villeneuve-lès-Avignon 30 131 Ee 85
Villeneuve-lès-Béziers 34 143 Db 89
Villeneuve-les-Bordes 77 51 Da 58
Villeneuve-les-Cerfs 63 92 Db 72
Villeneuve-lès-Charleville, La 51 35 De 56
Villeneuve-les-Charnod 39 95 Fc 70
Villeneuve-les-Convers, La 21 68 Ed 63
Villeneuve-les-Corbières 11 154 Ce 91
Villeneuve-les-Genêts 89 66 Da 62
Villeneuve-les-Lavaur 81 127 Be 87
Villeneuve-lès-Maguelonne 34 144 Df 87
Villeneuve-lès-Montréal 11 141 Ca 89
Villeneuve-les-Sablons 60 17 Ca 53
Villeneuve-Loubet 06 134 Ha 86
Villeneuve-Minervois 11 142 Cc 89
Villeneuve-Saint-Denis 77 34 Ce 56
Villeneuve-Saint-Georges 94 33 Cc 56
Villeneuve-Saint-Nicolas 28 49 Bd 59
Villeneuve-Saint-Salves 89 52 De 61
Villeneuve-Saint-Vistre-et-Villevotte 51 35 De 57
Villeneuve-sous-Charigny 21 68 Ec 64
Villeneuve-sous-Dammartin 77 33 Cd 54
Villeneuve-sous-Pymont 39 83 Fd 68
Villeneuve-sous-Thury, La 60 34 Da 54
Villeneuve-sur-Allier 03 80 Db 69
Villeneuve-sur-Auvers 91 50 Cb 58
Villeneuve-sur-Bellot 77 34 Dc 56
Villeneuve-sur-Cher 18 79 Ca 66
Villeneuve-sur-Conie 45 49 Bd 60
Villeneuve-sur-Fère 02 34 Dc 53
Villeneuve-sur-Lot 47 112 Ae 82
Villeneuve-sur-Verberie 60 17 Ce 53
Villeneuve-sur-Vère 81 127 Ca 85
Villeneuve-sur-Yonne 89 51 Db 60
Villeneuve-Tolosane 31 140 Bc 87
Villenevette 34 143 Dc 87
Villennes-sur-Seine 78 32 Bf 55
Villenouvelle 31 141 Be 88
Villenoy 77 34 Ce 55
Villentrois 36 64 Bc 65
Villeny 41 64 Be 63
Villeoin-Coulangé 37 63 Bb 66
Villepail 53 47 Ac 60
Villeparisis 77 33 Cd 55
Villeparois 70 70 Gb 63
Villeperdix 26 119 Fb 82
Villeperdue 37 63 Ad 65
Villeperrot 89 51 Db 59
Villepinte 11 141 Ca 89
Villepinte 93 33 Cd 55
Villeporcher 41 63 Af 62
Villepot 44 45 Ye 62
Villepreux 78 33 Ca 56
Villequier 76 15 Ae 51
Villequier-Aumont 02 18 Db 51
Villequiers 18 80 Ce 66
Viller 57 38 Gd 55
Villerable 41 63 Ba 62
Villerbon 41 64 Bb 62
Villeréal 47 113 Ae 81
Villereau 45 49 Bf 60
Villereau 59 9 De 47
Villerest 42 93 Ea 73
Villeret 02 8 Db 49
Villereversure 01 95 Fc 71
Villermain 41 49 Bd 61
Villeromain 41 63 Ba 62
Villeron 95 33 Cd 54
Villerouge-Termenès 11 142 Cd 90
Villeroy 77 33 Ce 55
Villeroy 80 7 Be 49
Villeroy 89 51 Db 60
Villeroy-sur-Authie 80 7 Ca 47
Villeroy-sur-Méholle 55 37 Fd 57
Villers 27 16 Bc 53
Villers 88 55 Gb 59
Villers-Agron-Aiguizy 02 35 De 54
Villers-Allerand 51 35 Ea 54
Villers-au-Bois 62 8 Cf 46
Villers-au-Flos 62 8 Cf 48
Villers-au-Tertre 59 8 Da 47
Villers-aux-Bois 51 35 Df 55
Villers-aux-Erables 80 17 Cd 50
Villers-aux-Nœuds 51 35 Ea 54
Villers-aux-Vents 55 36 Fa 55
Villers-Bocage 14 29 Zc 54
Villers-Bocage 80 7 Cb 48

Villers-Bouton 70 70 Ff 64
Villers-Bretonneux 80 17 Cd 49
Villers-Brûlin 62 8 Cd 46
Villers-Buzon 25 70 Ff 65
Villers-Campsart 80 16 Be 49
Villers-Canivet 14 30 Ze 55
Villers-Carbonnel 80 18 Cf 49
Villers-Cernay 08 20 Fa 50
Villers-Châtel 62 8 Cd 46
Villers-Chemin 70 70 Ff 64
Villers-Chief 25 70 Gc 65
Villers-Cotterêts 02 18 Da 53
Villers-devant-Dun 55 20 Fa 52
Villers-devant-le-Thour 08 19 Ea 51
Villers-devant-Mouzon 08 20 Fa 51
Villers-Écalles 76 15 Af 51
Villers-en-Argonne 51 36 Ef 54
Villers-en-Cauchies 59 8 Da 47
Villers-en-Haye 54 38 Ga 56
Villers-en-Ouche 61 31 Ac 55
Villers-en-Prayères 02 19 De 52
Villers-en-Vexin 27 16 Bd 53
Villerserine 39 83 Fd 67
Villersexel 70 70 Gc 63
Villers-Farlay 39 84 Fe 66
Villers-Faucon 80 8 Da 49
Villers-Franqueux 51 19 Df 53
Villers-Grélot 25 70 Gb 64
Villers-Guislain 59 8 Da 48
Villers-Hélon 02 18 Db 53
Villers-la-Chèvre 54 21 Fe 51
Villers-la-Combe 25 70 Gc 65
Villers-la-Faye 21 82 Ef 66
Villers-la-Montagne 54 21 Fe 52
Villers-la-Ville 70 70 Gc 63
Villers-le-Château 51 35 Eb 55
Villers-le-Lac 25 85 Ge 66
Villers-le-Pré 55 28 Yd 57
Villers-le-Rond 54 21 Fd 52
Villers-les-Bois 39 83 Fd 67
Villers-lès-Cagnicourt 62 8 Da 47
Villers-le-Sec 51 36 Ef 56
Villers-le-Sec 55 37 Fb 57
Villers-le-Sec 58 66 Dc 64
Villers-le-Sec 70 70 Gb 63
Villers-lès-Guise 02 19 De 50
Villers-le-Tilleul 08 20 Ee 51
Villers-le-Tourneur 08 20 Ed 51
Villers-l'Hôpital 62 7 Cb 47
Villers-Marmery 51 35 Eb 54
Villers-Pater 70 70 Gb 64
Villers-Patras 21 53 Ee 60
Villers-Plouich 59 8 Da 48
Villers-Pol 59 9 Dd 47
Villers-Robert 39 83 Fd 67
Villers-Rotin 21 69 Fc 66
Villers-Saint-Barthélemy 60 16 Bf 52
Villers-Saint-Christophe 02 18 Da 50
Villers-Saint-Frambourg 60 17 Cd 53
Villers-Saint-Genest 60 34 Cf 54
Villers-Saint-Martin 25 70 Gc 64
Villers-Saint-Paul 60 17 Cc 53
Villers-Saint-Sépulcre 60 17 Cb 52
Villers-Sire-Nicole 59 9 Ea 46
Villers-Sir-Simon 62 8 Cc 47
Villers-sous-Ailly 80 7 Ca 48
Villers-sous-Chalamont 25 84 Ga 67
Villers-sous-Châtillon 51 35 De 54
Villers-sous-Foucarmont 76 16 Bd 49
Villers-sous-Montrond 25 70 Ga 66
Villers-sous-Pareid 55 37 Fe 54
Villers-sous-Prény 54 38 Ff 55
Villers-sous-Saint-Leu 60 33 Cc 53
Villers-Stoncourt 57 38 Gc 54
Villers-sur-Auchy 60 16 Be 52
Villers-sur-Authie 80 7 Be 47
Villers-sur-Bar 08 20 Ef 50
Villers-sur-Bonnières 60 16 Bf 51
Villers-sur-Coudun 60 18 Ce 52
Villers-sur-le-Mont 08 20 Ee 50
Villers-sur-Mer 14 14 Zf 53
Villers-sur-Meuse 55 37 Fc 54
Villers-sur-Nied 57 38 Gd 55
Villers-sur-Port 70 70 Ga 63
Villers-sur-Saulnot 70 71 Gd 63
Villers-sur-Trie 60 16 Be 53
Villers-Tournelle 80 17 Cc 51
Villers-Vaudey 70 70 Fe 62
Villers-Vermont 60 16 Be 51
Villers-Vicomte 60 17 Cb 51
Villert 10 53 Ef 58
Villerupt 54 21 Ff 52
Villerville 14 14 Aa 52
Villery 10 52 Ea 59
Villes 01 95 Fe 72
Ville-Saint-Jacques 77 51 Cf 58
Ville-Savoye 02 19 Dd 53
Villeselve 60 18 Da 50
Villeséneux 51 35 Ea 55
Villesèque 46 113 Bc 81
Villesèque-des-Corbières 11 142 Cf 90
Villesèquelande 11 142 Cb 89
Villesiscle 11 141 Ca 89
Ville-sous-Anjou 38 106 Ee 76
Ville-sous-la-Ferté 10 53 Ee 60
Ville-sous-Orbais, La 51 35 De 55
Villespassans 34 143 Cf 88
Villespy 11 141 Ca 89
Villes-sur-Auzon 84 132 Fb 84
Ville-sur-Ancre 80 8 Cd 49
Ville-sur-Arce 10 53 Ec 60
Ville-sur-Cousances 55 37 Fb 54
Ville-sur-Illon 88 55 Gb 59
Ville-sur-Jarnioux 69 94 Ed 73
Ville-sur-Lumes 08 20 Ee 50
Ville-sur-Madon 54 55 Gb 58
Ville-sur-Terre 10 53 Ed 58
Ville-sur-Tourbe 51 36 Ef 53
Ville-sur-Yron 54 37 Ff 54
Villetelle 34 130 Ea 86
Villetelle, La 23 91 Cc 73
Villethierry 89 51 Da 59
Villeton 47 112 Ab 82

Villetoureix **24** 100 Ac 77
Villetritouls **11** 142 Cc 90
Villetrun **41** 63 Ba 62
Villette, La **14** 29 Zc 55
Villette-d'Anthon **38** 95 Fa 74
Villette-de-Vienne **38** 106 Ef 75
Villette-lès-Arbois **39** 84 Fe 67
Villette-lès-Dôle **39** 83 Fd 66
Villettes **27** 31 Ba 54
Villette-sur-Aube **10** 53 Ea 57
Villeurbanne **69** 94 Ef 74
Villevallier **89** 51 Db 60
Villevaudé **77** 33 Cd 55
Villevenard **10** 52 De 56
Villevêque **49** 61 Zd 63
Villeyrac **34** 143 Dd 88
Villevieux **39** 83 Fc 68
Villevocance **07** 106 Ed 77
Villevoques **45** 50 Cd 60
Villexanton **41** 64 Bc 62
Villexavier **17** 99 Zd 76
Villey, Le **39** 83 Fd 67
Villey-le-Sec **54** 38 Ff 57
Villey-Saint-Etienne **54** 38 Ff 56
Villey-sur-Tille **21** 69 Fa 63
Villez-sur-le-Neubourg **27** 31 Af 54
Villié-Morgon **69** 94 Ee 72
Villiers **86** 76 Aa 66
Villiers **86** 76 Aa 68
Villiers **86** 76 Ab 68
Villiers-Adam **95** 33 Cb 54
Villiers-au-Bouin **37** 62 Ab 63
Villiers-aux-Corneilles **51** 35 De 57
Villiers-Charlemagne **53** 46 Zb 61
Villiers-Couture **17** 87 Zf 73
Villiers-en-Bois **79** 87 Zd 72
Villiers-en-Désœuvre **27** 32 Bc 55
Villiers-en-Lieu **52** 36 Ef 56
Villiers-en-Morvan **21** 68 Eb 66
Villiers-en-Plaine **79** 75 Zc 71
Villiersfaux **41** 63 Af 62
Villiers-Fossard **50** 13 Yf 54
Villiers-Herbisse **10** 35 Ea 57
Villiers-le-Bâcle **91** 33 Ca 56
Villiers-le-Bel **95** 33 Cc 54
Villiers-le-Bois **10** 52 Eb 61
Villiers-le-Duc **21** 68 Ee 62
Villiers-le-Mahieu **78** 32 Be 55
Villiers-le-Mornier **28** 32 Bd 57
Villiers-le-Roux **16** 88 Aa 72
Villiers-lès-Aprey **52** 69 Fb 62
Villiers-le-Sec **52** 53 Fa 60
Villiers-le-Sec **95** 33 Cc 54
Villiers-les-Hauts **89** 67 Ea 62
Villiers-Louis **89** 51 Dc 59
Villiers-Saint-Benoît **89** 66 Db 62
Villiers-Saint-Denis **02** 34 Db 55
Villiers-Saint-Frédéric **78** 32 Bf 56
Villiers-Saint-Georges **77** 34 Dc 57
Villiers-Saint-Orien **28** 49 Bc 60
Villiers-Semeuse **08** 20 Ee 51
Villiers-sous-Grez **77** 50 Cd 59
Villiers-sous-Praslin **10** 52 Eb 60
Villiers-sur-Chizé **79** 87 Ze 72
Villiers-sur-Loir **41** 48 Ba 62
Villiers-sur-Marne **94** 33 Cd 55
Villiers-sur-Morin **77** 34 Cf 55
Villiers-sur-Orge **91** 33 Cb 57
Villiers-sur-Seine **77** 51 Dc 58
Villiers-sur-Suize **52** 54 Fb 61
Villiers-sur-Tholon **89** 51 Dc 61
Villiers-sur-Yonne **58** 67 Dd 64
Villieu-Loyes-Mollon **01** 95 Fb 73
Villing **57** 22 Gd 53
Villognon **16** 88 Aa 73
Villon **89** 52 Eb 61
Villoncourt **88** 55 Gd 59
Villons-les-Buissons **14** 22 Zd 53
Villorceau **45** 64 Bd 62
Villosanges **63** 91 Cd 73
Villotran **60** 17 Ca 52
Villotte **88** 54 Ga 60
Villotte-Saint-Seine **21** 68 Ee 64
Villotte-sur-Aire **55** 37 Fc 55
Villotte-sur-Ource **21** 53 Ee 61
Villours **36** 78 Bd 67
Villouxel **88** 54 Fd 58
Villuis **77** 51 Dc 58
Villy **08** 21 Fb 51
Villy **89** 52 De 61
Villy-Bocage **14** 29 Zc 54
Villy-en-Auxois **21** 68 Ed 64
Villy-en-Trodes **10** 53 Ec 59
Villy-le-Bas **76** 6 Bc 49
Villy-le-Bois **10** 52 Ea 60
Villy-le-Bouveret **74** 96 Ga 72
Villy-le-Maréchal **10** 52 Ea 59
Villy-le-Moutier **21** 83 Ef 66
Villy-le-Pelloux **74** 96 Ga 73
Villy-lez-Falaise **14** 30 Zf 55
Vilone Orneru = Velone-Orneto **2B** 157 Kc 94
Vilory **70** 70 Gb 62
Vilosnes-Haraumont **55** 21 Fb 52
Vilsberg **57** 39 Hb 56
Vimarcé **53** 47 Ze 59
Vimenet **12** 116 Cf 82
Viménil **88** 55 Gd 59
Vimines **73** 108 Ff 75
Vimont **14** 30 Ze 54
Vimory **45** 50 Cd 60
Vimoutiers **61** 30 Ab 55
Vimpelles **77** 51 Db 58
Vimy **62** 8 Ce 46
Vinantes **77** 33 Ce 54
Vinassan **11** 143 Da 89
Vinax **17** 87 Ze 72
Vinay **38** 107 Fc 77
Vinay **51** 35 Df 54
Vinça **66** 154 Cd 93
Vincelles **39** 83 Fc 69
Vincelles **51** 35 Dd 54
Vincelles **71** 83 Fb 69
Vincelles **89** 67 Dd 62
Vincelottes **89** 67 Dd 62
Vincennes **94** 33 Cc 55
Vincent **39** 83 Fc 68
Vincey **88** 55 Gb 58
Vincly **62** 7 Cb 45
Vincy **02** 19 Ea 50
Vincy-Manœuvre **77** 34 Cf 54
Vindecy **71** 93 Ea 70
Vindefontaine **50** 12 Yd 52

Vindelle **16** 88 Aa 74
Vindey **51** 35 De 56
Vindrac-Alayrac **81** 127 Bf 84
Vinets **10** 35 Ea 57
Vineuil **36** 78 Bd 67
Vineuil **41** 64 Bb 64
Vineuil **41** 64 Bb 64
Vineuil-Saint-Firmin **60** 33 Cc 53
Vineuse, La **71** 82 Ed 70
Vingrau **64** 154 Ce 91
Vingt-Hanaps **61** 30 Aa 57
Vinizier **77** 47 Gd 70
Vinizieux **07** 106 Ee 77
Vinnemerville **76** 15 Ad 50
Vinneuf **89** 51 Da 58
Vinon **18** 66 Ce 65
Vinon-sur-Verdon **83** 133 Fe 86
Vinsobres **26** 119 Fa 82
Vins-sur-Caramy **83** 147 Ga 88
Vintrou, Le **81** 142 Cc 87
Vinzelles **63** 92 Dc 73
Vinzelles **71** 94 Ee 71
Vinzulasca = Venzolasca **2B** 157 Kc 94
Viocourt **88** 54 Ff 59
Viodos-Abense-de-Bas **64** 137 Za 89
Violaines **62** 8 Ce 45
Violay **42** 94 Ec 73
Violès **84** 131 Ef 83
Viols-le-Fort **34** 130 De 86
Vioménil **88** 55 Gb 60
Vion **07** 106 Ee 78
Vion **72** 47 Ze 62
Vionville **57** 38 Ff 54
Viozan **32** 139 Ac 88
Viplaix **03** 79 Cc 70
Vira **09** 141 Be 90
Vira **66** 153 Cc 92
Virac **81** 127 Ca 84
Virandeville **50** 12 Yb 51
Virargues **15** 104 Cf 78
Virazeil **47** 112 Ab 81
Vire **14** 29 Za 55
Viré **71** 82 Ee 70
Vireaux **89** 67 Ea 62
Virecourt **54** 55 Gb 58
Viré-en-Champagne **72** 46 Ze 61
Virelade **33** 111 Zd 81
Vire-sur-Lot **46** 113 Ba 82
Vireux-Molhain **08** 10 Ee 48
Vireux-Wallerand **08** 20 Ee 48
Virey **50** 28 Yf 57
Virey **71** 82 Ef 67
Virey-sous-Bar **10** 52 Eb 60
Virginy **51** 36 Ef 54
Viriat **01** 95 Fb 71
Viricelles **42** 106 Ec 75
Virieu-le-Grand **01** 95 Fd 73
Virieu-le-Petit **01** 95 Fd 73
Virieu-sur-Bourbre **38** 107 Fc 76
Virignaux **42** 106 Ec 74
Virignin **01** 95 Fe 74
Viriville **38** 107 Fb 77
Virlet **63** 91 Ce 72
Virlet **63** 92 Cf 73
Virming **57** 39 Ge 55
Viroflay **78** 33 Cb 56
Virollet **17** 99 Zb 75
Vironchaux **80** 7 Be 47
Vironnay **27** 16 Bb 53
Virson **17** 86 Za 72
Virville **76** 14 Ac 51
Viry **02** 18 Db 51
Viry **39** 95 Fe 71
Viry **71** 82 Eb 70
Viry **74** 96 Ga 72
Viry-Châtillon **91** 33 Cc 56
Visan **84** 118 Ee 83
Viscomtat **63** 93 De 74
Viscos **65** 138 Aa 90
Viscovatu, U = Vescovato **2B** 157 Kc 94
Vis-en-Artois **62** 8 Cf 47
Viserny **21** 68 Eb 63
Visker **65** 138 Aa 90
Vismes **07** 8 Be 48
Visseiche **35** 45 Ye 61
Viterbe **81** 127 Bf 86
Viterne **54** 38 Ga 57
Vitot **27** 31 Af 54
Vitrac **07** 118 Ec 81
Vitrac **15** 115 Bb 80
Vitrac **63** 92 Cf 73
Vitrac-en-Viadène **12** 115 Ce 80
Vitrac-Saint-Vincent **16** 88 Ac 74
Vitrac-sur-Montane **19** 102 Bf 76
Vitrai-sous-l'Aigle **61** 31 Ae 56
Vitray **03** 79 Cd 69
Vitré **35** 45 Ye 60
Vitré **79** 87 Ze 71
Vitreux **39** 69 Fe 65
Vitrey **54** 55 Ga 58
Vitrey-sur-Mance **70** 70 Fe 62
Vitrimont **54** 38 Gc 57
Vitrolles **05** 120 Ff 82
Vitrolles **13** 146 Fb 88
Vitrolles **84** 132 Fb 85
Vitry-aux-Loges **45** 50 Cb 61
Vitry-en-Artois **62** 8 Cf 47
Vitry-en-Charollais **71** 81 Ea 70
Vitry-en-Montagne **52** 53 Fa 62
Vitry-en-Perthois **51** 36 Ef 56
Vitry-Laché **58** 67 Dd 65
Vitry-la-Ville **51** 36 Ec 55
Vitry-le-Croisé **10** 53 Eb 60
Vitry-le-François **51** 36 Ed 56
Vitry-lès-Cluny **71** 82 Ed 70
Vitry-lès-Nogent **52** 54 Fc 61
Vitry-sur-Loire **71** 81 Ea 68
Vitry-sur-Orne **57** 22 Ga 53
Vitry-sur-Seine **94** 33 Cc 56
Vittarville **55** 21 Fd 52
Vitteaux **21** 68 Ed 64
Vittefleur **76** 15 Ad 50
Vittel **88** 54 Ff 59
Vittersbourg **57** 39 Gf 55
Vittoncourt **57** 38 Gc 54
Vittonville **54** 37 Ga 55
Vitz-sur-Authie **80** 7 Ca 47
Viuz-en-Sallaz **74** 96 Gc 72
Viuz-la-Chiésaz **74** 96 Ga 74
Vivaise **02** 18 Dd 51
Vivans **42** 93 Df 71

Vivario **2B** 159 Kb 95
Vivariu = Vivario **2B** 159 Kb 95
Viven **64** 138 Zf 88
Viverols **63** 105 Df 76
Vivès **66** 154 Ce 93
Vivey **52** 69 Fa 62
Vivier, le **66** 153 Cc 92
Vivier-au-Court **08** 20 Ee 50
Vivières **02** 18 Da 53
Viviers **07** 118 Ee 82
Viviers **57** 38 Gc 54
Viviers **89** 67 Df 62
Viviers-du-Lac **73** 108 Ff 75
Viviers-le-Gras **88** 55 Ff 60
Viviers-lès-Lavaur **81** 127 Be 87
Viviers-lès-Montagnes **81** 141 Cb 87
Viviers-lès-Offroicourt **88** 55 Ga 59
Viviers-sur-Artaut **10** 53 Ec 60
Viviers-sur-Chiers **54** 21 Fd 52
Vivier-sur-Mer, Le **35** 28 Yb 57
Viviès **09** 141 Be 90
Viviez **12** 115 Cb 81
Viville **16** 88 Ab 74
Vivoin **72** 47 Aa 59
Vivonne **86** 76 Ab 70
Vivy **49** 62 Zf 65
Vix **21** 53 Ed 61
Vix **85** 75 Za 70
Vizille **38** 107 Fe 78
Vodable **63** 104 Da 76
Vœgtlinshofen **68** 56 Hb 60
Vœlfling-lès-Bouzonville **57** 22 Gd 53
Vœllerdingen **67** 39 Ha 55
Vœuil-et-Giget **16** 100 Aa 75
Vogelgrun **68** 57 Hd 60
Vogüé **07** 118 Ec 81
Voharies **02** 19 De 50
Void-Vacon **55** 37 Fd 56
Voigny **10** 53 Ec 59
Voilémont **51** 36 Ef 55
Voillans **25** 70 Gc 64
Voillecomte **52** 53 Ef 57
Voimhaut **57** 38 Gc 54
Voinémont **54** 38 Gb 57
Voingt **63** 91 Cd 74
Voinsles **77** 34 Da 56
Voipreux **51** 35 Ea 55
Voiron **38** 107 Fd 77
Voiscreville **27** 15 Ae 53
Voise **28** 49 Be 57
Voisenon **77** 33 Ce 57
Voisey **52** 54 Fb 61
Voisines **52** 54 Fb 61
Voisines **89** 51 Da 59
Voisins-le-Bretonneux **78** 33 Ca 56
Voissant **38** 107 Fe 76
Voissay **17** 87 Zd 73
Voiteur **39** 83 Fd 68
Voivre, La **70** 55 Gd 62
Voivre, La **88** 56 Gf 58
Voivres, Les **88** 55 Ga 60
Voivres-lès-le-Mans **72** 47 Aa 61
Volckerinckhove **59** 3 Cb 43
Volesvres **71** 81 Ea 70
Volgelsheim **68** 57 Hd 60
Volgré **89** 51 Db 61
Volkrange **57** 22 Ga 53
Volksberg **67** 39 Hb 55
Vollore-Montagne **63** 93 De 74
Vollore-Ville **63** 93 Dd 74
Volmerange-les-Boulay **57** 38 Gc 53
Volmerange-les-Mines **57** 22 Ga 52
Volmunster **57** 39 Hc 54
Volnay **21** 82 Ee 66
Volnay **72** 47 Ad 61
Volon **70** 69 Fe 63
Volonne **04** 133 Ga 84
Volpajola **2B** 157 Kc 93
Volstroff **57** 22 Gb 53
Volvent **26** 119 Fc 81
Volvic **63** 92 Da 73
Volx **04** 133 Ff 85
Vomécourt **88** 55 Gd 59
Vomécourt-sur-Madon **88** 55 Gb 58
Voncourt **52** 69 Fe 62
Voncq **08** 20 Ef 52
Vonges **21** 69 Fc 65
Vongy **74** 96 Gd 70
Vonnas **01** 94 Fa 71
Voray-sur-l'Ognon **70** 70 Ga 64
Voreppe **38** 107 Fd 77
Vorey **43** 105 Df 77
Vorges **02** 19 Dd 51
Vorges-les-Pins **25** 70 Ff 66
Vorly **18** 79 Cc 67
Vornay **18** 79 Cd 67
Vosbles **39** 95 Fd 70
Vosne-Romanée **21** 68 Ef 66
Vosnon **10** 52 Df 60
Vou **37** 77 Af 66
Vouarces **51** 35 Df 57
Voudenay **21** 81 Ec 66
Vismes **07** 8 Be 48
Voué **10** 52 Ea 58
Vouécourt **52** 54 Fa 59
Vougécourt **70** 55 Ga 61
Vougeot **21** 68 Ef 65
Vouglans **39** 95 Fd 70
Vougrey **10** 52 Eb 60
Vouharte **16** 88 Aa 74
Vouhé **17** 87 Zb 72
Vouhenans **70** 70 Gc 63
Vouillé **79** 82 Zf 71
Vouillé **86** 76 Ab 69
Vouillé-les-Marais **85** 75 Za 70
Vouillers **51** 36 Ee 57
Vouillon **36** 78 Bf 67
Vouilly **14** 13 Yf 53
Voujeaucourt **25** 71 Ge 64
Voulaines-les-Templiers **21** 68 Ee 62
Voulangis **77** 34 Cf 55
Voulême **86** 88 Ab 72
Voulgézac **16** 100 Aa 75
Voulon **86** 76 Ab 70
Voulpaix **02** 19 De 49
Voultegon **79** 75 Zc 67
Voulte-sur-Rhône, La **07** 118 Ee 80
Voulton **77** 34 Dc 57
Voulx **77** 51 Cf 59
Vouneuil-sous-Biard **86** 76 Ab 69
Vouneuil-sur-Vienne **86** 77 Ad 68
Vourles **69** 106 Ee 75
Voussac **03** 92 Da 71
Voutenay-sur-Cure **89** 67 De 63
Voutezac **19** 102 Bc 78
Vouthon **16** 88 Ac 74

Vouthon-Bas **55** 54 Fd 58
Vouthon-Haut **55** 54 Fd 58
Voutré **85** 46 Ze 60
Vouvant **85** 75 Zb 69
Vouvray **37** 63 Ae 64
Vouvray-sur-Huisne **72** 48 Ad 60
Vouvray-sur-Loir **72** 63 Ac 62
Vouxey **88** 54 Fe 58
Vouzailles **86** 76 Aa 68
Vouzan **16** 100 Aa 75
Vouzeron **18** 65 Cb 65
Vouziers **08** 20 Ee 52
Vouzon **41** 65 Ca 63
Vouzy **51** 35 Ea 55
Voves **28** 49 Be 59
Vovray-en-Bornes **74** 96 Ga 72
Voyenne **02** 19 De 50
Voyennes **80** 18 Cf 50
Voyer **57** 39 Ha 56
Vraie-Croix, La **56** 43 Xc 62
Wavrans-sur-l'Aa **62** 3 Ca 44
Wavrans-sur-Ternoise **62** 7 Cc 46
Wavrechain-sous-Denain **59** 9 Dc 46
Wavrechain-sous-Faulx **59** 9 Db 47
Wavrin **59** 8 Cf 45
Waziers **59** 8 Da 46
Weckolsheim **68** 57 Hd 60
Weinbourg **67** 39 Hc 55
Weislingen **67** 39 Hb 55
Weitbruch **67** 40 Hc 56
Weiterswiller **67** 39 Hc 55
Welles-Pérennes **60** 17 Cd 51
Wemaers-Cappel **59** 3 Cc 44
Wentzwiller **68** 72 Hc 63
Werentzhouse **68** 72 Hc 63
Wervicq-Sud **59** 4 Cd 43
West-Cappel **59** 4 Cd 43
Westhalten **68** 56 Hb 61
Westhoffen **67** 39 Hc 57
Westhouse **67** 57 Hd 58
Westhouse-Marmoutier **67** 39 Hc 56
Westrehem **67** 7 Cb 45
Westrehem **62** 7 Cc 45
Wettolsheim **68** 56 Hb 60
Weyer **67** 39 Ha 55
Weyersheim **67** 40 Hd 56
Wickerschwihr **68** 57 Hc 60
Wickersheim-Wilshausen **67** 40 Hd 56
Wicquinghem **62** 3 Bf 44
Wicres **59** 8 Cf 45
Widehem **62** 7 Bd 45
Widensolen **68** 57 Hc 60
Wiège-Faty **02** 19 De 49
Wiencourt-l'Équipée **80** 17 Cd 49
Wierre-au-Bois **62** 3 Be 45
Wierre-Effroy **62** 3 Be 44
Wiesembach **88** 56 Ha 59
Wiesviller **57** 39 Ha 54
Wignehies **59** 9 Ea 48
Wignicourt **08** 20 Ed 51
Wihr-au-Val **68** 56 Hb 60
Wildenstein **68** 56 Gf 61
Willeman **62** 7 Ca 46
Willems **59** 8 Db 45
Willer **68** 72 Hb 63
Willeroncourt **55** 37 Fc 56
Willer-sur-Thur **68** 56 Ha 61
Willerval **62** 8 Cf 46
Willerwald **57** 39 Ha 54
Willgottheim **67** 40 Hd 56
Williers **08** 21 Fb 50
Willies **59** 10 Ea 48
Wilwisheim **67** 40 Hc 56
Wimereux **62** 2 Bd 44
Wimille **62** 2 Bd 44
Wimmenau **67** 39 Hc 55
Wimy **02** 19 Df 49
Windstein **67** 40 He 54
Wingen **67** 40 He 54
Wingen-sur-Moder **67** 39 Hc 55
Wingersheim **67** 40 Hd 56
Wingles **62** 8 Cf 46
Winkel **68** 71 Hb 63
Winnezeele **59** 4 Cd 43
Wintersbourg **57** 39 Hb 56
Wintershouse **67** 40 He 56
Wintzenbach **67** 40 Ia 55
Wintzenheim **68** 56 Hb 60
Wintzenheim-Kochersberg **67** 40 Hd 56
Wirwignes **62** 3 Be 44
Wiry-au-Mont **80** 7 Bf 49
Wisches **67** 39 Hb 57
Wiseppe **55** 21 Fb 52
Wismes **62** 3 Ca 44
Wisques **62** 3 Ca 44
Wissant **62** 3 Bd 43
Wissembourg **67** 40 Hf 54
Wissignicourt **02** 18 Dc 51
Wissous **91** 33 Cb 56
Witry-lès-Reims **51** 19 Ea 53
Wittelsheim **68** 56 Hb 61
Wittenheim **68** 56 Hc 62
Witternesse **62** 7 Cc 45
Witternheim **67** 57 Hd 58
Wittersdorf **68** 71 Hb 63
Wittersheim **67** 40 Hd 56
Wittes **62** 3 Cc 44
Wittisheim **67** 57 Hd 59
Wittring **57** 39 Ha 54
Wiwersheim **67** 40 Hd 57
Wizernes **62** 3 Cb 44
Wœël **55** 37 Fe 54
Wœlfling-lès-Sarreguemines **57** 39 Hb 54
Wœrth **67** 40 He 55
Woignarue **80** 6 Bc 48
Woimbey **55** 37 Fc 55
Woincourt **80** 6 Bd 48
Woippy **57** 38 Ga 54
Woirel **80** 7 Be 49
Wolfersdorf **68** 71 Hb 63
Wolfgantzen **68** 57 Hc 60
Wolfisheim **67** 40 Hd 57
Wolfskirchen **67** 39 Ha 55
Wolschheim **67** 39 Hc 56
Wolschwiller **68** 72 Hc 64
Wolxheim **67** 40 Hc 57
Wormhout **59** 4 Cc 43
Woustviller **57** 39 Ha 54
Wuenheim **68** 56 Hb 61
Wuisse **57** 38 Gd 55
Wulverdinghe **59** 3 Cb 43
Wy-dit-Joli-Village **95** 32 Be 54
Wylder **59** 4 Cc 43

X

Xaffévillers **88** 55 Gd 58
Xaintrailles **47** 125 Ab 83
Xaintray **79** 75 Zd 70
Xambes **16** 88 Aa 74
Xammes **54** 37 Ff 55
Xamontarupt **88** 55 Gd 60
Xanrey **57** 38 Gd 56
Xanton-Chassenon **85** 75 Zb 70
Xaronval **88** 55 Gb 58
Xermaménil **54** 38 Gc 57
Xertigny **88** 55 Gc 60
Xeuilley **54** 38 Gb 57
Xirocourt **54** 55 Gb 58
Xivray-et-Marvoisin **55** 37 Fe 55
Xivry-Circourt **54** 21 Fe 52
Xocourt **57** 38 Gc 55
Xonrupt-Longemer **88** 56 Gf 60
Xonville **54** 37 Ff 54
Xouaxange **57** 39 Ha 56
Xousse **54** 39 Ge 57

Y

Yainville **76** 15 Ae 52
Yaucourt **80** 7 Bf 48
Ychoux **40** 110 Za 83
Ydes **15** 103 Cc 79
Yébleron **76** 15 Ad 51
Yèbles **77** 33 Ce 57
Yenne **73** 107 Fe 74
Yermenonville **28** 32 Bd 57
Yerres **91** 33 Cc 56
Yerville **76** 15 Ad 51
Yèvre-la-Ville **45** 50 Cb 60
Yèvres **28** 49 Bb 59
Yèvres-le-Petit **10** 53 Ec 58
Yffiniac **22** 26 Xc 58
Ygos-Saint-Saturnin **40** 123 Zb 85
Ygrande **03** 80 Cf 69
Ymare **76** 15 Bc 52
Ymeray **28** 49 Be 57
Ymonville **28** 49 Be 59
Yolet **15** 115 Cd 79
Yoncq **08** 20 Ef 51
Youx **63** 91 Ce 72
Yport **76** 14 Ac 50
Ypreville-Biville **76** 15 Ad 50
Yquebœuf **76** 16 Bb 51
Yquelon **50** 28 Yc 55
Yronde-et-Buron **63** 104 Db 75
Yrouerre **89** 67 Df 62
Yssac-la-Tourette **63** 92 Da 73
Yssandon **19** 101 Bc 77
Yssingeaux **43** 105 Ea 78
Ytrac **15** 115 Cc 79
Ytres **62** 8 Cf 48
Yutz **57** 22 Gb 52
Yvecrique **76** 15 Ad 51
Yversay **86** 76 Ab 68
Yves **17** 86 Za 73
Yvetot **76** 15 Ae 51
Yvetot-Bocage **50** 12 Yd 52
Yvias **22** 26 Wf 56
Yviers **16** 100 Af 77
Yvignac **22** 44 Xf 58
Yville-sur-Seine **76** 15 Af 52
Yvoire **74** 96 Gb 70
Yvoy-le-Marron **41** 64 Bf 63
Yvrac **33** 111 Ze 79
Yvrac-et-Malleyrand **16** 88 Ac 74
Yvrandes **61** 29 Zb 56
Yvré-Évêque **72** 47 Ab 60
Yvré-le-Pôlin **72** 47 Aa 62
Yvrench **80** 7 Ca 47
Yvrencheux **80** 7 Bf 47
Yzengremer **80** 6 Bd 48
Yzernay **49** 75 Zb 66
Yzeure **03** 80 Dc 69
Yzeures-sur-Creuse **37** 77 Af 68
Yzeux **80** 7 Ca 49
Yzosse **40** 123 Yf 86

Z

Zaessingue **68** 72 Hc 63
Zalana **2B** 159 Kc 95
Zarbeling **57** 39 Ge 55
Zegerscappel **59** 3 Cc 43
Zehnacker **67** 40 Hc 56
Zeinheim **67** 40 Hc 56
Zellenberg **68** 56 Hb 59
Zellwiller **67** 57 Hc 58
Zermezeele **59** 3 Cc 44
Zerubia **2A** 159 Ka 98
Zetting **57** 39 Ha 54
Zévaco **2A** 159 Ka 97
Zicavo **2A** 159 Ka 97
Zicavu = Zicavo **2A** 159 Ka 97
Zigliara **2A** 159 Ka 97
Zilia **2B** 156 If 93
Zilling **57** 39 Hb 56
Zillisheim **68** 72 Hb 62
Zimmerbach **68** 56 Hb 60
Zimmersheim **68** 72 Hc 62
Zimming **57** 38 Gd 54
Zincourt **88** 55 Gc 59
Zinswiller, Oberbronn- **67** 40 Hd 55
Zirubia = Zerubia **2A** 159 Ka 98
Zittersheim **67** 39 Hc 55
Zoebersdorf **67** 40 Hd 56
Zommange **57** 39 Ge 55
Zonza **2A** 159 Ka 98
Zoteux **62** 7 Bf 45
Zouafques **62** 3 Ca 44
Zoufftgen **57** 22 Ga 52
Zoza **2A** 159 Ka 99
Zuani **2B** 159 Kc 95
Zudausques **62** 3 Ca 44
Zutkerque **62** 3 Cb 43
Zuytpeene **59** 3 Cc 44

FALK VERLAG GmbH
© RV Reise- und Verkehrsverlag, ISBN 3.575.22855.8
© Kartographie: GeoData Stuttgart, 0711/78883-0
Printed in Germany, (9.) ⇒ 2000

Paris et sa banlieue · Kaart van Parijs en omgeving
Stadtumgebungskarten von Paris · Surrounding of Paris
Légende · Legende · Zeichenerklärung · Legend
1:80.000

CIRCULATION – VERKEER – VERKEHR – TRAFFIC

Autoroute – en construction
Autosnelweg – in aanleg
Autobahn – im Bau
Motorway – under construction

Route à chaussées séparées sans intersections
Autoweg met meer dan twee rijstroken zonder niveau-kruisingen
Mehrbahnige, kreuzungsfreie Autostraße
Highway with two lanes without crossing

Route à grande circulation – en construction
Weg voor interlokaal verkeer – in aanleg
Fernverkehrsstraße – im Bau
Trunk road – under construction

Route principale importante – Route principale
Belangrijke hoofdweg – Hoofdweg
Wichtige Hauptstraße – Hauptstraße
Important main road – Main road

Route secondaire – Autres routes
Overige verharde wegen – Overige wegen
Nebenstraße – Sonstige Straßen
Secondary road – Other minor roads

Route à quatre ou plusieurs voies
Weg met vier of meer rijstroken
Vier- oder mehrspurige Straße
Road with four or more lanes

Rouen

Signalisation sur le réseau autoroutier
Bewegwijzering in het autosnelwegnet
Wegweisung im Autobahnnetz
Signposting in motorway network

Vélizy-Ouest

Signalisation à moyenne distance (villes se trouvant sur les plans 1:80.000)
Bewegwijzering naar nabijgelegen bestemmingen
(plaatsen liggen binnen kaartensectie 1:80.000)
Wegweisung zu Nahzielen (Orte liegen innerhalb des Kartenteils 1:80.000)
Signposting to local destinations (within the 1:80.000 section)

Soissons

Signalisation à grande distance
(villes se trouvant en dehors des plans 1:80.000 → voir plans 1:300.000)
Bewegwijzering naar veraf gelegen bestemmingen
(plaatsen liggen buiten kaartensectie 1:80.000 → kaartensectie 1:300.000)
Wegweisung zu Fernzielen
(Orte liegen außerhalb des Kartenteils 1:80.000 → Kartenteil 1:300.000)
Signposting to distant destinations (outside the 1:80.000 section → 1:300.000 section)

Versailles-Ouest
St-Germain-en-L.

Accès et sortie dans les deux directions
Op- en afrit voor elke rijrichting
Ein- und Ausfahrt für jede Fahrtrichtung
Acces and exit in all directions

Fresnes
Versailles

Seulement sortie dans une direction – accès en direction opposée
Alleen afrit in één rijrichting – oprit in de tegenovergestelde richting
Nur Ausfahrt in einer Fahrtrichtung – Einfahrt in der Gegenrichtung
Exit in one direction only – acces in opposite direction

Arcueil
Villejuif

Seulement sortie – Alleen afrit
Nur Ausfahrt – Exit only
Seulement accès – Alleen oprit
Nur Einfahrt – Acces only

Pte des Lilas

Nom de la « Porte » touchée par le périphérique parisien
Benaming van de knooppunten in het bereik van de rondweg rondom Parijs
Name der Straßenknoten im Bereich der Ringautobahn um Paris
Names of road junctions on the Paris orbital motorways

A 10 **17** **29**

Numéro de route: Autoroute – Route nationale – Route départementale
Wegnummers: Autosnelweg – Nationaalweg – Departementweg
Straßennummern: Autobahn – Nationalstraße – Departementstraße
Road numbers: Motorway – Nationale – Départementale

E 54
LA FRANCILIENNE

Numéro de route européenne – Nom de l'autoroute
Europawegnummer – Naam van de autosnelweg
Europastraßen-Nummer – Name der Autobahn
Number of main European route – Name of motorway

Distances sur autoroutes – sur autres routes en kms
Kilometeraanduiding op autosnelwegen – op overige wegen
Kilometrierung an Autobahnen – an sonstigen Straßen
Distances on motorways – on other roads in km

Poste d'essence
Benzinestation
Tankstelle
Filling station

Restaurant – Restaurant avec motel
Restaurant – Restaurant met motel
Rasthaus – Rasthaus mit Motel
Restaurant – Restaurant with motel

Snack – WC pour personnes handicapées
Snackbar – Invaliden-WC
Kleinraststätte – Behinderten-WC
Snackbar – Disabled-WC

Information – Parking
Information – Parkeerplaats
Touristinformation – Parkplatz
Information – Parking place

Chemin de fer principal – Gare – Haltes
Belangrijke spoorweg – Station
Hauptbahn – Bahnhof – Haltestelle
Main railway – Station

Chemin de fer secondaire ou industriel
Lokale spoorweg – Industrielijn
Neben- oder Industriebahn
Other railway – Commercial railway

RER St-Ouen

Station de RER
RER-(Stadbaan-)station
RER-(S-Bahn-)Station
RER-(Rapid city railway-)station

M **1 la Défense**

Station terminus de Métro (en dehors de Paris)
Métro-(Ondergrondse spoorweg-)eindstation (alleen buiten Parijs)
Métro-(U-Bahn-)Endstation (nur außerhalb von Paris)
Métro-(Subway-)terminus (outside Paris only)

P **RER**

Parkings près de stations de RER ou de Métro
ou de « Portes » touchées par le périphérique parisien
Parkeerplaats nabij een RER-, of Métro-station
of knooppunt van de rondweg (Périphérique) rondom Parijs
Parkplatz nahe einer RER- oder Métro-Station
oder an Knoten der Ringautobahn (Périphérique) um Paris
Parking place near an RER or Métro station
or at junctions on the Paris orbital motorway (Périphérique)

P **M**

Aéroport – Aérodrome
Luchthaven – Vliegveld
Flughafen – Flugplatz
Airport – Airfield

CURIOSITES – BEZIENSWAARDIGHEDEN – SEHENSWÜRDIGKEITEN – PLACES OF INTEREST

Château
Parc

Curiosités remarquables – Zeer bezienswaardig
Besonders sehenswert – Place of particular interest
Curiosités – Bezienswaardig
Sehenswert – Place of interest

Tour Eiffel
Musée

Autres curiosités
Overige bezienswaardigheden
Sonstige Sehenswürdigkeit
Other object of interest

Base de Loisirs

Base de loisirs
Recreatiecentrum
Freizeiteinrichtung
Leisure centre

Château, château-fort – Ruine – Fort
Slot, burcht – Ruïne – Fort
Schloß, Burg – Ruine – Fort
Castle – Ruin – Fort

Église – Monastère – Ruine
Kerk – Klooster – Ruïne
Kirche – Kloster – Ruine
Church – Monastery – Ruin

Monument – Belvédère – Point de vue
Monument – Uitzichttoren – Uitzichtpunt
Denkmal – Aussichtsturm – Aussichtspunkt
Monument – Outlook tower – View-point

Installation de sports – Terrain de golf
Sportterrein – Golfterrein
Sportanlage – Golfplatz
Sports centre – Golf course

Tour radio – Cimetière
Radiotoren – Begraafplaats
Funkturm – Friedhof
Radio tower – Cemetery

AUTRES INDICATIONS – OVERIGE INFORMATIE – SONSTIGES – OTHER INFORMATION

Paris, périmètre urbain
Parijs, stadgebied
Paris, Stadtgebiet
Central Paris

Banlieu
Dicht bebouwde omgeving
Dicht bebaute Umgebung
Densely built-up area

Environs
Buitenwijk met open bebouwing
Offen bebautes Außengebiet
Suburb, open development

Zone industrielle
Industriecomplex
Industriegebiet
Industrial area

Parque, bois
Park, bos
Park, Wald
Park, forest

Guide d'orientation des pages
Bladzijde-Oriënteringsrooster
Seiten-Orientierungshilfe
Page identification

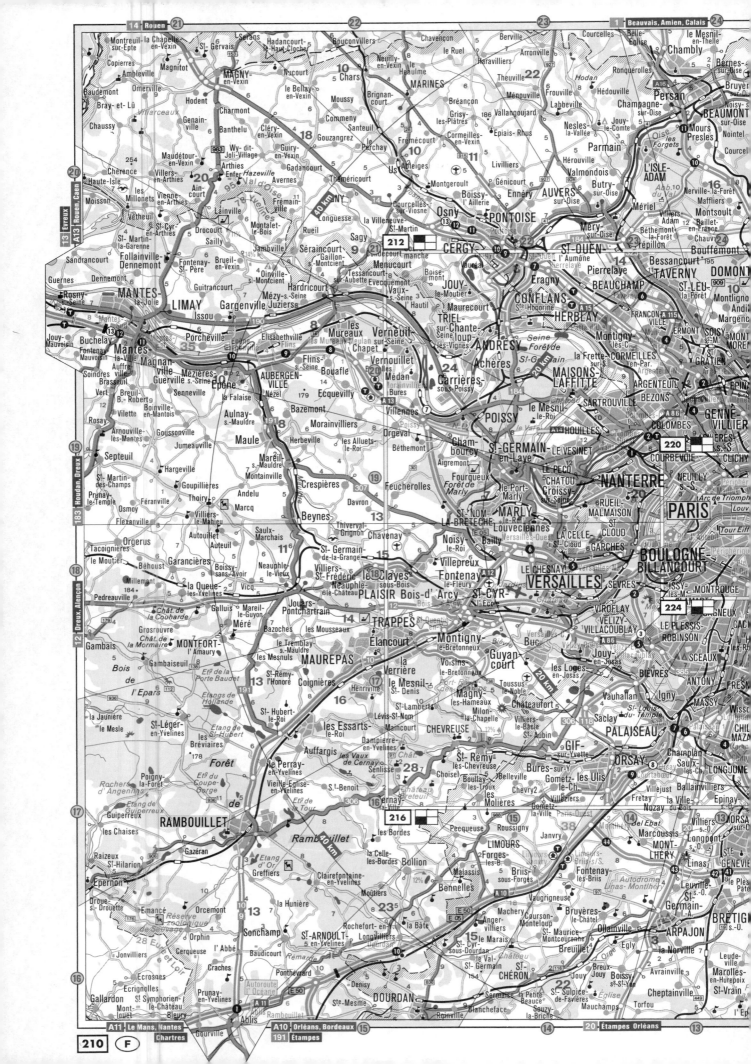

14 Rouen
1 Beauvais, Amien, Calais
13 Evreux A13 Rouen, Caen
183 Houdan, Dreux
12 Dreux, Alençon
A11 Le Mans, Nantes
Chartres
A10 Orléans, Bordeaux
191 Étampes
20 Étampes Orléans
Montreuil-sur-Epte
la Chapelle-en-Vexin
St-Gervais
Magnitot
Ambleville
Omerville
Baudemont
Bray-et-Lû
Hodent
Chaussy
Genainville
Chérence
Haute-Isle
Moisson
Vétheuil
Vienne-en-Arthies
Villers-en-Arthies
Maudétour-en-Vexin
Arthies
Aincourt
Lainville
Drocourt
Sailly
St-Martin-la-Garenne
Follainville-Dennemont
Fontenay-St-Père
Brueil-en-Vexin
Sandrancourt
Guernes
Rosny-s-Seine
MANTES-la-Jolie
LIMAY
Gargenville
Issou
Porcheville
Mantes-la-Ville
Buchelay
Magnanville
Jouy-Mauvoisin
Fontenay-Mauvoisin
Soindres
Auffreville-Brasseuil
Guerville
Mézières-s-Seine
Épône
Vert
Breuil-B.-Robert
Boinville-en-Mantois
Rosay
Arnouville-lès-Mantes
Goussonville
Jumeauville
Septeuil
Hargeville
St-Martin-des-Champs
Goupillières
Prunay-le-Temple
Thoiry
Marcq
Villiers-le-Mahieu
Osmoy
Flexanville
Orgerus
Tacoignières
le Moutier
Béhoust
Garancières
Millemont
la Queue-les-Yvelines
Galluis
Pedreauville
Grosrouvre
MONTFORT-l'Amaury
Gambais
Gambaiseuil
Bois de l'Epars
la Jaunière
le Mesle
St-Léger-en-Yvelines
les Bréviaires
Forêt de Rambouillet
Poigny-la-Forêt
Rochers d'Angennas
Guiperreux
les Chaises
RAMBOUILLET
Gazéran
Raizeux
St-Hilarion
Epernon
Droue-s-Drouette
Emancé
Orcemont
Orphin
Jonvilliers
Ecrosnes
Ecrignolles
Gallardon
St Symphorien-le-Château
Bleury
Prunay-en-Yvelines
Ablis
Gourville
MAGNY-en-Vexin
Nucourt
le Bellay-en-Vexin
Charmont
Banthelu
Cléry-en-Vexin
Wy-dit-Joli-Village
Guiry-en-Vexin
Gadancourt
Avernes
Frémainville
Montalet-le-Bois
Jambville
Oinville-s.-Montcient
Guitrancourt
Mézy-s.-Seine
Juziers
Hardricourt
Élisabethville
les Mureaux
AUBERGENVILLE
Nézel
la Falaise
Aulnay-s.-Mauldre
Bazemont
Maule
Mareil-s.-Mauldre
Montainville
Andelu
Herbeville
Beynes
Saulx-Marchais
Autouillet
Auteuil
Boissy-sans-Avoir
Vicq
Neauphle-le-Vieux
Mareil-le-Guyon
Méré
Jouars-Pontchartrain
Bazoches
les Mousseaux
le Tremblay-s.-Mauldre
les Mesnuls
MAUREPAS
Coignières
St-Rémy-l'Honoré
St-Hubert-le-Roi
les Essarts-le-Roi
Auffargis
le Perray-en-Yvelines
Vieille-Église-en-Yvelines
St-Benoit
Greffiers
Clairefontaine-en-Yvelines
la Hunière
Sonchamp
ST-ARNOULT-en-Yvelines
Rochefort-en-Y.
Longvilliers
Baudicourt
Ponthévrard
Craches
Denisy
DOURDAN
Ste-Mesme
Chavençon
le Ruel
Bouconvilliers
Hadancourt-le-Haut-Clocher
Serans
Neuilly-en-Vexin
le Heaulme
Chars
MARINES
Moussy
Brignancourt
Commeny
Santeuil
Gouzangrez
le Perchay
Frémécourt
Us
Ableiges
Théméricourt
Longuesse
Rueil
Sagy
Séraincourt
Gaillon-s.-Montcient
Tessancourt-sur-Aubette
Condécourt
Menucourt
Vaux-s.-Seine
Évecquemont
Verneuil-sur-Seine
Chapet
Vernouillet
Médan
Flins-s.-Seine
Bouafle
Ecquevilly
Morainvilliers
les Alluets-le-Roi
Orgeval
Béthemont
Crespières
Feucherolles
Davron
Thiverval-Grignon
Chavenay
St-Germain-de-la-Grange
Villiers-St-Frédéric
Neauphle-le-Château
les Clayes-sous-Bois
PLAISIR
Bois-d'Arcy
TRAPPES
Élancourt
la Verrière
le Mesnil-St-Denis
Lévis-St-Nom
Dampierre-en-Yvelines
Senlisse
Cernay
Choisel
le Mesnil-St-Denis
St-Lambert
CHEVREUSE
St-Rémy-lès-Chevreuse
Bullion
la Celle-les-Bordes
les Bordes
Berville
Arronville
Haravilliers
Theuville
Bréançon
Grisy-les-Plâtres
Vallangoujard
Cormeilles-en-Vexin
Epiais-Rhus
Montgeroult
Boissy-l'Aillerie
Courcelles-sur-Viosne
Osny
PONTOISE
CERGY
Vauréal
JOUY-le-Moutier
Maurecourt
TRIEL-sur-Seine
Chanteloup-les-Vignes
ANDRESY
Achères
Carrières-sous-Poissy
POISSY
Villennes
Chambourcy
ST-GERMAIN-en-Laye
Aigremont
Fourqueux
Forêt de Marly
le Port-Marly
MARLY
ST-NOM-LA-BRETÈCHE
Louveciennes
Noisy-le-Roi
Bailly
Villepreux
Fontenay-le-Fleury
ST-CYR-l'École
VERSAILLES
LE CHESNAY
Montigny-le-Bretonneux
Guyancourt
Voisins-le-Bretonneux
Magny-les-Hameaux
Toussus-le-Noble
Buc
Châteaufort
Milon-la-Chapelle
Villiers-le-Bâcle
St-Aubin
GIF-sur-Yvette
Bures-sur-Y.
Gometz-le-Ch.
les Ulis
Boullay-les-Troux
les Molières
Pecqueuse
Limours
Forges-les-B.
Briis-sous-Forges
Bonnelles
Angervilliers
St-Cyr-sous-Dourdan
le Val-St-Germain
ST-CHÉRON
Sermaise
Roinville
Blancheface
Courcelles
Belle-Église
Chambly
Ronquerolles
Hédouville
Frouville
Labbeville
Ménouville
Nesles-la-Vallée
Jouy-le-Comte
Parmain
Hérouville
Livilliers
Génicourt
Ennery
AUVERS-sur-Oise
Valmondois
Butry-sur-Oise
Méry-sur-Oise
ST-OUEN-l'Aumône
Pierrelaye
Eragny
CONFLANS Ste-Honorine
HERBLAY
Montigny-lès-C.
la Frette-sur-S.
MAISONS-LAFFITTE
SARTROUVILLE
le Mesnil-le-Roi
HOUILLES
LE VESINET
LE PECQ
CHATOU
Croissy-sur-Seine
NANTERRE
RUEIL-MALMAISON
LA CELLE-St-Cloud
ST CLOUD
GARCHES
BOULOGNE-BILLANCOURT
SÈVRES
VIROFLAY
VÉLIZY-VILLACOUBLAY
Jouy-en-Josas
les Loges-en-Josas
BIÈVRES
Vauhallan
Igny
Saclay
PALAISEAU
ORSAY
Villejust
Janvry
Fontenay-les-Briis
Vaugrigneuse
Courson-Monteloup
Bruyères-le-Châtel
St-Maurice-Montcouronne
Breuillet
Ollainville
ARPAJON
Égly
Breux-Jouy
St-Sulpice-de-Favières
Mauchamps
Boissy-s.-St-Yon
Persan
BEAUMONT-sur-Oise
Mours
Presles
L'ISLE-ADAM
Mériel
Villiers-Adam
Béthemont-la-Forêt
Frépillon
Bessancourt
TAVERNY
BEAUCHAMP
ST-LEU-la-Forêt
DOMONT
Bouffémont
Montlignon
FRANCONVILLE
CORMEILLES-en-Par.
ERMONT
ARGENTEUIL
BEZONS
COLOMBES
COURBEVOIE
NEUILLY-s.-S.
PARIS
ISSY-les-M.
MONTROUGE
LE PLESSIS-ROBINSON
SCEAUX
ANTONY
MASSY
Champlan
Saulx-les-Ch.
LONGJUMEAU
Ballainvilliers
Fretay
la Ville-du-Bois
Nozay
Marcoussis
MONTLHÉRY
Linas
Leuville-s.-O.
St-Germain-l.-A.
la Norville
Avrainville
Cheptainville
Torfou
Marolles-en-Hurepoix
St-Vrain

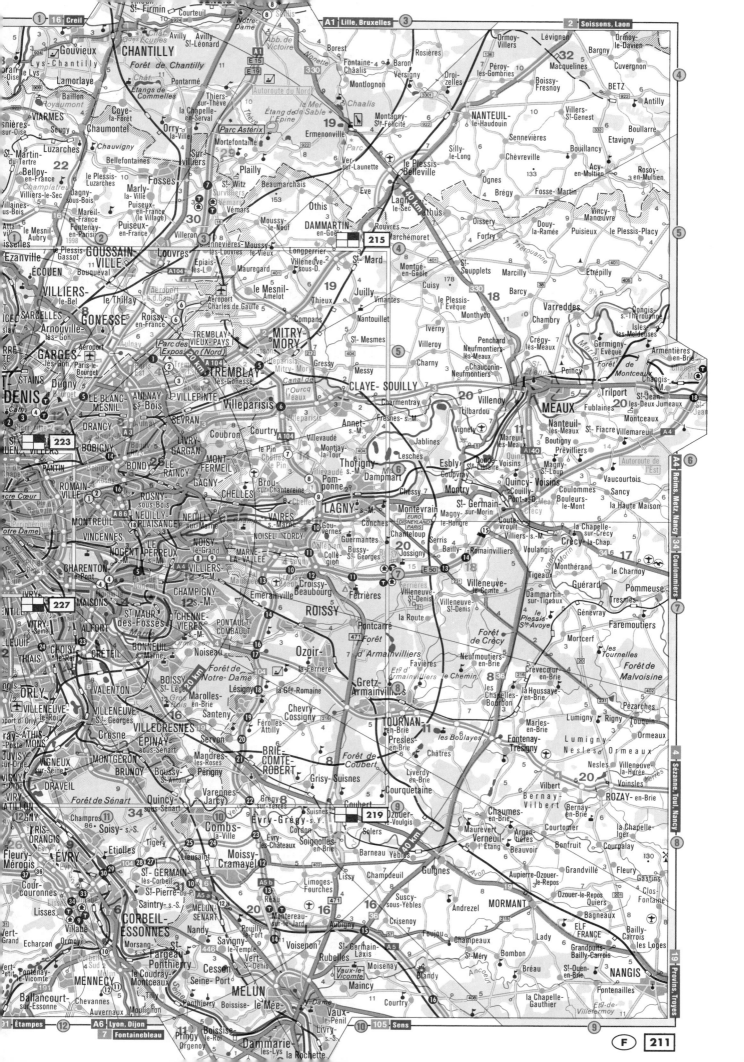

16 Creil
A1 Lille, Bruxelles
2 Soissons, Laon
St-Firmin
Courteuil
Senlis
Notre-Dame
Abb. de Victoire
Gouvieux
CHANTILLY
Forêt de Chantilly
Avilly St-Léonard
Lys-Chantilly
Lamorlaye
Pontarmé
Étangs de Commelles
Thiers-sur-Thève
Autoroute du Nord
la Mer de Sable
Étang de l'Épine
Chaalis
Fontaine-Châalis
Baron
Versigny
Rosières
Borest
Montlognon
Droizelles
Ormoy-Villers
Péroy-les-Gombries
Lévignen
Macquelines
Bargny
Ormoy-le-Davien
Cuvergnon
Boissy-Fresnoy
BETZ
Antilly
Baillon
Royaumont
VIARMES
Seugy
Coye-la-Forêt
Chaumontel
la Chapelle-en-Serval
Orry-la-Ville
Parc Astérix
Mortefontaine
Ermenonville
Montagny-Ste-Félicité
NANTEUIL-le-Haudouin
Villers-St-Genest
Boullarre
Etavigny
Luzarches
Chauvigny
St-Martin-du-Tertre
Belloy-en-France
Bellefontaines
Plailly
Survilliers
Ver-sur-Launette
le Plessis-Belleville
Silly-le-Long
Sennevières
Chèvreville
Bouillancy
Acy-en-Multien
Rosoy-en-Multien
le Plessis-Luzarches
Marly-la-Ville
Fosses
St-Witz
Beaumarchais
Eve
Ognes
Brégy
Fosse-Martin
Villiers-le-Sec
Mareil-en-France
Puiseux-en-France
Vémars
Othis
Lagny-le-Sec
Thieux
Oissery
Douy-la-Ramée
Vincy-Manœuvre
Puisieux
le Plessis-Placy
Fontenay-en-Parisis
le Mesnil-Aubry
Villeron
Moussy-le-Neuf
DAMMARTIN-en-Goële
Rouvres
Marchémoret
Forfry
Thérouanne
Ezanville
ÉCOUEN
le Plessis-Gassot
GOUSSAINVILLE
Bouqueval
Louvres
Chennevières-lès-Louvres
Moussy-le-Vieux
Longperrier
Villeneuve-sous-D.
St-Mard
Montgé-en-Goële
St-Soupplets
Marcilly
Étrépilly
VILLIERS-le-Bel
le Thillay
Épiais-lès-L.
Mauregard
le Mesnil-Amelot
Juilly
Vinantes
Cuisy
le Plessis-l'Évêque
Monthyon
Barcy
Varreddes
Congis-s.-Thérouanne
Isles-les-Meldeuses
SARCELLES
GONESSE
Arnouville-lès-Gon.
Aéroport Charles de Gaulle
Roissy-en-France
Compans
Nantouillet
Iverny
Penchard
Neufmontiers-lès-Meaux
Chambry
Crégy-lès-Meaux
Germigny-l'Évêque
Armentières-en-Brie
GARGES-lès-Gon.
Aéroport Paris-le-Bourget
TREMBLAY-VIEUX-PAYS
Parc des Exposition (Nord)
MITRY-MORY
St-Mesmes
Villeroy
Charny
Chauconin-Neufmontiers
Forêt de Montceaux
Poincy
Changis-s.-M.
STAINS
Dugny
TREMBLAY-lès-Gonesse
Villeparisis
Gressy
Messy
CLAYE-SOUILLY
Trilport
St-DENIS
LE BLANC-MESNIL
AULNAY-ss-Bois
VILLEPINTE
Canal de l'Ourcq
Charmentray
Villenoy
MEAUX
Fublaines
St-Jean-les-Deux Jumeaux
DRANCY
SEVRAN
Coubron
Courtry
Annet-s.-M.
Fresnes-s.-M.
Trilbardou
Vignely
Nanteuil-lès-Meaux
St-Fiacre
Montceaux
Villemareuil
BOBIGNY
LIVRY-GARGAN
Villevaudé
Montjay-la-Tour
Jablines
Mareuil-lès-Meaux
Boutigny
Prévilliers
BONDY
LE RAINCY
MONTFERMEIL
le Pin
Thorigny-s.-M.
Dampmart
Lesches
Esbly
Condé-Ste-Libiaire
Quincy-Voisins
Magny-St-Loup
Autoroute de l'Est
PANTIN
ROMAINVILLE
GAGNY
CHELLES
Brou-sur-Chantereine
Pomponne
Coupvray
Chessy
Montry
Couilly-Pont-aux-D.
Vaucourtois
Sancy
ROSNY-sous-Bois
NEUILLY-PLAISANCE
NEUILLY-sur-Marne
VAIRES-s.-Marne
LAGNY-s.-M.
Montévrain
EURO DISNEYLAND PARIS
Magny-le-Hongre
St-Germain-sur-Morin
Coulommes
Bouleurs-le-Mont
la Haute Maison
A4 Reims, Metz, Nancy
MONTREUIL
VINCENNES
NOISY-le-Grand
NOISEL
TORCY
Gouvernes
Conches
Guermantes
Chanteloup
Serris
Bailly-Romainvilliers
Coutevroult
Villiers-s.-M.
Voulangis
la Chapelle-sur-Crécy
Crécy-la-Chap.
34 Coulommiers
NOGENT-s.-M.
LE PERREUX
MARNE-LA-VALLÉE
Collégien
Bussy-St-Georges
Jossigny
Montbérand
le Charnoy
CHARENTON-le-Pont
VILLIERS-s.-M.
Croissy-Beaubourg
Ferrières
Villeneuve-le-Comte
Villeneuve-St-Denis
Tigeaux
Dammartin-sur-Tigeaux
Guérard
Pommeuse
Tresmes
IVRY
MAISONS-ALFORT
St-MAUR-des-Fossés
CHAMPIGNY-s.-M.
CHENNEVIÈRES-s.-M.
Émerainville
ROISSY
Pontcarré
la Route
le Plessis-Ste-Avoye
Génevray
Faremoutiers
VITRY-s.-Seine
CHOISY-le-Roi
CRÉTEIL
BONNEUIL-s.-Marne
PONTAULT-COMBAULT
Ozoir-la-Ferrière
Forêt d'Armainvilliers
Forêt de Crécy
Mortcerf
les Tournelles
Forêt de Malvoisine
THIAIS
ORLY
Noiseau
Forêt de Notre-Dame
Favières
Neufmoutiers-en-Brie
le Chemin
Crèvecœur-en-Brie
la Houssaye-en-Brie
VALENTON
BOISSY-St-Léger
Marolles-en-Brie
Lésigny
la Gde-Romaine
Gretz-Armainvilliers
les Chapelles-Bourbon
Pézarches
Touquin
VILLENEUVE-le-Roi
VILLENEUVE-St-Georges
Santeny
Chevry-Cossigny
TOURNAN-en-Brie
Presles-en-Brie
les Boulayes
Marles-en-Brie
Fontenay-Trésigny
Lumigny
Rigny
Ormeaux
ATHIS-MONS
Crosne
VILLECRESNES
Servon
Férolles-Attilly
Châtres
Lumigny-Nesles-Ormeaux
JUVISY-sur-Orge
VIGNEUX-sur-Seine
MONTGERON
EPINAY-sous-Sénart
Mandres-les-Roses
BRIE-COMTE-ROBERT
Forêt de Coubert
Liverdy-en-Brie
Nesles
Villeneuve-la-Hurée
DRAVEIL
BRUNOY
Boussy-St-Antoine
Périgny
Grisy-Suisnes
Courquetaine
Vilbert
Voinsles
ROZAY-en-Brie
4 Sézanne, Toul, Nancy
Forêt de Sénart
Quincy-sous-Sénart
Varennes-Jarcy
Grégy-sur-Yerres
Coubert
Ozouer-le-Voulgis
Bernay-Vilbert
Bernay-en-Brie
Chaumes-en-Brie
Courtomer
la Chapelle-Iger
Champrosay
Soisy-s.-S.
Combs-la-Ville
Évry-Grégy-s.-Y.
Cordon
Soignolles-en-Brie
Solers
Maurevert
Argentières
Verneuil-l'Étang
Beauvoir
Bonfruit
Courpalay
TRIS-ORANGIS
Fleury-Mérogis
ÉVRY
Etiolles
Tigery
Lieusaint
Moissy-Cramayel
Évry-les-Châteaux
Barneau
Yèbles
Guignes
Aupierre-Ozouer-le-Repos
Grandville
Fleury
Gastins
Courcouronnes
St-GERMAIN-lès-Corbeil
St-Pierre-du-P.
Saintry-s.-S.
Limoges-Fourches
Lissy
Champdeuil
Suscy-sous-Yèbles
Andrezel
MORMANT
Ozouer-le-Repos
Quiers
Clos-Fontaine
Lisses
Villabé
CORBEIL-ESSONNES
MELUN-SENART
Réau
Montereau-sur-le-Jard
Crisenoy
Bagneaux
ELF FRANCE
Bailly-Carrois
les Loges
Echarcon
Ormoy
Morsang-s.-S.
St-Fargeau-Ponthierry
Nandy
Savigny-le-Temple
Pouilly-le-Fort
Vert-St-Denis
Voisenon
Aubigny
Rubelles
St-Germain-Laxis
Moisenay
Foujou
Champeaux
St-Méry
Bombon
Lady
Grandpuits-Bailly-Carrois
Fontenay-le-Vicomte
MENNECY
le Coudray-Montceaux
Cesson
Seine-Port
Vaux-le-Vicomte
Maincy
Blandy
Bréau
St-Ouen-en-Brie
NANGIS
19 Provins, Troyes
Ballancourt-sur-Essonne
Chevannes
Auvernaux
Tilly
Mondignon
Ponthierry
Boissise-le-Mée
MELUN
Vaux-le-Pénil
Courtry
la Chapelle-Gauthier
Fontenailles
Etg-de-Villefermoy
Étampes
A6 Lyon, Dijon
7 Fontainebleau
105 Sens
Pringy
Orgenoy
Boissise-le-Roi
Dammarie-les-Lys
Livry-s.-S.
la Rochette

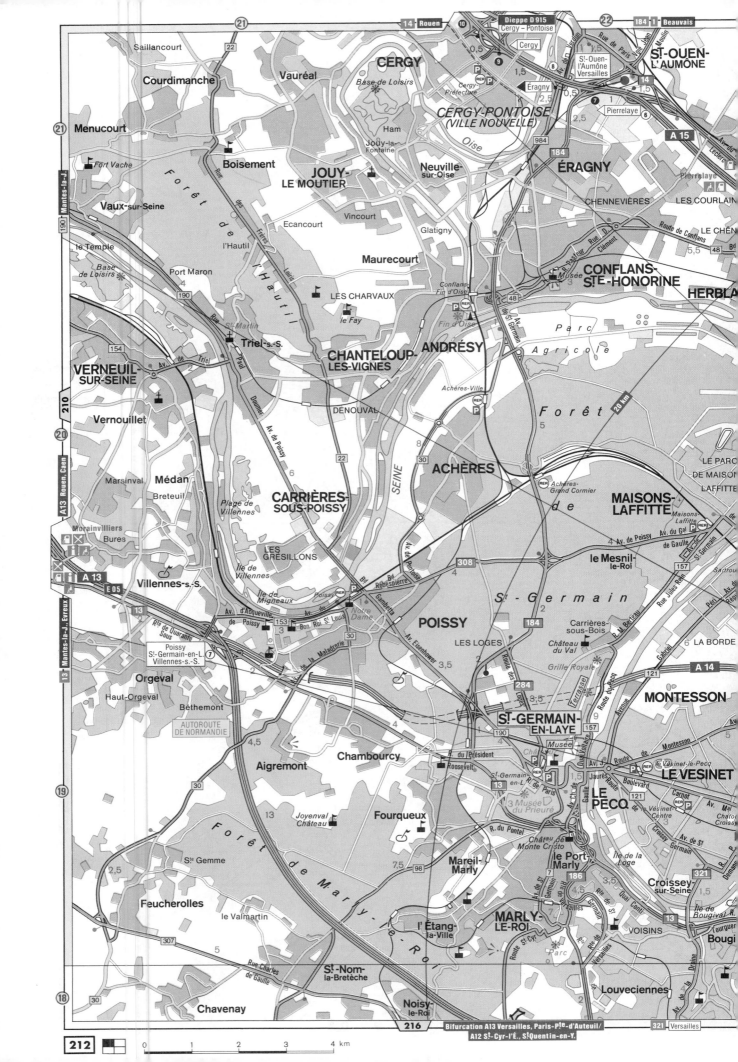

14 Rouen
Dieppe D 915
Cergy – Pontoise
Cergy
184 1 Beauvais
St-OUEN-L'AUMÔNE
St-Ouen-l'Aumône Versailles
Éragny
Pierrelaye
A 15
Saillancourt
Courdimanche
Vauréal
CERGY
Base de Loisirs
Cergy-Préfecture
CERGY-PONTOISE (VILLE NOUVELLE)
Menucourt
Ham
Jouy-la-Fontaine
Oise
ÉRAGNY
Fort Vache
Boisement
JOUY-LE MOUTIER
Neuville-sur-Oise
Pierrelaye
Mantes-la-J.
Vaux-sur-Seine
Forêt de l'Hautil
Vincourt
CHENNEVIÈRES
LES COURLAIN
Ecancourt
Glatigny
Route de Conflans
LE CHÊN
le Temple
l'Hautil
Rue des Frères Loiris
R. Pasteur
Rue D. Clément
Base de Loisirs
Maurecourt
CONFLANS-STE-HONORINE
Port Maron
Musée
HERBLA
Conflans-Fin d'Oise
LES CHARVAUX
le Fay
Fin d'Oise
Av. de St-Germain
Parc Agricole
Rue St-Martin
Triel-s.-S.
ANDRÉSY
CHANTELOUP-LES-VIGNES
VERNEUIL-SUR-SEINE
Av. de Triel
Rue Paul Doumer
Achères-Ville
Forêt de St-Germain
20 km
DENOUVAL
Vernouillet
Av. de Poissy
LE PARC DE MAISONS LAFFITTE
A13 Rouen, Caen
Marsinval
Médan
ACHÈRES
SEINE
Achères-Grand Cormier
Breteuil
Plage de Villennes
CARRIÈRES-SOUS-POISSY
MAISONS-LAFFITTE
Maisons-Laffitte
Morainvilliers
Bures
Av. de Poissy
Av. du Gal de Gaulle
LES GRÉSILLONS
Av. de Pontoise
le Mesnil-le-Roi
Île de Villennes
Bd Robespierre
A 13
E 05
Villennes-s.-S.
Île de Migneaux
Poissy
Bd Gambetta
Rue Jules Rein
Mantes-la-J., Evreux
Av. d'Acqueville
Av. du Bon Roi St Louis
Notre Dame
POISSY
Rte de Quarante Sous
Carrières-sous-Bois
Poissy St-Germain-en-L. Villennes-s.-S.
Av. de la Maladrerie
LES LOGES
Av. Eisenhower
Château du Val
R. M. Berteau
LA BORDE
Orgeval
Grille Royale
Terrasse
A 14
Haut-Orgeval
Route des Loges
Route du Pecq
MONTESSON
Béthemont
AUTOROUTE DE NORMANDIE
St-GERMAIN-EN-LAYE
Musée
Aigremont
Chambourcy
R. du Président Roosevelt
Château
Av. J. Jaurès
Route de Montesson
Le Vésinet-le-Pecq
LE VESINET
St-Germain-en-L.
R. de Paris
Boulevard Carnot
LE PECQ
Musée du Prieuré
Le Vésinet-Centre
Joyenval Château
Fourqueux
R. du Pontel
Château de Monte Cristo
Forêt de Marly-le-Roi
Île de la Loge
Ste Gemme
le Port-Marly
Mareil-Marly
Croissey-sur-Seine
Av. de St Germain
Rte de Versailles
Quai Conti
Feucherolles
le Valmartin
MARLY-LE-ROI
l'Étang-la-Ville
VOISINS
Île de Bougival
Route St Cyr
Parc
Bougi
Rue Charles de Gaulle
St-Nom-la-Bretèche
Louveciennes
Chavenay
Noisy-le-Roi
Bifurcation A13 Versailles, Paris-Pte-d'Auteuil/ A12 St-Cyr-l'É., St-Quentin-en-Y.
321 Versailles

0 1 2 3 4 km

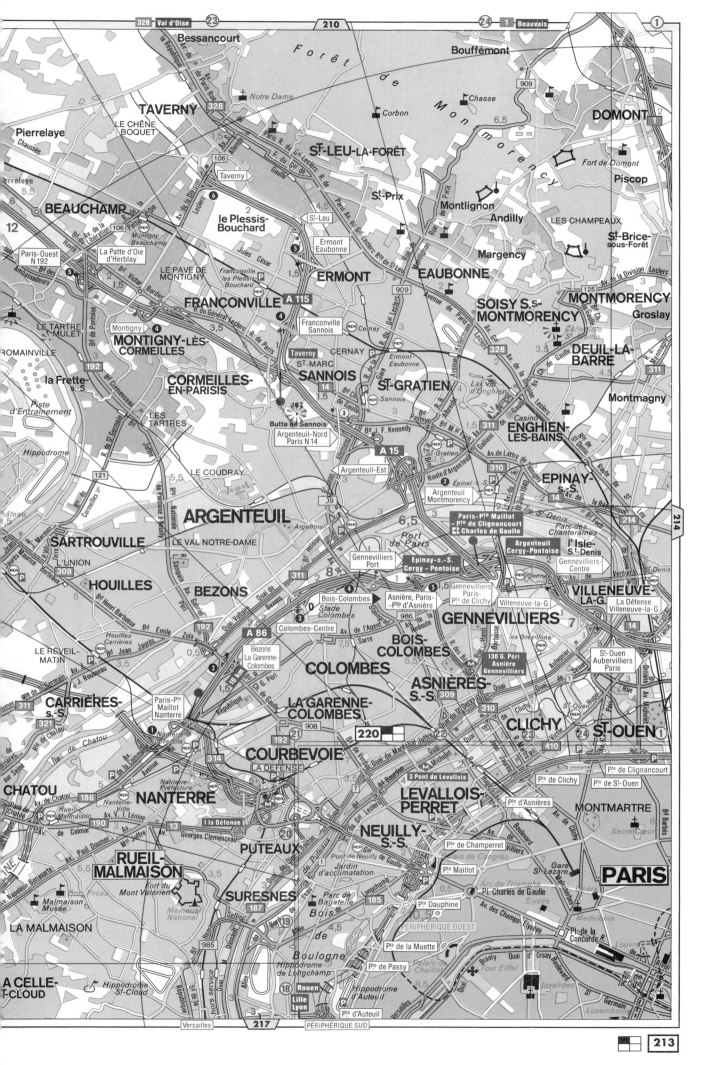

Val d'Oise
210
Beauvais
Bessancourt
Forêt de Montmorency
Bouffémont
Notre Dame
Chasse
Corbon
TAVERNY
LE CHÊNE BOQUET
Pierrelaye
DOMONT
ST-LEU-LA-FORÊT
Fort de Domont
Piscop
Taverny
St-Prix
Montlignon
Andilly
BEAUCHAMP
le Plessis-Bouchard
LES CHAMPEAUX
St-Leu
St-Brice-sous-Forêt
Montigny Beauchamp
Ermont Eaubonne
Margency
Paris-Ouest N 192
La Patte d'Oie d'Herblay
LE PAVE DE MONTIGNY
Franconville les Plessis-Bouchard
ERMONT
EAUBONNE
MONTMORENCY
FRANCONVILLE
A 115
SOISY S.S-MONTMORENCY
Groslay
LE TARTRE MULET
Montigny
Franconville Sannois
Cernay
MONTIGNY-LÈS-CORMEILLES
Collégiale St-Martin
ROMAINVILLE
Taverny
CERNAY
Ermont-Eaubonne
DEUIL-LA-BARRE
ST-MARC
la Frette-s.-S.
CORMEILLES-EN-PARISIS
SANNOIS
ST-GRATIEN
Lac d'Enghien
Montmagny
Piste d'Entraînement
Sannois
Casino
Butte de Sannois
ENGHIEN-LES-BAINS
LES TARTRES
Argenteuil-Nord Paris N 14
Bd J. F. Kennedy
A 15
St-Gratien
Hippodrome
LE COUDRAY
Argenteuil-Est
Épinal-s.-S.
Argenteuil Montmorency
EPINAY-S.-S.
ARGENTEUIL
Paris-Pte Maillot - Pte de Clignancourt Charles de Gaulle
Argenteuil
Port de Paris
SARTROUVILLE
LE VAL NOTRE-DAME
Argenteuil Cergy-Pontoise
l'Isle-St-Denis
Parc des Chanteraines
L'UNION
Gennevilliers Port
Epinay-s.-S. Cergy - Pontoise
Gennevilliers Centre
HOUILLES
BEZONS
Gennevilliers Paris-Pte de Clichy
Villeneuve-la-G.
VILLENEUVE-LA-G.
La Défense Villeneuve-la-G.
Bois-Colombes
Asnière, Paris-Pte d'Asnière
Stade Colombes
GENNEVILLIERS
Colombes-Centre
A 86
BOIS-COLOMBES
les Grésillons
Houilles Carrières
LE RÉVEIL-MATIN
Bezons La Garenne-Colombes
COLOMBES
136 G. Péri Asnière Gennevilliers
St-Ouen Aubervilliers Paris
ASNIÈRES-S.-S.
CARRIÈRES-S.-S.
Paris-Pte Maillot Nanterre
LA GARENNE-COLOMBES
CLICHY
ST-OUEN
Nanterre-Université
220
COURBEVOIE
LA DÉFENSE
3 Pont de Levallois
Pte de Clichy
Pte de Clignancourt
Pte de St-Ouen
CHATOU
Nanterre-Préfecture
NANTERRE
LEVALLOIS-PERRET
Pte d'Asnières
MONTMARTRE
Nanterre-Ville
Rueil-Malmaison
1 la Défense
Sacré Cœur
NEUILLY-S.-S.
Pte de Champerret
PUTEAUX
Palais de Congrès
RUEIL-MALMAISON
Pont de Neuilly
Jardin d'acclimatation
Pte Maillot
Gare St-Lazare
PARIS
Fort du Mont Valérien
Arc de Triomphe
Pl. Charles de Gaulle
Opéra
Malmaison Musée
SURESNES
Parc de Bagatelle
Bois de Boulogne
Pte Dauphine
Élysée
Mémorial National
Madeleine
LA MALMAISON
PÉRIPHÉRIQUE OUEST
Pl. de la Concorde
Louvre
Pte de la Muette
Hippodrome de Longchamp
Pte de Passy
Palais de Chaillot
Tour Eiffel
LA CELLE-ST-CLOUD
Hippodrome St-Cloud
Invalides
Île de la Cité
Rouen
Hippodrome d'Auteuil
Lille Lyon
Pte d'Auteuil
Luxembourg
Versailles
217
PÉRIPHÉRIQUE SUD
214

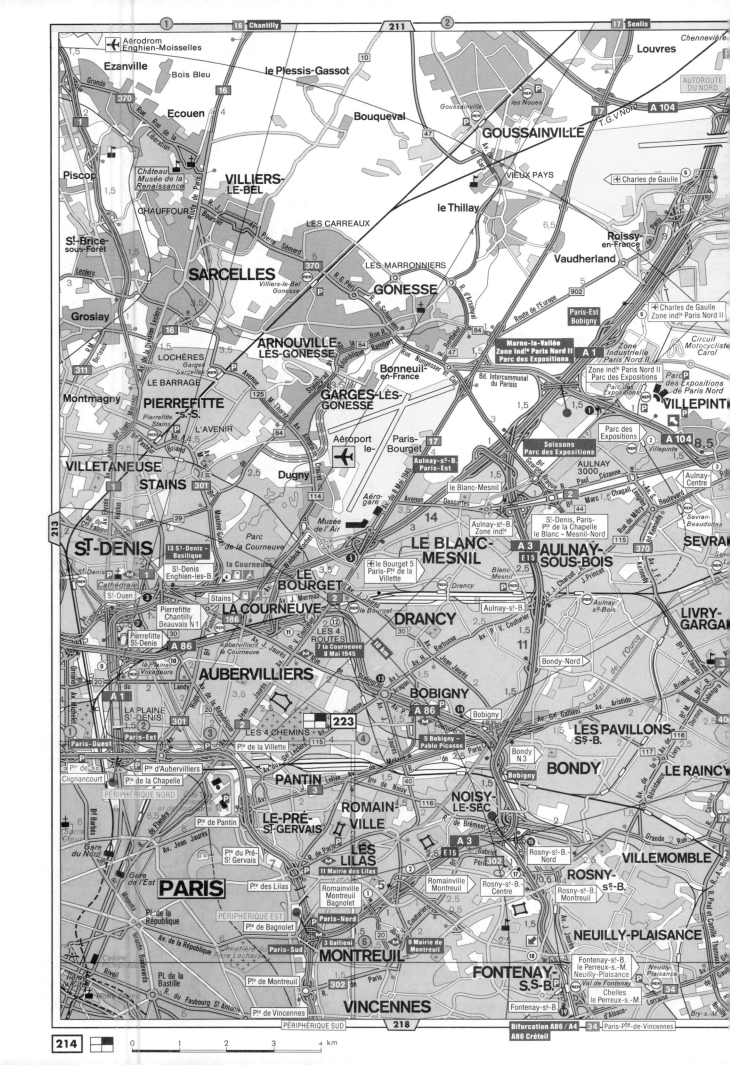
211
218
213
16 Chantilly
17 Senlis
Aérodrom Enghien-Moisselles
Ezanville
Bois Bleu
le Plessis-Gassot
Ecouen
Bouqueval
Goussainville
les Noues
GOUSSAINVILLE
VIEUX PAYS
Louvres
Chennevière
AUTOROUTE DU NORD
A 104
T.G.V Nord
Charles de Gaulle
Piscop
Château Musée de la Renaissance
VILLIERS-LE-BEL
CHAUFFOUR
LES CARREAUX
le Thillay
Roissy-en-France
Vaudherland
St-Brice-sous-Forêt
SARCELLES
Villiers-le-Bel Gonesse
LES MARRONNIERS
GONESSE
Route de l'Europe
Paris-Est Bobigny
Charles de Gaulle Zone indle Paris Nord II
Groslay
ARNOUVILLE-LÈS-GONESSE
Marne-la-Vallée Zone Indle Paris Nord II Parc des Expositions
A 1
Zone Industrielle Paris Nord II
Circuit Motocycliste Carol
LOCHÈRES
Garges Sarcelles
Bonneuil-en-France
Bd. Intercommunal du Parisis
Zone indle Paris Nord II Parc des Expositions
Parc des Expositions de Paris Nord
LE BARRAGE
Montmagny
PIERREFITTE-S.-S.
Pierrefitte Stains
L'AVENIR
GARGES-LÈS-GONESSE
VILLEPINTE
Aéroport le-Bourget
Paris-Bourget
Soissons Parc des Expositions
Parc des Expositions
Villepinte
A 104
VILLETANEUSE
STAINS
Dugny
Aulnay-ss-B. Paris-Est
AULNAY 3000
Aulnay-Centre
le Blanc-Mesnil
Aérogare
Musée de l'Air
Sevran-Beaudottes
14
Parc de la Courneuve
Aulnay-ss-B. Zone indle
St-Denis, Paris-Pte de la Chapelle le Blanc – Mesnil-Nord
ST-DENIS
13 St-Denis - Basilique
LE BLANC-MESNIL
A 3
E 15
AULNAY-SOUS-BOIS
SEVRAN
la Courneuve
le Bourget 5 Paris-Pte de la Villette
St-Denis Enghien-les-B.
Cathédrale
LE BOURGET
Drancy
St-Ouen
Stains
LA COURNEUVE
Aulnay-ss-B.
LIVRY-GARGAN
Pierrefitte Chantilly Beauvais N 1
DRANCY
Pierrefitte St-Denis
A 86
LES 4 ROUTES
7 la Courneuve 8 Mai 1945
10 km
11
Aubervilliers la Courneuve
la Plaine Voyageurs
AUBERVILLIERS
Bondy-Nord
Canal de l'Ourcq
BOBIGNY
A 1
LA PLAINE ST-DENIS
A 86
Bobigny
223
LES PAVILLONS-SS-B.
Paris-Ouest
Paris-Est
LES 4 CHEMINS
5 Bobigny - Pablo Picasso
Pte de la Villette
Bondy N 3
BONDY
LE RAINCY
Pte de Clignancourt
Pte d'Aubervilliers
Pte de la Chapelle
PANTIN
Bobigny
PÉRIPHÉRIQUE NORD
ROMAINVILLE
NOISY-LE-SEC
Pte de Pantin
LE-PRÉ-ST-GERVAIS
A 3
Gare du Nord
LES LILAS
E 15
Rosny-ss-B.-Nord
VILLEMOMBLE
Pte du Pré-St Gervais
11 Mairie des Lilas
Gare de l'Est
PARIS
Pte des Lilas
Romainville Montreuil
Rosny-ss-B.-Centre
ROSNY-SS-B.
Romainville Montreuil Bagnolet
Rosny-ss-B. Montreuil
Pl. de la République
PÉRIPHÉRIQUE EST
Paris-Nord
Pte de Bagnolet
NEUILLY-PLAISANCE
Cimetière du Père Lachaise
3 Gallieni
9 Mairie de Montreuil
Paris-Sud
MONTREUIL
Centre Pompidou
Fontenay-ss-B. le Perreux-s.-M. Neuilly-Plaisance
FONTENAY-S.S-B.
Pl. de la Bastille
Pte de Montreuil
Val de Fontenay
Chelles le Perreux-s.-M.
Notre Dame
Pte de Vincennes
VINCENNES
Fontenay-ss-B.
PÉRIPHÉRIQUE SUD
Bifurcation A86 / A4
A86 Créteil
34 Paris-Pte-de-Vincennes

0 1 2 3 4 km

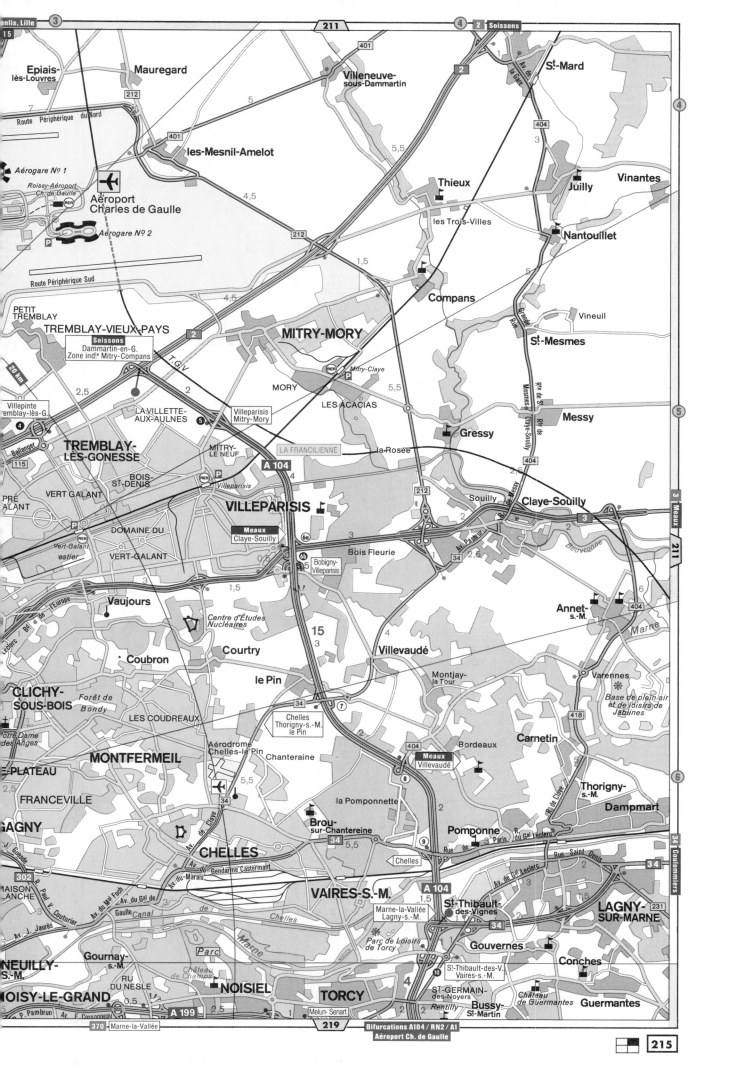

Senlis, Lille
Soissons
Epiais-lès-Louvres
Mauregard
Villeneuve-sous-Dammartin
St-Mard
Route Périphérique du Nord
les-Mesnil-Amelot
Aérogare Nº 1
Roissy-Aéroport Ch. de Gaulle
Aéroport Charles de Gaulle
Aérogare Nº 2
Thieux
Juilly
Vinantes
les Trois-Villes
Nantouillet
Route Périphérique Sud
Compans
Vineuil
PETIT TREMBLAY
TREMBLAY-VIEUX-PAYS
Dammartin-en-G.
Zone indle Mitry-Compans
MITRY-MORY
St-Mesmes
Mitry-Claye
T.G.V
MORY
LES ACACIAS
Villepinte
Tremblay-lès-G.
LA VILLETTE-AUX-AULNES
Villeparisis
Mitry-Mory
Messy
Gressy
TREMBLAY-LES-GONESSE
Ballanger
MITRY-LE NEUF
LA FRANCILIENNE
la-Rosée
A 104
BOIS-ST-DENIS
PRÉ GALANT
VERT GALANT
VILLEPARISIS
Souilly
Claye-Souilly
Meaux
Claye-Souilly
DOMAINE DU VERT-GALANT
Vert-Galant
Bois Fleurie
Av. Pasteur
Beuvronne
Bobigny-Villeparisis
Vaujours
Bd. de l'Europe
Centre d'Études Nucléaires
Annet-s.-M.
Marne
Coubron
Courtry
Villevaudé
Montjay-la Tour
Varennes
le Pin
CLICHY-SOUS-BOIS
Forêt de Bondy
Base de plein air et de loisirs de Jablines
LES COUDREAUX
Chelles
Thorigny-s.-M.
le Pin
Carnetin
Aérodrome Chelles-le Pin
Chanteraine
Bordeaux
MONTFERMEIL
Meaux
Villevaudé
LE-PLATEAU
FRANCEVILLE
Thorigny-s.-M.
la Pomponnette
Dampmart
GAGNY
Brou-sur-Chantereine
Pomponne
Av. de Claye
CHELLES
Rue de Paris
R. du Gal Leclerc
Rue Saint Denis
Chelles
Coulommiers
Av. du Marais
Gendarme Castermant
MAISON BLANCHE
VAIRES-S.-M.
A 104
Av. du Gal de Gaulle
Canal de Chelles
St-Thibault-des-Vignes
LAGNY-SUR-MARNE
Marne-la-Vallée
Lagny-s.-M.
Av. J. Jaurès
Parc de Loisirs de Torcy
Gouvernes
NEUILLY-S.-M.
Gournay-s.-M.
Parc
Conches
Château de Champs
St-Thibault-des-V.
Vaires-s.-M.
RU DU NESLE
NOISIEL
TORCY
NOISY-LE-GRAND
ST-GERMAIN-des-Noyers
Château de Guermantes
Guermantes
P. Pambrun
Av. F. Cossonneau
A 199
Melun-Senart
Rentilly
Bussy-St-Martin
Marne-la-Vallée
Bifurcations A104 / RN2 / A1
Aéroport Ch. de Gaulle

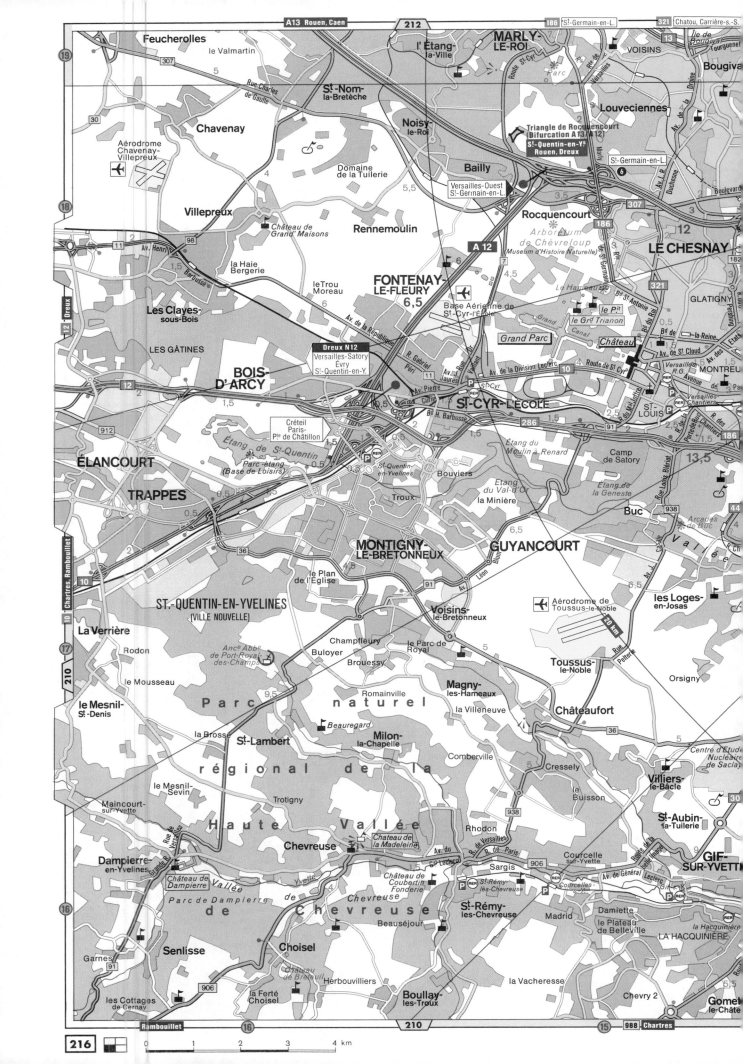
A13 Rouen, Caen
212
186 St-Germain-en-L.
321 Chatou, Carrière-s.-S.
Feucherolles
le Valmartin
307
Rue Charles de Gaulle
St-Nom-la-Bretèche
l' Étang-la-Ville
MARLY-LE-ROI
Route St-Cyr
Parc
VOISINS
Bougival
Louveciennes
Chavenay
Noisy-le-Roi
Triangle de Rocquencourt (Bifurcation A13/A12)
St-Quentin-en-Ys Rouen, Dreux
St-Germain-en-L.
Aérodrome Chavenay-Villepreux
Domaine de la Tuilerie
Bailly
Versailles-Ouest St-Germain-en-L.
Boulevard
Villepreux
Château de Grand' Maisons
Rennemoulin
Rocquencourt
Arboretum de Chèvreloup (Museum d'Histoire Naturelle)
LE CHESNAY
A 12
Av. Henri Barbusse
la Haie Bergerie
leTrou Moreau
FONTENAY-LE-FLEURY
Le Hameau
GLATIGNY
Base Aérienne de St-Cyr-l'École
Les Clayes-sous-Bois
Av. de la République
le Pt Trianon
le Grd Trianon
Grand Canal
Grand Parc
Château
LES GÂTINES
Dreux N12
Versailles-Satory Évry St-Quentin-en-Y.
BOIS-D'ARCY
R. Gabriel Péri
Av. Jaurès
Rue Dr. Vaillant
Av. de la Division Leclerc
Route de St Cyr
Av. de St Cloud
Versailles R.G.
MONTREUIL
ST-CYR-L'ÉCOLE
Bd H. Barbusse
Versailles-Chantiers
ST-LOUIS
Créteil Paris-Pte de Châtillon
Étang de St-Quentin
Parc-étang (Base de Loisirs)
ÉLANCOURT
Étang du Moulin à Renard
Camp de Satory
St-Quentin-en-Yvelines
Bouviers
TRAPPES
Etang du Val-d'Or
la Minière
Troux
Étang de la Geneste
Rue Louis Blériot
Buc
Arcades de Buc
MONTIGNY-LE-BRETONNEUX
GUYANCOURT
Av. Léon Blum
le Plan de l'Eglise
Chartres, Rambouillet
ST.-QUENTIN-EN-YVELINES (VILLE NOUVELLE)
Aérodrome de Toussus-le-Noble
20 km
les Loges-en-Josas
Voisins-le-Bretonneux
La Verrière
Rodon
Champfleury
Buloyer
le Parc de Royal
Ancne Abbe de Port-Royal-des-Champs
Brouessy
Toussus-le-Noble
Rue Pelterie
le Mousseau
Orsigny
Romainville
Magny-les-Hameaux
Parc naturel régional de la Haute Vallée de Chevreuse
le Mesnil-St-Denis
la Villeneuve
Châteaufort
Beauregard
la Brosse
St-Lambert
Milon-la-Chapelle
Centre d'Etudes Nucléaires de Saclay
Comberville
Cressely
Villiers-le-Bâcle
le Mesnil-Sevin
le Buisson
Maincourt-sur-Yvette
Trotigny
St-Aubin-la-Tuilerie
Rue de Versailles
Rhodon
Chevreuse
Chateau de la Madeleine
Dampierre-en-Yvelines
R. de Versailles
R. de Paris
Courcelle sur-Yvette
GIF-SUR-YVETTE
Château de Dampierre
Vallée de Chevreuse
Sargis
Château de Coubertin Fonderie
St-Rémy-lès-Chevreuse
Courcelles
Av. du Général Leclerc
Gif-s.-Y.
Parc de Dampierre
St-Rémy-les-Chevreuse
Madrid
Damiette
le Plateau de Belleville
Beauséjour
LA HACQUINIÈRE
Senlisse
Choisel
Garnes
Château de Breteuil
Herbouvilliers
la Vacheresse
les Cottages de Cernay
la Ferté Choisel
Boullay-les-Troux
Chevry 2
Gometz-le-Châtel
Rambouillet
210
988 Chartres
0 1 2 3 4 km

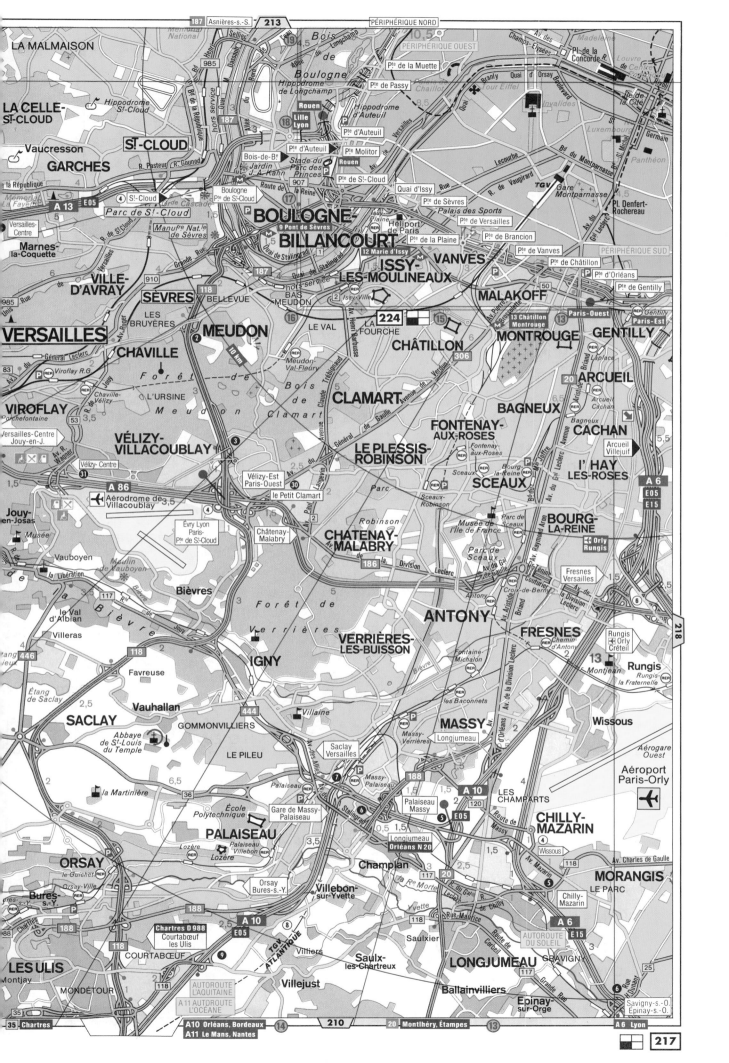

187 Asnières-s.-S.
213
PÉRIPHÉRIQUE NORD
LA MALMAISON
Mémorial National
Bd Henri
Sellier
Dassault
Bois de Boulogne
Longchamp
Hippodrome de Longchamp
PÉRIPHÉRIQUE OUEST
Pte de la Muette
Pte de Passy
Champs-Élysées
Pl. de la Concorde
Madeleine
Louvre
Rivoli
Île de la Cité
Palais de Chaillot
Tour Eiffel
Quai Branly
Quai d'Orsay
Invalides
Luxembourg
St-Germain
St-Michel
Panthéon
LA CELLE-ST-CLOUD
Hippodrome St-Cloud
Hippodrome d'Auteuil
Rouen
Lille
Lyon
Pte d'Auteuil
Pte Molitor
ST-CLOUD
Vaucresson
GARCHES
R. Pasteur
R. Gounod
Bois-de-Be
Jardin J.-A. Kahn
Stade du Parc des Princes
Pte de St-Cloud
Bd du Montparnasse
Lecourbe
R. de Vaugirard
TGV
Gare Montparnasse
Pl. Denfert-Rochereau
la République
A 13
E05
St-Cloud
Parc de St-Cloud
Grde Cascade
Boulogne Pte de St-Cloud
Route de la Reine
Quai d'Issy
Pte de Sèvres
Palais des Sports
Pte de Versailles
Pte de Brancion
Pte de Vanves
Pte de Châtillon
Pte d'Orléans
Pte de Gentilly
PÉRIPHÉRIQUE SUD
Versailles-Centre
Manufre Natle de Sèvres
BOULOGNE-BILLANCOURT
9 Pont de Sèvres
12 Marie d'Issy
Héliport de Paris
Issy-Plaine
Marnes-la-Coquette
Quai de Stalingrad
VANVES
ISSY-LES-MOULINEAUX
MALAKOFF
Grande Rue
VILLE-D'AVRAY
SÈVRES
BELLEVUE
BAS MEUDON
Issy-Ville
13 Châtillon Montrouge
Paris-Ouest
Gentilly
Paris-Est
LES BRUYÈRES
VERSAILLES
MEUDON
LE VAL
LA FOURCHE
224
CHÂTILLON
MONTROUGE
GENTILLY
Av. Henri Barbusse
Av. Pierre Brossolette
10 km
CHAVILLE
Général Leclerc
Viroflay R.G.
Meudon-Val-Fleury
306
Laplace
ARCUEIL
Forêt de Meudon
Bois de Clamart
Avenue de Verdun
CLAMART
Arcueil Cachan
Chaville-Vélizy
L'URSINE
VIROFLAY
Porchefontaine
BAGNEUX
CACHAN
FONTENAY-AUX-ROSES
Versailles-Centre Jouy-en-J.
VÉLIZY-VILLACOUBLAY
Av. du Général de Gaulle
LE PLESSIS-ROBINSON
Fontenay-aux-Roses
Arcueil Villejuif
Av. R. Wagner
Vélizy-Centre
Bourg-la-Reine
Sceaux
L'HAY LES-ROSES
Vélizy-Est Paris-Ouest
le Petit Clamart
Parc
SCEAUX
A 6
E05
E15
A 86
Aérodrome de Villacoublay
Sceaux-Robinson
Jouy-en-Josas
Robinson
Musée de l'Île de France
Parc de Sceaux
BOURG-LA-REINE
Évry Lyon Paris-Pte de St-Cloud
Châtenay-Malabry
CHATENAY-MALABRY
Orly Rungis
Musée
Vauboyen
Moulin de Vauboyen
la Libération
186
Av. de la Division Leclerc
Av. du Gal de Gaulle
Fresnes Versailles
Croix-de-Berny
Bièvres
117
Forêt de Verrières
Antony
le Val d'Albian
ANTONY
218
Villeras
FRESNES
Chemin-d'Antony
Rungis Orly Créteil
VERRIÈRES-LES-BUISSON
446
118
IGNY
Fontaine-Michalon
Montjean
Rungis
Rungis-la Fraternelle
Favreuse
Étang de Saclay
Vauhallan
les Baconnets
SACLAY
444
Villaine
MASSY
Wissous
GOMMONVILLIERS
Massy-Verrières
Longjumeau
Abbaye de St-Louis du Temple
Saclay Versailles
LE PILEU
Aérogare Ouest
Aéroport Paris-Orly
188
Massy-Palaiseau
la Martinière
36
A 10
LES CHAMPARTS
Palaiseau
École Polytechnique
Gare de Massy-Palaiseau
Palaiseau Massy
120
E05
Route de Massy
CHILLY-MAZARIN
PALAISEAU
Palaiseau Villebon
Longjumeau Orléans N 20
Lozère
Wissous
Av. Charles de Gaulle
ORSAY
Champlan
le Guichet
Av. Mazarin
MORANGIS
LE PARC
Orsay-Ville
Orsay Bures-s.-Y.
Villebon-sur-Yvette
la Re Morte
Bures-s.-Y.
Chilly-Mazarin
188
A 10
Yvette
Rue Maurice
A 6
Chartres D 988 Courtabœuf les Ulis
E05
TGV ATLANTIQUE
Saulxier
Route de Corbeil
AUTOROUTE DU SOLEIL
E15
COURTABŒUF
Villiers
Saulx-les-Chartreux
LONGJUMEAU
GRAVIGNY
LES ULIS
Montjay
MONDÉTOUR
AUTOROUTE L'AQUITAINE
A11 AUTOROUTE L'OCÉANE
Villejust
Ballainvilliers
Epinay-sur-Orge
Grande Rue
Rue H. Dunant
Savigny-s.-O. Épinay-s.-O.
35 Chartres
A10 Orléans, Bordeaux
A11 Le Mans, Nantes
210
20 Montlhéry, Étampes
A 6 Lyon

PÉRIPHÉRIQUE NORD
214
Bifurcation A3 / A1
Aéroport Ch. de Gaulle, Aulnay-Ss-B.
370
Aulnay-s-S.
PÉRIPHÉRIQUE EST
Paris-Nord
Pte de Bagnolet
Pl. de la République
Av. de la République
Grands Boulevards
Cimetière du Père Lachaise
3 Gallieni
Paris-Sud
9 Mairie de Montreuil
MONTREUIL
NEUILLY-PLAISANCE
FONTENAY-S.S-B.
Fontenay-ss-B. le Perreux-s.-M. Neuilly-Plaisance
Val de Fontenay
Chelles le Perreux-s.-M.
Neuilly-Plaisance
Centre Pompidou
R. de Rivoli
Ile de la Cité
Notre-Dame
Pl. de la Bastille
Pte de Montreuil
302
VINCENNES
Fontenay-ss-B.
LE PERREUX-S.-M.
BRY-SUR-MARNE
Bry-s.-M.
Boulevard St Germain
R. du Faubourg St Antoine
Pte de Vincennes
Cours de Vincennes
Pl. de la Nation
34
Chau de Vincennes
Nogent Champigny
Panthéon
Gare d'Austerlitz
Gare de Lyon
TGV
Pte de St Mandé
ST-MANDÉ
Château de Vincennes
NOGENT-S.-M.
Bobigny Fontenay-ss-B.
9,5
Palais Omnisports
Pte Dorée
Parc floral de Paris
Pte de Charenton
Parc zoologique
Bois de Vincennes
le Perreux-s.-M.
303
Bd de l'Hôpital
Pl. d'Italie
Pte de Bercy
Joinville-le-P.
Hippodrome
Champigny-s.-M. le Perreux-s.-M.
Quai d'Ivry
Vélodrome
CHARENTON
Ivry-s.-S.
ST-MAURICE
Joinville-le-Pont
Av. du Gal Galliéni
Champigny-s.-M. Bry-s.-M.
Pte d'Italie
Pte d'Ivry
Pte de Gentilly
Alfortville St-Maurice
A 4
E50
JOINVILLE-LE-PONT
Av. Roger Salengro
CHAMPIGNY S.-M.
Gentilly
Paris-Est
Créteil Troyes
Joinville-le-P.
LE MAROC
Paris-Pte d'Italie
IVRY-S.-S.
7 Mie Ivry-s.-S.
227
MAISONS-ALFORT
St-Maur-Créteil
Champigny
LE KREMLIN-BICÊTRE
ALFORT-VILLE
Maisons-Alfort Créteil
186
Parc de St-Maur
Av. Marx Dormoy
ST-MAUR-DES-FOSSES
10 km
19
A 86
Vitry-s.-S.
LA VARENNE
305
Créteil- Centre Troyes N19
ADAMVILLE
la Varennes Chennevières
Arcueil Villejuif
Créteil Maisons-Alfort
LA PIE
ST-HILAIRE
VITRY-SUR-SEINE
CRÉTEIL
7 Villejuif - Louis Aragon
VILLEJUIF
Villeneuve-St-G. Créteil z.A. Vallenton
les Ardoines
Port de Bonneuil
Marne
Avenue Olivier d'Ormesson
A 6
E05
E15
CHEVILLY-LARUE
Vitry-s.-S. Thiais
Base de Loisirs
8 Créteil-Préfecture
SUCY-EN-BRIE
217
Carrefour Pompadour
CHOISY-LE-ROI
Sucy Bonneuil
BONNEUIL-S.-M.
THIAIS
Av. Victor Hugo
Pompadour
Marché d'Intérêt Natal Paris-Rungis
186
Choissy-le-Roi
VAL POMPADOUR
Rungis
Versailles
BRÉVANNES
25b
VALENTON
ORLY
Rungis
25a
BOISSY-ST-LÉGER
Pont-de-Rungis Aéroport d'Orly
A 106
les Saules
LIMEIL-BRÉVANNES
Rungis
Orly-Ville
125
Parc
Boissy-St-Léger
Château de Gros-Bois
la Fraternelle
Villeneuve-le-Roi
E54
VILLENEUVE-LE-ROI
Bois de la Grange
Centre Hippique
Aérogare Sud
Aérogare Ouest
Château de la Grange
VILLENEUVE-ST-GEORGES
Ablon-s.-S.
Aéroport Paris-Orly
94
Crosne
SEINE
Athis-Mons
118
YERRES
le Contin
ATHIS-MONS
Paray-Vielle-Poste
CHÂTEAU FRAYE
LES MARDELLES
Cerçay
Av. Charles de Gaulle
25
VIGNEUX-SUR-SEINE
448
MONTGERON
Base de Loisirs
BRUNOY
LE VAL D'ATHIS
DRAVEIL
JUVISY-SUR-ORGE
Juvisy
PARIS-JARDINS
LA GARENNE
EPINAY-SOUS-SÉNART
TGV SUD
931
LA VILLA
SAVIGNY-S.-O.
LES BEAUSSERONS
MAINVILLE
Forêt de Sénart
Savigny-s.-O. Epinay-s.-O.
CHÂTILLON
Centre sportif
Quincy-sous-Sénart
33
Corbeil-Essonnes Fontainebleau
Corbeil-Essonnes
211
Melun, Fontainebleau

0 1 2 3 4 km

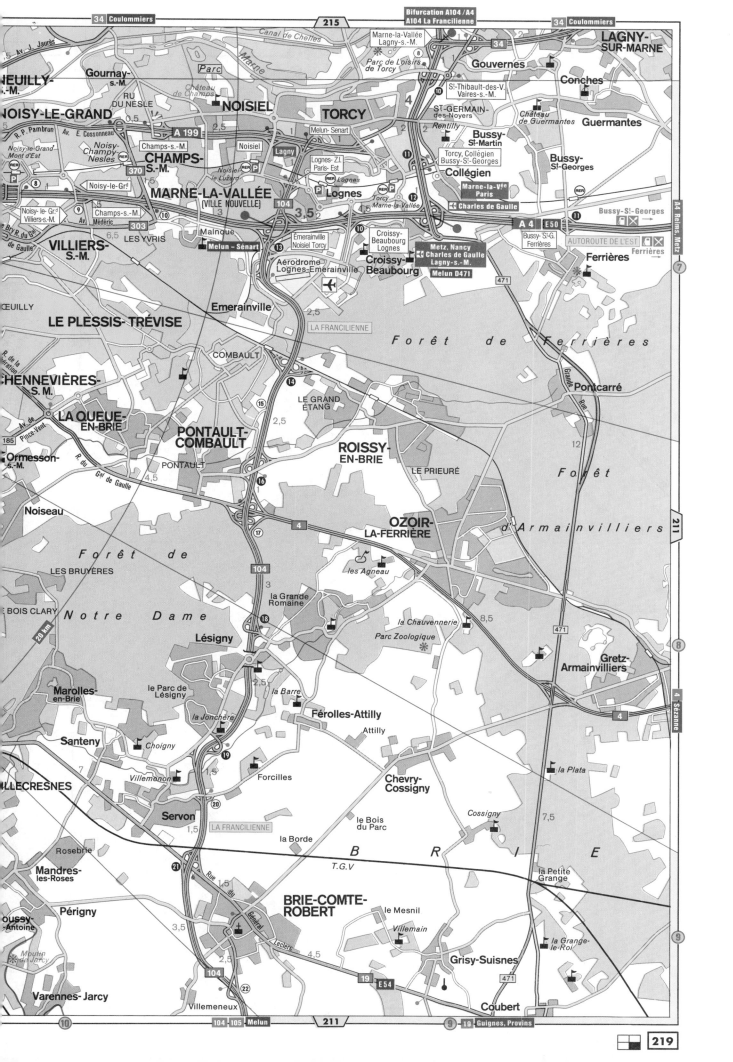
34 Coulommiers
215
Bifurcation A104/A4
A104 La Francilienne
34 Coulommiers
Canal de Chelles
Marne-la-Vallée
Lagny-s.-M.
Parc de Loisirs de Torcy
LAGNY-SUR-MARNE
Gouvernes
Conches
Av. J. Jaurès
NEUILLY-S.-M.
Gournay-s.-M.
Parc
Marne
Château de Champs
RU DU NESLE
NOISIEL
TORCY
St-Thibault-des-V.
Vaires-s.-M.
ST-GERMAIN-des-Noyers
Rentilly
Château de Guermantes
Guermantes
NOISY-LE-GRAND
R. P. Pambrun
Av. E. Cossonneau
A 199
Melun- Senart
Bussy-St-Martin
Noisy-le-Grand-Mont d'Est
Noisy-Champy-Nesles
Champs-s.-M.
Noisiel
Lagny
CHAMPS-S.-M.
Lognes- Z.I. Paris- Est
Torcy, Collégien
Bussy-St-Georges
Bussy-St-Georges
370
Noisiel-le Luzard
Lognes
Collégien
Noisy-le-Grd
MARNE-LA-VALLÉE
(VILLE NOUVELLE)
Lognes
Torcy
Marne-la-Vallée
Marne-la-Vée
Paris
Charles de Gaulle
Noisy- le- Grd
Villiers-s.-M.
Champs-s.-M.
104
Av. Médéric
303
Bussy-St-Georges
A4 Reims, Metz
A 4
E50
Malnoue
Melun - Sénart
LES YVRIS
VILLIERS-S.-M.
Emerainville
Noisiel Torcy
Croissy-Beaubourg
Lognes
Metz, Nancy
Charles de Gaulle
Lagny-s.-M.
Bussy- St-G.
Ferrières
AUTOROUTE DE L'EST
Ferrières
Ferrières
Aérodrome Lognes-Emerainville
Croissy-Beaubourg
Melun D471
471
Emerainville
LE PLESSIS-TRÉVISE
LA FRANCILIENNE
Forêt de Ferrières
COMBAULT
CHENNEVIÈRES-S. M.
Pontcarré
Grande Rue
LE GRAND ÉTANG
LA QUEUE-EN-BRIE
Av. de Pince-Vent
185
PONTAULT-COMBAULT
ROISSY-EN-BRIE
Ormesson-s.-M.
R. du Gal de Gaulle
PONTAULT
LE PRIEURÉ
Forêt
Noiseau
OZOIR-LA-FERRIÈRE
d'Armainvilliers
211
4
Forêt de
les Agneau
LES BRUYÈRES
104
la Grande Romaine
LE BOIS CLARY
Notre Dame
la Chauvennerie
Parc Zoologique
471
20 km
Lésigny
Gretz-Armainvilliers
le Parc de Lésigny
Marolles-en-Brie
la Barre
la Jonchère
Férolles-Attilly
Attilly
4 Sézanne
Santeny
Choigny
la Plata
Villemenon
Forcilles
VILLECRESNES
Chevry-Cossigny
Servon
LA FRANCILIENNE
le Bois du Parc
Cossigny
Rosebrie
la Borde
B R I E
T.G.V
Mandres-les-Roses
Rue du Général Leclerc
la Petite Grange
BRIE-COMTE-ROBERT
le Mesnil
Périgny
Boussy-St-Antoine
Villemain
la Grange-le-Roi
Moulin de Jarcy
104
Grisy-Suisnes
19
E54
471
Varennes- Jarcy
Villemeneux
Coubert
10
104 105 Melun
211
9
19 Guignes, Provins

Argenteuil
Maisons-Laffitte
A
B
C
D
213
224
COURBEVOIE
LEVALLOIS-PERRET
LA DÉFENSE
NEUILLY-SUR-SEINE
PUTEAUX
TERNES
Seine
Île de la Grande Jatte
Île du Pont
Île de Puteaux
Bois de Boulogne
Parc de Bagatelle
Jardin d'Acclimatation
Hippodrome de Longchamp
Pré Catelan
Racing Club de France
Pont de Levallois-Bécon
Anatole France
L. Michel
Porte de Champerret
Pont de Neuilly
Les Sablons
Porte Maillot
Argentine
Porte Dauphine
Victor Hugo
Rue de la Pompe
Trocadéro
Boissière
La Muette
Passy
Esplanade de La Défense
Place Charles de Gaulle
Avenue Foch
Avenue Charles de Gaulle
Boulevard Périphérique
Cimetière de Levallois Perret
Hôpital Américain
Palais des Congrès
Porte de Passy
Porte de la Muette
Ranelagh
A 86 · A 15 Cergy-Pontoise Rouen
St-Germain-en-L.
St-Cloud Versailles
0 200 400 600 800 1000 m

213
225
222
E
F
G
23
24
1
SAINT OUEN
MARCHE AUX PUCES
CLICHY
MONTMARTRE
WAGRAM
17
18
8
7
Porte de St Ouen
Porte d'Asnières
Bichat
Cimetière des Batignolles
Cimetière de Montmartre
Gare St Lazare
Pte de St Ouen
Pte de Clichy
Guy Môquet
Brochant
La Fourche
Lamarck Caulaincourt
Blanche
Pigalle
Pl. de Clichy
Rome
Villiers
Malesherbes
Wagram
Pereire
Monceau
Courcelles
Ternes
Ch. de Gaulle Étoile
Europe
Liège
St Lazare
St Augustin
Miromesnil
St. Ph. du Roule
George V
Franklin Roosevelt
Champs Elysées Clemenceau
Havre Caumartin
Chaussée d'Antin
Trinité
N. D. de Lorette
St. Georges
Le Peletier
Opéra
Quatre Sepre
Rich. Drouot
Bourse
Madeleine
Concorde
Pyramides
Tuileries
Palais Royal Musée d. Louvre
Louvre Rivoli
Pont Neuf
Alma Marceau
Invalides
La Tour Maubourg
Varenne
Assemblée Nationale
Solférino
Bac
Seine
Jardin des Tuileries
Place de la Concorde
Boulevard Haussmann
Avenue des Champs Élysées
Boulevard de Courcelles
Boulevard des Batignolles
Boulevard de Clichy
Musée d'Orsay

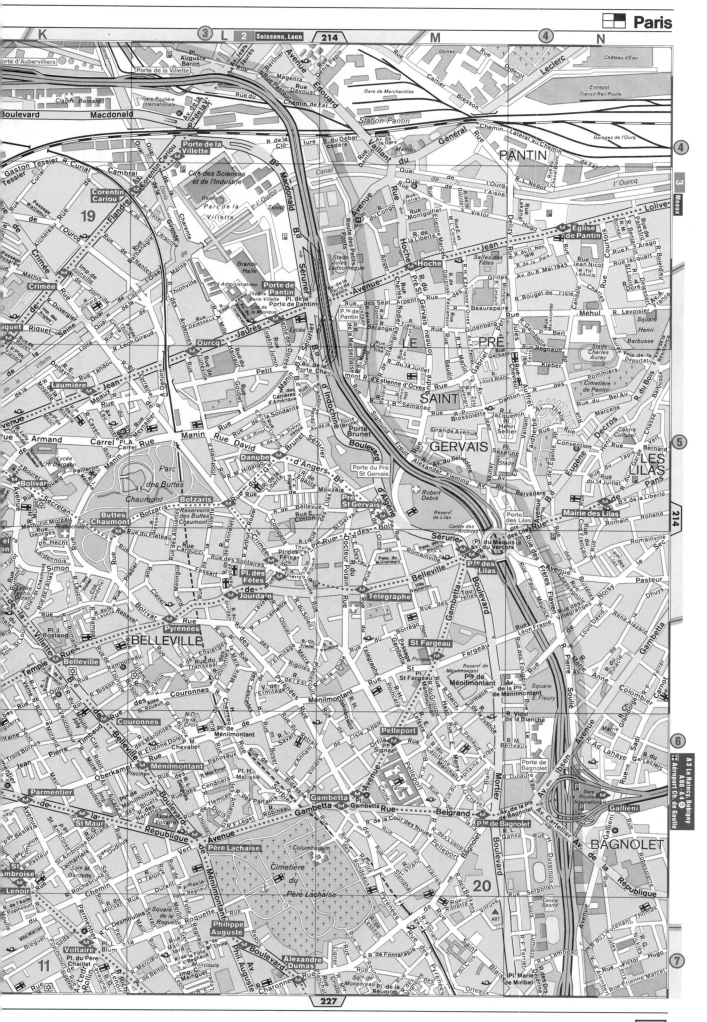
K
L
M
N
2 Soissons, Laon
214
227
3 Meaux
A3 Le Raincy, Bobigny
A86 · A4
Aeroport Ch. de Gaulle
Porte de la Villette
Boulevard Macdonald
Station Pantin
PANTIN
Cité des Sciences et de l'Industrie
Parc de la Villette
Zénith
Grande Halle
Porte de Pantin
Église de Pantin
Hoche
Corentin Cariou
19
Crimée
Riquet
Ourcq
Laumière
Danube
Bolivar
Botzaris
Buttes Chaumont
Parc des Buttes Chaumont
Pré St Gervais
LE PRÉ SAINT GERVAIS
Porte du Pré St Gervais
Robert Debré
Mairie des Lilas
LES LILAS
Porte des Lilas
Pl. des Fêtes
Jourdain
Télégraphe
Pyrénées
BELLEVILLE
Belleville
Couronnes
Ménilmontant
St Fargeau
Pelleport
Gambetta
Porte de Bagnolet
Gallieni
BAGNOLET
Parmentier
St Maur
Père Lachaise
Cimetière du Père Lachaise
Columbarium
St Ambroise
Lenoir
Voltaire
Philippe Auguste
Alexandre Dumas
11
20
Tenon
Square Henri Barbusse
Stade Charles Auray
Cimetière de Pantin
Boulevard Sérurier
Boulevard d'Indochine
Bd d'Algérie
Boulevard Mortier
Avenue Gambetta
Boulevard de Ménilmontant
Boulevard de Belleville
Avenue de la République
Rue de Belleville
Rue de Ménilmontant
Avenue Jean Jaurès
Rue de Bagnolet

E
221
F
G
226
ST GERMAIN DE PRÈS
QUARTIER LATIN
MONTPARNASSE
MALAKOFF
MONTROUGE
Invalides
Assemblée Nationale
Palais Royal Musée d. Louvre
Louvre Rivoli
Pont Neuf
Solférino
La Tour Maubourg
Varenne
Bac
École Militaire
St Germain des Prés
Mabillon
Odéon
St Michel
Sèvres Babylone
St F. Xavier
St Sulpice
Cluny la Sorbonne
La Motte Picquet Grenelle
Ségur
Vaneau
Rennes
Cambronne
Duroc
Sèvres Lecourbe
St Placide
N.-D. des Champs
Falguière
Pasteur
Montparnasse Bienvenue
Vavin
Volontaires
Edgar Quinet
Raspail
Vaugirard
Gaîté
Pernety
Denfert Rochereau
St Jacques
Glacière
Mouton Duvernet
Plaisance
Porte de Vanves
Alésia
P.te d'Orléans G.al Leclerc
Malakoff Plateau de Vanves
Porte de Châtillon
Porte de Vanves
Porte d'Orléans
Porte Brancion
Jardin du Luxembourg
Cimetière du Montparnasse
Gare Montparnasse
Hôtel des Invalides
Musée d'Orsay
Place Cambronne
Pl. de Fontenoy
Pl. de Breteuil
Place du 18 Juin 1940
Parc Georges Brassens
Réservoirs de Montsouris
Parc Montsouris
Cité Internationale Universitaire
Boulevard Jourdan
Boulevard du Montparnasse
Boulevard Raspail
Boulevard St Germain
Rue de Vaugirard
Rue de Rennes
Avenue du Maine
Rue de Sèvres
Boulevard Pasteur
Boulevard de Grenelle
Rue de la Convention
Avenue de Suffren
Avenue de Ségur
6
7
14
306 Saclay, Chevreuse Rambouillet
217
20 Étampes Orléans
14
13
12

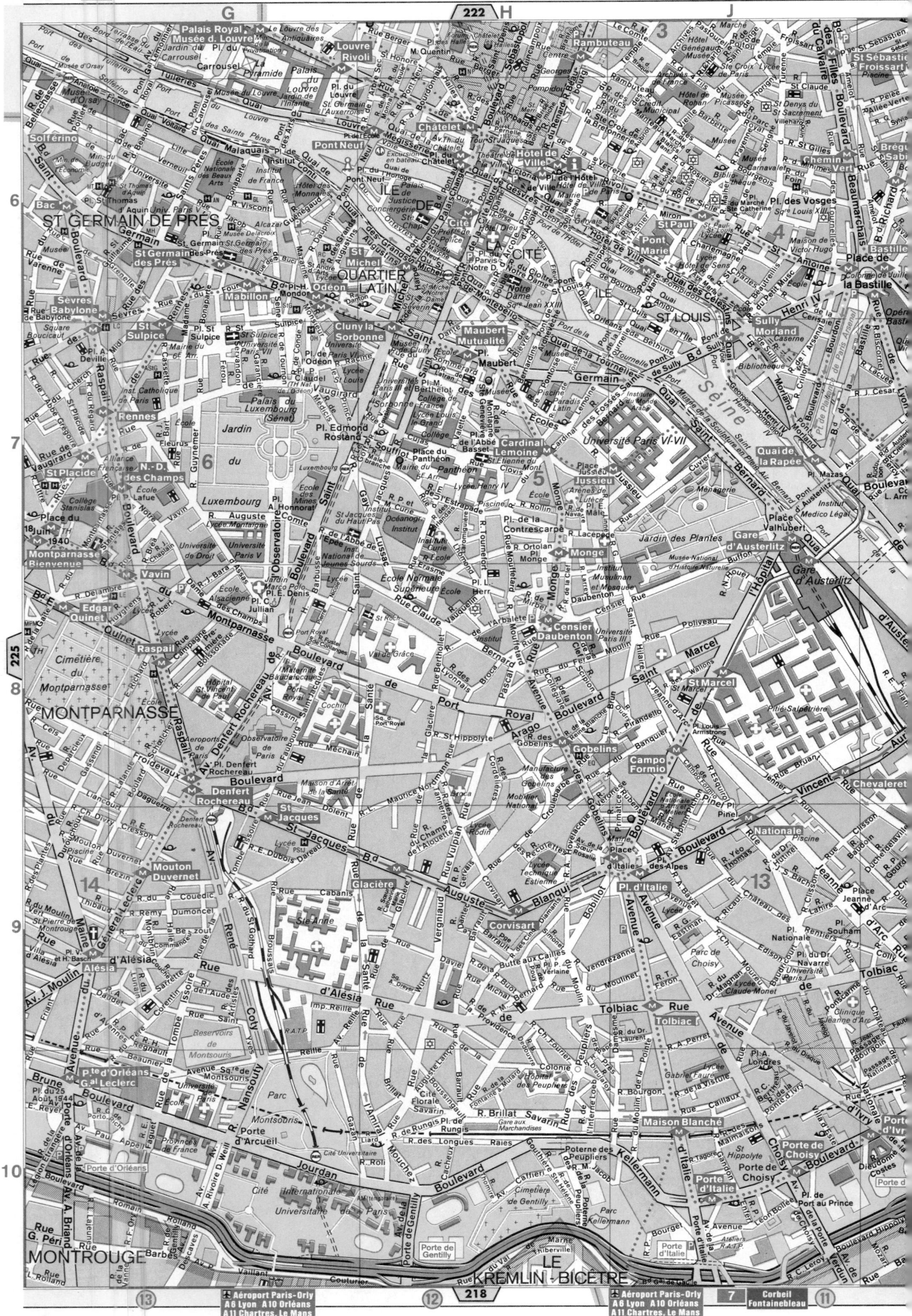

222

G H J

3

6

ST GERMAIN DE PRÉS

QUARTIER LATIN

ÎLE DE LA CITÉ

ÎLE ST LOUIS

Palais Royal
Musée d. Louvre
Louvre
Châtelet
Pont Neuf
Hôtel de Ville
Place de la Bastille

4

St Germain des Prés
Mabillon
Odéon
St Michel
Notre Dame
St Paul
Bastille

Sèvres Babylone
St Sulpice
Cluny la Sorbonne
Maubert Mutualité
Sully Morland

7

Rennes
Jardin du Luxembourg
Palais du Luxembourg (Sénat)
Pl. Edmond Rostand
Cardinal Lemoine
Jussieu

St Placide
N.-D. des Champs
Place du 18 juin 1940
Montparnasse Bienvenüe
Jardin des Plantes
Gare d'Austerlitz

5

Vavin
Université Paris V
Observatoire
Monge
Censier Daubenton

225

8

MONTPARNASSE

Edgar Quinet
Raspail
Montparnasse
Boulevard de Port Royal
St Marcel

Cimetière du Montparnasse

Denfert Rochereau
Gobelins
Campo Formio

9

Mouton Duvernet

14

13

Pl. d'Italie

Alésia
Glacière
Corvisart

Tolbiac

Pte d'Orléans
G.al Leclerc

Parc Montsouris

Maison Blanche

Porte de Choisy
Porte d'Italie

10

Cité Internationale Universitaire de Paris

Porte d'Orléans

Porte de Gentilly

MONTROUGE

LE KREMLIN - BICÊTRE

Aéroport Paris-Orly
A6 Lyon A10 Orléans
A11 Chartres, Le Mans

Aéroport Paris-Orly
A6 Lyon A10 Orléans
A11 Chartres, Le Mans

Corbeil Fontainebleau

0 200 400 600 800 1000 m

K
L
223
M
N
Cimetière du Père Lachaise
20
11
12
MONTREUIL
SAINT MANDÉ
BERCY
CHARENTON LE PONT
IVRY-SUR-SEINE
Bois de Vincennes
Seine
Marne
Voltaire
Philippe Auguste
Alexandre Dumas
Charonne
Boulets Montreuil
Ledru Rollin
Faidherbe Chaligny
Avron
Buzenval
Maraîchers
Pte de Montreuil
Porte de Montreuil
Nation
Reuilly Diderot
Picpus
Pte de Vincennes
Porte de Vincennes
St Mandé Tourelle
Montgallet
Gare de Lyon
Bel Air
Daumesnil
Dugommier
Bercy
Dijon
Michel Bizot
Pte Dorée
Porte Dorée
Pte de Charenton
Porte de Charenton
Porte de Bercy
Tolbiac-Masséna
Liberté
Charenton Écoles
Porte de Reuilly
Porte de Vitry
Porte de la Gare
Quai d'Ivry
Bibliothèque de France
Palais Omnisports de Paris Bercy
Gare de Paris-Bercy
Parc Zoologique
Lac Daumesnil
Vélodrome Jacques Anquetil
Ponts Nelson Mandela
Cours de Vincennes
Boulevard Poniatowski
Boulevard Soult
Boulevard Davout
Avenue Daumesnil
Rue de Charenton
Quai de Bercy
Boulevard Masséna
Rue du Faubourg Saint Antoine
Boulevard de Ménilmontant
Rue de Bagnolet
Avenue Gallieni
Avenue de Paris
Avenue de Gravelle
34
Lagny-s-M.
Coulommiers
218
6
7
8
9
10
6 Melun, Fontainebleau
19 Provins, Troyes
A 4 Reims Metz, Nancy
Alfort École Vétérinaire

Plans de villes · Stadsplattegronden · Piante di città · Planos de ciudades
Stadtpläne · City maps · Stadskartor · Plany miast
Légende · Legenda · Segni convenzionali · Signos convencionales
Zeichenerklärung · Legend · Teckenförklaring · Objaśnienia znaków
1:20.000

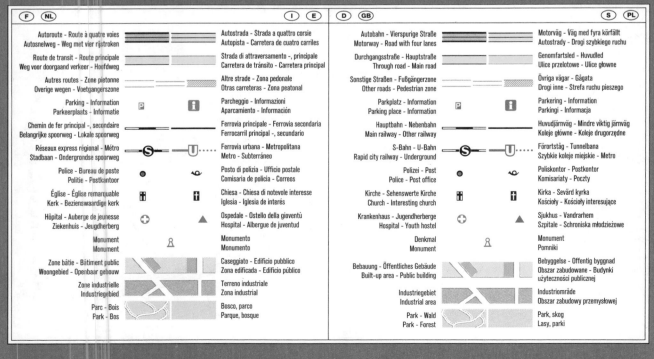

F / NL		I / E	D / GB		S / PL
Autoroute - Route à quatre voies / Autosnelweg - Weg met vier rijstroken		Autostrada - Strada a quattro corsie / Autopista - Carretera de cuatro carriles	Autobahn - Vierspurige Straße / Motorway - Road with four lanes		Motorväg - Väg med fyra körfällt / Autostrady - Drogi szybkiego ruchu
Route de transit - Route principale / Weg voor doorgaand verkeer - Hoofdweg		Strada di attraversamento -, principale / Carretera de tránsito - Carretera principal	Durchgangsstraße - Hauptstraße / Through road - Main road		Genomfartsled - Huvudled / Ulice przelotowe - Ulice główne
Autres routes - Zone pietonne / Overige wegen - Voetgangerszone		Altre strade - Zona pedonale / Otras carreteras - Zona peatonal	Sonstige Straßen - Fußgängerzone / Other roads - Pedestrian zone		Övriga vägar - Gågata / Drogi inne - Strefa ruchu pieszego
Parking - Information / Parkeerplaats - Informatie	P i	Parcheggio - Informazioni / Aparcamiento - Información	Parkplatz - Information / Parking place - Information	P i	Parkering - Information / Parkingi - Informacja
Chemin de fer principal -, secondaire / Belangrijke spoorweg - Lokale spoorweg		Ferrovia principale - Ferrovia secondaria / Ferrocarril principal -, secundario	Hauptbahn - Nebenbahn / Main railway - Other railway		Huvudjärnväg - Mindre viktig järnväg / Koleje główne - Koleje drugorzędne
Réseaux express régional - Métro / Stadbaan - Ondergrondse spoorweg	S U	Ferrovia urbana - Metropolitana / Metro - Subterráneo	S-Bahn - U-Bahn / Rapid city railway - Underground	S U	Förortståg - Tunnelbana / Szybkie koleje miejskie - Metro
Police - Bureau de poste / Politie - Postkantoor	● ✎	Posto di polizia - Ufficio postale / Comisaria de policia - Correos	Polizei - Post / Police - Post office	● ✎	Poliskontor - Postkontor / Komisariaty - Poczty
Église - Église remarquable / Kerk - Bezienswaardige kerk	✠ ✝	Chiesa - Chiesa di notevole interesse / Iglesia - Iglesia de interés	Kirche - Sehenswerte Kirche / Church - Interesting church	✠ ✝	Kirka - Sevärd kyrka / Kościoły - Kościoły interesujące
Hôpital - Auberge de jeunesse / Ziekenhuis - Jeugdherberg	✚ ▲	Ospedale - Ostello della gioventù / Hospital - Albergue de juventud	Krankenhaus - Jugendherberge / Hospital - Youth hostel	✚ ▲	Sjukhus - Vandrarhem / Szpitale - Schroniska młodzieżowe
Monument / Monument	⚑	Monumento / Monumento	Denkmal / Monument	⚑	Monument / Pomniki
Zone bâtie - Bâtiment public / Woongebied - Openbaar gebouw		Caseggiato - Edificio pubblico / Zona edificada - Edificio público	Bebauung - Öffentliches Gebäude / Built-up area - Public building		Bebyggelse - Offentlig byggnad / Obszar zabudowane - Budynki użyteczności publicznej
Zone industrielle / Industriegebied		Terreno industriale / Zona industrial	Industriegebiet / Industrial area		Industriområde / Obszar zabudowy przemysłowej
Parc - Bois / Park - Bos		Bosco, parco / Parque, bosque	Park - Wald / Park - Forest		Park, skog / Lasy, parki

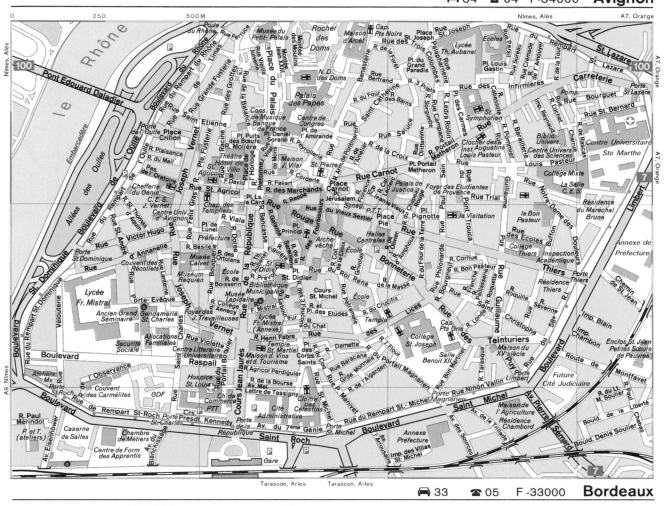
0
250
500 M
Nîmes, Alès
A7, Orange
Nîmes, Alès
A7, Orange
A7, Orange
A9, Nîmes
Tarascon, Arles
Tarascon, Arles
100
100
7
7
le Rhône
Pont Edouard Daladier
Allées des Oulles
Embarcadère
Palais des Papes
Rocher des Doms
N. D. des Doms
Place du Palais
Place de l'Horloge
Rue de la République
Cours Jean Jaurès
Rue Carnot
Rue Bonneterie
Rue des Lices
Rue des Teinturiers
Rue Joseph Vernet
Rue Thiers
Rue Guillaume Puy
Rue Carreterie
Boulevard Limbert
Boulevard Saint Michel
Boulevard Saint Roch
Boulevard du Rempart St-Roch
Boulevard St. Dominique
Boulevard du Rempart du Rhône
Boulevard de l'Oulle
Porte du Rhône
Porte de l'Oulle
Porte St Dominique
Porte St. Lazare
Porte Thiers
Porte Limbert
Porte Magnanen
Porte St. Michel
Porte de la République
Porte Evêque
Place Crillon
Place Pie
Place Carnot
Halles Centrales
Musée du Petit-Palais
Musée Calvet
Muséum Requien
Lycée Fr. Mistral
Centre Universitaire Ste Marthe
Collège St. Joseph
Hôtel de Ville
Préfecture
Annexe de Préfecture
Gare
Maison de l'Agriculture
Av. Pierre Sémard
Route de Montfavet
Tarascon, Arles

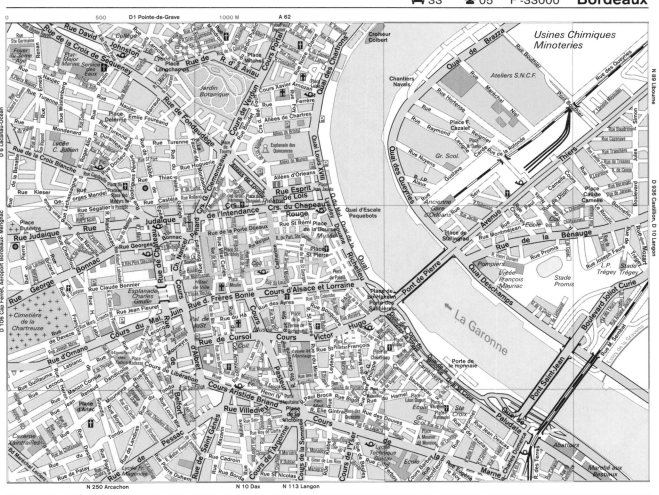
0
500
D1 Pointe-de-Grave
1000 M
A 62
N 89 Libourne
D 936 Castillon, D 10 Langon
D 6 Lacanau-Océan
D 106 Cap Ferret, Aeroport Bordeaux-Mérignac
N 250 Arcachon
N 10 Dax
N 113 Langon
La Garonne
Usines Chimiques Minoteries
Ateliers S.N.C.F.
Croiseur Colbert
Chantiers Navals
Quai des Chartrons
Quai Louis XVIII
Quai d'Escale Paquebots
Quai Richelieu
Quai de la Monnaie
Quai Ste Croix
Quai de Paludate
Quai des Queyries
Quai Deschamps
Pont de Pierre
Pont Saint-Jean
Jardin Botanique
Esplanade des Quinconces
Cours de Verdun
Cours du Chapeau Rouge
Cours de l'Intendance
Cours d'Alsace et Lorraine
Cours Victor Hugo
Cours Pasteur
Cours d'Albret
Cours Aristide Briand
Cours de la Marne
Cours de l'Argonne
Cours de la Somme
Rue Judaïque
Rue Sainte Catherine
Cimetière de la Chartreuse
Place Gambetta
Place de la Bourse
Place de Stalingrad
Stade Promis
Abattoirs
Porte de la monnaie
Marché aux Bestiaux

Brest F-29200 ☎02 🚗29

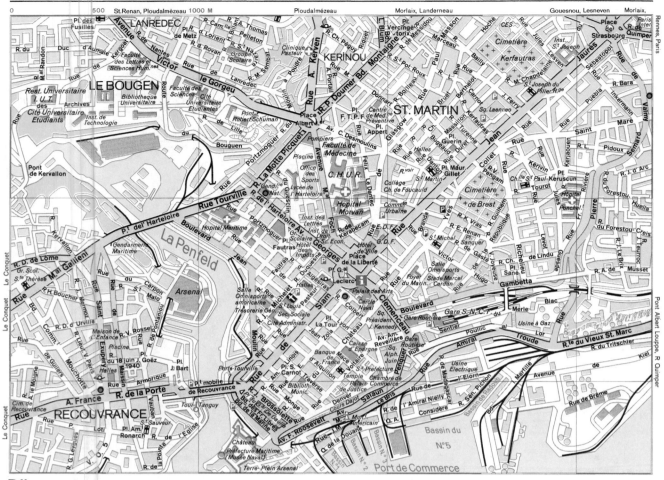

Dijon F-21000 ☎03 🚗21

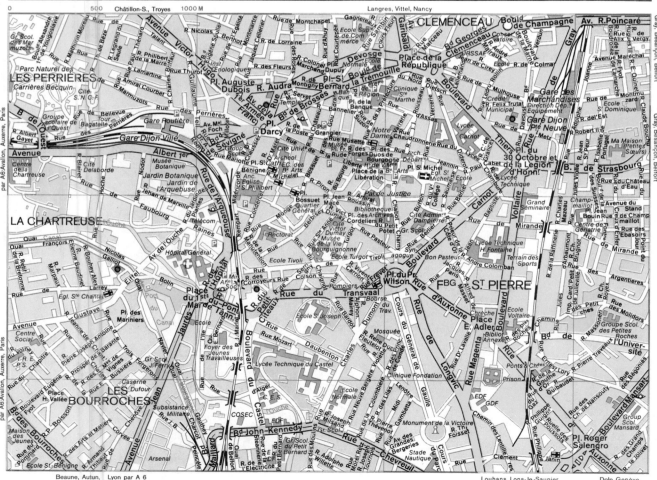

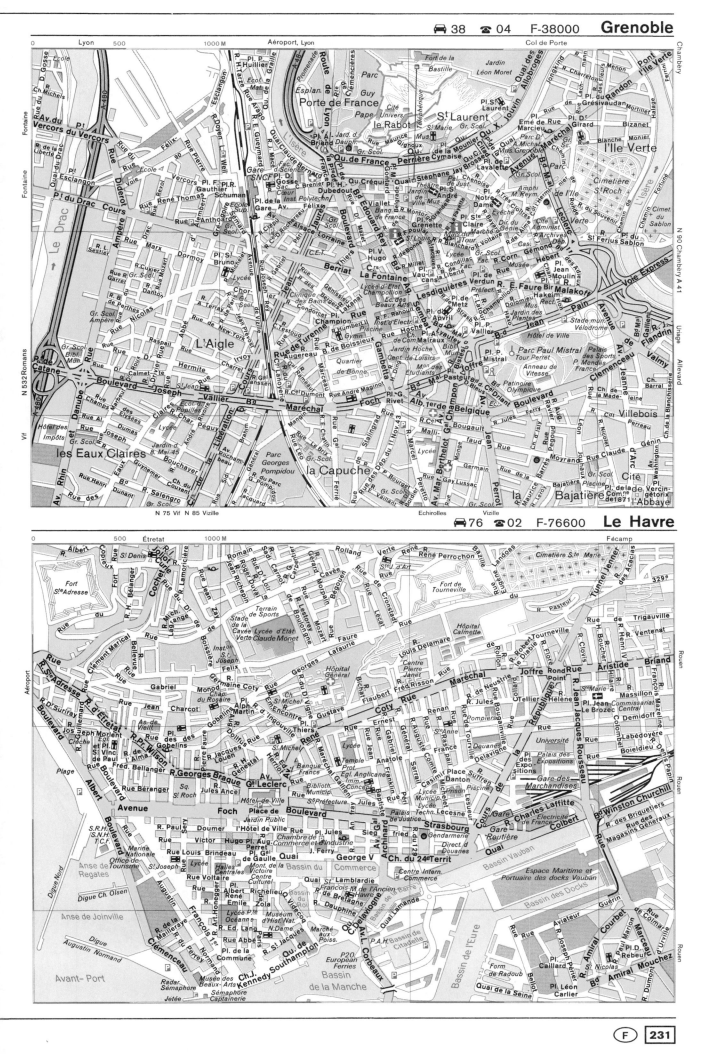
Grenoble
Lyon
Aéroport, Lyon
Col de Porte
Chambéry
Fontaine
N 532 Romans
Vif
N 75 Vif N 85 Vizille
Echirolles
Vizille
N 90 Chambéry A 41
Uriage
Allevard
Porte de France
St Laurent
le Rabot
l'Ile Verte
L'Aigle
les Eaux Claires
la Capuche
la Bajatière
Fort de la Bastille
Jardin Léon Moret
Gare SNCF
Cimetière St Roch
Hôtel de Ville
Parc Paul Mistral
Parc Georges Pompidou
Quartier de Bonne
Le Drac
L'Isère
Cours Berriat
Boulevard Joseph Vallier
Bd Maréchal Foch
Voie Express
Le Havre
76 ☎ 02 F-76600
Étretat
Fécamp
Aéroport
Rouen
Fort Ste Adresse
Fort de Tourneville
Cimetière Ste Marie
Hôpital Général
Hôpital Calmette
Lycée d'État Claude Monet
Avenue Foch
Boulevard de Strasbourg
Rue Aristide Briand
Gare des Marchandises
Gare Routière
Bassin Vauban
Bassin du Commerce
Bassin des Docks
Bassin de l'Eure
Bassin de la Manche
Bassin de la Citadelle
Espace Maritime et Portuaire des docks Vauban
Anse de Regates
Anse de Joinville
Digue Nord
Digue Ch. Olsen
Digue Augustin Normand
Avant-Port
Plage
Jetée
Quai de Southampton
Quai George V
Bd Winston Churchill
Bd Amiral Mouchez

Le Mans F-72000 ☎02 🚗72

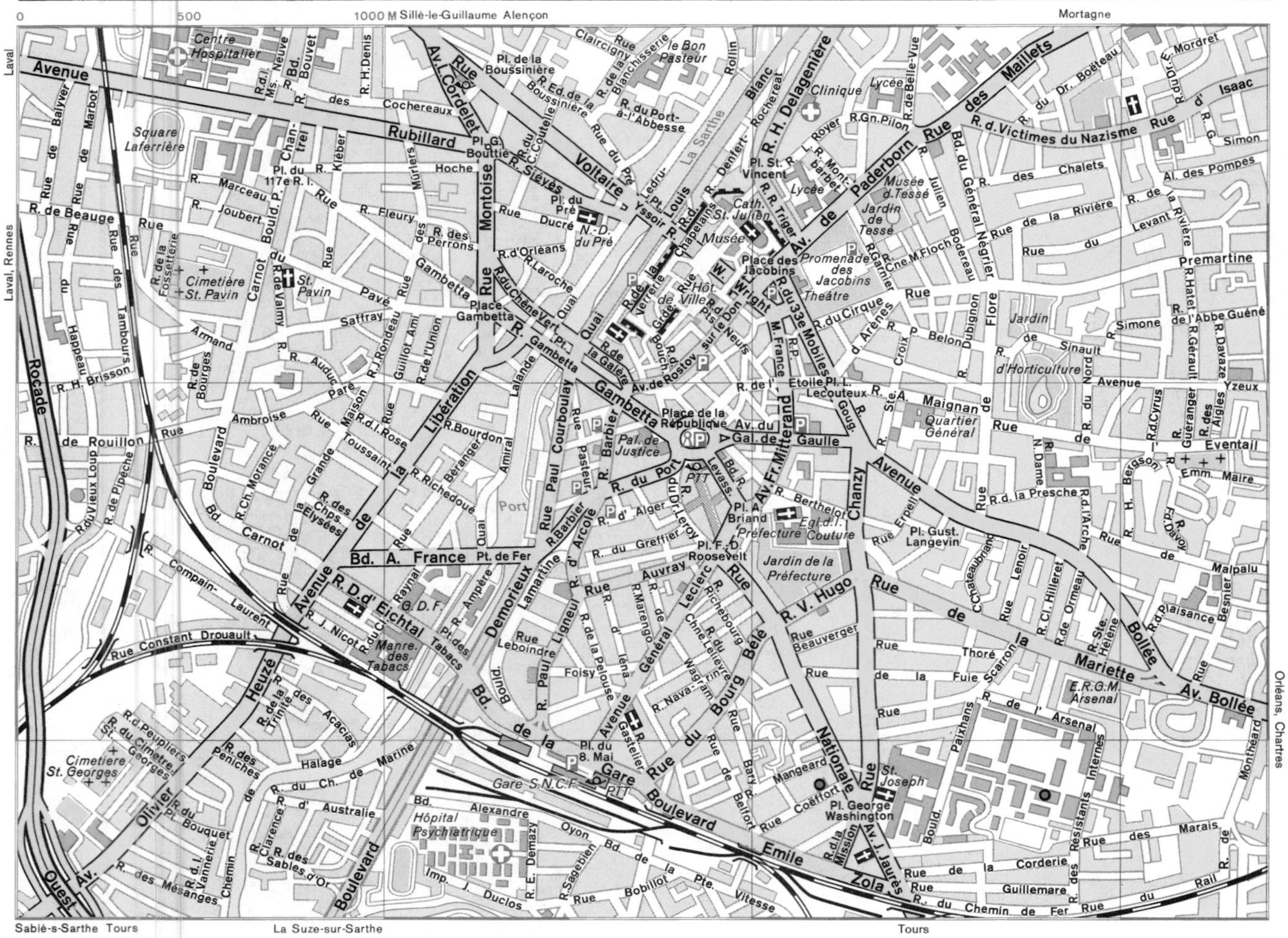

Limoges F-87000 ☎05 🚗87

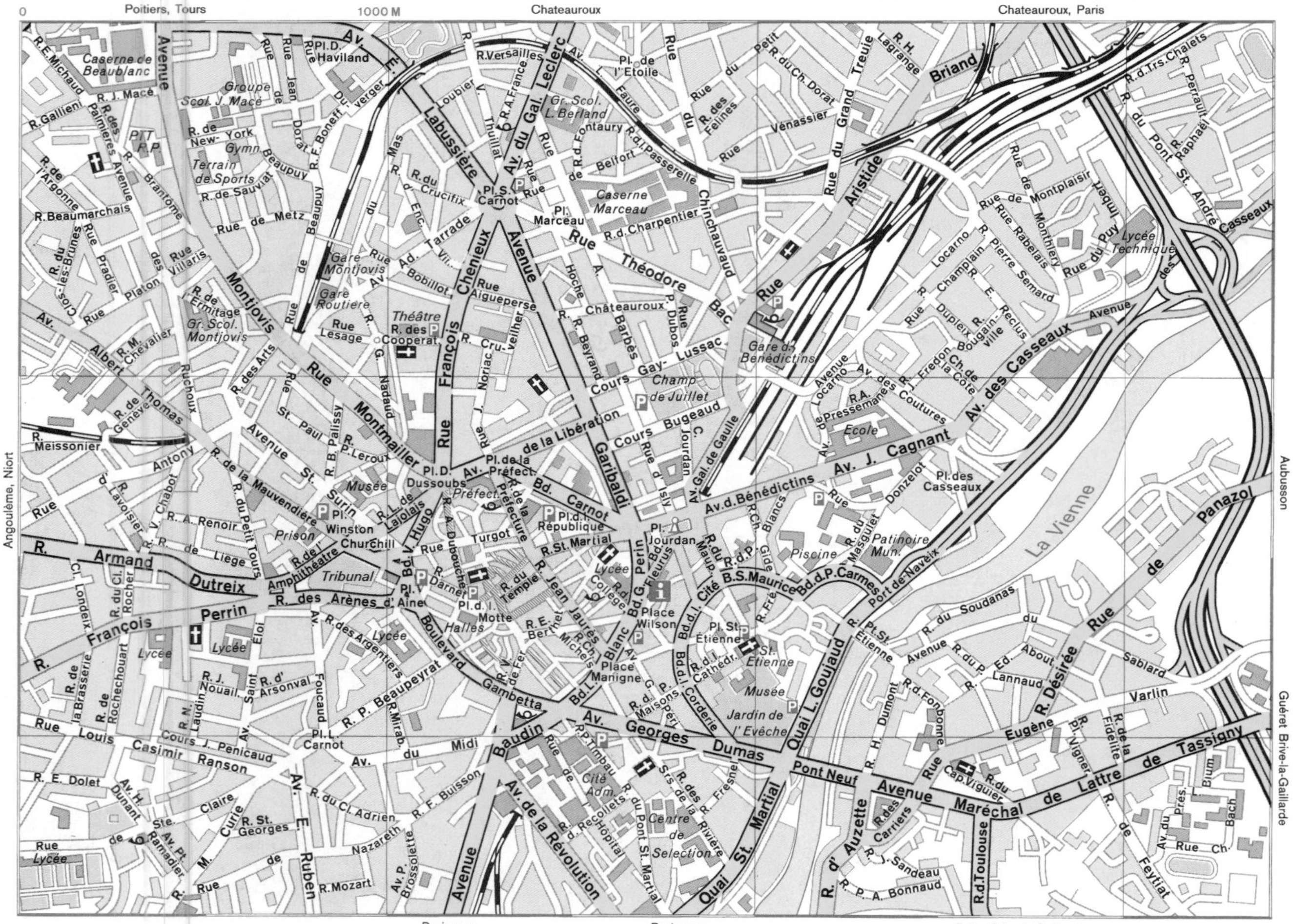

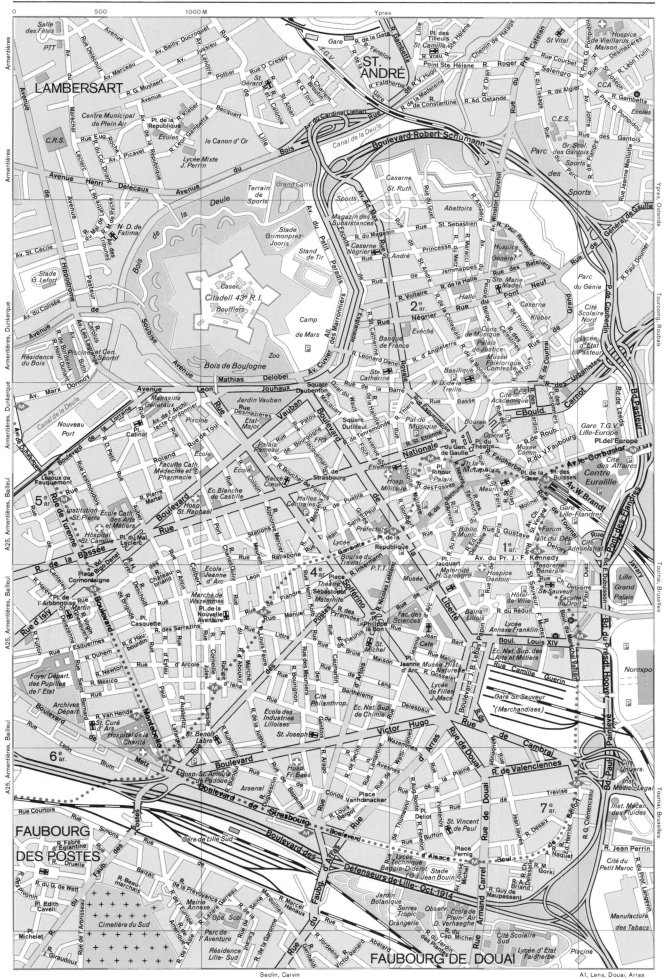
0
500
1000 M
Ypres
Seclin, Carvin
A1, Lens, Douai, Arras
Armentières
Armentières, Dunkerque
A25, Armentières, Bailleul
Ypres, Ostende
Tourcoing, Roubaix
Tournai, Bruxelles
LAMBERSART
ST. ANDRÉ
FAUBOURG DES POSTES
FAUBOURG DE DOUAI
Salle des Fêtes
PTT
Centre Municipal de Plein Air
Pl. de la République
Écoles
C.R.S.
le Canon d' Or
Lycée Mixte J. Perrin
Avenue Henri Delecaux
Canal de la Deule
Boulevard Robert Schumann
Parc des Sports
Gr. Scol. des Gantois
Caserne St. Ruth
Abattoirs
Terrain de Sports
Grand Carré
Stade Grimonprez-Jooris
Stand de Tir
Bois de la Deule
N.-D. de Fatima
Stade G. Lefort
Caser. Citadell 43e R.I. Boufflers
Camp de Mars
Zoo
Bois de Boulogne
Résidence du Bois
Piscine et Cen. Sportif
Avenue Mathias Delobel
Av. Marx Dormoy
Magasins Généraux
Nouveau Port
Jardin Vauban
Etat-Major
Piscine
Square Daubenton
Square Dutilleul
Magazin des Subsistances
Caserne Négrier
Hospice Général
Ste. Marie Madel.
Halle
Caserne Kleber
Parc du Génie
Cité Scolaire Nord
Lycée d' Etat L. Pasteur
Banque de France
Evêché
Palais de Justice
Musée Folklorique Comtesse
Basilique
N.-D. de la Treille
Ste. Catherine
Cité Académique
CES
Bould. Carnot
Bourse
Opéra
Pal. de Musique
Musée Comm.
Gare T.G.V. Lille-Europe
Pl. del'Europe
Av. le Corbusier
Cité des Affaires
Centre Euralille
Pl. de la Gare
Pl. des Buisses
Av. W. Brandt
Gare Lille-Flandres
Forum
Hôt. du Dép.
Cité Administrat.
Pl. du Gen. de Gaulle
Pl. du Théatre
Pl. Rihour
Palais
Th. la Métaphore
Hosp. Militaire
Palais Rameau
Faculté Cath. Médecine et Pharmacie
Ecole
Sacré Coeur
Ec. Blanche de Castille
Institution St. Pierre
Ecole Cath. des Arts et Métiers
Hosp. St. Raphaël
Hôspital St. Camille
Halles Centrales
Préfecture
Pl. de la République
Lycée
Bourse du Travail
P.T.T.
Musée
Biblio. Munic.
Place Cormontaigne
Ecole Jeanne d' Arc
Théâtre Sébastopol
Maternité
Place Sébastopol
Marché de Wazemmes
Pl. de la Nouvelle Aventure
Fac. des Sciences
Philippe le Bon
St. Michel
Jean Cete
Pl. Jacquart
Maternité H. Salengro
Hospice Gantois
Trésorerie Générale
Hôtel-de-Ville
Faculté de Droit
Lille Grand Palais
Bains Lillois
Lycée Annexe Franklin
Boul. Louis XIV
Ec. Nat. Sup. des Arts et Métiers
Musée Hist. Naturelle
Lycée de Filles J. Macé
Rue Camille Guerin
Gare St. Sauveur (Marchandises)
Norexpo
Bd. du Présdt. Hoover
Foyer Départ. des Pupilles de l' Etat
Archives Départ.
St. Curé d'Ars
Hospital de la Charité
St. Benoît Labre
Cité Philanthrop.
Ec. Nat. Sup. de Chimie
Ecole des Industries Lilloises
St. Joseph
Boulevard Victor Hugo
Rue de Cambrai
R. de Valenciennes
Hosp. Fr. Baës
Hosp. St. Antoine de Padoue
Arsenal
Place Vanhoenacker
Boulevard de Strasbourg
Boulevard des Défenseurs de Lille Oct. 1914
Gare de Lille Sud
Cimetière du Sud
Mairie Annexe
Gpe. Scol.
Parc de l' Aventure
Résidence Lille-Sud
Lycée Technique Diderot
Stade (G.) Jean Bouin
Jardin Botanique
Serres Tropic
Orangerie
Observ.
Ecole de Plein-Air D. Verhaeghe
Cité Scolaire Sud
Lycée d' Etat Faidherbe
Piscine
Place Fernig
St. Vincent de Paul
Cité Univers.
Inst. Médico-Légal
Inst. Mécan. des Fluides
Cité du Petit Maroc
Manufacture des Tabacs
R. Jean Perrin
Bd. Paul Painlevé
Hospice de Vieillards, Maison Desmazières
St Vital
CCA
C.E.S.
Parc des Sports
Bd. de Leeds
Bd. Pasteur
Pont des Flandres
Rue Nationale
Rue Esquermoise
Boulevard de la Liberté
Rue Solférino
Boulevard Montebello
Rue d' Isly
Rue de Turenne
R. de la Bassée
Boulevard de Metz
Rue d' Arras
Rue de Douai
Rue Armand Carrel
Av. du Pr. J.-F. Kennedy
Rue Royale
Rue Négrier
R. Voltaire
Av. du Peuple Belge
Rue de Tournai
Bd. Carnot
Rue Gambetta
Rue Inkermann
Rue Léon Gambetta
Av. Winston Churchill
Rue Jeanne Maillotte
Boul. d' Alsace
Faubg. d' Arras
1er ar.
2e ar.
4e ar.
5e ar.
6e ar.
7e ar.

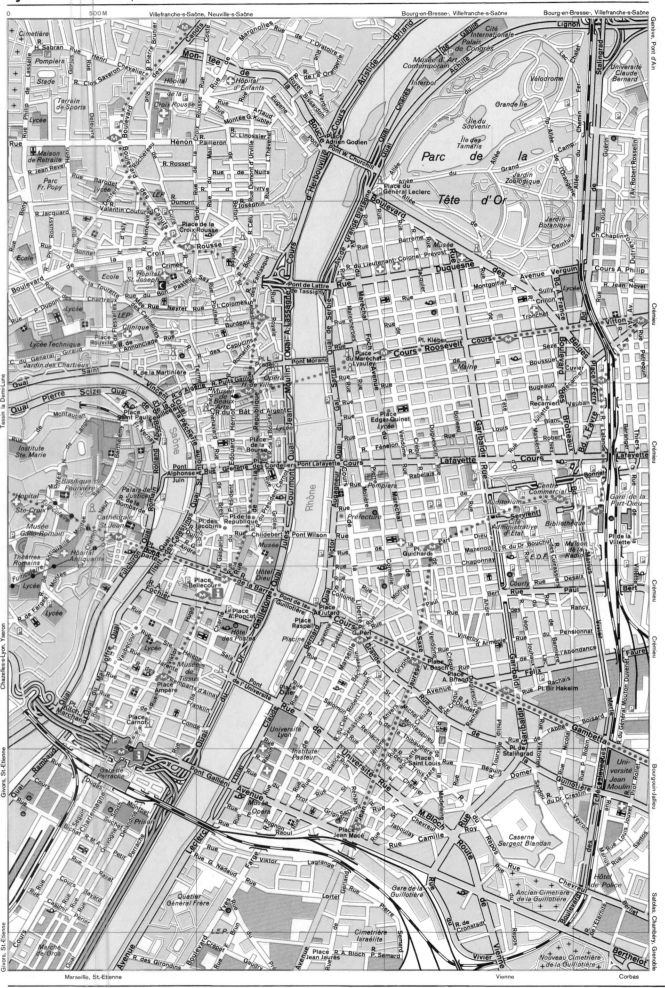
0
500 M
Villefranche-s-Saône, Neuville-s-Saône
Bourg-en-Bresse-, Villefranche-s-Saône
Bourg-en-Bresse-, Villefranche-s-Saône
Genève, Pont d'Ain
Crémieu
Crémieu
Crémieu
Crémieu
Bourgoin-Jallieu
Satolas, Chambéry, Grenoble
Corbas
Vienne
Marseille, St-Etienne
Givors, St-Etienne
Givors, St-Etienne
Chazelles-s-Lyon, Yseron
Tassin la Demi-Lune
Cimetière
Pompiers
Stade
Terrain de Sports
Lycée
Hôpital de la Croix Rousse
Hôpital d'Enfants
Montée de la Boucle
Place Adrien Godien
Pont W. Churchill
Cité Internationale
Palais de Congrès
Musée d'Art Contemporain
Interpol
Quai Charles de Gaulle
Cours Aristide Briand
Vélodrome
Grande Île
Île du Souvenir
Île des Tamaris
Parc de la Tête d'Or
Jardin Zoologique
Jardin Botanique
Université Claude Bernard
Place du Général Leclerc
Boulevard des Belges
Maison de Retraite
Parc Fr. Popy
Place de la Croix Rousse
Boulevard de la Croix Rousse
Hôpital St. Joseph
Ecole
Lycée Technique
Jardin des Chartreux
Pont de Lattre de Tassigny
Pont Morand
Pl. Kléber
Cours Roosevelt
Place du Maréchal Lyautey
Mairie
Place Edgar Quinet
Cours Lafayette
Pont Lafayette
Quai Pierre Scize
Quai St. Vincent
Musée de Beaux Arts
H. de Ville
Opéra
Place de la Bourse
Pl. des Cordeliers
Saône
Rhône
Institute Ste. Marie
Basilique de Fourvière
Palais de Justice
Cathédrale St.Jean
Musée Gallo-Romain
Hôpital Ste-Croix
Théâtres Romains
Hôpital Antiquaille
Funiculaire
Pl. des Jacobins
Pl. de la République
Pont Wilson
Musée Hôtel Dieu
Place Bellecour
Préfecture
Centre Commercial
Auditorium
Cité Administrative d'Etat
Bibliothèque
Maison de la Radio
Gare de la Part-Dieu
Pl. de la Villette
E.D.F.
Courly
Place A. Poncet
Hôte des Postes
Pont de la Guillotière
Place Raspail
Piscine
Pl. G. Péri
Musée de Tissus
Place Ampère
Remparts d'Ainay
Place Carnot
Pont de l'Université
Université Lyon
Institute Pasteur
Pont Gallieni
Gare de Perrache
Prison
Place Jean Macé
Caserne Sergent Blandan
Place Saint Louis
Pl. de Stalingrad
Pl. Bir Hakeim
Université Jean Moulin
Ancien Cimetière de la Guillotière
Nouveau Cimetière de la Guillotière
Hôtel de Police
Gare de la Guillotière
Cimetrière Israélite
Quatier Général Frère
Place Jean Jaurès
Marché de Gros
Cours Gambetta
Avenue Berthelot
Cours Charlemagne
Avenue Jean Jaurès
Boulevard Yves Farge
Quai Claude Bernard
Rue de Marseille
Cours Vitton
Cours A. Philip
Rue Garibaldi
Rue Duguesclin
Rue Servient
Rue Paul Bert
Avenue Félix Faure
Rue Tronchet
Rue Duquesne
Rue Vendôme
Quai Victor Augagneur
Quai de Serbie
Quai Sarrail
Quai Jean Moulin
Quai Jules Courmont
Quai Gailleton
Quai Dr. Gailleton
Quai Fulchiron
Quai Romain Rolland
Rue de la République
Rue du Président Carnot
Rue Victor Hugo
Rue Sala
Rue Franklin
Rue de la Charité
Place Bellecour
Rue de la Barre
Rue Mazenod
Rue Chaponnay
Rue Moncey
Rue de l'Université
Avenue Berthelot
Route de Vienne
Rue Chevreul
Rue Jaboulay
Rue Camille Roy
Rue de Gerland
Rue Lortet
Rue Viktor Lagrange
Rue G. Nadaud
Rue Marius Berliet
Boulevard des Tchécoslovaques
Rue de Lyon
Stalingrad

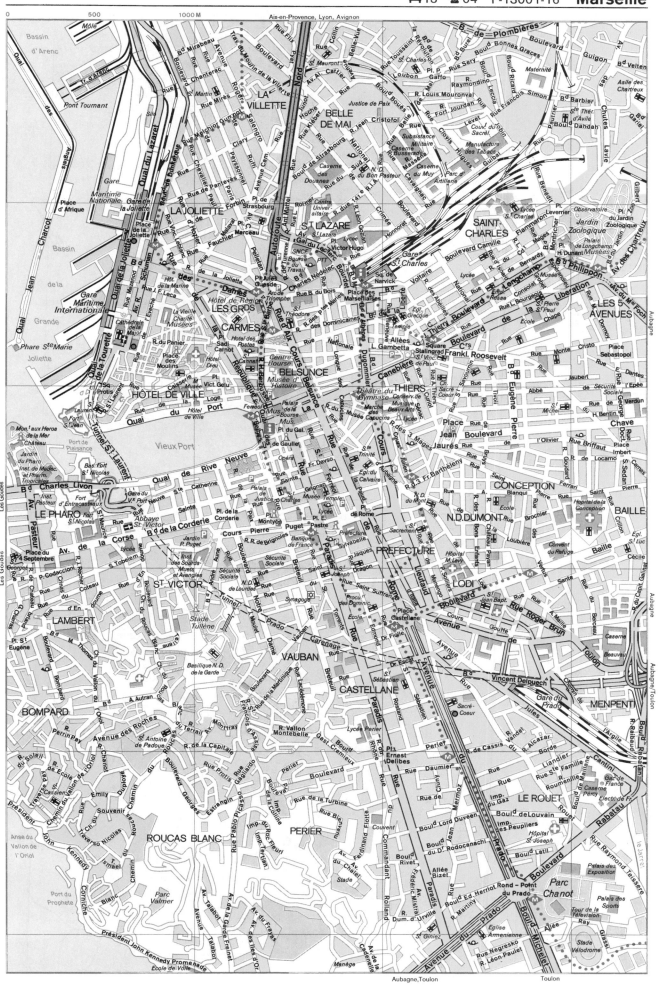
0
500
1000 M
Aix-en-Provence, Lyon, Avignon
Môle
Bassin d'Arenc
Quai des Anglais
Pont Tournant
Gare Maritime Nationale
Place d'Afrique
Bassin de la Grande Joliette
Quai Jean Charcot
Gare Maritime Internationale
Phare Ste Marie
LA VILLETTE
BELLE DE MAI
LA JOLIETTE
Gare de la Joliette
Place de la Joliette
ST LAZARE
SAINT-CHARLES
Gare St Charles
Jardin Zoologique
Palais de Longchamp Musées
Observatoire
LES 5 AVENUES
Bd de Plombières
Autoroute Nord
Justice de Paix
Subsistance Militaire
Caserne des Douanes
Caserne du Muy
Manufacture des Tabacs
Centre Universitaire
Bd Mirabeau
Quai du Lazaret
Bd de Dunkerque
Rue de la République
Quai de la Joliette
Quai de la Tourette
Cathédrale de la Major
La Vieille Charité Musées
Hôtel de Région
LES GRDS CARMES
BELSUNCE
Centre Bourse
Musée d'Histoire
HÔTEL DE VILLE
Place des Moulins
Hôtel-Dieu
Quai du Port
Vieux Port
Fort St Jean
Tunnel St Laurent
Mont aux Heros de la Mer
Château du Pharo
Jardin du Pharo
Port de Plaisance
Bas. Fort St Nicolas
Quai de Rive Neuve
Bd Charles Livon
LE PHARO
Fort St Nicolas
Abbaye St Victor
Bd de la Corderie
Place du 4 Septembre
ST VICTOR
LAMBERT
Stade Tullène
Basilique N.D. de la Garde
VAUBAN
BOMPARD
ROUCAS BLANC
Anse du Vallon de l'Oriol
Port du Prophete
Corniche Président John Kennedy
Parc Valmer
PERIER
Stade
Canebière
Allées L. Gambetta
Square Stalingrad
Bd de la Libération
Bd Longchamp
Bd Franklin Roosevelt
THIERS
Théatre du Gymnase
Conserv. de Musique Beaux Arts
Place Jean Jaurés
Opéra
Palais de Justice
Préfecture
PREFECTURE
Rue de Rome
Rue Paradis
Cours Pierre Puget
Jardin P. Puget
Banque de France
CONCEPTION
N.D. DUMONT
Hôpital de la Conception
BAILLE
LODI
Place Castellane
CASTELLANE
Avenue du Prado
Rue Roger Brun
Gare du Prado
MENPENTI
LE ROUET
Bd Rabatau
Caserne Beauvau
Gaz de France
Rond - Point du Prado
Parc Chanot
Palais des Exposition
Palais des Sports
Stade Vélodrome
Bd Michelet
Aubagne
Aubagne/Toulon
Les Goudes
Aubagne, Toulon
Toulon

Monaco MC-98000 ☎ 93

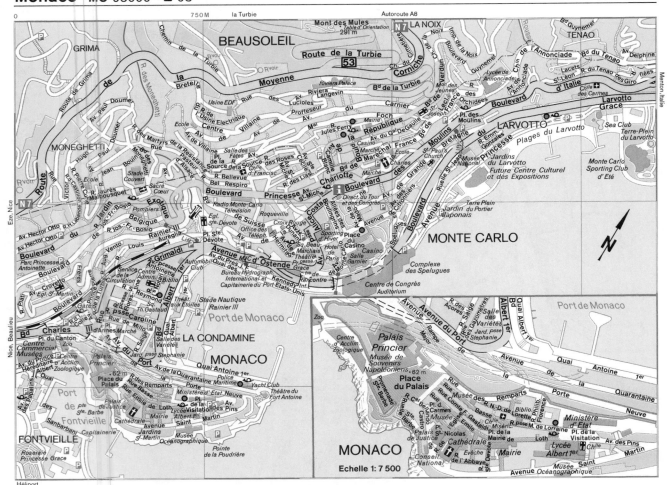

Nancy F-54000 ☎ 03 🚗 54

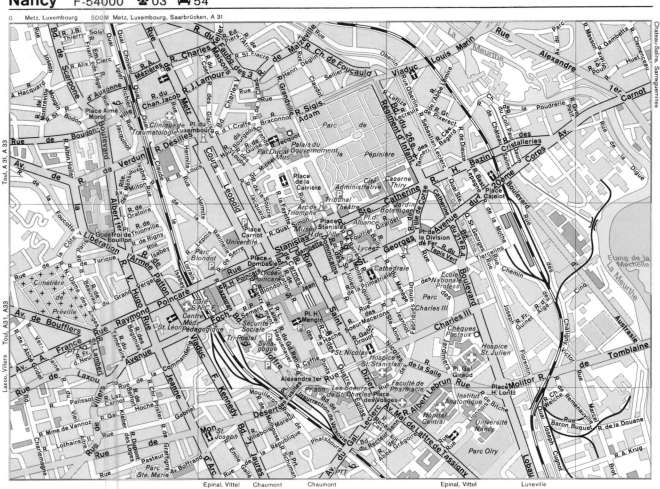

0
A8 Antibes, Monaco
1000 M
A8 Sospel
La Turbie
ST-ROCH
CARABACEL
ST ETIENNE
BAIE DES ANGES
Monaco, Menton
A8 de Nice - Côte-d'Azur
Promenade des Anglais
Quai des Etats-Unis
Blue Beach
Forum Plage
Ruhl Plage
Opéra Plage
Castel Plage
Voilier Plage
Florida Plage
BASSIN DES AMIRAUX
BASSIN DE COMMERCE
Club Nautique
de Nice - Côte-d'Azur

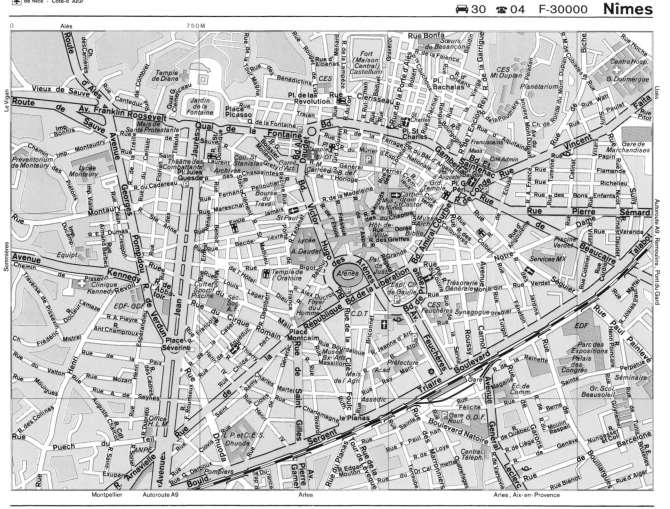
0
Alès
750M
Le Vigan
Uzès
Sommières
Autoroute A9, Remoulins, Pont du Gard
Montpellier
Autoroute A9
Arles
Arles, Aix-en-Provence
Jardin de la Fontaine
Temple de Diane
Arènes
Route de Sauve
Av. Franklin Roosevelt
Quai de la Fontaine
Bd. Gambetta
Rue Pierre Sémard
Avenue Jean Jaurès
Planétarium
Gare
Parc des Expositions Palais des Congrès

Orléans F-45000 ☎02 🚗45

0   500   1000 M   Chartres, Paris

La Loire

Reims F-51100 ☎03 🚗51

0   500   1000 M   Laon Vervins

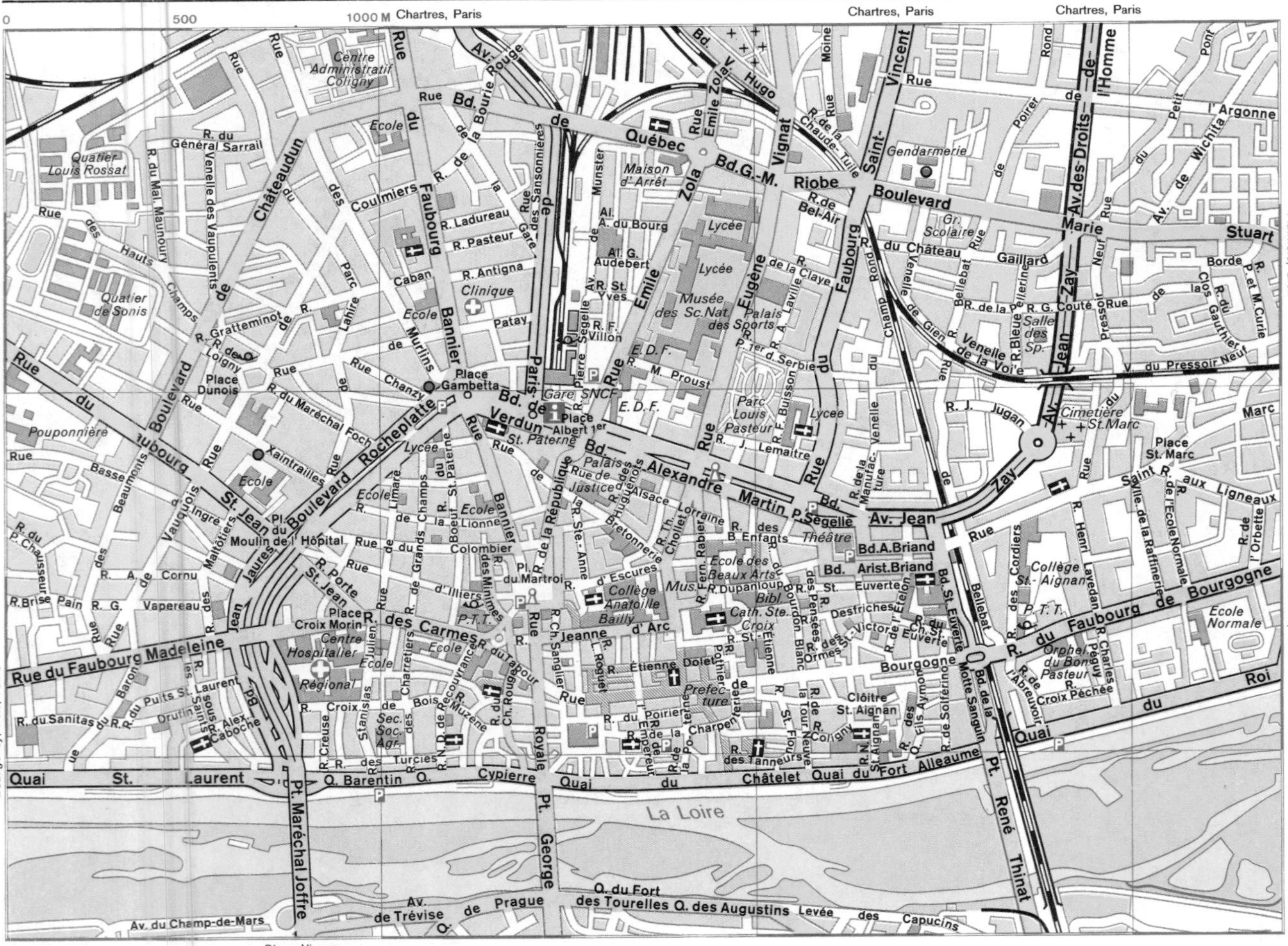

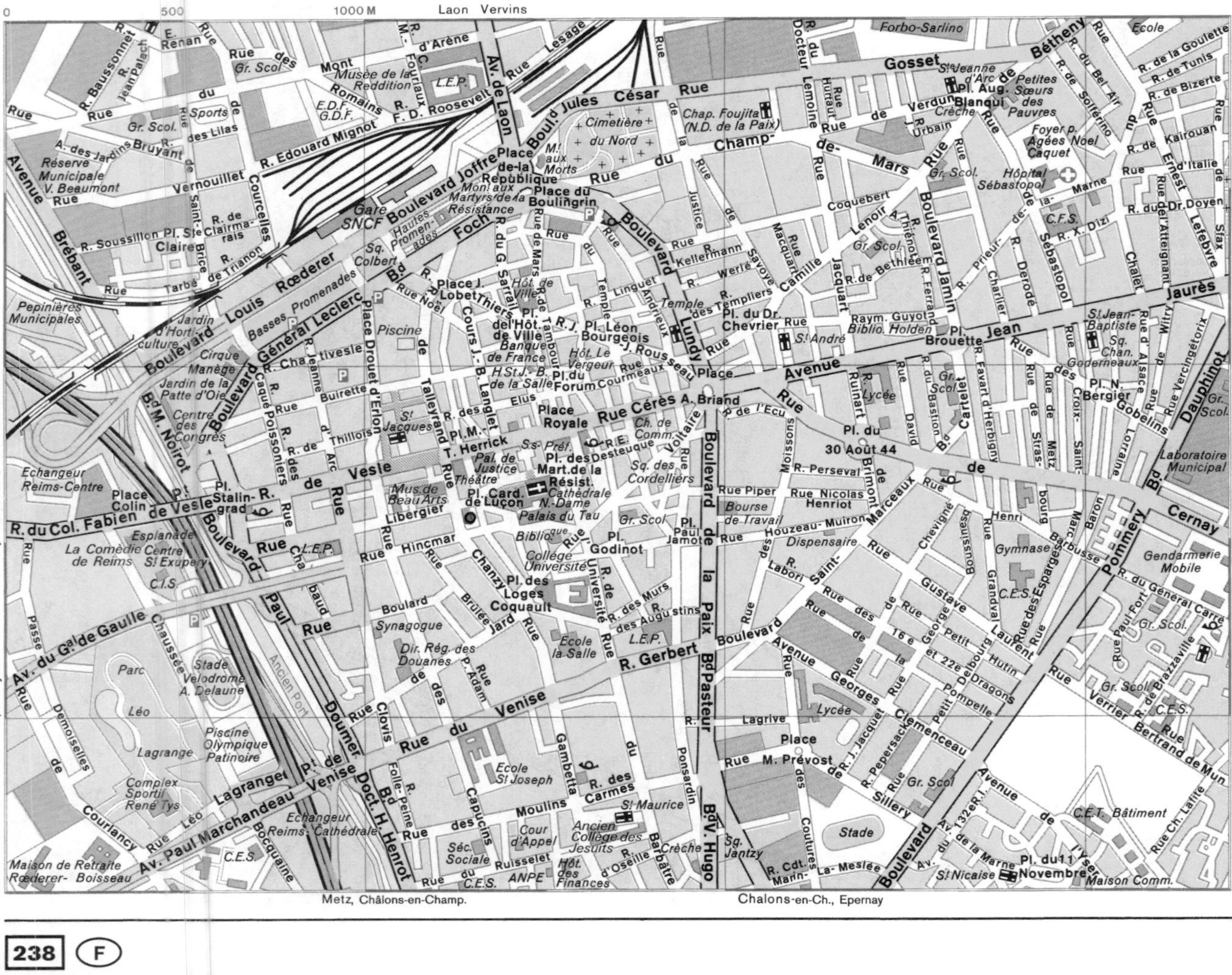

35 ☎ 02 F-35000 **Rennes**

0 500 1000 M

Dinan St. Malo Dinard — Fougères Alençon Avranches

Vannes Ploërmel L. Orient — St. Brieuc Brest

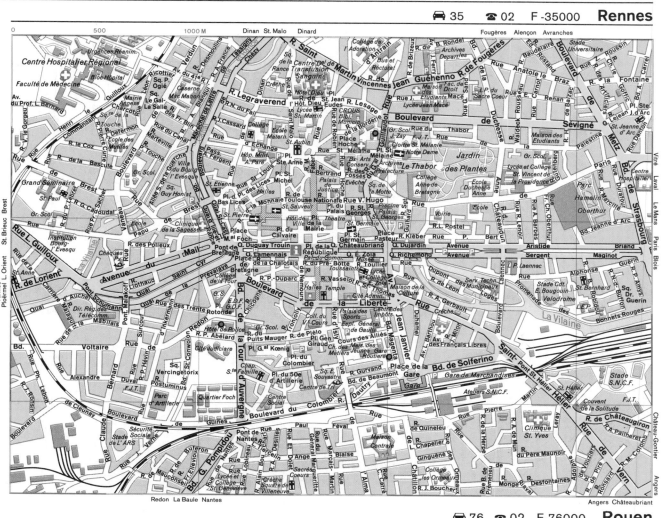

Redon La Baule Nantes — Angers Châteaubriant

76 ☎ 02 F-76000 **Rouen**

0 Dieppe 500 1000 M Abbeville

Barentin — Gournay-en-Bray

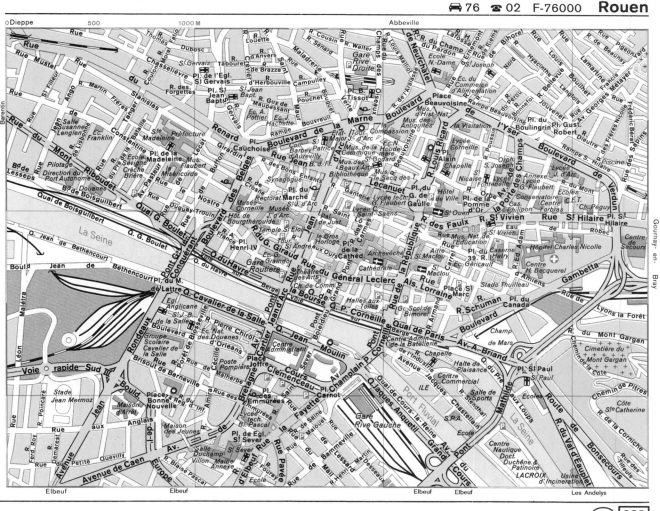

Elbeuf Elbeuf Elbeuf Elbeuf Les Andelys

Strasbourg F

0 500 1000 M

Haguenau, Wissembourg — Lauterbourg, Mayence

Colmar, Mulhouse, Belfort — Kehl, Freudenstadt, Karlsruhe, Freiburg — Kehl, Freudenstadt, Karlsruhe, Freiburg

Toulouse F-31000 ☎ 05 🚗 31

0 1000 M

A62, Montauban — A62, Montauban — A68, Albi, Rodez — Lavaur, Graulhet

Pamiers, Foix — Castelnaudary, Carcassonne — Revel — A61, Espagne

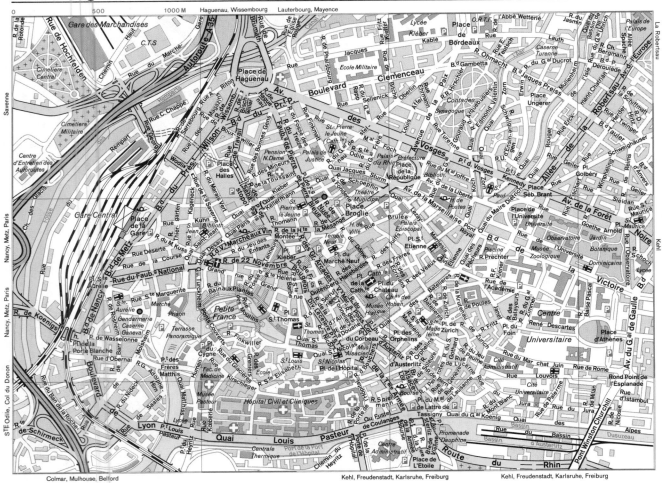

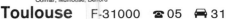

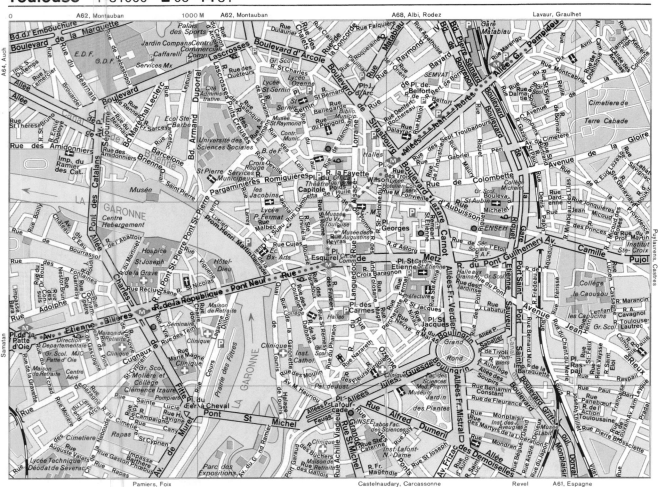

Europe · Europa
1:4.500.000

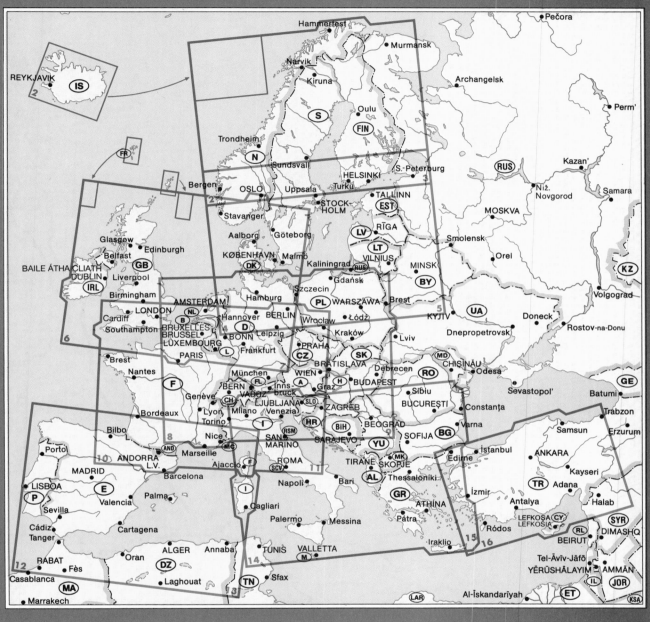

	Autoroute	Autostrada			Autobahn	Motorväg	S
NL	Autosnelweg	Autopista	E	GB	Motorway	Autostrady	PL
	Route à grande circulation	Strada di grande comunicazione			Fernverkehrsstraße	Genomfartsled	
	Weg voor interlokaal verkeer	Ruta de larga distancia			Trunk road	Przelotowe drogi główne	
	Autres routes	Altre strade			Sonstige Straßen	Övrigar vägar	
	Overige wegen	Otras carreteras			Other roads	Drogi inne	
	Numéro des routes européennes	Numero di strada europea	76		Europastraßen-Nummer	Europavägnummer	76
	Europawegnummer	Número de carretera europea			Number of main European route	Numery dróg europejskich	
	Ligne maritime importante	Linea di navigazione importante			Wichtige Schiffahrtslinie	Viktig båtförbindelse	
	avec transport des voitures	con trasporto auto			mit Autotransport	med biltransport	
	Voornaamste scheepvaartlijn	Linea maritima importante			Major	Linie	
	met autovervoer	con transporte de automóviles			car ferry route	żeglugi pasażerskiej	
	Distances en km	Distanza chilometrica	259		Kilometrierung	Kilometerangivelse	259
	Kilometeraanduiding	Distancias en kilòmetros	130 129		Distances in km	Odległości w kilometrach	130 129
	Passage frontalier	Passaggio di frontiera			Grenzübergang	Gränsövergång (kan	
	(seulement à condition spécial)	(solo a determinate condizioni)	○		(nur unter bestimmten Bedingungen)	endast passeras under vissa villkor)	
	Grensovergang	Paso fronterizo			Border crossing	Przejścia graniczne	
	(alleen onder bijzondere voorwaarde)	(sólo bajo condiciones especiales)			(by specific regulations only)	(tylko na określonych warunkach)	
	Capitale	Capoluogo			Hauptstadt	Huvudstad	
	Hoofdstad	Capital	**PARIS**		Capital	Stolice	**PARIS**
	Localité remarquable	Località di notevole interesse			Sehenswerter Ort	Sevärd ort	
	Bezienswaardige plaats	Población de interés	**RAVENNA**		Place of interest	Miejscowości interesujące	**RAVENNA**
	Autres curiosités - Aéroport	Interesse turistico di altro tipo - Aeroporto	✳ ⊞		Sonstige Sehenswürdigkeiten - Flughafen	Annan sevärdhet - Större trafikflygplats	✳ ⊞
	Overige bezienswaardigheden - Luchthaven	Otras curiosidades - Aeropuerto			Other objects of interest - Airport	Inne interesujące obiekty - Lotniska	

ÍSLAND
Arctic Circle
Raufarhöfn
Rifstangi
Fontur
Thistilfjördhur
Kópasker
Thórshöfn
Horn
Ísafjardhardjúp
Drangajökull
925
Bolungarvík
Ísafjördhur
Thingeyri
Hólmavík
Vatneyri
Húnaflói
Skagafjördhur
Siglufjördhur
Dalvík
Húsavík
Vopnafjördhur
Saudhárkrókur
Blönduós
Akureyri
Grimsstadhir
Mývatn
Hvammstangi
Egilsstadhir
Seydhisfjördhur
Neskaupstadhur
Eskifjördhur
Tórshavn
Breidhafjördhur
Stykkishólmur
Sandur
Hofsjökull
1765
Langjökull
1400
Vatnajökull
2000
Kolbeinsstadhir
Borgarnes
Djúpivogur
Faxaflói
Akranes
Reykjavík
Hafnarfjördhur
Keflavík
Grindavík
Thingvallavatn
Laugarvatn
Thjórsá
Thórisvatn
Flúdhir
Höfn
Öræfajökull
2119
Selfoss
Hella
Kirkjubæjarklaustur
Thorlákshöfn
Mýrdalsjökull
1450
Vík
Vestmannaeyjar
NORWEGIAN SEA
Arctic Circle
Vesterålen
Andøy
Andfjorden
Langøy
Sortland
Harstad
Hinnøy
Lofoten
Stokmarknes
Lødingen
Austvågøy
Vestvågøy
Svolvær
Stamsund
Bognes
Ulvsvåg
Narvik
Skutvik
Vestfjorden
Sommarset
Bodø
Fauske
Saltfj.
Sulitjelma
1913
Sarektjåkkå
2090
Kvikkjokk
Rognan
Glomfjord
Svartisen
1600
Jäckvik
Mo i Rana
Sandnessjøen
Ranafj.
Korgen
Ammarnäs
Uddjaur
Røssvatn
Mosjøen
Vega
Brønnøysund
Hattfjelldal
Västansjö
Trofors
Sorsele
Vendesund
Storuman
Majavatn
Dikanäs
Vikna
Gardstad
Foldereid
Limingen
Saxnäs
Risbäck
Folda
Namsos
Tunnsjø
Grong
Nordli
Gäddede
Vilhelmina
Formofoss
Sørli
Norrland
Frohavet
Frøya
Åfjord
Steinkjer
Dorotea
Verdalsøra
Hitra
Strömsund
Lövberga
Smøla
Stranda
Sandvika
Kallsjön
Lillholmsjö
Trondheimsfj.
Stjørdal
Hammerdal
Ramsele
Ångermanälven
Näsåker
Kristiansund
Orkanger
TRONDHEIM
Duved
Tännforsen
Järpen
Kvisvik
Halsa
Storsjön
Östersund
Molde
Angvik
Støren
Jämtland
Sollefteå
Ragunda
Ålesund
Sunndalsøra
Bispfors
Kramfors
Romsdalsfj.
Åndalsnes
Trollstigveien
Bräcke
Oppdal
Indalsälven
Volda
Røros
Åsarna
Rätansbyn
Måløy
Eid
Dalsnibba
Dovrefjell
Glomma
Härjedalen
Tänndalen
Femund
Vemdalen
Östavall
Stryn
Dombås
Tynset
Ljungan
Sundsvall
Nordfj.
Florø
Kirkenes
Alvdal
Sveg
Jostedalsbreen
Lom
2470
Drevsjø
Idre
Moskog
Jotunheimen
Otta
Gudbrandsdalen
Åsheim
Ljusdal
Skjolden
Østerdalen
Leirvik
Dragsvik
Särna
Los
Hudiksvall
Ringebu
Sognefj.
Nybergsund
Gudvangen
Borgund
Dalarna
Voxna
Fagernes
Lillehammer
Älvdalen
Bollnäs
Söderhamn
Island
Lerwick
Stalheim
Vossevangen
Gjøvik
Elverum
Hölies
Mora
Siljan
Ljusnan
BERGEN
Kvanndal
Voringfoss
Geilo
Gol
Randsfj.
Hamar
Rättvik
Hardangerfjorden
Kinsarvik
Hardangervidda
Nes
Mjøsa
Brandbu
Flisa
Klarälv.
Malung
Gävle
Sandviken
Falun
Løfallstrand
Skare
Rødberg
Hønefoss
Kløfta
Norra Ny
Vansbro
Borlänge
Gysinge
Stavanger
Kongsvinger
Dalälven
Sauda
Rjukan
OSLO
Ludvika
Avesta
Uppland
Haugesund
Sand
Haukeligrend
Drammen
Skotterud
Värmland
Sunne
Fagersta
Sala
Kristiansand
Göteborg
Örebro
Stockholm
4

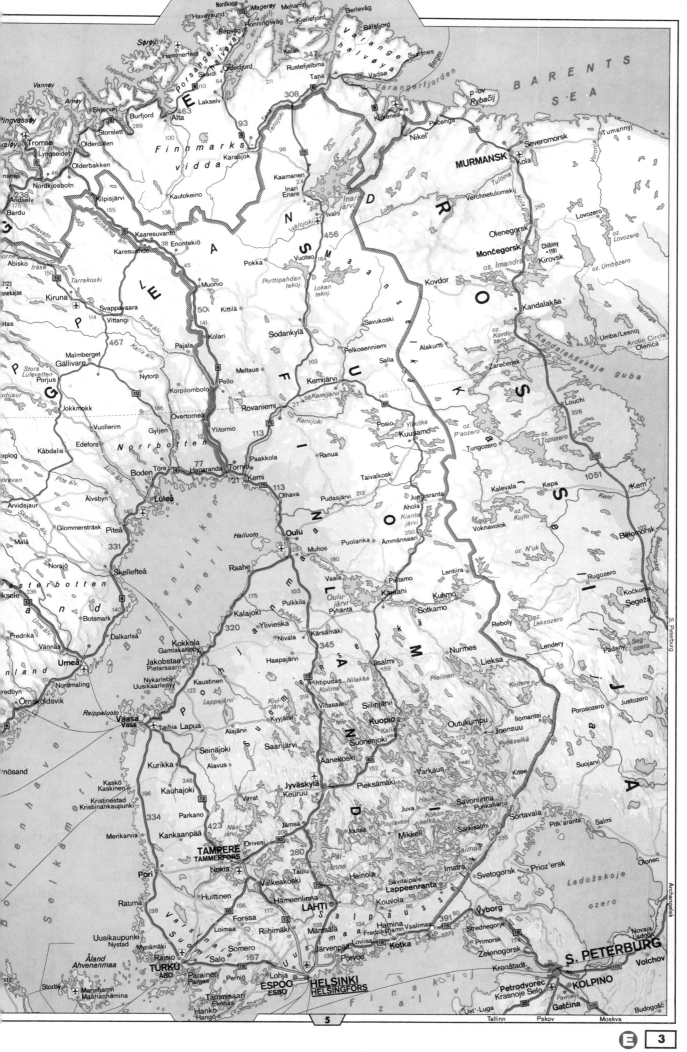
BARENTS SEA
Nordkapp
Magerøy
Mehamn
Berlevåg
Havøysund
Honningsvåg
Kjøllefjord
Båtsfjord
Repvåg
Varanger halvøya
Sørøy
Hammerfest
Porsanger halvøya
Kalak
Vardø
Svartnes
Olderfjord
Rustefjelbma
Skaidi
Tana
Vadsø
Varangerfjorden
p-ov Rybačij
Lopphavet
Vannøy
Arnøy
Lakselv
Skjervøj
Alta
Burfjord
Kirkenes
Pečenga
Nikel'
Severomorsk
Tumannyj
Ringvassøy
Tromsø
Storslett
Olderdalen
Lyngseidet
Finnmarksvidda
Karasjok
MURMANSK
Kola
Olderbakken
Nordkjosbotn
Kaamanen
Inari
Enare
Inarijärvi
Kautokeino
Andselv
Bardu
Kilpisjärvi
Ivalo
Verchnetulomskij
Lovozero
oz. Lovozero
Olenegorsk
Chibiny 1191
Kirovsk
Mončegorsk
oz. Imandra
oz. Umbozero
Kaaresuvanto
Karesuando
Enontekiö
Abisko
Tarrakoski
Kiruna
Svappavaara
Vittangi
Muonio
Pokka
Vuotso
Porttipahdan tekoj.
Lokan tekoj.
Kovdor
Kandalakša
Kittilä
Sodankylä
Savukoski
Pelkosenniemi
Alakurtti
Umba/Lesnoj
Arctic Circle
Olenica
Kandalakšskaja guba
Kolari
Pajala
Malmberget
Gällivare
Stora Lulevatten
Porjus
Nytorp
Pello
Meltaus
Salla
Zarečensk
Kemijärvi
Korpilombolo
Jokkmokk
Rovaniemi
Övertorneå
Vuollerim
Ylitornio
Gyljen
Posio
Kuusamo
Louchi
oz. P'aozero
oz. Topozero
Tungozero
Edefors
Kåbdalis
Norrbotten
Paakkola
Ranua
Boden
Töre
Haparanda
Tornio
Kemi
Taivalkoski
Kalevala
Kepa
Kem'
Olhava
Pudasjärvi
Juntusranta
Ahola
Kiantajärvi
Luleå
Älvsbyn
Arvidsjaur
Glommersträsk
Piteå
Hailuoto
Oulu
Puolanka
Ämmänsaari
Voknavolok
oz. Kujto
Belomorsk
Malå
Muhos
Norsjö
Skellefteå
Raahe
Oulujoki
Vaala
Paltamo
Lentiira
Oulujärvi
Kajaani
Kuhmo
Rugozero
Sotkamo
Kočkoma
Segeža
Västerbotten
Lycksele
Botsmark
Pulkkila
Kalajoki
Ylivieska
Pyhäntä
Pyhäjoki
Reboly
oz. Leksozero
S. Peterburg
Fredrika
Dalkarlså
Kärsämäki
Nivala
Vännäs
Kokkola
Gamlakarleby
Jakobstad
Pietarsaari
Haapajärvi
Nurmes
Lieksa
Lendery
Padany
Seg-ozero
Umeå
Nordmaling
Nykarleby
Uusikaarlepyy
Kaustinen
Iisalmi
Pihtipudas
Nilakka
Pielinen
Koitere
Porosozero
Justozero
Örnsköldsvik
Raippaluoto
Lappajärvi
Viitasaari
Siilinjärvi
Ilomantsi
Vasa
Vaasa
Laihia
Lapua
Kyyjärvi
Kuopio
Outokumpu
Joensuu
Pyhäselkä
Alajärvi
Saarijärvi
Suonenjoki
Seinäjoki
Äänekoski
Suojarvi
Alavus
Kurikka
Varkaus
Kitee
Kaskö
Kaskinen
Kauhajoki
Jyväskylä
Pieksämäki
Kristinestad
Kristiinankaupunki
Virrat
Keuruu
Savonlinna
Punkaharju
Parkano
Juva
Sortavala
Pitk'aranta
Salmi
Merikarvia
Kankaanpää
Näsijärvi
Jämsä
Joutsa
Mikkeli
Särkisalmi
Orivesi
Saimaa
TAMPERE
TAMMERFORS
Päijänne
Olonec
Pori
Nokia
Taolu
Heinola
Imatra
Svetogorsk
Prioz'ersk
Savitaipale
Lappeenranta
Ladožskoje ozero
Archangelsk
Valkeakoski
Huittinen
Hämeenlinna
Rauma
LAHTI
Kouvola
Forssa
Hamina
Fredrikshamn
Vaalimaa
Vyborg
Loimaa
Riihimäki
Mäntsälä
Salpausselkä
Stregnegorje
Novaja Ladoga
Uusikaupunki
Nystad
Mynämäki
Varsinais Suomi
Loviisa
Kotka
Primorsk
Raisio
Somero
Järvenpää
Zelenogorsk
S. PETERBURG
Åland
Ahvenanmaa
Salo
Porvoo
Volchov
TURKU
ÅBO
Lohja
Kronštadt
Parainen
Pargas
Perniö
ESPOO
ESBO
HELSINKI
HELSINGFORS
Petrodvorec
Krasnoje Selo
KOLPINO
Storby
Mariehamn
Maarianhamina
Tammisaari
Ekenäs
Pavlovsk
Hanko
Hangö
Finskij zaliv
Ust'-Luga
Gatčina
Budogošč
Tallinn
Pskov
Moskva
Bottenviken
Perämeri
Bottenhavet
Selkämeri
SUOMI
FINLAND
NORGE
SVERIGE
ROSSIJA
5

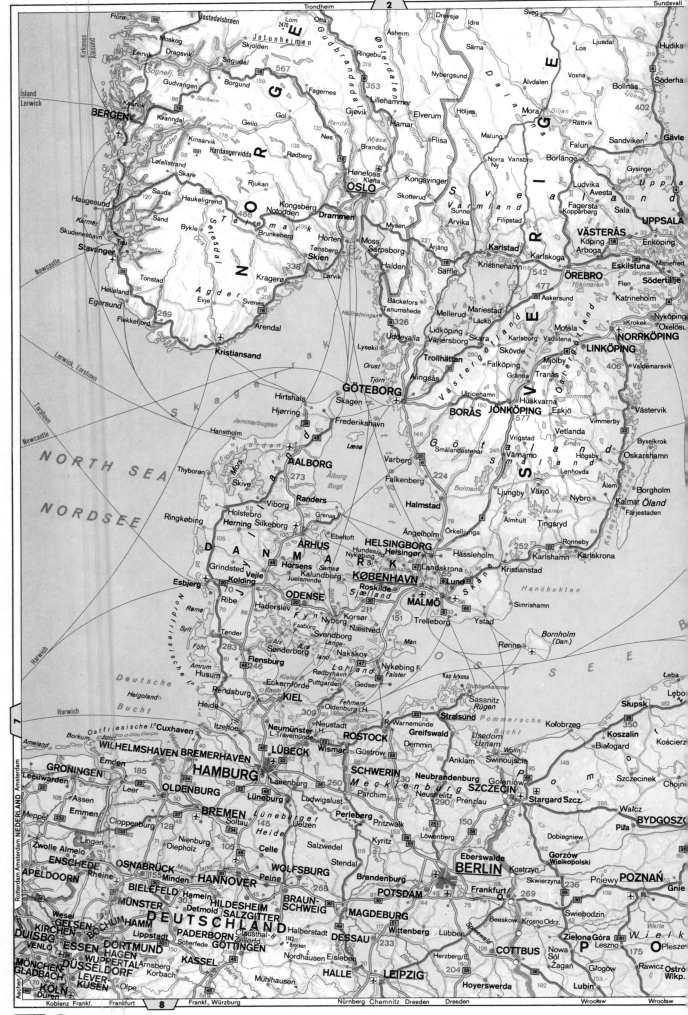

Trondheim
2
Sundsvall
Florø
Jostedalsbreen
Lom
Otta
Jotunheimen
Skjolden
Moskog
Leirvik
Dragsvik
Sogndal
Sognefj.
Gudvangen
Borgund
Fagernes
Ringebu
Gudbrandsdal
Østerdalen
Lillehammer
Gjøvik
Hamar
Elverum
Flisa
Drevsjø
Idre
Åsheim
Särna
Nybergsund
Älvdalen
Mora
Siljan
Rättvik
Sveg
Ljusdal
Los
Voxna
Hudiksvall
Bollnäs
Söderhamn
Kirkenes
Ålesund
Ísland
Lerwick
BERGEN
Kvanndal
Geilo
Gol
Nes
Brandbu
Kinsarvik
Hardangervidda
Rødberg
Løfallstrand
Skare
Rjukan
Hønefoss
Kløfta
OSLO
Kongsvinger
Haugesund
Sauda
Haukeligrend
Kongsberg
Notodden
Drammen
Skotterud
Karmøy
Sand
Bykle
Telemark
Brunkeberg
Horten
Moss
Skudeneshavn
Tau
Stavanger
Setesdal
Tønsberg
Skien
Sarpsborg
Halden
Newcastle
Tonstad
Kragerø
Larvik
Helleland
Egersund
Agder
Evje
Svenes
Arendal
Flekkefjord
Kristiansand
NORGE
Malung
Norra Ny
Vansbro
Borlänge
Falun
Sandviken
Gävle
Ludvika
Avesta
Fagersta
Kopparberg
Sala
UPPSALA
Värmland
Sunne
Arvika
Filipstad
Mysen
Årjäng
Karlstad
Karlskoga
Kristinehamn
VÄSTERÅS
Köping
Arboga
Enköping
Eskilstuna
Säffle
ÖREBRO
Flen
Södertälje
Askersund
Katrineholm
Bäckefors
Tanumshede
Mellerud
Mariestad
Läckö
Vänern
Nyköping
Lidköping
Vänersborg
Uddevalla
Lysekil
Orust
Tjörn
Skara
Karlsborg
Vadstena
Motala
Krokek
NORRKÖPING
Trollhättan
Skövde
Falköping
Mjölby
Gränna
Tranås
LINKÖPING
Valdemarsvik
Alingsås
GÖTEBORG
Ulricehamn
Huskvarna
BORÅS
JÖNKÖPING
Eskjö
Västervik
Vimmerby
Hirtshals
Skagen
Hjørring
Frederikshavn
Jammerbugten
Hanstholm
Læsø
Varberg
Vrigstad
Småland
Smålandsstenar
Värnamo
Vetlanda
Högsby
Oskarshamn
Byxelkrok
Lenhovda
Falkenberg
Ålem
Borgholm
Kalmar
Öland
Färjestaden
Ljungby
Växjö
Nybro
Halmstad
Älmhult
Tingsryd
Ängelholm
Örkelljunga
Ronneby
Hässleholm
Karlshamn
Karlskrona
Kristianstad
Skagerrak
NORTH SEA
NORDSEE
Thyborøn
Mors
AALBORG
Ålborg Bugt
Skive
Randers
Viborg
Holstebro
Ringkøbing
Herning
Silkeborg
Grenaa
Ebeltoft
ÅRHUS
HELSINGBORG
Helsingør
Hundested
Nykøbing
Landskrona
DANMARK
Horsens
Samsø
Kalundborg
KØBENHAVN
Grindsted
Vejle
Kolding
Juelsminde
Esbjerg
Roskilde
Sjælland
Lund
Hanöbukten
Ribe
ODENSE
MALMÖ
Simrishamn
Rømø
Haderslev
Fyn
Nyborg
Korsør
Trelleborg
Ystad
Sylt
Faaborg
Næstved
Tønder
Svendborg
Bornholm (Dan.)
Føhr
Als
Ærø
Langeland
Nakskov
Møn
Rønne
Sønderborg
Amrum
Flensburg
Lolland
Nykøbing F.
Falster
OSTSEE
Husum
Rødbyhavn
Puttgarden
Kap Arkona
Deutsche Bucht
Eckernförde
Gedser
Helgoland
Rendsburg
KIEL
Fehmarn
Sassnitz
Rügen
Heide
Oldenburg i.H.
Stralsund
Pommersche Bucht
Harwich
Itzehoe
Neumünster
Neustadt
Warnemünde
Greifswald
Kołobrzeg
Koszalin
Słupsk
Ostfriesische I.
Cuxhaven
L.-Travemünde
ROSTOCK
Usedom
Ameland
Borkum
Juist
WILHELMSHAVEN
BREMERHAVEN
LÜBECK
Wismar
Demmin
Anklam
Uznam
Wolin
Białogard
Kościerzyna
Emden
Güstrow
Świnoujście
GRONINGEN
HAMBURG
SCHWERIN
Leeuwarden
Leer
Lauenburg
Mecklenburg
Neubrandenburg
Goleniów
Szczecinek
Chojnice
OLDENBURG
Lüneburg
Parchim
Neustrelitz
SZCZECIN
Stargard Szcz.
Assen
Ludwigslust
Prenzlau
Emmen
Meppel
BREMEN
Lüneburger Heide
Perleberg
Pritzwalk
Wałcz
Cloppenburg
Soltau
Uelzen
BYDGOSZCZ
Piła
Nienburg
Diepholz
Lingen
Zwolle
Almelo
Celle
Salzwedel
Kyritz
Löwenberg
Dobiegniew
Stendal
Eberswalde
Gorzów Wielkopolski
ENSCHEDE
OSNABRÜCK
Rheine
APELDOORN
WOLFSBURG
Brandenburg
BERLIN
Kostrzyn
Minden
HANNOVER
Peine
Skwierzyna
Pniewy
POZNAŃ
BIELEFELD
Hameln
BRAUNSCHWEIG
POTSDAM
Frankfurt/O.
HILDESHEIM
MÜNSTER
Detmold
SALZGITTER
MAGDEBURG
Świebodzin
Wesel
DEUTSCHLAND
GELSENKIRCHEN
BOCHUM
HAMM
Halberstadt
Beeskow
Krosno Odrz.
DUISBG.
Lippstadt
PADERBORN
Clausthal-Zellerfeld
Harz
Brocken
DESSAU
Wittenberg
Lübben
Spreewald
Zielona Góra
Leszno
Wielkopolska
Pleszew
VENLO
ESSEN
DORTMUND
Scherfede
GÖTTINGEN
HAGEN
WUPPERTAL
COTTBUS
Nowa Sól
Żagań
MÖNCHEN-GLADBACH
DÜSSELDORF
Arnsberg
KASSEL
Nordhausen
Eisleben
Herzberg/E.
Głogów
Rawicz
Ostrów Wlkp.
Korbach
LEVERKUSEN
KÖLN
Düren
Aachen
Olpe
Mühlhausen
HALLE
LEIPZIG
Hoyerswerda
Lubin
Koblenz
Frankf.
Frankfurt
8
Frankf., Würzburg
Nürnberg
Chemnitz
Dresden
Wrocław
7
Rotterdam
Amsterdam
NEDERLAND

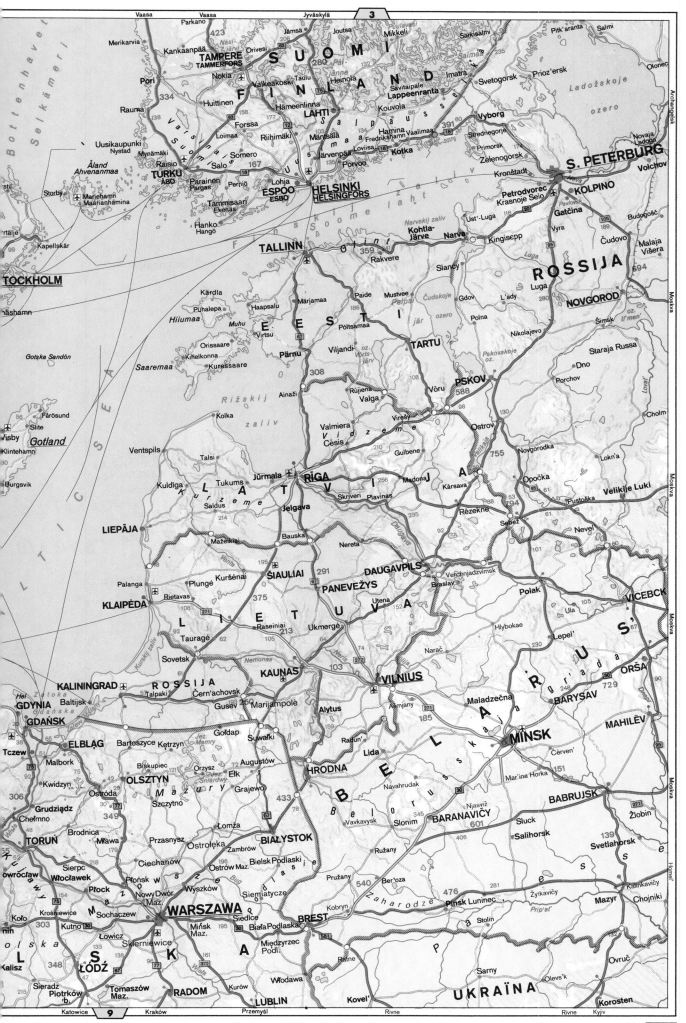

Vaasa
Vaasa
Jyväskylä
3
Parkano
Jämsä
Joutsa
Mikkeli
Pitk'aranta
Salmi
Merikarvia
Kankaanpää
TAMPERE
TAMMERFORS
Orivesi
SUOMI
FINLAND
Särkisalmi
Olonec
Pori
Nokia
Valkeakoski
Heinola
Imatra
Svetogorsk
Prioz'ersk
Ladožskoje
ozero
Huittinen
Savitaipale
Lappeenranta
Rauma
Hämeenlinna
LAHTI
Kouvola
Vyborg
Archangelsk
Forssa
Loimaa
Riihimäki
Mäntsälä
Hamina
Fredrikshamn
Vaalimaa
Uusikaupunki
Nystad
Mynämäki
Somero
Järvenpää
Loviisa
Kotka
Primorsk
Novaja Ladoga
Raisio
Salo
Porvoo
Zelenogorsk
S. PETERBURG
Volchov
Åland
Ahvenanmaa
TURKU
ÅBO
Parainen
Pargas
Perniö
Lohja
Kronštadt
Storby
Mariehamn
Maarianhamina
ESPOO
ESBO
HELSINKI
HELSINGFORS
KOLPINO
Petrodvorec
Krasnoje Selo
Tammisaari
Ekenäs
Pavlovsk
Gatčina
Hanko
Hangö
Narvskij zaliv
Ust'-Luga
Budogošč'
Kohtla-Järve
Narva
Vyra
Kapellskär
Kingisepp
Čudovo
TALLINN
Rakvere
Malaja Višera
Slancy
ROSSIJA
Luga
TOCKHOLM
Kärdla
Paide
Mustvee
Gdov
L'ady
NOVGOROD
Pühalepa
Haapsalu
Märjamaa
Peipsi
Čudskoje
ozero
Moskva
Hiiumaa
Muhu
EESTI
Põltsamaa
Polna
Šimsk
Virtsu
Nikolajevo
Orissaare
Viljandi
TARTU
Pskovskoje oz.
Staraja Russa
Gotska Sandön
Kihelkonna
Pärnu
Dno
Saaremaa
Kuressaare
PSKOV
Porchov
Rūjiena
Valga
Võru
Rižskij
Ainaži
Fårösund
Kolka
zaliv
Virešy
Ostrov
Cholm
Slite
Visby
Gotland
Valmiera
Vidzeme
Cēsis
Klintehamn
Ventspils
Gulbene
Novgorodka
Lokn'a
Talsi
Jūrmala
RĪGA
Kuldīga
Tukums
LATVIJA
Madona
Kārsava
Opočka
Burgsvik
Kurzeme
Skriveri
Plavinas
Velikije Luki
Saldus
Jelgava
Rēzekne
Pustoška
LIEPĀJA
Sebež
Nevel'
Mažeikiai
Bauska
Nereta
Daugava
DAUGAVPILS
Verchnjadzvimsk
ŠIAULIAI
Palanga
Plungė
Kuršėnai
Braslav
Rietavas
PANEVĖŽYS
Polak
VICEBCK
KLAIPĖDA
Utena
LIETUVA
Ula
Raseiniai
Ukmergė
Hlybokae
Tauragė
Lepel'
Sovetsk
Nemunas
Narač
KAUNAS
VILNIUS
ORŠA
KALININGRAD
ROSSIJA
Talpaki
Čern'achovsk
Baltijsk
Marijampolė
Maladzečna
BARYSAV
GDYNIA
Gusev
Alytus
Ašmjany
GDAŃSK
Gołdap
Suwałki
MINSK
MAHILĖV
ELBLĄG
Bartoszyce
Kętrzyn
Radun'
Lida
Tczew
Malbork
Biskupiec
Augustów
HRODNA
Čėrven'
Orzysz
Ełk
Mar'ina Horka
Kwidzyn
OLSZTYN
Ostróda
Mazury
Grajewo
Navahrudak
BELARUS'
BABRUJSK
Grudziądz
Szczytno
Njasviž
Chełmno
Belorusskaja
Vavkavysk
Slonim
BARANAVIČY
Žlobin
Łomża
Sluck
Salihorsk
Brodnica
TORUŃ
Mława
Przasnysz
Ostrołęka
BIAŁYSTOK
Svetlahorsk
Zambrów
Ružany
Ciechanów
Bielsk Podlaski
Ostrów Maz.
Sierpc
Włocławek
Płońsk
Pružany
Ber'oza
Kalinkavičy
Płock
Wyszków
Siemiatycze
Žytkavičy
Nowy Dwór Maz.
Zaharodze
Pinsk
Luninec
Prip'at'
Mazyr
Chojniki
Krośniewice
WARSZAWA
Kobryn
Koło
Sochaczew
Siedlce
BREST
Stolin
Kutno
Mińsk Maz.
Biała Podlaska
Łowicz
Skierniewice
Międzyrzec Podl.
Ratne
Ovruč
Kalisz
ŁÓDŹ
Sarny
Olevs'k
Sieradz
Piotrków Tryb.
Tomaszów Maz.
RADOM
Kurów
Włodawa
UKRAÏNA
LUBLIN
Kovel'
Korosten
Katowice
9
Kraków
Przemyśl
Rivne
Rivne
Kyjiv
Homel'

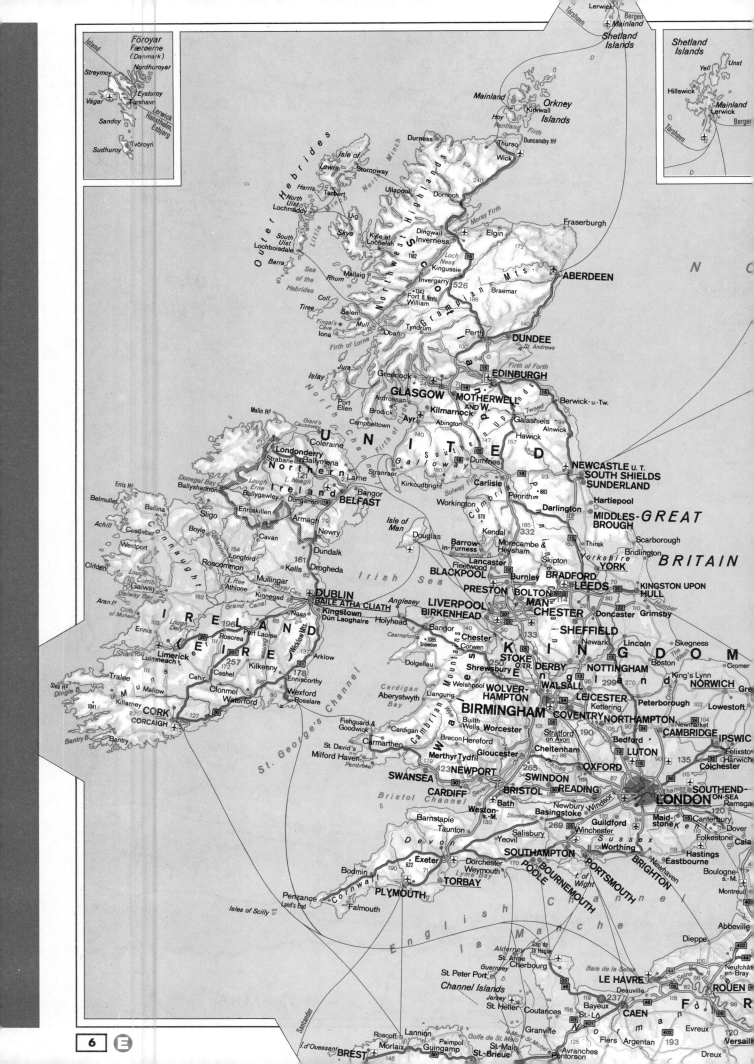
Föroyar
Færøerne
(Danmark)
Streymoy
Nordhuroyar
Eysturoy
Vágar
Tórshavn
Sandoy
Tvöroyri
Sudhuroy
Shetland Islands
Lerwick
Mainland
Bergen
Yell
Unst
Hillswick
Orkney Islands
Kirkwall
Hoy
Pentland Firth
Thurso
Duncansby Hd
Wick
Durness
Isle of Lewis
Stornoway
Outer Hebrides
Harris
Tarbert
North Uist
Lochmaddy
South Uist
Lochboisdale
Barra
Uig
Skye
Kyle of Lochalsh
Ullapool
Dornoch
Moray Firth
Dingwall
Inverness
Elgin
Fraserburgh
Loch Ness
Kingussie
Northwest Highlands
Grampian Mts.
ABERDEEN
Mallaig
Rhum
Sea of the Hebrides
Coll
Tiree
Invergarry
Ben Nevis
Fort William
Braemar
Salen
Mull
Fingal's Cave
Iona
Oban
Tyndrum
Perth
DUNDEE
St. Andrews
Firth of Lorne
Jura
Islay
Greenock
Firth of Forth
EDINBURGH
GLASGOW
MOTHERWELL
Ardrossan
Brodick
Kilmarnock
Ayr
Port Ellen
Campbeltown
Abington
Berwick-u.-Tw.
Galashiels
Alnwick
Hawick
Southern Uplands
Malin Hd
Giant's Causeway
Coleraine
Londonderry
Strabane
Ballymena
Northern Ireland
Lough Neagh
Larne
Stranraer
Galloway
Dumfries
Kirkcudbright
Solway Firth
Carlisle
NEWCASTLE U. T.
SOUTH SHIELDS
SUNDERLAND
Donegal Bay
Lough Erne
Erris Hd
Ballyshannon
Ballygawley
Dungannon
Bangor
BELFAST
Belmullet
Ballina
Sligo
Enniskillen
Armagh
Newry
Achill
Castlebar
Boyle
Westport
Cavan
Dundalk
Isle of Man
Douglas
Workington
Penrith
Darlington
Hartlepool
MIDDLESBROUGH
GREAT BRITAIN
Cumbria
Kendal
Thirsk
Scarborough
Barrow-in-Furness
Morecambe & Heysham
Skipton
Bridlington
Clifden
Longford
Roscommon
Kells
Drogheda
Irish Sea
Lancaster
Fleetwood
BLACKPOOL
Burnley
BRADFORD
YORK
Lough Corrib
Galway
Galway Bay
Mullingar
Athlone
Royal Canal
PRESTON
LEEDS
KINGSTON UPON HULL
Aran Is.
Kinnegad
DUBLIN
BAILE ÁTHA CLIATH
Anglesey
LIVERPOOL
BIRKENHEAD
BOLTON
MANCHESTER
Doncaster
Grimsby
Humber
Cliffs of Moher
Grand Canal
Kingstown
Dún Laoghaire
Naas
Holyhead
Ennis
Lough Derg
IRELAND (EIRE)
Port Laoise
Roscrea
Wicklow Mts.
Bangor
Caernarfon
Snowdon
Chester
Corwen
SHEFFIELD
Newark
Lincoln
Skegness
Shannon
Limerick
Luimneach
Arklow
Dolgellau
STOKE O.TR.
DERBY
UNITED KINGDOM
Boston
The Wash
Cromer
Tralee
Cashel
Kilkenny
Shrewsbury
NOTTINGHAM
King's Lynn
NORWICH
Slea Hd
Dingle B.
Cahir
Enniscorthy
Welshpool
WALSALL
Mallow
Clonmel
Wexford
Rosslare
Aberystwyth
Cardigan Bay
Llangurig
WOLVERHAMPTON
LEICESTER
Peterborough
Lowestoft
Killarney
CORK
CORCAIGH
Waterford
BIRMINGHAM
Kettering
COVENTRY
NORTHAMPTON
Newmarket
CAMBRIDGE
IPSWICH
Fishguard & Goodwick
Cardigan
Cambrian Mountains
Builth Wells
Worcester
Stratford on Avon
Bantry B.
Bantry
St. George's Channel
Carmarthen
Wales
Brecon
Hereford
Bedford
LUTON
Felixstowe
Harwich
St. David's
Milford Haven
Pembroke
Merthyr Tydfil
Gloucester
Cheltenham
OXFORD
Colchester
SWANSEA
NEWPORT
SWINDON
CARDIFF
Severn
BRISTOL
READING
Thames
LONDON
SOUTHEND-ON-SEA
Ramsgate
Bristol Channel
Bath
Weston-s.-M.
Stonehenge
Newbury
Basingstoke
Windsor
Maidstone
Canterbury
Barnstaple
Taunton
Guildford
Winchester
Kent
Dover
Salisbury
Yeovil
Sussex
Folkestone
Devon
SOUTHAMPTON
Worthing
Hastings
Exeter
Dorchester
Weymouth
Lyme Bay
POOLE
BOURNEMOUTH
I. of Wight
PORTSMOUTH
BRIGHTON
Newhaven
Eastbourne
Bodmin
Cornwall
TORBAY
Boulogne-s.-M.
PLYMOUTH
Montreuil
Penzance
Land's End
Falmouth
Isles of Scilly
English Channel
la Manche
Abbeville
Dieppe
Alderney
Cap de la Hague
St. Anne
Guernsey
Cherbourg
St. Peter Port
Baie de la Seine
Channel Islands
LE HAVRE
Neufchâtel-en-Bray
Seine
Jersey
St. Helier
Coutances
Deauville
ROUEN
Bayeux
St.-Lô
CAEN
Normandie
France
Santander
Granville
Evreux
Roscoff
Lannion
Paimpol
Golfe de St. Malo
le Mont-St.-Michel
Flers
Argentan
Versailles
I. d'Ouessant
BREST
Morlaix
Guingamp
St.-Brieuc
St.-Malo
Avranches
Pontorson
Dreux

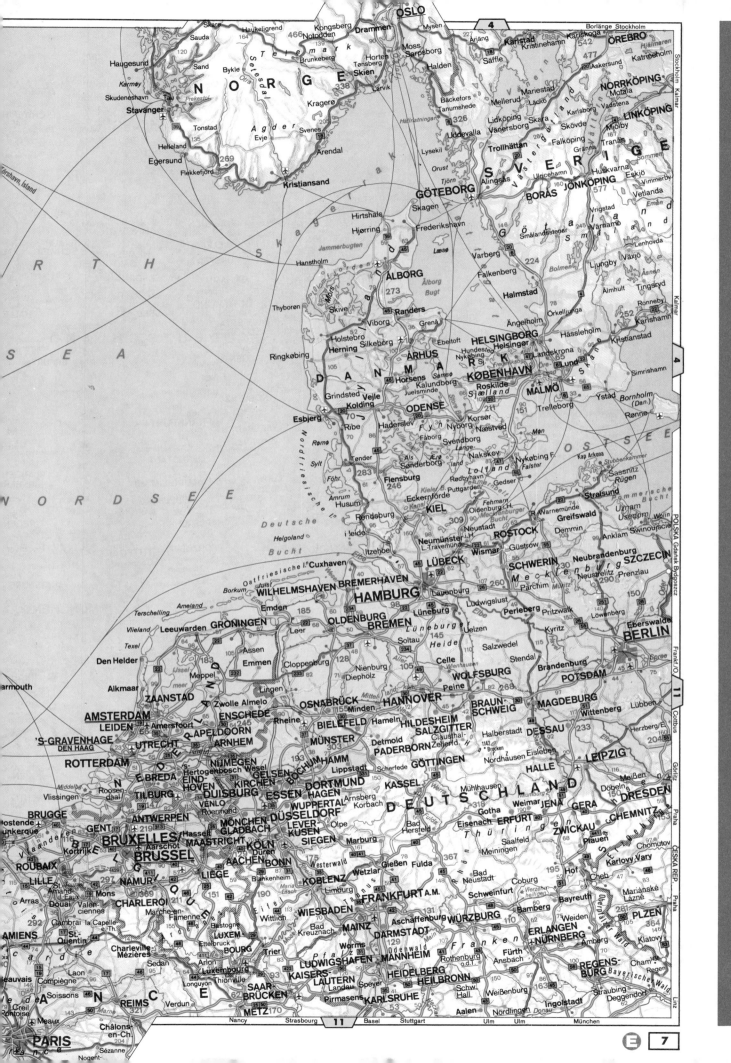

OSLO
Drammen
Kongsberg
Notodden
Haukeligrend
Sauda
Haugesund
Sand
Bykle
Skien
Tønsberg
Horten
Moss
Sarpsborg
Halden
Larvik
Kragerø
Stavanger
Skudeneshavn
Karmøy
Tonstad
Evje
Svenes
Arendal
Helleland
Egersund
Flekkefjord
Kristiansand
N O R G E
T e l e m a r k
A g d e r
Setesdal
Mysen
Årjäng
Karlstad
Kristinehamn
Karlskoga
ÖREBRO
Borlänge Stockholm
Säffle
Askersund
Katrineholm
NORRKÖPING
Motala
Bäckefors
Tanumshede
Mellerud
Mariestad
Läckö
Lidköping
Vänersborg
Skara
Karlsborg
Vadstena
LINKÖPING
Uddevalla
Trollhättan
Skövde
Falköping
Mjölby
Tranås
Lysekil
Orust
Tjörn
Alingsås
Ulricehamn
Huskvarna
Eskjö
GÖTEBORG
BORÅS
JÖNKÖPING
Vimmerby
Vetlanda
S V E R I G E
Skagen
Hirtshals
Hjørring
Frederikshavn
Læsø
Jammerbugten
Hanstholm
ÅLBORG
Ålborg Bugt
Varberg
Falkenberg
Halmstad
Smålandsstenar
Värnamo
Ljungby
Växjö
Lenhovda
Älmhult
Tingsryd
Ronneby
Karlshamn
Kristianstad
Thyborøn
Mors
Skive
Randers
Viborg
Grenå
Holstebro
Herning
Silkeborg
ÅRHUS
Ebeltoft
Ringkøbing
Ängelholm
Örkelljunga
HELSINGBORG
Helsingør
Hässleholm
Landskrona
Lund
KØBENHAVN
Roskilde
MALMÖ
Ystad
Trelleborg
Simrishamn
Bornholm (Dan.)
Rønne
D A N M A R K
Horsens
Kalundborg
Juelsminde
Sjælland
Grindsted
Vejle
Kolding
ODENSE
Korsør
Nyborg
Næstved
Esbjerg
Ribe
Haderslev
Fyn
Fåborg
Svendborg
Møn
Rømø
Sylt
Tønder
Als
Sønderborg
Ærø
Nakskov
Lolland
Nykøbing F.
Falster
Føhr
Flensburg
Rødbyhavn
Puttgarden
Gedser
Kap Arkona
Stubbenkammer
Sassnitz
Rügen
Stralsund
Amrum
Husum
Eckernförde
KIEL
Fehmarn
Oldenburg i.H.
Warnemünde
Greifswald
Usedom
Wolin
Swinoujscie
Rendsburg
Neustadt
ROSTOCK
Demmin
Anklam
Deutsche Bucht
Helgoland
Heide
Neumünster
L.-Travemünde
Wismar
Güstrow
Itzehoe
LÜBECK
SCHWERIN
Neubrandenburg
SZCZECIN
Cuxhaven
Ostfriesische In.
Juist
Borkum
WILHELMSHAVEN
BREMERHAVEN
HAMBURG
Lauenburg
Parchim
Neustrelitz
Prenzlau
Mecklenburg
Emden
Ludwigslust
Perleberg
Pritzwalk
Terschelling
Ameland
Lüneburg
Löwenberg
Eberswalde
Vlieland
Leeuwarden
GRONINGEN
Leer
OLDENBURG
BREMEN
Lüneburger Heide
Uelzen
Kyritz
BERLIN
Texel
Assen
Emmen
Soltau
Salzwedel
Den Helder
Cloppenburg
Nienburg
Celle
Stendal
Brandenburg
Meppel
Diepholz
WOLFSBURG
POTSDAM
Alkmaar
Lingen
Peine
ZAANSTAD
Zwolle
Almelo
OSNABRÜCK
HANNOVER
BRAUNSCHWEIG
MAGDEBURG
Lübben
AMSTERDAM
ENSCHEDE
Minden
Wittenberg
LEIDEN
Amersfoort
Rheine
BIELEFELD
Hameln
HILDESHEIM
SALZGITTER
DESSAU
'S-GRAVENHAGE
DEN HAAG
APELDOORN
MÜNSTER
Detmold
Clausthal-Zellerfeld
Halberstadt
UTRECHT
ARNHEM
PADERBORN
Brocken
Eisleben
ROTTERDAM
NIJMEGEN
'S-Hertogenbosch
Wesel
HAMM
Scherfede
GÖTTINGEN
Nordhausen
LEIPZIG
BREDA
EINDHOVEN
GELSENKIRCHEN
BOCHUM
Lippstadt
HALLE
Middelburg
Roosendaal
TILBURG
DUISBURG
DORTMUND
KASSEL
Mühlhausen
Meißen
Döbeln
DRESDEN
Vlissingen
VENLO
ESSEN
HAGEN
Arnsberg
D E U T S C H L A N D
Weimar
JENA
GERA
BRUGGE
Roermond
WUPPERTAL
Korbach
Gotha
Ostende
ANTWERPEN
MÖNCHENGLADBACH
DÜSSELDORF
Eisenach
ERFURT
CHEMNITZ
GENT
Hasselt
LEVERKUSEN
Olpe
Bad Hersfeld
Thüringen
ZWICKAU
BRUXELLES/BRUSSEL
MAASTRICHT
KÖLN
SIEGEN
Marburg
Saalfeld
Plauen
Kortrijk
Aarschot
Düren
Meiningen
Chomutov
ROUBAIX
AACHEN
BONN
Gießen
Fulda
Karlovy Vary
LILLE
LIEGE
Westerwald
Wetzlar
Bad Neustadt
Hof
Cheb
NAMUR
Blankenheim
KOBLENZ
Coburg
Mons
Limburg
FRANKFURT A.M.
Schweinfurt
Bayreuth
Mariánské Lázně
Arras
Douai
Valenciennes
CHARLEROI
Eifel
WIESBADEN
Bamberg
Cambrai
Wittlich
Weiden
PLZEN
Marche-en-Famenne
Bastogne
Aschaffenburg
WÜRZBURG
AMIENS
St.-Quentin
LUXEMBOURG
Bad Kreuznach
MAINZ
DARMSTADT
ERLANGEN
NÜRNBERG
Amberg
Klatovy
Ettelbruck
Charleville-Mézières
Worms
Odenwald
Franken
Sedan
Arlon
Trier
LUDWIGSHAFEN
MANNHEIM
Rothenburg o.d.T.
Fürth
Ansbach
REGENSBURG
Cham
Laon
Luxembourg
KAISERSLAUTERN
HEIDELBERG
HEILBRONN
Compiègne
Longuyon
Thionville
Landau
Speyer
Weißenburg
Bayerischer Wald
Beauvais
Soissons
SAARBRÜCKEN
Pirmasens
KARLSRUHE
Schw. Hall
Ingolstadt
Straubing
Deggendorf
REIMS
Verdun
METZ
Aalen
Nördlingen
Creil
Pontoise
Meaux
Nancy
Strasbourg
Basel
Stuttgart
Ulm
München
Châlons-en-Ch.
PARIS
Sézanne
Nogent-
NORTH SEA
NORDSEE
OSTSEE
Skagerrak
Kattegat
Jylland
Nordfriesische In.
Tórshavn, Island
Stockholm
Kalmar
POLSKA Gdańsk Bydgoszcz
Frankf./O.
Cottbus
Görlitz
Praha
ČESKÁ REP.
Linz

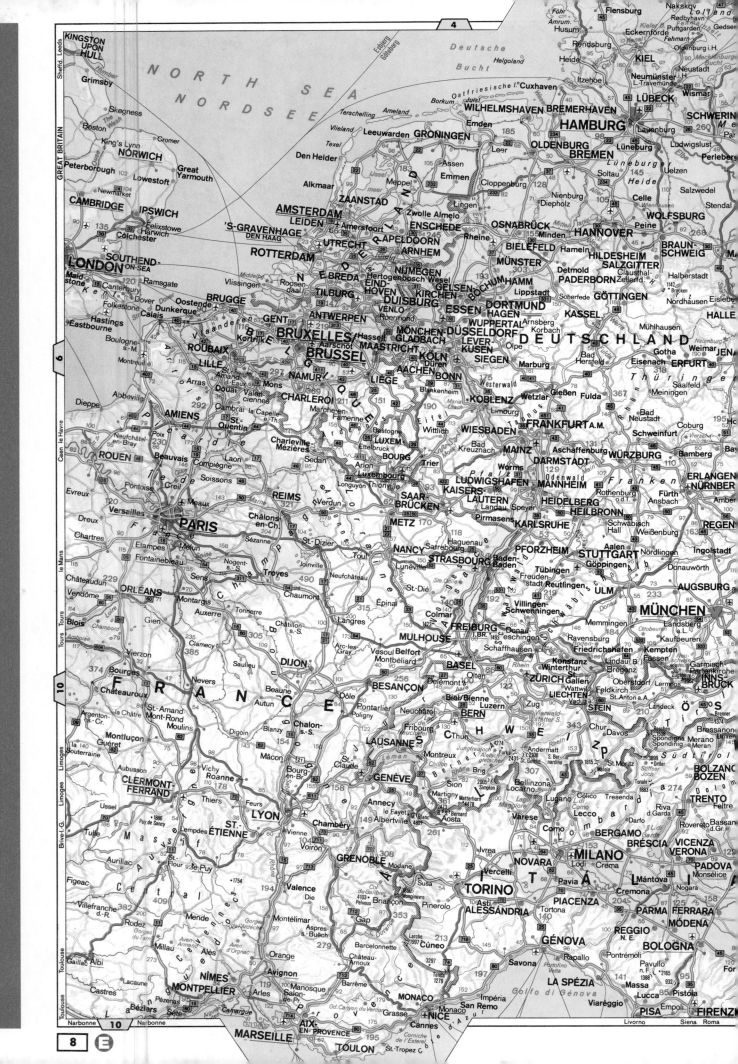

4
NORTH SEA
NORDSEE
Deutsche Bucht
Helgoland
GREAT BRITAIN
KINGSTON UPON HULL
Grimsby
Skegness
Boston
King's Lynn
Cromer
NORWICH
Great Yarmouth
Peterborough
Lowestoft
Newmarket
CAMBRIDGE
IPSWICH
Felixstowe
Harwich
Colchester
LONDON
SOUTHEND-ON-SEA
Maidstone
Canterbury
Ramsgate
Dover
Folkestone
Hastings
Eastbourne
Calais
Dunkerque
Oostende
BRUGGE
GENT
ANTWERPEN
BRUXELLES/BRUSSEL
Kortrijk
ROUBAIX
LILLE
Mons
NAMUR
CHARLEROI
LIÈGE
MAASTRICHT
Hasselt
Aarschot
Boulogne-s.-M.
Montreuil
Arras
Douai
Valenciennes
Abbeville
Dieppe
AMIENS
Cambrai
St.-Quentin
ROUEN
Beauvais
Compiègne
Laon
Soissons
Charleville-Mézières
Sedan
Evreux
Pontoise
Creil
Meaux
PARIS
Versailles
Dreux
Chartres
Etampes
Melun
Fontainebleau
Sens
Troyes
REIMS
Châlons-en-Ch.
Verdun
Sézanne
St.-Dizier
METZ
NANCY
Toul
Lunéville
Sarrebourg
Haguenau
STRASBOURG
St.-Dié
Épinal
Colmar
MULHOUSE
Belfort
Montbéliard
Vesoul
Langres
Chaumont
Joinville
Neufchâteau
Auxerre
Montargis
Gien
ORLÉANS
Châteaudun
Vendôme
Blois
Vierzon
Bourges
Châteauroux
Nevers
Clamecy
DIJON
Beaune
Autun
Chalon-s.-S.
Dôle
BESANÇON
Pontarlier
Mâcon
Bourg-en-Br.
Roanne
Vichy
CLERMONT-FERRAND
Thiers
LYON
ST.-ÉTIENNE
Vienne
Montluçon
Guéret
Moulins
Aubusson
Ussel
Tulle
Aurillac
Le Puy
Figeac
Rodez
Mende
Millau
Albi
Alès
NÎMES
MONTPELLIER
Sète
Béziers
Castres
Arles
Avignon
Orange
Montélimar
Valence
Die
Gap
GRENOBLE
Chambéry
Voiron
Annecy
Albertville
Briançon
Barcelonnette
AIX-EN-PROVENCE
MARSEILLE
TOULON
St.-Tropez
Cannes
NICE
Monaco
Grasse
F R A N C E
Massif Central
Provence
Camargue
Côte d'Azur
Narbonne
Toulouse
Den Helder
Alkmaar
ZAANSTAD
AMSTERDAM
LEIDEN
'S-GRAVENHAGE
DEN HAAG
UTRECHT
ROTTERDAM
Amersfoort
APELDOORN
ARNHEM
NIJMEGEN
Zwolle
Almelo
ENSCHEDE
Leeuwarden
GRONINGEN
Assen
Emmen
Meppel
Lingen
BREDA
TILBURG
EINDHOVEN
's-Hertogenbosch
Vlissingen
Roosendaal
Venlo
Roermond
NEDERLAND
Texel
Vlieland
Terschelling
Ameland
Borkum
Juist
Emden
Leer
WILHELMSHAVEN
BREMERHAVEN
Cuxhaven
HAMBURG
OLDENBURG
BREMEN
Cloppenburg
Nienburg
Diepholz
OSNABRÜCK
Rheine
MÜNSTER
Minden
BIELEFELD
Hameln
HANNOVER
Celle
Peine
BRAUNSCHWEIG
WOLFSBURG
HILDESHEIM
SALZGITTER
Detmold
PADERBORN
GÖTTINGEN
KASSEL
Lippstadt
HAMM
DORTMUND
BOCHUM
ESSEN
GELSENKIRCHEN
DUISBURG
Wesel
HAGEN
WUPPERTAL
DÜSSELDORF
MÖNCHENGLADBACH
LEVERKUSEN
KÖLN
Düren
AACHEN
BONN
SIEGEN
Olpe
Marburg
KOBLENZ
Wetzlar
Gießen
Fulda
Limburg
WIESBADEN
MAINZ
FRANKFURT A.M.
DARMSTADT
Aschaffenburg
WÜRZBURG
Worms
LUDWIGSHAFEN
MANNHEIM
HEIDELBERG
KAISERSLAUTERN
SAARBRÜCKEN
Trier
Wittlich
Bad Kreuznach
Pirmasens
Landau
Speyer
KARLSRUHE
Baden-Baden
PFORZHEIM
HEILBRONN
STUTTGART
Tübingen
Reutlingen
ULM
Freudenstadt
Villingen-Schwenningen
FREIBURG
Donaueschingen
Schaffhausen
Friedrichshafen
Konstanz
Ravensburg
Memmingen
Kempten
Füssen
Lindau
Bregenz
Kaufbeuren
Landsberg
MÜNCHEN
AUGSBURG
Donauwörth
Ingolstadt
Nördlingen
Aalen
Göppingen
Schwäbisch Hall
Weißenburg
Ansbach
Fürth
NÜRNBERG
ERLANGEN
Bamberg
Schweinfurt
Coburg
Bad Neustadt
Rothenburg o.d.T.
Meiningen
Eisenach
Gotha
ERFURT
Weimar
Saalfeld
Mühlhausen
Nordhausen
Halberstadt
Eisleben
HALLE
Clausthal-Zellerfeld
Bad Hersfeld
Korbach
Arnsberg
Westerwald
Eifel
Taunus
Pfalz
Odenwald
Franken
Thüringen
Schwarzwald
Schwäbische Alb
DEUTSCHLAND
Flensburg
Föhr
Amrum
Husum
Rendsburg
Heide
Itzehoe
KIEL
Eckernförde
Neumünster
Neustadt
LÜBECK
Wismar
SCHWERIN
Lauenburg
Ludwigslust
Lüneburg
Lüneburger Heide
Soltau
Uelzen
Salzwedel
Stendal
Perleberg
Oldenburg i.H.
Puttgarden
Fehmarn
Nakskov
Rødbyhavn
Gedser
Lolland
BELGIQUE
Vlaanderen
Ardennes
Bastogne
LUXEMBOURG
Ettelbruck
Arlon
Longuyon
Thionville
Marche-en-Famenne
BASEL
Olten
Delémont
ZÜRICH
Winterthur
St. Gallen
Biel/Bienne
Luzern
Zug
BERN
Neuchâtel
Fribourg
LAUSANNE
Montreux
Thun
GENÈVE
Sion
Brig
Martigny
Andermatt
Bellinzona
Locarno
Lugano
Chur
Davos
St. Moritz
Maloja
LIECHTENSTEIN
Vaduz
Feldkirch
St. Anton a.A.
Landeck
INNSBRUCK
Garmisch-Partenkirchen
Oberstdorf
Lermoos
ÖSTERREICH
SCHWEIZ
Merano
Bressanone
BOLZANO
BOZEN
Südtirol
TRENTO
Rovereto
Riva d.Garda
Tonale
Tresenda
Colico
Lecco
Como
Varese
BERGAMO
BRESCIA
VICENZA
VERONA
PADOVA
Mantova
MILANO
Lodi
Crema
NOVARA
Vercelli
Ivrea
Aosta
TORINO
Susa
Pinerolo
Asti
ALESSANDRIA
Pavia
PIACENZA
Cremona
Tortona
PARMA
FERRARA
MODENA
REGGIO N.E.
BOLOGNA
Pontrémoli
Pavullo n.F.
GÉNOVA
Rapallo
Savona
LA SPÉZIA
Massa
Lucca
Pistoia
Viaréggio
PISA
Empoli
FIRENZE
Cúneo
Impéria
San Remo
Golfo di Génova
Lombardia
ITALIA
Livorno
Siena
Roma

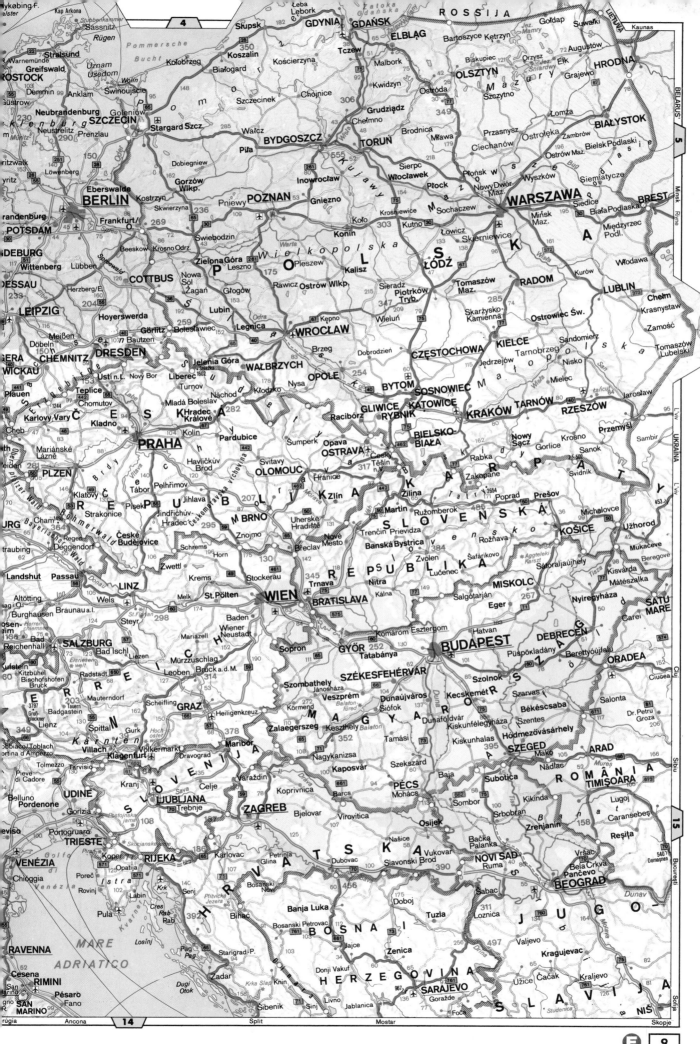
4
ROSSIJA
LIETUVA
Kaunas
Kap Arkona
Sassnitz
Rügen
Stralsund
Warnemünde
Greifswald
ROSTOCK
Demmin
Anklam
Uznam
Usedom
Wolin
Świnoujście
Pommersche Bucht
Kołobrzeg
Koszalin
Słupsk
Łeba
Lębork
GDYNIA
GDAŃSK
Zatoka Gdańska
ELBLĄG
Tczew
Malbork
Kościerzyna
Białogard
Szczecinek
Chojnice
Kwidzyn
Grudziądz
Chełmno
Neubrandenburg
Goleniów
SZCZECIN
Neustrelitz
Prenzlau
Stargard Szcz.
Wałcz
BYDGOSZCZ
Piła
TORUŃ
Brodnica
Mława
Bartoszyce
Kętrzyn
Gołdap
Suwałki
Augustów
Biskupiec
Orzysz
Ełk
HRODNA
OLSZTYN
Mazury
Szczytno
Ostróda
Grajewo
Łomża
BIAŁYSTOK
Przasnysz
Ostrołęka
Zambrów
Ciechanów
Ostrów Maz.
Bielsk Podlaski
BELARUS'
5
Dobiegniew
Gorzów Wlkp.
Inowrocław
Sierpc
Włocławek
Płock
Płońsk
Nowy Dwór Maz.
Wyszków
Siemiatycze
Eberswalde
BERLIN
Kostrzyn
Skwierzyna
Pniewy
POZNAŃ
Gniezno
Kujawy
Mazowsze
WARSZAWA
Siedlce
Biała Podlaska
BREST
Minsk
Frankfurt/O.
Kutno
Sochaczew
Mińsk Maz.
Międzyrzec Podl.
Rivne
POTSDAM
Świebodzin
Koło
Konin
Łowicz
Skierniewice
Beeskow
Krosno Odrz.
Wielkopolska
Zielona Góra
Leszno
Pleszew
Kalisz
ŁÓDŹ
POLSKA
Włodawa
Kurów
Wittenberg
Lübben
Spreewald
COTTBUS
Nowa Sól
Żagań
Głogów
Rawicz
Ostrów Wlkp.
Sieradz
Piotrków Tryb.
Tomaszów Maz.
RADOM
LUBLIN
Chełm
Krasnystaw
DESSAU
Herzberg/E.
LEIPZIG
Hoyerswerda
Lubin
Kępno
Wieluń
Skarżysko-Kamienna
Ostrowiec Św.
Zamość
Legnica
WROCŁAW
Görlitz
Bolesławiec
Bautzen
Meißen
Döbeln
DRESDEN
CHEMNITZ
Brzeg
Dobrodzień
CZĘSTOCHOWA
KIELCE
Sandomierz
Tarnobrzeg
Małopolska
Tomaszów Lubelski
Jelenia Góra
Śnieżka
WAŁBRZYCH
Jędrzejów
Nisko
Ústí n. L.
Nový Bor
Liberec
OPOLE
Nysa
BYTOM
SOSNOWIEC
Mielec
Turnov
Teplice
Chomutov
Plauen
Mladá Boleslav
Náchod
Kłodzko
GLIWICE
KATOWICE
RYBNIK
KRAKÓW
TARNÓW
RZESZÓW
Jarosław
Karlovy Vary
Hradec Králové
Racibórz
Przemyśl
Cheb
Kladno
Kolín
Pardubice
BIELSKO-BIAŁA
Nowy Sącz
Krosno
Sanok
Sambir
PRAHA
Šumperk
Opava
OSTRAVA
Český Těšín
Gorlice
Rabka
Mariánské Lázně
Havlíčkův Brod
Svitavy
OLOMOUC
Zakopane
Svidník
UKRAÏNA
PLZEŇ
Hranice
Tatry
Poprad
Prešov
Klatovy
Tábor
Pelhřimov
Českomoravská vrchovina
Zlín
Žilina
L'viv
Jihlava
Písek
Martin
Ružomberok
Strakonice
Jindřichův Hradec
BRNO
Uherské Hradiště
SLOVENSKÁ
Michalovce
Cham
Bayerischer Wald
Böhmerwald
České Budějovice
Znojmo
Trenčín
Prievidza
KOŠICE
Užhorod
Regen
Deggendorf
Schrems
Horn
Nové Mesto
Banská Bystrica
Rožňava
Mukačeve
Straubing
Břeclav
Zvolen
Šafárikovo
Aggteleki Karszt
Beregove
Landshut
Passau
Zwettl
REPUBLIKA
Lučenec
Sátoraljaújhely
Kisvárda
LINZ
Krems
Stockerau
Trnava
Nitra
MISKOLC
Mátészalka
Altötting
Wels
Melk
St.Pölten
WIEN
BRATISLAVA
Kálna
Salgótarján
Nyíregyháza
Burghausen
Braunau a.I.
Steyr
Baden
Eger
SATU MARE
Wiener Neustadt
Carei
Mariazell
Komárom
Esztergom
Hatvan
DEBRECEN
SALZBURG
Bad Ischl
Sopron
GYŐR
Tatabánya
BUDAPEST
Püspökladány
Berettyóújfalu
ORADEA
Reichenhall
Liezen
Mürzzuschlag
Radstadt
Leoben
Bruck a.d.M.
SZÉKESFEHÉRVÁR
Kitzbühel
Bischofshofen
Szombathely
Jánosháza
Szolnok
Szarvas
Ciucea
Cluj
Mauterndorf
Scheifling
GRAZ
Veszprém
Dunaújváros
Kecskemét
Salonta
Badgastein
Heiligenkreuz
Körmend
Balatonfüred
Siófok
Békéscsaba
Dr. Petru Groza
Großglockner
Lienz
Spittal
Gurk
Zalaegerszeg
Keszthely
Balaton
Dunaföldvár
Kiskunfélegyháza
Szentes
Hódmezővásárhely
Kärnten
MAGYARORSZÁG
Villach
Klagenfurt
Völkermarkt
Dravograd
Maribor
Tamási
Kiskunhalas
SZEGED
Makó
ARAD
Dobbiaco/Toblach
Cortina d'Ampezzo
Tolmezzo
Tarvisio
Nagykanizsa
Szekszárd
Nădlac
Mureş
Pieve di Cadore
Kaposvár
Baja
Subotica
ROMÂNIA
TIMIŞOARA
Sibiu
Kranj
Celje
Varaždin
PÉCS
Mohács
Kikinda
Lugoj
UDINE
Belluno
Pordenone
SLOVENIJA
LJUBLJANA
Trebnje
Koprivnica
Barcs
Sombor
Caransebeş
Gorizia
Postojnska jama
ZAGREB
Bjelovar
Virovitica
Srbobran
Zrenjanin
15
Treviso
Portogruaro
TRIESTE
Škocjanske jame
Osijek
Bačka Palanka
Reşiţa
VENEZIA
Golfo di Venezia
Koper
Piran
RIJEKA
Karlovac
Petrinja
Glina
Našice
Vukovar
NOVI SAD
Ruma
Vršac
Chioggia
Opatija
Poreč
Istra
Rovinj
Dubovac
Slavonski Brod
Bela Crkva
Pančevo
BEOGRAD
Domaşnea
Bucureşti
Labin
Krk
Senj
Plitvička Jezera
Bosanski Novi
Doboj
Šabac
Dunav
Pula
Kvarner
Cres
Rab
Bihać
Banja Luka
Tuzla
Loznica
JUGOSLAVIJA
HRVATSKA
Lošinj
Bosanski Petrovac
BOSNA I HERZEGOVINA
MARE ADRIATICO
RAVENNA
Pag
Starigrad-P.
Jajce
Zenica
Drina
Valjevo
Kragujevac
Cesena
RIMINI
Zadar
Donji Vakuf
Užice
Čačak
Kraljevo
San Marino
SAN MARINO
Pésaro
Fano
Dugi Otok
Krka Slap
Knin
Livno
Šibenik
Sinj
Jablanica
SARAJEVO
Goražde
Foča
Studenica
NIŠ
Sofija
Ancona
14
Split
Mostar
Skopje

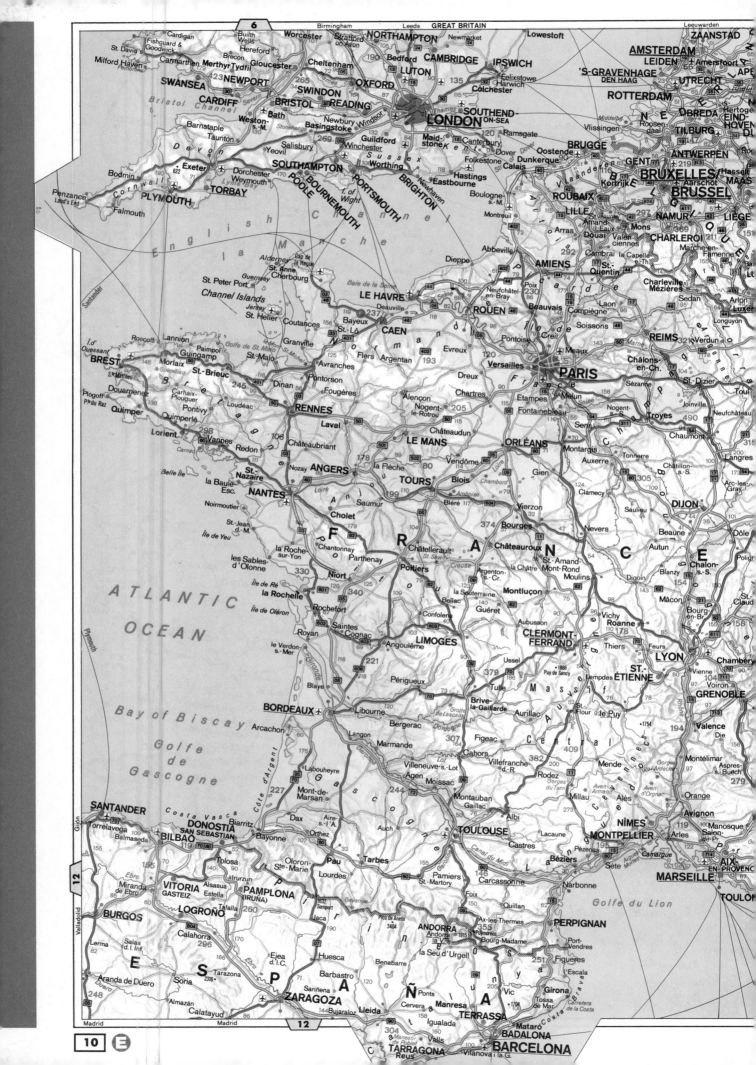
6
Birmingham
Leeds
GREAT BRITAIN
Leeuwarden
Cardigan
Fishguard & Goodwick
St. David's
Milford Haven
Builth Wells
Worcester
Stratford on Avon
NORTHAMPTON
Newmarket
Lowestoft
ZAANSTAD
AMSTERDAM
LEIDEN
Amersfoort
Hereford
Brecon
Carmarthen
Merthyr Tydfil
Gloucester
Cheltenham
Bedford
CAMBRIDGE
IPSWICH
LUTON
'S-GRAVENHAGE
DEN HAAG
UTRECHT
SWANSEA
NEWPORT
CARDIFF
SWINDON
OXFORD
Felixstowe
Harwich
Colchester
ROTTERDAM
Bristol Channel
BRISTOL
READING
Bath
Weston-s.-M.
Newbury
Windsor
Basingstoke
SOUTHEND-ON-SEA
LONDON
Middelburg
Vlissingen
Roosendaal
BREDA
TILBURG
EINDHOVEN
Barnstaple
Taunton
Devon
Salisbury
Winchester
Guildford
Maidstone
Canterbury
Kent
Ramsgate
Dover
Yeovil
Sussex
Folkestone
Calais
Dunkerque
Oostende
BRUGGE
GENT
ANTWERPEN
Exeter
Dorchester
Weymouth
SOUTHAMPTON
POOLE
BOURNEMOUTH
PORTSMOUTH
BRIGHTON
Worthing
Newhaven
Hastings
Eastbourne
Bodmin
Cornwall
PLYMOUTH
TORBAY
I. of Wight
Boulogne-s.-M.
Kortrijk
Aarschot
BRUXELLES/BRUSSEL
Hasselt
MAASTRICHT
ROUBAIX
Penzance
Land's End
Falmouth
English Channel
la Manche
Montreuil
LILLE
St.-Amand-les-Eaux
Arras
Douai
Valenciennes
Mons
NAMUR
LIEGE
CHARLEROI
Alderney
Cap de la Hague
St. Anne
Guernsey
Cherbourg
St. Peter Port
Channel Islands
Jersey
St. Helier
Abbeville
Dieppe
AMIENS
Cambrai
St.-Quentin
La Capelle-e-Th.
Marche-en-Famenne
Baie de la Seine
LE HAVRE
Neufchâtel-en-Bray
Poix
Charleville-Mézières
Sedan
Arlon
Luxembourg
Longuyon
Santander
Coutances
Bayeux
Deauville
ROUEN
Beauvais
Compiègne
Laon
Soissons
Granville
St.-Lô
CAEN
Normandie
Pontoise
Creil
Meaux
REIMS
Verdun
Roscoff
Lannion
Île d'Ouessant
Paimpol
Guingamp
Golfe de St. Malo
St.-Malo
le Mont-St.-Michel
Avranches
Flers
Argentan
Evreux
Versailles
PARIS
Châlons-en-Ch.
BREST
Morlaix
St.-Brieuc
Dinan
Pontorson
Dreux
France
St.-Dizier
Douarnenez
Plogoff
Pte du Raz
Quimper
Carhaix-Plouguer
Loudéac
Pontivy
Quimperlé
Fougères
RENNES
Alençon
Nogent-le-Rotrou
Chartres
Etampes
Melun
Fontainebleau
Sézanne
Nogent-s.-S.
Troyes
Joinville
Neufchâteau
Bretagne
Lorient
Vannes
Carnac
Redon
Laval
Châteaubriant
LE MANS
Châteaudun
ORLÉANS
Sens
Montargis
Chaumont
Langres
Belle Île
St.-Nazaire
la Baule-Esc.
NANTES
Nozay
ANGERS
la Flèche
Vendôme
TOURS
Blois
Chambord
Amboise
Gien
Auxerre
Tonnerre
Châtillon-s.-S.
Bourgogne
Arc-les-Gray
Noirmoutier
Anjou
Saumur
Loire
Cholet
Bléré
Vierzon
Clamecy
Saulieu
DIJON
St.-Jean-d.-M.
Île de Yeu
la Roche-sur-Yon
Chantonnay
Parthenay
Châtellerault
St. Savin
Bourges
Nevers
Beaune
Dôle
Châteauroux
les Sables-d'Olonne
Poitiers
Poitou
St.-Amand-Mont-Rond
la Châtre
Autun
Argenton-s.-Cr.
Moulins
Blanzy
Chalon-s.-S.
FRANCE
ATLANTIC OCEAN
Île de Ré
la Rochelle
Niort
Île de Oléron
Rochefort
la Souterraine
Montluçon
Bellac
Guéret
Digoin
Mâcon
Bourg-en-Br.
Confolens
Aubusson
Vichy
Roanne
Royan
Saintes
Cognac
Angoulême
LIMOGES
CLERMONT-FERRAND
Thiers
Feurs
LYON
Chambéry
le Verdon-s.-Mer
Gironde
Ussel
Puy de Sancy
ST.-ÉTIENNE
Vienne
Voiron
Blaye
Périgueux
Tulle
Massif Central
Lempdes
GRENOBLE
Brive-la-Gaillarde
Grotte de Lascaux
Aurillac
St.-Flour
le Puy
BORDEAUX
Libourne
Bay of Biscay
Golfe de Gascogne
Arcachon
Bergerac
Dordogne
Valence
Die
Langon
Marmande
Figeac
Cahors
Cévennes
Montélimar
Villeneuve-s.-Lot
Villefranche-d.-R.
Mende
Gorges de l'Ardèche
Aspres-s.-Buëch
Côte d'Argent
Labouheyre
Agen
Moissac
Rodez
Gorges du Tarn
Millau
Aven Armand
Aven d'Orgnac
Alès
Orange
Mont-de-Marsan
Gascogne
Montauban
Gaillac
SANTANDER
Costa Vasca
Dax
Aire-s.-l'A.
Albi
Avignon
Manosque
Torrelavega
Biarritz
DONOSTIA
SAN SEBASTIAN
Bayonne
Orthez
Auch
TOULOUSE
Lacaune
NÎMES
MONTPELLIER
Arles
Salon-de-Pr.
Gijón
Balmaseda
BILBAO
Castres
Canal du Midi
Béziers
Pézenas
Aigues Mortes
Camargue
Sète
AIX-EN-PROVENCE
Tolosa
Oloron-Ste-Marie
Pau
Tarbes
Lourdes
Pamiers
St.-Martory
Carcassonne
Narbonne
MARSEILLE
TOULON
Miranda de Ebro
Ebro
VITORIA GASTEIZ
Alsasua
Irurzun
Estella
PAMPLONA (IRUÑA)
Pyrénées
Somport
Gavarnie
Foix
Quillan
Golfe du Lion
Valladolid
BURGOS
LOGROÑO
Tafalla
Jaca
Pico de Aneto
ANDORRA
Andorra la V.
Ax-les-Thermes
Puymorens
Bourg-Madame
PERPIGNAN
Calahorra
Lerma
Salas d.l. Inf.
Ejea d.l.C.
Huesca
la Seu d'Urgell
Port-Vendres
Figueres
l'Escala
ESPAÑA
Tarazona
Barbastro
Benabarre
Catalunya
Aranda de Duero
Soria
Duero
Sariñena
Ponts
Cervera
Manresa
Vic
Girona
Tossa de Mar
Costa Brava
Carretera de la Costa
Almazán
ZARAGOZA
Bujaraloz
Lleida
TERRASSA
Calatayud
Madrid
12
Igualada
Mataró
BADALONA
Monestir de Poblet
Valls
TARRAGONA
Reus
Vilanova i la G.
BARCELONA

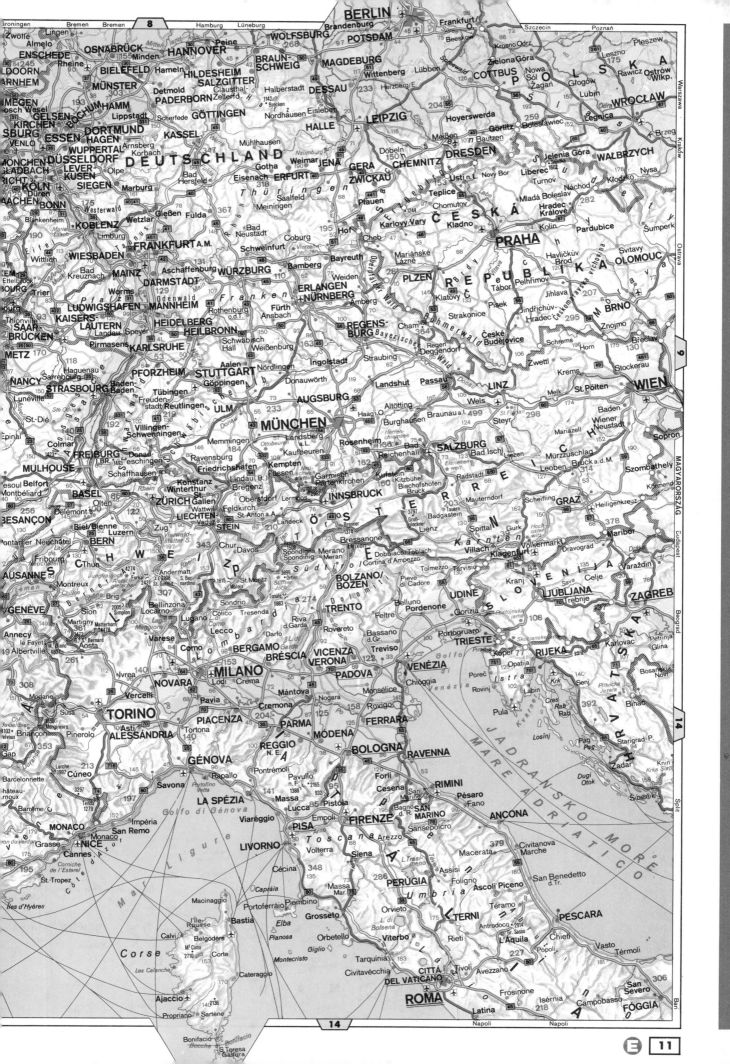
8
Groningen
Bremen
Hamburg
Lüneburg
Szczecin
Poznań
BERLIN
Brandenburg
POTSDAM
Frankfurt/O.
WOLFSBURG
Peine
HANNOVER
OSNABRÜCK
Minden
Lingen
Zwolle
Almelo
ENSCHEDE
Rheine
BIELEFELD
Hameln
HILDESHEIM
SALZGITTER
BRAUNSCHWEIG
MAGDEBURG
Wittenberg
Lübben
COTTBUS
Zielona Góra
Nowa Sól
Żagań
Głogów
Lubin
Leszno
Rawicz
Ostrów Wlkp.
Pleszew
POLSKA
WROCŁAW
Legnica
Bolesławiec
Brzeg
Warszawa
Kraków
MÜNSTER
Detmold
PADERBORN
Clausthal-Zellerfeld
Halberstadt
DESSAU
Herzberg/E.
Brocken
HAMM
Lippstadt
GÖTTINGEN
Nordhausen
Eisleben
LEIPZIG
Hoyerswerda
Görlitz
GELSENKIRCHEN
BOCHUM
DORTMUND
HAGEN
ESSEN
VENLO
Scherfede
KASSEL
HALLE
Mühlhausen
Bautzen
Meißen
WUPPERTAL
Arnsberg
Korbach
DEUTSCHLAND
Naumburg
Döbeln
CHEMNITZ
DRESDEN
Jelenia Góra
WAŁBRZYCH
MÖNCHENGLADBACH
DÜSSELDORF
LEVERKUSEN
Olpe
Gotha
Weimar
JENA
GERA
ZWICKAU
Ústí n.L.
Nový Bor
Liberec
Turnov
Kłodzko
Nysa
KÖLN
Düren
SIEGEN
Bad Hersfeld
Marburg
Eisenach
ERFURT
Thüringer Wald
Saalfeld
Plauen
Teplice
Chomutov
Mladá Boleslav
Náchod
AACHEN
BONN
Westerwald
Gießen
Fulda
Meiningen
Karlovy Vary
Kladno
ČESKÁ
Hradec Králové
Blankenheim
KOBLENZ
Wetzlar
Limburg
Bad Neustadt
Coburg
Hof
Cheb
PRAHA
Kolín
Pardubice
Šumperk
Wittlich
WIESBADEN
FRANKFURT A.M.
Schweinfurt
Bayreuth
Mariánské Lázně
Havlíčkův Brod
Svitavy
OLOMOUC
Ostrava
Bad Kreuznach
MAINZ
Aschaffenburg
WÜRZBURG
Bamberg
Weiden
PLZEŇ
REPUBLIKA
Tábor
Pelhřimov
Jihlava
DARMSTADT
Trier
Worms
ERLANGEN
NÜRNBERG
Klatovy
Písek
LUDWIGSHAFEN
MANNHEIM
Rothenburg o.d.T.
Fürth
Ansbach
Amberg
Strakonice
Jindřichův Hradec
BRNO
Znojmo
KAISERSLAUTERN
HEIDELBERG
HEILBRONN
REGENSBURG
Cham
Böhmerwald
České Budějovice
SAARBRÜCKEN
Landau
Speyer
Schwäbisch Hall
Weißenburg
Regen
Deggendorf
Schrems
Horn
Břeclav
Pirmasens
KARLSRUHE
METZ
Straubing
Zwettl
Aalen
Nördlingen
Ingolstadt
Haguenau
PFORZHEIM
STUTTGART
Göppingen
Donauwörth
Landshut
Passau
LINZ
Krems
Stockerau
WIEN
NANCY
Sarrebourg
STRASBOURG
Baden-Baden
Tübingen
Reutlingen
ULM
AUGSBURG
Altötting
Wels
St. Pölten
Melk
Lunéville
Freudenstadt
Haag i.O.
Braunau a.l.
Steyr
Baden
Wiener Neustadt
St-Dié
Villingen-Schwenningen
MÜNCHEN
Burghausen
Mariazell
Épinal
Colmar
Memmingen
Landsberg a.L.
Kaufbeuren
Rosenheim
Bad Reichenhall
SALZBURG
Bad Ischl
Liezen
Mürzzuschlag
Sopron
FREIBURG i.BR.
Donaueschingen
Ravensburg
Friedrichshafen
Kempten
Füssen
Kufstein
Kitzbühel
Bischofshofen
Bruck
Radstadt
Leoben
Bruck a.d.M.
Szombathely
MAGYARORSZÁG
MULHOUSE
Schaffhausen
Konstanz
Winterthur
St. Gallen
Lindau (B.)
Bregenz
Garmisch-Partenkirchen
Zugspitze
Körmend
Belfort
Montbéliard
BASEL
ZÜRICH
Oberstdorf
Lermoos
INNSBRUCK
Mauterndorf
Scheifling
GRAZ
Heiligenkreuz
Vesoul
Delémont
Olten
Feldkirch
LIECHTENSTEIN
Vaduz
Wattwil
St. Anton a.A.
Landeck
ÖSTERREICH
Brenner
Großglockner
Badgastein
Lienz
Spittal
Gurk
Maribor
BESANÇON
Biel/Bienne
Luzern
Zug
Vierwaldstätter S.
BERN
Chur
Davos
Reschen
Spondinig
Merano Meran
Bressanone Brixen
Dobbiaco/Toblach
Cortina d'Ampezzo
Kärnten
Villach
Klagenfurt
Völkermarkt
Dravograd
Budapest
Pontarlier
Neuchâtel
Fribourg
Thun
SCHWEIZ
Andermatt
Furka
S. Gotthard
S. Bernardino
St. Moritz
Maloja
Süd Tirol
Ortler
Tonale
BOLZANO/BOZEN
Pieve di Cadore
Tolmezzo
Tarvisio
Varaždin
LAUSANNE
Montreux
Brig
Bellinzona
Sondrio
Tresenda
TRENTO
Dolomiti
Belluno
UDINE
Kranj
Celje
LJUBLJANA
Trebnje
ZAGREB
SLOVENIJA
GENÈVE
Sion
Simplon
Locarno
Lugano
Como
Lecco
Riva d.Garda
Rovereto
Feltre
Pordenone
Gorizia
Postojnska jama
Beograd
Annecy
Martigny
Matterhorn
Varese
Darfo
Bassano d.Gr.
Portogruaro
TRIESTE
Koper
RIJEKA
Karlovac
Petrinja
Glina
Albertville
Mt. Blanc
G. St. Bernard
Aosta
BERGAMO
BRÉSCIA
VICENZA
VERONA
Treviso
Opatija
Ivrea
MILANO
Lodi
Crema
PADOVA
VENÉZIA
Golfo di Venézia
Chióggia
Poreč
Rovinj
Istra
Krk
Senj
Bosanski Novi
NOVARA
Vercelli
Pavia
Mántova
Nogara
Monsélice
Rovigo
Labin
Cres
Rab
Plitvička Jezera
Bihać
Modane
TORINO
Susa
Cremona
PIACENZA
PARMA
FERRARA
Pula
Kvarner
Briançon
Pinerolo
Asti
ALESSÁNDRIA
Tortona
MÓDENA
Lošinj
HRVATSKA
Gap
REGGIO N.E.
BOLOGNA
RAVENNA
JADRANSKO MORE
MARE ADRIATICO
Pag
Starigrad-P.
Zadar
Knin
Barcelonnette
Larche
Cúneo
GÉNOVA
Rapallo
Pontrémoli
Pavullo n.F.
Forlì
Cesena
RIMINI
Pésaro
Fano
Dugi Otok
Šibenik
Savona
Portofino
LA SPÉZIA
Massa
Lucca
Pistoia
SAN MARINO
Tenda
Golfo di Génova
Viaréggio
Empoli
FIRENZE
Sansepolcro
ANCONA
Split
MONACO
Impéria
San Remo
PISA
Toscana
Arezzo
Grasse
NICE
Cannes
Mar Ligure
LIVORNO
Volterra
Siena
L. Trasimeno
Macerata
Civitanova Marche
Corniche de l'Esterel
Côte d'Azur
St.-Tropez
Cécina
Assisi
PERUGIA
Foligno
Umbria
Ascoli Piceno
San Benedetto d.Tr.
Îles d'Hyères
Capráia
Massa Mar.
Macinaggio
Portoferráio
Piombino
Orvieto
Téramo
Bastia
Elba
Grosseto
L. di Bolsena
TERNI
PESCARA
L'Île-Rousse
Calvi
Belgodère
Pianosa
Orbetello
Viterbo
Rieti
Antrodoco
Gr. Sasso
L'Aquila
Chieti
Vasto
Térmoli
Corse
Mt. Cinto
Corte
Giglio
Montecristo
Tarquinia
Les Calanche
Cateraggio
Civitavécchia
CITTÀ DEL VATICANO
Tívoli
Avezzano
Ajaccio
ROMA
Frosinone
Isérnia
Campobasso
San Severo
FÓGGIA
Bari
Propriano
Sartène
Latina
Napoli
Bonifacio
Bocche di Bonifacio
S. Teresa Gallura
14
9

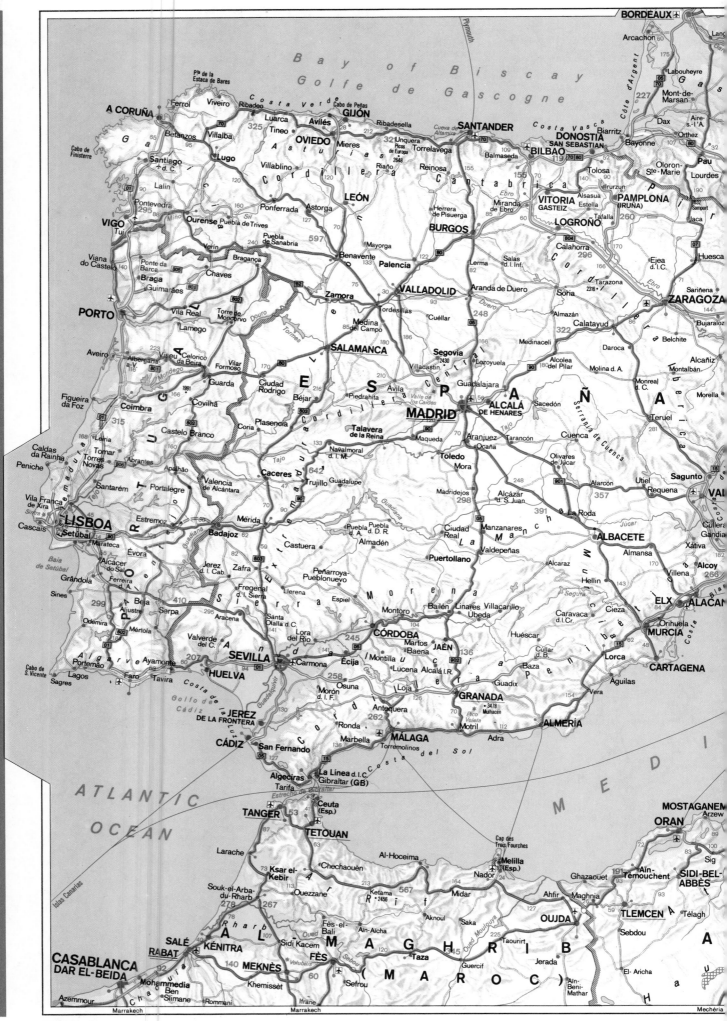

Bay of Biscay
Golfe de Gascogne
Costa Verde
Costa Vasca
Côte d'Argent
Plymouth
Pta de la Estaca de Bares
Cabo de Peñas
Cabo de Finisterre
BORDEAUX
Arcachon
Labouheyre
Mont-de-Marsan
Dax
Aire-s.-l'A.
Orthez
Bayonne
Biarritz
Oloron-Ste-Marie
Pau
Lourdes
A CORUÑA
Ferrol
Viveiro
Ribadeo
GIJÓN
Luarca
Avilés
Tineo
OVIEDO
Mieres
Ribadesella
SANTANDER
Cueva de Altamira
Unquera
Picos de Europa
2648
Torrelavega
DONOSTIA SAN SEBASTIAN
BILBAO
Balmaseda
Betanzos
Villalba
Lugo
Santiago d. C.
Villablino
Riaño
Reinosa
Asturias
Cordillera Cantabrica
Galicia
Lalín
Pontevedra
VIGO
Tui
Ourense
Puebla de Trives
Ponferrada
Astorga
LEÓN
Herrera de Pisuerga
Miranda de Ebro
VITORIA GASTEIZ
Alsasua
Estella
Irurzun
Tolosa
PAMPLONA (IRUÑA)
Tafalla
LOGROÑO
Jaca
Somport
BURGOS
Verín
Puebla de Sanabria
Mayorga
Benavente
Palencia
Lerma
Salas d. l. Inf.
Calahorra
Ejea d. I. C.
Huesca
Viana do Castelo
Ponte da Barca
Braga
Chaves
Bragança
Guimarães
Tarazona
2316
Sariñena
ZARAGOZA
PORTO
Vila Real
Torre de Moncorvo
Zamora
VALLADOLID
Tordesillas
Aranda de Duero
Soria
Almazán
Cuéllar
Medina del Campo
Lamego
Douro
Duero
Tormes
Ebro
SALAMANCA
Calatayud
Bujaraloz
Medinaceli
Daroca
Belchite
Aveiro
Albergaria-a-V.
Viseu
Celorico da Beira
Vilar Formoso
Segovia
2430
Lozoyuela
Villacastín
Alcolea del Pilar
Molina d. A.
Alcañiz
Montalbán
Guarda
Ciudad Rodrigo
Ávila
Guadalajara
Monreal d. C.
Morella
Figueira da Foz
Coimbra
1991
Covilhã
Béjar
Piedrahita
Valle de los Caídos
ALCALÁ DE HENARES
Sacedón
MADRID
Plasencia
Coria
Cordillera Central
Teruel
Caldas da Rainha
Leiria
Castelo Branco
Talavera de la Reina
Maqueda
Aranjuez
Tarancón
Cuenca
Serranía de Cuenca
Peniche
Tomar
Torres Novas
Abrantes
Navalmoral d. I. M.
Toledo
Ocaña
Mora
Olivares de Júcar
Tajo
Apalhão
Valencia de Alcántara
Caceres
Trujillo
Guadalupe
Utiel
Sagunto
Santarém
Portalegre
Madridejos
Alcázar d. S. Juan
Alarcón
Requena
Vila Franca de Xira
Sintra
LISBOA
Cascais
Estremoz
Mérida
Guadiana
La Roda
Setúbal
Marateca
Badajoz
Puebla d. A.
Puebla d. D. R.
Ciudad Real
Manzanares
La Mancha
ALBACETE
Cullera
Gandia
Baía de Setúbal
Évora
Alcácer do Sal
Castuera
Almadén
Valdepeñas
Almansa
Xátiva
Grândola
Ferreira d. A.
Jerez d. I. Cab.
Zafra
Puertollano
Alcaraz
Alcoy
Peñarroya-Pueblonuevo
Villena
Hellín
Sines
Fregenal d. I. Sierra
Llerena
Sierra Morena
Extremadura
Beja
Aljustrel
Serpa
Espiel
Montoro
Bailén
Linares
Villacarrillo
Úbeda
Segura
Cieza
ELX
ALACANT
Odemira
Mértola
Aracena
Santa Olalla d. C.
Caravaca d. I. Cr.
Orihuela
MURCIA
CÓRDOBA
Lora del Río
Valverde del C.
Andalucía
Martos
JAÉN
Baena
Huéscar
Cúllar d. B.
Algarve
Portimão
Ayamonte
Cabo de S. Vicente
Lagos
Sagres
Faro
Tavira
SEVILLA
Carmona
Écija
Montilla
Lucena
Alcalá I. R.
Baza
Lorca
CARTAGENA
HUELVA
Osuna
Loja
Guadix
Águilas
Morón d. I. F.
Genil
Guadalquivir
Vera
GRANADA
3478 Mulhacén
Pico Veleta
Costa de la Luz
Golfo de Cádiz
JEREZ DE LA FRONTERA
Antequera
Ronda
Cordillera Penibética
Motril
Adra
ALMERÍA
CÁDIZ
San Fernando
Marbella
MÁLAGA
Torremolinos
Costa del Sol
Algeciras
La Linea d. I. C.
Gibraltar (GB)
Tarifa
Estrecho de Gibraltar
ATLANTIC OCEAN
MEDITERRANEAN
Ceuta (Esp.)
TANGER
TETOUAN
MOSTAGANEM
Arzew
ORAN
Larache
Al-Hoceima
Cap des Trois Fourches
Melilla (Esp.)
Nador
Chechaouèn
Ksar el-Kebir
Souk-el-Arba-du-Rharb
Ouezzane
Ketama
2456
Rif
Midar
Ghazaouet
Aïn-Témouchent
SIDI-BEL-ABBÈS
Maghnia
Ahfir
Islas Canarias
Rharb
Fès-el-Bali
Aïn-Aïcha
Aknoul
Saka
Oued Moulouya
OUJDA
TLEMCEN
Télagh
Sebdou
SALÉ
RABAT
KÉNITRA
Sidi Kacem
Oued Sebou
Volubilis
Taourirt
Jerada
AL MAGHRIB (MAROC)
CASABLANCA DAR EL-BEIDA
MEKNÈS
FÈS
Taza
Guercif
Mohammedia
Khemisset
Sefrou
Aïn-Beni-Mathar
El-Aricha
Chaouïa
Ben Slimane
Rommani
Azemmour
Ifrane
Marrakech
Mechéria

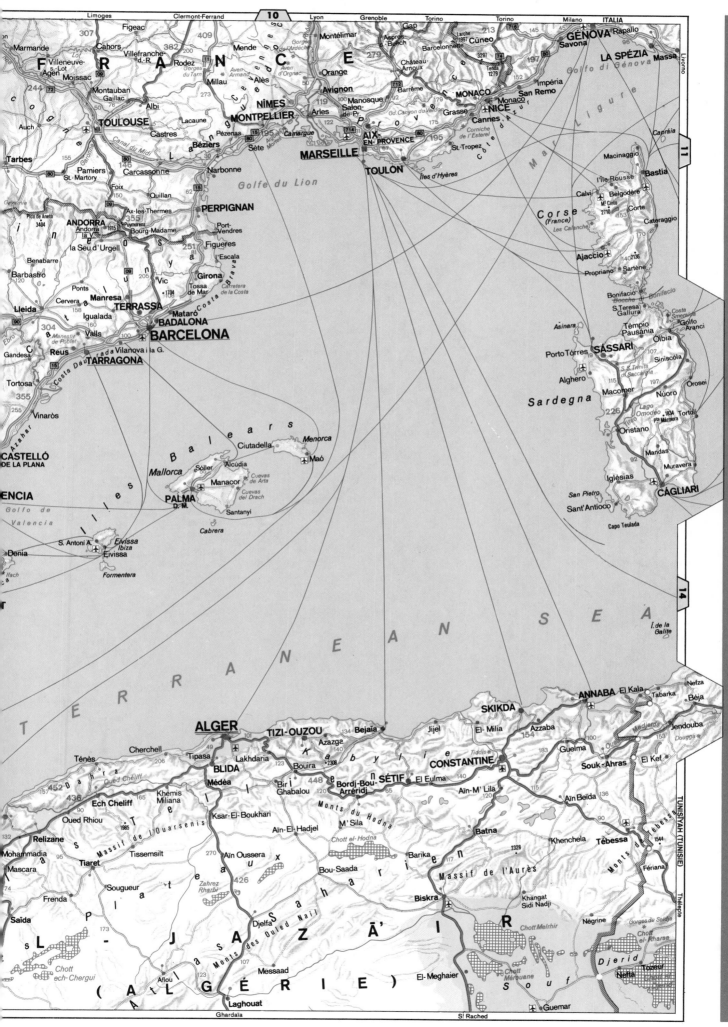

FRANCE

Marmande
Agen
Villeneuve-s.-Lot
Moissac
Montauban
Gaillac
Auch
Toulouse
Tarbes
Pamiers
St.-Martory
Foix
Quillan
ANDORRA
Andorra la V.
la Seu d'Urgell
Benabarre
Barbastro
Lleida
Ponts
Cervera
Manresa
Igualada
TERRASSA
Mataró
BADALONA
BARCELONA
Valls
Reus
Vilanova i la G.
TARRAGONA
Gandesa
Tortosa
Vinaròs
CASTELLÓ DE LA PLANA
ENCIA
Golfo de Valencia
Denia

Figeac
Cahors
Villefranche-d.-R.
Rodez
Mende
Montélimar
Montpellier
Millau
Albi
Castres
Lacaune
Béziers
Pézenas
Sète
Narbonne
Ax-les-Thermes
Puymorens
Bourg-Madame
Figueres
l'Escala
Vic
Girona
Tossa de Mar

Gorges de l'Ardèche
Orange
Avignon
Arles
Camargue
Nîmes
Manosque
Salon-de-Pr.
Aix-en-Provence
Marseille
Toulon
Îles d'Hyères

Gap
Château-Arnoux
Barrème
Gd. Canyon du Verdon
Grasse
Cannes
St-Tropez
Corniche de l'Esterel
Nice
Monaco
San Remo
Impéria

Cúneo
Tenda
Savona
Génova
Rapallo
La Spézia
Massa
Golfo di Génova
Mar Ligure
Livorno

Corse (France)
Mt Cinto
Les Calanche
Ajaccio
Propriano
Sartène
Bonifacio
S. Teresa Gallura
Asinara
Porto Tórres
Alghero
Sássari
Siniscola
Macomer
Núoro
Oristano
Mandas
Muravera
Iglésias
Cágliari
Sardegna
San Pietro
Sant'Antioco
Capo Teulada

Bastia
l'Île-Rousse
Calvi
Belgodère
Corte
Cateraggio
Bonifacio
Golfo Aranci
Olbia
Témpio Pausánia
Orosei
pta Marmora
Tortolí
Capráia
Macinaggio

Golfe du Lion
PERPIGNAN
Port-Vendres
Costa Brava
Costa Dourada
Costa del Azahar

Illes Balears
Ciutadella
Menorca
Maó
Alcúdia
Sóller
Manacor
Cuevas de Artà
Mallorca
PALMA
D. M.
Santanyi
Cuevas del Drach
Cabrera
S. Antoni A.
Eivissa
Ibiza
Eivissa
Formentera

MEDITERRANEAN SEA

TERRRANEAN SEA

Í. de la Galite

ALGER
TIZI-OUZOU
Bejaia
SKIKDA
ANNABA
El Kala
Tabarka
Nefza
Béja
Cherchell
Ténès
Tipasa
Lakhdaria
Azazga
Bouira
Jijel
El-Milia
Azzaba
Guelma
Souk-Ahras
El Kef
Jendouba
Dougga
BLIDA
Médéa
Bir Ghabalou
Bordj-Bou-Arréridj
SÉTIF
El Eulma
CONSTANTINE
Aïn-M'Lila
Aïn Beïda
Ech Cheliff
Khémis Miliana
Ksar-El-Boukhari
Aïn-El-Hadjel
Oued Rhiou
Relizane
Mohammadia
Mascara
Tiaret
Tissemsilt
Aïn Oussera
M'Sila
Monts du Hodna
Chott el-Hodna
Barika
Batna
Khenchela
Tébessa
Fériana
Saïda
Sougueur
Frenda
Zahrez Rharbi
Bou-Saada
Massif de l'Aurès
Biskra
Khangat Sidi Nadji
Négrine
Chott Melrhir
Gorges du Saldja
Djerid
Nefta
Tozeur
Djelfa
Monts des Ouled Naïl
Messaad
Aflou
El-Meghaier
Souf
Chott ech-Chergui
Laghouat
Guemar
Ghardaïa
S! Rached

Kabylie
Tiddis
Dahra
Massif de l'Ouarsenis
Monts du Tébessa
Chott el-Rharsa
Chott Mérouane

(A L G É R I E)

TUNISIYAH (TUNISIE)

SVIZZERA
ÖSTERREICH
Budapest
Graz
Bellinzona
Locarno
Lugano
Varese
Como
Lecco
Aosta
Ivrea
BERGAMO
BRESCIA
MILANO
NOVARA
Vercelli
TORINO
Susa
Pinerolo
Asti
ALESSÁNDRIA
Tortona
Pavia
Lodi
Crema
PIACENZA
Cremona
Mántova
VICENZA
VERONA
PADOVA
Treviso
VENÉZIA
Chióggia
Monsélice
Rovigo
PARMA
MÓDENA
REGGIO N. E.
FERRARA
BOLOGNA
RAVENNA
Forlì
Cesena
RIMINI
SAN MARINO
Pésaro
Fano
ANCONA
Sondrio
Tresenda
Riva d.Garda
TRENTO
Rovereto
BOLZANO/BOZEN
Merano
Bressanone
Brixen
Belluno
Pordenone
Feltre
Bassano d.Gr.
UDINE
Gorizia
Portogruaro
TRIESTE
Cortina d'Ampezzo
Tolmezzo
Tarvisio
Lienz
Villach
Spittal
Klagenfurt
Maribor
Dravograd
Kranj
Celje
LJUBLJANA
Trebnje
Varaždin
Koprivnica
Kaposvár
Nagykanizsa
ZAGREB
Bjelovar
Virovitica
Barcs
SLOVENIJA
HRVATSKA
Koper
Poreč
Rovinj
Pula
Opatija
RIJEKA
Karlovac
Petrinja
Glina
Dubovac
Senj
Krk
Rab
Cres
Lošinj
Labin
Istra
Bosanski Novi
Bihać
Banja Luka
Bosanski Petrovac
BOSNA
HERŽEGO
Jajce
Zenica
Donji Vakuf
Pag
Zadar
Starigrad-P.
Knin
Šibenik
Trogir
SPLIT
Sinj
Livno
Jablanica
Mostar
Brač
Hvar
Vis
Vela Luka
Korčula
Mljet
Dubrovnik
Metković
GÉNOVA
Savona
Rapallo
Cúneo
Impéria
San Remo
MONACO
Monaco
LA SPÉZIA
Massa
Pontrémoli
Viaréggio
Lucca
Pistóia
PISA
Empoli
FIRENZE
LIVORNO
Cécina
Volterra
Siena
Arezzo
Sansepolcro
Toscana
Umbria
PERÚGIA
Assisi
Foligno
Macerata
Civitanova Marche
Áscoli Piceno
San Benedetto d.Tr.
Téramo
PESCARA
Chieti
L'Aquila
TERNI
Orvieto
Rieti
Viterbo
Grosseto
Orbetello
Piombino
Massa Mar.
Tarquínia
Civitavécchia
CITTÀ DEL VATICANO
ROMA
Tívoli
Avezzano
Frosinone
Latina
Ánzio
Terracina
Fórmia
Isérnia
Campobasso
Vasto
Térmoli
San Severo
FÓGGIA
Gargano
Vieste
Manfredónia
Barletta
Molfetta
BARI
Ándria
Canosa di P.
Cerignola
Benevento
Cápua
Caserta
NÁPOLI
Pozzuoli
Ischia
Capri
Sorrento
Avellino
SALERNO
Potenza
Altamura
Matera
Fasano
TARANTO
Lido di Metaponto
Gallípoli
Sapri
Castrovillari
Síbari
Páola
COSENZA
Crotone
Lamézia Terme
Catanzaro
Pizzo
Palmi
Locri
Villa S.Giovanni
RÉGGIO DI CALABRIA
Mélito di P.Salvo
Stromboli
Salina
Lipari
Vulcano
Ústica
Ísole Eólie o Lipari
Milazzo
MESSINA
Taormina
PALERMO
Cefalù
S. Stéfano d. C.
Trápani
Ísole Egadi
Capo S.Vito
Monreale
Alcamo
Marsala
Mazara del Vallo
Castelvetrano
Lercara Friddi
Sciacca
Selinunte
Nicosia
Enna
Adrano
Etna
CATÁNIA
Caltanissetta
Piazza Armerina
Agrigento
Gela
Ragusa
SIRACUSA
Pachino
Sicilia
Pantelleria
Gozo
Valletta
MALTA
Malta
Linosa
Lampedusa (Ital.)
Corse (France)
Macinaggio
Bastia
Calvi
Île-Rousse
Belgodère
Corte
Ajaccio
Propriano
Sartène
Bonifacio
Bocche di Bonifacio
S. Teresa Gallura
Capraia
Elba
Portoferráio
Pianosa
Montecristo
Gíglio
Asinara
Porto Torres
SÁSSARI
Témpio Pausánia
Olbia
Golfo Aranci
Alghero
Siniscola
Macomer
Núoro
Orosei
Sardegna
Oristano
Tortolì
Mandas
Iglésias
Muravera
CÁGLIARI
Sant'Antioco
Capo Teulada
MARE TIRRENO
Mar Ligure
Golfo di Génova
Golfo di Venézia
MARE ADRIATICO
JADRANSKO MORE
MEDITERRANEAN
MARE
Golfo di Táranto
Golfo di Sant'Eufémia
Golfo di Gaeta
Golfo di Nápoli
Golfo di Salerno
Golfe de Tunis
Golfe de Hammamet
Î. de la Galite
Cap Blanc
Bizerte
Menzel Bourguiba
Mateur
Nefza
Béja
TUNIS
Carthage
Cap Bon
Kelibia
Mejez el Bab
Nabeul
El Fahs
Enfida
Sousse
Monastir
Makthar
Kairouan
Constantine
TUNISIYAH (TUNISIE)
Lombardia
Dolomiti
Appennino
Campania
Calabria
Lazio
Puglia
11
13

9
Budapest
MAGYARORSZAG
Cluj
Černovcy
Odessa
MOLDOVA
TÂRGU MURES
Kiskunhalas
Hódmezővásárhely
SZEGED
ARAD
Szekszárd
PÉCS
Mohács
Baja
Subotica
TIMIŞOARA
Hunedoara
Deva
Alba Iulia
Sebeş
Mediaş
Sighişoara
SIBIU
BRAŞOV
Miercurea Ciuc
Odorheiul Secuiesc
Sfîntu Gheorghe
Oneşti
Adjud
Tecuci
Focşani
Bolgrad
Izmail
GALAŢI
BRĂILA
Tulcea
Buzău
PLOIEŞTI
Urziceni
Hîrşova
Slobozia
Istria
Călăraşi
CONSTANŢA
Mangalia
BUCUREŞTI
Târgovişte
PITEŞTI
Rîmnicu Vîlcea
Cîmpulung
Petroşani
Târgu Jiu
Caransebeş
Reşiţa
Lugoj
Kikinda
Sombor
Osijek
Zrenjanin
Vukovar
NOVI SAD
Vršac
Bela Crkva
Pančevo
BEOGRAD
Šabac
Tuzla
Loznica
Valjevo
Kragujevac
Užice
Čačak
Kraljevo
SARAJEVO
Goražde
Foča
JUGOSLAVIJA
NIŠ
Pirot
Leskovac
Novi Pazar
Mitrovica
PRIŠTINA
Vranje
Peć
Nikšić
Podgorica
Kotor
Budva
Bar
Ulcinj
Shkodër
Kukës
Prizren
Tetovo
SKOPJE
MAKEDONIJA
Kumanovo
Štip
Titov Veles
Kičevo
Prilep
Strumica
Bitola
Ohrid
Durrës
TIRANË
Elbasan
Berat
Korçë
Vlorë
Gjirokastër
Sarandë
SHQIPËRI
Drobeta Turnu Severin
Orşova
CRAIOVA
Slatina
Roşiorii de Vede
Alexandria
Giurgiu
RUSE
Oltenita
Silistra
Tutrakan
Dobrič
Šabla
Razgrad
Vidin
Zaječar
Negotin
Knjaževac
Montana
Vraca
PLEVEN
Svištov
Loveč
Sevlievo
Veliko Târnovo
Popovo
Šumen
VARNA
Târgovište
Gabrovo
Sliven
Karnobat
BURGAS
Nesebâr
Sozopol
Primorsko
Jambol
Elhovo
Malko Târnovo
SOFIJA
Pernik
BULGARIJA
Kazanlâk
Karlovo
STARA ZAGORA
Nova Zagora
Pazardžik
PLOVDIV
Asenovgrad
Haskovo
Dimitrovgrad
Topolovgrad
Samokov
Dupnica
Blagoevgrad
K'ustendil
Petrič
Smol'an
Kârdžali
Kırklareli
Edirne
Babaeski
Uzunköprü
Tekirdağ
Keşan
Istanbul
Gelibolu
Eceabat
Çanakkale
Biga
Çan
Bursa
Edremit
Ayvalık
Bergama
İZMIR
Çeşme
Urla
Kuşadası
Söke
Didim
TÜRKIYE
16
Xanthi
Komotini
Alexandroúpoli
Kavála
Dráma
Serres
Kilkis
Nigríta
THESSALONÍKI
Édessa
Alexándria
Véria
Flórina
Kastoria
Kozani
Grevena
Ioánina
Igoumenitsa
Kérkira
Paleokastritsa
Trikala
Lárissa
Vólos
Kardítsa
Lamía
Arta
Préveza
Lefkáda
Agrínio
Messolóngi
Amfissa
Levádia
Thiva
Halkida
Kími
Mégara
Éleusis
PIREÁS
ATHÍNA
Lávrio
Kórinthos
PATRA
Égio
Kalávrita
Pirgos
Olimbía
Tripoli
Nafplio
Epidavros
Kiparissía
Spárti
Kalamáta
Pilos
Areópoli
Gíthio
Monemvassia
Kíthira
Kefaloniá
Argostóli
Itháki
Zákinthos
Lefkada
Thássos
Samothráki
Gökçeada
Limnos
Mírina
Ag. Efstrátios
Lésvos
Mitilíni
Kalloní
Hios
Psará
Sámos
Ikaria
Pátmos
Léros
Kálimnos
Kós
Nissiros
Tilos
Astipálea
Amorgós
Náxos
Páros
Mikonos
Delos
Siros
Tinos
Ándros
Kéa
Kithnos
Sérifos
Sifnos
Milos
Íos
Thira
Kiklades
Kárpathos
Kássos
Kriti
IRÁKLIO
Haniá
Kastélli
Réthimno
Ag. Nikólaos
Sitía
Ierápetra
Timbáki
Paleohóra
Hora Sfakia
Knossos
Phaistos
Chalkidike
Kassándra
Sithoniá
Ágio Óros
Néa Moudania
Thrakikón Pélagos
Vóries Sporádes
Skiathos
Skópelos
Alónissos
Skiros
Évia
Mirtóo Pélagos
Kritikó Pélagos
Peloponnisos
HELLAS
Thessadia
Makedonia
Rodopi
Trakya
Ludogorie
Transilvania
Câmpia
Crna Gora
Banat
IÓNIO
SEA
Lecce
Otranto
Brindisi
Gagliano del Capo
Canale d'Otranto
Al-Iskandariyah

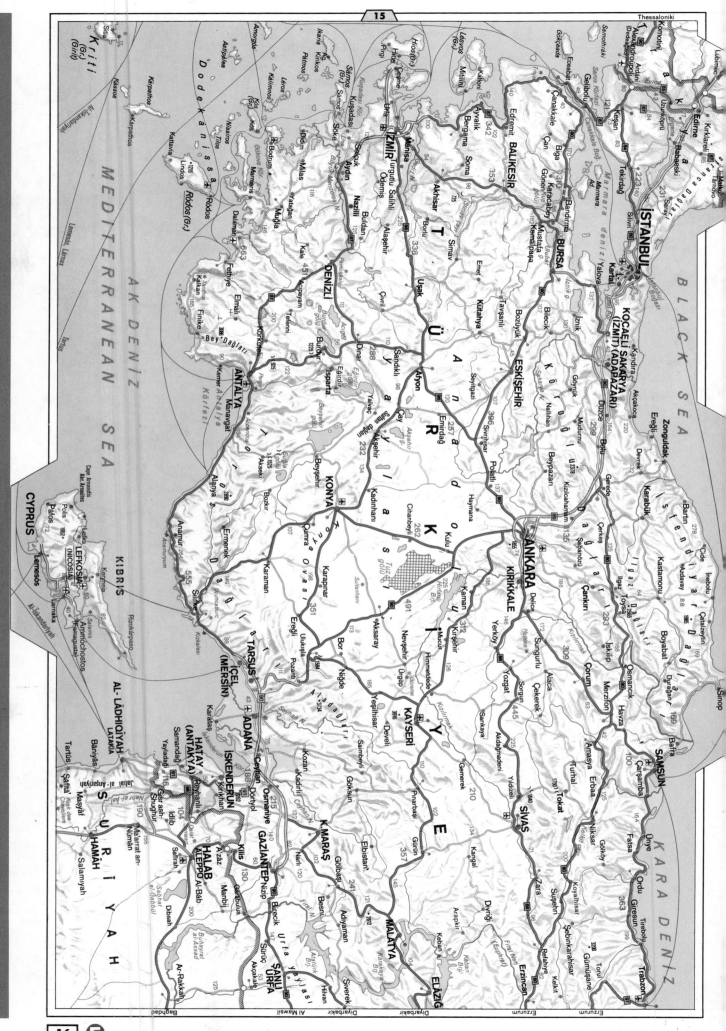

15
Thessaloniki
BLACK SEA
KARA DENİZ
MEDITERRANEAN SEA
AK DENİZ
T Ü R K İ Y E
S U R İ Y A H
CYPRUS
KIBRIS
LEFKOŞA (NICOSIA)
İSTANBUL
Edirne
Kırklareli
Tekirdağ
Çanakkale
Balıkesir
BURSA
Yalova
KOCAELİ (İZMİT)
SAKARYA (ADAPAZARI)
Zonguldak
Bartın
Karabük
Kastamonu
Sinop
Samsun
Ordu
Giresun
Trabzon
Gümüşhane
Erzincan
Amasya
Tokat
Çorum
Çankırı
Bolu
Düzce
Bilecik
ESKİŞEHİR
Kütahya
Uşak
Manisa
İZMİR
Aydın
Denizli
Muğla
Bodrum
Marmaris
Fethiye
Burdur
Isparta
ANTALYA
Afyon
KONYA
ANKARA
Kırıkkale
Kırşehir
Yozgat
SİVAS
KAYSERİ
Nevşehir
Aksaray
Niğde
Karaman
İÇEL (MERSİN)
TARSUS
ADANA
Osmaniye
K.MARAŞ
GAZİANTEP
Kilis
HATAY (ANTAKYA)
İSKENDERUN
ŞANLI URFA
Adıyaman
MALATYA
ELÂZIĞ
HALAB ALEPPO
HAMÂH
AL-LÂDHIQIYAH LATAKIA
Rodos
Kriti
Lésvos
Hios
Sámos
Dodekanissa
Kárpathos
Tuz gölü
Baghdad
Al Mawsil
Diyarbakır
Erzurum